OS ANJOS BONS DA NOSSA NATUREZA

STEVEN PINKER

Os anjos bons da nossa natureza

Por que a violência diminuiu

Tradução
Bernardo Joffily
Laura Teixeira Motta

4ª reimpressão

Companhia Das Letras

Trechos de "MLF Lullaby", "Who's Next?" e "In Old Mexico" de Tom Lehrer. Reproduzidos com permissão de Tom Lehrer.
Trecho de "It Depends on What You Pay" de Tom Jones. Reproduzido com permissão de Tom Jones.
Trecho de "Feel Like I'm Fixin' to Die Rag", letra e música de Joe McDonald. © 1965, renovada em 1993 por Alkatraz Corner Music Co.

Grafia atualizada segundo o Acordo Ortográfico da Língua Portuguesa de 1990, que entrou em vigor no Brasil em 2009.

Título original
The Better Angels of Our Nature: Why Violence Has Declined

Capa
Kiko Farkas e Adriano Guarnieri / Máquina Estúdio

Preparação
Cacilda Guerra

Índice remissivo
Luciano Marchiori

Revisão
Huendel Viana
Jane Pessoa

Dados Internacionais de Catalogação na Publicação (CIP)
(Câmara Brasileira do Livro, SP, Brasil)

Pinker, Steven
Os anjos bons da nossa natureza : Por que a violência diminuiu / Steven Pinker ; tradução Bernardo Joffily e Laura Teixeira Motta. — 1ª ed. — São Paulo : Companhia das Letras, 2013.

Título original : The Better Angels of Our Nature : Why Violence has Declined

ISBN 978-85-359-2232-5

1. Não violência — Aspectos psicológicos 2. Violência — Aspectos psicológicos 3. Violência — Aspectos sociais I. Título.

13-01476 CDD-303.609

Índice para catálogo sistemático:
1. Trajetória histórica da violência: sociologia 303.609

[2021]

EDITORA SCHWARCZ S.A.
Rua Bandeira Paulista, 702, cj. 32
04532-002 — São Paulo — SP
Telefone: (11) 3707-3500
www.companhiadasletras.com.br
www.blogdacompanhia.com.br
facebook.com/companhiadasletras
instagram.com/companhiadasletras
twitter.com/cialetras

Para
Eva, Carl e Eric
Jack e David
Yael e Danielle

e o mundo que eles vão herdar

Que grande quimera, pois, é o homem! Que novidade, que monstro, que caos, que contradição, que prodígio! Juiz de todas as coisas, minhoca imbecil; depositário da verdade, cloaca de incerteza e erro; glória e refugo do universo.

Blaise Pascal

Sumário

Lista de ilustrações

Figura

Prefácio

Este livro trata de um acontecimento que pode ser o mais importante de toda a história humana. Acredite se quiser — e sei que a maioria não acredita —, a violência vem diminuindo desde o passado distante, e hoje podemos estar vivendo na era mais pacífica que nossa espécie já atravessou. É verdade que esse declínio não tem sido uniforme, que ele não zerou a violência e que não há garantias de que continue. Mas o avanço é inconfundível, visível em escalas que vão de milênios a meros anos, das guerras até o castigo físico de crianças.

Nenhum aspecto da vida ficou intocado pelo recuo da violência. O cotidiano é bem diferente quando as pessoas precisam se preocupar o tempo todo em ser raptadas, estupradas ou assassinadas, e o desenvolvimento de artes refinadas, do aprendizado e do comércio é dificultado porque as instituições que os alicerçam são incendiadas logo ao nascer.

A trajetória histórica da violência afeta não só o modo como a vida é vivida, mas também como ela é entendida. O que poderia ser mais fundamental para nossa concepção de sentido e propósito do que saber se os esforços da raça humana ao longo das eras nos deixaram melhor ou pior? Como, em especial, devemos compreender a *modernidade* — a erosão da família, tribo, tradição e religião pelas forças do individualismo, cosmopolitismo, razão e ciência? Muito depende de nosso modo de ver o legado dessa transição: se enxergamos nosso mundo como um pesadelo de crime, terrorismo, genocídio e guerra ou como um período que, pelos padrões da história, é abençoado com níveis sem precedentes de coexistência pacífica.

A questão de qual sinal aritmético, positivo ou negativo, se aplica à tendência da violência também influencia nossa concepção da natureza humana. Embora muitas teorias da natureza humana baseadas na biologia sejam associadas a um fatalismo no que concerne à violência, e apesar de a teoria de que a mente é uma tábula rasa ser associada ao progresso, em minha opinião é o inverso que ocorre. Como devemos conceber o estado natural da vida quando nossa espécie surgiu e o processo da história teve início? A crença de que a violência aumentou sugere que o mundo que fizemos nos contaminou, talvez irremediavelmente. A crença de que a violência diminuiu sugere que começamos broncos e que os artifícios da civilização impeliram-nos em uma direção nobre, na qual esperamos continuar.

Este livro é grande, mas tem de ser. Primeiro preciso convencer você de que a violência realmente diminuiu ao longo da história, e sei que essa ideia, em si, já desperta ceticismo, incredulidade e, em alguns, raiva. Nossas faculdades cognitivas nos predispõem a acreditar que vivemos em uma época violenta, especialmente porque são alimentadas pela mídia, que segue o lema "Se tem sangue, dá audiência". A mente humana tende a estimar a probabilidade de um evento com base na facilidade com que consegue recordar exemplos, e é mais provável que cenas de carnificina, e não imagens de pessoas morrendo de velhice, sejam transmitidas para as nossas casas e fiquem gravadas em nossa memória.[1] Por menor que possa ser a porcentagem de mortes violentas, em números absolutos elas sempre serão bastantes para encher o noticiário à noite, e com isso as impressões das pessoas sobre a violência serão desvinculadas das verdadeiras proporções.

Outro fator que distorce nosso senso de perigo é a psicologia moral. Ninguém jamais recrutou ativistas para uma causa anunciando que as coisas estão melhorando, e os portadores de boas notícias frequentemente são aconselhados a ficar de boca fechada para não tranquilizar demais as pessoas e torná-las acomodadas. Além disso, uma grande parcela da nossa cultura intelectual abomina admitir que a civilização, a modernidade e a sociedade ocidental podem ter algo de bom. Mas talvez a principal causa da ilusão da onipresença da violência derive justamente de uma das forças que levaram à diminuição da violência. O declínio do comportamento violento ocorreu paralelamente ao declínio de atitudes que toleram ou exaltam a violência, e as atitudes muitas vezes andam na vanguarda. Pelos padrões das atrocidades em massa na história humana, a injeção letal em um assassino no Texas, ou um ocasional crime de ódio no qual um membro de uma minoria étnica é intimidado por arruaceiros, são coisas até relativamente brandas. Mas do ponto de vista contemporâneo, nós as vemos como sinais da baixeza a que pode chegar nosso comportamento, e não do quanto nossos padrões se elevaram.

Contrapondo-me a essas ideias preconcebidas, terei de persuadir você com números, que extrairei de conjuntos de dados e representarei em gráficos. Em cada caso, explicarei de onde vêm os números e farei o meu melhor para interpretar os modos como eles se encaixam. O problema que me propus estudar é a redução da violência em muitas escalas — na família, nos bairros, entre tribos e outras facções armadas e entre nações e Estados importantes. Se a história da violência em cada nível de granulação tivesse uma trajetória idiossincrática, cada nível mereceria um livro só seu. Porém, para meu repetido assombro, as tendências globais em quase todos eles, vistas da perspectiva do presente, apontam para baixo. Isso requer que documentemos as várias tendências entre pares desses livros e que tentemos descobrir o que eles têm em comum no quando, como e por que ocorreram.

Tipos demais de violência, espero convencer você, seguiram a mesma direção para que tudo tenha sido uma coincidência, e isso pede uma explicação. É natural relatar a história da violência como uma saga moral — uma luta heroica da justiça contra o mal — mas esse não é meu ponto de partida. Minha abordagem é científica no sentido amplo de procurar explicar por que as coisas acontecem. Podemos descobrir que determinado avanço em direção à paz ocorreu graças a empreendedores morais e seus movimentos. Mas também podemos descobrir que a explicação é mais prosaica, como uma mudança na tecnologia, no modo de governar, no comércio ou no conhecimento. Também não podemos ver o declínio da violência como uma força irrefreável que impele para o progresso e nos arrasta em direção a um ponto ômega de paz perfeita. Ele é uma coleção de tendências estatísticas no comportamento de grupos de seres humanos em várias épocas, e, como tal, pede uma explicação com base na psicologia e na história: como as mentes humanas lidam com mudanças nas circunstâncias.

Boa parte do livro examinará a psicologia da violência e não violência. A teoria da mente que invocarei é a síntese da ciência cognitiva, da neurociência afetiva e cognitiva, da psicologia social e evolutiva e de outras ciências da natureza humana que analisei em *Como a mente funciona*, *Tábula rasa* e *Do que é feito o pensamento*. Segundo essa interpretação, a mente é um sistema complexo de faculdades cognitivas e emocionais implementadas no cérebro, que deve sua estruturação básica aos processos da evolução. Algumas dessas faculdades nos inclinam para vários tipos de violência. Outras — "os anjos bons da nossa natureza", nas palavras de Abraham Lincoln — nos inclinam à cooperação e à paz. O caminho para explicar a queda da violência envolve identificar as mudanças em nosso meio cultural e material que deram a primazia aos nossos motivos pacíficos.

Finalmente, preciso mostrar como nossa história influenciou nossa psicologia. Nos assuntos humanos, cada coisa está ligada a todo o resto, e isso vale especialmente para a violência. Nas mais diversas épocas e lugares, as sociedades mais pacíficas também tendem a ser as mais ricas, mais sadias, mais bem-educadas, mais bem governadas, mais respeitosas com suas mulheres e mais propensas a se ocupar do comércio. Não é fácil discernir quais dessas felizes características deram a partida no círculo virtuoso e quais vieram de carona, e é tentador nos resignarmos a circularidades insatisfatórias, como dizer que a violência declinou porque a cultura se tornou menos violenta. Os cientistas sociais distinguem entre variáveis "endógenas" — as que se encontram dentro do sistema, onde podem ser afetadas pelos próprios fenômenos que tentam explicar — e variáveis exógenas — aquelas que são postas em movimento por forças externas. As forças exógenas podem originar-se na esfera prática, por exemplo, mudanças na tecnologia, demografia e mecanismos de comércio e governo. Mas também podem ter origem na esfera intelectual, quando novas ideias são concebidas, difundidas e assumem vida própria. A explicação mais satisfatória para uma mudança histórica é a que identifica um gatilho exógeno. Tanto quanto os dados permitirem, tentarei identificar forças exógenas que afetaram nossas faculdades mentais de diferentes modos em diferentes épocas e podem, portanto, ser apontadas como causas do declínio da violência.

As considerações que tentam fazer justiça a essas questões compõem um livro grande — tão grande que não vou estragar a história se adiantar aqui suas principais conclusões. *Os anjos bons da nossa natureza* é uma história de seis tendências, cinco demônios interiores, quatro anjos bons e cinco forças históricas.

Seis tendências (capítulos 2 a 7). Para dar alguma coerência aos numerosos avanços que respondem pelo recuo da violência na nossa espécie, eu os agrupo em seis principais tendências.

A primeira, que ocorreu na escala milenar, foi a transição da anarquia das sociedades caçadoras, coletoras e horticultoras, nas quais nossa espécie atravessou a maior parte de sua história evolutiva, para as primeiras civilizações agrícolas com cidades e governos, iniciadas por volta de 5 mil anos atrás. Com essa mudança veio uma redução nos ataques e rixas crônicas que caracterizavam a vida em um estado natural e uma diminuição de aproximadamente cinco vezes nas taxas de mortes violentas. Chamo de Processo de Pacificação essa imposição da paz.

A segunda transição abrangeu mais de meio milênio e está mais bem documentada na Europa. Entre o final da Idade Média e o século XX, os países europeus tiveram um declínio de dez a vinte vezes em suas taxas de homicídio. Em seu clássico livro *O processo civilizador*, o sociólogo Norbert Elias atribuiu esse surpreendente declínio à consolidação de uma colcha de retalhos de territórios feudais em grandes reinos com autoridade centralizada e uma infraestrutura de comércio. Em reconhecimento a Elias, refiro-me a essa tendência como Processo Civilizador.

A terceira transição ocorreu na escala secular e teve início na época da Idade da Razão e do Iluminismo europeu nos séculos XVII e XVIII (embora tenha antecedentes na Grécia Clássica e na Renascença, e paralelos em outras partes do mundo). Esse foi o momento dos primeiros movimentos organizados para abolir formas de violência socialmente sancionadas como o despotismo, a escravidão, o duelo, a tortura judicial, a execução supersticiosa, as punições sádicas e a crueldade com animais, e foi também a época dos primeiros frêmitos do pacifismo sistemático. Alguns historiadores chamam essa transição de Revolução Humanitária.

A quarta grande transição deu-se após a Segunda Guerra Mundial. Os dois terços de século decorridos desde então viram um avanço inédito em toda a história: as grandes potências, e os Estados desenvolvidos em geral, pararam de guerrear entre si. Os historiadores chamam esse abençoado estado de coisas de Longa Paz.[2]

A quinta tendência também diz respeito ao combate armado, porém é mais sutil. Embora para os leitores de notícias possa ser difícil acreditar, desde o fim da Guerra Fria em 1989 todos os tipos de conflito organizado — guerras civis, genocídios, repressão por governos autocráticos e ataques terroristas — diminuíram no mundo todo. Em reconhecimento à natureza incipiente desse avanço, eu o chamarei de Nova Paz.

Finalmente, a era pós-guerra, inaugurada simbolicamente pela Declaração Universal dos Direitos Humanos em 1948, testemunhou uma crescente repulsa pela agressão em escalas menores, por exemplo, na violência contra minorias étnicas, mulheres, crianças, homossexuais e animais. Esses desdobramentos do conceito de direitos humanos — direitos civis, direitos das mulheres, direitos das crianças, direitos dos homossexuais e direitos dos animais — vêm sendo defendidos em uma cascata de movimentos a partir de fins dos anos 1950 até nossos dias, eu os chamarei de Revoluções dos Direitos.

Cinco demônios interiores (capítulo 8). Muitas pessoas acreditam implicitamente na Teoria Hidráulica da Violência, segundo a qual os seres humanos nutrem internamente um impulso de agressão (um instinto de morte ou sede de sangue), que se acumula e precisa ser descarregado periodicamente. Nada poderia estar mais distante da visão científica contemporânea da psicologia da violência. A agressão não é um motivo único, muito menos um impulso que se avoluma. Ela é produto de vários sistemas psicológicos que diferem em seus desencadeadores ambientais, em sua lógica interna, em sua base neurobiológica e em sua distribuição social. O capítulo 8 explica cinco desses sistemas. A *violência predatória ou instrumental* é simplesmente a violência usada como um meio prático visando a um fim. A *dominância* é a ânsia de autoridade, prestígio, glória e poder, seja na forma de uma postura agressiva entre indivíduos do sexo masculino, seja nas disputas por supremacia entre grupos raciais, étnicos, religiosos ou nacionais. A *vingança* alimenta o impulso moralista de retaliação, punição e justiça. O *sadismo* é o prazer obtido com o sofrimento de outro. E a *ideologia* é um sistema compartilhado de crença, geralmente envolvendo uma visão utópica, que justifica a violência ilimitada na busca pelo bem ilimitado.

Quatro anjos bons (capítulo 9). Os seres humanos não têm bondade inata (nem maldade inata), mas já vêm equipados com motivações que podem orientá-los para longe da violência e em direção à cooperação e ao altruísmo. A *empatia* (particularmente no sentido do interesse solidário) nos impele a sentir a dor do outro e alinhar os interesses dele com os nossos. O *autocontrole* nos permite prever as consequências de agir com base em nossos impulsos e tentar inibi-los quando necessário. O *senso moral* santifica um conjunto de normas e tabus que governam as interações entre as pessoas numa cultura, às vezes de modo a diminuir a violência, embora frequentemente (quando as normas são tribais, autoritárias ou puritanas) de modo a aumentá-la. E com a faculdade da *razão* podemos nos desvencilhar de pontos de vista tacanhos, refletir sobre os modos como vivemos nossa vida, deduzir os meios para melhorá-la e guiar a aplicação dos outros anjos bons da nossa natureza. Em uma seção examinarei também a possibilidade de, na história recente, o *Homo sapiens* literalmente ter evoluído em direção a tornar-se menos violento no sentido técnico da biologia: uma mudança em nosso genoma. Mas o enfoque do livro é nas transformações que são estritamente ambientais: as mudanças nas circunstâncias históricas que influenciam de vários modos uma natureza humana fixa.

Cinco forças históricas (capítulo 10). No último capítulo, tentarei juntar a psicologia e a história, identificando forças exógenas que favorecem nossos motivos pacíficos e que pautaram os múltiplos declínios da violência. O *Leviatã*, um Estado e poder judiciário que tem o monopólio do uso legítimo da força, pode desativar a tentação do ataque oportunista, inibir o impulso de vingança e contornar os vieses do interesse próprio que fazem todas as partes acreditarem estar do lado dos anjos. O *comércio* é um jogo de soma positiva no qual todos podem ganhar; à medida que o progresso tecnológico vai permitindo a troca de mercadorias e ideias por longas distâncias e entre grupos maiores de parceiros comerciais, as outras pessoas tornam-se mais valiosas vivas do que mortas, o que diminui a probabilidade de serem alvo de demonização e desumanização. A *feminização* é o processo no qual as culturas aumentaram seu respeito pelos interesses e valores das mulheres. Como a violência é um passatempo principalmente masculino, as culturas que dão voz ativa às mulheres tendem a afastar-se do enaltecimento da violência e a diminuir sua probabilidade de gerar perigosas subculturas de homens jovens sem raízes. As forças do *cosmopolitismo*, como a alfabetização, a mobilidade e os meios de comunicação de massa, podem levar as pessoas a assumir a perspectiva dos que são diferentes delas e a expandir seu círculo de afinidades para inseri-las. Finalmente, uma aplicação cada vez mais intensa do conhecimento e da racionalidade nos assuntos humanos — *a escada rolante da razão* — pode forçar as pessoas a reconhecer a futilidade dos ciclos de violência, a privilegiar menos seus próprios interesses quando isso prejudica os demais e a reinterpretar a violência como um problema a ser resolvido em vez de uma disputa a ser ganha.

Quando nos apercebemos do declínio da violência, passamos a ver o mundo de modo diferente. O passado parece menos inocente; o presente, menos sinistro. Começamos a apreciar as pequenas dádivas da coexistência que para nossos ancestrais pareceriam utópicas: a família inter-racial brincando no parque, o humorista que conta uma piada sobre o comandante em chefe, os países que discretamente recuam de uma crise em vez de partir para a guerra. A mudança não é em direção ao comodismo: desfrutamos a paz que encontramos hoje porque as pessoas de gerações passadas se horrorizaram com a violência em sua época e se empenharam em reduzi-la; por isso, devemos trabalhar para reduzir a violência que resta em nosso tempo. De fato, é a constatação do declínio da violência o melhor testemunho de que tais esforços valem a pena. A desumanidade do homem há muito tempo é alvo de moralização. Com o conhecimento de que alguma coisa a reduziu, também podemos tratá-la como uma questão de causa e efeito. Em vez de perguntar "Por que existe guerra?", poderíamos indagar "Por que existe paz?". Nossa obsessão poderia ser não só por aquilo que andamos fazendo de errado, mas também por aquilo que estamos fazendo certo. Porque *estamos* fazendo algo certo, e seria bom saber exatamente o quê.

Muita gente me pergunta como foi que me interessei pela análise da violência. Não deveria ser um mistério: a violência é uma preocupação natural para qualquer estudioso da natureza humana. Minhas primeiras noções sobre o declínio da violência vieram do clássico livro de psicologia evolutiva de Martin Daly e Margo Wilson, *Homicide*, no qual esses autores examinam as altas taxas de mortes violentas em sociedades sem Estado e o declínio dos homicídios desde a Idade Média até o presente. Em vários de meus livros anteriores citei essas tendências decrescentes, juntamente com avanços humanos como a abolição da escravidão, do despotismo e das punições cruéis na história do Ocidente, para defender a ideia de que o progresso moral é compatível com uma interpretação biológica da mente humana e um reconhecimento do lado escuro da natureza do homem.[3]

Reiterei essas observações em resposta à questão anual do fórum on-line <www.edge.org>, que em 2007 foi "Sobre o que você é otimista?". Meu estopim provocou uma saraivada de correspondências de especialistas em criminologia histórica e estudos internacionais, que me disseram que as evidências da redução histórica da violência eram ainda mais vastas do que eu pensava.[4] Foram os dados desses acadêmicos que me convenceram de que ali estava uma história subestimada, à espera de ser contada.

Meus primeiros e mais efusivos agradecimentos são para esses estudiosos: Azar Gat, Joshua Goldstein, Manuel Eisner, Andrew Mack, John Mueller e John Carter Wood. Enquanto trabalhava no livro, também me beneficiei da correspondência com Peter Brecke, Tara Cooper, Jack Levy, James Payne e Randolph Roth. Esses generosos pesquisadores partilharam ideias, textos e dados e gentilmente me guiaram através de áreas de estudo distantes de minha especialização.

David Buss, Martin Daly, Rebecca Newberger Goldstein, David Haig, James Payne, Roslyn Pinker, Jennifer Sheehy-Skeffington e Polly Wiessner leram grande parte ou a totalidade do primeiro rascunho e fizeram recomendações e críticas imensamente úteis. Também inestimáveis foram os comentários sobre capítulos específicos feitos por Peter Brecke, Daniel Chirot, Alan Fiske, Jonathan Gottschall, A. C. Grayling, Niall Ferguson, Graeme Garrard, Joshua Goldstein, cap. Jack Hoban, Stephen Leblanc, Jack Levy, Andrew Mack, John Mueller, Charles Seife, Jim Sidanius, Michael Spagat, Richard Wrangham e John Carter Wood.

Muitas outras pessoas responderam prontamente às minhas perguntas fornecendo explicações e sugestões que foram incorporadas ao livro: John Archer, Scott Atran, Daniel Batson, Donald Brown, Lars-Erik Cederman, Christopher Chabris, Gregory Cochran, Leda Cosmides, Tove Dahl, Lloyd deMause, Jane Esberg, Alan Fiske, Dan Gardner, Pinchas Goldschmidt, com. Keith Gordon, Reid Hastie, Brian Hayes, Judith Rich Harris, Harold Herzog, Fabio Idrobo, Tom Jones, Maria Konnikova, Robert Kurzban, Gary Lafree, Tom Lehrer, Michael Macy, Steven Malby, Megan Marshall, Michael McCullough, Nathan Myhrvold, Mark Newman, Barbara Oakley, Robert Pinker, Susan Pinker, Ziad Obermeyer, David Pizarro, Tage Rai, David Ropeik, Bruce Russett, Scott Sagan, Ned Sahin, Aubrey Sheiham, Francis X. Shen, ten.-cel. Joseph Shusko, Richard Shweder, Thomas Sowell, Håvard Strand, Ilavenil Subbiah, Rebecca Sutherland, Philip Tetlock, Andreas Forø Tollefsen, James Tucker, Staffan Ulfstrand, Jeffrey Watumull, Robert Whiston, Matthew White, maj. Michael Wiesenfeld e David Wolpe.

Muitos colegas e estudantes de Harvard compartilharam generosamente seus conhecimentos, entre eles Mahzarin Banaji, Robert Darnton, Alan Dershowitz, James Engell, Nancy Etcoff, Drew Faust, Benjamin Friedman, Daniel Gilbert, Edward Glaeser, Omar Sultan Haque, Marc Hauser, James Lee, Bay McCulloch, Richard McNally, Michael Mitzenmacher, Orlando Patterson, Leah Price, David Rand, Robert Sampson, Steve Shavell, Lawrence Summers, Kyle Thomas, Justin Vincent, Felix Warneken e Daniel Wegner.

Sou especialmente grato aos pesquisadores que trabalharam comigo nos dados apresentados nestas páginas. Brian Atwood fez incontáveis análises estatísticas e buscas em bases de dados com precisão, abrangência e percepção. William Kowalsky descobriu muitos dados pertinentes no mundo das pesquisas de opinião. Jean-Baptiste Michel ajudou a desenvolver o programa Bookworm, o Google Ngram Viewer e o corpo de dados do Google Books e concebeu um engenhoso modelo para a distribuição das magnitudes das guerras. Bennett Haselton produziu um estudo informativo sobre as percepções que as pessoas têm da história da violência. Esther Snyder ajudou com buscas bibliográficas e gráficos. Ilavenil Subbiah desenhou os elegantes gráficos e mapas e, ao longo dos anos, forneceu-me inestimáveis noções da cultura e história da Ásia.

John Brockman, meu agente literário, fez a pergunta que me levou a escrever este livro e ofereceu muitos comentários úteis sobre o primeiro esboço. Wendy Wolf, minha editora na Penguin, fez uma análise pormenorizada do primeiro esboço que muito contribuiu para estruturar a versão final. Sou imensamente grato a John e Wendy, e também a Will Goodlad, da Penguin Reino Unido, por seu apoio à obra em todas as suas fases.

Agradeço de todo o coração à minha família pelo amor e incentivo: Harry, Roslyn, Susan, Martin, Robert e Kris. Meu maior agradecimento vai para Rebecca Newberger Goldstein, que não só melhorou a substância e o estilo do livro como também me encorajou por acreditar no valor do projeto e, mais do que qualquer outra pessoa, moldou minha visão de mundo. Este livro é dedicado à minha sobrinha, sobrinhos e enteadas: que eles possam desfrutar de um mundo no qual o declínio da violência continua.

1. Uma terra estrangeira

O passado é uma terra estrangeira. Lá eles fazem as coisas de outro jeito.
L. P. Hartley

Se o passado é uma terra estrangeira, é terra de uma violência horripilante. É fácil esquecer como a vida era perigosa, como a brutalidade já esteve profundamente urdida na malha do cotidiano. A memória cultural pacifica o passado e nos deixa pálidos suvenires cujas origens sangrentas desbotaram. A mulher que usa um pingente de cruz raramente reflete que esse instrumento de tortura foi uma punição comum no mundo antigo. Quem reclama do *flagelo* do trânsito não se lembra de que esse era o nome do látego que cortava a carne dos escravos. Vivemos cercados pelos sinais da perversidade do modo de vida de nossos antepassados, mas quase não nos apercebemos deles. Assim como viajar amplia nossos horizontes mentais, uma excursão pelos significados literais da nossa herança cultural pode nos acordar para o quanto as coisas eram feitas de outro modo no passado.

Em um século que começou com o ataque terrorista do Onze de Setembro nos Estados Unidos, a Guerra do Iraque e o genocídio de Darfur, dizer que estamos vivendo em uma época incomumente pacífica pode parecer uma alucinação obscena. Sei, por conversas e pelos dados de um levantamento, que a maioria das pessoas se recusa a acreditar nisso.[1] Em capítulos posteriores trarei esses dados e datas para minha argumentação. Primeiro, porém, quero abrandar você lembrando fatos incriminatórios do passado que já são de seu conhecimento. Não é apenas uma tentativa de persuasão. Muitos cientistas verificam suas conclusões com um teste de racionalidade, uma amostragem de fenômenos do mundo real para se assegurar de que não deixaram passar alguma falha em seus métodos que os conduzisse a uma conclusão absurda. Os esboços deste capítulo são um teste de racionalidade para os dados que virão.

Faremos a seguir uma excursão por uma terra estrangeira chamada passado, de 8000 AEC* até os anos 1970. Não é uma excursão completa pelas guerras e atrocidades que todos já lembramos por sua violência, e sim uma série de vislumbres por trás de referências enganosamente familiares, para nos lembrar da perversidade que elas escondem. O passado obviamente não é uma terra única; ele engloba grande diversidade de culturas e costumes. O que todas têm em comum é o choque do antigo: um pano de fundo de violência que foi suportada, e muitas vezes bem recebida, de modos que abalam a sensibilidade de um ocidental do século XXI.

PRÉ-HISTÓRIA HUMANA

Em 1991, dois montanhistas tropeçaram em um corpo semienterrado numa geleira que estava derretendo nos Alpes tiroleses. Pensando que fosse uma vítima de um acidente de esqui, o pessoal do resgate arrancou o corpo do gelo a marteladas, danificando no processo a coxa e a mochila do morto. Só quando um arqueólogo encontrou um machado de cobre neolítico percebeu-se que o homem tinha 5 mil anos de idade.[2]

Ötzi, o Homem do Gelo, como ele hoje é chamado, virou celebridade. Foi capa da revista *Time* e tema de muitos livros, documentários e artigos. Desde O Homem de 2000 Anos, personagem criado por Mel Brooks ("Tenho mais de 42 mil filhos e nenhum vem me visitar"), um quilogenário não tinha tanto a nos dizer sobre o passado. Ötzi viveu na pré-história humana durante a crucial

* AEC ("Antes da Era Comum") é o termo usado por autores que querem evitar nomenclatura religiosa; equivale a a.C. ("antes de Cristo"). (N. T.)

transição em que a agricultura estava substituindo a caça e a coleta e as primeiras ferramentas de metal, em vez de pedra, começavam a ser feitas. Além de machado e mochila, ele portava uma aljava com flechas guarnecidas de penas, uma adaga com cabo de madeira e um âmbar embrulhado em cortiça que era parte de um elaborado kit para fazer fogo. Usava um chapéu de pele de urso preso ao queixo por uma tira de couro, perneiras de couro animal e sapatos de neve à prova d'água feitos de couro e fibra trançada e forrados com grama. Tinha tatuagens em suas juntas artríticas, possivelmente um sinal de acupuntura, e carregava cogumelos com propriedades medicinais.

Dez anos depois de encontrado o Homem do Gelo, uma equipe de radiologistas fez uma descoberta surpreendente: Ötzi tinha uma ponta de flecha incrustada no ombro. Ele não havia caído em uma fenda na geleira e morrido congelado, como os cientistas originalmente supunham; fora assassinado. Quando seu corpo foi examinado pela equipe CSI do Neolítico, evidenciaram-se os contornos gerais do crime. Ötzi tinha cortes não cicatrizados nas mãos e ferimentos na cabeça e no peito. Análises de DNA encontraram vestígios de sangue de duas outras pessoas em uma de suas pontas de flecha, sangue de uma terceira em sua adaga e de uma quarta em sua capa. Segundo uma reconstituição, Ötzi fazia parte de um grupo atacante que lutou com uma tribo vizinha. Ele matou um homem com uma flecha, pegou-a de volta, matou outro homem, tornou a recuperá-la e carregou um companheiro ferido nas costas antes de resistir a um ataque e ser ele próprio derrubado por uma flecha.

Ötzi não é o único homem com milênios de idade que se tornou celebridade científica em fins do século XX. Em 1996, espectadores em uma corrida de hidroplano em Kennewick, Washington, viram ossos na margem do rio Columbia. Arqueólogos logo recuperaram o esqueleto de um homem que vivera 9400 anos antes.[3] O Homem de Kennewick tornou-se objeto de batalhas legais e científicas amplamente divulgadas. Várias tribos de nativos americanos brigaram pela custódia do esqueleto e do direito a sepultá-lo de acordo com suas tradições, mas um tribunal federal rejeitou suas pretensões, salientando que nenhuma cultura humana teve existência contínua por nove milênios. Retomados os estudos científicos, os antropólogos descobriram, fascinados, que o Homem de Kennewick era anatomicamente muito diferente dos nativos americanos atuais. Um relatório afirma que ele tinha traços europeus; outro, que era semelhante aos Ainu, os habitantes aborígines do

Japão. Qualquer dessas possibilidades implica que as Américas teriam sido povoadas por várias migrações independentes, contradizendo evidências de DNA que sugerem que os nativos americanos descendem de um único grupo de migrantes da Sibéria.

Várias foram as razões, portanto, da fascinação que o Homem de Kennewick exerceu sobre os que têm curiosidade científica. E há mais uma. Um projétil de pedra estava alojado em sua pélvis. Embora o osso estivesse parcialmente curado, um indício de que ele não morreu por causa desse ferimento, a evidência forense é inequívoca: o Homem de Kennewick fora ferido por um projétil.

Esses são apenas dois exemplos de restos mortais pré-históricos famosos que trouxeram notícias medonhas sobre como foi o fim dessas pessoas. Muitos visitantes do Museu Britânico são cativados pelo Homem de Lindow, um corpo de 2 mil anos quase perfeitamente preservado, descoberto em uma turfeira na Inglaterra em 1984.[4] Não sabemos quantos filhos o visitavam, mas sabemos como ele morreu. Seu crânio foi fraturado por um objeto rombudo; seu pescoço, quebrado por uma corda torcida; e para garantir, sua garganta foi cortada. O Homem de Lindow fora um druida, sacrificado de três modos em um ritual para satisfazer três deuses. Muitos outros homens e mulheres encontrados em pântanos no norte da Europa têm sinais de que foram estrangulados, golpeados com clava, apunhalados ou torturados.

Em um único mês enquanto pesquisava para este livro, encontrei duas novas histórias sobre restos humanos bem preservados. Um deles é um crânio de 2 mil anos descoberto em um lodaçal no norte da Inglaterra. O arqueólogo que limpava o crânio sentiu que algo se movia, olhou pela abertura da base e viu lá dentro uma substância amarelada: um cérebro preservado, como se descobriu. Mais uma vez, o incomum estado de preservação não foi a única característica digna de nota do achado. O crânio fora deliberadamente separado do corpo, o que levou os arqueólogos a supor que ali estava uma vítima de sacrifício humano.[5] A outra descoberta foi uma sepultura de 4600 anos na Alemanha contendo os restos de um homem, uma mulher e dois meninos. Análises de DNA mostraram que eram membros de uma família nuclear, a mais antiga conhecida pela ciência. Os quatro foram sepultados ao mesmo tempo — sinal, dizem os arqueólogos, de que haviam sido mortos em um ataque.[6]

Qual era o problema com os antigos? Não podiam nos deixar um corpo interessante sem recorrer a malfeitorias? Alguns casos talvez tenham uma explicação inocente baseada na tafonomia, os processos pelos quais os corpos se mantêm preservados por longos períodos. Talvez na virada do primeiro milênio os únicos corpos que eram jogados em pântanos, recuperados depois para a posteridade, fossem aqueles que haviam sido sacrificados em rituais. No entanto, em se tratando da maioria dos corpos, não temos razão para supor que tenham sido preservados unicamente porque foram assassinados. Mais adiante examinaremos os resultados de investigações forenses capazes de distinguir entre como um corpo antigo encontrou seu fim e como ele chegou até nós. Por ora, os restos pré-históricos dão a distinta impressão de que O Passado foi um lugar onde uma pessoa tinha grandes chances de sofrer danos corporais.

GRÉCIA HOMÉRICA

O que sabemos sobre a violência pré-histórica depende do acaso que levou determinados corpos a serem acidentalmente embalsamados ou fossilizados; portanto, tem de ser um conhecimento radicalmente incompleto. Mas assim que a linguagem escrita começou a se difundir, os povos antigos nos deixaram melhores informações sobre como cuidavam de seus assuntos.

A *Ilíada* e a *Odisseia*, de Homero, são consideradas as primeiras grandes obras da literatura ocidental, e ocupam lugar de honra em muitos guias de iniciação cultural. Embora essas narrativas se passem na época da Guerra de Troia, por volta de 1200 AEC, foram registradas por escrito muito mais tarde, entre 800 e 650 AEC, e supostamente refletem a vida entre as tribos e os cacicados do leste do Mediterrâneo naquela época.[7]

Hoje comumente se lê que a guerra total, envolvendo toda uma sociedade em vez de apenas suas Forças Armadas, é uma invenção moderna. Atribui-se à guerra total o surgimento dos Estados-nações, das ideologias universais e de tecnologias que permitem matar à distância. Mas, se as descrições de Homero forem acuradas (e elas condizem com a arqueologia, a etnografia e a história), as guerras na Grécia arcaica eram tão totais quanto quaisquer guerras da era moderna. Agamêmnon explica ao rei Menelau seus planos de guerra:

> Menelau, meu irmão de coração sensível, por que te preocupas tanto com esses homens? Mostraram os troianos essa mesma generosidade quando estiveram em

teu palácio? Não: não deixaremos vivo um único dentre eles, até os bebês no ventre das mães — nem mesmo eles devem viver. Todo o povo tem de ser exterminado, e que não reste ninguém para pensar neles e derramar uma lágrima.[8]

Em *The Rape of Troy* [O estupro de Troia], o pesquisador Jonathan Gottschall discorre sobre o modo como se guerreava na Grécia arcaica:

Navios velozes de baixo calado aportam remando nas praias, e as comunidades costeiras são saqueadas antes que os vizinhos possam acorrer em defesa. Os homens geralmente são mortos, animais de criação e outras riquezas móveis são saqueados, e as mulheres são levadas para viver entre os vitoriosos e servir em trabalhos sexuais e braçais. Os homens homéricos vivem com a possibilidade de morte súbita e violenta, e as mulheres vivem com medo por seus homens e filhos e com medo das velas no horizonte que podem prenunciar novas vidas de estupro e escravidão.[9]

Também lemos comumente que as guerras do século XX foram destrutivas em um grau sem precedentes porque foram travadas com metralhadoras, artilharia, bombardeiros e outros armamentos de longa distância, livrando os soldados das inibições naturais contra o combate corpo a corpo e lhes permitindo matar impiedosamente um grande número de inimigos sem rosto. Segundo esse raciocínio, as armas manuais nem chegavam perto da letalidade de nossos métodos de batalha de tecnologia avançada. Mas Homero descreveu vividamente os danos em larga escala que os guerreiros de sua época eram capazes de infligir. Gottschall nos dá uma amostra de suas imagens:

Fendido com surpreendente facilidade pelo frio bronze, o corpo derrama seu conteúdo em viscosas torrentes: porções de cérebros emergem na ponta de lanças trepidantes, jovens seguram suas vísceras com mãos desesperadas, olhos são arrancados ou cortados do crânio e fitam cegos no pó. Pontas afiadas forjam novas entradas e saídas em corpos moços: no centro da testa, nas têmporas, entre os olhos, na base do pescoço, direto pela boca ou face até o outro lado, através dos flancos, virilhas, nádegas, mãos, umbigos, costas, estômagos, mamilos, peitos, narizes, orelhas e queixos. [...] Lanças, chuços, flechas, espadas, punhais e pedras têm ganas do sabor da carne e do sangue. Sangue espirra e enevoa o ar. Voam fragmentos de ossos. Medula fervilha em cotos recentes. [...]

> Finda a batalha, sangue verte de mil feridas mortais ou mutilantes, transforma o pó em lama e engorda o capim da planície. Homens que foram lavrados no solo por pesados carros, garanhões de cascos afiados e sandálias de homens estão irreconhecíveis. Armaduras e armas juncam o campo. Corpos por toda parte decompõem-se, deliquescem, banqueteiam cães, vermes, moscas e aves.[10]

O século XXI certamente viu estupro de mulheres em tempo de guerra, porém há tempos isso é tratado como um atroz crime de guerra, que a maioria dos exércitos procura impedir e o resto tenta negar ou esconder. Mas para os heróis da *Ilíada*, carne de fêmea era um espólio de guerra legítimo: mulheres eram para ser desfrutadas, monopolizadas e descartadas como eles bem entendessem. Menelau começa a Guerra de Troia quando Helena, sua mulher, é raptada. Agamêmnon traz o desastre para os gregos recusando-se a devolver uma escrava sexual ao pai dela e, quando ele cede, apropria-se de uma que pertencia a Aquiles, compensando-o mais tarde com 28 substitutas. Aquiles, por sua vez, faz a seguinte descrição lapidar de sua carreira: "Passei muitas noites em vigília e dias sangrentos em batalha, lutando com homens por suas mulheres".[11] Ulisses volta para sua mulher depois de vinte anos de ausência, mata os homens que a cortejaram enquanto todos o julgavam morto e, quando descobre que os homens haviam se deitado com as concubinas de sua casa, manda seu filho executar também as concubinas.

Essas histórias de massacres e estupros são perturbadoras até pelos padrões dos documentários sobre a guerra moderna. É verdade que Homero e seus personagens deploravam o desperdício da guerra, mas o aceitavam como um fato inescapável da vida, como o clima: uma coisa sobre a qual todo mundo conversa, mas ninguém pode fazer coisa alguma a respeito. Como diz Ulisses, "[somos homens] a quem Zeus deu o destino de consumir nossa vida em guerras dolorosas, desde a juventude até a morte, cada um de nós". A engenhosidade humana, tão habilmente aplicada a armas e estratégias, mostrava-se inútil diante das causas mundanas da guerra. Em vez de entender o flagelo da guerra como um problema humano para seres humanos resolverem, os homens elaboravam uma fantasia de deuses impetuosos e atribuíam suas próprias tragédias a ciúmes e desatinos das divindades.

A BÍBLIA HEBRAICA

Como as obras de Homero, a Bíblia hebraica (Antigo Testamento) é ambientada em fins do segundo milênio AEC, mas foi escrita mais de quinhentos anos depois.[12] Em contraste com as obras de Homero, porém, a Bíblia é venerada hoje por bilhões de pessoas, que a consideram sua fonte de valores morais. Publicação mais vendida do mundo, foi traduzida para 3 mil línguas e é encontrada nas mesas de cabeceira de hotéis do mundo todo. Os judeus ortodoxos beijam-na com seus xales de oração; testemunhas nos tribunais americanos prestam juramento com a mão sobre ela. Até o presidente faz isso no juramento da posse. E, no entanto, apesar de toda essa reverência, a Bíblia é uma longa celebração da violência.

No princípio Deus criou os céus e a terra. Então formou o Senhor Deus o homem do pó da terra, e lhe soprou nas narinas o fôlego da vida, e o homem passou a ser alma vivente. E Deus tomou uma de suas costelas e a transformou numa mulher. E Adão deu o nome de Eva à sua mulher, por ser a mãe de todos os seres humanos. Coabitou o homem com Eva, sua mulher. Esta concebeu e deu à luz Caim. Depois deu à luz Abel, seu irmão. E, estando eles no campo, sucedeu que se levantou Caim contra Abel, seu irmão, e o matou. Com uma população mundial de exatamente quatro pessoas, temos aí uma taxa de homicídios de 25%, a qual é cerca de mil vezes maior do que as taxas equivalentes nos países ocidentais da atualidade.

Mal os homens e as mulheres começam a se multiplicar, Deus decide que são pecadores e que a punição apropriada é o genocídio. (Na comédia de Bill Cosby, um vizinho implora que Noé lhe dê uma pista da razão de ele estar construindo uma arca. Noé replica: "Por quanto tempo você consegue andar sobre as águas?".) Quando as águas baixam, Deus passa a Noé a lição moral, o código da vingança: "Se alguém derramar o sangue do homem, pelo homem se derramará o seu".

A próxima figura de relevo na Bíblia é Abraão, o ancestral espiritual dos judeus, cristãos e muçulmanos. Abraão tem um sobrinho, Ló, que vai morar em Sodoma. Vendo que os habitantes da cidade praticam sexo anal e pecados comparáveis, Deus imola cada homem, mulher e criança em um ataque de napalm divino. A mulher de Ló, pelo crime de se virar para olhar o inferno, também é morta.

Abraão é submetido a um teste de valores morais quando Deus lhe ordena que leve seu filho Isaac para o alto de um monte e o amarre, corte sua garganta e incinere seu corpo como um presente para Deus. Isaac só é poupado porque no último instante um anjo detém a mão de seu pai. Por milênios, leitores dão tratos à bola para entender por que Deus insistiu em aplicar essa prova horrenda. Uma interpretação diz que ele interveio não porque Abraão passou no teste, mas porque foi reprovado. No entanto, é uma interpretação anacrônica, pois a obediência à autoridade divina, e não a reverência pela vida humana, era a virtude máxima.

O filho de Isaac, Jacó, tinha uma filha, Diná. Ela é raptada e violada — ao que parece, uma forma costumeira de corte na época, já que a família do estuprador em seguida se oferece para comprar Diná de seus parentes e fazê-la mulher do estuprador. Os irmãos de Diná explicam que um importante princípio moral impede essa transação: o estuprador não é circuncidado. Fazem então uma contraproposta: se todos os homens da cidade do estuprador cortarem seus prepúcios, Diná será deles. Enquanto os homens estão incapacitados com o pênis sangrando, os irmãos invadem a cidade, saqueiam e destroem, massacram os homens e levam as mulheres e as crianças. Quando Jacó se diz receoso de que as tribos vizinhas os ataquem em retaliação, seus filhos explicam que o risco vale a pena: "Abusaria ele de nossa irmã, como se fosse prostituta?".[13] Logo depois, eles reiteram seu comprometimento com os valores familiares vendendo seu irmão José como escravo.

Os descendentes de Jacó, os israelitas, vão para o Egito e se tornam numerosos demais para o gosto do faraó. Ele então os escraviza e ordena que todos os meninos sejam mortos ao nascer. Moisés escapa do infanticídio em massa, cresce e desafia o faraó para que liberte seu povo. Deus, onipotente como é, bem que poderia abrandar o coração do soberano, mas em vez disso o endurece, o que lhe dá razão para infligir a cada egípcio dolorosos furúnculos e outros padecimentos antes de matar cada um dos primogênitos *deles*. (A palavra "Passover", que em inglês designa o feriado judeu do *Pesach*, alude ao fato de o anjo executor passar deixando incólumes "pass over" os primogênitos das casas de israelitas.) Deus prossegue com mais um massacre, afogando o exército egípcio que perseguia os israelitas através do mar Vermelho.

Os israelitas reúnem-se no monte Sinai e ouvem os Dez Mandamentos, o grande código moral que proíbe gravar imagens e cobiçar animais de criação, mas deixa passar sem menção a escravidão, estupro, tortura, mutilação e genocídio de tribos vizinhas. Os israelitas impacientam-se enquanto esperam a volta de Moisés com um conjunto de leis expandido, o qual determinará pena de morte por blasfêmia, homossexualidade, adultério, responder mal aos pais e trabalhar no sabá. Para passar o tempo, eles adoram a estátua de um bezerro, e por tal ato a punição tem de ser, como você já adivinhou, a morte. Seguindo as ordens de Deus, Moisés e seu irmão Arão matam 3 mil de seus companheiros.

Passa então Deus sete capítulos do Levítico instruindo os israelitas em como matar a constante torrente de animais que ele lhes exige. Arão e seus dois filhos preparam o tabernáculo para o primeiro serviço, mas os filhos se enganam e usam o incenso errado. Por isso Deus os incinera.

No caminho para a terra prometida, os israelitas encontram os midianitas. Seguindo ordens de Deus, matam os varões, queimam a cidade, saqueiam o gado e levam cativas as mulheres e as crianças. Quando reencontram Moisés, este se enfurece porque pouparam as mulheres, algumas das quais haviam induzido os israelitas a adorar deuses rivais. Então ele manda seus soldados completar o genocídio e se recompensarem com escravas sexuais núbeis que eles podem estuprar à vontade: "Agora, pois, matai de entre as crianças todas as do sexo masculino; e matai toda mulher que coabitou com algum homem, deitando-se com ele. Porém todas as meninas, e as jovens que não coabitaram com algum homem, deitando-se com ele, deixai-as viver para vós outros".[14]

Em Deuteronômio 20 e 21, Deus dá aos israelitas uma política geral para lidarem com as cidades que não os aceitem como dominadores: passar ao fio da espada todos os varões e se apropriar dos animais, mulheres e crianças. Evidentemente, um homem com uma cativa formosa encontra um problema: como ele acaba de assassinar os pais e os irmãos dela, talvez a moça não esteja lá muito disposta para o amor. Deus prevê esse contratempo e sugere a seguinte solução: rapar-lhe a cabeça, cortar-lhe as unhas e prendê-la em casa por um mês para que ela chore até cansar. Depois ele pode estuprá-la.

Com uma lista indicada de outros inimigos (heteus, amorreus, cananeus, ferezeus, heveus e jebuzeus), o genocídio tem de ser total: "Não deixarás com vida tudo o que tem fôlego. Antes, como te ordenou o Senhor teu Deus, destruí-las-ás totalmente".[15]

Josué põe em prática essa diretiva quando invade Canaã e saqueia a cidade de Jericó. Depois que as muralhas caíram, seus soldados "tudo quanto na cidade havia, destruíram totalmente ao fio da espada, assim o homem como a mulher, assim o menino como o velho, também o boi, as ovelhas e o jumento".[16] Mais terras são queimadas a seguir: "Assim feriu Josué toda aquela terra, a região montanhosa, o Neguebe, as campinas, e as descidas das águas, e a todos os seus reis;

destruiu a tudo o que tinha fôlego, sem deixar nem sequer um, como ordenara o Senhor Deus de Israel".[17]

A fase seguinte da história israelita é a era dos juízes, ou chefes tribais. O mais famoso deles, Sansão, estabelece sua reputação matando trinta homens durante sua festa de casamento porque precisa das roupas deles para pagar uma aposta. Depois, para vingar a morte de sua mulher e deu seu sogro, ele massacra mil filisteus e incendeia suas searas; após escapar de ser capturado, mata outros mil com uma queixada de jumento. Quando finalmente é capturado e seus olhos são vazados, Deus lhe dá força para um ataque suicida digno do Onze de Setembro, e ele implode uma grande construção, matando 3 mil homens e mulheres que lá faziam um sacrifício ao deus deles.

O primeiro rei de Israel, Saul, estabelece um pequeno império, e isso lhe dá oportunidade de acertar velhas contas. Séculos antes, durante o êxodo dos israelitas do Egito, os amalequitas os haviam perseguido, e Deus ordenou aos israelitas: "Apagarás a memória de Amaleque de debaixo do céu". Por isso, quando o juiz Samuel unge Saul rei, lembra-o do comando divino: "Vai, pois, agora e fere a Amaleque, e destrói totalmente a tudo o que tiver; nada lhe poupes, porém matarás homem e mulher, meninos e crianças de peito, bois e ovelhas, camelos e jumentos".[18] Saul executa a ordem, mas Samuel fica furioso ao saber que ele poupou o rei, Agague. Então "Samuel despedaçou a Agague perante o Senhor".

Saul por fim é derrubado por seu genro Davi, que absorve as tribos meridionais de Judá, conquista Jerusalém e a faz capital de um reino que durará quatro séculos. Davi será celebrado em histórias, canções e escultura, e sua estrela de seis pontas simbolizará seu povo por 3 mil anos. Também os cristãos o venerarão como precursor de Jesus.

Mas na escritura hebraica Davi não é só o "doce cantor de Israel", o cinzelado poeta que toca harpa e compõe os Salmos. Depois de fazer sua reputação matando Golias, Davi recruta um bando de guerrilheiros, extorque riqueza de seus concidadãos a poder da espada e luta como mercenário para os filisteus. Esses sucessos causam inveja a Saul: as mulheres de sua corte cantam: "Saul feriu seus milhares, porém Davi seus dez milhares". Por isso, Saul trama seu assassinato.[19] Davi escapa por um triz e dá um golpe de Estado bem-sucedido.

Tornando-se rei, Davi mantém sua reputação arduamente conquistada de matar às dezenas de milhares. Depois que seu general Joabe "destruiu a terra dos filhos de Amom", Davi "levou o povo que estava nela [na cidade] e os fez passar à serra, e a picaretas de ferro, e a machados".[20] Por fim, ele consegue fazer *alguma coisa* que Deus considera imoral: ordena um censo. Para punir Davi por esse lapso, Deus mata 70 mil de seus súditos.

Na família real, sexo e violência andam de mãos dadas. Um dia, enquanto passeia pelo terraço da casa real, Davi espia uma mulher nua, Bate-Seba, gosta do que vê, por isso manda o marido dela morrer em batalha e a adiciona a seu harém. Mais tarde, um dos filhos de Davi estupra uma irmã e é vingado por outro filho. O vingador, Absalão, reúne um exército e tenta usurpar o trono de Davi tendo relações sexuais com dez de suas concubinas. (Como de hábito, não nos é informado o que as concubinas achavam disso.) Quando fugia do exército de Davi, Absalão fica preso pelos cabelos a uma árvore, e o general de Davi lhe crava três lanças no coração. Isso não põe fim às brigas na família. Bate-Seba engana Davi, já senil, para que nomeie seu sucessor o filho deles, Salomão. Quando o legítimo herdeiro, Adonias, o filho mais velho de Davi, protesta, Salomão manda matá-lo.

O rei Salomão tem a seu crédito menos homicídios que seus antecessores, e é mais lembrado por construir o Templo em Jerusalém e por escrever o livro dos Provérbios, o Eclesiastes e o Cântico dos Cânticos (por outro lado, com um harém de setecentas princesas e trezentas concubinas, ele claramente não passava todo o seu tempo escrevendo). Acima de tudo, ele é lembrado pela sua virtude epônima, a "sabedoria de Salomão". Duas prostitutas que dividem um quarto dão à luz quase no mesmo dia. Um dos bebês morre, e cada mulher afirma que o menino sobrevivente é seu. O sábio rei, para decidir a disputa, saca da espada e ameaça cortar a criança ao meio para dar a cada mulher um pedaço do corpo ensanguentado. Uma das mulheres então desiste de reivindicar o menino, e Salomão dá a ela a criança. "Todo o Israel ouviu a sentença que o rei havia proferido; e todos tiveram profundo respeito ao rei, porque viram que havia nele a sabedoria de Deus, para fazer justiça."[21]

O distanciamento que é efeito de uma boa história pode nos fazer esquecer a brutalidade do mundo no qual a história se passa. Imagine um juiz em uma vara de família de nossos dias julgando uma disputa de maternidade de motosserra em punho, ameaçando fender o bebê diante das litigantes. Salomão confiantemente previu que a mulher mais humana (não somos informados se ela era mesmo a mãe) se revelaria e que a outra, de tão invejosa, permitiria que um bebê fosse morto em sua presença — e ele tinha razão! E sem dúvida devia estar disposto, caso se enganasse, a executar o massacre para não perder toda a credibilidade. As mulheres, por sua vez, sem dúvida acreditaram que seu sábio rei era capaz de cometer esse medonho assassinato.

A Bíblia retrata um mundo que, aos olhos modernos, é de uma selvageria chocante. As pessoas escravizam, estupram e assassinam membros de sua família imediata. Chefes militares chacinam civis indiscriminadamente, inclusive crianças. Mulheres são compradas, vendidas e roubadas como brinquedos sexuais. E Jeová tortura e massacra pessoas às centenas de milhares por desobediências triviais ou mesmo sem razão alguma. Não são atrocidades isoladas nem obscuras. Elas envolvem todos os principais personagens do Antigo Testamento, aqueles que as crianças desenham com creiom na escola dominical. E aparecem em uma linha contínua de um enredo que se estende por milênios, começando por Adão e Eva e passando por Noé, os patriarcas, Moisés, Josué, os juízes, Saul, Davi, Salomão e mais além. Segundo o estudioso da Bíblia Raymund Schwager, a Bíblia hebraica

> contém mais de 6 mil passagens que falam explicitamente sobre nações, reis ou indivíduos que atacam, destroem e matam outros. [...] Sem contar os aproximadamente mil versículos nos quais o próprio Jeová aparece como o executor direto de punições violentas, e os muitos textos nos quais o Senhor entrega o criminoso à espada do punidor, em mais de cem outras passagens Jeová ordena expressamente que se matem pessoas.[22]

Matthew White, autointitulado atrocitologista que montou um banco de dados com as baixas estimadas das principais guerras, massacres e genocídios da história, informa que aproximadamente 1,2 milhão de mortes em grandes massacres são especificamente enumeradas na Bíblia. (Ele exclui o meio milhão de mortos na guerra entre Judá e Israel descrita em 2 Crônicas 13 porque considera a contagem dos corpos historicamente implausível.) As vítimas do dilúvio do episódio de Noé acrescentariam uns 20 milhões ao total.[23]

A boa notícia, obviamente, é que a maior parte de tudo isso jamais aconteceu. Não só inexistem indícios de que Jeová inundou o planeta e incinerou suas cidades como, além disso, os patriarcas, os êxodos, as conquistas e o império judeu quase certamente são ficções. Os historiadores não encontraram nos escritos egípcios menção alguma à partida de 1 milhão de cativos (algo que não passaria despercebido aos egípcios); tampouco os arqueólogos encontraram nas ruínas de Jericó ou de cidades vizinhas evidências de algum saque por volta de 1200 AEC. E, se existiu algum império davídico que se estendia do Eufrates até o mar Vermelho na virada do primeiro milênio AEC, ninguém da época parece ter notado.[24]

Estudiosos modernos da Bíblia concluíram que ela foi um trabalho colaborativo nos moldes da nossa Wikipedia. Ela foi compilada no decorrer de meio milênio por escritores que tinham diferentes estilos, dialetos, nomes de personagens e concepções de Deus, e então montada a esmo, o que a deixou repleta de contradições, duplicações e non sequiturs.

As partes mais antigas da Bíblia hebraica provavelmente tiveram origem no século X AEC. Incluíram mitos sobre as origens de tribos e ruínas locais e códigos legais adaptados de civilizações vizinhas no Oriente Próximo. Os textos provavelmente serviam como um código de justiça de fronteira para as tribos da Idade do Ferro que pastoreavam rebanhos e lavravam nas encostas montanhosas da periferia sudeste de Canaã. As tribos começaram a ocupar os vales e as cidades, ocasionalmente saqueando, e talvez tenham destruído uma ou outra cidade. Por fim seus mitos foram adotados por toda a população de Canaã, unificando-as com uma genealogia comum, uma história gloriosa, um conjunto de tabus que impedia seus membros de desertar para tribos estrangeiras, e um impositor invisível que as impedia de se engalfinhar. Um primeiro esboço com uma narrativa histórica contínua foi elaborado por volta de fins do século VII a meados do século VI AEC, quando os babilônios conquistaram o reino de Judá e mandaram seus habitantes para o exílio. A edição final foi concluída depois do retorno deles a Judá no século V AEC.

Embora os relatos históricos do Antigo Testamento sejam fictícios (ou na melhor das hipóteses sejam reconstruções artísticas, como os dramas históricos de Shakespeare), eles oferecem uma janela para a vida e os valores de civilizações do Oriente Próximo em meados do primeiro milênio AEC. Tenham ou não realmente praticado o genocídio, com certeza os israelitas achavam que era uma boa ideia. A possibilidade de que uma mulher tivesse um interesse legítimo em não ser estuprada ou adquirida como propriedade sexual pelo visto não passava pela mente de ninguém. Os autores da Bíblia não viam nada de errado na escravidão ou em castigos cruéis como cegar, apedrejar e esquartejar. A vida humana não tinha valor em comparação com a obediência irrefletida ao costume e à autoridade.

Se você pensa que, ao analisar criticamente o conteúdo literal da Bíblia hebraica, estou tentando impugnar os bilhões de pessoas que hoje a veneram, não entendeu meu argumento. A imensa maioria dos judeus e cristãos praticantes, nem é preciso dizer, são pessoas decentes que não sancionam o genocídio, o estupro, a escravidão ou o apedrejamento por infrações sem importância. Sua reverência pela Bíblia é puramente talismânica. Nos milênios e séculos recentes, a Bíblia foi deturpada, alegorizada, desbancada por textos menos violentos (o Talmude dos Judeus e o Novo Testamento dos cristãos), ou discretamente ignorada. E aí está o X da questão. As sensibilidades em relação à violência mudaram tanto que hoje as pessoas religiosas compartimentalizam sua atitude para com a Bíblia. Apregoam-na só da boca para fora como símbolo de moralidade, enquanto observam de fato uma moralidade advinda de princípios mais modernos.

O IMPÉRIO ROMANO E OS PRIMEIROS TEMPOS DO CRISTIANISMO

Os cristãos preteriram a iracunda deidade do Antigo Testamento em favor de uma concepção mais recente de Deus, personificada no Novo Testamento (a Bíblia cristã) por seu filho Jesus, o Príncipe da Paz. Sem dúvida amar os inimigos e oferecer a outra face é um avanço em relação a destruir totalmente tudo o que tem fôlego. É verdade que Jesus não se esquivou de usar imagens violentas para assegurar a lealdade de seu rebanho. Em Mateus 10,34-37 ele avisa:

> Não penseis que vim trazer paz à terra; não vim trazer paz, mas espada. Pois vim causar divisão entre o homem e seu pai; entre a filha e sua mãe e entre a nora e sua sogra. Assim os inimigos do homem serão os de sua própria casa. Quem ama seu pai ou sua mãe mais do que a mim não é digno de mim; quem ama seu filho ou sua filha mais do que a mim não é digno de mim.

Não está claro o que ele pensava em fazer com a espada, mas não há indícios de que lhe tenha passado alguém ao fio.

Obviamente não existem evidências diretas de coisa alguma que Jesus teria dito ou feito.[25] As palavras atribuídas a Jesus foram escritas décadas depois de sua morte, e a Bíblia cristã, como a hebraica, é crivada de contradições, histórias sem confirmação e óbvias invenções. Porém, assim como a Bíblia hebraica nos permite vislumbrar os valores de meados do primeiro milênio antes da era comum, a Bíblia cristã nos revela muita coisa sobre os dois primeiros séculos da era comum.

Aliás, naquela época a história de Jesus não era de modo algum única. Vários mitos pagãos falavam de um salvador que era filho de um deus, nascera de uma virgem no solstício de inverno, andava em companhia de doze discípulos zodiacais, fora sacrificado como bode expiatório no equinócio da primavera, mandado ao inferno, ressuscitara em meio a grande júbilo e era simbolicamente comido por seus seguidores para atingirem a salvação e a imortalidade.[26]

O pano de fundo da história de Jesus é o Império Romano, o último em uma sucessão de conquistadores de Judá. Embora os primeiros séculos do cristianismo tenham decorrido durante a Pax Romana, a alegada paz tem de ser entendida em termos relativos. Essa foi uma época de implacável expansão imperial que incluiu a conquista da Bretanha e a deportação da população judia de Judá após a destruição do Segundo Templo em Jerusalém.

O símbolo preeminente do império era o Coliseu, que hoje milhões de turistas visitam e que vem estampado em caixas de pizza do mundo todo. Nesse megaestádio o público consumia espetáculos de crueldade em massa. Mulheres nuas eram amarradas a estacas e estupradas ou dilaceradas por animais. Exércitos de cativos massacravam-se em batalhas simuladas. Escravos personificavam literalmente relatos mitológicos de mutilação e morte — por exemplo, um homem representando Prometeu era acorrentado a uma rocha e uma águia treinada lhe arrancava o fígado. Gladiadores lutavam até a morte; nossos gestos de "positivo" e "negativo" com o polegar podem ter origem nos sinais que a multidão fazia a um gladiador vitorioso para mandá-lo dar o golpe de misericórdia no oponente. Cerca de meio milhão de pessoas tiveram essas mortes torturantes para dar aos cidadãos romanos seu pão e circo. A grandiosidade de Roma traz uma luz diferente aos nossos entretenimentos violentos (e mais ainda aos nossos "esportes radicais" e decisões por "morte súbita").[27]

O mais famoso método romano de execução obviamente é a crucificação, origem do termo "excruciante". Qualquer um que já tenha olhado a fachada de uma igreja deve ter dedicado ao menos um momento de reflexão sobre a indizível agonia de ser pregado a uma cruz. Os de estômago forte podem suplementar a imaginação lendo uma investigação forense sobre a morte de Jesus Cristo, baseada em fontes arqueológicas e históricas, publicada em 1986 no *Journal of the American Medical Association*.[28]

Uma execução romana começava com a flagelação do prisioneiro nu. Soldados romanos açoitavam as costas, nádegas e pernas da vítima com um chicote curto feito de couro trançado incrustado de pedras afiadas. Segundo os autores do *JAMA*, "as lacerações rasgavam a carne até chegar aos músculos esqueléticos e produziam faixas trementes de carne ensanguentada". Em seguida os braços do prisioneiro eram amarrados ao redor de uma trave de 45 quilos e ele era forçado a carregá-la até um local onde havia um poste fincado no chão. Jogavam-no deitado sobre as costas dilaceradas e o pregavam pelos pulsos na trave. (Ao contrário das conhecidas descrições, a carne da palma da mão não sustenta o peso de um homem.) A vítima era içada no poste, e seus pés pregados, geralmente sem um bloco de sustentação. Sua caixa torácica distendia-se com o peso do corpo que pendia dos braços, dificultando a expiração a menos que a pessoa puxasse os braços ou empurrasse as pernas contra os pregos. A morte por asfixia e hemorragia sobrevinha depois de um suplício que durava entre três e quatro horas e três e quatro dias. Os executores podiam prolongar a tortura apoiando o peso do homem em um assento, ou apressar a morte quebrando-lhe as pernas com uma clava.

Embora goste de pensar que nada do que é humano me é estranho, não consigo me colocar na mente dos antigos que inventaram essa orgia de sadismo. Mesmo que me dessem a custódia de Hitler e eu pudesse lhe aplicar um castigo à minha escolha, não me ocorreria infligir-lhe uma tortura como essa. Seria impossível não me crispar com um sentimento de empatia; eu não iria querer me tornar o tipo de pessoa capaz de se entregar a tanta crueldade e não conseguiria ver vantagem alguma em aumentar o reservatório de sofrimento do mundo sem um benefício comensurável. (Até mesmo o objetivo prático de dissuadir futuros déspotas, eu refletiria, é mais bem servido maximizando-se a expectativa de que eles serão levados à justiça do que maximizando a crueldade da punição.) No entanto, na terra estrangeira que chamamos de passado, a crucificação era uma pena comum. Foi inventada pelos persas, levada para a Europa por Alexandre, o Grande, e amplamente usada nos impérios mediterrâneos. Jesus, que foi condenado como um agitador de multidões de pouca importância, foi crucificado junto com dois ladrões comuns. A indignação que a história almeja provocar não é porque pequenos crimes eram punidos com a crucificação, e sim porque Jesus foi tratado como um criminoso pé de chinelo.

A crucificação de Jesus, evidentemente, nunca foi menosprezada. A cruz tornou-se o símbolo de um movimento que se difundiu por todo o mundo antigo, foi adotada pelo Império Romano e dois milênios depois continua a ser o símbolo mais reconhecido do mundo. A pavorosa morte que ela evoca deve tê-la transformado em um meme especialmente potente. Mas esqueçamos agora nossa familiaridade com o cristianismo e ponderemos sobre a mentalidade que tentou dar sentido à crucificação. Pelas sensibilidades de nosso tempo, é bem macabro que um grande movimento moral adote como símbolo uma vívida representação de um meio de tortura e execução revoltante. (Imagine se o logotipo em um museu do Holocausto fosse um registro de chuveiro ou se os sobreviventes do genocídio de Ruanda criassem uma religião em torno do símbolo do machete.) Mais a propósito, que lição os primeiros cristãos tiraram da crucificação? Hoje uma barbaridade dessas poderia galvanizar as pessoas a fazer oposição a regimes brutais, ou a exigir que essa tortura nunca mais seja infligida a um ser vivo. Mas não foram essas as lições extraídas pelos primeiros cristãos. Não, a execução de Jesus é a Boa-Nova, um passo necessário no mais maravilhoso episódio da história. Ao permitir que a crucificação acontecesse, Deus fez ao mundo um favor incalculável. Mesmo sendo infinitamente poderoso, compassivo e sábio, ele não conseguiu pensar em nenhum outro modo melhor de redimir a humanidade de seus pecados (em especial do pecado de descender de um casal que o desobedeceu) do que permitir que um homem inocente (e filho dele, ainda por cima) fosse empalado pelos membros e sufocasse em lenta agonia. Reconhecendo que esse sádico assassinato foi uma dádiva da misericórdia divina, as pessoas poderiam ganhar a vida eterna. E quem não enxergasse a lógica de tudo isso teria as carnes a arder por toda a eternidade.

Segundo esse modo de pensar, a morte pela tortura não é um horror inconcebível; ela tem seu lado bom. É um caminho para a salvação, uma parte do plano divino. Como Jesus, os primeiros santos cristãos encontraram um lugar ao lado de Deus sendo torturados até a morte de maneiras engenhosas. Por mais de um milênio, martirológios cristãos descreveram esses tormentos com pornográfico deleite.[29]

Vejamos apenas alguns santos cujos nomes, se não a causa de sua morte, são bem conhecidos. São Pedro, um apóstolo de Jesus e o primeiro papa, foi crucificado de cabeça para baixo. Santo André, o santo padroeiro da Escócia, pereceu em uma cruz em forma de X, que inspirou as listas diagonais da bandeira do Reino Unido. São Lourenço foi assado vivo em uma grelha, detalhe esse ignorado pela maioria dos canadenses que reconhecem seu nome no rio, no golfo e em um dos dois principais bulevares de Montreal. O outro bulevar foi nomeado em honra a santa Catarina, que foi quebrada na roda, uma punição na qual o carrasco amarrava a vítima na roda de um carro, quebrava seus membros com uma marreta, entrelaçava o corpo despedaçado, mas vivo, nos aros da roda e o içava num poste para ser comido pelas aves enquanto a vítima morria lentamente de hemorragia e choque. (A roda de Catarina, crivada de aros, adorna o emblema do *college* epônimo em Oxford.) Santa Bárbara, que dá nome a uma bela cidade californiana, foi pendurada de cabeça para baixo pelos tornozelos enquanto soldados lhe rasgavam o corpo com ganchos de ferro, amputavam seus seios, queimavam os ferimentos com ferro quente e batiam em sua cabeça com porretes dotados de pontas afiadas. E há também são Jorge, o santo padroeiro da Inglaterra, Palestina, República da Geórgia, das cruzadas e dos escoteiros. Como Deus não se cansava de ressuscitá-lo, Jorge foi torturado até a morte muitas vezes. Sentaram-no com uma perna de cada lado de uma lâmina afiada, com pesos nos pés; assaram-no na fogueira; empalaram seu corpo através dos pés; esmagaram-no com uma roda crivada de lanças; martelaram seis pregos em sua cabeça e lhe derreteram a carne das costas com velas, depois o serraram ao meio.

O voyeurismo nos martirológios era empregado não para evocar indignação contra a tortura, mas para inspirar reverência pela coragem dos mártires. Como na história de Jesus, a tortura era uma coisa excelente. Os santos recebiam de bom grado seus tormentos, pois sofrer nesta vida significava a recompensa da bem-aventurança na outra. O poeta cristão Prudêncio escreveu sobre um dos mártires: "A mãe estava presente, fitando todos os preparativos para a morte de seu amado filho, e não mostrava sinais de pesar; regozijava-se, na verdade, toda vez que o sibilante tacho fervente acima da oliveira assava e escorchava seu filho".[30] São Lourenço tornou-se o santo padroeiro dos comediantes porque, quando jazia na grelha, disse a seus torturadores: "Este lado está bem passado, virem-me do outro e provem um pedaço". Os torturadores eram gente direita, subalternos; quando eram malvistos, era porque estavam torturando *nossos* heróis, e não porque praticavam a tortura em si.

Os primeiros cristãos também exaltavam a tortura como um merecido castigo para os pecadores. A maioria das pessoas já ouviu falar nos sete pecados capitais, padronizados pelo papa Gregório I em 590. Menos gente sabe do castigo que era reservado no inferno para quem os cometia:

Soberba: Quebrado na roda
Inveja: Lançado em água congelada

Gula: Forçado a comer ratos, sapos e cobras
Luxúria: Asfixiado em fogo e enxofre
Ira: Desmembrado vivo
Avareza: Posto em caldeirões com óleo fervente
Preguiça: Jogado em fosso com serpentes[31]

A duração dessas sentenças, naturalmente, era infinita.

Santificando a crueldade, os primeiros cristãos estabeleceram um precedente para mais de um milênio de tortura sistemática na Europa cristã. Se você entende as expressões "arder na fogueira", "garrotear", "estripar", "marcar a ferro", "malhar", "moer os ossos", "escalavrar", "a dama de ferro" (iron maiden, em inglês: uma estátua oca articulada com pregos por dentro, que mais tarde inspirou o nome de uma banda de heavy metal), conhece uma fração dos modos como os hereges eram torturados na Idade Média e início da era moderna.

No tempo da Inquisição espanhola, as autoridades da Igreja concluíram que a conversão de milhares de ex-judeus não surtira efeito. Para forçar os convertidos a confessar sua apostasia disfarçada, os inquisidores amarravam nas costas os braços da vítima, suspendiam seu corpo pelos pulsos e o deixavam cair com violência várias vezes, rompendo os tendões e arrancando os braços das juntas.[32] Muitos outros foram queimados vivos, destino que coube também a Miguel Serveto por questionar a trindade, a Giordano Bruno por acreditar (entre outras coisas) que a Terra girava em torno do Sol e a William Tyndale por traduzir a Bíblia para o inglês. Galileu, talvez a mais famosa vítima da Inquisição, safou-se com facilidade: *mostraram* a ele os instrumentos de tortura (em especial o potro) e lhe deram a oportunidade de se retratar por "afirmar e crer que o Sol é o centro do mundo e imóvel e que a Terra não é o centro e se move". Hoje em dia, o potro figura em charges que mostram membros elastificados e piadas ruins (exercícios de alongamento; "*no pain, no gain*" [sem dor, sem ganho]; qualquer coisa para crescer). Mas na época não tinha graça nenhuma. O escritor e viajante escocês William Lithgow, contemporâneo de Galileu, descreveu como era ser torturado no potro pela Inquisição:

Quando as alavancas se curvaram à frente, a força maior dos meus joelhos contra as duas pranchas rompeu os tendões de meus jarretes, e os tampos de meus joelhos foram esmagados. Meus olhos começaram a saltar, minha boca a espumar e meus

> dentes a bater como duas baquetas de tambor. Meus lábios tremiam, meus gemidos eram veementes, e sangue vertia de meus braços, tendões rompidos, mãos e joelhos. Libertado desses pináculos de dor, puseram-me no chão de mãos amarradas, com a incessante exortação: "Confesse! Confesse!".[33]

Muitos protestantes foram vítimas dessas torturas, mas quando se viram por cima também as infligiram entusiasticamente a outros, inclusive a 100 mil mulheres queimadas na fogueira como bruxas entre os séculos XV e XVIII.[34] Como é frequente acontecer na história das atrocidades, os séculos posteriores tratariam esses horrores com leviandade. Na cultura popular atual, bruxas não são vítimas de tortura e execução, e sim personagens malvadas de desenhos animados ou feiticeiras espevitadas, como A Bruxa Onilda, a bruxa Hazel, Glinda, Samantha, e as irmãs Halliwell na série de TV *Charmed*.

A tortura institucionalizada na cristandade não era apenas um hábito irrefletido; tinha um fundamento moral. Se você realmente acredita que não aceitar Jesus como seu salvador é certeza de danação no fogo eterno, torturar uma pessoa até que ela reconheça essa verdade é fazer a ela o maior favor da vida: melhor algumas horas agora do que uma eternidade depois. E silenciar uma pessoa antes que ela possa corromper outras, ou fazer dela um exemplo para dissuadir o resto, é uma medida de saúde pública responsável. Santo Agostinho defendeu esse argumento com duas analogias: um bom pai impede seu filho de pegar uma cobra venenosa, e um bom jardineiro corta um galho podre para salvar o resto da árvore.[35] O método da escolha foi especificado pelo próprio Jesus: "Se alguém não permanecer em mim, será lançado fora à semelhança do ramo, e secará; e o apanham, lançam no fogo e o queimam".[36]

Mais uma vez, o objetivo desta exposição não é acusar os cristãos de apoiar a tortura e a perseguição. *É óbvio* que a maioria dos cristãos atuais é tolerante e humana. Mesmo os que esbravejam nos púlpitos televisionados não clamam por fogueira para os hereges nem querem ver os judeus pendurados na estrapada. A questão é: por que não o fazem, uma vez que suas crenças implicam que isso serviria a um bem maior? A resposta é que, hoje em dia, no Ocidente, as pessoas compartimentalizam sua ideologia religiosa. Quando afirmam sua fé nas casas de culto, professam crenças que mudaram muito pouco em 2 mil anos. Mas em suas ações elas respeitam normas modernas de não violência e tolerância, uma hipocrisia benevolente pela qual todos deveríamos ser gratos.

Se a palavra "santidade" merece um segundo olhar, o mesmo se pode dizer de "cavalheiresco". As lendas de cavaleiros e damas na época do rei Artur legaram à cultura ocidental algumas de suas imagens mais românticas. Lancelote e Guinevere são arquétipos do amor romântico, Sir Galahad, a personificação da fidalguia. Camelot, o nome da corte do rei Artur, inspirou o título de um musical da Broadway, e quando se soube, depois do assassinato de John F. Kennedy, que ele gostava da trilha sonora, o nome tornou-se um termo nostálgico para sua administração. Dizem que os versos favoritos de Kennedy eram *"Don't let it be forgot that once there was a spot/ For one brief shining moment that was known as Camelot"* [Não se esqueçam de que já existiu um lugar/ Por um breve momento luminoso conhecido como Camelot].

Na verdade, o modo de vida cavalheiresco *foi* esquecido, o que é ótimo para a imagem que se tem do modo de vida cavalheiresco. O verdadeiro conteúdo das histórias de cavalaria medieval, que se passam no século VI e foram escritas entre os séculos XI e XIII, não é tema de um típico musical da Broadway. O medievalista Richard Kaeuper fez um levantamento do número de atos de extrema violência no mais famoso desses romances, *Lancelot*, do século XIII, e encontrou em média um a cada quatro páginas.

> Limitando-nos aos exemplos quantificáveis, no mínimo oito crânios são fendidos (alguns até os olhos, alguns até os dentes, alguns até o queixo), oito homens a pé são deliberadamente esmagados pelos enormes cascos do cavalo de guerra do vitorioso (e desmaiam em agonia repetidamente), ocorrem cinco decapitações, dois ombros inteiros são decepados, três mãos cortadas, três braços separados do corpo em várias alturas, um cavaleiro é lançado às chamas e dois são catapultados para a morte súbita. Uma mulher é dolorosamente amarrada com algemas de ferro por um cavaleiro; uma é mantida por Deus durante anos em uma tina de água fervente, outra escapa por um triz de uma lança. Mulheres são frequentemente raptadas e a certa altura mencionam-se quarenta estupros. [...]
>
> Além desses atos facilmente enumeráveis, há menções a três guerras privadas (uma delas com cem baixas de um lado, outra com quinhentas mortes por envenenamento). [...] Em um [torneio], só para dar uma ideia, Lancelote mata com sua lança o primeiro homem que encontra e em seguida, de espada em punho, "golpeia

> à direita e à esquerda, mata cavalos e cavaleiros ao mesmo tempo, corta pés e mãos, cabeças e braços, ombros e coxas, derruba os que estão acima dele quando os encontra e deixa atrás de si uma lastimável esteira, e a terra toda banhada em sangue por onde ele passa".[37]

Como foi que os cavaleiros ganharam a reputação de ser cavalheiros? Segundo *Lancelot*, "Lancelote tinha o costume de nunca matar um cavaleiro que implorasse clemência, a menos que houvesse jurado antes fazê-lo ou que fosse inevitável".[38]

Quanto ao apregoado tratamento que eles dispensavam às damas, um cavaleiro corteja uma princesa prometendo em sua honra estuprar a mais bela mulher que encontrasse; seu rival promete mandar a ela as cabeças dos cavaleiros que ele derrotar em torneios. Os cavaleiros protegem damas, é verdade, mas só para impedir que sejam raptadas por outros cavaleiros. Segundo *Lancelot*,

> tais são os costumes do reino de Logres que se uma dama ou uma donzela viaja sozinha, ela não teme a ninguém. Mas se viaja em companhia de um cavaleiro e outro cavaleiro puder ganhá-la em batalha, o vencedor pode dispor da dama ou da donzela do modo que desejar sem incorrer em vergonha ou culpa.[39]

Presumivelmente não é isso que a maioria hoje chama de *cavalheirismo*.

A EUROPA NO COMEÇO DA ERA MODERNA

Veremos no capítulo 3 que a Europa medieval sossega um pouco quando os monarcas em reinos centralizados passam a controlar os belicosos senhores da guerra. Mas esses reis e rainhas também não eram nenhum modelo de nobreza.

Nas escolas da Commonwealth britânica é comum ensinar às crianças os principais acontecimentos da história da Grã-Bretanha com ajuda de mnemônica: "*King Henry the Eight, to six wives he was wedded:/ One died, one survived, two divorced, two beheaded*" [O rei Henrique VIII teve seis esposas:/ Uma morreu, uma sobreviveu, de duas ele se divorciou, duas ele decapitou].

Decapitadas! Em 1536 Henrique mandou decapitar sua esposa, Ana Bolena, sob falsa acusação de adultério e traição porque ela lhe dera um filho que não sobreviveu e ele estava de olho em uma de suas damas de companhia. Duas esposas depois, ele desconfiou que Catherine Howard o traía e também a entregou ao machado. (Os turistas podem ver o cepo na Torre de Londres.) Henrique claramente fazia o tipo ciumento: também ordenou que um antigo namorado de Catherine fosse "arrastado e esquartejado", uma punição que consistia em ser pendurado pelo pescoço, tirado da corda ainda vivo, estripado, castrado, decapitado e cortado em quatro.

O trono passou para o filho de Henrique, Eduardo, depois para a filha de Henrique, Mary, e em seguida para outra filha, Elizabeth. E não foi pondo suco de tomate na vodca que "Bloody Mary", Mary sanguinária, ganhou seu apelido, mas mandando queimar na fogueira trezentos dissidentes religiosos. E as duas irmãs observaram a tradição da família na hora de resolver diferenças domésticas: Mary encarcerou Elizabeth e presidiu a execução de sua prima, Lady Jane Grey, e Elizabeth executou outra prima, Mary, rainha da Escócia. Elizabeth também mandou "arrastar e esquartejar" 123 padres e ordenou a tortura de outros inimigos com algemas trituradoras de ossos, outra atração em exposição na Torre. Hoje em dia a família real britânica é desancada por faltas que vão da grosseria à infidelidade. Seria de esperar que lhe dessem crédito por não ter mandado decapitar um só parente nem ordenado que um único rival fosse arrastado e esquartejado.

Apesar de responsável por toda essa tortura, Elizabeth I está entre os monarcas ingleses mais reverenciados. Seu reinado é chamado de era dourada, na qual floresceram as artes, especialmente o teatro. Nem é preciso lembrar que as tragédias de Shakespeare retratam muita violência. Mas os mundos fictícios do bardo continham níveis de barbaridade que podem horrorizar até as calejadas plateias dos entretenimentos populares atuais. Henrique V, um dos heróis shakespearianos, dá o seguinte ultimato para que um vilarejo francês se renda durante a Guerra dos Cem Anos:

> [...] *pois bem, vereis em breve*
> *O soldado cego e sanguinário com a mão imunda*
> *Macular as madeixas de suas filhas a gritar esganiçadas;*
> *Seus pais agarrados pelas barbas prateadas,*
> *E às paredes atiradas suas veneráveis cabeças,*
> *Seus pequeninos nus espetados em chuços.*[40]

Em *Rei Lear*, o duque da Cornualha arranca os olhos do conde de Gloucester ("Fora, vil geleia!"), e sua esposa, Regan, manda expulsar de sua casa o conde com os olhos sangrando: "Atirai-o portões afora, e ele que fareje o caminho até Dover". Em *O mercador de Veneza*, Shylock adquire o direito de cortar uma libra de carne do peito do fiador de um empréstimo. Em *Titus Andronicus*, dois homens matam um terceiro, estupram sua noiva, cortam sua língua e amputam suas mãos. O pai da moça mata os estupradores, faz com os corpos uma torta e a dá de comer à mãe deles, a quem ele então mata antes de matar a própria filha por ter sido estuprada; depois ele é morto, e quem o matou é morto.

O entretenimento escrito para crianças não era menos medonho. Em 1815 Jacob e Wilhelm Grimm publicaram um compêndio de antigos contos populares que haviam sido gradualmente adaptados para crianças. Conhecidos comumente como os *Contos de Grimm*, a coletânea aparece ao lado da Bíblia e de Shakespeare como uma das obras mais vendidas e respeitadas do cânone ocidental. Embora não seja óbvio nas versões água com açúcar de Walt Disney, os contos são repletos de assassinato, infanticídio, canibalismo, mutilação e abuso sexual — verdadeiras histórias de horror. Vejamos apenas as três mais famosas histórias de madrasta:

• Durante uma grande fome, o pai e a madrasta de João e Maria abandonam os dois em uma floresta para que morram de fome. As crianças encontram uma casa comestível habitada por uma bruxa, que prende João e o engorda para comê-lo. Felizmente Maria empurra a bruxa para dentro de um forno aceso, e "a bruxa malvada encontra uma morte horrível na fogueira".[41]

• As irmãs de Cinderela seguem o conselho da mãe e cortam fora o dedão do pé ou o calcanhar para tentar calçar o sapato de cristal. Pombos notam o sangue e, depois que Cinderela se casa com o príncipe, arrancam a bicadas os olhos das irmãs, castigando-as "com a cegueira para o resto da vida por sua maldade e perfídia".

• Branca de Neve desperta ciúmes em sua madrasta, a rainha, e esta ordena a um caçador que leve a menina para a floresta, mate-a e lhe traga os pulmões e o fígado para que a rainha os coma. Quando a madrasta percebe que Branca de Neve escapou, faz mais três tentativas de lhe tirar a vida, duas com veneno, uma por asfixia. Depois que o príncipe a revive, a rainha entra de penetra no casamento, mas "chinelos de ferro já estavam à sua espera, quentes sobre as brasas da lareira. [...] Ela teve de calçar os chinelos incandescentes e dançar com eles até cair morta".[42]

Como veremos, hoje os fornecedores de entretenimento para crianças pequenas têm tanta intolerância à violência que até episódios dos Muppets são considerados perigosos para elas. E, por falar em fantoches, uma das mais populares formas de entretenimento infantil na Europa já foi o show de marionetes Punch and Judy. Em pleno século XX, o briguento casal de fantoches ainda se espancava em palcos enfeitados das cidades litorâneas inglesas. O estudioso da literatura Harold Schechter resume um enredo típico:

> Começa quando Punch vai afagar o cachorro do vizinho, e o animal ferra os dentes no nariz grotescamente enorme do boneco. Depois de se soltar do cão, Punch chama seu dono, Scaramouche, troca com ele uma série de caçoadas grosseiras, dá-lhe uma bordoada na cabeça e a "arranca dos ombros". Punch então chama sua esposa, Judy, e pede um beijo. Ela responde com um bofetão. Procurando outra válvula de escape para sua afeição, Punch manda buscar seu filhinho de colo e se põe a niná-lo. Infelizmente o bebê escolhe justo esse momento para sujar as fraldas. Punch, sempre o amoroso pai de família, reage batendo a cabeça do bebê no palco e por fim joga o pequeno cadáver para a plateia. Quando Judy volta e descobre o que aconteceu, fica compreensivelmente zangada. Arranca o porrete das mãos de Punch e começa a espancá-lo. Ele luta, tira dela a arma e a mata a pancadas. Por fim irrompe numa cantiga triunfante:[43]
>
> *Who'd be plagued with a wife*
> *That could set himself free*
> *With a rope or a knife*
> *Or a good stick, like me?**

Até as *nursery rhymes* [histórias em verso] da Mamãe Gansa, a maioria dos séculos XVII e XVIII, são chocantes perto do que permitimos que chegue aos ouvidos das crianças pequenas hoje em dia. O Galo Robin é assassinado a sangue-frio. Uma mãe solteira vive numa casa pobre com numerosos filhos ilegítimos, os quais ela maltrata e deixa passar fome. Duas crianças são mandadas sozinhas em uma tarefa perigosa; Jack sofre um ferimento na cabeça que pode deixá-lo com

* "Quem vai se maçar com uma esposa/ Se pode se libertar/ Com uma corda ou uma faca/ Ou um bom porrete, como eu?" (N. T.)

uma lesão cerebral, enquanto a condição de Jill é ignorada. Um andarilho confessa que jogou um velho escada abaixo. Georgie Porgie assedia sexualmente meninas causando-lhes estresse pós-traumático. Humpty Dumpty permanece em condições críticas depois de um acidente incapacitante. Uma mãe negligente deixa um bebê sozinho na copa de uma árvore, com resultados desastrosos. Um melro mergulha sobre uma empregada que estendia roupas no varal e perversamente lhe fere o nariz. Três camundongos com deficiência visual são mutilados com uma faca de trinchar. Um artigo recente nos *Archives of Diseases of Childhood* mediu as taxas de violência em diferentes gêneros de entretenimento infantil. Os programas de televisão tinham 4,8 cenas violentas por hora; as *nursery rhymes*, 52,2.[44]

A HONRA NA EUROPA E NOS PRIMEIROS TEMPOS DOS ESTADOS UNIDOS

A nota de dez dólares americanos traz a efígie de Alexander Hamilton, uma das mais luminosas figuras da história americana. Reflitamos um momento acerca de sua vida e morte. Como coautor dos *Federalist Papers*, ele ajudou a articular as bases filosóficas da democracia. Como primeiro secretário do Tesouro americano, ele criou as instituições que hoje sustentam as economias de mercado. Em outras épocas de sua vida, comandou três batalhões na Guerra da Independência, ajudou a instituir a Convenção Constitucional, comandou um exército nacional, fundou o Banco de Nova York, serviu na legislatura nova-iorquina e fundou o *New York Post*.[45]

Com tudo isso, em 1804 esse homem brilhante fez uma coisa que, para os padrões atuais, é de uma estupidez estarrecedora. Hamilton por muito tempo trocou comentários mordazes com seu rival, o vice-presidente Aaron Burr, e quando se recusou a negar a autoria de uma crítica a Burr a ele atribuída, Burr desafiou-o para um duelo. O bom senso era apenas uma das muitas forças que poderiam tê-lo afastado de um encontro com a morte.[46] O costume de duelar já estava em declínio, e era proibido no estado de Nova York, onde Hamilton residia. Hamilton perdera um filho em um duelo, e em uma carta explicando sua resposta ao desafio de Burr, enumerou cinco objeções à prática. No entanto, ele concordou em duelar, porque, escreveu, "o que os homens do mundo denominam honra" não lhe deixava alternativa. Na manhã seguinte ele foi levado de barco à outra margem do Hudson para defrontar Burr nos rochedos Palisades de New

Jersey. Burr não seria o último vice-presidente a balear um homem, mas tinha pontaria melhor que a de Dick Cheney, e Hamilton morreu no dia seguinte.

Tampouco Hamilton foi o único estadista americano a ser arrastado para um duelo. Henry Clay duelou, e James Monroe só desistiu de desafiar John Adams porque este era presidente. Entre os outros rostos da moeda americana, Andrew Jackson, imortalizado na nota de vinte dólares, levou balaços de tantos duelos que afirmava "retinir como um saco de bolinhas de gude" quando andava. Até o Grande Emancipador da nota de cinco dólares, Abraham Lincoln, aceitou um desafio para um duelo, embora estipulasse as condições para assegurar que ele não se consumaria.

O duelo formal não foi, obviamente, uma invenção americana. Surgiu durante a Renascença como medida para reduzir os assassinatos, vinganças e brigas de rua entre aristocratas e seus séquitos. Quando um homem achava que sua honra fora questionada, podia desafiar o outro para um duelo e restringir a violência a uma única morte, sem ressentimentos entre o clã ou a comitiva do derrotado. Porém, como observa o ensaísta Arthur Krystal,

> os nobres [...] levavam a honra tão a sério que praticamente qualquer ofensa tornava-se uma afronta à honra. Dois ingleses duelaram porque seus cães haviam brigado. Dois cavalheiros italianos desentenderam-se acerca dos méritos de Tasso e Ariosto, e a discussão terminou quando um combatente, mortalmente ferido, admitiu que não lera o poeta em cuja defesa se empenhara. E o tio-avô de Byron, William, o quinto barão Byron, matou um homem depois de os dois discordarem sobre qual de suas propriedades continha mais animais de caça.[47]

O duelo persistiu pelos séculos XVIII e XIX, apesar de censuras da Igreja e de proibições de muitos governos. Samuel Johnson defendeu o costume: "Um homem pode atirar no homem que invade seu caráter, tanto quanto no homem que tenta invadir sua casa". O duelo enredou luminares como Voltaire, Napoleão, o duque de Wellington, Robert Peel, Tolstói, Púchkin e o matemático Evariste Galois, os dois últimos fatalmente. O desenvolvimento, o clímax e o desfecho de um duelo pareciam feitos sob medida para os escritores de ficção, e as possibilidades dramáticas foram exploradas por Sir Walter Scott, Dumas pai, Maupassant, Conrad, Tolstói, Púchkin, Tchékhov e Thomas Mann.

A carreira do duelo é um bom exemplo de um intrigante fenômeno que encontramos frequentemente: uma categoria de violência pode estar arraigada em uma civilização há séculos e desaparecer de repente. Quando cavalheiros concordavam em duelar, a luta não era por dinheiro, terra ou mesmo por mulheres, mas pela honra, esse estranho bem que existe porque todas as outras pessoas acreditam que existe. A honra é uma bolha que pode ser inflada por algumas partes da natureza humana, como a necessidade de prestígio e o arraigamento de normas, e estourada por outras, como o senso de humor.[48] A instituição do duelo formal declinou até desaparecer em meados do século XIX no mundo anglófono, e no resto da Europa nas décadas seguintes. Historiadores salientam que a instituição foi enterrada não tanto por proibições legais ou desaprovação moral, e sim pelo ridículo. Quando "cavalheiros solenes iam para o campo de honra só para ser alvo de risadas da geração mais nova, isso foi mais do que qualquer costume, por mais santificado pela tradição, poderia suportar".[49] Hoje em dia é mais provável que a expressão "Ande dez passos, vire-se e atire" faça lembrar o coelho Pernalonga duelando com Eufrazino Puxa-Briga do que os "homens honrados".

O SÉCULO XX

Conforme nossa excursão pela história da violência esquecida vai avistando o presente, as referências tornam-se mais conhecidas. Mas mesmo a zona de memória cultural do século passado possui relíquias que parecem pertencer a uma terra estrangeira.

Um exemplo é o declínio da cultura marcial.[50] As cidades mais antigas da Europa e dos Estados Unidos são pontilhadas de obras públicas que alardeiam o poderio militar da nação. Os pedestres podem contemplar estátuas de comandantes a cavalo, de forçudos e bem-dotados guerreiros gregos, arcos do triunfo coroados por carros de guerra e cercas de ferro com hastes em forma de espadas e lanças. Estações de metrô têm nomes de batalhas vitoriosas: o metrô de Paris tem uma estação Austerlitz; o de Londres, uma estação Waterloo. Fotos de um século atrás mostram homens com vistosas fardas militares desfilando em feriados nacionais e privando da companhia de aristocratas em jantares elegantes. O imaginário visual de Estados longamente estabelecidos é carregado de iconografia agressiva como projéteis, armas de gume, aves de rapina e felinos predadores. Até Massachusetts, famoso pelo pacifismo, tem um selo que retrata um braço amputado empunhando uma espada e um nativo americano portando arco e flecha acima do lema do estado: "Com a espada buscamos a paz, mas sob a liberdade". Para não ficar atrás, o vizinho New Hamsphire adorna suas placas de automóveis com o lema "*Live free or die*" [Viver livre ou morrer].

Mas hoje no Ocidente já não se batizam lugares públicos em honra a vitórias militares. Nossos memoriais de guerra não retratam altivos comandantes a cavalo, e sim mães aos prantos, soldados extenuados ou exaustivas listas de nomes de mortos. Os militares não se destacam na vida pública com seus uniformes pardacentos e seu pouco prestígio junto às massas. Na londrina Trafalgar Square, o pedestal defronte aos grandes leões e à coluna de Nelson recebeu recentemente uma escultura que não poderia estar mais distante da iconografia militar: uma artista nua, grávida, que nasceu sem braços e pernas. O campo de batalha da Primeira Guerra Mundial em Ypres, Bélgica, que inspirou o poema "In Flanders Fields" [Nos campos de Flandres] e o uso de papoulas na lapela nos países da Commonwealth todo 11 de novembro, acaba de ganhar um memorial aos mil sodados que foram fuzilados por deserção nessa guerra: homens que na época foram desprezados como covardes infames. E os lemas dos dois mais novos estados americanos são "O norte para o futuro", do Alasca, e "A vida da terra perpetua-se na integridade", do Havaí (mas quando Wisconsin solicitou a substituição de sua imagem como "A terra dos laticínios", uma das sugestões foi "Comer queijo ou morrer").

O pacifismo ostensivo é especialmente marcante na Alemanha, uma nação que já foi tão ligada a valores marciais que as palavras "teutônico" e "prussiano" tornaram-se sinônimos de militarismo rígido. Já em 1964 o satirista Tom Lehrer expressou o medo generalizado diante da perspectiva de a Alemanha Ocidental participar de uma coalizão nuclear multilateral. Em uma sarcástica canção de ninar, ele tranquiliza o bebê dizendo:

Once all the Germans were warlike and mean,
But that couldn't happen again.
We taught them a lesson in 1918
*And they've hardly bothered us since then.**

* "Os alemães já foram belicosos e maus, / Mas isso não poderia acontecer de novo. / Nós demos uma lição a eles em 1918 / E desde então praticamente não nos incomodaram." (N. T.)

O medo de uma Alemanha revanchista reviveu em 1989 quando caiu o Muro de Berlim e as duas Alemanhas fizeram planos de se unir. No entanto, hoje a cultura alemã continua imersa em um atormentado exame de consciência por seu papel nas guerras mundiais, e sente repulsa contra qualquer coisa que cheire a força militar. A violência é tabu até nos videogames, e quando a Parker Brothers tentou introduzir uma versão alemã para o jogo de tabuleiro Risk, no qual os jogadores tentam dominar um mapa do mundo, o governo alemão tentou censurá-lo. (Por fim as regras foram reescritas, e os jogadores "libertam" em vez de conquistar os territórios dos adversários.)[51] O pacifismo alemão não é apenas simbólico: em 2003, meio milhão de alemães fizeram uma marcha de protesto contra a invasão do Iraque liderada pelos americanos. O secretário de Defesa americano, Donald Rumsfeld, em um comentário famoso, menosprezou a Alemanha como parte da "Velha Europa". Considerando a história de guerras incessantes no continente, essa deve ter sido a mais flagrante demonstração de amnésia histórica desde o caso do estudante que reclamou de clichês em Shakespeare.

Muitos de nós já viram outra mudança nas sensibilidades do Ocidente ao simbolismo militarista. Quando a suprema arma militar, a bomba atômica, foi revelada nos anos 1940 e 1950, as pessoas não se indignaram, apesar de armas desse tipo terem recentemente ceifado um quarto de milhão de vidas e ameaçarem aniquilar centenas de milhões de outras. Não, o mundo se encantou com elas! Um traje de banho sexy, o biquíni, deve seu nome a um atol da Micronésia que foi vaporizado por testes nucleares, pois seu criador comparou a reação de quem o via a uma explosão atômica. Risíveis medidas de "defesa civil", como abrigos nucleares no quintal e exercícios de agachar debaixo da carteira nas escolas, encorajavam a ilusão de que um ataque nuclear não seria grande coisa. Até hoje, o triplo triângulo em placas indicando abrigos nucleares enferruja nas entradas de subsolos de muitas escolas e prédios de apartamento nos Estados Unidos. Vários logotipos comerciais dos anos 1950 mostravam nuvens em forma de cogumelo, entre eles o do doce Quebra-Queixo Granada Atômica, o Mercado Atômico (uma mercearia próxima ao Instituto de Tecnologia de Massachusetts) e o Café Atômico, que emprestou seu nome a um documentário de 1982 sobre a bizarra despreocupação com que o mundo tratou as armas nucleares durante o começo dos anos 1960, quando finalmente começou a se dar conta do horror.

Outra grande mudança que vemos é a intolerância a exibições de força no cotidiano. Em décadas passadas, era sinal de respeitabilidade estar disposto a usar os punhos em resposta a um insulto.[52] Hoje é sinal de grosseria, um sintoma de distúrbio do controle dos impulsos, e convida à prescrição de uma terapia de controle da raiva.

Um incidente ocorrido em 1950 ilustra essa mudança. O presidente Harry Truman leu no *Washington Post* uma crítica impiedosa à apresentação de sua filha, Margaret, aspirante a cantora. Truman escreveu ao crítico, em papel com o timbre da Casa Branca: "Espero encontrá-lo um dia. Quando isso acontecer, você irá precisar de um nariz novo, muito bife para olho roxo e talvez de um suporte mais embaixo". Embora todo escritor possa compreender esse impulso, hoje em dia uma ameaça pública de causar lesão corporal qualificada em um crítico pareceria fanfarronice, e até uma coisa sinistra se vinda de alguém no poder. Na época, porém, Truman foi muito admirado por seu cavalheirismo paterno.

A partir dos anos 1940, tornou-se icônico o anúncio do programa de fisiculturismo Charles Atlas, veiculado em revistas e publicações em quadrinhos. Na história, um rapaz franzino é agredido na praia diante de sua namorada. Vai para casa, chuta uma cadeira, arrisca um selo de dez centavos, recebe instruções para um programa de exercícios e volta à praia para se vingar do agressor, recuperando o apreço da moça fascinada (figura 1.1).

Figura 1.1. *Violência cotidiana em um anúncio de fisiculturismo, anos 1940.*

No que diz respeito ao produto, Atlas estava à frente de seu tempo: a popularidade do fisiculturismo foi às alturas nos anos 1980. Já o marketing é de uma era diferente. Hoje os anúncios de academias e parafernália para exercícios não enfocam o uso dos punhos para restaurar a honra viril. As imagens são narcisistas, quase homoeróticas. Peitorais avantajados e barriga de tanquinho são mostrados em close artístico para a admiração de ambos os sexos. A vantagem prometida é a beleza, e não a força.

Ainda mais revolucionário que o desprezo à violência entre homens é o desprezo à violência contra mulheres. Muitos sessentões têm saudade da série de televisão dos anos 1950 *The Honeymooners*, em que Jackie Gleason interpretava um motorista de ônibus truculento cujos planos mirabolantes para enriquecer eram ridicularizados por sua sensata esposa, Alice. Um de seus bordões era ameaçar a mulher com o punho fechado e berrar: "Qualquer dia desses, Alice, qualquer dia desses... PÁ, bem na boca!" (ou, às vezes, "Pá, zum, direto pra Lua!"). Alice sempre ria com escárnio, não porque desdenhasse de quem espanca mulheres, mas porque sabia que Ralph não era homem o bastante para isso. Hoje, com nossa sensibilidade à violência contra mulheres, um programa de televisão para o grande público desse tipo é inconcebível. Outro exemplo é o anúncio publicado na revista *Life* de 1952 que vemos na figura 1.2.

Figura 1.2. *Violência doméstica em um anúncio de café, 1952.*

Hoje um anúncio com esse tipo de tratamento cômico e erotizado da violência doméstica estaria fora dos limites do que pode ser impresso. E esse estava longe de ser um exemplo único. Outra esposa é surrada em um anúncio dos anos 1950 das camisas Van Heusen, e um anúncio da máquina de franquia postal da Pitney-Bowes mostra um chefe exasperado gritando com uma secretária teimosa: "É sempre ilegal matar uma mulher?".[53]

E há também o musical que ficou mais tempo em cartaz, *The Fantasticks*, com seu refrão *à la* Gilbert e Sullivan *"It depends on what you pay"* [Depende do quanto você paga], cuja letra baseou-se em uma tradução de 1905 da peça *Les Romanesques*, de Edmond Rostand. Dois homens tramam um sequestro no qual o filho de um salvará a filha do outro:

You can get the rape emphatic.
You can get the rape polite.
You can get the rape with Indians:
A very charming sight.
You can get the rape on horseback;
They'll all say it's new and gay.
So you see the sort of rape
*Depends on what you pay.**

Embora no texto o termo inglês usado para "rapto" "rape" também significasse "estupro", entre a estreia da peça em 1960 e seu encerramento em 2002 as sensibilidades em torno de "rape" mudaram. Como me explicou o libretista Tom Jones (nenhum parentesco com o cantor galês):

> Com o tempo, fui ficando preocupado com essa palavra. Devagar, muito devagar fui me dando conta das coisas. Manchetes nos jornais. Relatos de brutais estupros por gangues. E também de encontros de casais que terminavam em estupro. Comecei a pensar: "Isso não tem graça". É verdade que não estávamos falando em "estupro", mas não há dúvida de que parte das risadas provinha do choque causado pelo uso da palavra daquela maneira cômica.

No começo dos anos 1970, o produtor da peça recusou o pedido de Jones para reescrever a letra, mas lhe permitiu acrescentar uma introdução à canção explicando a acepção pretendida da palavra e reduzir o número de vezes em que ela era repetida. Depois que a peça saiu de cartaz em 2002, Jones reescreveu

* "Você pode fazer um rapto vigoroso./ Você pode fazer um rapto polido./ Você pode fazer um rapto com índios:/ Uma visão encantadora./ Você pode fazer um rapto a cavalo;/ Todo mundo dirá que é original e alegre./Como vê, o tipo de rapto/ Depende do quanto você paga." (N. T.)

totalmente a letra para uma reapresentação em 2006 e obteve garantia legal de que somente a nova versão pode ser encenada em qualquer produção de *The Fantasticks* em qualquer parte do mundo.[54]

Até pouco tempo atrás, também as crianças eram alvos legítimos de violência. Os pais não só batiam nos filhos — um castigo que hoje é ilegal em muitos países — mas ainda por cima usavam armas como uma escova de cabelo ou uma pá, ou expunham as nádegas da criança para aumentar a dor e a humilhação. Em uma sequência comum em histórias infantis dos anos 1950, a mãe ameaça a criança malcomportada: "Você vai ver quando seu pai chegar", e quando o mais forte do casal aparecia, tirava o cinto e dava uma surra no rebento. Outros modos comumente descritos de castigar crianças com dor física eram mandá-las para a cama sem jantar e lavar-lhes a boca com sabão. Crianças deixadas à mercê de adultos que não eram da família sofriam ainda mais brutalidade. Não faz tempo que muitos alunos eram punidos de modos que hoje seriam classificados como "tortura" e mandariam seus professores para a prisão.[55]

As pessoas hoje pensam que o mundo está mais perigoso do que nunca. É difícil acompanhar as notícias sem ficar cada vez mais temeroso de ataques terroristas, de um choque de civilizações e do uso de armas de destruição em massa. Mas tendemos a esquecer os perigos que povoavam as notícias de algumas décadas atrás e não dar o devido valor à boa sorte de que muitos deles tenham sumido. Nos capítulos seguintes, apresentarei números mostrando que os anos 1960 e 1970 foram uma época imensamente mais brutal e ameaçadora do que esta em que vivemos. Mas por ora, para manter o espírito deste capítulo, defenderei o argumento recorrendo ao impressionismo.

Eu me formei na universidade em 1976. Como a maioria dos ex-universitários, não me recordo do discurso de formatura que me lançou no mundo adulto. Isso me dá licença para inventar um agora. Imagine a seguinte previsão, feita em meados dos anos 1970 por um especialista em assuntos mundiais:

> Senhor diretor, membros do corpo docente, familiares, amigos e classe de 1976. Chegou a hora de grandes desafios. Mas também de grandes oportunidades. A vocês, que agora começam a vida de homens e mulheres instruídos, exorto a que

deem algo em troca à sua comunidade, que trabalhem por um futuro mais luminoso e tentem fazer do mundo um lugar melhor.

Agora que já nos desincumbimos disso, tenho algo mais interessante a lhes dizer. Quero compartilhar minha visão de como será o mundo na época em que vocês estarão fazendo seu 35º encontro da turma. O calendário terá entrado em um novo milênio, trazendo-lhes um mundo além da imaginação. Não me refiro ao avanço da tecnologia, embora ela venha a ter efeitos que vocês mal poderiam imaginar. Refiro-me ao avanço da paz e da segurança humana, algo que é ainda mais difícil de conceber.

É claro que o mundo de 2011 ainda será um lugar perigoso. Durante os próximos 35 anos haverá guerras, assim como as temos hoje, e como hoje haverá genocídios, alguns deles em lugares que ninguém teria previsto. Armas nucleares continuarão a ser uma ameaça. Algumas das regiões violentas do mundo permanecerão violentas. Mas, junto com essas constantes, teremos mudanças incomensuráveis.

Antes de tudo, o pesadelo que anuvia suas vidas desde que vocês se conhecem por gente, encolher-se em abrigos nucleares, o juízo final em uma terceira guerra mundial, terá fim. Daqui a uma década, a União Soviética declarará paz com o Ocidente, e a Guerra Fria terminará sem que um tiro seja disparado. A China também sairá do radar como uma ameaça militar; na verdade, ela se tornará nosso principal parceiro comercial. Durante os próximos 35 anos, nenhuma arma nuclear será usada contra um inimigo. Aliás, não haverá nenhuma guerra entre os países de vulto. A paz na Europa Ocidental continuará indefinidamente, e em cinco anos a guerra incessante no Leste Asiático também dará lugar a uma longa paz.

Há mais notícias boas. A Alemanha Oriental abrirá sua fronteira, e estudantes sorridentes esfacelarão o Muro de Berlim a marretadas. A Cortina de Ferro irá desaparecer, e os países da Europa Central e Oriental serão democracias liberais livres do domínio soviético. A União Soviética não só abandonará o comunismo totalitarista como, além disso, deixará de existir voluntariamente. As repúblicas que a Rússia ocupa há décadas e séculos serão Estados independentes, muitos deles democráticos. Na maioria dos países isso acontecerá sem que uma só gota de sangue seja derramada.

Também o fascismo desaparecerá da Europa, e depois do resto do mundo. Portugal, Espanha e Grécia serão democracias liberais. E o mesmo ocorrerá com Taiwan, Coreia do Sul e com a maior parte da América do Sul e Central. Os generalíssimos, os coronéis, as juntas, as repúblicas de banana e os golpes militares anuais deixarão o palco na maior parte do mundo desenvolvido.

O Oriente Médio também guarda surpresas. Vocês viram a quinta guerra entre Israel e Estados árabes em 25 anos. Essas guerras mataram 50 mil pessoas e recentemente ameaçaram arrastar as superpotências para um confronto nuclear. Mas daqui a três anos o presidente do Egito abraçará o primeiro-ministro de Israel no Knesset, e eles assinarão um tratado de paz que durará até um futuro indeterminado. A Jordânia também estabelecerá paz duradoura com Israel. A Síria terá esporádicas negociações de paz com Israel, e os dois países não entrarão em guerra.

Na África do Sul, o regime do apartheid será desmantelado, e a minoria branca cederá o poder à maioria negra. Isso acontecerá sem guerra civil, sem banho de sangue, sem recriminações violentas contra os opressores de antes.

Muitos desses avanços serão resultado de longas e corajosas lutas. Mas outros deles simplesmente acontecerão, pegando todo mundo de surpresa. Talvez alguns de vocês tentem descobrir como tudo isso aconteceu. Recebam meus parabéns por suas realizações e meus votos de sucesso e satisfação nestes anos futuros.

Como os ouvintes reagiriam a esse arroubo otimista? Entre risinhos abafados, os presentes sussurrariam suas suspeitas de que o orador ainda estava viajando no ácido de Woodstock. Mas o otimista estaria certo em tudo.

Um turista não consegue entender um país visitando uma cidade por dia, e não posso esperar que esses passeios ao longo dos séculos tenham convencido você de que o passado foi mais violento do que o presente. Agora que você está de volta, sem dúvida tem muitas perguntas. Não continuamos a torturar pessoas? O século XX não foi o mais sangrento da história? Novas formas de guerra não substituíram as anteriores? Não estamos vivendo a Era do Terror? Não disseram que a guerra estava obsoleta em 1910? E que dizer das galinhas criadas em confinamento? E os terroristas nucleares não poderão começar uma grande guerra amanhã?

São questões excelentes, e tentarei respondê-las no restante do livro com a ajuda de estudos históricos e dados quantitativos. Mas espero que esses testes de racionalidade tenham preparado o terreno. Eles nos lembram que, apesar de todos os perigos que defrontamos hoje, os perigos de ontem eram ainda piores. Os leitores deste livro (e, como veremos, as pessoas na maior parte do resto do mundo) não precisam mais se preocupar com rapto para escravidão sexual, genocídio por comando divino, circos e torneios letais, punição na cruz, no potro, na roda, na fogueira ou na estrapada por ter crenças malvistas, decapitação por não gerar um filho homem, estripação por namorar alguém da família real, duelos a pistola para defender a honra, brigas na praia para impressionar namoradas e a perspectiva de uma guerra nuclear mundial que ponha fim à civilização ou à própria vida humana.

2. O Processo de Pacificação

Tudo bem, a vida é sórdida, brutal e curta, mas você sabia disso quando se tornou um homem das cavernas.

Charge na revista *New Yorker*[1]

Thomas Hobbes e Charles Darwin foram homens bons cujos nomes se tornaram adjetivos ruins. Ninguém quer viver em um mundo hobbesiano ou darwiniano (nem malthusiano, maquiavélico ou orwelliano). Esses dois homens foram imortalizados no léxico por suas secas sinopses da vida em um estado natural, Darwin com a "sobrevivência do mais apto" (frase que ele usou, mas não cunhou) e Hobbes com a "vida do homem, solitária, pobre, sórdida, brutal e curta". No entanto, os dois nos deram percepções sobre a violência que são mais profundas, mais sutis e, em última análise, mais humanas do que implicam seus adjetivos epônimos. Em nossos dias, qualquer exame da violência humana tem de começar com as análises de Darwin e Hobbes.

Este capítulo trata das origens da violência nos sentidos lógico e cronológico. Com a ajuda de Darwin e Hobbes, refletiremos sobre a lógica adaptativa da violência e suas predições dos tipos de impulsos violentos que podem ter evoluído como parte da natureza humana. Examinaremos então a pré-história da violência, identificando quando ela apareceu em nossa linhagem evolutiva, quanto ela foi comum nos milênios anteriores à história escrita e que tipos de avanços históricos começaram a reduzi-la.

A LÓGICA DA VIOLÊNCIA

Darwin nos deu uma teoria para explicar por que os seres vivos têm as características que têm, não apenas as características físicas, mas também as disposições mentais e os motivos básicos que impelem seu comportamento. Um século e meio depois da publicação de *A origem das espécies*, a teoria da seleção natural está sobejamente comprovada no laboratório e em campo, e foi ampliada com ideias de novas áreas da ciência e da matemática, ensejando uma compreensão coerente do mundo vivo. Essas novas áreas incluem a genética, que explica os replicadores que possibilitam a seleção natural, e a teoria dos jogos, que lança uma luz sobre a sina de agentes que se empenham por objetivos em um mundo onde há outros agentes empenhados em objetivos.[2]

Por que evoluem organismos que buscam fazer mal a outros organismos? A resposta não é tão direta quanto sugeriria a frase "a sobrevivência dos mais aptos". Em seu livro *O gene egoísta*, que explica a síntese moderna da biologia evolutiva com a genética e a teoria dos jogos, Richard Dawkins tenta arrancar seus leitores de sua familiaridade irrefletida com o mundo vivo. Pede-lhes que imaginem os animais como "máquinas de sobrevivência" construídas por seus genes (as únicas entidades que são fielmente propagadas ao longo da evolução), e então reflitam sobre como evoluiriam tais máquinas de sobrevivência.

> Para uma máquina de sobrevivência, outra máquina de sobrevivência (que não seja seu filho ou outro parente próximo) é parte de seu ambiente, como uma rocha, um rio ou uma porção de alimento. É algo que estorva ou algo que pode ser explorado. Difere de uma rocha ou de um rio em um aspecto importante: tende a reagir. Porque ela também é uma máquina que tem a custódia de seus genes imortais para o futuro e também fará de tudo para preservá-los. A seleção natural favorece genes que controlam suas máquinas de sobrevivência de modo a fazê-las usar seu ambiente da melhor forma possível. Isso inclui usar do melhor modo possível outras máquinas de sobrevivência, da mesma espécie ou de outras.[3]

Quem já viu um falcão dilacerar um estorninho, um enxame de insetos atormentar um cavalo ou o vírus da aids matar lentamente um homem, conhece em primeira mão os modos como as máquinas de sobrevivência exploram impiedosamente outras máquinas de sobrevivência. Em boa parte do mundo vivo, a violência é simplesmente o normal, algo que não requer explicação. Quando as vítimas pertencem a outra espécie, chamamos os agressores de predadores ou parasitas. Mas membros da mesma espécie também podem ser vítimas. Infanticídio, fratricídio, canibalismo, estupro e combate letal já foram documentados em muitos tipos de animais.[4]

A passagem cuidadosamente formulada de Dawkins também explica por que a natureza não consiste em uma grande escaramuça sangrenta. Para começar, os animais são menos inclinados a fazer mal a parentes próximos, pois qualquer gene que leve um animal a prejudicar um parente terá uma boa chance de prejudicar uma cópia de *si mesmo* existente no corpo desse parente, e a seleção natural tenderia a erradicá-lo. Mais importante, salienta Dawkins, é que um outro organismo difere de uma rocha ou de um rio porque *tende a reagir.* Qualquer organismo que, pela evolução, se tornou violento é membro de uma espécie cujos outros membros, em média, evoluíram com essa mesma característica de violência. Se ele atacar alguém de sua própria espécie, o adversário pode ser tão forte e combativo quanto ele e possuir as mesmas armas e defesas. A probabilidade de que, ao atacar um membro da mesma espécie, o organismo acabe sofrendo dano é uma poderosa pressão da seleção natural que desfavorece a agressão indiscriminada. Isso também exclui a metáfora hidráulica da pressão psíquica que se acumula e por fim extravasa, bem como a maioria das teorias leigas sobre a violência, como a sede de sangue, o desejo de matar, o instinto assassino e outras comichões, impulsos e ânsias destrutivas. Quando uma tendência à violência evolui, ela é sempre *estratégica.* Os organismos são selecionados para recorrer à violência somente em circunstâncias nas quais os benefícios esperados superam os custos esperados. Esse discernimento é especialmente verdadeiro para as espécies inteligentes, cujos cérebros grandes as tornam sensíveis aos benefícios e custos esperados em uma dada situação e não apenas às vantagens adquiridas em média ao longo do tempo evolutivo.

A lógica da violência, quando aplicada a membros de uma espécie inteligente que se defrontam com outros membros dessa espécie, leva-nos a Hobbes. Em uma notável passagem do *Leviatã* (1651), ele usou menos de cem palavras para fazer uma análise, tão boa quanto qualquer uma feita em nossa época, dos incentivos à violência:

> Encontramos na natureza do homem, portanto, três principais causas de contenda. Primeira, a competição; segunda, a difidência; terceira, a glória. A primeira leva o homem a invadir pelo ganho; a segunda, pela segurança; a terceira, pela reputação. Os primeiros usam a violência para assenhorear-se das pessoas de outros homens, de mulheres, filhos e gado; os segundos, para defendê-los; os terceiros, por ninharias, como uma palavra, um sorriso, uma opinião diferente e qualquer outro sinal de desapreço, seja diretamente a suas pessoas, seja por reflexo em seus parentes, seus amigos, sua nação, sua profissão ou seu nome.[5]

Hobbes considerava a competição uma consequência inevitável do empenho do agente por seus interesses. Hoje vemos que ela é parte integrante do processo evolutivo. Máquinas de sobrevivência capazes de afastar seus competidores de recursos finitos como comida, água e território desejável conseguirão se reproduzir mais do que seus competidores e deixarão o mundo com as máquinas de sobrevivência que são mais aptas a esse tipo de competição.

Também sabemos hoje por que "esposas" são um dos recursos pelos quais os homens devem competir. Na maioria das espécies animais, a fêmea faz um investimento maior do que o macho na prole. Isso se aplica ainda mais aos mamíferos, pois a mãe gesta a cria dentro do corpo e a amamenta depois do nascimento. Um macho pode multiplicar o número de filhos acasalando-se com várias fêmeas — o que privará outros machos de filhos — enquanto uma fêmea não pode multiplicar o número de filhos acasalando-se com vários machos. Isso faz da capacidade reprodutiva da fêmea um recurso escasso pelo qual competem os machos de muitas espécies, inclusive a humana.[6] Nada disso, a propósito, implica que os homens são robôs controlados por seus genes, que eles podem ser moralmente desculpados por estuprar ou lutar, que as mulheres são prêmios sexuais passivos, que as pessoas tentam ter o maior número possível de bebês ou que são insensíveis às influências de sua cultura, para citar alguns dos equívocos comuns a respeito da teoria da seleção sexual.[7]

A segunda causa de altercação é a difidência, uma palavra que, no tempo de Hobbes, significava "medo". Ela é uma consequência da primeira causa: competição gera medo. Se você tem razão para desconfiar que seu vizinho é propenso a eliminá-lo da competição, por exemplo, matando-o, então você será propenso a se proteger eliminando-o primeiro, em um ataque preventivo. Você pode ser tentado a isso mesmo que normalmente não seja capaz de matar uma mosca, contanto que não esteja disposto a cruzar os braços e se deixar matar. A tragédia é que seu competidor tem todas as razões para fazer o mesmo cálculo, mesmo que *ele* seja incapaz de matar uma mosca. De fato, mesmo se ele *souber* que você inicialmente não tinha intenções agressivas contra ele, pode legitimamente recear que você seja tentado a neutralizá-lo por medo de que ele o neutralize primeiro, o que dará a você o incentivo para neutralizá-lo antes, *ad infinitum*. O cientista político Thomas Schelling apresenta a analogia do homem armado que surpreende em sua casa um ladrão também armado, e cada um deles é tentado a atirar no outro para não ser baleado primeiro. Esse paradoxo às vezes é chamado de armadilha hobbesiana, ou, na arena das relações internacionais, de dilema da segurança.[8]

Como os agentes inteligentes podem se desvencilhar da armadilha hobbesiana? O jeito mais óbvio é através de uma política de dissuasão: não ataque primeiro; seja forte o suficiente para sobreviver a um primeiro ataque e retalie no mesmo grau contra qualquer agressor. Uma política de dissuasão que tenha credibilidade pode remover o incentivo do competidor a invadir pelo ganho, pois o custo imposto pela retaliação anularia para ele as vantagens previstas. E elimina seu incentivo a invadir por medo, pois você está decidido a não invadir primeiro e, mais importante, porque você tem menos incentivo para atacar primeiro, já que a dissuasão reduz a necessidade de atacar preventivamente. No entanto, essencial para a política da dissuasão é a credibilidade da ameaça de que você irá retaliar. Se seu adversário pensa que você é vulnerável a ser aniquilado em um primeiro ataque, não tem por que temer uma retaliação. E se ele pensar que, uma vez atacado, você pode racionalmente se abster de retaliar, pois a essa altura é tarde demais para ter algum efeito, ele poderá explorar essa racionalidade e atacá-lo impunemente. Só se você estiver decidido a refutar qualquer suspeita de fraqueza, a vingar todas as invasões e revidar todas as afrontas, sua política de dissuasão será crível. Temos, assim, uma explicação para o incentivo de invadir por ninharias: uma palavra, um sorriso e qualquer outro sinal de desapreço. Hobbes usou o termo "glória"; mais comumente, chamam-na "honra"; a descrição mais precisa é "credibilidade".

A política da dissuasão também é conhecida como o equilíbrio do terror; durante a Guerra Fria, ela foi chamada de destruição mutuamente assegurada. A paz que uma política de dissuasão porventura possa prometer é frágil, pois a dissuasão reduz a violência somente graças a uma ameaça de violência. Cada lado tem de reagir a qualquer sinal não violento de desrespeito com uma demonstração violenta de coragem; em consequência, um ato de violência pode levar a outro, em um ciclo interminável de retaliação. Como veremos no capítulo 8, uma importante característica da natureza humana, o viés do interesse próprio, pode fazer cada lado pensar que sua própria violência foi um ato de retaliação justificada e que o ato do outro foi uma agressão sem provocação.

A análise de Hobbes diz respeito à vida em um estado de anarquia. O título de sua obra-prima identificou um modo de escapar dela, o Leviatã: uma monarquia ou outra autoridade governamental que incorpore a vontade do povo e tenha o monopólio do uso da força. Aplicando penalidades aos agressores, o Leviatã pode eliminar seu incentivo à agressão, o que elimina as preocupações gerais sobre ataques preventivos e a necessidade de que cada um se mantenha sempre pronto para retaliar à menor provocação de modo a provar sua determinação. E como o Leviatã é uma terceira parte desinteressada, não sofre influência do chauvinismo que faz cada lado pensar que seu oponente tem um coração das trevas em comparação com o seu, que é puro como um cristal.

A lógica do Leviatã pode ser resumida em um triângulo (figura 2.1). Em cada ato de violência há três partes interessadas: o agressor, a vítima e um observador. Cada um tem um motivo para a violência: o agressor, predar a vítima; a vítima, retaliar; o observador, minimizar os danos colaterais da luta dos dois. A violência entre os combatentes pode ser chamada de guerra; a violência pelo observador contra os combatentes pode ser chamada de lei. A teoria do Leviatã, em resumo, diz que a lei é melhor do que a guerra. A teoria de Hobbes faz uma previsão que pode ser testada sobre a história da violência. O Leviatã fez sua primeira entrada em um ato tardio da encenação humana. Os arqueólogos nos dizem que os seres humanos viveram em estado de anarquia até o surgimento da civilização, há cerca de 5 mil anos, quando agricultores sedentários pela primeira vez se reuniram em cidades e Estados e criaram os primeiros governos. Se a teoria de Hobbes for correta, essa transição também deve ter trazido o primeiro grande declínio histórico da violência. Antes do advento da civilização, quando os homens viviam sem "um poder comum que mantenha a todos em um temor respeitoso", a vida devia ser mais sórdida, mais brutal e mais curta do que quando a paz lhes foi imposta por autoridades armadas: um avanço que chamarei de Processo de Pacificação.

Hobbes afirma que "povos selvagens em muitos lugares da América" viviam em estado de anarquia violenta, mas não especifica quem ele tinha em mente.

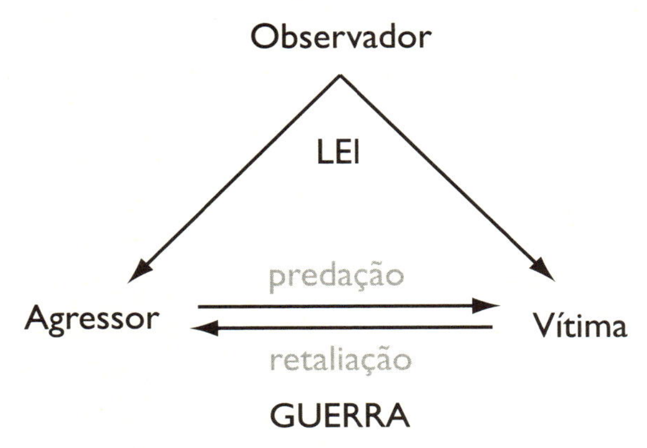

Figura 2.1. *O triângulo da violência.*

Nesse vácuo de dados, qualquer um poderia arriscar uma especulação sobre os povos primitivos, e não demorou para que surgisse uma teoria oposta. O contrário de Hobbes foi o filósofo nascido na Suíça Jean-Jacques Rousseau (1712-78), cuja opinião era que

> nada pode ser mais dócil do que [o homem] em seu estado primitivo. [...] O exemplo dos selvagens parece confirmar que a humanidade formou-se para nele permanecer sempre, [...] e que todos os desdobramentos ulteriores foram passos [...] em direção à decrepitude da espécie.[9]

Embora as filosofias de Hobbes e Rousseau sejam muito mais refinadas do que "sórdida, brutal e curta" versus "nobre selvagem", seus estereótipos concorrentes da vida em estado natural alimentaram uma controvérsia que perdura até nossos dias. Em *Tábula rasa*, examino como essa questão acumulou uma pesada bagagem emocional, moral e política. Na segunda metade do século XX, a romântica teoria de Rousseau tornou-se a doutrina politicamente correta da natureza humana, tanto como uma reação a doutrinas racistas anteriores sobre povos "primitivos" como por uma convicção de que ela era uma visão mais enaltecedora da condição humana. Muitos antropólogos acreditam que, se Hobbes estivesse certo, a guerra seria inevitável ou mesmo desejável; portanto, qualquer um que seja a favor da paz tem de asseverar que Hobbes está errado. Esses "antropólogos da paz" (que na verdade são acadêmicos bem agressivos — o etnólogo Johan van der Dennen chama-os de Máfia da Paz e Harmonia) garantem que os seres humanos e outros animais têm fortes inibições contra matar os de sua própria espécie, que a guerra é uma invenção recente e que as lutas entre povos nativos foram ritualísticas e inofensivas antes de eles encontrarem os colonizadores europeus.[10]

Como mencionei no prefácio, acho que a ideia de que as teorias biológicas da violência são fatalistas e as teorias românticas são otimistas vê as coisas ao contrário, mas não é esse o assunto deste capítulo. Quando se trata da violência em povos antes do advento do Estado, Hobbes e Rousseau estão falando do que não sabem: nenhum deles conhecia coisa alguma sobre a vida antes da civilização. Hoje podemos fazer melhor. Este capítulo examina os fatos sobre a violência nas primeiras etapas da carreira humana. A história começa antes de sermos humanos, e analisaremos a agressão em nossos parentes primatas para ver o que ela revela acerca do surgimento da violência em nossa linhagem evolutiva. Quando chegarmos à nossa espécie, enfocarei o contraste entre bandos e tribos forrageadoras que vivem em estado de anarquia e povos que vivem em Estados estabelecidos com alguma forma de governo. Veremos também como os forrageadores lutam e por que lutam. Isso leva à questão central: as guerras das tribos anárquicas são mais ou menos destrutivas que as dos povos de Estados estabelecidos? A resposta requer passar das narrativas aos números: as taxas per capita de mortes violentas, na melhor estimativa que nos for possível, em sociedades que vivem sob um Leviatã e naquelas que vivem na anarquia. Por fim, examinaremos as vantagens e desvantagens da vida civilizada.

A VIOLÊNCIA EM ANCESTRAIS HUMANOS

Até onde podemos voltar na história da violência? Embora os ancestrais primatas da linhagem humana estejam extintos há muito tempo, eles nos legaram no mínimo um tipo de evidência de como eles podem ter sido: seus outros descendentes, os chimpanzés. É claro que não evoluímos de chimpanzés, e, como veremos, é uma questão em aberto se os chimpanzés preservaram ou não as características de nosso ancestral comum ou se enveredaram por uma direção só deles. Seja como for, a agressão entre os chimpanzés contém uma lição para nós, pois mostra como a violência pode evoluir em uma espécie primata que tem certas características em comum com a espécie humana. E também testa a predição evolutiva de que as tendências violentas não são hidráulicas e sim estratégicas, postas em prática apenas em circunstâncias nas quais os ganhos potenciais são altos e os riscos, baixos.[11]

Os chimpanzés comuns vivem em comunidades de até 150 indivíduos que ocupam um território distinto. Enquanto vagueiam por seu território em busca de frutas e nozes que se distribuem desigualmente pela floresta, eles frequentemente se dividem e se aglutinam em grupos menores de um a quinze indivíduos. Se um grupo encontra outro grupo de uma comunidade diferente na fronteira entre seus territórios, a interação é sempre hostil. Quando os bandos estão em equilíbrio de forças, disputam a fronteira em uma batalha ruidosa. Os dois lados emitem gritos curtos e repetidos ou graves como o pio da coruja, sacodem galhos, atiram objetos e arremetem uns contra os outros por meia hora ou mais, até que um lado, geralmente o menos numeroso, bate em retirada.

Essas batalhas são exemplos das exibições de agressividade comuns entre animais. Supunha-se antes que elas fossem rituais para decidir disputas sem derramamento de sangue pelo bem da espécie, mas hoje são vistas como exibições de força e determinação que permitem ao lado mais fraco ceder quando o resultado de uma luta pode ser previsto, e continuar somente traria o risco de dano a ambos os lados. Quando dois animais têm forças equilibradas, a exibição de força pode escalar até uma luta séria, e pode terminar com ferimento ou morte de um ou de ambos.[12] No entanto, as batalhas entre grupos de chimpanzés não descambam para uma luta séria; por isso, antes, os antropólogos acreditavam que a espécie era essencialmente pacífica.

Jane Goodall, a primatóloga que pela primeira vez observou chimpanzés na natureza por longos períodos, acabou fazendo uma descoberta estarrecedora.[13] Quando um grupo de chimpanzés machos encontra um grupo menor ou um indivíduo solitário de outra comunidade, os animais não gritam nem se eriçam: aproveitam a vantagem de ser mais numerosos. Se o estranho for uma fêmea adolescente sexualmente receptiva, eles podem catar seus pelos e tentar se acasalar. Se ela carregar um filhote, o mais das vezes eles a atacam, depois matam e comem o bebê. E se encontram um macho solitário, ou isolado de um grupo pequeno, perseguem-no com selvageria assassina. Dois atacantes imobilizam a vítima e os demais o espancam, arrancam seus dedos e genitália a mordidas, dilaceram-lhe a carne, torcem seus membros, bebem seu sangue ou lhe arrancam a traqueia. Em uma comunidade, os chimpanzés escolheram para matar cada macho de uma comunidade vizinha, um evento que, se ocorresse entre seres humanos, chamaríamos de genocídio. Muitos dos ataques não são desencadeados por encontros fortuitos; resultam de patrulhamentos de fronteira nos quais um grupo de machos sorrateiramente procura e ataca qualquer macho solitário que avistar. Mata-se também dentro da própria comunidade. Uma gangue de machos pode matar um rival, e uma fêmea forte, ajudada por um macho ou outra fêmea, pode matar a cria de uma fêmea mais fraca.

Quando Goodall relatou pela primeira vez essas matanças, outros cientistas pensaram na possibilidade de serem explosões anômalas, sintomas de patologia ou consequência de os primatólogos deixarem comida aos chimpanzés para facilitar sua observação. Três décadas depois, praticamente não restam dúvidas de que a agressão letal é parte do repertório de comportamentos normais dos chimpanzés. Primatólogos observaram ou inferiram o extermínio de quase cinquenta indivíduos em ataques entre comunidades, e mais de 25 em ataques dentro da mesma comunidade. Os relatos provêm de no mínimo nove comunidades, incluindo algumas que nunca haviam recebido alimento de seres humanos. Em algumas comunidades, mais de um terço dos machos morre vitimado por violência.[14]

O chimpancídio tem um fundamento darwiniano? O primatólogo Richard Wrangham, ex-aluno de Goodall, testou várias hipóteses com os numerosos dados que foram coligidos sobre a demografia e a ecologia dos chimpanzés.[15] Conseguiu documentar uma grande vantagem darwiniana e uma vantagem menor. Quando chimpanzés eliminam machos rivais e sua prole, expandem seu território, seja mudando-se para ele imediatamente, seja vencendo batalhas subsequentes com a ajuda de sua vantagem numérica aumentada. Isso lhes permite monopolizar o acesso ao alimento no território para si mesmos, suas crias e as fêmeas com quem eles se acasalam, o que, por sua vez, resulta em uma taxa de natalidade mais alta entre as fêmeas. A comunidade também ocasionalmente absorve as fêmeas da comunidade derrotada, o que traz aos machos uma segunda vantagem reprodutiva. Não estou dizendo que os chimpanzés lutam diretamente por comida ou por fêmeas. Eles só cuidam de dominar seu território e eliminar rivais quando podem fazê-lo a um risco mínimo para si mesmos. Os benefícios evolutivos ocorrem indiretamente e a longo prazo.

Quanto aos riscos, os chimpanzés os minimizam escolhendo lutas desiguais, aquelas em que são no mínimo três vezes mais numerosos do que suas vítimas. O padrão forrageador dos chimpanzés frequentemente manda uma desafortunada vítima para suas garras porque as árvores frutíferas se distribuem por trechos descontínuos na floresta. Chimpanzés famintos podem ter de procurar comida em pequenos grupos ou individualmente, e às vezes se aventuram em terras estranhas atrás de uma refeição.

O que isso tem a ver com a violência em seres humanos? Permite-nos aventar que a linhagem humana pode ter praticado ataques letais desde a época de seu ancestral comum com os chimpanzés, por volta de 6 milhões de anos atrás. Existe, contudo, uma possibilidade alternativa. O ancestral comum do homem e do chimpanzé comum (*Pan troglodytes*) legou ao mundo uma terceira espécie, o bonobo ou chimpanzé-pigmeu (*Pan paniscus*), que se separou de seus primos comuns há cerca de 2 milhões de anos. Nosso parentesco com os bonobos é tão próximo quanto com os chimpanzés comuns, e os bonobos nunca praticam ataques letais. Aliás, a diferença entre os bonobos e os chimpanzés comuns é um dos fatos mais conhecidos na primatologia popular. Os bonobos tornaram-se famosos como primatas pacíficos, matriarcais, concupiscentes e herbívoros — "chimpanzés hippies". Deram o nome a um restaurante vegetariano em Nova York, foram a inspiração da filosofia "O Caminho da Paz dos Bonobos Através do Prazer", da sexóloga Suzan Block, e, se fosse pela vontade da colunista do *New York Times* Maureen Dowd, eles seriam um modelo para os homens atuais.[16]

O primatólogo Frans de Waal salienta que, teoricamente, o ancestral comum de seres humanos, chimpanzés comuns e bonobos pode ter sido semelhante aos bonobos e não aos chimpanzés.[17] Se isso for verdade, a violência entre coalizões de machos teria raízes menos profundas na história evolutiva humana. Os chimpanzés comuns e os seres humanos teriam desenvolvido independentemente seus ataques letais, e os ataques humanos podem ter se desenvolvido historicamente em culturas específicas e não evolucionariamente na espécie. E se, por sua vez, isso for verdade, os seres humanos não teriam predisposições inatas à violência coalizacional e não precisariam de um Leviatã, ou de qualquer outra instituição, para manter-se longe dela.

A ideia de que o homem evoluiu de um ancestral pacífico semelhante ao bonobo tem dois problemas. Um é que é fácil empolgar-se com essa história do primata hippie. Os bonobos são uma espécie ameaçada que vive em florestas inacessíveis em partes perigosas do Congo, e muito do que sabemos sobre eles provém de observações de pequenos grupos de juvenis bem alimentados ou de jovens adultos em cativeiro. Muitos primatólogos suspeitam que estudos sistemáticos de grupos de bonobos mais velhos, mais famintos, mais populosos e mais livres nos mostrariam um quadro mais sinistro.[18] Descobriu-se que, na natureza, os bonobos caçam, confrontam-se belicosamente e ferem uns aos outros em lutas, algumas fatais. Portanto, embora os bonobos sejam inquestionavelmente menos agressivos do que os chimpanzés comuns — nunca fazem incursões de ataque, e as comunidades podem misturar-se pacificamente —, cem por cento pacíficos eles com certeza não são.

O segundo e mais importante problema é que, muito mais provavelmente, o ancestral comum das duas espécies de chimpanzé e do homem foi mais parecido com um chimpanzé comum do que com um bonobo.[19] Os bonobos são primatas muito estranhos, não só no comportamento mas também na anatomia. Têm a cabeça pequena e com formato infantil, o corpo mais leve, menos diferenças entre os sexos e outras características juvenis que os distinguem não só dos chimpanzés comuns, mas também dos outros grandes primatas (gorilas e orangotangos) e também dos fósseis australopitecinos, que foram ancestrais dos seres humanos. A anatomia distintiva dos bonobos, quando posta na grande árvore filogenética dos primatas, sugere que eles foram afastados do esboço genérico dos grandes primatas pela neotenia, um processo que ressintoniza o programa de crescimento de um animal para preservar certas características juvenis na fase adulta (no caso dos bonobos, características do crânio e do cérebro). A neotenia frequentemente ocorre em espécies que foram domesticadas, como no caso do cão, que divergiu do lobo, e é um caminho pelo qual a seleção pode tornar os animais menos agressivos. Wrangham afirma que o principal motor na evolução dos bonobos foi a seleção para a menor agressão nos machos, talvez porque os bonobos procuram alimento em grandes grupos sem indivíduos solitários vulneráveis, portanto não há oportunidades para que a agressão coalizacional seja compensadora. Essas ponderações sugerem que os bonobos são destoantes entre os grandes primatas e que nós descendemos de um animal que era mais semelhante ao chimpanzé comum.

Mesmo que os chimpanzés comuns e os seres humanos tivessem descoberto independentemente a violência coalizacional, a coincidência seria informativa. Sugeriria que as incursões letais podem ser evolucionariamente vantajosas em uma espécie inteligente que se divide em grupos de vários tamanhos e na qual machos aparentados formam coalizões e são capazes de avaliar as forças relativas uns dos outros. Quando examinarmos a violência em seres humanos mais adiante neste capítulo, veremos que alguns dos paralelos são inquietantemente próximos.

Seria muito bom se a lacuna entre o ancestral comum e os seres humanos modernos pudesse ser preenchida pelo registro fóssil. Mas os ancestrais dos chimpanzés não deixaram fósseis, e não dispomos de fósseis e artefatos de hominídeos suficientes para nos fornecer evidências diretas de agressão, como armas preservadas ou ferimentos. Alguns paleoantropólogos procuram sinais de temperamento violento em espécies fósseis medindo o tamanho dos dentes caninos nos machos (pois caninos pontiagudos são encontrados em espécies agressivas) e verificando as diferenças de tamanho entre machos e fêmeas (porque nas espécies políginas os machos tendem a ser maiores para poder lutar melhor contra outros machos).[20] Infelizmente as mandíbulas pequenas dos hominídeos, ao contrário dos focinhos dos outros primatas, não se abrem o suficiente para que grandes caninos sejam práticos, independentemente de essas criaturas terem sido agressivas ou pacíficas. E a menos que uma espécie tenha tido a consideração de nos deixar um grande número de esqueletos completos, é difícil fazer uma diferenciação confiável por sexo e comparar o tamanho de machos e fêmeas. (Por essas razões, muitos antropólogos veem com ceticismo a recente afirmação de que o *Ardipithecus ramidus*, uma espécie de 4,4 milhões de anos que provavelmente é ancestral do *Homo*, era tamanho unissex, tinha caninos pequenos e, portanto, era monógama e pacífica.)[21] Os mais recentes e abundantes fósseis de *Homo* mostram que os machos foram maiores do que as fêmeas por no mínimo 2 milhões de anos e pelo menos na mesma proporção encontrada nos seres humanos modernos. Isso reforça a hipótese de que a competição violenta entre homens tem uma longa história em nossa linhagem evolutiva.[22]

TIPOS DE SOCIEDADES HUMANAS

A espécie à qual pertencemos, o "*Homo sapiens* anatomicamente moderno", tem supostos 200 mil anos. Mas os seres humanos "comportamentalmente modernos", com arte, rituais, vestuário, ferramentas complexas e habilidade de viver em diferentes ecossistemas, provavelmente evoluíram mais próximo de 75 mil anos atrás na África antes de começar a povoar o resto do mundo. Quando a espécie surgiu, as pessoas viviam em grupos pequenos, nômades e igualitários de parentes, subsistiam da caça e coleta e não tinham linguagem escrita nem governo. Hoje a grande maioria dos seres humanos organiza-se em sociedades estratificadas de milhões de pessoas, come alimentos cultivados pela agricultura e é governada por Estados. Essa transição, que alguns chamam de Revolução Neolítica (nova idade da pedra), começou por volta de 10 mil anos atrás com o advento da agricultura no Crescente Fértil, China, Índia, África Ocidental, Mesoamérica e Andes.[23]

Ficamos, assim, tentados a usar o horizonte de 10 mil anos como uma fronteira entre duas principais eras da existência humana: uma era de caçadores-coletores, na qual ocorreu a maior parte da nossa evolução biológica e que ainda pode ser vislumbrada em caçadores-coletores remanescentes, e a era posterior da civilização. Essa é a linha divisória que aparece nas teorias sobre o nicho ecológico ao qual os seres humanos são biologicamente adaptados, que os psicólogos evolucionistas chamam de "o ambiente da adaptabilidade evolutiva". Mas não é o corte mais importante para a hipótese do Leviatã.

Para começar, o marco dos 10 mil anos aplica-se apenas às *primeiras* sociedades que praticaram a agricultura. Em outras partes do mundo, a agricultura desenvolveu-se mais tarde e só gradualmente se difundiu a partir desses berços. A Irlanda, por exemplo, só por volta de 6 mil anos atrás veio a ser banhada pela onda da lavoura que se espraiou do Oriente Próximo.[24] Muitas partes das Américas, Austrália, Ásia e África foram povoadas por caçadores-coletores até poucos séculos atrás, e evidentemente algumas ainda o são.

Além disso, as sociedades não podem ser dicotomizadas em grupos de caçadores-coletores e civilizações agrícolas.[25] Os povos sem Estado que conhecemos melhor são os caçadores-coletores que vivem em pequenos grupos como os boxímanes, do deserto do Kalahari, e os inuítes, do Ártico. Mas esses povos só sobreviveram como caçadores-coletores porque habitam partes remotas do globo que ninguém mais quer. Não são, portanto, uma amostra representativa de nossos ancestrais anárquicos, que podem ter desfrutado de ambientes mais opulentos. Até recentemente, outros povos forrageadores assentavam-se em vales e rios ricos em peixes e animais de caça que podiam sustentar um modo de vida mais afluente, complexo e sedentário. Os índios do noroeste do Pacífico, conhecidos por seus totens esculpidos em mastros e seus banquetes ostentatórios chamados *potlaches*, são um exemplo bem conhecido. Também fora do alcance do Estado estão os caçadores-horticultores, como certos povos da Amazônia e Nova Guiné que suplementam sua caça e coleta com roças de batata-doce e banana plantadas em trechos de floresta queimados. Não levam uma vida tão austera quanto os caçadores-coletores puros, mas estão bem mais próximos deles do que dos agricultores sedentários puros.

Quando os primeiros agricultores fixaram-se para cultivar grãos e legumes e criar animais domésticos, suas populações explodiram e eles começaram a dividir o trabalho; assim, alguns passaram a viver de alimentos cultivados por outros. Mas não desenvolveram imediatamente Estados e governos complexos. Primeiro aglutinaram-se em tribos ligadas pelo parentesco e pela cultura, e algumas tribos fundiram-se em cacicados, que tinham um líder centralizado e um séquito permanente para apoiá-lo. Algumas das tribos adotaram o pastoralismo, deslocando-se junto com seus animais e trocando seus produtos com agricultores sedentários. Os israelitas da Bíblia hebraica eram pastoralistas tribais que haviam evoluído para cacicados no tempo dos juízes.

Foram necessários cerca de 5 mil anos depois da origem da agricultura para que verdadeiros Estados surgissem em cena.[26] Isso aconteceu quando os cacicados mais poderosos usaram seus séquitos armados para subjugar outros cacicados e tribos, centralizando ainda mais seu poder e sustentando nichos de classes especializadas de artesãos e soldados. Os Estados emergentes construíram fortalezas, cidades e outras povoações defensivas e desenvolveram sistemas de escrita que lhes permitiam manter registros, coletar taxas e tributos de seus súditos e codificar leis para manter a ordem. Pequenos Estados que cobiçavam os bens de seus vizinhos às vezes os forçavam a tornar-se Estados para se defender, e frequentemente Estados maiores engoliam Estados menores.

Os antropólogos propuseram muitos subtipos e casos intermediários entre esses tipos de sociedade, e salientaram que não existe uma escada cultural que inevitavelmente transforma sociedades mais simples em mais complexas. Tribos e cacicados podem manter sua organização indefinidamente, como as tribos montenegrinas na Europa que duraram até o século XX. E quando um Estado se esfacela, pode ser dominado por tribos, como na era das trevas da Grécia (que se seguiu ao colapso da civilização micênica e é a época dos épicos homéricos) e na era das trevas da Europa (que veio na esteira da queda do Império Romano). Mesmo hoje, muitas partes de Estados fracassados, como Somália, Sudão,

Afeganistão e República Democrática do Congo, são essencialmente cacicados; chamamos seus líderes de chefes militares.[27]

Por todas essas razões, não faz sentido buscar mudanças históricas na violência marcando as mortes em uma linha do tempo. Se descobrirmos que a violência declinou em determinado povo, é porque seu modo de organização social mudou, e não porque o relógio histórico marcou uma dada hora, e essa mudança pode ocorrer em diferentes períodos ou não ocorrer nunca. Também não devemos esperar uma redução uniforme na violência ao longo do continuum, de caçadores-coletores nômades simples para caçadores-coletores sedentários complexos, depois para tribos agricultoras, cacicados, pequenos Estados e por fim grandes Estados. A principal transição que devemos esperar é o surgimento da primeira forma de organização social que mostra indícios da intenção de reduzir a violência dentro de suas fronteiras. Esse seria o Estado centralizado, o Leviatã.

Não estou dizendo que qualquer Estado nascente foi (como Hobbes teorizou) uma comunidade politicamente organizada com poder conferido por um contrato social negociado por seus cidadãos. Os primeiros Estados foram mais uma espécie de esquema de proteção no qual mafiosos usavam da força para extorquir recursos dos habitantes e oferecer-lhes segurança contra vizinhos hostis e entre eles próprios.[28] Qualquer redução consequente da violência beneficiava os protetores tanto quanto os protegidos. Assim como um fazendeiro procura impedir que seus animais matem-se uns aos outros, um governante também tenta afastar seus súditos dos ciclos de ataques e rixas que só servem para mudar recursos de mãos ou ajustar contas entre eles, mas, do ponto de vista do governante, dão prejuízo.

O tema da violência em sociedades sem Estado tem uma história longa e politizada. Por séculos, a sabedoria convencional julgou que os povos nativos eram bárbaros ferozes. A Declaração de Independência americana, por exemplo, lastimou que o rei da Inglaterra "empenhou-se em lançar sobre os habitantes de nossas fronteiras os impiedosos índios selvagens cuja conhecida regra de guerra é a destruição indiscriminada de todas as idades, sexos e condições".

Hoje essa passagem parece arcaica, até ofensiva. Os dicionários alertam contra o uso de "selvagem" (derivado de "silvaticus", "da floresta") para referir-se a povos nativos, e nossa consciência dos genocídios de nativos americanos perpetrados por colonizadores europeus faz os signatários da declaração parecerem donos de telhado de vidro atirando a primeira pedra. A preocupação atual com a dignidade e os direitos de todos os povos nos inibe de falar com demasiada franqueza sobre as taxas de violência em povos pré-letrados, e os "antropólogos da paz" trabalharam para dar uma produção rousseauniana à imagem deles. Margaret Mead, por exemplo, descreveu os chambris da Nova Guiné como uma cultura de sexos invertidos porque os homens se adornavam com maquiagem e cachos nos cabelos, mas ela omitiu o fato de que eles tinham de conquistar o direito a esses enfeites supostamente femininos matando um membro de uma tribo inimiga.[29] Antropólogos que não concordavam com essas linhas viam-se barrados nos territórios nos quais haviam trabalhado, denunciados em manifestos por suas associações profissionais, tolhidos por processos por difamação e até acusados de genocídio.[30]

Sem dúvida é fácil olhar batalhas tribais e ficar com a impressão de que elas são relativamente inofensivas em comparação com a guerra moderna. Homens com alguma queixa contra uma aldeia vizinha desafiam seus membros a se apresentar em determinado local e hora. Os dois lados se defrontam a uma distância na qual seus mísseis mal podem alcançar o adversário. Trocam insultos, palavrões e fanfarronices, e lançam flechas ou lanças enquanto se esquivam dos projéteis do outro lado. Quando um ou dois guerreiros são feridos ou mortos, eles encerram o expediente. Esses espetáculos barulhentos levam os observadores a concluir que a guerra entre povos primitivos era ritualística e simbólica, muito diferente da formidável carnificina dos povos mais avançados.[31] O historiador William Eckhardt, frequentemente citado por sua afirmação de que a violência aumentou tremendamente ao longo da história, escreveu: "Grupos de caçadores-coletores, com cerca de 25 a cinquenta pessoas cada um, dificilmente poderiam fazer uma guerra de vulto. Não haveria pessoas suficientes para combater, eles teriam poucas armas com que lutar, poucas razões para guerrear e nenhum excedente para pagar pela luta".[32]

Só nos últimos quinze anos estudiosos sem viés político, como Lawrence Keeley, Steven LeBlanc, Azar Gat e Johan van der Dennen, começaram a compilar análises sistemáticas da frequência e dos danos de lutas em grandes amostras de povos sem Estado.[33] Os verdadeiros números de mortos em guerras primitivas mostram que a aparente indenidade de uma batalha isolada é enganosa. Para começar, uma escaramuça pode escalar para um combate total que deixa o campo de batalha juncado de corpos. Além disso, quando grupos de algumas dezenas de homens confrontam-se regularmente, até mesmo uma ou duas mortes por batalha podem gerar uma *taxa* de baixas que, por quaisquer critérios, é alta.

Mas a principal distorção provém de não se distinguirem os dois tipos de violência que se revelaram tão importantes em estudos de chimpanzés: as batalhas e as incursões. São as incursões sorrateiras, e não as batalhas barulhentas, que matam em grandes números.[34] Um grupo de homens entra furtivamente em uma aldeia inimiga antes do amanhecer, atira flechas nos primeiros homens que emergem das choças pela manhã para urinar e depois atiram nos outros que saem correndo para saber o porquê da comoção. Podem atirar lanças através das paredes, flechas pelos vãos de portas ou chaminés, incendiar as choças. Podem matar muitas pessoas sonolentas e desaparecer na floresta antes que os moradores consigam se organizar para a defesa.

Às vezes vêm guerreiros em número suficiente para massacrar todos os habitantes da aldeia ou matar os homens e raptar as mulheres. Outro modo sorrateiro, mas eficaz, de dizimar o inimigo é a emboscada: um grupo guerreiro esconde-se na floresta em uma rota de caça e liquida cada homem que vem passando. Outra tática é a traição: os homens fingem fazer as pazes com os inimigos, convidam-nos para uma festa e, a um sinal combinado, apunhalam os incautos hóspedes. Quanto a um homem solitário que entre por engano no território deles, a política é a mesma dos chimpanzés: execução sumária.

Os homens das sociedades sem Estado (e quase sempre são homens) levam a guerra muito a sério, não apenas em suas táticas, mas em seus armamentos, que incluem armas químicas, biológicas e antipessoais.[35] Pontas de flecha podem ser recobertas com toxinas extraídas de animais venenosos, ou com tecido putrefato que infecciona o ferimento. A ponta de flecha pode ser fabricada para soltar-se da haste, dificultando sua retirada pela vítima. Muitos guerreiros recompensam-se com troféus, especialmente cabeças, escalpos e genitálias. Não fazem prisioneiros, embora ocasionalmente levem algum para sua aldeia para ser torturado até a morte. William Bradford, dos peregrinos do *Mayflower*, observou sobre os nativos de Massachusetts:

> Não contentes apenas em matar e tirar a vida, [eles] se comprazem em atormentar os homens do modo mais sanguinário possível, esfolando alguns vivos com escamas de peixe, decepando membros ou articulações aos poucos, assando sobre brasas, comendo bocados da carne da vítima viva na presença dela.[36]

Apesar de nos indignarmos ao ouvir colonizadores europeus chamar povos nativos de selvagens e de os criticarmos com razão por sua hipocrisia e racismo, eles não estavam inventando as atrocidades. Muitas testemunhas oculares relataram violências pavorosas em guerras tribais. Helena Valero, que foi sequestrada pelos ianomâmis na floresta pluvial venezuelana nos anos 1930, descreveu uma das incursões de seus captores:

> Enquanto isso, de todos os lados continuavam a chegar as mulheres com seus filhos, que os outros karawetaris haviam capturado. [...] Então os homens começaram a matar as crianças; pequenas, maiores, mataram muitas. Elas tentaram fugir, mas eles as pegaram, jogaram no chão e espetaram com arcos, que atravessaram seus corpos e as prenderam no solo. Pegando as menores pelos pés, eles as bateram contra as árvores e pedras. [...] Todas as mulheres choraram.[37]

No começo do século XIX, um condenado inglês, William Buckley, fugiu de uma colônia penal na Austrália e por três décadas viveu feliz entre os aborígines wathaurungs. Deixou relatos em primeira mão do modo de vida desse povo, incluindo suas práticas de guerra:

> Ao se aproximar do alojamento inimigo, eles se deitaram e ficaram à espreita até que todos se aquietassem, e encontrando a maioria deles adormecida, deitados em grupos, nosso grupo se atirou sobre eles, matando três na hora e ferindo vários outros. O inimigo fugiu precipitadamente, deixando seus instrumentos de guerra nas mãos dos atacantes e seus feridos para ser mortos a golpes de bumerangue, e três gritos altos remataram o triunfo dos vitoriosos. Os corpos dos mortos eles mutilaram de um modo chocante, decepando os braços e pernas com pontas de sílex, conchas e machadinhas.
>
> Quando as mulheres os viram retornar, também deram gritos altos e dançaram em um êxtase selvagem. Os corpos foram jogados no chão e surrados com varas — todos pareciam realmente loucos de excitação.[38]

Não foram apenas europeus vivendo entre nativos que relataram episódios desse tipo, mas os próprios nativos. Robert Nasruk Cleveland, um inuíte do povo iñupiak, deixou a seguinte reminiscência em 1965:

Na manhã seguinte os atacantes invadiram o acampamento e mataram todas as mulheres e crianças que ali permaneciam. [...] Depois de enterrar conchas na vagina de todas as mulheres índias que eles haviam matado, os noatakers pegaram Kititiġaaġvaat e seu bebê e recuaram em direção ao rio Noatak. [...] Finalmente, quando estavam quase em casa, os noatakers estupraram Kititiġaaġvaat e a deixaram com seu bebê para morrer. [...]

Algumas semanas depois, os kobuks caçadores de caribu voltaram para casa e encontraram os restos em decomposição de suas mulheres e filhos e juraram vingança. Um ou dois anos depois, seguiram para o norte até o alto Noatak para executá-la. Logo encontraram um grande grupo de nuataaġmiuts e os seguiram em segredo. Uma manhã, os homens do acampamento dos nuataaġmiuts avistaram uma grande manada de caribus e partiram atrás deles. Enquanto estavam fora, os atacantes kobuks mataram todas as mulheres do acampamento. Cortaram então suas vulvas, enfiaram-nas numa linha e seguiram depressa para casa.[39]

Há tempos o canibalismo é tratado como a quintessência da selvageria primitiva, e muitos antropólogos, reagindo a isso, costumavam menosprezar os relatos sobre canibalismo como calúnias sangrentas de tribos vizinhas. No entanto, recentemente a arqueologia forense mostrou que o canibalismo foi muito comum na pré-história humana. Entre as evidências incluem-se ossos humanos que têm marcas de dentes humanos ou que foram quebrados e cozinhados como os de animais e jogados no lixo da cozinha.[40] Alguns dos ossos de pessoas trucidadas têm 800 mil anos, são da época em que o *Homo heidelbergensis*, um ancestral comum dos seres humanos modernos e dos neandertais, surgiu na cena evolutiva. Vestígios de proteínas de sangue humano também foram encontrados em panelas e em excremento humano antigo. O canibalismo pode ter sido tão comum na pré-história a ponto de ter afetado nossa evolução: nossos genomas contêm genes que parecem ser defesas contra as doenças causadas por príons transmitidas pelo canibalismo.[41] Tudo isso condiz com relatos de testemunhas oculares, como a seguinte transcrição, feita por um missionário, de um guerreiro maori caçoando da cabeça preservada de um chefe inimigo:

Você queria fugir, não é? Mas minha clava de guerra o pegou. E depois de cozido você virou comida para minha boca. E onde está seu pai? Foi cozido. E onde está seu irmão? Foi comido. E onde está sua mulher? Ali sentada, uma mulher para mim. E onde estão seus filhos? Lá estão eles, de carga às costas, transportando comida, meus escravos.[42]

Muitos estudiosos julgavam plausível a imagem dos forrageadores inofensivos porque tinham dificuldade para imaginar os meios e motivos que poderiam impeli-los para a guerra. Lembremos, por exemplo, a afirmação de Eckhardt de que os caçadores-coletores tinham "pouco por que lutar". No entanto, organismos que evoluíram por seleção natural sempre têm alguma coisa por que lutar (o que obviamente não significa que sempre lutarão). Hobbes salientou que os seres humanos, em particular, têm três razões para lutar: ganho, segurança e dissuasão crível. Nas sociedades sem Estado, as pessoas lutam por todas as três.[43]

Povos forrageadores podem invadir para ganhar território, como áreas de caça, fontes de água potável, margens ou desembocaduras de rios, e fontes de minérios valiosos como sílex, obsidiana, sal ou ocra. Podem atacar animais de criação ou depósitos de alimento. E muito frequentemente lutam por mulheres. Homens atacam aldeias vizinhas com a intenção declarada de sequestrar mulheres, estuprá-las em série e distribuí-las como esposas. Podem atacar por alguma outra razão e levar as mulheres como bônus. Ou podem atacar para cobrar pelas mulheres que lhes haviam sido prometidas em casamento mas não foram entregues na data combinada. E às vezes homens jovens atacam em busca de troféus, triunfo ou outros sinais de proeza agressiva, especialmente em sociedades onde essas coisas são requisitos prévios para atingir o status de adulto.

Também se invade com o objetivo da segurança em sociedades sem Estado. O dilema da segurança, ou armadilha hobbesiana, é nessas sociedades uma obsessão, e elas podem forjar alianças com aldeias vizinhas quando temem ser demasiado pequenas, ou desferir um ataque preventivo quando temem que uma aliança inimiga esteja ficando grande demais. Um ianomâmi da Amazônia contou a um antropólogo: "Estamos cansados de lutar. Não queremos mais matar. Mas os outros são traiçoeiros e não podemos confiar neles".[44]

Na maioria dos levantamentos, porém, o motivo mais citado para a guerra é a vingança, que serve como uma tosca dissuasão para os potenciais inimigos, aumentando os custos de um ataque previstos para o longo prazo. Na *Ilíada*, Aquiles descreve uma característica da psicologia humana que pode ser encontrada em culturas do mundo todo: a vingança, "muito mais doce do que o mel, sobe como fumaça no peito do homem". Povos forrageadores e tribais vingam roubo, adultério, vandalismo, caça ilegal, rapto de mulheres, tratos não cumpridos, suposta feitiçaria e atos anteriores de violência. Uma comparação de várias culturas constatou que, em 95% das sociedades, as pessoas aprovam explicitamente a ideia de tirar uma vida por uma vida.[45] Os povos tribais não só sentem a fumaça subir pelo peito, mas sabem que seus inimigos sentem a mesma coisa. É por isso que às vezes massacram todos os habitantes de uma aldeia que atacam: preveem que qualquer sobrevivente procurará vingar seus parentes mortos.

TAXAS DE VIOLÊNCIA EM SOCIEDADES COM E SEM ESTADO

Embora as descrições de violência em sociedades sem Estado derrubem o estereótipo de que os povos forrageadores são inerentemente pacíficos, elas não nos dizem se o nível de violência é maior ou menor que nas chamadas sociedades civilizadas. Nos anais dos Estados modernos não faltam medonhos massacres e atrocidades, muito menos contra povos nativos de todos os continentes, e suas guerras têm baixas que chegam a oito dígitos. Somente examinando os números podemos ter uma noção de se a civilização aumentou ou diminuiu a violência.

É claro que, em números absolutos, as sociedades civilizadas não têm igual na destruição que causam. Mas devemos pensar em números absolutos ou em números *relativos*, calculados como uma proporção das populações? Tal escolha confronta-nos com uma imponderabilidade moral: o que é pior, serem mortos 50% de uma população de cem pessoas ou 1% de uma população de 1 bilhão? De certo ângulo, poderíamos dizer que uma pessoa que é torturada ou morta sofre no mesmo grau independentemente de quantas outras mais tiverem o mesmo destino, portanto é a soma desses sofrimentos que deve despertar nossa sensibilidade e nossa atenção analítica. De outro ângulo, porém, poderíamos argumentar que parte da barganha de estar vivo é que corremos o risco de ter uma morte prematura ou dolorosa, seja por violência, acidente ou doença. Assim, o número de pessoas em uma dada época e lugar que desfrutam plenamente a vida tem de ser considerado um bem moral, em comparação com o qual aferimos o mal moral do número daquelas que são vítimas de violência. Outro jeito de expressar esse modo de ver é perguntar: "Se *eu* fosse uma das pessoas vivendo em uma dada época, quais seriam as chances de eu ser vítima de violência?". O raciocínio neste segundo ponto de vista, quer apele para a proporção de uma população, quer para o risco de um indivíduo, termina na conclusão de que, ao comparar a nocividade da violência entre as várias sociedades, devemos atentar para as taxas, e não para os números de atos de violência.

O que acontece, então, quando usamos o surgimento de Estados como linha divisória e pomos de um lado os caçadores-coletores, caçadores-horticultores e outros povos tribais (de qualquer época) e de outro os Estados estabelecidos (também de qualquer época)? Vários estudiosos vasculharam recentemente a literatura antropológica e histórica em busca de todo bom levantamento de vítimas em sociedades sem Estado que fosse possível encontrar. Há dois tipos de estimativas disponíveis. Um provém de etnógrafos que registram dados demográficos, inclusive mortes, dos povos que eles estudam no decorrer de longos períodos.[46] O outro provém de arqueólogos forenses, que procuram em cemitérios antigos e coleções de museus quaisquer sinais de violência.[47]

Como se pode determinar a causa da morte de alguém que pereceu há centenas ou milhares de anos? Alguns esqueletos pré-históricos são acompanhados pelo equivalente neolítico de uma prova irrefutável do crime: uma ponta de flecha ou de lança incrustada num osso, como as encontradas no Homem de Kennewick e em Ötzi. Mas as evidências circunstanciais podem ser quase igualmente certeiras. Os arqueólogos podem examinar esqueletos pré-históricos em busca dos tipos de lesões que hoje sabemos serem causadas por ataques em seres humanos. Entre os estigmas estão crânios que sofreram golpes, marcas de cortes por ferramentas de pedra em crânios ou membros, e fraturas em ossos ulnares (do tipo das lesões adquiridas ao aparar golpes com o braço erguido). Os danos sofridos por um esqueleto quando ele se encontrava em um corpo vivo podem ser distinguidos de vários modos daqueles causados quando ele estava exposto ao mundo. Ossos vivos sofrem fraturas como o vidro, com bordas afiadas e angulosas, e ossos mortos sofrem fraturas como o giz, em ângulos retos bem definidos. E se um osso tem em sua superfície fraturada um padrão de desgaste diferente do de sua superfície intacta, ele provavelmente foi quebrado depois que a carne circundante havia se decomposto e desaparecido. Outros sinais incriminativos do ambiente circundante incluem fortificações, escudos, armas de choque como machadinhas (que são inúteis na caça) e desenhos de combate humano em paredes de cavernas (alguns com mais de 6 mil anos). Mesmo com todas essas evidências, as contagens de vítimas pela arqueologia geralmente são subestimações, pois algumas causas de morte

— uma flecha envenenada, uma ferida infeccionada, uma ruptura em órgão ou artéria — não deixam vestígios nos ossos da vítima.

Quando os pesquisadores terminam a contagem bruta das mortes violentas, podem fazer a conversão para uma taxa de dois modos. O primeiro consiste em calcular a porcentagem do total de mortes causadas por violência. Essa taxa é uma resposta à questão "Quais as chances de que uma pessoa tenha morrido nas mãos de outra em vez de por morte natural?". O gráfico na figura 2.2 apresenta essa estatística para três amostras de povos sem Estado — esqueletos de sítios pré-históricos, caçadores-coletores e caçadores-horticultores — e para várias sociedades com Estado. Façamos uma análise.

O agrupamento superior mostra a taxa de mortes violentas para esqueletos escavados em sítios arqueológicos.[48] São restos mortais de caçadores-coletores e caçadores-horticultores da Ásia, África, Europa e Américas, datados de 14 000 AEC a 1770 EC, em todos os casos muito anteriores ao surgimento de sociedades com Estado ou do primeiro contato prolongado com elas. As taxas de morte variam de 0% a 60%, e a média é de 15%.

Em seguida, vemos números de oito sociedades contemporâneas ou recentes que vivem principalmente da caça e coleta.[49] Situam-se nas Américas, Filipinas e Austrália. Sua média das taxas de morte em guerras é bem próxima da média estimada com base nas ossadas: 14%, com variação de 4% a 30%.

No agrupamento seguinte, juntei sociedades pré-Estado que praticam alguma forma de caça, coleta e horticultura. Todas são da Nova Guiné ou da floresta pluvial amazônica, exceto a última sociedade tribal da Europa, os montenegrinos, cuja taxa de mortes violentas é próxima da média do grupo como um todo, 24,5%.[50]

Finalmente, temos alguns números para Estados.[51] Os primeiros são de cidades e impérios do México pré-colombiano, onde 5% dos mortos pereceram nas mãos de pessoas. Esse foi sem dúvida um lugar perigoso, mas ainda assim o grau de violência era de um terço a um quinto do encontrado em uma sociedade pré-Estado média. Quanto aos Estados modernos, temos à nossa escolha centenas de unidades políticas, dezenas de séculos e muitas subcategorias de violência (guerras, homicídios, genocídios etc.), por isso não existe uma única estimativa "correta". Mas podemos fazer a comparação mais justa possível escolhendo os países e séculos *mais* violentos, junto com algumas estimativas de violência no mundo atual. Como veremos no capítulo 5, os dois séculos mais

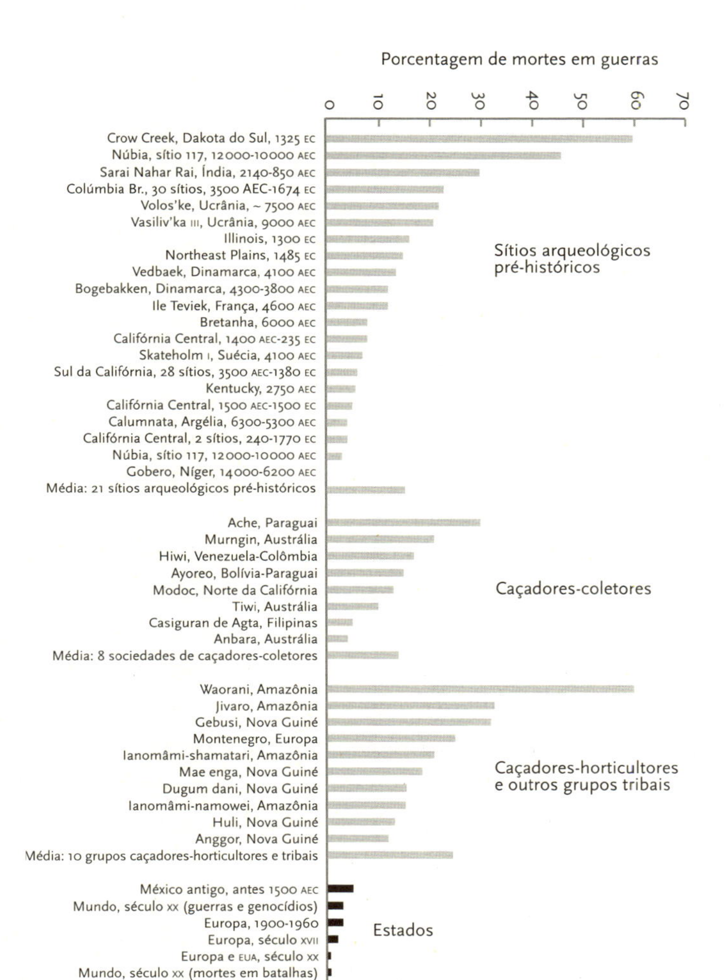

Figura 2.2. *Porcentagem de mortes em guerras em sociedades com e sem Estado.*
FONTES: Sítios arqueológicos pré-históricos: Bowles, 2009; Keeley, 1996. Caçadores-coletores: Bowles, 2009. Caçadores-horticultores e outros grupos tribais: Gat, 2006; Keeley, 1996. México antigo: Keeley, 1996. Mundo, guerras e genocídios no século XX (inclui fomes coletivas causadas pelo homem): White, 2011. Europa, 1900-60: Keeley, 1996, em Wright, 1942, 1942/1964, 1942/1965; ver nota 52. Europa, século XVII: Keeley, 1996. Europa e Estados Unidos, século XX: Keeley, 1996, em Harris, 1975. Mundo, mortes em batalha no século XX: Lacina e Gleditsch, 2005; Sarkees, 2000; ver nota 54. Estados Unidos, mortes em guerra em 2005: ver texto e nota 57. Mundo, mortes em batalha em 2005: ver texto e nota 58.

violentos neste último meio milênio de história europeia foram o XVII, com suas sangrentas guerras religiosas, e o XX, com as duas guerras mundiais. O historiador Quincy Wright estimou a taxa de mortes nas guerras do século XVII em 2%, e a taxa de mortes em guerras na primeira metade do século XX em 3%.[52] Se incluíssemos as quatro últimas décadas do século XX, a porcentagem seria ainda menor. Uma estimativa, que inclui também mortes em guerras nas Américas, é inferior a 1%.[53]

O estudo da guerra ganhou maior precisão recentemente graças à disponibilidade de dois conjuntos de dados quantitativos que explicarei no capítulo 5. Eles indicam a estimativa conservadora de 40 milhões de mortes em batalha durante o século XX.[54] ("Mortes em batalha" refere-se a soldados e civis mortos diretamente em combate.) Se considerarmos que pouco mais de 6 bilhões de pessoas morreram durante o século XX e deixarmos de lado algumas sutilezas demográficas, podemos estimar que por volta de 0,7% da população mundial morreu em batalhas no século passado.[55] Mesmo se triplicarmos ou quadruplicarmos a estimativa para incluir as mortes indiretas pela fome e doenças causadas pela guerra, praticamente não diminuiríamos a disparidade entre as sociedades com e sem Estado. E se adicionássemos as mortes por genocídios, expurgos e outros desastres causados pelo homem? Matthew White, o atrocitologista que encontramos no capítulo 1, estima que por volta de 180 milhões de mortes podem ser atribuídas a todas essas causas humanas reunidas. Isso ainda significa apenas 3% das mortes no século XX.[56]

Examinemos agora o presente. Segundo a edição mais recente do *Statistical Abstract of the United States*, 2 448 017 americanos morreram em 2005. Foi para os Estados Unidos um dos piores anos de mortes em guerras em décadas, com as Forças Armadas enredadas em conflitos no Iraque e no Afeganistão. Juntas, essas duas guerras mataram 945 americanos, que representam 0,0004 (quatro centésimos de 1%) das mortes de americanos nesse ano.[57] Mesmo se juntarmos a isso os 18 124 homicídios ocorridos no país, a taxa total de mortes violentas é de 0,008, ou oito décimos de 1%. Em outros países ocidentais, as taxas foram ainda mais baixas. E no mundo como um todo, o Human Security Report Project computou naquele ano 17 400 mortes diretamente causadas por violência política (guerra, terrorismo, genocídio e assassinatos por chefes militares e milícias), com uma taxa de 0,0003 (três centésimos de 1%).[58] É uma estimativa conservadora que abrange apenas as mortes identificáveis, mas, mesmo se multiplicarmos generosamente por vinte para estimar as mortes em batalha não documentadas e as mortes indiretas por fomes coletivas e doenças, não chegaríamos à marca de 1%.

O principal corte no gráfico, portanto, separa os grupos e tribos anárquicos dos Estados governados. Mas estamos comparando uma coleção heterogênea de escavações arqueológicas, levantamentos etnográficos e estimativas modernas, algumas delas calculadas imprecisamente. Existe algum modo de justapor dois conjuntos de dados diretamente, um de caçadores-coletores e o outro de civilizações estabelecidas, fazendo a correspondência mais próxima possível entre as pessoas, a época e os métodos? Os economistas Richard Steckel e John Wallis recentemente analisaram dados de novecentos esqueletos de nativos americanos, distribuídos do sul do Canadá à América do Sul, todos pertencentes a pessoas que morreram antes da chegada de Colombo.[59] Dividiram os esqueletos em caçadores-coletores e moradores de cidades, estes últimos pertencentes a civilizações dos Andes e Mesoamérica como os incas, astecas e maias. A proporção de caçadores-coletores que apresentou sinais de trauma violento foi 13,4%, uma taxa próxima da média dos caçadores-coletores da figura 2.2. A proporção de habitantes de cidades com sinais de trauma violento foi de 2,7%, uma taxa próxima das porcentagens para as sociedades com Estado antes deste século. Portanto, mantendo constantes muitos fatores, constatamos que viver na civilização reduz em cinco vezes as chances de uma pessoa ser vítima de violência.

Vejamos agora o segundo modo de quantificar a violência, calculando a taxa de mortes como uma proporção das pessoas vivas e não das mortas. Essa é uma estatística mais difícil de computar com base em cemitérios, porém mais fácil se nos basearmos na maioria das outras fontes, pois só requer uma contagem de corpos e um tamanho de população, e não um inventário de mortes de outras fontes. O número anual de mortes por 100 mil pessoas é a medida padrão das taxas de homicídios, e o usarei como padrão de comparação da violência ao longo de todo o livro. Para compreender o que esses números significam, tenha em mente que o lugar mais seguro na história humana, a Europa Ocidental na virada do século XXI, teve uma taxa anual de homicídios de um por 100 mil.[60] Até a mais mansa das sociedades terá um ou outro jovem que se exalta numa briga de bar, ou uma velha que põe arsênico no café do marido, portanto esse é aproximadamente o nível mais baixo que as taxas de homicídios podem atingir. Entre os países ocidentais modernos, os Estados Unidos encontram-se na perigosa fronteira dessa faixa. Nos piores anos das décadas de 1970 e 1980, esse país teve uma taxa de homicídios de aproximadamente dez por 100 mil, e suas cidades notoriamente violentas, como Detroit, apresentaram uma taxa de aproximadamente 45 por 100 mil.[61] Se você vivesse em uma sociedade com uma taxa de homicídios nesse nível, notaria o perigo no dia a dia, e se a taxa subisse para cem por 100 mil a violência começaria a afetá-lo pessoalmente: supondo que você tenha cem parentes, amigos e conhecidos, ao longo de uma década um deles provavelmente seria assassinado. Se a taxa aumentasse para mil por 100 mil (1%), você perderia mais ou menos uma pessoa conhecida por ano e a probabilidade de você mesmo ser assassinado algum dia seria superior a 50%.

A figura 2.3 mostra as taxas de mortes em guerra para 27 sociedades sem Estado (combinando caçadores-coletores e caçadores-horticultores) e nove governadas por Estados. A taxa média anual de mortes na guerra para as sociedades sem Estado é 524 por 100 mil, ou seja, cerca de metade de 1%. Entre os Estados, no império asteca do México central, que viveu frequentemente em guerra, a taxa foi aproximadamente a metade dessa.[62] Abaixo dessa barra, encontramos as taxas para quatro sociedades com Estado durante os séculos nos quais elas travaram suas guerras mais destrutivas. A França no século XIX passou pelas guerras revolucionárias, napoleônicas e Franco-Prussiana e perdeu por ano em média setenta pessoas a cada 100 mil. O século XX foi atormentado por duas guerras mundiais que infligiram a maior parte de seus danos militares a Alemanha, Japão e Rússia/União Soviética, e esta última teve também uma guerra civil e outras aventuras militares. Suas taxas anuais de mortes chegaram a 144, 27 e 135 por 100 mil respectivamente.[63] Durante o século XX, os Estados Unidos ganharam a reputação de país beligerante, lutando em duas guerras mundiais e nas Filipinas, Coreia, Vietnã e Iraque. Mas o custo anual em vidas americanas foi ainda menor que os de outras grandes potências do século: aproximadamente 3,7 por 100 mil.[64] Mesmo se adicionarmos todas as mortes por violência organizada para o mundo inteiro e para o século todo — guerras, genocídios, expurgos e fomes coletivas provocadas pelo homem —, teremos uma taxa anual de aproximadamente sessenta por 100 mil.[65] Para o ano de 2005, as barras representando os Estados Unidos e o mundo são tão finas que ficam invisíveis no gráfico.[66]

Portanto, também por essa medida os Estados são muito menos violentos que os grupos e tribos tradicionais. Os países ocidentais modernos, mesmo nos séculos mais dilacerados pela guerra, não sofreram mais do que aproximadamente

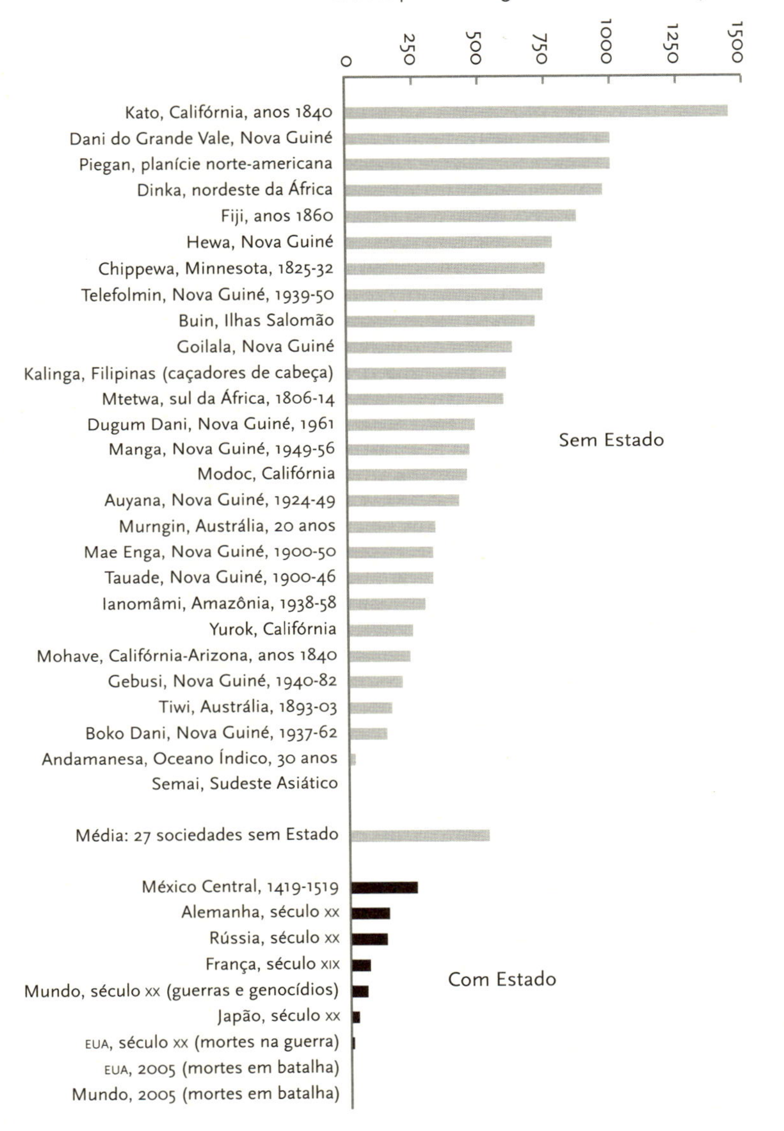

Figura 2.3. *Taxa de mortes em guerras em sociedades com e sem Estado.*

FONTES: Sem Estado: Hewa e Goiala em Gat, 2006; outras em Keeley, 1996. México Central, Alemanha, Rússia, França, Japão: Keeley; ver notas 62 e 63. Estados Unidos no século XX: Leland e Oboroceanu, 2010; ver nota 64. Mundo no século XX: White, 2011; ver nota 65. Mundo em 2005: Human Security Report Project, 2008; ver notas 57 e 58.

um quarto da taxa média de mortes nas sociedades sem Estado, e menos que um décimo da encontrada na mais violenta.

Embora a guerra seja comum entre grupos forrageadores, ela certamente não é universal. Tampouco devemos esperar que o seja, se as inclinações violentas na natureza humana são uma resposta estratégica às circunstâncias e não uma resposta hidráulica a um impulso íntimo. Segundo dois estudos etnográficos, de 65% a 70% dos grupos caçadores-coletores participam de guerra no mínimo a cada dois anos, 90% guerreiam pelo menos uma vez por geração e praticamente todos os demais relatam uma memória cultural de guerra no passado.[67] Isso significa que os caçadores-coletores lutam frequentemente, mas podem evitar a guerra por longos períodos. A figura 2.3 revela duas tribos, os andamaneses e os semais, com baixas taxas de mortes em guerra. Porém mesmo eles têm histórias interessantes.

Os nativos das ilhas Andamão, no oceano Índico, têm uma taxa anual de mortes registrada de vinte por 100 mil, muito abaixo da média dos povos sem Estado (que é superior a quinhentos por 100 mil). No entanto, sabe-se que eles estão entre os mais ferozes grupos caçadores-coletores que ainda restam no mundo. Depois do terremoto e tsunami no oceano Índico em 2004, um temeroso grupo humanitário sobrevoou as ilhas de helicóptero e, aliviado, foi recebido por uma saraivada de flechas e lanças: sinal de que os andamaneses não tinham sido aniquilados. Dois anos depois, um par de pescadores indianos embebedou-se e adormeceu, e seu barco derivou para a costa de uma dessas ilhas. Foram mortos imediatamente, e o helicóptero enviado para recolher seus corpos também foi recebido por uma chuva de flechas.[68]

Existem, sem dúvida, caçadores-coletores e caçadores-horticultores como os semais que, pelo que se sabe, *nunca* participaram de matanças prolongadas e coletivas que possam ser chamadas de guerra. Os antropólogos da paz enalteceram esses grupos; sugeriram que eles poderiam ser considerados a regra na história evolutiva humana e que só os horticultores e pastores mais recentes e mais abastados praticam a violência sistemática. Essa hipótese não é diretamente relevante para este capítulo, que compara as pessoas que vivem em anarquia com as que vivem sob Estados, mas não compara os caçadores-coletores com todo o resto. De qualquer modo, porém, há razões para duvidar da hipótese da inocência dos caçadores-coletores. A figura 2.3 mostra que as taxas de mortes em guerras nessas sociedades, embora mais baixas que as de horticultores e sociedades tribais, equiparam-se consideravelmente às deles. E, como mencionei, os grupos caçadores-coletores que observamos hoje podem não ser historicamente representativos. São encontrados em desertos ressequidos ou congelados onde ninguém mais quer viver, e podem ter ido parar lá porque é onde conseguem não atrair atenção e partir toda vez que se irritam com os outros. Como diz Van der Dennen,

> a maioria dos forrageadores contemporâneos "pacíficos" [...] resolveu o eterno problema de ser deixado em paz com um esplêndido isolamento: cortam o contato com outras pessoas, fogem e se escondem ou são espancados até a submissão; são domesticados pela derrota ou pacificados pela força.[69]

Por exemplo, os boxímanes, do deserto do Kalahari, que nos anos 1960 foram louvados como paradigma da harmonia dos caçadores-coletores, em séculos anteriores haviam guerreado contra colonizadores europeus, contra seus vizinhos bantos e entre si, perpetrando vários massacres generalizados.[70]

As baixas taxas de morte em guerra nas sociedades pequenas selecionadas são enganosas de outra maneira. Embora possam evitar a guerra, essas sociedades têm assassinatos ocasionais, e podemos confrontar suas taxas de homicídios com as de sociedades com Estado modernas. Assinalei-as na figura 2.4 em uma escala quinze vezes maior que a da figura 2.3. Comecemos com a barra cinza mais à direita no grupo das sociedades sem Estado. Os semais são uma tribo de caçadores e horticultores, e foram descritos no livro *The Semai: A Nonviolent People of Malaya* [Semais: Um povo não violento da Malásia]. Eles se desdobram para evitar o uso da força. Embora não haja muitos homicídios entre os semais, também não há muitos semais. Quando o antropólogo Bruce Knauft fez as contas, descobriu que a taxa de homicídios desse povo é trinta por 100 mil ao ano, o que os situa na faixa das famigeradas cidades americanas perigosas em seus anos mais violentos e é três vezes maior que a taxa para os Estados Unidos como um todo em sua década mais violenta.[71] O mesmo tipo de divisão longa desinflou a reputação pacífica dos boxímanes, tema de um livro intitulado *The Harmless People* [O povo inofensivo] e dos inuítes (esquimós) do Ártico Central, que inspiraram um livro chamado *Never in Anger*

[Nunca raivosos].[72] Não só esses povos inofensivos, não violentos e livres de raiva matam uns aos outros a taxas muito mais altas que as de americanos e europeus, como também a taxa de assassinatos entre os boxímanes declinou em um terço depois que seu território foi posto sob controle do governo de Botsuana, como prediz a teoria do Leviatã.[73]

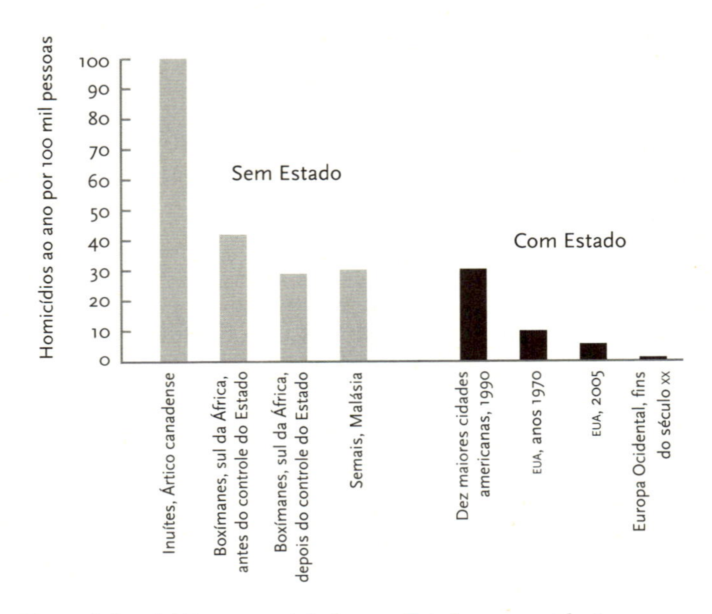

Figura 2.4. *Taxas de homicídios nas sociedades sem Estado menos violentas comparadas a sociedades com Estado.*
FONTES: Boxímanes e inuítes do Ártico Central: Gat, 2006; Lee, 1982; Knauft, 1987. Dez maiores cidades americanas: Zimring, 2007, p. 140. Estados Unidos: FBI Uniform Crime Reports; ver nota 73. Europa Ocidental (aproximação): Organização Mundial da Saúde; ver nota 66 do capítulo 3, p. 701.

A redução dos homicídios pelo controle governamental é tão óbvia para os antropólogos que raramente eles a documentam em números. As várias "pax" que lemos nos livros de história — Pax Romana, Islamica, Mongolica, Hispanica, Ottomana, Sinica, Britannica, Australiana (na Nova Guiné), Canadiana (no noroeste do Pacífico) e Praetoriana (no sul da África) — referem-se à redução das incursões, rixas e guerras nos territórios postos sob controle de um governo eficaz.[74] Ainda que a conquista e o domínio imperial possam ser também brutais, eles reduzem a violência endêmica entre os conquistados. O Processo de Pacificação é tão abrangente que muitos antropólogos consideram-no um estorvo metodológico. Nem é preciso dizer que os povos que foram postos sob a jurisdição de um governo não lutam tanto quanto antes; por isso, eles são simplesmente excluídos dos estudos sobre violência em sociedades indígenas. Esse efeito é notado pelos próprios povos. Como declarou um ayuana vivendo na Nova Guiné sob a Pax Australiana, "a vida ficou melhor desde que o governo veio", porque "agora um homem pode comer sem olhar por cima do ombro e pode sair de casa de manhã para urinar sem medo de ser alvejado".[75]

As antropólogas Karen Ericksen e Heather Horton quantificaram o modo como a presença do governo pode afastar uma sociedade da vingança letal. Em um levantamento de 192 estudos tradicionais, elas constataram que a vingança entre indivíduos era comum em sociedades forrageadoras e que as rixas entre famílias eram comuns em sociedades tribais que não haviam sido pacificadas por um governo colonial ou nacional, particularmente se tivessem uma cultura extremada de honra masculina.[76] O julgamento por tribunais, em contraste, era comum em sociedades que haviam sido postas sob o controle de um governo centralizado ou que tinham bases de recursos e padrões de herança que davam às pessoas algo mais a ganhar com a estabilidade social.

Uma das trágicas ironias da segunda metade do século XX é que, quando as colônias no mundo em desenvolvimento se libertaram do jugo europeu, muitas delas tornaram a descambar para a violência, agora intensificada por armas modernas, milícias organizadas e a liberdade dos jovens para desafiar os mais velhos da tribo.[77] Como veremos no próximo capítulo, esse desdobramento está na contracorrente da diminuição histórica da violência, mas também é uma demonstração do papel dos Leviatãs como motor do declínio.

A CIVILIZAÇÃO E SEUS MAL-ESTARES

Então Hobbes estava certo? Em parte, sim. Na natureza humana encontramos três principais causas de disputa: ganho (ataques predatórios), segurança (ataques preventivos) e reputação (ataques retaliativos). E os números confirmam que, relativamente falando, "durante o tempo em que os homens vivem sem um poder comum que mantenha todos em um temor respeitoso, encontram-se em uma condição chamada guerra" e nessa condição eles vivem em "contínuo medo e perigo de morte violenta".

Entretanto, em sua poltrona na Inglaterra oitocentista, Hobbes não podia evitar muitos erros de interpretação. As pessoas nas sociedades sem Estado cooperam amplamente com seus familiares e aliados, por isso a vida delas está longe de ser "solitária", e só intermitentemente ela é sórdida e brutal. Mesmo quando são arrastadas para incursões e batalhas a espaços de poucos anos, ainda lhes sobra bastante tempo para procurar alimento, festejar, cantar, contar histórias, criar filhos, cuidar dos doentes e das outras necessidades e prazeres da vida. Em um esboço de um livro anterior, mencionei desatentamente os ianomâmi como "o povo feroz", aludindo ao título do famoso livro do antropólogo Napoleon Chagnon. Um colega antropólogo escreveu na margem: "Os bebês são ferozes? As mulheres idosas são ferozes? Eles comem com ferocidade?".

Quanto à vida deles ser "pobre", a história é heterogênea. Sem dúvida sociedades sem um Estado organizado não têm "construções confortáveis, instrumentos para mover e remover coisas que requerem muita força, conhecimento da face da Terra, cômputo do tempo [e] letras", pois é difícil criar tais coisas se os guerreiros da aldeia vizinha vivem acordando os moradores com flechas envenenadas, raptando as mulheres e queimando as choças. Mas os primeiros povos que desistiram de caçar e coletar e se fixaram como agricultores tiveram de fazer uma troca difícil. Passar os dias manejando um arado, subsistir à base do amido dos grãos e viver em intimidade com animais de criação e milhares de pessoas pode ser perigoso para a saúde. Estudos de esqueletos feitos por Steckel e colegas mostram que, em comparação com caçadores-coletores, os primeiros habitantes de cidades eram anêmicos, tinham infecções, cáries dentárias e eram quase cinco centímetros mais baixos.[78] Alguns estudiosos da Bíblia acreditam que a história da queda do Jardim do Éden é uma memória cultural da transição do forrageio para a agricultura: "Com o suor do rosto comerás o teu pão".[79]

Então por que nossos ancestrais forrageadores deixaram o Éden? Para muitos, essa nunca foi uma escolha explícita: eles haviam se multiplicado numa armadilha malthusiana até que a gordura da terra não pôde mais sustentá-los, e tiveram de cultivar seu próprio alimento. Os Estados emergiram só mais tarde, e os forrageadores que viviam em suas fronteiras podiam ser absorvidos por eles ou manter seu velho modo de vida. Para os que tiveram escolha, o Éden talvez fosse perigoso demais. Algumas cáries, um ou outro abscesso e alguns centímetros de altura a menos eram um preço pequeno a pagar para uma probabilidade cinco vezes menor de não ser espetado numa lança.[80]

A melhora das probabilidades de uma morte natural veio com outro preço, sintetizado pelo historiador romano Tácito: "Antes sofríamos com crimes; agora sofremos com leis". As histórias da Bíblia que examinamos no capítulo 1 sugerem que os primeiros reis mantinham seus súditos num temor respeitoso com ideologias totalitaristas e punições brutais. Pense na iracunda deidade a observar cada movimento das pessoas, na regulação do cotidiano por leis arbitrárias, no apedrejamento por blasfêmia e desconformidade, nos reis com poder de confiscar uma mulher para seu harém ou de cortar ao meio um bebê, na crucificação de ladrões e líderes de culto. Nesses aspectos a Bíblia é acurada. Os cientistas sociais que estudam o surgimento de Estados observam que eles começam como teocracias estratificadas nas quais as elites asseguram seus privilégios econômicos impondo uma paz brutal a seus inferiores.[81]

Três estudiosos analisaram grandes amostras de culturas para quantificar a correlação entre a complexidade política de sociedades nascentes e seu apoio no absolutismo e na crueldade.[82] O arqueólogo Keith Otterbein mostrou que sociedades com liderança mais centralizada têm maior probabilidade de matar mulheres em batalhas (em vez de raptá-las), de ter escravos e de praticar sacrifícios humanos. O sociólogo Steven Spitzer mostrou que sociedades complexas têm maior probabilidade de criminalizar atividades sem vítimas como sacrilégio, desvio sexual, deslealdade e feitiçaria e de punir os transgressores com tortura, mutilação, escravização e execução. E a historiadora e antropóloga Laura Betzig mostrou que sociedades complexas tendem a viver sob o controle de déspotas: líderes que com certeza fazem valer sua vontade em conflitos, podem matar com impunidade e têm grandes haréns de mulheres à sua disposição. Ela constatou que o despotismo nesse sentido emergiu entre os babilônios, israelitas, romanos, samoanos, fijianos, khmers, astecas, incas, natchezes (do baixo Mississippi), ashantis e outros reinos da África.

Portanto, na questão da violência, os primeiros Leviatãs resolveram um problema, mas criaram outro. Diminuiu a probabilidade de uma pessoa ser vítima de homicídio ou morrer na guerra, mas ela se viu sob o jugo de tiranos, clérigos e cleptocratas. Isso nos dá um sentido mais sinistro para a palavra "pacificação": não só o estabelecimento da paz, mas também a imposição do controle absoluto por um governo coercivo. A solução deste segundo problema teria de esperar mais alguns milênios, e em boa parte do mundo ele permanece não resolvido.

3. O Processo Civilizador

É impossível não notar quanto a civilização se constrói sobre a renúncia ao instinto.

Sigmund Freud

Desde que aprendi a comer com talheres, luto com aquela regra de bons modos à mesa que diz que não se pode empurrar a comida para o garfo com a faca. Tudo bem, tenho destreza para capturar porções de comida dotadas de massa suficiente para se manterem quietas enquanto deslizo o garfo para baixo delas. Mas meu débil cerebelo não é páreo para os cubinhos miúdos ou as escorregadias esferazinhas que ricocheteiam e rolam ao toque dos dentes do garfo. Caço-os pelo prato, procurando desesperadamente uma crista ou aclive que me dê o apoio necessário, torcendo para que meu alvo não atinja a velocidade de escape e aterrisse na toalha. Às vezes aproveito o instante em que meu companheiro de refeição desvia o olhar e bloqueio a partícula fujona com a faca antes que ele olhe de novo para mim e me apanhe nesse *faux pas*. Qualquer coisa para evitar a ignomínia, a grosseria, a intolerável impolidez de usar uma faca com outro propósito que não o de cortar. Deem-me uma alavanca suficientemente longa e um ponto de apoio e moverei o mundo, disse Arquimedes. Mas, se ele fosse seguir as regras de boas maneiras, *não poderia ajeitar as ervilhas no garfo com a faca!*

Lembro-me de questionar essa proibição sem sentido quando era criança: mas por que é tão terrível usar os talheres de um jeito eficiente e perfeitamente higiênico? Eu não estava pedindo para comer purê de batata com as mãos. E perdia a discussão, como todas as crianças, diante da réplica "porque eu estou dizendo que é". E durante décadas resmunguei com meus botões contra a ininteligibilidade das regras de etiqueta. Até que um dia, enquanto fazia pesquisas para este livro, passei a enxergar a verdade dos fatos, o enigma evaporou e deixei de lado para sempre meu ressentimento contra a regra da faca. Devo essa epifania ao mais importante pensador do qual você nunca ouviu falar: Norbert Elias (1897-1990).

Elias nasceu em Breslau, Alemanha (hoje Wroctaw, Polônia), e estudou sociologia e história da ciência.[1] Fugiu da Alemanha em 1933 por ser judeu, foi confinado em um campo britânico porque era alemão e perdeu os pais no Holocausto. Para rematar essas tragédias, o nazismo lhe impôs mais uma: sua obra magistral, *O processo civilizador*, foi publicada na Alemanha em 1939, uma época em que a própria ideia parecia uma piada de mau gosto. Elias perambulou de uma universidade a outra, quase sempre lecionando à noite, e se formou psicoterapeuta antes de se fixar na Universidade de Leicester, onde deu aulas até se aposentar, em 1962. Emergiu da obscuridade em 1969, quando foi publicada uma tradução inglesa de *O processo civilizador*, e ele foi reconhecido como figura importante apenas em sua última década de vida, quando um fato espantoso veio à luz. A descoberta não era sobre a racionalidade dos modos à mesa, mas sobre a história do homicídio.

Em 1981 o cientista político Ted Robert Gurr, baseado em antigos registros municipais e judiciários, calculou trinta estimativas de taxas de homicídios em vários períodos da história inglesa, combinou-as com registros modernos de Londres e as marcou em um gráfico.[2] Reproduzi seus cálculos na figura 3.1, porém em uma escala logarítmica, na qual a mesma distância vertical separa 1 de 10, 10 de 100 e 100 de 1000. A taxa é calculada do mesmo modo que no capítulo precedente, ou seja, o número anual de mortes por 100 mil pessoas. A escala logarítmica é necessária porque a taxa de homicídios declinou muito abruptamente. O gráfico mostra que, do século XIII ao século XX, em várias partes da Inglaterra os homicídios despencaram por um fator de dez, cinquenta e, em alguns casos, cem — por exemplo, em Oxford, de 110 homicídios por 100 mil pessoas por ano no século XIV para menos de um homicídio por 100 mil na Londres de meados do século XX.

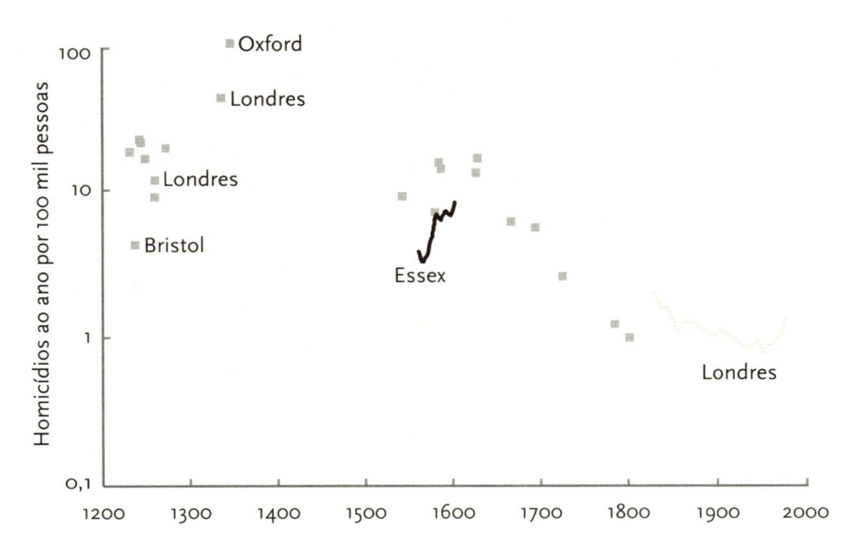

Figura 3.1. *Taxas de homicídios na Inglaterra, 1200-2000: estimativas de Gurr em 1981.*
FONTE: Dados de Gurr, 1981, pp. 303-4, 313.

O gráfico estarreceu quase todos que o viram (eu inclusive; como mencionei no prefácio, ele foi a semente deste livro). A descoberta contradiz todos os estereótipos sobre um passado idílico e um presente degenerado. No levantamento que fiz das percepções sobre a violência em um questionário pela internet, os entrevistados supunham que a Inglaterra do século XX era cerca de 14% mais violenta que a Inglaterra do século XIV. Na verdade, era 95% menos violenta.[3]

Este capítulo fala sobre o declínio do homicídio na Europa da Idade Média até o presente, e de seus equivalentes e contraexemplos em outras épocas e lugares. Peguei emprestado de Elias o título do capítulo porque ele foi o único pensador social de vulto com uma teoria capaz de explicar esse declínio.

O DECLÍNIO DOS HOMICÍDIOS NA EUROPA

Antes de tentarmos explicar esse notável avanço, certifiquemo-nos de que ele é real. Depois da publicação do gráfico de Gurr, vários criminologistas históricos investigaram mais a fundo a história do homicídio.[4] O criminologista Manuel Eisner montou um conjunto bem maior de estimativas de homicídio na Inglaterra ao longo dos séculos, baseado em sindicâncias de legistas, processos judiciais e registros locais.[5] Cada ponto no gráfico na figura 3.2 é uma estimativa para alguma cidade ou jurisdição, novamente indicada em escala logarítmica. No século XIX o governo britânico manteve registros anuais de homicídios para todo o país; eles são indicados no gráfico pela linha cinza. Outro historiador, J. S. Cockburn, compilou dados contínuos da cidade de Kent entre 1560 e 1985, e Eisner os sobrepôs a seus próprios dados, na linha preta.[6]

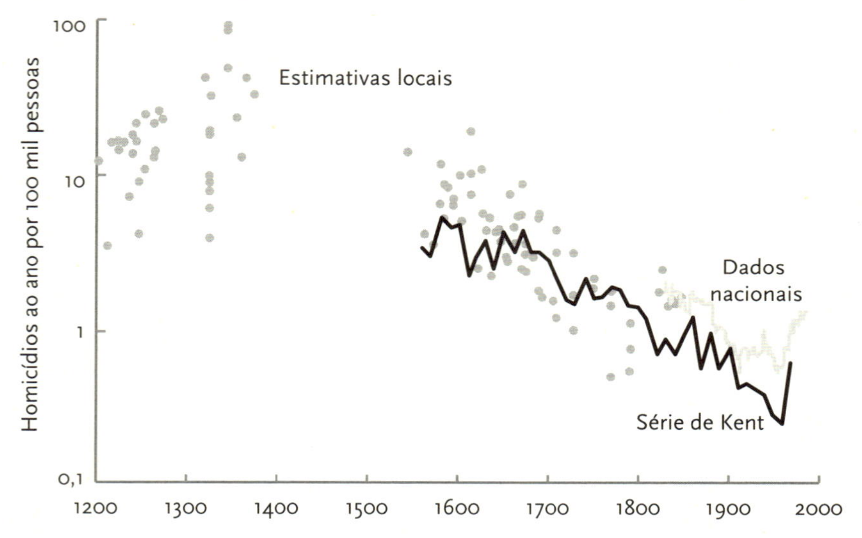

Figura 3.2. *Taxas de homicídios na Inglaterra, 1200-2000.*
FONTE: Gráfico em Eisner, 2003.

Mais uma vez, vemos um declínio em taxas anuais de homicídio, e ele não é pequeno: de quatro a cem homicídios por 100 mil pessoas na Idade Média para cerca de 0,8 (oito décimos de um homicídio) por 100 mil nos anos 1950. O espaçamento dos eventos no tempo mostra que as altas taxas de assassinato medievais não podem ser atribuídas à agitação social que se seguiu à Peste Negra por volta de 1350, pois muitas das estimativas são anteriores a essa epidemia.

Eisner refletiu profundamente sobre o grau em que devemos confiar nesses números. O homicídio é o crime escolhido para as mensurações da violência porque, independentemente de como as pessoas de uma cultura distante conceituam o crime, um cadáver não dá margem a muitas definições diferentes e sempre desperta curiosidade sobre quem ou o que o produziu. Portanto, os registros de homicídios são um indicador mais confiável da violência do que registros de roubos, estupros ou agressões físicas, e geralmente (mas não sempre) se correlacionam com estes últimos.[7]

Ainda assim, é razoável perguntar como as pessoas de eras distintas reagiam a essas mortes. Seriam elas tão propensas quanto nós a julgar uma morte como intencional ou acidental, ou a abrir um processo para investigar a morte em vez de deixá-la passar? As pessoas de tempos passados sempre matavam a taxas equivalentes às quais estupravam, roubavam e agrediam fisicamente? Qual era seu grau de êxito em salvar a vida de vítimas de agressão, impedindo que se tornassem vítimas de homicídio?

Felizmente é possível examinar essas questões. Eisner cita estudos que mostram que as pessoas de nosso tempo, quando lhes são apresentadas as circunstâncias de um assassinato ocorrido há séculos e lhes perguntam se elas acham que foi intencional, geralmente chegam à mesma conclusão que as pessoas da época do evento. Eisner mostrou que, na maioria dos períodos, as taxas de homicídios realmente se correlacionam com as taxas de outros crimes violentos. Ele ressalta que qualquer avanço histórico nas técnicas de investigação criminal ou no alcance da justiça leva à *subestimação* do declínio nos homicídios, pois hoje uma parcela maior dos assassinos é presa, julgada e condenada em comparação com séculos atrás. Quanto aos cuidados médicos para salvar vidas, os médicos antes do século XX eram curandeiros que matavam na mesma proporção que salvavam; entretanto, a maior parte do declínio ocorreu entre 1300 e 1900.[8] De qualquer modo, o ruído de amostragem que dá tanta dor de cabeça aos cientistas sociais quando estimam uma mudança de um quarto ou metade não é um grande problema quando se trata de uma decuplicação ou centuplicação.

Os ingleses destoaram dos demais europeus quando se abstiveram gradualmente de matar? Eisner examinou outros países da Europa Ocidental para os quais havia dados sobre homicídios compilados por criminologistas. A figura 3.3 mostra que os resultados são semelhantes. Os escandinavos precisaram de dois séculos a mais para pensar bem antes de se matar uns aos outros, e os italianos demoraram até o século XIX. Mas no século XX a taxa anual de homicídios de todos os países da Europa Ocidental havia caído para uma estreita faixa em um por 100 mil.

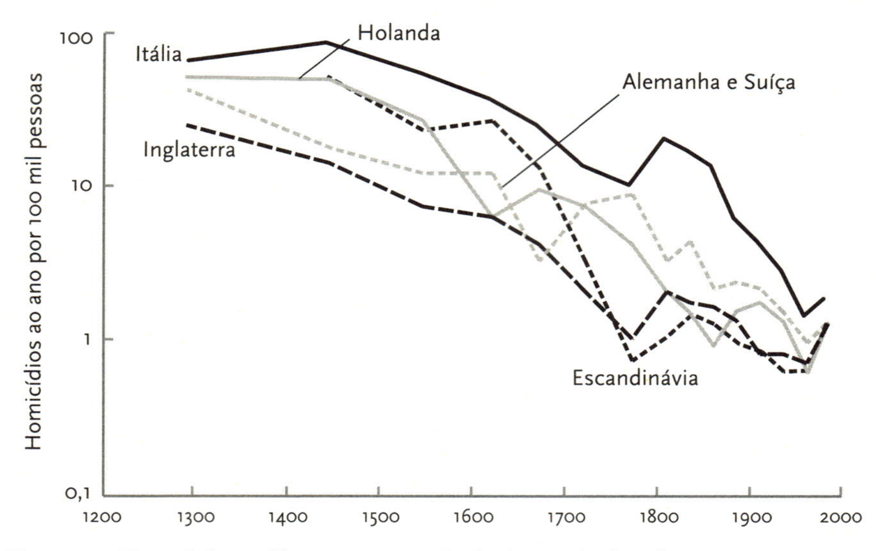

Figura 3.3. *Taxas de homicídios em cinco regiões da Europa Ocidental, 1300-2000.*
FONTE: Dados de Eisner, 2003, tabela 1.

Para analisarmos em perspectiva o declínio europeu, façamos uma comparação com as taxas para as sociedades sem Estado que encontramos no capítulo 2. Na figura 3.4 estendi o eixo vertical até mil na escala logarítmica para levar em conta a ordem de magnitude adicional exigida pelas sociedades sem Estado. Mesmo na fase final da Idade Média, a Europa Ocidental foi muito menos violenta do que as sociedades sem Estado não pacificadas e os inuítes, e foi comparável aos forrageadores com baixas densidades populacionais como os semais e os boxímanes. E, a partir do século XIV, a taxa de homicídios na Europa despencou constantemente, apenas com um ínfimo aumento no último terço do século XX.

Embora a Europa se tornasse menos assassina de modo geral, certos padrões de homicídio permaneceram constantes.[9] Os homens foram responsáveis por aproximadamente 92% das mortes (exceto infanticídio), e na casa dos vinte anos foi maior sua probabilidade de matar. Até a alta dos anos 1960, as cidades geralmente foram mais seguras do que a zona rural. Mas outros padrões mudaram. Nos séculos passados, as classes sociais superior e inferior mostraram taxas de homicídios comparáveis. Mas conforme a taxa de homicídios foi caindo, ela declinou bem mais abruptamente nas classes superiores do que nas inferiores, uma importante mudança social à qual retornaremos.[10]

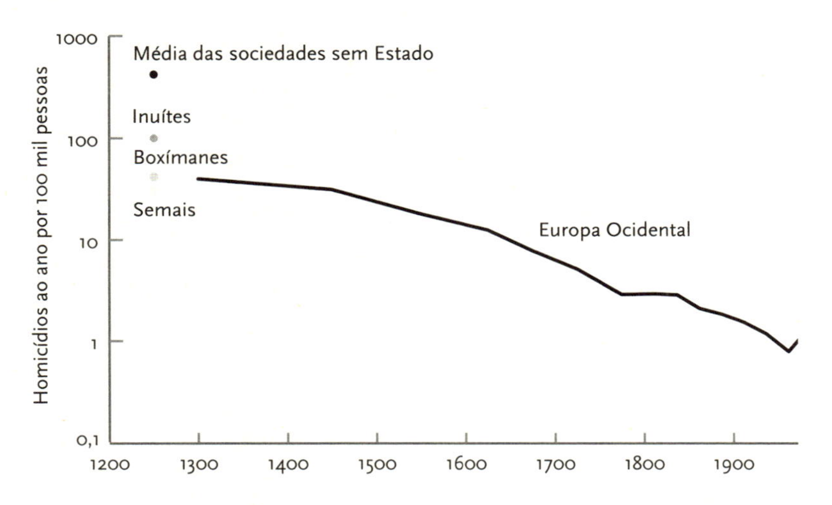

Figura 3.4. *Taxas de homicídios na Europa Ocidental, 1300-2000, e em sociedades sem Estado.* FONTES: Sem Estado (média geométrica de 26 sociedades, não incluindo os semais, inuítes e boxímanes): ver figura 2.3. Europa: Eisner, 2003, tabela 1; média geométrica de cinco regiões; dados faltantes interpolados.

Outra mudança história foi no declínio muito mais rápido no tipo de homicídio em que um homem mata outro homem não aparentado com ele, em comparação com o assassinato de filhos, pais, cônjuges e irmãos. Esse é um padrão comum nas estatísticas de homicídios, às vezes chamado Lei de Verkko: as taxas de violência de homens contra homens flutuam mais na comparação de diferentes épocas e lugares do que as taxas de violência doméstica envolvendo mulheres ou parentes.[11] A explicação de Martin Daly e Margo Wilson é que os parentes irritam uns aos outros a taxas semelhantes em todas as épocas e lugares por causa dos conflitos de interesse profundamente arraigados que são inerentes aos padrões de sobreposição genética em cada família. A violência entre homens conhecidos, em contraste, é alimentada por disputas pela dominância que são mais sensíveis às circunstâncias. Quanto um homem deve ser violento para manter sua posição na hierarquia em um dado meio depende de sua avaliação do quanto os *outros homens* são violentos, o que leva a círculos viciosos ou virtuosos que podem aumentar ou declinar abruptamente. Examinarei mais a fundo a psicologia do parentesco no capítulo 7 e a da dominância no capítulo 8.

Consideremos agora as implicações do declínio secular dos homicídios na Europa. Você acha que a vida da cidade, com seu anonimato, suas multidões, imigrantes e miscelânea de culturas e classes, é um bom viveiro para a violência? E quanto às dilacerantes mudanças sociais ocasionadas pelo capitalismo e pela Revolução Industrial? Está convicto de que a vida em cidades pequenas, centrada na igreja, na tradição e no temor a Deus, é nosso melhor baluarte contra o assassinato e o caos? Pois reflita melhor. Conforme a Europa se tornou mais urbana, cosmopolita, comercial, industrializada e secular, foi ficando cada vez mais segura. E isso nos leva de volta às ideias de Norbert Elias, a única teoria que permaneceu de pé.

Elias desenvolveu a teoria do Processo Civilizador não se debruçando sobre números, que não estavam disponíveis em sua época, mas examinando a qualidade do cotidiano na Europa medieval. Examinou, por exemplo, uma série de ilustrações de um manuscrito alemão do século XV intitulado *Das Mittelalterliche Hausbuch* (O livro da casa medieval), uma descrição do dia a dia da perspectiva de um cavaleiro da Idade Média.[12]

No detalhe mostrado na figura 3.5, um camponês eviscera um cavalo enquanto um porco cheira seu traseiro à mostra. Em uma caverna próxima, há um homem e uma mulher sentados, presos no tronco. Acima deles, um homem está sendo levado para a forca, da qual já pende um cadáver, e ao lado se vê um homem cujos ossos foram quebrados na roda sendo bicado por um corvo. A roda e o patíbulo não são o ponto focal da ilustração, mas parte da paisagem, como as árvores e os morros.

A figura 3.6 contém um detalhe de uma segunda ilustração, na qual cavaleiros atacam um vilarejo. Na parte inferior esquerda, um camponês é esfaqueado por um soldado; acima dele, outro camponês é segurado pela camisa enquanto uma mulher grita com os braços para o alto. Na parte inferior direita, um camponês é apunhalado em uma capela enquanto seus bens são saqueados, e ao lado um cavaleiro golpeia um camponês agrilhoado. Acima deles, um grupo montado incendeia uma casa de fazenda enquanto um deles tange o gado do fazendeiro e bate em sua mulher.

Figura 3.5. *Detalhe de "Saturno",* Das Mittelalterliche Hausbuch (*O livro da casa medieval*), *1475-80.*

FONTES: Reproduzido em Elias, 1939/2000, apêndice 2; ver Graf zu Waldburg Wolfegg, 1988.

Figura 3.6. *Detalhe de "Marte",* Das Mittelalterliche Hausbuch (*O livro da casa medieval*), *1475-80.*
FONTES: Reproduzido em Elias, 1939/2000, apêndice 2; ver Graf zu Waldburg Wolfegg, 1988.

Os cavaleiros da Europa feudal eram o que hoje chamamos de chefes militares. Os Estados eram ineficazes, e o rei era meramente o mais proeminente dos nobres, desprovido de um exército permanente e com pouco controle sobre o país. A governança era terceirizada para os barões, cavaleiros e outros nobres que controlavam feudos de vários tamanhos e requeriam colheitas e serviço militar dos camponeses que viviam em suas terras. Os cavaleiros atacavam os territórios uns dos outros numa dinâmica hobbesiana de conquista, ataque preventivo e vingança; e, como sugerem as ilustrações do *Hausbuch*, não se limitavam a matar outros cavaleiros. Em *Um espelho distante: O terrível século XIV*, a historiadora Barbara Tuchman descreve como eles ganhavam a vida:

> Os cavaleiros lutavam nessas guerras privadas com um júbilo furioso e uma única estratégia, que consistia em tentar arruinar o inimigo matando e mutilando o maior número de seus camponeses e destruindo o máximo possível das colheitas, vinhas, ferramentas, celeiros e outros bens, para assim reduzir suas fontes de renda. Em consequência, as principais vítimas dos beligerantes eram seus respectivos camponeses.[13]

Como vimos no capítulo 1, para manter a credibilidade de sua ameaça dissuasiva, os cavaleiros participavam de torneios sangrentos e outras demonstrações de proeza viril; edulcoradas por palavras como "honra", "cavalheirismo", "glória" e "galanteria", essas façanhas fizeram as gerações posteriores esquecer que eles eram saqueadores carniceiros.

As guerras privadas e os torneios compunham o pano de fundo de uma vida que era violenta também de outros modos. Como vimos, os valores religiosos eram comunicados por meio de crucifixos ensanguentados, ameaças de tortura eterna e lúbricas descrições de santos mutilados. Artesãos aplicavam seu engenho em sádicas máquinas de punição e execução. Salteadores nas estradas tornavam arriscadas as viagens, e exigir resgate para libertar cativos era um grande negócio. Como salientou Elias, "também a arraia-miúda — os chapeleiros, alfaiates, pastores — era rápida em sacar a faca".[14] Até os clérigos entravam no jogo. A historiadora Barbara Hanawalt cita um relato da Inglaterra do século XIV:

> Aconteceu em Ylvertoft no sábado seguinte à Festa de São Martinho, no quinto ano do rei Eduardo, que um certo William de Wellington, o pároco de Ylvertoft, enviou John, seu escrevente, à casa de John Cobbler para comprar-lhe uma vela

por um pêni. Mas John não quis vender sem o dinheiro, e isso enfureceu William, que, derrubando-lhe a porta por cima, golpeou John na parte frontal da cabeça; seu cérebro jorrou para fora e ele morreu na hora.[15]

A violência impregnava também o entretenimento. Tuchman descreve dois esportes populares da época:

> Os jogadores, com as mãos atadas às costas, competiam para matar a cabeçadas um gato amarrado a um poste, correndo o risco de ter as faces rasgadas ou os olhos arrancados pelas garras do animal desesperado. [...] Ou um porco preso num grande cercado era caçado por homens com porretes sob as gargalhadas dos espectadores, enquanto fugia guinchando dos golpes até ser morto a pancadas.[16]

Nas décadas de minha vida acadêmica, li milhares de textos especializados em uma grande variedade de assuntos, desde gramática dos verbos irregulares até a física dos múltiplos universos. Mas o mais estranho artigo de periódico que já li é "Losing Face, Saving Face: Noses and Honour in the Late Medieval Town".[17] Nesse texto, o historiador Valentin Groebner documenta dezenas de relatos da Europa medieval nos quais uma pessoa corta fora o nariz de outra. Alguns casos eram punições oficiais por heresia, traição, prostituição ou sodomia, mas o mais frequente eram os atos de vingança privada. Em um exemplo de Nuremberg em 1520, Hanns Rigel teve um caso com a mulher de Hanns von Eyb. Este, com ciúme, cortou o nariz da inocente mulher de Rigel, uma suprema injustiça, multiplicada pelo fato de que Rigel foi condenado a quatro semanas de prisão por adultério enquanto Von Eyb ficou impune. Tais mutilações eram tão comuns que, segundo Groebner,

> os autores de livros de cirurgia de fins da Idade Média também dão especial atenção a lesões nasais, discutindo se um nariz, depois de cortado, pode voltar a crescer, uma questão controversa que o médico real francês, Henri de Mondeville, responde em seu famoso *Chirurgia* com um categórico "Não". Outras autoridades em medicina do século XV eram mais otimistas: a farmacopeia de Heinrich von Pforspundt, de 1460, prometia, entre outras coisas, uma receita para "fazer um nariz novo" para quem houvesse perdido o original.[18]

Essa prática foi a origem de uma curiosa expressão idiomática inglesa, "to cut off the nose to spite the face".* Em fins da era medieval, cortar o nariz de alguém era o protótipo do insulto.

Como outros estudiosos que perscrutaram a vida medieval, Elias surpreendeu-se com relatos sobre o temperamento das pessoas na Idade Média, que nos parecem impetuosas, desinibidas e quase pueris:

> Não que as pessoas andassem sempre com o olhar feroz, o cenho franzido e posturas marciais. [...] Ao contrário: um momento antes estavam gracejando, agora caçoam, uma palavra leva a outra, e de repente do meio das risadas elas se veem na mais feroz das brigas. Muito do que nos parece contraditório — a intensidade de sua devoção, a violência de seu medo do inferno, seus sentimentos de culpa, suas penitências, as imensas explosões de alegria e jovialidade, a súbita inflamação e a incontrolável força de seu ódio e beligerância —, tudo isso, como as rápidas mudanças de humor, são, na realidade, sintomas de uma única estruturação da vida emocional. Os impulsos, as emoções, eram expressos de modo mais livre, mais direto e mais aberto do que em épocas posteriores. É só para nós, em quem tudo é mais refreado, moderado e calculado, e em quem os tabus sociais foram muito mais incutidos como autodomínio na organização de nossos impulsos, que a indisfarçada intensidade dessa devoção, beligerância ou crueldade parece ser contraditória.[19]

Tuchman também escreve sobre a "puerilidade observável no comportamento medieval, com sua marcante incapacidade de refrear qualquer tipo de impulso".[20] Dorothy Sayers, na introdução à sua tradução de *A canção de Rolando*, acrescenta: "A ideia de que um homem forte deve reagir a grandes calamidades pessoais e nacionais comprimindo ligeiramente os lábios e atirando calado o cigarro na lareira tem origem muito recente".[21]

Embora certamente se tenha exagerado a infantilidade da gente medieval, pode mesmo haver diferenças de grau nos hábitos de expressão emocional das várias eras. Elias dedicou boa parte de *O processo civilizador* a documentar essa transição com um banco de dados inusitado: manuais de etiqueta. Hoje

* Literalmente, "cortar o nariz para insultar a cara", uma alusão a uma vingança que prejudica o próprio vingador. (N. T.)

vemos livros desse tipo, como *Amy Vanderbilt's Everyday Etiquette* [Etiqueta para o cotidiano de Amy Vanderbilt] e *Miss Manners' Guide to Excruciatingly Correct Behavior* [Guia da Senhorita Boas Maneiras para o comportamento excruciantemente correto] como fontes de dicas úteis para evitar pecadilhos constrangedores. Mas em outras épocas eles foram guias sérios de conduta moral, escritos pelos mais renomados pensadores de seu tempo. Em 1530, o grande erudito Desiderius Erasmus, um dos fundadores da modernidade, escreveu um manual de etiqueta intitulado *A civilidade pueril* que foi um best-seller em toda a Europa por dois séculos. Enunciando as regras sobre o que as pessoas não deviam fazer, esses manuais nos dão um vislumbre do que elas deviam andar fazendo.

As pessoas na Idade Média eram, em uma palavra, grosseiras. Vários conselhos nos livros de etiqueta tratam de emanações corporais:

> Não suje as escadas, corredores, armários ou tapeçarias de urina ou outras imundícies. • Não se alivie diante de senhoras, ou na frente de portas ou janelas de casas em becos. • Não deslize para a frente e para trás na cadeira como se estivesse tentando eliminar gases. • Não toque em suas partes pudendas sob as roupas com as mãos nuas. • Não cumprimente alguém enquanto a pessoa está urinando ou defecando. • Não faça barulho quando eliminar gases. • Não abra as roupas diante de outras pessoas em preparação para defecar, e não as feche depois. • Quando dividir uma cama com alguém em uma hospedaria, não se deite tão perto que possa tocar a pessoa, nem ponha suas pernas entre as dela. • Se deparar com alguma coisa repugnante no lençol, não a mostre para seu companheiro, nem levante a coisa fétida para que o outro cheire dizendo "Gostaria de saber quanto isso fede".

Outros falam sobre assoar o nariz:

> Não assoe o nariz na toalha de mesa, nem nos dedos, manga ou chapéu. • Não ofereça seu lenço usado a outra pessoa. • Não carregue o lenço na boca. • "Também não fica bem, depois de assoar o nariz, abrir o lenço e contemplá-lo como se pérolas e rubis pudessem ter saído de sua cabeça."[22]

Cuspir também tinha seus detalhes:

Não cuspa na bacia quando estiver lavando as mãos. • Não cuspa tão longe que seja preciso procurar a saliva para pisar nela. • Vire-se ao cuspir para que a saliva não caia em alguém. • "Se algo purulento cair no chão, deve ser pisado para que não provoque náusea em alguém."[23] Se notar saliva no casaco de alguém, não é polido anunciar.

E há muitos e muitos conselhos sobre os modos à mesa:

Não seja o primeiro a tirar a comida do prato. • Não se atire à comida como um porco, roncando e estalando os lábios. • Não vire a travessa para deixar o maior pedaço de carne perto de você. • "Não devore a comida como se estivesse prestes a ser levado para a prisão, nem encha tanto a boca a ponto de suas bochechas incharem como foles, nem abra tanto os lábios que eles produzam ruídos porcinos." • Não mergulhe os dedos no molho da travessa. • Não pegue comida da travessa com a colher que pôs na boca. • Não roa um osso e depois o devolva à travessa. • Não limpe talheres na toalha de mesa. • Não ponha de volta no prato o que esteve em sua boca. • Não ofereça a ninguém um alimento que você já mordeu. • Não lamba os lábios engordurados, limpe-os no pão ou enxugue-os no casaco. • Não se incline para beber na tigela de sopa. • Não cuspa ossos, caroços, cascas de ovo ou de fruta nas mãos, nem os jogue no chão. • Não meta o dedo no nariz enquanto come. • Não beba no prato; use a colher. • Não sugue ruidosamente o que está na colher. • Não afrouxe o cinto à mesa. • Não limpe com os dedos um prato sujo. • Não mexa o molho com os dedos. • Não leve a carne ao nariz para cheirá-la. • Não beba café no pires.

Conselhos como esses desencadeiam uma série de reações na mente do leitor moderno. Como essa gente deve ter sido desatenciosa, grosseira, animalizada, imatura! Esse é o tipo de instrução que se espera que os pais deem a uma criança de três anos, e não que um grande filósofo dê a seu público letrado. No entanto, como observa Elias, os hábitos de refinamento, autocontrole e consideração que são segunda natureza para nós tiveram de ser adquiridos — por isso é que os chamamos de *segunda* natureza — e se desenvolveram na Europa no decorrer de sua história moderna.

A própria quantidade dos conselhos é reveladora. As quase quarenta regras não são independentes umas das outras; elas exemplificam alguns temas. Não é provável que hoje em dia cada um de nós tenha de ser instruído sobre cada regra individualmente, ou seja, se uma mãe se esquecer de ensinar uma delas, seu filho adulto não estará ainda assoando o nariz na toalha de mesa. As regras da lista (e muitas outras que não constam dela) são dedutíveis de alguns princípios: controle seus apetites; retarde a gratificação; considere as sensibilidades dos outros; não aja como um rústico; distancie-se da sua natureza animal. E supostamente a penalidade por tais infrações é interna: o sentimento de vergonha. Elias observa que os livros de etiqueta raramente mencionam a saúde e a higiene. Hoje reconhecemos que a emoção do nojo evoluiu como uma defesa inconsciente contra a contaminação biológica.[24] Mas conhecimentos sobre micróbios e infecção se tornaram disponíveis só quando já ia bem avançado o século XIX. As únicas justificativas explícitas mencionadas nos livros de etiqueta são evitar agir como um camponês ou como um animal e evitar ofender os outros.

Na Europa medieval a atividade sexual também era menos discreta. As pessoas ficavam nuas em público com mais frequência, e os casais tomavam apenas medidas superficiais para manter a privacidade do coito. As prostitutas ofereciam abertamente seus serviços; em muitas cidades inglesas, a zona de prostituição era chamada de Gropecunt Lane.* Os homens falavam com os filhos sobre seus feitos sexuais, e os filhos legítimos e ilegítimos conviviam. Durante a transição para a modernidade, essa franqueza passou a ser malvista e, por fim, considerada inaceitável.

A mudança deixou marcas na linguagem. Termos relacionados aos camponeses assumiram um segundo significado que denotava torpeza: "boor" (que originalmente significava apenas "camponês", como no alemão "Bauer" e no holandês "boer", e passou a significar "grosseirão"); "villain" (do francês "vilein", "servo" ou "morador de um vilarejo", e depois "vilão"), "churlish" (do inglês "churl", "rústico", e depois também "bronco"), "vulgar" ("comum", como no termo "vulgate"), e "ignoble" "não nobre". Muitas das palavras que designavam ações e substâncias incômodas tornaram-se tabu. Os ingleses costumavam praguejar invocando seres sobrenaturais, como em "My God!" (meu Deus!) e "Jesus Christ!". No começo da era moderna, começaram a invocar a sexualidade e a excreção, e as "four-letter words" anglo-saxônicas,** como as chamamos hoje, não puderam mais ser usadas

* Era comum na Idade Média o nome de uma localidade indicar a atividade econômica nela exercida. Gropecunt é um composto de "grope" "(apalpar)" e "cunt" (termo chulo para "vagina"). (N. T.)

** Muitos dos termos em inglês relacionados à excreção e às atividades sexuais são monossilábicos, e a maioria tem quatro letras; daí o termo "four-letter words", literalmente, "palavras de quatro letras", significando "palavrão". (N. T.)

entre pessoas bem-educadas porque viraram palavrões.[25] Como observou o historiador Geoffrey Hughes, "os dias em que o dente-de-leão podia ser chamado de 'pissabed', uma garça podia ser chamada de 'shitecrow' e um francelho podia ser chamado de 'windfucker' ficaram para trás junto com o exuberante anúncio fálico de 'codpiece'".[26] "Bastard", "cunt", "arse" e "whore" também passaram de termos comuns a tabu.*

Ao ganhar ascendência essa nova etiqueta, ela também passou a ser aplicada aos equipamentos da violência, em particular as facas. Na Idade Média, a maioria das pessoas carregava uma faca e a usava à mesa para cortar seu pedaço de carne assada, espetá-lo e levá-lo à boca. Mas a ameaça de uma arma letal ao alcance em uma reunião comunitária e a medonha imagem de uma faca apontada para um rosto tornaram-se cada vez mais repulsivas. Elias cita várias regras de etiqueta centradas no uso das facas:

> Não limpe os dentes com a faca. • Não segure a faca o tempo todo enquanto come, apenas quando precisar dela. • Não use a ponta da faca para pôr comida na boca. • Não corte o pão; parta-o com as mãos. • Quando passar uma faca a alguém, ofereça o cabo e deixe a ponta virada para você. • Não agarre a faca com a mão inteira como se fosse um pedaço de pau; segure-a nos dedos. • Não use a faca para apontar para alguém.

Foi durante essa transição que o garfo passou a ser de uso comum como utensílio de mesa: para que não fosse mais preciso levar a faca à boca. Facas especiais eram postas à mesa para que as pessoas não tivessem de desembainhar as delas, e eram feitas com pontas redondas em vez de agudas. Certos alimentos nunca deviam ser cortados com faca, por exemplo, peixe, objetos redondos e pão — daí a expressão "to break bread together" ["partir o pão juntos", isto é, comungar].

Alguns dos tabus medievais relacionados às facas continuam conosco. Muitas pessoas não dão facas de presente, a não ser acompanhadas de uma moeda, que o presenteado devolve, para que a transação seja uma venda e não um presente. A razão ostensiva é evitar o simbolismo de "cortar a amizade", mas

* "Pissabed", de "piss" "(urinar)" e "bed" "(cama)"; "shitecrow", de "shit" "(fezes)" e "crow" "(corvo)"; "windfucker", de "wind" "(vento)" e "fucker" "(fornicador)"; "codpiece", de "cod" "(escroto)" e "piece" "(peça)"; "bastard", "cunt", "arse" e "whore" significam, respectivamente, "bastardo", "vagina", "ânus" e "prostituta". (N. T.)

uma razão mais provável é evitar o simbolismo de voltar uma faca não solicitada na direção de um amigo. Uma superstição semelhante diz que dá azar entregar uma faca na mão de alguém: ela deve ser posta na mesa para que a pessoa a pegue. As facas nos conjuntos de talheres têm ponta arredondada e não são mais afiadas que o necessário: há facas especiais para cortar carne firme, substituídas por outras mais rombudas quando é servido peixe. E só se deve usar uma faca quando é absolutamente necessário. É falta de educação usar faca para comer um pedaço de bolo, para levar comida à boca, para mexer ingredientes (*"Stir with a knife, stir up strife"* [diz um ditado em inglês: mexer com a faca é provocar briga]). Também é falta de educação usar a faca para ajeitar a comida no garfo.

Arrá!

A teoria de Elias, portanto, atribui o declínio da violência na Europa a uma mudança psicológica mais ampla (o subtítulo de seu livro é *Sociogenetic and Psychogenetic Investigations* [Investigações sociogenéticas e psicogenéticas]). Ele argumenta que, no decorrer de vários séculos, a partir do século XI ou XII e amadurecendo nos séculos XVII e XVIII, os europeus passaram a inibir cada vez mais seus impulsos, a prever as consequências de suas ações a longo prazo e a levar em consideração os pensamentos e sentimentos das outras pessoas. Uma cultura da honra — a prontidão para vingar-se — deu lugar a uma cultura da dignidade — a prontidão para controlar as emoções. Esses ideais originaram-se de instruções explícitas que os árbitros culturais davam aos aristocratas e nobres, permitindo que eles se diferenciassem dos vilões e camponeses. Mas foram depois absorvidos na socialização de crianças cada vez mais novas, até que se tornaram segunda natureza. As regras acabaram por ser copiadas das classes altas pela burguesia, que se empenhava em emular os aristocratas, e dos burgueses pelas classes inferiores, finalmente se tornando parte da cultura como um todo.

Elias inspirou-se no modelo estrutural da psique de Freud, no qual as crianças adquirem uma consciência (o superego) internalizando as injunções dos pais quando são jovens demais para entendê-las. Nessa fase, o ego da criança pode aplicar essas injunções para refrear seus impulsos biológicos (o id). Elias manteve distância de ideias mais exóticas de Freud (como o parricídio primevo, o instinto de morte, o complexo de Édipo), e sua psicologia é totalmente moderna. No capítulo 9 trataremos de uma faculdade da mente que os psicólogos chamam de autocontrole, adiamento da gratificação e desconto temporal hiperbólico, e que os leigos chamam de contar até dez, poupar para os dias difíceis e morder a língua.[27] Examinaremos também uma faculdade que os psicólogos chamam de empatia, psicologia intuitiva, tomada de perspectiva e teoria da mente, e que os leigos chamam de entrar na cabeça da outra pessoa, ver o mundo do ponto de vista do outro, pôr-se na pele de alguém. Elias antecipou o estudo científico desses dois anjos bons.

Críticos de Elias argumentam que todas as sociedades têm critérios sobre o que é apropriado nas esferas da sexualidade e excreção, e que presumivelmente esses critérios têm origem em emoções inatas relacionadas a pureza, nojo e vergonha.[28] Como veremos, o grau em que as sociedades moralizam essas emoções é uma importante dimensão de variação entre as culturas. Embora decerto a Europa medieval não fosse totalmente desprovida de normas de propriedade, parece ter estado na ponta mais afastada das possibilidades culturais.

Para seu crédito, Elias evitou a moda acadêmica e não afirmou que os europeus do início da era moderna "inventaram" ou "construíram" o autocontrole. Disse apenas que eles subiram o tom de uma faculdade mental que sempre fora parte da natureza humana, mas vinha sendo subutilizada na Idade Média. Ele defendeu repetidamente essa ideia com a frase "Esse não é o ponto zero".[29] Veremos no capítulo 9 que o modo exato em que as pessoas sintonizam para mais ou para menos sua capacidade de autocontrole é um assunto interessante da psicologia. Uma possibilidade é que o autocontrole é como um músculo e, se for exercitado nos modos à mesa, fica mais forte em tudo e funcionará melhor quando você tiver que se conter para não matar o sujeito que acaba de insultá-lo. Outra possibilidade é que uma dada posição no sintonizador do autocontrole representa uma norma social; por exemplo, quanto se pode chegar perto de outra pessoa ou quanto nosso corpo precisa estar coberto em público. Uma terceira é que o autocontrole pode ser ajustado adaptativamente segundo seus custos e benefícios no ambiente local. Afinal de contas, o valor do autocontrole é relativo, e não absoluto. O problema em se ter autocontrole demais é que um agressor pode usá-lo em proveito próprio, prevendo que você pode se abster de retaliar porque não vai adiantar mais mesmo. Mas se ele tiver razão para crer que você revidará por reflexo, sem pensar nas consequências, talvez o trate com mais respeito desde o início. Nesse caso, as pessoas podem ajustar o cursor do autocontrole conforme o grau de perigo à sua volta.

A essa altura da história, a teoria do Processo Civilizador está incompleta, pois recorre a um processo que é endógeno ao fenômeno que ela está tentando explicar. Um declínio no comportamento violento, diz essa teoria, coincidiu com um declínio na impulsividade, honra, permissividade sexual, incivilidade e maus modos à mesa. Mas isso só nos enreda em um emaranhado de processos psicológicos. Não serve como explicação dizer que as pessoas se comportaram menos violentamente porque aprenderam a inibir seus impulsos violentos. Tampouco podemos ter certeza de que a impulsividade das pessoas mudou primeiro e a redução na violência veio em consequência, e não vice-versa.

Mas Elias propôs um gatilho exógeno para dar início a tudo; ou melhor, dois gatilhos. O primeiro foi a consolidação de um genuíno Leviatã depois de séculos de anarquia na colcha de retalhos medieval dos baronatos e feudos europeus. As monarquias centralizadas se fortaleceram, puseram os cavaleiros beligerantes sob seu controle e estenderam seus tentáculos para além de seus reinos. Segundo o historiador especializado em guerras Quincy Wright, a Europa tinha 5 mil unidades políticas independentes (a maioria baronatos e principados) no século XV, quinhentas na época da Guerra dos Trinta Anos no começo do século XVII, duzentas no tempo de Napoleão no início do século XIX e menos de trinta em 1953.[30]

A consolidação das unidades políticas foi, em parte, um processo natural de aglomeração no qual um chefe militar moderadamente poderoso engoliu seus vizinhos e se tornou ainda mais poderoso. Mas o processo foi acelerado pelo que os historiadores chamam de revolução militar: o advento das armas de fogo, dos exércitos permanentes e de outras tecnologias de guerra caras que só podiam ser sustentadas por uma vasta burocracia e uma ampla base de renda.[31] Um homem a cavalo com uma espada e um bando maltrapilho de camponeses não eram páreo para a infantaria e artilharia em grande escala que um genuíno Estado podia mobilizar em batalha. Como diz o sociólogo Charles Tilly, "Estados fazem guerra e vice-versa".[32]

As batalhas por território entre os cavaleiros eram um estorvo para os reis cada vez mais poderosos, pois, independentemente de quem prevalecesse, camponeses eram mortos e a capacidade produtiva era destruída, e esses elementos, do ponto de vista do rei, seriam mais úteis se estivessem provendo suas receitas e exércitos. E quando os monarcas se empenharam pela paz — "a paz do rei", como se dizia — tiveram um incentivo para fazer bem-feito. Para um cavaleiro, era arriscado depor as armas e esperar até que o Estado dissuadisse seus inimigos, já que estes podiam ver essa decisão como um sinal de fraqueza. O Estado tinha de cumprir sua parte do trato, para que todos não perdessem a fé em seus poderes pacificadores e voltassem a seus ataques e vinganças.[33]

As lutas entre cavaleiros e camponeses não eram apenas um estorvo, mas também um desperdício de oportunidades. Durante o domínio normando na Inglaterra, algum gênio reconheceu as possibilidades de lucro da nacionalização da justiça. Por séculos o sistema legal tratara o homicídio como um delito suscetível à reparação de danos: em vez de vingança, a família da vítima exigia um pagamento da família do assassino, conhecido como *blood money* [dinheiro sangrento] ou *wergild* ("pagamento-homem"; "wer" é o mesmo prefixo de "werewolf", "lobisomem"). O rei Henrique I redefiniu homicídio como um delito contra o Estado e sua metonímia, a Coroa. Os casos de assassinato deixaram de ser "Fulano de Tal contra Sicrano de Tal" e passaram a ser "A Coroa contra Fulano de Tal" (ou mais tarde, nos Estados Unidos, "O Povo contra Fulano de Tal" ou "O Estado contra Fulano de Tal"). A genialidade do plano estava em que o *wergild* (geralmente a totalidade dos bens do infrator somada a dinheiro levantado junto a seus familiares) ia para o rei e não para a família da vítima. A justiça era administrada por cortes itinerantes que visitavam periodicamente as localidades e julgavam os casos acumulados. Para assegurar que todos os homicidas fossem levados às cortes, cada morte era investigada por um agente local da Coroa: o *coroner.*[34]

Assim que o Leviatã assumiu o comando, as regras do jogo mudaram. O passaporte de um homem para a fortuna já não era ser o cavaleiro mais malvado das redondezas, e sim fazer uma peregrinação à corte do rei e cair nas boas graças do monarca e de seu séquito. A corte, basicamente uma burocracia governamental, não via serventia em façanhudos e rixentos, e procurava guardiões responsáveis para dirigir suas províncias. Os nobres tiveram de mudar seu marketing. Precisaram cultivar a polidez, para não melindrar os favoritos reais, e a empatia, para entender o que eles queriam. Os modos apropriados à corte passaram a ser chamados de "courtly manners" ou "cortesia". Os guias de etiqueta, com seus conselhos sobre onde colocar o muco nasal, originaram-se como manuais sobre a melhor maneira de se comportar na corte do rei. Elias descreve a sequência de séculos na qual a cortesia foi passando dos aristocratas que lidavam com a corte para a elite burguesa que tratava com os aristocratas, e daí para o resto da classe média. Ele resumiu sua teoria, que associa a centralização do poder do Estado a uma mudança psicológica no vulgo, com um lema: "De guerreiros a cortesãos".

A segunda mudança exógena na parte final da Idade Média foi uma revolução econômica. A base da economia feudal era a terra e os camponeses que nela trabalhavam. Como os corretores de imóvel adoram frisar, terra é a única coisa que não dá para se fazer mais. Em uma economia baseada na terra, se alguém quiser elevar seu padrão de vida, ou mesmo mantê-lo durante uma expansão malthusiana da população, sua primeira opção é conquistar o lote do vizinho. Na linguagem da teoria dos jogos, a competição por terra é do tipo soma zero: o ganho de um jogador é a perda do outro.

A natureza de soma zero da economia medieval era reforçada por uma ideologia cristã hostil a qualquer prática comercial ou inovação tecnológica que pudesse extrair um pouco mais de riqueza de uma dada quantidade de recursos físicos. Tuchman explica:

> A atitude cristã com o comércio [...] dizia que o dinheiro era maligno, que segundo Santo Agostinho "os negócios são um mal em si mesmos", que o lucro além de um mínimo necessário para sustentar o negociante era avareza, que ganhar dinheiro com dinheiro cobrando juros sobre um empréstimo era cometer o pecado da usura, que comprar mercadorias por atacado e vendê-las sem nenhum beneficiamento a um preço mais alto no varejo era imoral e condenado pela lei canônica, em suma, que a máxima de São Jerônimo era conclusiva: "Um homem que é comerciante raramente ou nunca poderá agradar a Deus".[35]

Como diria meu avô, "*Goyische kopp!*" — cabeça de gentio. Os judeus eram trazidos como prestamistas e intermediários, mas perseguidos e expulsos quase com a mesma frequência. O atraso econômico dessa época era reforçado por leis que decretavam que os preços deviam ser fixados em um nível "justo" que refletisse o custo da matéria-prima e o valor do trabalho adicionado. "Para assegurar que ninguém tivesse vantagem sobre outros", explica Tuchman,

> a lei comercial proibia a inovação em ferramentas ou técnicas, a venda abaixo de um preço fixo, o trabalho à noite sob luz artificial, o emprego de aprendizes adicionais

> ou da esposa e filhos menores de idade, e o anúncio ou elogio das próprias mercadorias em detrimento das demais.[36]

Eis a receita para um jogo de soma zero que deixa a predação como o único modo possível para alguém aumentar sua riqueza.

Um jogo de soma *positiva* é um cenário no qual os agentes têm escolhas que podem melhorar a situação dos dois jogadores ao mesmo tempo. Um clássico jogo de soma positiva no cotidiano é a troca de favores, na qual cada pessoa pode proporcionar um grande benefício a outra a um custo pequeno para si mesmo. Entre os exemplos incluem-se o dos primatas que removem os piolhos das costas uns dos outros, caçadores que partilham a carne quando um deles abate um animal que é grande demais para que ele o consuma de uma vez, e pais que se revezam mantendo os filhos uns dos outros longe de confusão. Como veremos no capítulo 8, uma das grandes descobertas da psicologia evolutiva é que a cooperação humana e as emoções sociais que a sustentam, como a compaixão, a confiança, a gratidão, a culpa e a raiva, foram selecionadas porque permitem às pessoas prosperar em jogos de soma positiva.[37]

Um clássico jogo de soma positiva na vida econômica é a troca de excedentes. Quando um agricultor tem mais grãos do que consegue comer, e um pastor tem mais leite do que deseja beber, pode ser vantajoso para ambos trocar trigo por leite. Todos saem ganhando. Obviamente, uma troca em um único momento no tempo só compensa quando existe divisão do trabalho. Não teria sentido um agricultor dar um alqueire de trigo a outro agricultor e receber um alqueire de trigo em troca. Uma percepção fundamental da economia moderna é que a chave para a criação de riqueza é a divisão do trabalho, na qual especialistas aprendem a produzir uma mercadoria com custo-eficácia crescente e têm meios para trocar eficientemente seus produtos especializados. Uma infraestrutura que permite a troca eficiente é o transporte, que possibilita aos produtores trocar seus excedentes mesmo quando separados pela distância. Outra é o dinheiro, o juro e o intermediário, que permitem aos produtores trocar muitos tipos de excedente com muitos outros produtores em muitos pontos do tempo.

Os jogos de soma positiva também mudam os incentivos para a violência. Se você está trocando favores ou excedentes com alguém, de repente seu parceiro de troca torna-se mais valioso para você vivo do que morto. Além disso, você tem um incentivo para prever o que ele quer, para melhor supri-lo em troca daquilo que você quer. Embora muitos intelectuais, seguindo os passos de Santo Agostinho e São Jerônimo, considerassem os negociantes egoístas e gananciosos, na realidade o livre mercado recompensa a empatia.[38] O bom negociante precisa manter os clientes satisfeitos ou um concorrente os roubará, e quanto mais clientes ele atrair, mais rico ficará. Essa ideia, que veio a ser chamada de *doux commerce* (comércio gentil) foi expressa pelo economista Samuel Ricard em 1704:

> O comércio liga as pessoas através da utilidade mútua. [...] Através do comércio, o homem aprende a deliberar, a ser honesto, a adquirir bons modos, a ser prudente e reservado no falar e no agir. Percebendo a necessidade de ser prudente e honesto para alcançar o êxito, ele foge do vício, ou pelo menos sua conduta exibe decência e seriedade, para não suscitar um juízo adverso nos conhecidos presentes e futuros.[39]

E isso nos leva à segunda mudança exógena. Elias mencionou que em fins da Idade Média as pessoas começaram a se desvencilhar da estagnação tecnológica e econômica. Cada vez mais, o dinheiro substituiu o escambo, auxiliado pelo aumento da área dos territórios nacionais onde uma moeda podia ser reconhecida. A construção de estradas, negligenciada desde a era dos romanos, foi retomada, e isso permitiu o transporte de mercadorias para o interior do país e não apenas pela costa e rios navegáveis. O transporte a cavalo tornou-se mais eficiente com o uso da ferradura, que protegia os cascos das pedras do calçamento, e da canga, que não sufocava o pobre animal quando ele puxava uma carga pesada. Carros com rodas, bússolas, relógios, fiandeiras, teares com pedal, moinhos de vento e hidráulicos também foram aperfeiçoados na Idade Média. E as habilidades especializadas para pôr em prática essas tecnologias foram cultivadas em um estrato cada vez maior de trabalhadores. Tais avanços incentivaram a divisão do trabalho, aumentaram os excedentes e lubrificaram a máquina das trocas. A vida apresentou às pessoas mais jogos de soma positiva e reduziu a atratividade do saque de soma zero. Para aproveitar as oportunidades, as pessoas tiveram de planejar para o futuro, controlar seus impulsos, entender as perspectivas dos outros e exercitar as demais habilidades sociais e cognitivas necessárias para prosperar nas redes sociais.

Os dois gatilhos do Processo Civilizador — o Leviatã e o comércio gentil — são relacionados. A cooperação de soma positiva do comércio prospera melhor dentro de uma grande tenda presidida pelo Leviatã. Não só um Estado é mais bem aparelhado para fornecer os bens públicos que servem de infraestrutura para a cooperação econômica, como dinheiro e estradas, mas também pode fazer pender a balança na qual os jogadores pesam as relativas compensações de saquear e comerciar. Suponha que um cavaleiro possa saquear dez alqueires de grãos de seu vizinho ou, gastando a mesma quantidade de tempo e energia, obter o dinheiro para comprar do vizinho cinco alqueires. A opção do roubo parece interessante. Mas se o cavaleiro previr que o Estado o multará em seis alqueires pela pilhagem, ficará com apenas quatro, por isso o trabalho honesto será mais vantajoso. Os incentivos do Leviatã tornam os incentivos do comércio mais atrativos, e além disso o comércio facilita o trabalho do Leviatã. Se a alternativa honesta de comprar os grãos não estivesse disponível, o Estado precisaria ameaçar arrancar dez alqueires do cavaleiro para dissuadi-lo de saquear — o que é mais difícil de implementar do que tirar dele cinco alqueires. Obviamente, na realidade, as sanções do Estado podem consistir em ameaça de punição física em vez de multa, mas o princípio é o mesmo: é mais fácil dissuadir as pessoas do crime se a alternativa legal for mais atrativa.

Assim, as duas forças civilizadoras reforçam-se mutuamente, e Elias considerou-as parte de um processo único. A centralização do controle do Estado e a monopolização estatal da violência, o crescimento das guildas e burocracias, a substituição do escambo pelo dinheiro, o desenvolvimento tecnológico, a intensificação do comércio, as crescentes redes de dependência entre indivíduos distantes, tudo isso encaixou-se em um todo orgânico. E, para prosperar nesse todo, era preciso cultivar as faculdades da empatia e do autocontrole até que se tornassem, como disse Elias, segunda natureza.

A analogia com o "orgânico" não tem nada de implausível. Os biólogos John Maynard Smith e Eörs Szathmáry mostraram que uma dinâmica evolutiva semelhante ao Processo Civilizador impeliu as principais transições na história da vida. Essas transições foram o sucessivo surgimento dos genes, cromossomos, bactérias, células com núcleos, organismos, organismos sexualmente reprodutivos e sociedades animais.[40] Em cada transição, entidades com capacidade para ser egoístas ou cooperativas tenderam à cooperação quando puderam ser incluídas em um todo maior. Especializaram-se, permutaram benefícios e desenvolveram salvaguardas para impedir que uma delas explorasse as demais em detrimento do todo. O jornalista Robert Wright esboça um arco semelhante em seu livro

Nonzero, uma alusão aos jogos de soma positiva, e estende-o à história das sociedades humanas.[41] No último capítulo deste livro examinarei mais a fundo as teorias abrangentes do declínio da violência.

A teoria do Processo Civilizador passou em um rigoroso teste para hipóteses científicas: fez uma predição surpreendente que se cumpriu. Em 1939, Elias não tinha acesso a estatísticas de homicídios; trabalhou com base em histórias e velhos livros de etiqueta. Quando Gurr, Eisner, Cockburn e outros surpreenderam o mundo da criminologia com seus gráficos que mostravam um declínio nos homicídios, Elias era o único com uma teoria que predizia tal coisa. Entretanto, com tudo o mais que descobrimos sobre a violência em décadas recentes, como fica essa teoria?

O próprio Elias foi atormentado pelo comportamento não muito civilizado de sua Alemanha natal durante a Segunda Guerra Mundial, e se esforçou para explicar esse "processo descivilizador" segundo as linhas de sua teoria.[42] Discutiu a espasmódica história da unificação da Alemanha e a resultante falta de confiança em uma autoridade central legítima. Documentou a persistência de uma cultura militarista da honra entre suas elites, a dissolução do monopólio estatal da violência com a ascensão das milícias comunistas e fascistas e a resultante contração da empatia em relação a grupos percebidos como forasteiros, particularmente os judeus. Seria exagero dizer que ele salvou sua teoria com tais análises, mas talvez ele nem devesse ter tentado. Os horrores da era nazista não consistiram em um ressurgimento das rixas entre chefes militares ou em cidadãos apunhalando outros durante o jantar; foi uma violência com escala, natureza e causas totalmente diferentes. De fato, na Alemanha durante os anos do nazismo, a tendência declinante dos homicídios individuais continuou (ver, por exemplo, figura 3.19).[43] Veremos no capítulo 8 como a compartimentalização do senso moral e a distribuição da crença e imposição entre diferentes setores da população podem levar a guerras e genocídios ideologicamente motivados mesmo em sociedades que, em outros aspectos, são civilizadas.

Eisner apontou outra complicação para a teoria do Processo Civilizador: o declínio da violência na Europa e a ascensão dos Estados centralizados nem sempre ocorreram pari passu.[44] A Bélgica e a Holanda estiveram na vanguarda do declínio, e no entanto não tinham governos centralizados fortes. Quando a Suécia juntou-se à tendência, também não foi na esteira de uma expansão do poder do Estado. Inversamente, os Estados italianos estiveram na retaguarda do declínio da violência, e no entanto seus governos controlavam uma enorme burocracia e força policial. Tampouco as punições cruéis, o método preferido dos primeiros monarcas para impor a lei, reduziram a violência nas áreas onde foram aplicadas com mais gosto.

Para muitos criminologistas, a fonte do efeito pacificador do Estado não é apenas seu poder coercivo bruto, mas a confiança que ele desperta na população. Afinal de contas, nenhum Estado pode postar um informante em cada bar e em cada casa rural para monitorar as violações da lei, e os que tentam fazer isso são ditaduras totalitárias que governam pelo medo, e não sociedades civilizadas nas quais as pessoas coexistem graças ao autocontrole e à empatia. Um Leviatã só pode civilizar uma sociedade quando os cidadãos sentem que suas leis, o modo como elas são aplicadas e outras disposições sociais são legítimos e por isso eles não reincidem em seus piores impulsos assim que o Leviatã vira as costas.[45] Isso não refuta a teoria de Elias, mas adiciona uma variação. A imposição das leis pode pôr fim ao caos sangrento dos chefes militares em guerra, mas a redução adicional das taxas de violência, até os níveis desfrutados pelas sociedades europeias modernas, envolve um processo mais nebuloso no qual certas populações dão seu consentimento às leis que lhes foram impostas.

Libertários, anarquistas e outros céticos do Leviatã argumentam que, quando não há interferência nos assuntos das comunidades, muitas desenvolvem normas de cooperação que lhes permitem resolver sem violência suas disputas, sem leis, polícia, tribunais ou os outros recursos do governo. Em *Moby Dick*, Ismael explica como os baleeiros americanos, a milhares de quilômetros do alcance da lei, decidem as disputas por baleias que foram feridas ou mortas por um navio e depois apanhadas por outro:

> Assim as mais exasperantes e violentas disputas surgiriam com frequência entre os pescadores não fosse pela existência de alguma lei escrita ou não escrita, universal e indisputada aplicável a todos os casos.
>
> [...] Embora nenhuma outra nação [exceto a Holanda] jamais tenha tido alguma lei escrita a respeito da pesca de baleias, os pescadores americanos são seus próprios legisladores e advogados nessa questão. [...] Essas leis podem ser gravadas em uma moedinha ou na ponta de um arpão e usadas ao pescoço, de tão pequenas que são.

I. Um peixe preso pertence a quem o prendeu.

II. Um peixe solto é de quem conseguir pegá-lo primeiro.

Normas informais desse tipo apareceram entre pescadores, agricultores e pastores de muitas partes do mundo.[46] Em *Order Without Law: How Neighbors Settle Disputes*, o jurista acadêmico Robert Ellickson estudou uma versão americana moderna do antigo (e frequentemente violento) confronto entre pastores e lavradores. No condado de Shasta, no norte da Califórnia, os rancheiros tradicionais normalmente criam seu gado em pastagens abertas, enquanto os rancheiros modernos mantêm seus rebanhos em ranchos cercados e irrigados. Os dois tipos de criadores coexistem com agricultores que plantam feno, alfafa e outros produtos. Ocasionalmente, algum animal se extravia, derruba cercas, come as plantações, suja cursos d'água e vai parar em estradas onde pode ser atropelado. O condado é esculpido em "campos abertos", onde um proprietário não é legalmente responsável por muitos tipos de dano acidental que seu gado possa causar, e "campos fechados", onde ele é estritamente responsável, tenha ou não sido negligente. Ellickson descobriu que as vítimas de danos causados por gado abominavam recorrer ao sistema legal para decidir sobre os prejuízos. Na verdade, a maioria dos residentes — rancheiros, agricultores, vistoriadores das seguradoras e até advogados e juízes — tinha crenças totalmente erradas sobre as leis aplicáveis. Mas todos se entendiam, obedecendo a algumas normas tácitas. Os proprietários de gado sempre eram responsáveis pelos danos causados por seus animais, em campo aberto ou fechado; mas, se o dano fosse de pequena monta e esporádico, os que sofriam o prejuízo deviam "deixar passar". As pessoas mantinham um registro mental aproximado de quem devia o quê, e as dívidas eram pagas em espécie em vez de dinheiro. (Por exemplo, um criador cuja vaca danificasse a cerca de um rancheiro poderia posteriormente abrigar e alimentar alguma rês extraviada do rancheiro sem cobrar nada.) Os caloteiros e violadores eram punidos com maledicência e ocasionais ameaças veladas de algum vandalismo. No capítulo 9 examinaremos melhor a psicologia moral por trás dessas normas, que se enquadra em uma categoria chamada equiparação (*equality matching*).[47]

Por mais importantes que sejam as normas tácitas, seria erro pensar que elas tornam desnecessário o papel do governo. Os rancheiros do condado de Shasta podiam não recorrer ao Leviatã quando uma vaca derrubava uma cerca, mas estavam vivendo à sombra dele e sabiam que ele interviria se suas sanções informais recrudescessem ou se algo maior estivesse em jogo, por exemplo, uma luta, um homicídio ou uma disputa por mulheres. E, como veremos, seu nível corrente de coexistência pacífica é, ele próprio, legado de uma versão local do Processo Civilizador. Nos anos 1850, a taxa anual de homicídios entre os rancheiros do norte da Califórnia foi de aproximadamente 45 por 100 mil, comparável às taxas da Europa medieval.[48]

Penso que a teoria do Processo Civilizador fornece grande parte da explicação para o declínio da violência na era moderna não só porque predisse a notável queda dos homicídios na Europa, mas também porque faz predições corretas sobre os períodos e lugares atuais que não desfrutam da abençoada taxa anual de um por 100 mil da Europa moderna. Duas dessas exceções que comprovam a regra são zonas onde o Processo Civilizador nunca penetrou por completo: os estratos mais baixos da escala socioeconômica e os territórios inacessíveis ou inóspitos do globo. E duas são zonas nas quais o Processo Civilizador deu marcha a ré: o mundo em desenvolvimento e os anos 1960. Examinemos cada caso.

VIOLÊNCIA E CLASSE

Além do declínio numérico, a mais notável característica da queda de homicídios na Europa é a mudança no perfil socioeconômico dessas mortes. Séculos atrás, os ricos eram tão violentos quanto os pobres, se não mais.[49] Fidalgos traziam espada à cinta e não hesitavam em usá-la para vingar insultos. Muitos andavam acompanhados de criados que também serviam de guarda-costas, e com isso uma afronta ou a retaliação por uma afronta podiam escalar para uma sangrenta batalha de rua entre grupos de aristocratas (como na cena de abertura de *Romeu e Julieta*). O economista Gregory Clark examinou registros de mortes de aristocratas ingleses desde tempos medievais até a Revolução Industrial. Indiquei esses dados na figura 3.7, na qual vemos que, nos séculos XIV e XV, a estarrecedora parcela de 26% dos homens aristocratas morria por violência — aproximadamente a mesma taxa que vimos na figura 2.2 para a média das tribos pré-letradas. A taxa caiu para a casa de um dígito na virada do século XVIII, e hoje, obviamente, está quase zerada.

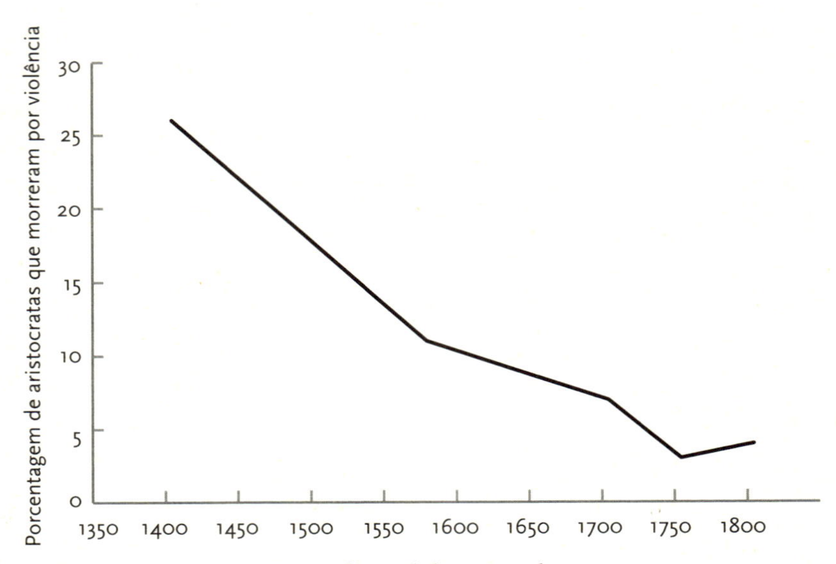

Figura 3.7. *Porcentagem de mortes por violência de homens ingleses aristocratas, 1330-1829.*
FONTE: Dados de Clark, 2007a, p. 122; dados representando uma série de anos são indicados no ponto médio da série.

Uma taxa de homicídios medida em pontos percentuais continua sendo bem alta, e ainda nos séculos XVIII e XIX a violência fazia parte da vida de homens respeitáveis, como Alexander Hamilton e Aaron Burr. Boswell cita Samuel Johnson, que presumivelmente não tinha problema para se defender com palavras: "Bati em muitos, mas o resto foi esperto e ficou calado".[50] Os membros das classes superiores por fim passaram a evitar o uso da força uns contra os outros, mas com o respaldo da lei reservaram-se o direito de usá-la contra seus inferiores. Já em 1859 o autor britânico de *The Habits of a Good Society* aconselhava:

> Com certos homens, nada além da punição física faz ver a razão, e com esses temos de lidar em algum momento da vida. Uma senhora é insultada ou incomodada por um barqueiro inconveniente ou um cocheiro importuno e desonesto. Um golpe bem aplicado resolve a questão. [...] Portanto, um homem, quer aspire a ser um cavalheiro ou não, deve aprender a boxear. [...] São poucas as regras para isso, e o senso comum as sugere. Ataque, ataque direto, ataque subitamente; mantenha um braço na guarda e castigue com o outro. Dois cavalheiros nunca lutam; a arte de boxear é usada para punir um homem mais forte e mais imprudente de uma classe abaixo da nossa.[51]

O declínio da violência na Europa foi encabeçado por um declínio da violência na *elite*. Hoje as estatísticas de todos os países ocidentais mostram que a esmagadora maioria dos homicídios e outros crimes violentos é cometida por pessoas das classes socioeconômicas mais baixas. Uma razão óbvia para essa mudança é que, na era medieval, *alcançava-se* status mais elevados pelo uso da força. O jornalista Steven Sailer relata um diálogo da Inglaterra no começo do século XX:

> Um membro hereditário da Câmara dos Lordes britânica lastimou que o primeiro-ministro Lloyd George havia criado novos lordes só porque eram milionários que fizeram fortuna por esforço próprio e apenas recentemente haviam adquirido grandes extensões de terra. Quando lhe perguntaram "Como foi que seu antepassado se tornou lorde?", ele respondeu com toda seriedade: "Com a acha de armas, meu senhor, com a acha de armas!".[52]

Como a classe alta estava depondo suas achas de armas, desarmando seus criados e deixando de esmurrar barqueiros e cocheiros, a classe média seguiu o exemplo. Foi domesticada não pela corte real, evidentemente, mas por outras forças civilizadoras. O trabalho em fábricas e firmas obrigou os empregados a adquirir hábitos de decoro. Um crescente processo político democrático permitiu-lhes identificar-se com as instituições do governo e da sociedade, e ver o sistema dos tribunais como um modo de resolver seus conflitos. Surgiu então uma instituição, introduzida em Londres em 1828 por Sir Robert Peel e logo apelidada em sua homenagem: os policiais municipais, ou *bobbies*.[53]

A principal razão dessa correlação atual da violência com a situação econômica inferior é que a elite e a classe média recorrem ao sistema jurídico em busca de justiça, enquanto a classe inferior apela para o que os estudiosos da violência chamam de "autoajuda". Isso não tem nada a ver com *Mulheres que amam demais* ou *Canja de galinha para a alma*; é apenas outro nome para o olho por olho, a justiça de fronteira, o fazer a lei com as próprias mãos e outras formas de retaliação violenta pelas quais se assegura a justiça na ausência da intervenção do Estado.

Em um influente artigo intitulado "Crime as a Social Control", o jurista acadêmico Donald Black procura demonstrar que a maior parte do que chamamos crime é, do ponto de vista do perpetrador, uma busca de justiça.[54] Black começa com uma estatística que é velha conhecida dos criminologistas: apenas uma minoria dos homicídios (talvez menos de 10%) é cometida como um meio para fins práticos, como matar o morador da casa durante um assalto, matar um policial que está fazendo uma prisão ou a vítima de um roubo ou estupro porque os mortos não falam.[55] Os motivos mais comuns para o homicídio são moralistas: retaliação por um insulto, agravamento de uma briga doméstica, punição por infidelidade ou abandono de um parceiro romântico e outros atos de ciúme, vingança e autodefesa. Black cita alguns casos extraídos de um banco de dados em Houston:

> Um no qual um rapaz matou seu irmão durante uma discussão acalorada sobre as investidas sexuais deste último contra suas irmãs mais novas, outro em que um homem matou a esposa depois que ela o desafiou a fazê-lo durante uma discussão sobre várias contas que eles tinham a pagar, um no qual uma mulher matou o marido durante uma briga em que o homem bateu na filha dela (enteada dele), um no qual uma mulher matou seu filho de 21 anos porque ele andava "metido com homossexuais e drogas", e outros dois em que pessoas morreram por ferimentos infligidos durante discussões por vaga de estacionamento.

A maioria dos homicídios, ressalta Black, são na verdade exemplos de pena capital na qual um cidadão privado é juiz, júri e executor. Eles são um lembrete de que o modo como concebemos um ato violento depende do vértice do triângulo da violência no qual temos nossa perspectiva (ver figura 2.1). Consideremos, por exemplo, um homem que é preso e julgado porque feriu o amante de sua mulher. Do ponto de vista da lei, o agressor é o marido, e a vítima é a sociedade, que agora busca justiça (uma interpretação, lembremos, que se reflete no nome dos casos julgados, como "O Povo contra Fulano de Tal"). Do ponto de vista do amante, ele é a vítima, e o agressor é o marido; se este se safar por absolvição, anulação do julgamento por algum erro ou acordo com a promotoria, não existe justiça, e o amante é proibido de se vingar. Já do ponto de vista do marido, *ele* é a vítima (de traição), o amante é o agressor, e a justiça foi feita — só que agora ele é vítima de um segundo ato de agressão, no qual o Estado é o agressor e o amante é cúmplice. Black observa:

> Muitos que cometem assassinato [...] parecem resignados à sua sorte nas mãos das autoridades; vários esperam pacientemente a chegada da polícia; alguns até comparecem para informar seu próprio crime. [...] Em casos desse tipo, de fato, os

indivíduos envolvidos talvez pudessem ser considerados mártires. Mais ou menos como os trabalhadores que violam a proibição de entrar em greve, sabendo que irão para a cadeia, ou outros que desafiam a lei por questões de princípio, eles fazem o que acham certo e se dispõem a sofrer as consequências.[56]

Essas observações derrubam muitos dogmas sobre a violência. Um deles é que a violência é causada por uma deficiência na moralidade e na justiça. Ao contrário, em muitos casos a violência tem por causa um excesso de moralidade e justiça, pelo menos como elas são concebidas pela mente dos perpetradores. Outro dogma, caro aos psicólogos e estudiosos da área de saúde pública, é que a violência é uma espécie de doença.[57] Mas essa teoria da violência como problema de saúde pública desconsidera a definição básica de doença: uma disfunção que causa sofrimento ao indivíduo.[58] A maioria das pessoas violentas garante que não há nada de errado com elas; a vítima e as testemunhas é que pensam que o problema existe. Uma terceira crença duvidosa sobre a violência é que as pessoas das classes mais baixas a praticam porque são financeiramente carentes (por exemplo, roubam comida para alimentar os filhos) ou porque estão expressando sua raiva contra a sociedade. A violência de um homem de classe inferior pode realmente expressar raiva, porém não é voltada contra a sociedade e sim contra o imbecil que arranhou seu carro e o insultou na frente de um monte de gente.

Em um artigo inspirado por Black, intitulado "The Decline of Elite Homicide", o criminologista Mark Cooney mostra que muitas pessoas de status mais baixo — os pobres, os sem instrução, os descasados, os membros de grupos minoritários — são efetivamente pessoas sem Estado. Alguns ganham a vida em atividades ilegais como o tráfico de drogas, jogo, venda de bens roubados e prostituição, por isso não podem processar judicialmente ou chamar a polícia para fazer valer seus interesses em disputas de negócios. Nesse aspecto, têm a mesma necessidade de recorrer à violência que certas pessoas de status elevado: os mafiosos, os chefões do tráfico de drogas, os contrabandistas de bebidas durante a Lei Seca.

Mas outra razão para essas pessoas não terem Estado é que, frequentemente, as pessoas de status inferior e o sistema legal vivem em uma situação de mútua hostilidade. Black e Cooney relatam que, ao lidar com afro-americanos de baixa renda, os policiais "parecem vacilar entre a indiferença e a hostilidade, [...] relutam em se envolver nos assuntos deles, mas quando o fazem é com dureza excessiva".[59] Também os juízes e promotores "tendem a ser [...] desinteressados das disputas das pessoas de condição inferior, tipicamente despacham-nas depressa e, para as partes envolvidas, com uma ênfase penal insatisfatória".[60] Eis o que diz um sargento de polícia do Harlem, citado pela jornalista Heather MacDonald:

> Semana passada, um conhecido encrenqueiro do bairro bateu num garoto. Em retaliação, a família inteira do garoto aparece na casa do elemento. As irmãs da vítima chutam a porta do apartamento. Mas a mãe do encrenqueiro dá a maior surra nas irmãs e as deixa caídas no chão com sangue escorrendo pela boca. A família da vítima estava procurando briga: eu poderia incriminá-las por invasão de domicílio. A mãe do elemento poderia ser acusada de agressão por espancar a família oponente. Mas eram todos da pior ralé, lixo. Terão justiça à moda deles. Falei para eles: "Podemos ir todo mundo para a cadeia, ou declarar empate". Senão seriam seis corpos na prisão por causa de um comportamento idiota. O promotor ficaria louco da vida. E nenhum se apresentaria ao juiz.[61]

Não é de estranhar que as pessoas de status inferior sejam propensas a não recorrer à lei e antagonizá-la, preferindo a imemorial alternativa da justiça de autoajuda e do código de honra. O cumprimento do sargento de polícia ao tipo de pessoa com quem ele lida em sua delegacia foi retribuído pelos jovens afro-americanos entrevistados pela criminologista Deanna Wilkinson:

> *Reggie*: O tira que trabalha no meu bairro não serve para trabalhar no meu bairro. Como é que mandam tiras brancos para proteger e servir num bairro negro? Não se pode fazer isso porque tudo o que eles vão ver são as caras negras que estão cometendo os crimes. Todas parecem iguais. Quem não está cometendo crime parece com quem está cometendo crimes, e todo mundo leva pau.
>
> *Dexter*: Eles fazem pior, porque os tiras estão ferrando com os negros. Viraram bandidos, entende? Eles fazem uma batida no ponto de drogas, pegam minha droga depois vendem ela na rua e assim podem pegar outros.
>
> *Quentin [falando sobre um homem que baleara seu pai]*: Há chance de ele andar, o que é que eu devo fazer? [...] Se eu perder meu pai e não pegarem esse cara, vou pegar a família dele. É assim que funciona aqui. É desse jeito mesmo que a coisa funciona por aqui. Se você não pode pegar ele, pega eles. [...] Todo mundo cresce com isso, a gente quer respeito, quer estar por cima.[62]

Em outras palavras, o Processo Civilizador histórico não eliminou a violência, mas relegou-a às margens socioeconômicas.

A VIOLÊNCIA NO MUNDO

O Processo Civilizador disseminou-se não apenas de cima para baixo na escala socioeconômica, mas para fora, através da escala geográfica, a partir de um epicentro na Europa Ocidental. Vimos na figura 3.3 que a Inglaterra foi a primeira a pacificar-se, seguida de perto por Alemanha e Holanda. A figura 3.8 representa essa irradiação pelos mapas da Europa em fins do século XIX e começo do século XXI.

Em fins do século XIX, a Europa tinha um núcleo pacífico nos países industrializados setentrionais (Grã-Bretanha, França, Alemanha, Dinamarca e Holanda), rodeados pelas ligeiramente mais rudes Irlanda, Áustria-Hungria e Finlândia, que por sua vez tinham fronteira com as ainda mais violentas Espanha, Itália, Grécia e países eslavos. Hoje o centro pacífico expandiu-se e engloba toda a Europa Ocidental e Central, mas um gradiente sem lei que se estende para a Europa Oriental e os montanhosos Bálcãs ainda é visível.

Há gradientes também dentro de cada um desses países: o interior e as montanhas permanecem violentos, muito depois do abrandamento dos centros urbanizados e densamente cultivados. As guerras entre clãs foram endêmicas nas Highlands escocesas até o século XVIII e na Sardenha, Sicília, Montenegro e outras partes dos Bálcãs até o século XX.[63] Não é coincidência os dois clássicos empapados de sangue com os quais começo este livro, a Bíblia hebraica e os poemas homéricos, provirem de povos que viveram em montes e vales inóspitos.

E quanto ao resto do mundo? Embora a maioria dos países europeus tenha estatísticas de homicídios há um século ou mais, o mesmo não se pode dizer dos outros continentes. Mesmo hoje em dia, boa parte dos dados de registros policiais que os departamentos informam à Interpol não são confiáveis, e alguns não são dignos de crédito. Muitos governos pensam que seu grau de êxito em impedir seus cidadãos de matarem uns aos outros não é da conta de mais ninguém. E em partes do mundo em desenvolvimento, chefes militares edulcoram seu banditis-

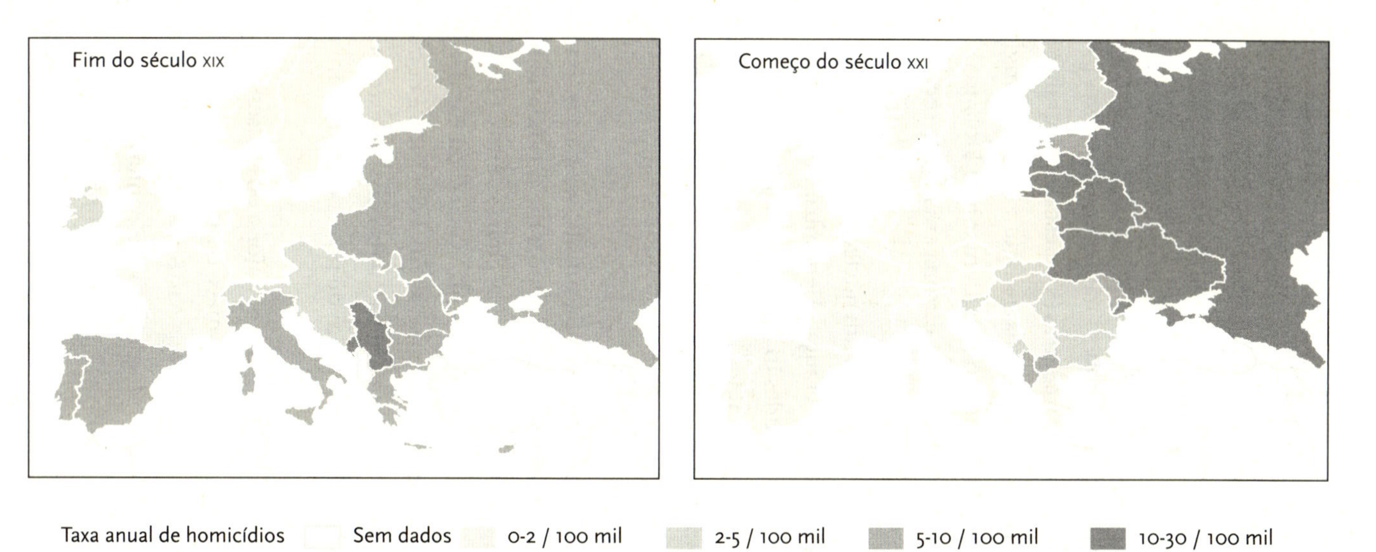

Figura 3.8. *Geografia do homicídio na Europa, fim do século XIX e começo do século XXI.*

FONTES: Fim do século XIX (1880-1900): Eisner, 2003. A subdivisão da faixa de Eisner ">5 por 100 mil" em 5-10 e 10-30 foi feita mediante consulta a Eisner. Dados para Montenegro baseados em dados para a Sérvia. Começo do século XXI (principalmente 2004): United Nations Office on Drugs and Crime, 2009; os dados foram selecionados como na nota 66.

mo com a linguagem dos movimentos de libertação política, dificultando a distinção entre baixas na guerra civil e homicídios do crime organizado.[64]

Com essas limitações em mente, espiemos a distribuição dos homicídios pelo mundo atual. Os dados mais confiáveis provêm da Organização Mundial da Saúde (OMS), que usa registros de saúde pública e outras fontes para estimar as causas de morte no maior número possível de países.[65] O United Nations Office on Drugs and Crime suplementou esses dados com estimativas altas e baixas para cada país do mundo. A figura 3.9 representa esses números para 2004 (o ano coberto pelo mais recente relatório desse órgão) em um mapa do mundo.[66] A boa notícia é que a taxa mediana de homicídios nacionais entre os países do mundo nesse conjunto de dados é de seis por 100 mil ao ano. A taxa global de homicídios para o mundo todo, desconsiderando a divisão em países, foi estimada pela OMS no ano 2000 em 8,8 por 100 mil ao ano.[67] Ambas as estimativas são alentadoras, se comparadas aos valores de três dígitos das sociedades pré-Estado e de dois dígitos da Europa medieval.

O mapa mostra que hoje a Europa Ocidental e a Europa Central compõem a região menos violenta do mundo. Entre os outros Estados com confiáveis taxas baixas de homicídios estão os esculpidos pelo Império Britânico, como Austrália, Nova Zelândia, Fiji, Canadá, Maldivas e Bermudas. Outra ex-colônia britânica desafia o padrão de civilidade inglesa; examinaremos esse estranho país na próxima seção.

Vários países asiáticos também têm baixas taxas de homicídios, em especial os que adotaram modelos ocidentais, como Japão, Cingapura e Hong Kong. A China também informa uma taxa de homicídios baixa (2,2 por 100 mil). Mesmo que aceitemos sem discussão os dados desse país reservado, na ausência de dados de séries temporais não temos como saber se esses resultados são mais bem explicados por milênios de governo centralizado ou pela natureza autoritária do regime corrente. As autocracias estabelecidas (incluindo muitos Estados islâmicos) vigiam de perto seus cidadãos, e os que saem da linha são punidos com certeza e severidade. É por isso que os chamamos de "Estados policiais". Não é de surpreender que tendam a apresentar baixas taxas de crimes violentos. Mas não posso resistir a fazer um comentário que sugere que a China, como a Europa, passou por um processo civilizador a longo prazo. Elias mencionou que os tabus relacionados a facas, que acompanharam a redução da violência na Europa, foram levados um passo adiante

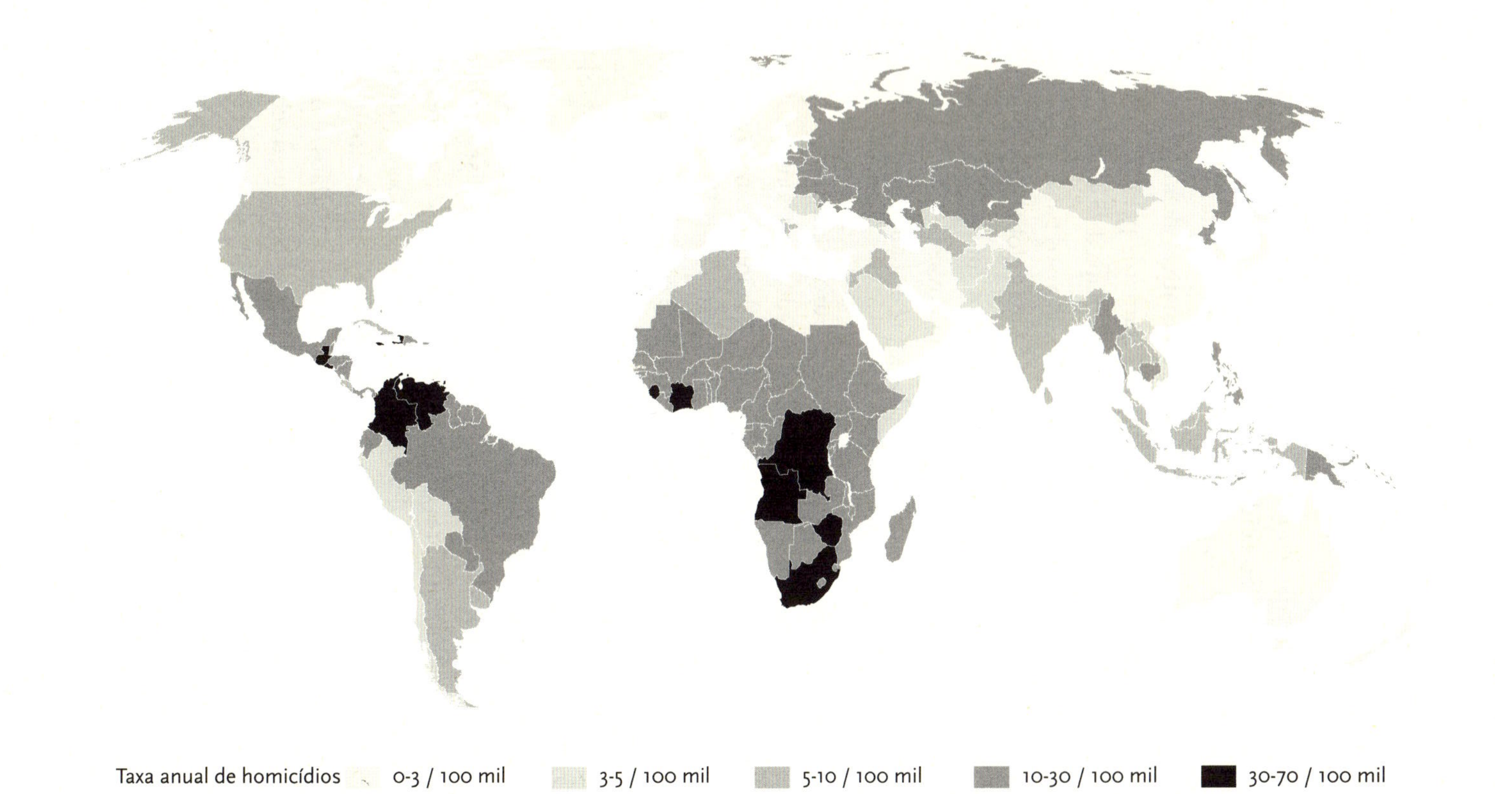

Figura 3.9. *Geografia do homicídio no mundo, 2004.*

FONTES: Dados United Nations Office on Drugs and Crime, estatísticas internacionais de homicídios, 2004; ver nota 66. Estimativa para Taiwan, de República da China (Taiwan), Departamento de Estatística, Ministério do Interior, 2000.

na China. Nesse país, por séculos as facas ficaram reservadas para o chefe da cozinha; ali ele já corta os alimentos em pedaços, prontos para serem levados à boca. À mesa não se usam facas de jeito nenhum. Elias cita os chineses: "Os europeus são bárbaros. Comem com espadas".[68]

E quanto às outras partes do mundo? O criminologista Gary LaFree e o sociólogo Orlando Patterson mostraram que a relação entre crime e democratização é um U invertido. As democracias estabelecidas são lugares relativamente seguros, assim como as autocracias estabelecidas, mas muitas democracias emergentes e semidemocracias (também chamadas anocracias) sofrem com crimes violentos e são vulneráveis à guerra civil, e esses dois males às vezes se fundem.[69] As regiões do mundo atual mais propensas ao crime são Rússia, África subsaariana e partes da América Latina. Muitas delas têm forças policiais corruptas e sistemas judiciais que praticam a extorsão de criminosos e vítimas e fornecem proteção a quem pagar mais. Alguns, como Jamaica (33,7), México (11,1) e Colômbia (52,7), são infestados por milícias financiadas pelo narcotráfico que atuam fora do alcance da lei. Nas últimas quatro décadas, conforme aumentou o tráfico de drogas, as taxas de homicídios nesses países foram às alturas. Outros, como Rússia (29,7) e África do Sul (69), podem ter passado por processos descivilizadores na esteira do colapso de seus antigos governos.

O processo descivilizador também abalou muitos dos países que passaram dos costumes tribais ao governo colonial e subitamente à independência, por exemplo, os países da África subsaariana e Papua-Nova Guiné (15,2). Em seu artigo "From Spears to M-16s", a antropóloga Polly Wiessner examina a trajetória histórica da violência entre os engas, um povo tribal da Nova Guiné. Começa com um excerto das anotações de campo de uma antropóloga que trabalhou nessa região em 1939:

> Estamos agora no coração do vale Lai, um dos mais belos da Nova Guiné, e talvez do mundo. Por toda parte há roças bem cuidadas, a maioria de batata-doce, e bosques de casuarina. Caminhos bem traçados e nivelados cortam a zona rural, e pequenos parques [...] pontilham a paisagem, que lembra um enorme jardim botânico.

Ela compara esse trecho com anotações que fez em seu diário em 2004:

> O vale Lai é uma terra desolada — como dizem os engas, "cuidada pelos pássaros, cobras e ratos". As casas viraram cinzas, as roças de batata-doce estão cobertas de ervas daninhas, e das árvores restaram apenas tocos escabrosos. Na mata alta grassa a guerra, travada por "Rambos" com espingardas e fuzis potentes, tirando a vida de muitos. À beira da estrada, onde poucos anos atrás havia mercados movimentados, há um vazio sinistro.[70]

Os engas nunca foram o que se pode chamar de um povo pacífico. Uma de suas tribos, os mae engas, é representada por uma barra na figura 2.3: ela mostra que eles matam uns aos outros em guerras a uma taxa anual aproximada de trezentos por 100 mil, imensamente maior do que as piores taxas vistas até agora neste capítulo. Todas as costumeiras dinâmicas hobbesianas foram encontradas: estupro e adultério, roubo de porcos e terra, insultos e, obviamente, vingança, vingança e mais vingança. Ainda assim, os engas estavam conscientes do desperdício da guerra, e algumas das tribos tomaram providências, intermitentemente bem-sucedidas, para contê-la. Por exemplo, criaram normas nos moldes da Convenção de Genebra proibindo crimes de guerra, como mutilar corpos ou matar negociadores. E, embora às vezes fossem arrastados para guerras destrutivas com outras aldeias e tribos, empenhavam-se em controlar a violência em suas próprias comunidades. Toda sociedade humana defronta-se com um conflito de interesses entre os homens mais jovens, que buscam a dominância (e, em última análise, oportunidades de acasalamento), e os homens mais velhos, que buscam minimizar os danos mútuos em suas famílias estendidas e clãs. Os anciões engas forçavam os moços turbulentos a participar de "cultos de solteiros", em que eram incentivados a controlar seus impulsos vingativos com a ajuda de provérbios como "O sangue de um homem não é lavado facilmente" e "Tem vida longa quem planeja a morte de um porco, mas não quem planeja a morte de uma pessoa".[71] E em conformidade com os outros elementos civilizadores de sua cultura, eles tinham normas sobre correção e asseio, que Wiessner descreveu-me em um e-mail:

> Os engas cobrem-se com capas de chuva quando defecam, para não ofender ninguém, nem mesmo o sol. É inconcebivelmente rude um homem parar à beira do caminho, virar-se e urinar. Eles lavam meticulosamente as mãos antes de fazer comida; são extremamente recatados na cobertura de seus genitais etc. Com o ranho não são tão admiráveis.

Mais importante é o fato de os engas terem aceitado bem a Pax Australiana iniciada em fins dos anos 1930. Em duas décadas, as guerras diminuíram drasticamente, e muitos dos engas sentiram-se aliviados por deixar de lado a violência e decidir suas disputas "lutando nos tribunais" em vez de no campo de batalha.

Quando Papua-Nova Guiné obteve a independência em 1975, a violência entre os engas voltou depressa às alturas. Autoridades do governo privilegiaram seus próprios clãs na distribuição de terras e prerrogativas, provocando intimidações e vinganças dos clãs deixados de fora. Jovens abandonaram os cultos de solteiros e foram para escolas que os prepararam para empregos inexistentes, depois juntaram-se às criminosas gangues "Raskol", que não eram refreadas pelos anciões e suas normas. Foram atraídos pelo álcool, drogas, boates, jogo e armas de fogo (incluindo fuzis M-15 e AK-47) e desandaram a estuprar, saquear e incendiar, lembrando os cavaleiros da Europa medieval. O Estado era fraco; sua polícia, destreinada e inferiormente armada, e sua burocracia corrupta, incapaz de manter a ordem. Em resumo, o vácuo de governo deixado pela descolonização instantânea mergulhou os papuas em um processo descivilizador que os privou tanto das normas tradicionais como da imposição moderna por uma terceira parte. Degenerações semelhantes ocorreram em outras ex-colônias no mundo em desenvolvimento, formando contracorrentes no fluxo global em direção a taxas de homicídios mais baixas.

Para um ocidental é fácil pensar que a violência é intratável e permanente nas partes sem lei do mundo. Mas em vários momentos da história, comunidades ficaram tão fartas de matança que fizeram o que os criminologistas chamam de ofensiva civilizadora.[72] Em contraste com as reduções não planejadas nos homicídios advindas como subprodutos da consolidação de Estados e da promoção do comércio, uma ofensiva civilizadora é um esforço deliberado de setores de uma comunidade (frequentemente mulheres, anciões ou clérigos) para domar os Rambos e Raskols e restaurar a vida civilizada. Wiessner menciona uma ofensiva civilizadora na província dos engas nos anos 2000.[73] Os líderes da igreja tentaram atrair os jovens para longe das emoções da vida das gangues com muito esporte, músicas e orações, e substituir a ética da vingança pela ética do perdão. Anciões tribais, usando telefones celulares que haviam sido introduzidos em 2007, criaram unidades de resposta rápida para se manterem a par das disputas e acorrer ao local da refrega antes que ela saísse de controle. Refrearam os briguentos mais descontrolados de seus clãs, às vezes com brutais execuções públicas. Governos comunitários foram criados para restringir o jogo, a bebida e a prostituição. E uma geração mais nova foi receptiva a esses esforços ao ver que "a vida dos Rambos é curta e não leva a lugar algum". Wiessner quantificou os resultados: depois de ter aumentado por décadas, o número de homicídios declinou significativamente a partir da primeira metade dos anos 2000 até a segunda. Como veremos, não foi a única vez e o único lugar em que uma ofensiva civilizadora compensou.

A VIOLÊNCIA NOS ESTADOS UNIDOS

A violência é tão americana quanto a torta de cereja.

H. Rap Brown

O porta-voz dos Panteras Negras pode ter confundido as frutas, mas expressou com sucesso uma generalização estatisticamente válida sobre os Estados Unidos. Entre as democracias ocidentais, os Estados Unidos destacam-se nas estatísticas de homicídios. Em vez de agrupar-se com os povos afins como a Grã-Bretanha, a Holanda e a Alemanha, a nação americana anda na companhia de brigões como a Albânia e o Uruguai e está próxima da taxa mediana para o mundo como um todo. Não só a taxa de homicídios nos Estados Unidos não caiu para os níveis desfrutados por todas as democracias da Europa e da Commonwealth, mas também não apresentou declínio global durante o século XX, como vemos na figura 3.10. (Para os gráficos do século XX usarei uma escala linear em vez de logarítmica.)

A taxa de homicídios nos Estados Unidos subiu lentamente até 1933, despencou nos anos 1930 e 1940, permaneceu baixa nos anos 1950 e depois subiu vertiginosamente em 1962; ricocheteou pela estratosfera nos anos 1970 e 1980 antes de voltar à terra a partir de 1992. O surto dos anos 1960 foi compartilhado com todas as outras democracias ocidentais, e voltarei a ele na próxima seção. Mas por que os Estados Unidos começaram o século com taxas de homicídios tão mais altas que as da Inglaterra e nunca tiraram a diferença? Poderia ser esse um contraexemplo para a generalização de que os países com bom governo e boa economia passam por um processo civilizador que empurra para baixo suas taxas de violência? E, se for, o que há de diferente nos Estados Unidos? É comum, em comentários nos jornais, encontrarmos

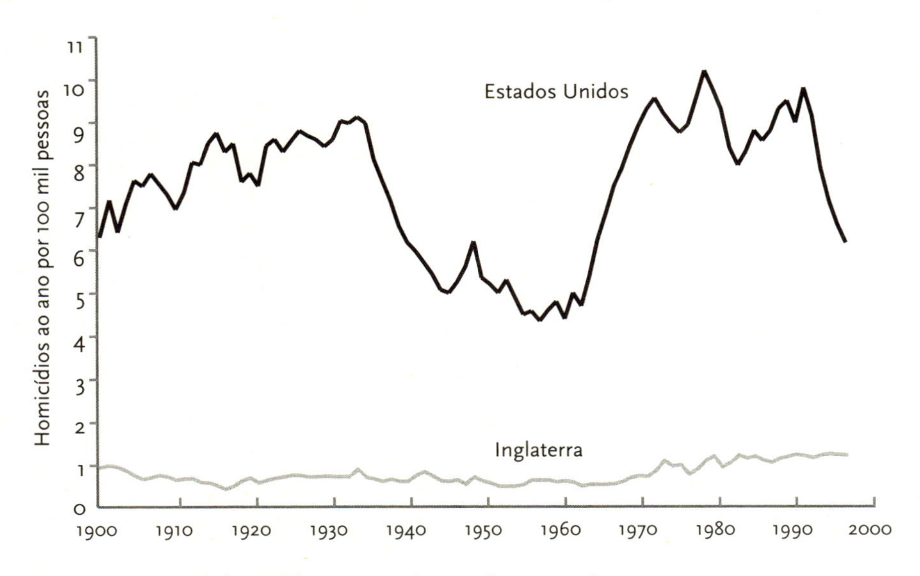

Figura 3.10. *Taxas de homicídios nos Estados Unidos e na Inglaterra, 1900-2000.*
FONTES: Gráfico de Monkkonen, 2001, pp. 171, 185-8; ver também Zahn e McCall, 1999, p. 12. Os dados de Monkkonen para os Estados Unidos diferem ligeiramente dos dados de FBI Uniform Crime Reports representados na figura 3.18 e citados neste capítulo.

pseudoexplicações como a seguinte: "Por que os Estados Unidos são mais violentos? É nossa predisposição cultural à violência".[74] Como se pode encontrar uma saída desse círculo lógico? Não é simplesmente que os americanos saem dando tiros à menor provocação. Mesmo se subtrairmos todos os homicídios com armas de fogo e computarmos apenas os cometidos com corda, faca, cano de chumbo, chave inglesa, candelabro etc., os americanos matam a uma taxa mais alta que os europeus.[75]

Os europeus sempre acharam que os Estados Unidos são incivilizados, mas isso só é parcialmente verdade. A chave para entender o homicídio americano é lembrar que *Estados Unidos* originalmente foram um nome plural; podia-se dizer *"estes Estados Unidos"*. No que diz respeito à violência, os Estados Unidos não são um país: são três. A figura 3.11 é um mapa no qual estão representadas as taxas de homicídios em 2007 para os cinquenta estados, usando o mesmo esquema de sombreado do mapa-múndi na figura 3.9.

O sombreado mostra que *parte* dos Estados Unidos não é assim tão diferente da Europa, afinal de contas. Aí se incluem os apropriadamente chamados

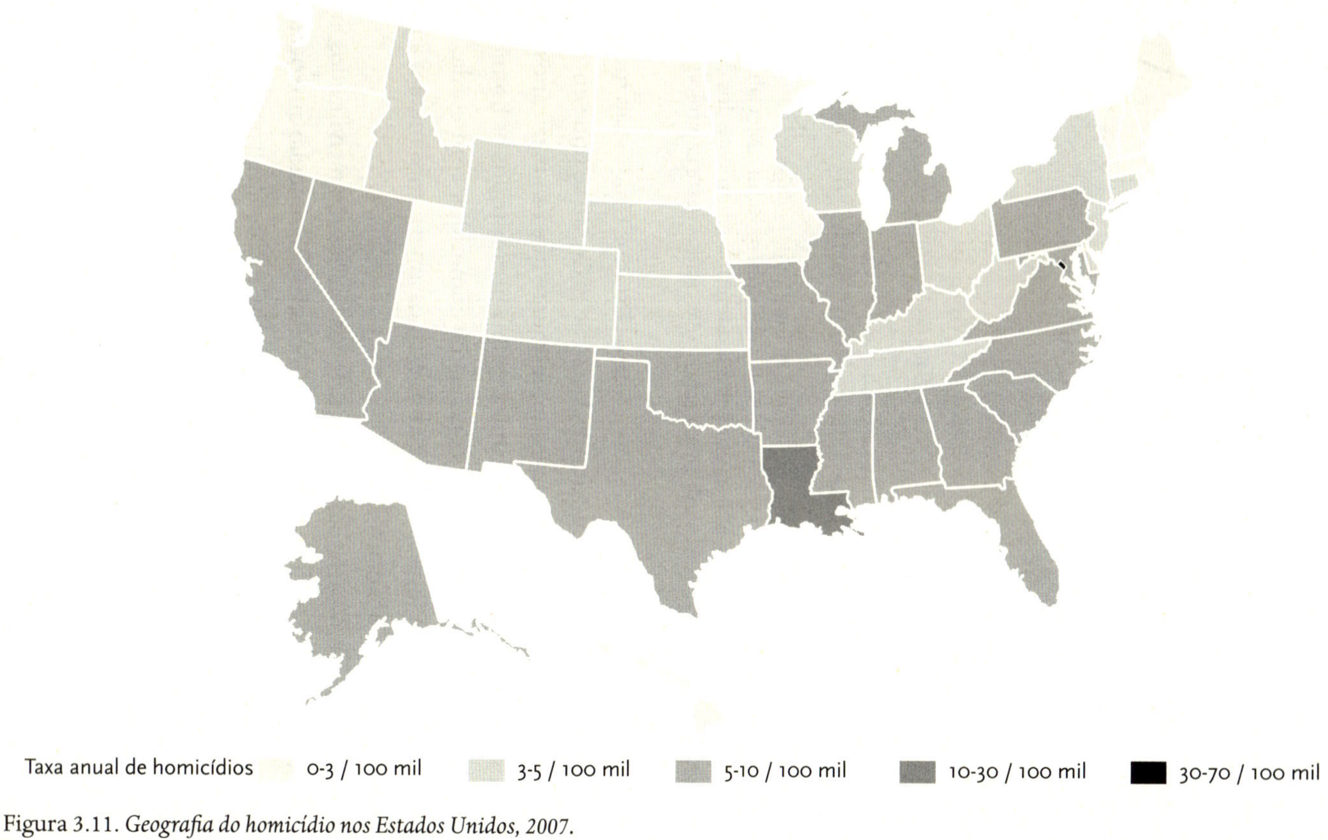

Figura 3.11. *Geografia do homicídio nos Estados Unidos, 2007.*
FONTE: Dados de U. S. Federal Bureau of Investigation, 2007, tabela 4, Crime in the United States by Region, Geographical Division, and State, 2006-7.

estados da Nova Inglaterra e um grupo de estados setentrionais que se espraiam em direção ao Pacífico (Minnesota, Iowa, os Dakotas, Montana e os estados do noroeste do Pacífico), além de Utah. Esse grupo reflete não um clima comum, pois o de Oregon não se parece em nada com o de Vermont, e sim com as rotas históricas de migração, que tenderam a seguir do leste para o oeste. Essa faixa de estados pacíficos, com taxas de homicídios inferiores a três por 100 mil ao ano, está no topo de um gradiente de homicídios crescentes que vai do norte para o sul. Na ponta meridional encontramos estados como Arizona (7,4) e Alabama (8,9) que superam Uruguai (5,3), Jordânia (6,9) e Granada (4,9). Também encontramos a Louisiana (14,2), cuja taxa é próxima da de Papua-Nova Guiné (15,2).[76]

Um segundo contraste é menos visível no mapa. A taxa de homicídios na Louisiana é mais alta que as dos outros estados sulistas, e o Distrito de Columbia (um pontinho preto quase invisível) destaca-se da escala com 30,8, na mesma faixa dos países mais perigosos da América Central e do sul da África. Essas jurisdições destoam principalmente porque têm elevada proporção de afro-americanos. A atual diferença entre negros e brancos nas taxas de homicídios nos Estados Unidos é impressionante. Entre 1976 e 2005, a taxa média de homicídios para os americanos brancos foi 4,8, enquanto para os americanos negros ficou em 36,9.[77] A razão não é apenas que os negros são presos e condenados mais frequentemente, o que sugeriria que a disparidade poderia ser produto de discriminação racial. A mesma disparidade aparece em levantamentos anônimos nos quais as vítimas identificam a raça de seus atacantes, e em levantamentos nos quais pessoas de ambas as raças relatam sua própria história de delitos violentos.[78] A propósito, embora os estados do sul tenham maior porcentagem de afro-americanos que os do norte, a diferença entre norte e sul não é um subproduto da diferença entre brancos e negros. Os brancos sulistas são mais violentos que os brancos nortistas, e os negros sulistas são mais violentos que os negros nortistas.[79]

Portanto, embora os americanos do norte e os americanos brancos sejam um pouco mais violentos que os europeus ocidentais (cuja taxa mediana de homicídio é 1,4), a diferença entre eles é bem menor que em relação ao país como um todo. E quando pesquisamos um pouco, descobrimos que os Estados Unidos efetivamente passaram por um processo civilizador movido pelo Estado, embora ele tenha ocorrido em momentos e graus diferentes nas diversas regiões.

Pesquisar é necessário porque, por muito tempo, os Estados Unidos foram um país atrasado no que diz respeito ao registro de homicídios. A maioria dos homicídios é julgada pelos estados individualmente e não pelo governo federal, e só nos anos 1930 começaram a ser compiladas boas estatísticas nacionais. Além disso, até pouco tempo atrás "os Estados Unidos" eram um alvo móvel. Com exceção do Alasca e do Havaí, os demais estados americanos só se reuniram completamente em 1912, e muitos estados receberam periodicamente uma injeção de imigrantes que mudaram o perfil demográfico antes de coalescerem no caldo de culturas. Por essas razões, os historiadores da violência americana tiveram de trabalhar com séries temporais mais curtas para jurisdições menores. Randolph Roth, em *American Homicide*, recentemente reuniu um número enorme de conjuntos de dados em pequena escala para os três séculos de história americana antes de serem compiladas estatísticas nacionais. Embora a maioria das tendências lembre uma montanha-russa e não um tobogã, elas mostram que diferentes partes do país tornaram-se civilizadas conforme a anarquia na fronteira deu lugar, em parte, ao controle do Estado.

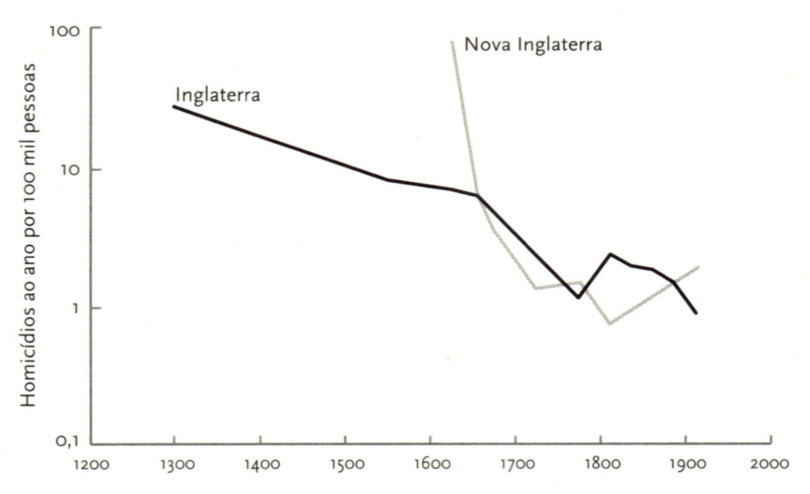

Figura 3.12. *Taxas de homicídios na Inglaterra, 1300-1925, e na Nova Inglaterra, 1630-1914.*
FONTES: Dados para a Inglaterra: Eisner, 2003. Dados para Nova Inglaterra: 1630-37, Roth, 2001, p. 55; 1650-1800: Roth, 2001, p. 56; 1914: Roth, 2009, p. 388. As estimativas de Roth foram multiplicadas por 0,65 para converter a taxa "por adultos" em "por pessoas"; ver Roth, 2009, p. 495. Os dados que representam uma série de anos são indicados no ponto médio da série.

A figura 3.12 sobrepõe os dados de Roth para Nova Inglaterra à compilação das taxas de homicídios para a Inglaterra feita por Eisner. O ponto mais alto para a Nova Inglaterra colonial representa a observação de Roth, condizente com a tese de Elias, de que "a era da violência nas fronteiras, durante a qual a taxa de homicídios manteve-se acima de cem por 100 mil adultos ao ano, findou em 1637, quando colonizadores ingleses e nativos americanos seus aliados estabeleceram sua hegemonia sobre a Nova Inglaterra". Após essa consolidação do controle do Estado, as curvas para a velha Inglaterra e a Nova Inglaterra coincidem de um modo impressionante.

O resto do nordeste também apresentou uma forte queda: as taxas de homicídios de três dígitos e os valores altos de dois dígitos caíram para as taxas de um dígito típicas dos países do mundo atual. Na colônia holandesa da Nova Holanda, com povoações de Connecticut a Delaware, houve um drástico declínio nas primeiras décadas, de 68 para quinze por 100 mil (figura 3.13). Mas quando os dados são retomados no século XIX, começamos a ver os Estados Unidos divergirem dos dois países colonizadores. Embora as partes mais rurais e etnicamente homogêneas da Nova Inglaterra (Vermont e New Hampshire) continuem a manter-se no nível pacífico inferior a um por 100 mil, a cidade de Boston tornou-se mais violenta em meados do século XIX, alcançando cidades da ex-Nova Holanda como Nova York e Filadélfia.

O zigue-zague das cidades do nordeste mostra dois desvios na versão americana do Processo Civilizador. A característica intermediária dessas linhas ao longo da escala de homicídios, abaixo do teto mas bem acima do piso, sugere que a consolidação de uma fronteira sob o controle governamental pode reduzir a taxa anual de homicídios mais ou menos em uma ordem de magnitude de aproximadamente cem para cerca de dez por 100 mil. Mas, em contraste com o que se viu na Europa, onde o ímpeto descendente prosseguiu até as vizinhanças de um, nos Estados Unidos a taxa geralmente estacionou na faixa dos cinco a quinze, na qual a encontramos hoje em dia. Roth aventa que, depois que um governo eficaz pacifica as massas e as traz da faixa de cem para a de dez, as reduções adicionais dependem do grau em que as pessoas aceitam a legitimidade do governo, suas leis e a ordem social. Eisner, lembremos, fez uma observação semelhante sobre o Processo Civilizador na Europa.

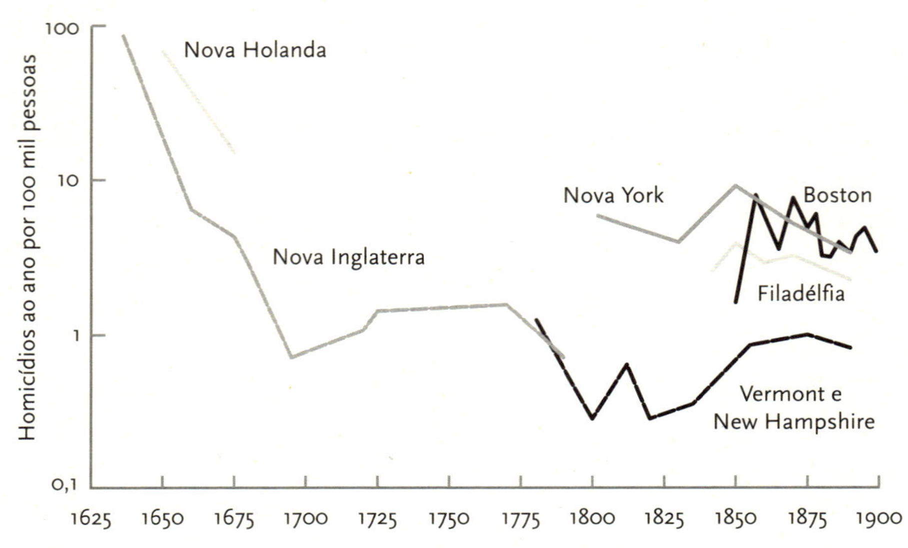

Figura 3.13. *Taxas de homicídios no nordeste dos Estados Unidos, 1636-1900.*
FONTES: Dados de Roth, 2009, somente brancos. Nova Inglaterra: pp. 38, 63. Nova Holanda: pp. 38, 50. Nova York: p. 185. New Hampshire e Vermont: p. 184. Filadélfia: p. 185. Dados representando uma série de anos são indicados no ponto médio da série. As estimativas foram multiplicadas por 0,65 para converter a taxa "por adultos" em "por pessoas"; ver Roth, 2009, p. 495. Estimativas para "adultos não relacionados" foram multiplicadas por 1,1 para torná-las aproximadamente comensuráveis para todos os adultos.

O outro desvio na versão americana do Processo Civilizador é que, em muitos dos miniconjuntos de dados de Roth, a violência *aumentou* nas décadas intermediárias do século XIX.[80] Os períodos anterior e posterior à Guerra de Secessão americana perturbaram o equilíbrio social em muitas partes do país, e as cidades do nordeste receberam uma onda de imigrantes da Irlanda, país que, como vimos, estava atrás da Inglaterra no declínio dos homicídios. Os irlandeses-americanos no século XIX, como os afro-americanos no século XX, eram mais briguentos que seus vizinhos, em grande medida porque não havia respeito mútuo entre eles e a polícia.[81] Mas na segunda metade do século XIX as forças policiais nas cidades americanas expandiram-se, tornaram-se mais profissionais e começaram a estar a serviço do sistema de justiça criminal em vez de administrar sua própria justiça nas ruas a poder de cassetetes. Nas principais cidades do norte, já bem avançado o século XX, as taxas de homicídios para os americanos brancos declinaram.[82]

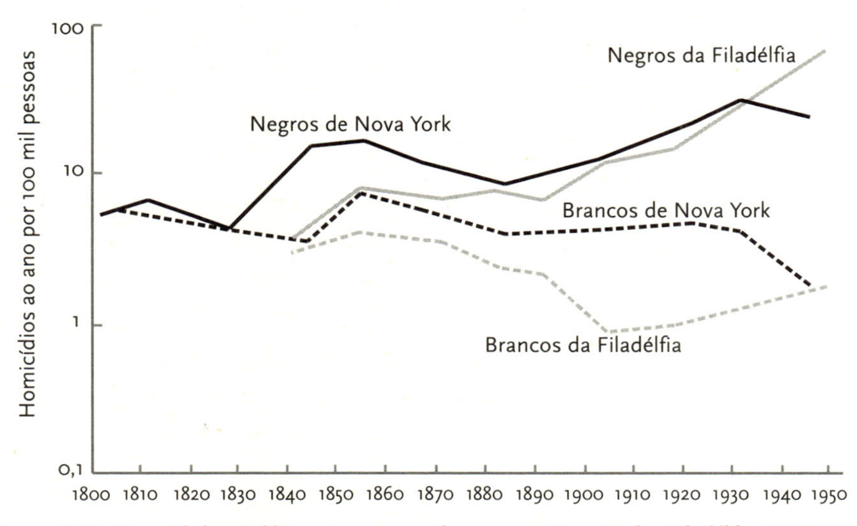

Figura 3.14. *Taxas de homicídios entre negros e brancos em Nova York e Filadélfia, 1797-1952.*
FONTES: Nova York 1797-1845: Roth, 2009, p. 195. Nova York 1856-85: média de Roth, 2009, p. 195 e Gurr, 1989a, p. 39. Nova York 1905-53: Gurr, 1989a, p. 39. Fildadélfia: 1842-94: Roth, 2009, p. 195. Filadélfia 1907-28: Lane, 1989, p. 72 (médias de quinze anos). Filadélfia, anos 1950: Gurr, 1989a, pp. 38-9. As estimativas de Roth foram multiplicadas por 0,65 para converter a taxa "por adultos" em "por pessoas"; ver Roth, 2009, p. 495. Suas estimativas para a Filadélfia foram, adicionalmente, multiplicadas por 1,1 e 1,5 para compensar, respectivamente, as vítimas não relacionadas em contraponto a todas as vítimas e os indiciamentos em contraponto aos homicídios (Roth, 2009, p. 492). Os dados representando uma série de anos foram indicados no ponto médio da série.

Mas a segunda metade do século XIX também sofreu uma mudança decisiva. Os gráficos mostrados até aqui representam as taxas para brancos americanos. A figura 3.14 mostra as taxas para duas cidades nas quais podem ser distinguidos os homicídios de negros por negros e de brancos por brancos. O gráfico revela que a disparidade racial nos homicídios americanos nem sempre existiu. Nas cidades do nordeste, na Nova Inglaterra, no meio-oeste e na Virgínia, negros e brancos mataram a taxas semelhantes durante toda a primeira metade do século XIX. Surgiu então uma diferença, que foi aumentando no século XX, quando os homicídios entre os afro-americanos foram à estratosfera, passando de três vezes a taxa dos brancos em Nova York em fins dos anos 1950 para quase treze vezes a taxa dos brancos um século depois.[83] Um exame das causas, que incluem a segregação econômica e residencial, daria outro livro. Mas uma delas, como vimos, é que as comunidades de afro-americanos de baixa renda eram, na prática, sem Estado e dependiam de uma cultura da honra (às vezes chamada de "código das ruas") para defender seus interesses em vez de recorrer à lei.[84]

As primeiras povoações inglesas bem-sucedidas nos Estados Unidos situavam-se na Nova Inglaterra e na Virgínia, e uma comparação das figuras 3.13 e 3.15 poderia levar à suposição de que, em seu primeiro século, essas duas colônias passaram por processos civilizadores semelhantes. Mas isso só até que leiamos os números no eixo vertical. Eles mostram que o gráfico para o nordeste vai de 0,1 a cem, enquanto o gráfico para o sudeste vai de um a mil: dez vezes maior. Ao contrário da disparidade entre negros e brancos, a disparidade entre norte e sul tem raízes profundas na história americana. As colônias de Chesapeake, Maryland e Virgínia começaram mais violentas que a Nova Inglaterra e, embora descessem para a faixa das mais moderadas (entre um e dez homicídios anuais por 100 mil pessoas) e nela permanecessem durante a maior parte do século XIX, outras partes do sul colonizado oscilaram na parte baixa da faixa de dez a cem, por exemplo as áreas de agricultura de *plantation* da Geórgia mostradas no gráfico. Muitas regiões remotas e montanhosas, como o interior da Geórgia e a fronteira de Kentucky e Tennessee, continuaram a oscilar na incivilizada faixa dos cem, algumas delas por boa parte do século XIX.

Por que o sul teve uma história tão longa de violência? A resposta mais abrangente é que a missão civilizadora do governo nunca penetrou tão profundamente no sul dos Estados Unidos quanto no nordeste, para não falar da Europa. O historiador Pieter Spierenburg sugeriu provocativamente que "a democracia chegou cedo demais" à América.[85] Na Europa, primeiro o Estado desarmou o povo e assumiu o monopólio da violência, e depois o povo tomou posse do aparelho de Estado. Na América, o povo se apossou do Estado antes que este o forçasse a depor as armas — as quais, na célebre frase da Segunda Emenda, as pessoas têm o direito de possuir e usar. Em outras palavras, os americanos, e em especial os do sul e oeste, nunca chegaram a concordar plenamente com um contrato social que daria ao governo o monopólio sobre o uso legítimo da força. Em boa parte da história americana, a força legítima também foi exercida por forças civis, vingadores, linchadores, polícia particular, agências de detetive, empresas de segurança privada e, ainda mais frequentemente, mantida como prerrogativa do indivíduo.

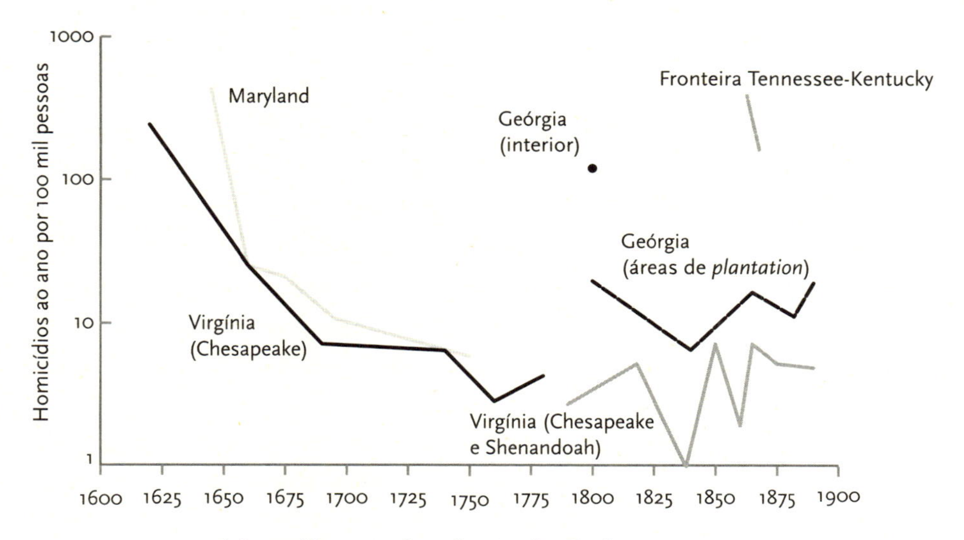

Figura 3.15. *Taxas de homicídios no sudeste dos Estados Unidos, 1620-1900.*
FONTES: Dados de Roth, 2009, só brancos: Virgínia (Chesapeake), pp. 39, 84. Virgínia (Chesapeake e Shenandoah): p. 201. Geórgia: p. 162. Tennessee-Kentucky: pp. 336-37. Valor zero para a Virgínia, 1838, indicado como 1 porque log de 0 é indefinido. As estimativas foram multiplicadas por 0,65 para converter a taxa "por adultos" em "por pessoas", ver Roth, 2009, p. 495.

Esse compartilhamento da força, salientaram historiadores, sempre foi sagrado no sul. Como explica Eric Monkkonen, no século XIX "o sul tinha um Estado deliberadamente fraco, evitando coisas como penitenciárias em favor da violência local, pessoal".[86] Os homicídios não eram tratados com rigor quando a morte era considerada "razoável", e "a maioria dos homicídios [...] no sul rural era razoável, no sentido de que a vítima havia feito todo o possível para escapar do matador, de que a morte resultava de uma disputa pessoal, ou porque o matador e a vítima eram do tipo de pessoas que matam umas às outras".[87]

A justiça de autoajuda é parte da mitologia sulista há um bom tempo. Era incutida cedo na vida, como no conselho materno ao jovem Andrew Jackson (o presidente duelista que afirmou retinir com o barulho das balas quando andava): "Nunca [...] processe alguém por difamação, ataque ou agressão; sempre decida esses casos por conta própria".[88] Era alardeada por ícones façanhudos do sul montanhoso como Daniel Boone e Davy Crockett, o "Rei da Fronteira Selvagem". Alimentou a rixa das prototípicas famílias beligerantes, os Hatfield e os McCoy do interior de Kentucky-Virgínia Ocidental. E não só inflou as estatísticas de homicídios por todo o tempo em que elas foram registradas como também deixou sua marca na psique sulista atual.[89]

A justiça de autoajuda depende da credibilidade na coragem e na determinação da pessoa que poderá praticá-la, e até hoje o sul americano é marcado pela obsessão com a dissuasão crível, também conhecida como cultura da honra. A essência de uma cultura da honra é que ela não sanciona a violência predatória ou instrumental, mas apenas a retaliação por um insulto ou outro tipo de tratamento indevido. Os psicólogos Richard Nisbett e Dov Cohen mostraram que essa mentalidade continua a permear as leis, a política e as atitudes no sul.[90] Os sulistas não matam mais que os nortistas nos homicídios perpetrados durante roubos, descobriram esses autores, mas apenas naqueles provocados por brigas. Nas pesquisas de opinião, os sulistas não endossam o uso da violência no abstrato; aceitam-na apenas quando se trata de proteger o lar e a família. As leis dos estados sulistas sancionam essa moralidade. Dão à pessoa uma ampla margem para matar em legítima defesa ou em defesa da propriedade, impõem menos restrições à compra de armas, permitem o castigo corporal nas escolas (o "*paddling*", bater nas nádegas com uma pá de madeira), e especificam a pena de morte por assassinato, a qual seus sistemas judiciários executam com alacridade. Homens e mulheres sulistas têm maior probabilidade de servir nas Forças Armadas, estudar em academias militares e assumir posições belicistas na política externa.

Em uma série de experimentos engenhosos, Nisbett e Cohen também mostraram que a honra tem presença marcante no comportamento dos sulistas como indivíduos. Em um estudo, Nisbett e Cohen enviaram cartas falsas solicitando emprego a empresas de todo o país. Metade delas continha a seguinte confissão:

> Há uma coisa que preciso explicar, pois penso que devo ser honesto e não quero mal-entendidos. Fui condenado por um delito grave, homicídio culposo. Os senhores provavelmente desejarão um esclarecimento a esse respeito antes de me enviarem uma proposta, por isso a darei aqui. Lutei com uma pessoa que estava tendo um caso amoroso com minha noiva. Moro em uma cidade pequena, e uma noite essa pessoa afrontou-me diante de meus amigos no bar. Falou para todo mundo que estava dormindo com minha noiva. Riu de mim e me desafiou a ir lá para fora se eu fosse homem. Eu era jovem, não quis fugir de um desafio na frente de todo mundo. Fomos para a rua e ele começou a me atacar. Ele me derrubou e pegou uma

garrafa. Eu poderia ter fugido, como o juiz disse que deveria ter feito, mas o orgulho me impediu. Em vez disso, peguei um cano que estava ali perto e bati no homem com ele. Não tinha intenção de matá-lo, mas ele morreu algumas horas depois no hospital. Percebo que o que fiz foi errado.

A outra metade das cartas continha um parágrafo semelhante no qual o candidato confessava ter sido condenado por roubo de veículo, o que ele fizera por desatino, para ajudar a sustentar a mulher e os filhos pequenos. Em resposta à carta que confessava o homicídio por questão de honra, as empresas do sul e do oeste mostraram maior probabilidade de enviar um formulário de pedido de emprego ao candidato, e suas respostas foram em tom mais afável. Por exemplo, uma lojista do sul desculpou-se por não ter empregos disponíveis no momento e acrescentou:

> Quanto a seu problema no passado, qualquer um provavelmente poderia passar pela mesma situação. Foi apenas um acidente lamentável que não deveria desmerecê-lo. Sua honestidade demonstra que você é sincero. [...] Desejo-lhe boa sorte no futuro. Você tem uma atitude positiva e disposição para trabalhar. Essas são as qualidades que as empresas procuram em seus funcionários. Quando se estabelecer, se for nesta região, por favor venha nos fazer uma visita.[91]

Nada dessa cordialidade se viu nas firmas do norte, nem em empresa nenhuma, para a carta que confessava o roubo de veículo. Aliás, as empresas nortistas foram mais lenientes para com o roubo de carro do que o homicídio por honra; as firmas do sul e do oeste foram mais clementes com o homicídio por honra.

Nisbett e Cohen também testaram a cultura da honra em laboratório. Seus sujeitos não foram trabalhadores de rincões sulistas, mas estudantes abastados da Universidade de Michigan que haviam vivido no sul por no mínimo seis anos. Os estudantes foram recrutados para um experimento psicológico sobre "resposta em condições de limitação de tempo sobre certas facetas do julgamento humano" (um título pernóstico para disfarçar o verdadeiro propósito do estudo). No corredor a caminho do laboratório, os estudantes tinham de passar por um cúmplice do experimentador que estava preenchendo uns papéis em uma escrivaninha. Na metade dos casos, quando o estudante passava roçando pelo cúmplice, este fechava a gaveta com força e resmungava "cretino". Em seguida, o experimentador (que não sabia se o estudante havia sido insultado ou não) recebia o sujeito no laboratório, observava seu comportamento, dava-lhe um questionário e colhia uma amostra de sangue. Os estudantes dos estados nortistas, constatou-se, não levaram a sério o insulto e não apresentaram comportamento diferente do outro grupo de controle que havia entrado sem incidente. Mas os sulistas que haviam sido insultados entravam furiosos. Relataram baixa autoestima no questionário, e suas amostras de sangue mostraram níveis elevados de testosterona e cortisol, um hormônio do estresse. Comportaram-se de modo mais dominante com o experimentador, apertaram-lhe a mão com mais firmeza e, ao se aproximarem de outro cúmplice no estreito corredor da saída, recusaram-se a ficar de lado para deixá-lo passar.[92]

Existe alguma causa exógena que possa explicar por que o sul, mas não o norte, desenvolveu uma cultura da honra? Certamente a brutalidade necessária para manter uma economia escravista pode ter sido um fator, mas as partes mais violentas do sul eram regiões remotas que nunca dependeram de trabalho cativo em *plantations* (ver figura 3.15). Nisbett e Cohen foram influenciados pelo livro *Albion's Seed* [Semente de Albion], de David Hackett, uma história da colonização britânica nos Estados Unidos, e foram investigar especificamente as origens dos primeiros colonizadores vindos de várias partes da Europa. Os estados nortistas foram colonizados por agricultores puritanos, quacres, holandeses e alemães, enquanto boa parte do sul interiorano foi colonizada por escoceses-irlandeses, muitos deles pastores, vindos da periferia montanhosa das ilhas britânicas, fora do alcance do governo central. O pastoreio, aventam Nisbett e Cohen, pode ter sido uma causa exógena da cultura da honra. Não só a riqueza de um pastor reside em bens físicos que podem ser roubados, mas além disso esses bens têm pés e podem ser tangidos para longe num piscar de olhos, muito mais facilmente do que se pode roubar a terra de um agricultor. Os pastores do mundo todo cultivam a prontidão para a retaliação violenta. Nisbett e Cohen supõem que os escoceses-irlandeses trouxeram consigo sua cultura da honra e a mantiveram viva quando se ocuparam da criação de animais na fronteira montanhosa do sul. Embora os sulistas contemporâneos não sejam mais pastores, os hábitos culturais podem persistir por muito tempo depois de as circunstâncias ecológicas que lhes deram origem terem desaparecido, e até hoje os sulistas comportam-se como se precisassem ser durões o bastante para dissuadir ladrões de gado.

A hipótese do pastoreio requer que as pessoas se aferrem a uma estratégia ocupacional por séculos depois que ela se tornou disfuncional, mas a teoria mais geral da cultura da honra não depende dessa suposição. Muitos adotam o pastoreio nas áreas montanhosas porque é difícil plantar nesse tipo de terra, e muitas áreas montanhosas são anárquicas por serem as mais difíceis para o Estado conquistar, pacificar e administrar. Assim, o gatilho imediato para a justiça de autoajuda é a anarquia e não o pastoreio em si. Lembremos que os rancheiros do condado de Shasta criam gado há mais de um século, mas quando algum deles sofre prejuízo de pouca monta com suas reses ou propriedades, espera-se que ele "deixe passar" e não que recorra à violência para defender sua honra. Além disso, um estudo recente que comparou as taxas de violência e a adequabilidade para o pastoreio de condados sulistas não encontrou correlação quando outras variáveis foram controladas.[93]

Portanto, é suficiente supor que os colonizadores de partes remotas da Grã-Bretanha foram parar em partes remotas do sul americano e que ambas as regiões foram sem lei por longo tempo, o que promoveu uma cultura da honra. Ainda temos de explicar por que essa cultura da honra é tão autossustentável. Afinal, agora um sistema funcional de justiça criminal já está em vigor há um bom tempo nos estados sulistas. Talvez a honra tenha poder de permanência porque o primeiro homem que ousar abjurá-la será desprezado como covarde e tratado como um alvo fácil.

O oeste americano, ainda mais do que o sul, foi uma zona de anarquia até boa parte do século XX. O clichê dos westerns de Hollywood, "O xerife mais próximo está a 150 quilômetros", foi a realidade em milhões de quilômetros quadrados de território, e o resultado foi o outro clichê dos westerns de Hollywood, a eternamente presente violência. O personagem Humbert Humbert, de Nabokov, bebendo da cultura popular americana durante sua escapada pelo país com Lolita, saboreia as "lutas de atordoar boi" dos filmes de caubói:

> E era a paisagem cor de mogno, os peões rubicundos de olhos azuis, a professorinha bonita e certinha que chegava a Roaring Gulch, o cavalo empinado, o estouro espetacular da boiada, o revólver metido pela vidraça estilhaçada, a estupenda briga de socos, o desabamento da montanha de móveis poeirentos e antiquados, a mesa

> usada como arma, o salto mortal bem a tempo, a mão pisada ainda tateando em busca da faca de mato caída, o grunhido, o doce estralar do punho no queixo, o chute no ventre, o bote voador; e imediatamente após uma pletora de dor que teria hospitalizado um Hércules, nada a mostrar exceto um bem elegante hematoma na face bronzeada do mocinho exercitado abraçando sua linda noiva da fronteira.[94]

Em *Violent Land* [Terra violenta], David Courtwright mostra que os faroestes americanos eram acurados no nível de violência que descreviam, ainda que não na imagem romantizada dos caubóis. A vida de um caubói alternava-se entre trabalho massacrante e perigoso e farras no dia do pagamento com bebida, jogo, prostitutas e brigas.

> Para que o caubói se tornasse um símbolo da experiência americana, foi preciso um ato de cirurgia moral. O caubói como o sujeito que corria riscos, o protetor montado, foi lembrado. O caubói como o bêbado desmontado dormindo no monte de esterco atrás do bar foi esquecido.[95]

No Oeste Selvagem americano, as taxas anuais de homicídio eram de cinquenta a várias centenas de vezes mais altas que as das cidades do leste e das áreas agrícolas do meio-oeste: cinquenta por 100 mil em Abilene, Kansas, cem em Dodge City, 229 em Fort Griffin, Texas, e 1500 em Wichita.[96] As causas eram bem hobbesianas. O sistema de justiça criminal não tinha verba suficiente, era inepto e muitas vezes corrupto. "Em 1887", menciona Courtwright, "só no Texas havia cerca de 5 mil homens na lista de procurados, um sinal nada alentador do grau de eficiência na aplicação da lei."[97] A justiça de autoajuda era o único modo de dissuadir ladrões de cavalo e gado, salteadores e outros bandidos. A fiadora dessa ameaça dissuasiva era uma reputação de determinação que tinha de ser defendida a qualquer custo, e cujo epítome se vê no epitáfio em uma lápide no Colorado: "Ele chamou Bill Smith de mentiroso".[98] Uma testemunha ocular descreve o *casus belli* de uma luta que eclodiu durante um jogo de cartas no vagão de serviço de um trem de gado. Um homem comentou: "Não gosto de jogar com um *dirty deck* [baralho sujo]". Um caubói de uma fazenda rival, em vez de *dirty deck*, entendeu *dirty neck*, gíria pejorativa para "trabalhador imigrante". Quando a fumaça se dissipou, havia um morto e três feridos.[99]

Não foram só as regiões dos caubóis que se desenvolveram em uma anarquia hobbesiana; o mesmo ocorreu com partes do oeste povoadas por mineiros, ferroviários, madeireiros e trabalhadores itinerantes. Eis uma declaração de direitos de propriedade que foi encontrada afixada em um poste durante a Corrida do Ouro na Califórnia de 1849:

> A todos e a qualquer um, esta terra é minha concessão, cinquenta pés na ravina, segundo a Lei do Distrito de Clear Creek, apoiada pelas emendas sobre armas de fogo. [...] Qualquer pessoa que for pega invadindo esta terra será processada com toda a força da lei. Isso não é conversa fiada, farei valer meus direitos na ponta da arma se legalmente necessário, por isso tome cuidado e esteja avisado.[100]

Courtwright cita uma taxa anual média de homicídios de 83 por 100 mil para essa época e salienta:

> uma abundância de outras evidências de que a Califórnia da Corrida do Ouro foi um lugar brutal e implacável. Os nomes dos acampamentos eram miméticos: Olho Arrancado, Bar dos Assassinos, Ravina da Garganta Cortada, Planície do Cemitério. Havia uma Cidade dos Enforcados, uma Cidade do Inferno, uma Cidade do Uísque e uma Gomorra, embora, curiosamente, nenhuma Sodoma.[101]

As cidades que surgiram abruptamente do surto minerador no oeste também tinham taxas anuais de homicídio na galeria superior: 87 por 100 mil em Aurora, Nevada; 105 em Leadville, Colorado; 116 em Bodie, Califórnia; e espantosos 24 mil (quase um em quatro) em Benton, Wyoming.

Indiquei na figura 3.16 a trajetória da violência no oeste, usando um apanhado das taxas anuais de homicídios fornecidas por Roth para uma dada região em dois ou mais períodos. A curva para a Califórnia ascende por volta da Corrida do Ouro de 1849, mas depois disso, juntamente com a de outros estados do sudoeste, traz a assinatura do Processo Civilizador: um declínio de mais de dez vezes nas taxas de homicídios, da faixa de cem a duzentos por 100 mil pessoas para a faixa de cinco a quinze (embora, como no sul, essas taxas não continuem a cair até os níveis de um e dois vistos na Europa e Nova Inglaterra). Incluí o declínio dos condados pecuaristas da Califórnia, como os estudados por Ellickson, para mostrar como sua atual coexistência governada por normas veio só depois de um longo período de violência sem lei.

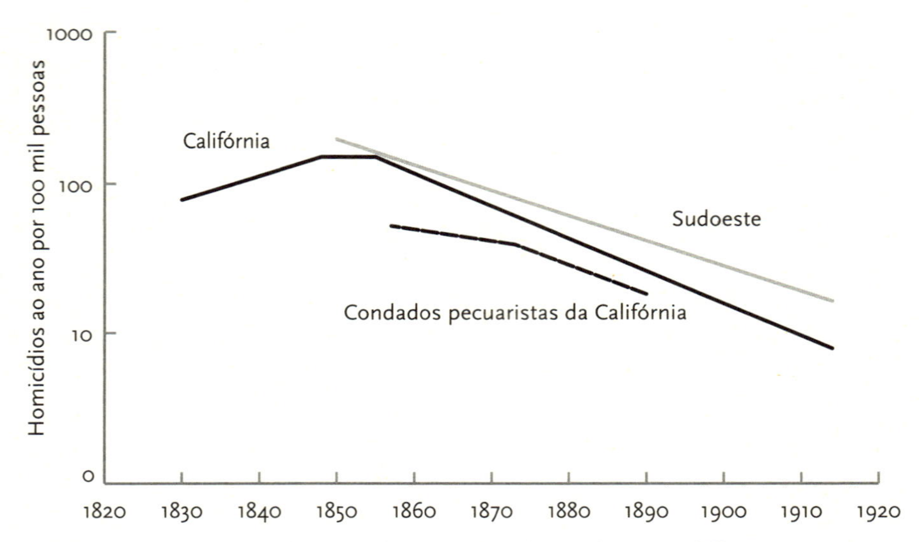

Figura 3.16. *Taxas de homicídios no sudoeste dos Estados Unidos e na Califórnia, 1830-1914.*
FONTES: Dados de Roth, 2009, apenas brancos. Califórnia (estimativas): pp. 183, 360, 404. Condados pecuaristas da Califórnia: p. 355. Sudoeste, 1850 (estimativa): p. 354. Sudoeste, 1914 (Arizona, Nevada e Novo México): p. 404. As estimativas foram multiplicadas por 0,65 para converter a taxa "por adultos" em "por pessoas"; ver Roth, 2009, p. 495.

Portanto, no mínimo cinco das principais regiões dos Estados Unidos — nordeste, estados centro-atlânticos, sul costeiro, Califórnia e sudoeste — passaram por processos civilizadores, porém em épocas diferentes e em graus distintos. O declínio da violência no oeste americano ocorreu com dois séculos de atraso em relação ao leste e abrangeu o famoso anúncio de 1890 sobre o fechamento da fronteira americana, que simbolicamente marcou o fim da anarquia nos Estados Unidos.

A anarquia não foi a causa única de turbulência no Oeste Selvagem e em outras zonas violentas em expansão na América, como os campos de trabalho, os vilarejos de imigrantes e Chinatown (lembremos o conselho dado no filme *Chinatown* ao detetive estarrecido com a rede de maldades da região: "Esqueça, Jake; é Chinatown"). Courtwright mostra que a ferocidade foi exacerbada por uma combinação de demografia e psicologia evolutiva. Essas regiões eram povoadas por homens jovens e solteiros que haviam fugido de fazendas empobrecidas e guetos urbanos em busca de fortuna na fronteira implacável. O único grande universal no estudo da violência é que, na maioria dos casos, quem a comete são homens entre quinze e trinta anos de idade.[102] Não só o sexo masculino é o mais competitivo na maioria das espécies de mamíferos, mas também para o *Homo sapiens* a posição de um homem na hierarquia é assegurada por sua reputação, um investimento com retorno para a vida toda que tem de começar logo cedo na vida adulta.

No entanto, a violência entre homens é modulada por um cursor: eles podem alocar sua energia ao longo de um continuum que vai de competir com outros homens pelo acesso a mulheres até cortejar as próprias mulheres e investir nos filhos que tiverem com ela. Alguns biólogos chamam esse continuum de "*cads versus dads*": [brutamontes versus papais.][103] Em um ecossistema social de maioria masculina, a alocação ótima para um homem individualmente é no extremo "brutamontes", pois conseguir o status alfa é necessário para vencer a concorrência e requisito prévio para ter condições de cortejar as escassas mulheres. Também favorece os brutamontes um meio no qual as mulheres são mais abundantes mas alguns dos homens conseguem monopolizá-las. Em tais cenários, pode ser compensador jogar com a vida porque, como salientaram Daly e Wilson, "qualquer criatura que esteja reconhecivelmente no caminho do fracasso reprodutivo total precisa, de algum modo, fazer um esforço, muitas vezes com risco de morte, para tentar melhorar sua trajetória corrente de vida".[104] O ecossistema no qual a seleção favorece o cenário dos "papais" é aquele que contém o mesmo número de homens e mulheres e parcerias monogâmicas entre eles. Nessas circunstâncias, a competição violenta não oferece vantagens reprodutivas aos homens, e os ameaça com uma grande desvantagem: um homem não pode sustentar os filhos se estiver morto.

Outra contribuição biológica para a violência nas fronteiras foi neurobiológica e não sociobiológica: a ubiquidade da bebida alcoólica. O álcool interfere na transmissão sináptica por todo o cérebro, especialmente no córtex pré-frontal (ver figura 8.3), a região responsável pelo autocontrole. A inibição sexual, verbal e física é menor no cérebro ébrio, e inspirou expressões como "beer goggles", "roaring drunk" e "Dutch courage".* Muitos estudos mostram que pessoas com propensão à violência têm mais tendência a usá-la quando estão sob influência do álcool.[105]

* "Beer goggles": "óculos de cerveja", ver as coisas de uma perspectiva melhor quando se está embriagado; "roaring drunk": urrando de bêbado; "Dutch courage": coragem adquirida pela ingestão de álcool. (N. T.)

O oeste finalmente foi amansado, não só por xerifes de olhar pétreo e juízes enforcadores, mas por um afluxo de mulheres.[106] "A professorinha bonita e certinha que chegava a Roaring Gulch" nos westerns de Hollywood capta bem uma realidade histórica. A natureza abomina a desproporção numérica entre os sexos, e as mulheres de cidades e fazendas do leste por fim afluíram para o oeste ao longo do gradiente de concentração sexual. Viúvas, solteironas e jovens casadouras foram buscar a fortuna no mercado matrimonial, encorajadas pelos próprios homens solitários e pelas autoridades municipais e comerciantes que se tornaram cada vez mais exasperados com a degeneração de seus infernos no oeste. Conforme foram chegando, as mulheres passaram a usar sua posição de barganha para transformar o oeste em um ambiente mais adequado aos interesses delas. Insistiram para que os homens trocassem as brigas e a bebida pelo casamento e pela vida conjugal, incentivaram a construção de escolas e igrejas, fecharam bares, bordéis, antros de jogo e outros rivais pela atenção masculina. As igrejas, com suas congregações mistas de homens e mulheres, a disciplina da escola dominical e a glorificação das normas de temperança fortaleceram a ofensiva civilizadora das mulheres. Hoje achamos graça na União das Mulheres Cristãs pela Temperança (com sua militante Carrie Nation, que aterrorizava os bares de machado em punho) e no Exército da Salvação, cujo hino, segundo a sátira, diz: "Biscoito não comemos, tem levedo que faz mal,/ uma só mordida e um homem vira um animal"). Mas as feministas do movimento pela temperança estavam, naqueles tempos, respondendo a uma catástrofe muito real de banhos de sangue movidos a álcool em enclaves predominantemente masculinos.

A ideia de que os homens jovens são civilizados pelas mulheres e pelo casamento pode parecer piegas, mas tornou-se batida na criminologia moderna. Um célebre estudo que acompanhou mil adolescentes de baixa renda em Boston por 45 anos constatou que dois fatores predizem se um delinquente evitará no futuro uma vida de crimes: conseguir um emprego estável e casar-se com uma mulher que ele ame, sustentá-la e aos filhos. O efeito do casamento foi substancial: três quartos dos solteiros, mas apenas um terço dos maridos, continuaram a cometer crimes. Essa diferença, isoladamente, não pode nos dizer se o casamento mantém o homem longe da criminalidade ou se os criminosos de carreira são menos propensos a se casar. Mas os sociólogos Robert Sampson, John Laub e Christopher Wimer mostraram que o casamento realmente parece ser uma causa pacificadora. Quando mantiveram constantes todos os fatores que *normalmente* impelem os homens para o casamento, descobriram que casar-se tornava mesmo um homem menos propenso a cometer crimes imediatamente depois.[107] O caminho causal foi indicado com concisão e eloquência por Johnny Cash: "*Because you're mine, I walk the line*" [porque você é minha, eu ando na linha].

Uma apreciação do Processo Civilizador no oeste e no sul rural dos Estados Unidos ajuda a entender a paisagem política americana de nossos dias. Muitos intelectuais do norte e das regiões costeiras ficam perplexos com a cultura de seus compatriotas dos "estados vermelhos", os estados de eleitorado predominantemente republicano, adeptos das armas, da pena de morte, do "pequeno governo", do cristianismo evangélico, dos "valores familiares" e do decoro sexual. O lado oposto, por sua vez, não entende a tibieza dos "estados azuis", de eleitorado predominantemente democrata, para com os criminosos e a política externa, sua confiança no governo, seu secularismo intelectualizado e sua tolerância com a licenciosidade. Desconfio que essa guerra cultural, como a chamam, seja produto de uma história na qual a América branca enveredou por dois caminhos em direção à civilização. O norte é uma extensão da Europa e continuou o Processo Civilizador impelido pelos tribunais e pelo comércio que vinha ganhando ímpeto desde a Idade Média. O sul e o oeste preservaram a cultura da honra que surgiu nas partes anárquicas do país em crescimento, contrabalançada por suas próprias forças civilizadoras: a Igreja, a família e a temperança.

A DESCIVILIZAÇÃO NOS ANOS 1960

> *But when you talk about destruction, don't you know that you can count me out... in.**
>
> John Lennon, "Revolution 1"

Com toda a defasagem e desencontro entre as trajetórias históricas dos Estados Unidos e da Europa, as duas regiões mostraram sincronicamente uma tendência: suas taxas de violência deram uma guinada de 180 graus nos anos

* "Mas quando você fala em destruição, não sabe que estou fora... dentro." (N. T.)

1960.[108] As figuras 3.1 a 3.4 indicam que países europeus sofreram uma reviravolta nas taxas de homicídios que os levou a níveis dos quais haviam se despedido um século antes. E a figura 3.10 mostra que nos anos 1960 a taxa de homicídios nos Estados Unidos foi às alturas. Depois de um declínio de três décadas que abrangeu a Grande Depressão, a Segunda Guerra Mundial e a Guerra Fria, a taxa de homicídios dos americanos aumentou mais de duas vezes e meia, passando de 4 em 1957 para 10,2 em 1980.[109] A alta incluiu todas as outras categorias mais importantes de crimes: estupros, tentativa de lesão corporal, roubo e furto, e durou (com altos e baixos) três décadas. As grandes cidades tornaram-se particularmente perigosas, especialmente Nova York, que virou símbolo da nova criminalidade. Embora a alta da violência afetasse todas as raças e os dois sexos, foi mais acentuada entre os homens negros, cuja taxa anual de homicídios em meados dos anos 1980 subiu para 72 por 100 mil.[110]

O dilúvio de violência dos anos 1960 até os anos 1980 modificou a cultura, a cena política e o cotidiano nos Estados Unidos. Piadas sobre assaltantes tornaram-se matéria-prima para os comediantes, que só de mencionar o Central Park já arrancavam gargalhadas, por ser o lugar uma conhecidíssima armadilha mortal. Os nova-iorquinos aprisionavam-se em seus apartamentos com uma bateria de trancas, incluindo a popular "tranca da polícia", uma barra de aço com uma ponta ancorada no chão e a outra fixa na porta. Um setor do centro de Boston, não muito longe de onde moro agora, era chamado de Zona de Combate por causa de seus endêmicos assaltos e agressões com faca. Multidões de citadinos abandonaram outras cidades americanas, deixando centros esgotados cercados por subúrbios, exúrbios e comunidades muradas. Livros, filmes e séries de televisão usaram a intratável violência urbana como pano de fundo, entre eles *Little Murders*, *Taxi Driver*, *Os selvagens da noite*, *Inferno no Bronx*, *Hill Street Blues* e *A fogueira das vaidades*. Mulheres matriculavam-se em cursos de autodefesa para aprender a andar com postura desafiadora, a usar chaves, canetas e salto agulha como armas e a dar golpes de caratê ou jiu-jítsu para dominar um atacante, cujo papel era feito por um voluntário bem protegido num macacão acolchoado. Os Guardian Angels de boina vermelha patrulhavam os parques e o sistema de trânsito, e em 1984 Bernhard Goetz, um afável engenheiro, tornou-se herói popular depois de balear quatro jovens assaltantes em um vagão do metrô de Nova York. O medo do crime ajudou a eleger políticos conservadores durante décadas, entre eles Richard Nixon em 1968 com sua plataforma "Lei e Ordem" (eclipsando a

Guerra do Vietnã como tema de campanha), George H. W. Bush em 1988 com sua insinuação de que Michael Dukakis, quando governador de Massachusetts, aprovara um programa de liberdade para presidiários que deixara em liberdade um estuprador, e muitos senadores e congressistas que prometiam "endurecer no combate ao crime". Embora a reação popular fosse exagerada — muito mais gente é morta todo ano em acidentes de carro do que em homicídios, especialmente entre os que não entram em brigas com rapazes em bares —, a percepção de que o crime violento multiplicara-se não era obra da imaginação.

O revivescimento da violência nos anos 1960 contrariou todas as expectativas. Aquela foi uma década de crescimento econômico sem precedentes, quase pleno emprego, níveis de igualdade econômica que deixaram saudade, progresso racial histórico e florescimento de programas sociais do governo, sem falar nos avanços da medicina que aumentaram as chances de sobrevivência para pessoas baleadas ou esfaqueadas. Os teóricos sociais em 1962 poderiam apostar alto que essas condições propícias levariam a uma era contínua de baixa criminalidade. E perderiam até a roupa do corpo.

Por que o mundo ocidental mergulhou em uma orgia criminosa de três décadas da qual nunca se recuperou completamente? Essa é uma das várias inversões locais do declínio a longo prazo da violência que examinarei neste livro. Se a análise estiver no caminho certo, as mudanças históricas que venho mencionando para explicar o declínio devem ter se invertido na época dos surtos.

Um lugar óbvio para procurar é a demografia. Os anos 1940 e 1950, quando as taxas de criminalidade foram baixíssimas, foram a grande era do matrimônio. Os americanos casaram-se em números nunca vistos nem antes nem depois, o que tirou homens das ruas e os fixou em bairros residenciais.[111] Uma das consequências foi a queda da violência. Mas outra foi um boom de bebês. Os primeiros *baby boomers*, nascidos em 1946, entraram em seus anos propensos ao crime em 1961; os nascidos no ano de pico, 1954, entraram nessa fase em 1969. Uma conclusão natural é que o surto de crimes foi um eco do surto de bebês. Infelizmente, os números não batem. Se fosse apenas uma questão de haver mais adolescentes e jovens na casa dos vinte que estivessem cometendo crimes às taxas usuais, o aumento na criminalidade de 1960 a 1970 teria sido de 13%, não de 135%.[112] Os jovens não eram simplesmente mais numerosos que seus predecessores: também eram mais violentos.

Muitos criminologistas concluíram que o surto de crimes nos anos 1960 não pode ser explicado pelas variáveis socioeconômicas costumeiras; ele foi causado, em grande medida, por uma mudança nas normas culturais. Obviamente, para escapar do círculo lógico no qual se diz que as pessoas são violentas porque vivem em uma cultura violenta, é necessário identificar uma causa exógena para a mudança cultural. O cientista político James Q. Wilson afirmou que a demografia foi um gatilho importante, afinal de contas, não por causa dos números absolutos de jovens, mas de seus números relativos. E defende esse argumento comentando uma citação do demógrafo Norman Ryder:

> Há uma perene invasão de bárbaros que de algum modo têm de ser civilizados e transformados em contribuintes para as várias funções necessárias à sobrevivência da sociedade. Essa "invasão" é a chegada à maioridade de uma nova geração de jovens. Toda sociedade lida com esse enorme processo de socialização com maior ou menor grau de êxito, mas ocasionalmente o processo é assoberbado por uma descontinuidade quantitativa no número de pessoas envolvidas. [...] Em 1950 e 1960 o "exército invasor" (as pessoas de catorze a 24 anos) era superado numericamente à razão de três para um pelo tamanho do "exército defensor" (pessoas de 25 a 64 anos). Em 1970 as fileiras do primeiro haviam crescido tão depressa que eram superadas pelo segundo apenas à razão de dois para um, e tal estado de coisas não se via desde 1910.[113]

Análises subsequentes mostraram que essa explicação, em si, não é satisfatória. As coortes etárias que são maiores que suas predecessoras em geral não cometem mais crimes.[114] Mas acho que Wilson estava certo quando associou o surto de crimes dos anos 1960 com uma espécie de processo descivilizador intergeracional. Em muitos aspectos, a nova geração tentou remar contra o movimento de oito séculos descrito por Norbert Elias.

Os *baby boomers* eram diferentes (eu sei, nós, *baby bommers*, vivemos dizendo que somos diferentes) porque compartilhavam um encorajador sentimento de solidariedade, como se sua geração fosse um grupo étnico ou uma nação. (Que uma década mais tarde foi pretensiosamente chamada de "Nação Woodstock".) Não só eram mais numerosos do que a geração mais velha, mas também, graças aos novos meios de comunicação eletrônicos, eles sentiam a força de seus números. Os *baby boomers* foram a primeira geração a crescer com a televisão. E a televisão, especialmente na era das três redes [NBC, ABE e CBS], permitiu-lhes saber que outros *baby boomers* estavam tendo experiências parecidas, e saber que os outros sabiam que eles sabiam. Esse conhecimento comum, como é chamado pelos economistas e lógicos, ensejou uma rede horizontal de solidariedade capaz de se contrapor aos laços verticais com os pais e autoridades que antes isolavam os jovens uns dos outros e os forçavam a curvar-se aos mais velhos.[115] À semelhança de uma população descontente que só percebe sua força quando se reúne em uma manifestação, os *baby boomers* viam outros jovens como eles na plateia do *Ed Sullivan Show* curtindo os Rolling Stones e sabiam que toda a moçada dos Estados Unidos estava curtindo ao mesmo tempo, e sabia que os outros sabiam que eles sabiam.

Os *baby boomers* eram ligados por outra nova tecnologia da solidariedade, de início comercializada por uma obscura empresa japonesa chamada Sony: o rádio transistor. Os pais de hoje que reclamam dos iPods e celulares que vivem grudados nas orelhas dos adolescentes esquecem que seus próprios pais fizeram a mesma queixa a respeito deles e seus rádios transistores. Ainda me lembro da emoção de sintonizar sinais de estações de rádio nova-iorquinas que vinham pela ionosfera tarde da noite até meu quarto em Montreal e ouvir o som da Motown, Dylan, a invasão britânica, o psicodelismo, e sentir que alguma coisa estava acontecendo, mas Mr. Jones não sabia o que era.*

Um sentimento de solidariedade entre as pessoas de quinze a trinta anos seria uma ameaça à sociedade civilizada mesmo na melhor das épocas. Mas esse processo descivilizador foi magnificado por uma tendência que vinha ganhando força no decorrer de todo o século XX. O sociólogo Cas Wouters, tradutor e herdeiro intelectual de Elias, afirmou que depois de o Processo Civilizador europeu ter chegado à sua conclusão, ele foi suplantado por um *processo de informalização.* O Processo Civilizador havia sido um fluxo de normas e maneiras das classes altas para as mais baixas. Mas à medida que os países ocidentais tornaram-se mais democráticos, as classes altas foram sendo desacreditadas como modelo moral, e as hierarquias de gosto e maneiras nivelaram-se. A informalização afetou o modo como as pessoas se vestiam, e elas abandonaram o chapéu, as luvas, a gravata e o vestido para adotar os trajes esportivos. Afetou a linguagem, e as pessoas começaram a chamar os amigos pelo primeiro nome em vez de "senhor", "senhora" ou

* Referência ao refrão da música "Ballad of a thin man", de Bob Dylan: *"But something is happening here and you don't know what it is, do you, Mr. Jones?"*. (N. T.)

"senhorita". E pôde ser vista em inúmeros outros aspectos nos quais a fala e a conduta tornaram-se menos formais, mais espontâneas.[116] A cerimoniosa dama da alta sociedade, como a personagem Margaret Dumont nos filmes dos Irmãos Marx, tornou-se alvo de riso e não de emulação.

Depois de regularmente desmoralizadas pelo processo de informalização, as elites sofreram um segundo golpe em sua legitimidade. O movimento pelos direitos civis havia exposto uma mancha moral no establishment americano e, conforme os críticos enfocavam outras partes da sociedade, mais máculas ficavam à vista. Entre elas estava a ameaça do holocausto nuclear, a onipresença da pobreza, a iniquidade com os nativos americanos, as muitas intervenções militares iliberais, particularmente a Guerra do Vietnã, e mais tarde a espoliação do meio ambiente e a opressão de mulheres e homossexuais. O inimigo declarado do sistema ocidental, o marxismo, ganhou prestígio quando abriu caminho entre os movimentos de "libertação" do Terceiro Mundo, e foi caindo nas graças dos boêmios e intelectuais da moda. Pesquisas de opinião a partir dos anos 1960 até os anos 1990 mostraram uma drástica queda na confiança em todas as instituições sociais.[117]

A nivelação das hierarquias e o severo escrutínio da estrutura de poder eram inexoráveis e, em muitos aspectos, desejáveis. Mas um de seus efeitos colaterais foi solapar o prestígio dos estilos de vida aristocrático e burguês que, no decorrer de vários séculos, haviam se tornado menos violentos que o da classe trabalhadora e dos desvalidos. Em vez de os valores serem transmitidos aos poucos da corte para baixo, eles emanavam das ruas, um processo que foi depois chamado de "proletarização" e "baixa nos padrões do comportamento desviante".[118]

Essas correntes arrojaram-se contra a maré civilizadora de modos que foram celebrados na cultura popular da época. A recaída, sem dúvida, não se originou nos dois principais motores do Processo Civilizador de Elias. O controle governamental não recuou para a anarquia, como ocorrera no oeste americano e em países recém-independentes do Terceiro Mundo; tampouco a economia baseada no comércio e na especialização deu lugar ao feudalismo e ao escambo. Mas o próximo passo na sequência de Elias — a mudança psicológica em direção a um maior autocontrole e interdependência — ficou sob constante ataque na contracultura da geração que chegou à maioridade nos anos 1960.

Um alvo fundamental foi o governador interno do comportamento civilizado, o autocontrole. A espontaneidade, a autoexpressão e o desafio às inibições tornaram-se virtudes cardeais. "Se é gostoso, faça", comandava um popular button. *Do It* [Faça] foi o título de um livro do agitador político Jerry Rubin. *"Do it 'till you're satisfied (whatever it is)"* [Faça até ficar satisfeito (seja o que for)] era o refrão de uma famosa música do BT Express. O corpo era elevado acima da mente; Keith Richards alardeou: "O rock and roll é música do pescoço para baixo". E a adolescência era elevada acima da idade adulta: "Não confie em ninguém com mais de trinta anos", aconselhava o agitador Abbie Hoffman; *"Hope I die before I get old"* [Tomara que eu morra antes de ficar velho], cantava The Who em "My Generation". A sanidade mental era depreciada, e a psicose, romantizada em filmes como *Sublime loucura*, *Um estranho no ninho*, *Esse mundo é dos loucos* e *Outrageous*. E, evidentemente, havia as drogas.

Outro alvo da contracultura foi o ideal de que os indivíduos deviam encaixar-se em redes de dependência que os comprometiam com outras pessoas em economias e organizações estáveis. Se você quiser uma imagem que contradiga esse ideal do modo mais vívido possível, poderia ser a de uma pedra rolando — *a rolling stone*. Originária de uma música de Muddy Waters, a imagem refletiu tão bem a época que inspirou *três* ícones da cultura: o grupo de rock, a revista e a famosa canção de Bob Dylan (na qual ele caçoa de uma mulher da classe alta que se tornou sem-teto). *"Turn on, tune in, drop out"* [Ligue-se, sintonize-se, caia fora], lema do ex-professor de psicologia de Harvard Timothy Leary, tornou-se palavra de ordem do movimento psicodélico. A ideia de coordenar os interesses pessoais com outros em um emprego era vista como traição. Nas palavras de Dylan:

Well, I try my best
To be just like I am,
But everybody wants you
To be just like them.
They say sing while you slave and I just get bored.
*I ain't gonna work on Maggie's farm no more.**

* "Ora, eu tento fazer o possível / Para ser como eu sou, / Mas todo mundo quer que a gente seja / Igual a eles. / Dizem para cantar enquanto se trabalha como um escravo e eu sinto tédio. / Não vou mais trabalhar na fazenda da Maggie." (N. T.)

Elias escrevera que as demandas do autocontrole e da incorporação do eu nas redes de interdependência refletiram-se historicamente na criação de instrumentos para marcar as horas e na consciência do tempo: "É por isso que as tendências do indivíduo frequentemente se rebelam contra o tempo social, representado pelo seu superego, e por que tantas pessoas entram em conflito consigo mesmas quando desejam ser pontuais".[119] Na cena inicial do filme *Sem destino*, de 1969, Dennis Hopper e Peter Fonda ostensivamente jogam seus relógios de pulso na terra antes de partir de motocicleta para descobrir a América. Nesse mesmo ano, uma das músicas do primeiro álbum da banda Chicago (quando era conhecida como Chicago Transit Authority) dizia: "*Does anybody really know what time it is? Does anybody really care? If so I can't imagine why*" [Alguém sabe realmente que horas são? Alguém realmente liga? Se liga, não faço ideia por quê]. Tudo isso fazia sentido para mim quando eu tinha dezesseis anos, por isso descartei meu Timex. Quando minha avó viu meu pulso desguarnecido, exclamou, incrédula: "Como você pode ser um *mensch* sem um *zager*?".* Foi correndo pegar numa gaveta um Seiko que tinha comprado durante uma visita à Feira Mundial em Osaka em 1970. Eu o tenho até hoje.

Além do autocontrole e da conexão social, um terceiro ideal acabou sob ataque: o casamento e a vida em família, que tanto haviam feito para domesticar a violência masculina nas décadas precedentes. A ideia de que um homem e uma mulher deviam devotar suas energias a uma relação monogâmica na qual criavam os filhos em um ambiente seguro passou a provocar gargalhadas histéricas. Agora aquela vida era a aridez suburbana da banalidade familiar, sem alma, conformista, consumista, materialista, medíocre, plástica, insípida.

Não me recordo de ninguém que tenha assoado o nariz na toalha de mesa nos anos 1960, mas a cultura popular celebrou o desprezo aos padrões de higiene, compostura e continência sexual. Os hippies tinham a reputação de não tomar banho e cheirar mal, mas pela minha experiência isso era uma calúnia. No entanto, ninguém nega que eles rejeitavam os padrões convencionais de asseio, e uma imagem duradoura de Woodstock é a de gente na plateia se espojando sem roupas na lama. Podemos acompanhar a inversão das convenções sobre a compostura só pelas capas dos álbuns (figura 3.17). Em *The Who Sell Out*, Roger Daltrey, besuntado de molho, aparece imerso em uma banheira de

* "Mensch" (iídiche): pessoa admirável e benquista. (N. T.)

feijão assado; em *Yesterday and Today*, dos Beatles, os simpáticos cabeludos se enfeitam com nacos de carne crua e bonecas decapitadas (a capa foi rapidamente tirada de circulação); *Beggar's Banquet*, dos Rolling Stones, traz a imagem de um banheiro público imundo (originalmente censurada); e em *Who's Next* os quatro músicos são mostrados fechando a braguilha enquanto se afastam de uma parede manchada de urina. O desprezo à compostura estendeu-se às famosas apresentações ao vivo, como quando Jimi Hendrix fingiu copular com seu amplificador no Monterey Pop Festival.

Jogar o relógio fora ou tomar banho em feijão está muito longe de ser uma violência de verdade, é claro. Os anos 1960 deviam ser uma era de paz e amor. Em muitos aspectos, foram. Mas a glorificação da licenciosidade confundiu-se com a tolerância à violência e, por fim, com a violência propriamente dita. No final de cada show, o Who estilhaçava seus instrumentos, o que poderíamos descartar como um teatro inofensivo não fosse pelo fato de o baterista Keith Moon também ter destruído dezenas de quartos de hotel, deixado Pete Townshend parcialmente surdo depois de explodir sua bateria no palco, espancado esposa, namorada e filha, ameaçado lesionar as mãos do tecladista do Faces por sair com sua ex-mulher e matado acidentalmente seu guarda-costas atropelando-o, antes de ele próprio morrer, em 1978, da habitual overdose de drogas.

Figura 3.17. *Zombando das convenções de asseio e compostura nos anos 1960.*

Às vezes a violência pessoal era celebrada em música, como se fosse apenas mais uma forma de protesto contra o sistema. Em 1964, Martha Reeves and The Vandellas cantavam "*Summer's here and the time is ripe for dancing in the street*" [O verão chegou e é uma boa hora para dançar na rua]. Quatro anos depois, os

Rolling Stones replicavam que era uma boa hora para *lutar* na rua. Como parte de sua "satânica majestade" e "compaixão pelo demônio", os Stones tinham uma teatral canção de dez minutos, "Midnight Rambler", que representava um estupro/assassinato pelo Estrangulador de Boston e terminava dizendo: *"I'm gonna smash down on your plate-glass window/ Put a fist, put a fist through your steel--plated door/ I'll... stick... my... knife... right... down... your... throat!"* [Vou quebrar sua janela de vidro laminado/ Meter a mão, meter a mão na sua porta de lâminas de aço/ Vou... enfiar... minha... faca... bem... na... sua... garganta!]. Essa afetação de tratar todo bandido e assassino em série como um audaz "rebelde" ou "fora da lei" vista nos músicos de rock foi satirizada no filme *This is Spinal Tap*, quando a banda fala sobre seus planos de escrever um musical de rock baseado na vida de Jack, o Estripador. (Coro: *"You're a naughty one, Saucy Jack!"* [Você é um travesso, Jack Atrevido!])

Menos de quatro meses depois do Woodstock, os Rolling Stones se apresentaram em um concerto gratuito em Altamont Speedway, uma pista de automobilismo da Califórnia, e os organizadores contrataram os Hell's Angels, romantizados na época como "irmãos proscritos da contracultura", para fazer a segurança. A atmosfera desse concerto (e talvez dos anos 1960) reflete-se na seguinte descrição da Wikipedia:

> Um enorme artista de circo de 160 quilos, alucinado com LSD, tirou toda a roupa e correu enlouquecido no meio da multidão em direção ao palco, derrubando gente para todo lado, o que levou um grupo dos Angels a pular do palco e derrubá-lo desacordado a cacetadas. [carece de fontes]

Não é necessário citar as fontes para o que aconteceu em seguida, pois ficou registrado no filme *Gimme Shelter.* Um Hell's Angel espanca no palco o guitarrista do Jefferson Airplane, Mick Jagger tenta em vão acalmar a turba cada vez mais indócil, e um jovem na plateia, aparentemente depois de sacar um revólver, é morto a facadas por outro Angel.

Quando o rock surgiu em cena nos anos 1950, foi caluniado por políticos e clérigos como corruptor da moral e incentivador do banditismo. (Um engraçado vídeo da velha-guarda esbravejante pode ser visto no Rock and Roll Hall of Fame and Museum, em Cleveland.) E agora — caramba! — temos de admitir que eles tinham razão? Podemos associar os valores da cultura popular dos anos 1960 à efetiva alta nos crimes violentos que a acompanhou? Não diretamente, é claro. Correlação não é causação, e um terceiro fator, a rejeição dos valores do Processo Civilizador, presumivelmente causou tanto as mudanças na cultura popular como o aumento no comportamento violento. Além disso, a esmagadora maioria dos *baby boomers* não cometeu nenhum tipo de violência. Ainda assim, sem dúvida as atitudes e a cultura popular reforçaram-se mutuamente, e nas margens, onde os indivíduos suscetíveis e as subculturas podem ser jogados para um lado ou para o outro, existem plausíveis setas causais partindo da mentalidade descivilizadora e apontando para a facilitação da violência real.

Uma delas foi a autoincapacitação do Leviatã na esfera da justiça criminal. Embora seja raro músicos de rock influenciarem diretamente a política pública, escritores e intelectuais o fazem; eles foram enredados pelo *Zeitgeist* e se puseram a racionalizar a nova licenciosidade. O marxismo fez os conflitos de classe violentos parecerem uma rota para um mundo melhor. Pensadores influentes como Herbert Marcuse e Paul Goodman tentaram fundir o marxismo ou o anarquismo com uma nova interpretação de Freud que ligava a repressão sexual e emocional à repressão política e defendia a libertação das inibições como parte da luta revolucionária. Encrenqueiros eram cada vez mais vistos como rebeldes e não conformistas, ou como vítimas de racismo, pobreza e maus-tratos paternos. Pichadores viraram "artistas", ladrões eram "guerreiros de classe" e os vândalos do bairro eram "líderes comunitários". Muita gente inteligente, inebriada pelo *radical chic*, fez bobagens inacreditáveis. Pós-graduandos de universidades de elite montaram bombas a ser detonadas em ocasiões sociais do Exército ou dirigiram carros de fuga enquanto "radicais" baleavam guardas durante assaltos à mão armada. Intelectuais nova-iorquinos foram logrados por psicopatas de palavrório marxista a usar sua influência para libertá-los da prisão.[120]

No intervalo entre o início da revolução sexual do começo dos anos 1960 e a ascensão do feminismo nos anos 1970, o controle da sexualidade feminina foi visto como prerrogativa dos homens refinados. A coerção sexual e a violência por ciúme eram alardeadas em romances e filmes populares e nas letras de músicas de rock como "Run for Your Life", dos Beatles, "Down by the River", de Neil Young, "Hey Joe", de Jimi Hendrix, e "Who Do You Love?", de Ronnie Hawkins.[121] Foram até racionalizadas em escritos políticos "revolucionários", como na autobiografia de Eldridge Cleaver, *Alma no exílio*, de 1968, na qual o Pantera Negra escreveu:

> O estupro era um ato insurrecional. Encantava-me estar desafiando e pisoteando a lei do homem branco, seu sistema de valores, e desonrando suas mulheres — e esta última noção, acredito, era para mim a mais satisfatória, pois eu me ressentia muito do fato histórico de o homem branco ter usado a mulher negra. Eu sentia que estava praticando uma vingança.[122]

Sei lá por quê, os interesses das mulheres violentadas nesse ato insurrecional nunca foram levados em conta nos princípios políticos dele, nem na reação da crítica ao livro (*New York Times*: "Brilhante e revelador"; *The Nation*: "Um livro notável [...] muito bem escrito"; *Athlantic Monthly*: "Um homem inteligente, turbulento, ardoroso e eloquente").[123]

Conforme as racionalizações da criminalidade chamavam a atenção de juízes e legisladores, eles se tornavam cada vez mais relutantes em pôr celerados atrás das grades. Embora a reforma das liberdades civis na época não tenha nem de longe produzido tantos criminosos perversos "libertados graças a um detalhe jurídico", como sugerem os filmes do personagem "Dirty" Harry [*Perseguidor implacável*, *Magnun 44*, *Sem medo da morte*, *Impacto fulminante* e *Dirty Harry na lista negra*], a aplicação da lei realmente estava recuando enquanto avançava a taxa de criminalidade. Nos Estados Unidos de 1962 a 1979, a probabilidade de que um crime levasse à detenção caiu de 0,32 para 0,18, a probabilidade de que uma detenção levasse ao presídio caiu de 0,32 para 0,14, e a probabilidade de que um crime levasse ao presídio caiu de 0,10 para 0,02: cinco vezes menos.[124]

Ainda mais calamitoso que o retorno de bandidos à rua foi o rompimento entre a aplicação da lei e as comunidades, com a resultante deterioração da vida nos bairros. Violações da ordem civil como vadiagem e mendicância foram descriminalizadas, e crimes menores, como praticar atos de vandalismo, pichar muros, passar em catracas sem pagar e urinar na rua, saíram dos radares da polícia.[125] Graças a drogas antipsicóticas intermitentemente eficazes e a uma mudança nas atitudes em relação ao comportamento desviante, os hospitais psiquiátricos foram esvaziados, o que multiplicou as fileiras dos sem-teto. Lojistas e cidadãos com interesse pelo seu bairro, que em outras condições prestariam atenção a transgressões em sua região, acabaram por capitular diante dos vândalos, mendigos e assaltantes e se refugiaram nos subúrbios.

O processo descivilizador dos anos 1960 afetou as escolhas dos indivíduos e dos planejadores. Muitos jovens decidiram que não iam mais trabalhar na fazenda da Maggie e, em vez de procurar uma vida respeitável em família, andavam em bandos exclusivamente masculinos que produziam o familiar ciclo de competição por dominância, insulto ou agressão leve e retaliação violenta. A revolução sexual, que forneceu aos homens abundantes oportunidades sexuais sem as responsabilidades do casamento, intensificou essa dúbia liberdade. Alguns homens tentaram obter uma fatia do lucrativo negócio do tráfico de drogas, no qual a justiça de autoajuda é o único modo de fazer valer os direitos de propriedade. (A entrada no implacável mercado do crack em fins dos anos 1980 tinha uma barreira relativamente fraca, pois as doses dessa droga podem ser vendidas em pequenas quantidades, e a resultante infusão de adolescentes no tráfico de crack provavelmente contribuiu para a alta de 25% na taxa de homicídios entre 1985 e 1991.) Rematando a violência que acompanha qualquer mercado contrabandista, as próprias drogas, junto com o bom e velho álcool, reduzia as inibições e mandava fagulhas para o pavio.

Os efeitos descivilizadores atingiram com força especial as comunidades afro-americanas. Seus integrantes começaram com as desvantagens históricas da cidadania de segunda classe, o que deixou muitos jovens a hesitar entre o estilo de vida respeitável e o submundo justo quando as novas forças antissistema estavam empurrando na direção errada. Podiam esperar ainda menos proteção do sistema de justiça criminal do que os americanos brancos em virtude da combinação do velho racismo entre os policiais com a nova indulgência do sistema judicial para com o crime, do qual os afro-americanos eram vítimas em números desproporcionalmente grandes.[126] A desconfiança contra o sistema de justiça criminal transformou-se em cinismo e às vezes em paranoia, deixando como única alternativa a justiça de autoajuda.[127]

Coroando esses golpes havia uma característica da vida familiar afro-americana salientada pela primeira vez pelo sociólogo Daniel Patrick Moynihan em seu famoso relatório *The Negro Family: The Case for National Action*, de 1965, pelo qual ele foi inicialmente criticado, mas por fim reconhecido.[128] Uma grande parcela (hoje a maioria) das crianças negras é filha de mãe solteira, e muitas crescem sem pai. Essa tendência, já visível no começo dos anos 1960, pode ter sido multiplicada pela revolução sexual e, mais uma vez, pelos perversos incentivos do sistema de bem-estar social, que encorajavam as jovens a "casar-se com o Estado" em vez de com os pais de seus filhos.[129] Embora eu seja cético quanto às histórias sobre a influência paterna que dizem que os meninos sem pai crescem violentos porque não dispõem de um modelo de disciplina paterna (o próprio Moynihan, por exemplo, cresceu sem pai), a ausência disseminada de pais pode levar à violência por uma razão diferente.[130] Todos os homens jovens que não estão criando filhos estão andando em bando e competindo uns com os outros pela dominância. Essa mistura foi um combustível nos bairros pobres tanto quanto fora nos salões de caubóis e nos acampamentos de mineiros do Velho Oeste, só que dessa vez não porque não havia mulheres, mas porque elas não dispunham do poder de barganha para forçar os homens a ter um estilo de vida civilizado.

A RECIVILIZAÇÃO NOS ANOS 1990

Seria um erro pensar que o surto de criminalidade nos anos 1960 pôs fim ao declínio da violência no Ocidente, ou que foi um sinal de que as tendências históricas da violência são cíclicas, subindo e descendo como ioiô de uma era para a outra. A taxa anual de homicídios nos Estados Unidos em seu pior nível mais recente — 10,2 por 100 mil em 1980 — foi um quarto da taxa para a Europa Ocidental em 1450, um décimo da taxa para os inuítes tradicionais e um quinquagésimo da taxa média para as sociedades sem Estado (ver figura 3.4).

E mesmo esse número revelou-se um máximo, e não uma ocorrência regular, nem um sinal do que estava por vir. Em 1992 algo estranho aconteceu. A taxa de homicídios caiu quase 10% em relação ao ano anterior, e continuou a declinar por mais sete anos, chegando aos 5,7 em 1999, o nível mais baixo desde 1966.[131] E ainda mais estarrecedor foi que a taxa manteve-se nesse nível por mais sete anos e depois caiu ainda mais, de 5,7 em 2006 para 4,8 em 2010. A linha superior na figura 3.18 representa a tendência dos homicídios nos Estados Unidos desde 1950, incluindo a nova baixada a que chegamos no século XXI.

O gráfico mostra também a tendência para o Canadá desde 1961. Os canadenses matam a menos de um terço da taxa americana, em parte porque no século XIX a Polícia Montada chegou à fronteira ocidental antes dos colonizadores

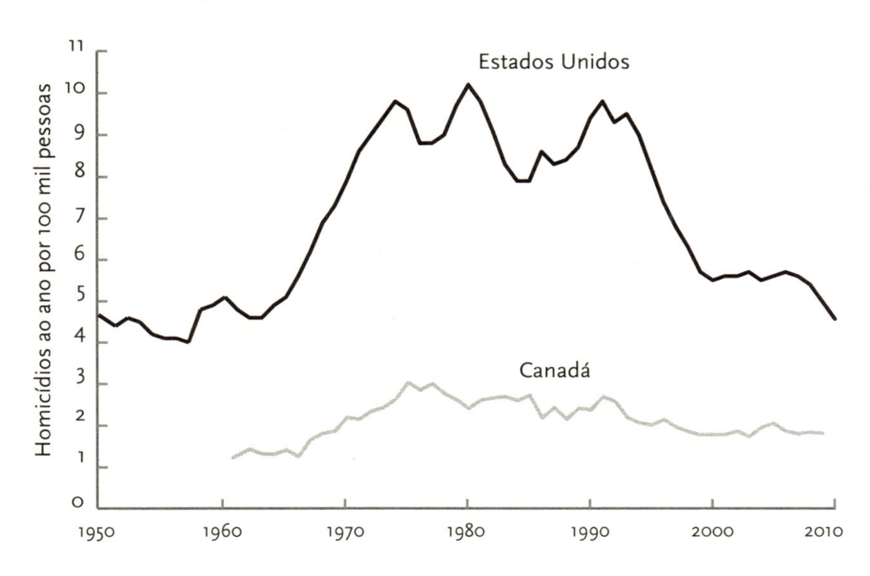

Figura 3.18. *Taxas de homicídios nos Estados Unidos, 1950-2010, e no Canadá, 1961-2009.*
FONTES: Os dados para os Estados Unidos provêm de FBI Uniform Crime Reports 1950--2010: U. S. Bureau of Justice Statistics, 2009; U. S. Federal Bureau of Investigation, 2010b, 2011; Fox e Zawitz, 2007. Dados para o Canadá, 1961-2007: Statistics Canada, 2008. Dados para o Canadá, 2008: Statistics Canada, 2010. Dados para o Canadá, 2009: K. Harris, "Canada's crime rate falls", *Toronto Sun*, 20 jul. 2010.

e os poupou de cultivar um código de honra violento. Apesar dessa diferença, os altos e baixos da taxa de homicídios canadense são paralelos aos de seu vizinho ao sul (com um coeficiente de correlação de 0,85 entre 1961 e 2009), e ela despencou quase na mesma medida nos anos 1990: 35%, em comparação com o declínio de 42% para os americanos.[132]

A trajetória paralela de Canadá e Estados Unidos é uma das muitas surpresas no grande declínio da criminalidade nos anos 1990. Os dois países diferiram em suas tendências econômicas e políticas de justiça criminal; no entanto, mostraram declínios semelhantes na violência. E o mesmo se deu com a maioria dos países da Europa Ocidental.[133]

A figura 3.19 representa as taxas de homicídios em cinco principais países europeus no decorrer do século passado, e mostra a trajetória histórica que estamos acompanhando: um declínio a longo prazo que durou até os anos 1960, uma alta que começou naquela década tumultuada e o recente retorno a taxas mais pacíficas. Cada país importante da Europa Ocidental apresentou um declínio, e embora por algum tempo parecesse que a Inglaterra e a Irlanda seriam exceções, nos anos 2000 suas taxas também caíram.

As pessoas passaram não só a matar menos, mas também a perpetrar em menor grau outros tipos de agressão. Nos Estados Unidos as taxas de cada categoria de crime grave caíram aproximadamente pela metade, incluindo-se aí estupros, roubos, tentativa de lesão corporal qualificada, invasão de domicílio com objetivo de roubo, furto e até roubo de veículo.[134] Os efeitos foram visíveis não só nas estatísticas, mas também no cotidiano. Turistas e jovens profissionais liberais urbanos recolonizaram os centros das grandes cidades americanas, e o crime perdeu relevo nas campanhas presidenciais.

Nenhum especialista previra isso. Mesmo quando o declínio estava ocorrendo, a opinião mais comum era que a alta da criminalidade que começara nos anos 1960 pioraria ainda mais. Em um ensaio de 1995 James Q. Wilson escreveu:

> Logo além do horizonte espreita uma nuvem que os ventos em breve trarão para cima de nós. A população recomeçará a ficar mais jovem. Em fins desta década haverá 1 milhão de pessoas entre catorze e dezessete anos a mais do que agora. Metade desse milhão extra será do sexo masculino. Seis por cento deles se tornarão infratores reincidentes graves: 30 mil jovens assaltantes, assassinos e ladrões a mais do que temos agora. Preparem-se.[135]

À nuvem logo além do horizonte juntaram-se outros discursos empolados de outros comentaristas da criminalidade. James Alan Fox predisse um "banho de sangue" em 2005, uma onda de crimes "tão grave que [faria] 1995 parecer um bom tempo".[136] John Dilulio alertou que mais de um quarto de milhão de novos "superpredadores nas ruas" em 2010 fariam as supergangues "Bloods e Crips parecerem mansas em comparação".[137] Em 1991, o ex-editor do *Times*, de Londres, predisse que "no ano 2000 Nova York poderá ser uma Gotham City sem o Batman".[138]

Como poderia ter dito Fiorello La Guardia, o lendário prefeito de Nova York, "quando eu cometo um erro, é uma beleza!". (Wilson soube perder com classe, comentando: "Os cientistas sociais nunca deveriam tentar predizer o futuro; eles já têm problemas suficientes predizendo o passado".) O erro dos especialistas em crime foi ter posto muita fé nas tendências demográficas mais recentes. A bolha inflada pela violência do crack em fins dos anos 1980 envolvia grandes números

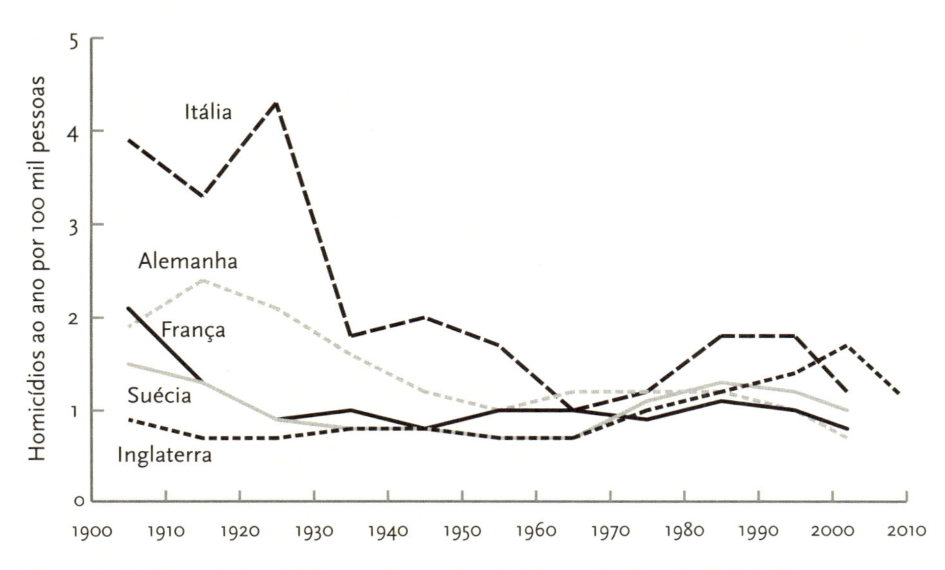

Figura 3.19. *Taxas de homicídios em cinco países da Europa Ocidental, 1900-2009.*
FONTES: Dados de Eisner, 2008, exceto Inglaterra, 2009, que foram extraídos de Walker et al., 2009; estimativa de população de U. K. Office for National Statistics, 2009.

de adolescentes, e a população adolescente estava fadada a crescer nos anos 1990 como um eco do *baby boom*. Mas acontece que a coorte *total* dos propensos ao crime, que além dos adolescentes incluía as pessoas na casa dos vinte, reduziu-se nos anos 1990.[139] No entanto, nem essa estatística corrigida pode explicar o declínio do crime naquela década. A distribuição etária de uma população muda lentamente, à medida que cada leitão demográfico atravessa a jiboia populacional. Mas na década de 1990 a taxa de criminalidade arrojou-se ladeira abaixo por sete anos ininterruptos e prontamente estacionou em seu novo patamar reduzido por mais nove. Como na decolagem do crime nos anos 1960, as mudanças na *taxa* de violência para cada coorte etária eclipsaram o efeito do *tamanho* dessas coortes.

O outro suspeito de sempre na explicação das tendências da criminalidade, a economia, dessa vez não contribuiu para explicar. Embora o desemprego nos Estados Unidos tenha diminuído nos anos 1990, no Canadá ele aumentou, e no entanto os crimes violentos também declinaram no Canadá.[140] A França e a Alemanha também sofreram uma alta do desemprego enquanto a violência diminuiu, ao passo que na Irlanda e no Reino Unido o desemprego caiu e a violência aumentou.[141] Isso não é tão surpreendente quanto parece à primeira vista, pois os criminologistas sabem há tempos que as taxas de desemprego não têm boa correlação com as taxas de crimes violentos.[142] (Correlacionam-se mais ou menos com as taxas de crime contra a propriedade.) Aliás, nos três anos após o desastre financeiro de 2008, que causou a pior degringolada na economia desde a Grande Depressão, a taxa de homicídios americana *caiu* outros 14%, o que levou o criminologista David Kennedy a explicar a um repórter: "A ideia arraigada que todos têm — de que, quando a economia despenca, o crime tem de piorar — está errada. Aliás, nunca foi certa".[143]

Entre os indicadores econômicos, a desigualdade geralmente prediz melhor a violência do que o desemprego.[144] Mas o coeficiente de Gini, o clássico índice da desigualdade econômica, *subiu* nos Estados Unidos de 1990 a 2000, enquanto o crime estava caindo, e chegou a seu ponto mais baixo em 1968, quando o crime ia às alturas.[145] O problema de invocar a desigualdade para explicar as mudanças na violência é que, embora ela se correlacione com a violência se compararmos estados e países, não se correlaciona com a violência ao longo do tempo em um estado ou país, possivelmente porque a verdadeira causa das diferenças não é a desigualdade em si, mas características estáveis como a governança do estado ou a cultura, que afetam tanto a desigualdade como a violência.[146] (Por exemplo, em sociedades desiguais, os bairros pobres são deixados sem a proteção da polícia, e podem tornar-se zonas de anarquia violenta.)

Outra falsa ideia pode ser encontrada entre aqueles especialistas que tentam ligar tendências sociais ao "estado de espírito nacional" depois de eventos correntes. O ataque terrorista de 11 de setembro de 2001 ocasionou um tumulto político, econômico e emocional, mas a taxa de homicídios não arredou pé em resposta.

O declínio da criminalidade nos anos 1990 inspirou uma estranha hipótese no estudo da violência. Quando eu dizia às pessoas que estava escrevendo um livro sobre o declínio histórico da violência, muitas me informavam que o fenômeno já fora desvendado. As taxas de violência caíram, explicavam meus interlocutores, porque depois da legalização do aborto em 1973 pela decisão da Suprema Corte dos Estados Unidos no Caso Roe contra Wade, as crianças indesejadas que normalmente teriam crescido e entrado para o crime deixaram de nascer, uma vez que as mães relutantes ou inaptas recorreram ao aborto. Tomei conhecimento dessa teoria em 2001, quando ela foi apresentada pelos economistas John

Donohue e Steven Levitt, mas ela me pareceu bonitinha demais para ser verdadeira.[147] Qualquer hipótese saída da esquerda para explicar uma grande tendência social com base em um único evento até então desconsiderado quase certamente acaba por revelar-se errada, mesmo que existam alguns dados que a corroborem naquele momento. Mas Levitt, junto com o jornalista Stephen Dubner, popularizou essa teoria em seu best-seller *Freakonomics*, e agora uma grande parcela do público acredita que o crime diminuiu nos anos 1990 porque nos anos 1970 as mulheres abortaram seus fetos fadados ao crime.

Para ser justo, é preciso dizer que Levitt afirmou que o Caso Roe contra Wade foi apenas uma de quatro causas do declínio da criminalidade, e apresentou complexas estatísticas correlacionais que corroboram a ligação. Por exemplo, mostrou que os estados que legalizaram o aborto antes de 1973 foram os primeiros a ver sua taxa de criminalidade declinar.[148] Mas essas estatísticas comparam os dois extremos de uma longa, hipotética e tênue cadeia causal — cujo primeiro elo é a disponibilidade do aborto legal, e o último é o declínio do crime duas décadas depois — e desconsideram todos os elos intermediários. Entre estes incluem-se as suposições de que o aborto legal causa menos filhos indesejados, de que os filhos indesejados têm maior probabilidade de entrar para o crime, e de que a primeira geração selecionada pelo aborto foi a que encabeçou o declínio da criminalidade nos anos 1990. Mas há outras explicações para a correlação global (por exemplo, os grandes estados liberais que primeiro legalizaram o aborto também foram os primeiros estados a ver a ascensão e queda da epidemia do crack), e os elos intermediários mostraram ser frágeis ou inexistentes.[149]

Para começar, a teoria freakonomics supõe que as mulheres tinham a mesma probabilidade de conceber filhos indesejados antes e depois de 1973, e que a única diferença era se as crianças nasciam ou não. No entanto, assim que o aborto foi legalizado, os casais podem ter passado a vê-lo como um método a posteriori de controle da natalidade, e ter praticado mais sexo sem proteção. Se, antes de tudo, as mulheres concebessem mais filhos indesejados, a opção de abortar mais desses filhos deixaria igual a proporção de filhos indesejados. De fato, a proporção de filhos indesejados poderia ter *aumentado* se as mulheres, diante da opção do aborto, se sentissem encorajadas a fazer mais sexo sem proteção no calor do momento, mas depois procrastinassem ou hesitassem assim que se descobrissem grávidas. Isso pode ajudar a explicar por que, nos anos a partir de 1973, a proporção de crianças nascidas de mulheres nas categorias mais vulneráveis — pobres, solteiras, adolescentes e afro-americanas — não diminuiu, como prediria a teoria freakonomics. Ela aumentou, e muito.[150]

E quanto às diferenças entre as mulheres, individualmente, numa população propensa ao crime? Nesse caso, a teoria freakonomics parece entender as coisas ao contrário. Entre as mulheres que engravidam por acidente e são despreparadas para criar um filho, as que interrompem a gravidez tendem a ser realistas, disciplinadas e precavidas, enquanto as que levam a gestação até o final tendem muito mais a ser fatalistas, desorganizadas ou concentrar-se, por falta de maturidade, na ideia de um bebê engraçadinho e não em um adolescente indócil. Vários estudos comprovam essa noção.[151] Jovens grávidas que optam pelo aborto têm notas melhores na escola, menor probabilidade de viver da ajuda do Estado e maior probabilidade de concluir os estudos do que as que abortam por acidente ou levam a gravidez até o final. A disponibilidade do aborto, portanto, pode ter levado a uma geração que é *mais* propensa ao crime porque não trouxe ao mundo justamente as crianças que, através dos genes ou do ambiente, tinham maior probabilidade de exercer a maturidade e o autocontrole.

Além disso, a teoria freakonomics sobre as causas psicológicas do crime saiu direto daquele diálogo do filme *Amor, sublime amor* no qual um membro da gangue fala sobre seus pais: "Sabe, guarda Krupke, eles não queriam me ter, mas acabei vindo. Caramba! Por isso é que eu não presto!". E a plausibilidade é a mesma. Embora filhos indesejados possam vir a cometer mais crimes ao crescer, é mais provável que as mulheres em ambientes propensos ao crime tenham mais filhos indesejados do que a indesejabilidade cause diretamente o comportamento criminoso. Em estudos que comparam os efeitos da criação pelos pais com os efeitos da influência dos pares sobre as crianças, mantendo os genes constantes, a influência dos pares quase sempre vence.[152]

Finalmente, se a facilidade de abortar após 1973 esculpisse uma geração mais avessa ao crime, o declínio da criminalidade deveria ter começado com o grupo mais novo e então se estendido lentamente pelas faixas etárias superiores à medida que esses indivíduos envelheciam. Os jovens de dezesseis anos em 1993, por exemplo (que nasceram em 1977, quando o aborto estava a pleno vapor), deveriam ter cometido menos crimes que os jovens de dezesseis anos de 1983 (que nasceram em 1967, quando o aborto era ilegal). Por uma lógica semelhante, os jovens de 22 anos em 1993 deveriam ter permanecido violentos, pois nasceram em 1971, na era pré-caso Roe. Só em fins dos anos 1990, quando a primeira geração pós-caso Roe chegou à casa dos vinte, a faixa etária de vinte e poucos anos deveria ter se tornado menos violenta. Na verdade, ocorreu o oposto. Quando a primeira geração pós-caso Roe chegou à maturidade em fins dos anos 1980 e começo dos 1990, não puxou para baixo as estatísticas de homicídios; entregou-se a uma farra de malfeitorias sem precedentes. O declínio na criminalidade começou quando as coortes *mais velhas*, nascidas bem antes do caso Roe, depuseram as armas e facas, e a partir delas as taxas de homicídios mais baixas transmitiram-se lentamente para as faixas etárias mais jovens.[153]

Mas então *como* explicar o recente declínio na criminalidade? Muitos cientistas sociais tentaram, e o melhor que conseguiram foi dizer que o declínio teve várias causas e ninguém pode saber com certeza quais foram elas, pois aconteceram muitas coisas ao mesmo tempo.[154] Não obstante, penso que existem duas explicações abrangentes plausíveis. A primeira é que o Leviatã ficou maior, mais esperto e mais eficiente. A segunda é que o Processo Civilizador, que a contracultura tentara reverter nos anos 1960, teve seu avanço restaurado. E parece, inclusive, ter entrado em uma nova fase.

No começo dos anos 1990 os americanos estavam fartos dos assaltantes e vândalos, dos tiroteios em carros em movimento, e o país reforçou o sistema de justiça criminal de vários modos. O mais eficaz era também o mais simples: pôr mais gente atrás das grades por mais tempo. A taxa de detenções nos Estados Unidos vinha sendo mais ou menos estável desde os anos 1920 até os 1960, e chegara inclusive a declinar ligeiramente no começo dos anos 1970. Mas em seguida quase quintuplicou, e hoje há mais de 2 milhões de americanos na prisão, a mais alta taxa de encarceramento do planeta.[155] Isso significa três quartos de 1% de *toda a população*, e uma porcentagem muito maior de homens jovens, especialmente afro-americanos.[156] A explosão das detenções nos Estados Unidos foi detonada nos anos 1980 por vários fatores. Entre eles estavam as leis sobre as sentenças penais legalmente estipuladas (como a determinação de que três crimes graves levam à sentença de prisão perpétua, na Califórnia), um grande aumento na construção de presídios (comunidades rurais que antes gritavam "Não no meu quintal!" agora acolhiam de bom grado o estímulo econômico), e a Guerra contra as Drogas (que criminalizou a posse de pequenas quantidades de cocaína e outras substâncias controladas).

Ao contrário das teorias mais apelativas sobre o declínio da criminalidade, a detenção em massa quase certamente funciona para baixar as taxas de criminalidade, pois o mecanismo que a impele tem pouquíssimas partes móveis. A prisão remove fisicamente das ruas a maioria dos indivíduos propensos ao crime, incapacitando-os e subtraindo das estatísticas os crimes que eles teriam cometido. Prender é especialmente eficaz quando um pequeno número de indivíduos comete um grande número de crimes. Um clássico estudo de registros criminais na Filadélfia, por exemplo, constatou que 6% da população masculina jovem cometia mais da metade dos delitos.[157] As pessoas que cometem a maioria dos crimes expõem-se à maioria das oportunidades de ser apanhadas, por isso são as que têm maior probabilidade de ser tiradas de circulação e mandadas para a cadeia. Além disso, pessoas que cometem crimes violentos arrumam também outros tipos de problema, pois tendem a favorecer a gratificação instantânea em favor de benefícios a longo prazo. São mais propensas a abandonar os estudos e o emprego, a causar acidentes, provocar brigas, praticar pequenos roubos e vandalismo e abusar de álcool e drogas.[158] Um regime que jogue a rede para apanhar usuários de drogas ou outros pequenos delinquentes sem dúvida apanhará junto um certo número de pessoas violentas e, assim, diminuirá ainda mais as fileiras dos violentos que permanecem nas ruas.

O encarceramento também reduz a violência pela bem conhecida porém menos direta rota da dissuasão. Um ex-condenado pode pensar duas vezes antes de cometer novo crime depois de sair da prisão, e as pessoas que sabem a respeito dele podem pensar duas vezes antes de seguir seus passos. Mas provar que o encarceramento dissuade as pessoas (em vez de incapacitá-las) é algo mais fácil de falar do que de fazer, pois as estatísticas, em qualquer momento, são inerentemente contra essa ideia. As regiões com as taxas de criminalidade mais altas porão o maior número de pessoas na cadeia, criando a ilusão de que a prisão *aumenta* o crime em vez de diminuir. No entanto, é possível, com a engenhosidade adequada, testar o efeito da dissuasão, por exemplo, correlacionando os aumentos nas detenções em um dado período com a diminuição dos crimes em um período posterior, ou verificando se uma ordem judicial para reduzir a população carcerária leva a uma alta subsequente na criminalidade. Análises de Levitt e outros estatísticos da criminalidade sugerem que a dissuasão funciona.[159] Quem preferir experimentos na vida real a estatísticas complexas pode tomar por base a greve da polícia de Montreal em 1969. Poucas horas depois de os gendarmes abandonarem seus postos, a cidade celebremente segura foi assolada por seis roubos a banco, doze incêndios criminosos, cem saques e dois homicídios, antes de a Polícia Montada ser convocada para restaurar a ordem.[160]

Mas o argumento de que o surto de prisões levou ao declínio da criminalidade está longe de ser inatacável.[161] Para começar, o aumento dos encarceramentos começou nos anos 1980, porém a violência só diminuiu uma década depois. Além disso, o Canadá não teve grande crescimento das detenções e ainda assim sua taxa de violência caiu. Tais fatos não refutam a teoria de que o encarceramento influi, mas requerem que ela considere suposições adicionais, por exemplo, de que o efeito das prisões acumula-se com o passar do tempo, atinge uma massa crítica e extravasa as fronteiras nacionais.

O encarceramento em massa, mesmo que realmente reduza a violência, introduz outros problemas. Assim que os indivíduos mais violentos são presos, encarcerar mais criminosos atinge rapidamente um ponto de retornos decrescentes, pois cada prisioneiro adicional é cada vez menos perigoso, e tirá-los das ruas tem cada vez menos efeito sobre a taxa de violência.[162] Além disso, como as pessoas tendem a tornar-se menos violentas à medida que avançam em idade, manter homens na prisão além de um certo ponto não contribui grande coisa para reduzir a criminalidade. Por todas essas razões, existe uma taxa ótima de encarceramento. Não é provável que o sistema de justiça criminal americano venha a descobri-la, pois a política eleitoral empurra sempre para cima a taxa de encarceramento, particularmente em jurisdições onde os juízes são eleitos em vez de nomeados. Qualquer candidato que sugira que estão pondo gente demais por tempo demais na cadeia será apontado na televisão pelos seus opositores como "indulgente com o crime" e chutado do cargo. O resultado é que os Estados Unidos aprisiona muito mais gente do que deveria, prejudicando desproporcionalmente as comunidades afro-americanas, que ficam privadas de grandes números de homens.

Um segundo aspecto no qual o Leviatã ganhou eficiência nos anos 1990 foi o crescimento da polícia.[163] Em um golpe de genialidade política, o presidente Bill Clinton passou a perna em seus oponentes conservadores apoiando uma legislação que prometia adicionar 100 mil policiais às forças do país. Policiais a mais não só prendem mais criminosos como também são mais notados por sua presença, e assim dissuadem as pessoas de cometer crimes. E muitos dos policiais ganharam de volta o velho apelido de *flatfoots* [pés chatos] por fazerem suas rondas a pé e vigiarem o bairro em vez de ficar sentados no carro esperando um chamado pelo rádio e só então partir em disparada para a cena do crime. Em algumas cidades, como Boston, a polícia foi acompanhada por agentes encarregados de fiscalizar condenados em liberdade condicional; esses agentes conheciam individualmente os piores encrenqueiros e tinham poder para mandá-los de volta à cadeia pela menor infração.[164] Em Nova York, as centrais de polícia acompanhavam obsessivamente os relatórios de crimes de cada distrito e punham os capitães na parede quando a taxa de criminalidade de sua área começava a querer subir.[165] A visibilidade da polícia foi multiplicada pelo comando de coibir perturbações da ordem como pichar muros, jogar lixo no chão, mendigar agressivamente, ingerir álcool ou urinar em público e extorquir dinheiro dos motoristas nos faróis depois de fingir que limpa seu para-brisa com um borrifador imundo. O fundamento dessa tática, originalmente articulado por James Q. Wilson e George Kelling em sua famosa teoria das Janelas Quebradas, era que um ambiente em boa ordem serve como lembrete de que a polícia e os moradores estão empenhados em manter a paz, ao passo que um lugar vandalizado e desorganizado é sinal de que não há ninguém tomando conta.[166]

Essas forças policiais maiores e mais inteligentes realmente fizeram baixar a criminalidade? O estudo dessa questão é o costumeiro ninho de ratos das ciências sociais: uma confusão de variáveis. Mas o quadro maior sugere que a resposta é "Sim, em parte", mesmo que não sejamos capazes de identificar qual das inovações levou ao sucesso. Não só várias análises indicam que *alguma coisa* no novo tipo de policiamento reduziu a criminalidade, mas também a jurisdição que se esforçou mais para aperfeiçoar sua polícia, Nova York, apresentou a maior redução de todas. Outrora o epítome da podridão urbana, Nova York hoje é uma das cidades mais seguras dos Estados Unidos, tendo obtido uma queda na taxa de criminalidade duas vezes superior à média nacional e visto esse declínio continuar nos anos 2000 depois que a redução no resto do país já perdera o gás.[167] Como afirmou o criminologista Franklin Zimring em *The Great American Crime Decline*,

> se a combinação de mais policiais, policiamento mais incisivo e reformas administrativas realmente foi responsável por até 35% de redução na criminalidade (metade do total [dos Estados Unidos]), esse terá sido o maior êxito na prevenção ao crime já registrado na história do policiamento metropolitano.[168]

E quanto ao policiamento "Janelas Quebradas" em particular? A maioria dos acadêmicos detesta a teoria das Janelas Quebradas porque ela parece corroborar a ideia dos conservadores sociais (entre eles o ex-prefeito de Nova York Rudy Giuliani) de que as taxas de violência são geridas pela lei e pela ordem e não por "causas fundamentais" como pobreza e racismo. E é quase impossível provar com os habituais métodos correlacionais que a tática das Janelas Quebradas funciona porque as cidades que implementaram essa política também contrataram muitos policiais ao mesmo tempo.[169] Mas um engenhoso conjunto de estudos, recentemente relatados na revista *Science*, deu respaldo a essa teoria usando o padrão-ouro da ciência: uma manipulação experimental e um grupo equivalente como controle.

Três pesquisadores holandeses escolheram uma viela em Groningen onde os holandeses estacionam suas bicicletas e afixaram um folheto no guidom de cada uma. As pessoas tinham de retirar o folheto antes de poder sair com a bicicleta, mas os pesquisadores haviam removido todos os cestos de lixo, por isso era preciso levar o folheto consigo ou jogá-lo no chão. Acima das bicicletas havia um vistoso cartaz proibindo pichar e um muro que os experimentadores haviam coberto de pichações (a condição experimental) ou deixado limpo (a condição de controle). Quando os donos das bicicletas estavam na presença das pichações ilegais, o dobro deles descartou o folheto no chão: exatamente o que predizia a teoria das Janelas Quebradas. Em outros estudos, as pessoas jogavam mais lixo no chão quando viam carrinhos de supermercado largados em qualquer parte e quando ouviam fogos de artifício ilegais explodindo à distância. Não foram apenas as infrações inofensivas como jogar lixo na rua que foram afetadas. Em outro experimento, os passantes eram tentados por um envelope endereçado, cuja borda aparecia fora de uma caixa postal com uma nota de cinco euros visível em seu interior. Quando a caixa do correio estava coberta de pichações ou cercada por lixo, um quarto dos passantes roubou-o; quando a caixa estava limpa, apenas metade disso o fez. Os pesquisadores argumentaram que um ambiente bem organizado promove um sentimento de responsabilidade, não tanto pela dissuasão (pois a polícia de Groningen raramente pune quem joga lixo no chão), mas pela sinalização de uma norma social: esse é o tipo de lugar onde as pessoas obedecem às regras.[170]

Em última análise, precisamos procurar por uma mudança nas normas para entender a queda da criminalidade dos anos 1990, do mesmo modo que foi uma mudança nas normas que ajudou a explicar a alta três décadas antes. Embora as reformas na polícia quase certamente tenham contribuído para o drástico declínio da violência americana, particularmente em Nova York, temos de lembrar que o Canadá e a Europa Ocidental também apresentaram declínios (ainda que não no mesmo grau), mas nem de longe aumentaram suas prisões ou sua polícia em graus parecidos. Até os mais práticos estatísticos da criminalidade pediram água e concluíram que boa parte da explicação tem de estar em mudanças culturais e psicológicas difíceis de quantificar.[171]

O Grande Declínio da Criminalidade dos anos 1990 foi parte de uma mudança nas sensibilidades que pode, com justiça, ser chamada de processo recivilizador. Para começar, algumas das ideias mais tolas dos anos 1960 haviam perdido seu atrativo. O colapso do comunismo e o reconhecimento de suas catástrofes econômicas e humanitárias dissiparam a aura romântica da violência revolucionária e lançaram dúvidas quanto à sensatez de redistribuir riqueza sob a mira de armas. Mais consciência sobre o estupro e o abuso sexual fez o etos "Se é gostoso, faça" parecer repugnante em vez de libertador. E a indescritível torpeza da violência nos bairros pobres — criancinhas baleadas por disparos provenientes de veículos em movimento, funerais de adolescentes na igreja invadidos por gangues armadas de facas — não podia mais ser explicada como uma resposta compreensível ao racismo ou à pobreza.

O resultado foi uma onda de ofensivas civilizadoras. Como veremos no capítulo 7, um legado positivo dos anos 1960 foram as revoluções nos direitos civis e nos direitos de mulheres, crianças e homossexuais; elas começaram a consolidar o poder nos anos 1990, quando os *baby boomers* tornaram-se o sistema. Seu combate ao estupro, espancamento, crimes de preconceito, agressões a homossexuais e maus-tratos de crianças reenquadraram a lei e a ordem. Estas, de causas reacionárias passaram a causas progressistas, e seus esforços para tornar o lar, o local de trabalho, as escolas e as ruas mais seguros para os grupos vulneráveis (como nos protestos feministas "Vamos reaver a noite!") deixaram esses ambientes mais seguros para todos.

Uma das mais marcantes ofensivas civilizadoras dos anos 1990 veio das comunidades afro-americanas, que se impuseram a tarefa de recivilizar seus homens jovens. Como na pacificação do oeste americano um século antes, boa parte da energia moral proveio das mulheres e da Igreja.[172] Em Boston, um grupo de clérigos liderados por Ray Hammond, Eugene Rivers e Jeffrey Brown trabalhou junto com a polícia e agências de serviço social para coibir a violência das gangues.[173] Aproveitaram seus conhecimentos sobre as comunidades locais para identificar os membros mais perigosos das gangues e, ora em reuniões com as gangues, ora em encontros com suas mães e avós, alertá-los de que a polícia e a comunidade estavam de olho neles. Líderes comunitários também interromperam ciclos de vingança convergindo para qualquer membro de gangue que houvesse sido agredido recentemente e exortando-o a desistir da retaliação. As intervenções foram eficazes não só em razão da ameaça de prisão, mas porque a pressão externa deu aos homens uma "saída" que lhes permitia recuar sem se humilhar, da mesma forma que dois homens brigando concordam em ser apartados por terceiros mais fracos. Esses esforços contribuíram para o "Milagre de Boston" dos anos 1990, no qual a taxa de homicídios caiu para um quinto do que era; e desde então essa taxa permaneceu baixa, com algumas flutuações.[174]

A polícia e os tribunais, por sua vez, vêm redirecionando seu uso da punição criminal: da dissuasão e incapacitação brutas para o segundo estágio de um processo civilizador, o aumento da legitimidade percebida da força governamental. Quando um sistema de justiça criminal trabalha de modo apropriado, não é porque agentes racionais sabem que o Grande Irmão os vigia 24 horas por dia e lhes cairá em cima impondo um custo que cancelará quaisquer ganhos escusos. Nenhuma democracia tem recursos ou vontade para transformar a sociedade nesse tipo de caixa de Skinner.* Somente uma *amostra* do comportamento criminoso pode ser detectada e punida, e a amostragem deve ser justa o suficiente para que os cidadãos percebam todo o regime como legítimo. Um legitimador essencial é a percepção de que o sistema funciona de tal modo que uma pessoa, e, mais importante, seus adversários, têm sempre uma chance de ser punidos se violarem a lei, de modo que todos possam internalizar as inibições contra a predação, os ataques preventivos e a retribuição vingadora. No entanto, em muitas jurisdições americanas as punições vinham sendo tão volúveis que davam a impressão de acontecer por acaso, e não como uma consequência previsível do

* A "caixa de Skinner" é um equipamento de laboratório usado na psicologia behaviorista para a análise experimental do comportamento. Consiste em uma caixa fechada na qual um animal é observado enquanto aprende a responder a estímulos de recompensa e punição. (N. T.)

comportamento proscrito. Infratores em liberdade condicional deixavam de se apresentar às autoridades ou eram reprovados em testes toxicológicos com impunidade, e viam que seus pares também saíam impunes, mas um belo dia, quando estavam com azar, pensavam eles, de repente eram postos na prisão por anos.

Agora, porém, juízes, trabalhando em conjunto com a polícia e líderes comunitários, estão ampliando sua estratégia de combate ao crime: passaram de punições draconianas mas imprevisíveis por crimes graves para punições menores mas certeiras e então para punições ainda menores para delitos menos sérios — uma garantia, por exemplo, de que o detento em liberdade condicional que deixar de se apresentar à justiça ganhará mais alguns dias na prisão.[175] Essa mudança explora duas características da nossa psicologia (que serão abordadas no capítulo sobre nossos anjos bons). Uma é que as pessoas — especialmente as que são propensas a ter problemas com a lei — descontam o futuro a taxas altíssimas e respondem mais a punições certeiras e imediatas do que a punições hipotéticas e retardadas.[176] A outra é que os indivíduos concebem sua relação com as outras pessoas e com as instituições em termos morais, categorizando-as ou como competições pela dominância bruta ou como contratos governados pela reciprocidade e justiça.[177] Steven Alm, um juiz que elaborou um programa de "condicional com aplicação", resumiu a razão do sucesso de seu esquema: "Quando o sistema não é consistente e previsível, quando as pessoas são punidas aleatoriamente, elas pensam 'o juiz não vai com a minha cara', ou 'estão me perseguindo', em vez de ver que todos os que transgridem uma regra são tratados exatamente do mesmo modo".[178]

A mais recente ofensiva para reduzir a violência também procura intensificar os hábitos de empatia e autocontrole, que são os impositores internos do Processo Civilizador. A iniciativa de Boston recebeu o nome de Coalizão dos Dez Pontos, baseada em um manifesto que declara dez objetivos, entre eles

> propor e promover uma mudança cultural para ajudar a reduzir a violência entre os jovens na comunidade negra, por meios físicos e verbais, incentivando conversas, introspecção e reflexão sobre os pensamentos e ações que constituem entraves para nós como indivíduos e coletividade.

Um dos programas ao qual essa iniciativa juntou forças, a Operação Cessar-Fogo, foi explicitamente planejado por David Kennedy para implementar o credo de Immanuel Kant: "A moralidade baseada em pressões externas isoladamente nunca será suficiente".[179] O jornalista John Seabrook descreve um desses eventos para despertar a empatia:

> Em um dos que participei, havia um desejo palpável, quase evangélico, de proporcionar uma experiência transformadora para os membros de gangues. Um ex-integrante de gangue, Arthur Phelps, mais velho e apelidado de Pops [Papai], trouxe para o centro da sala, numa cadeira de rodas, uma mulher de 37 anos. Chamava-se Margaret Long, e estava paralítica do tronco para baixo. "Dezessete anos atrás, atirei nesta mulher", Phelps contou, chorando. "E vivo com isso todos os dias de minha vida." E a mulher, tirando uma bolsa de colostomia de um suporte na cadeira de rodas diante dos horrorizados rapazes, lastimou: "E eu faço minhas necessidades em um saco". Quando o último a falar, um ambulante chamado Aaron Pullins III, gritou: "Sua casa está pegando fogo! Tem um incêndio no seu prédio! Você tem de se salvar! Levante-se!", três quartos do grupo pularam da cadeira, como marionetes puxados de repente pelos cordões.[180]

A ofensiva civilizadora dos anos 1990 também procurou enaltecer os valores da responsabilidade que reduzem os atrativos de uma vida de violência. Dois eventos muito divulgados na capital do país, um organizado por negros, outro por brancos, pregaram a obrigação masculina de sustentar os próprios filhos: a Marcha de Um Milhão de Homens, de Louis Farrakhan, e uma marcha dos Cumpridores de Promessa, um movimento cristão conservador. Embora ambos os movimentos tivessem antipáticos laivos de etnocentrismo, sexismo e fundamentalismo religioso, sua importância histórica residiu no processo recivilizador maior que eles exemplificavam. Em *A grande ruptura*, o cientista político Francis Fukuyama mostra que, conforme as taxas de violência diminuíram nos anos 1990, o mesmo se deu com a maioria dos outros indicadores de patologia social, como o divórcio, a dependência de programas de ajuda do governo, gravidez na adolescência, abandono dos estudos, doenças sexualmente transmissíveis e acidentes de adolescentes com veículos e armas.[181]

O processo recivilizador das duas últimas décadas não é apenas uma retomada das correntes que atravessaram o Ocidente desde a Idade Média. Para começar, em contraste com o Processo Civilizador original, que foi um subproduto da consolidação dos Estados e do crescimento do comércio, o recente declínio da criminalidade proveio, em grande medida, de iniciativas civilizadoras que foram conscientemente planejadas para aumentar o bem-estar das pessoas. Também é novidade a dissociação entre o verniz de civilização e os hábitos de empatia e autocontrole que nos são mais caros.

Um aspecto em que os anos 1990 *não* subverteram a descivilização dos anos 1960 foi a cultura popular. Muitos dos músicos populares de gêneros recentes como punk, metal, gótico, grunge, gangsta e hip-hop fazem os Rolling Stones parecer a União das Mulheres Cristãs pela Temperança. Os filmes de Hollywood andam mais sanguinolentos do que nunca, a um clique do mouse tem-se pornografia ilimitada, e uma nova forma de entretenimento violento, os videogames, tornou-se um passatempo favorito. No entanto, mesmo com esses sinais de decadência que proliferam na cultura, na vida real a violência decresceu. O processo recivilizador deu algum jeito de inverter a maré de disfunção social sem voltar o relógio cultural às *sitcoms* familiares dos anos 1950. Uma noite dessas, eu estava num vagão lotado do metrô de Boston e vi um rapaz de aspecto amedrontador: traje de couro preto, coturno, todo tatuado e cheio de argolas e tachas em piercings pelo corpo. Quando os outros passageiros abriram um grande espaço para ele, o rapaz berrou: "Alguém aí vai dar lugar para esta senhora? *Ela podia ser sua avó!*".

O clichê sobre a geração X, que chegou à maioridade nos anos 1990, era a imagem de jovens irônicos, pós-modernos e muito habilidosos com a mídia eletrônica. Podiam adotar posturas, experimentar estilos e absorver-se em mal reputados gêneros culturais sem levá-los muito a sério. (Nesse aspecto mostravam-se mais sofisticados que os *baby-boomers* quando jovens, que tratavam as baboseiras dos músicos de rock como genuína filosofia política.) Hoje esse discernimento é visto em boa parte da sociedade ocidental. Em seu livro *Bubos no paraíso*, lançado em 2000, o jornalista David Brooks observou que muitos membros da classe média tornaram-se "boêmios burgueses", gente que afeta uma aparência de quem vive à margem da sociedade, mas tem um estilo de vida totalmente convencional.

Cas Wouter, inspirado por conversas que teve com Elias já na fase mais avançada da vida, supõe que estamos em uma nova fase do Processo Civilizador. Ela é marcada pela tendência a longo prazo da informalização, que já mencionei, e leva ao que Elias chamou de "descontrole controlado dos controles emocionais" e

Wouters designa como terceira natureza.[182] Se nossa primeira natureza consiste nos motivos moldados pela evolução que governam a vida em estado natural, e nossa segunda natureza consiste nos hábitos arraigados de uma sociedade civilizada, nossa terceira natureza consiste em uma reflexão consciente sobre esses hábitos, na qual avaliamos quais aspectos das normas culturais vale a pena acatar e quais deixaram de ser úteis. Séculos atrás, nossos ancestrais, para civilizar-se, podem ter precisado reprimir todos os sinais de espontaneidade e individualidade, mas agora que as normas de não violência criaram raízes firmes, podemos afrouxar inibições específicas que talvez sejam obsoletas. Dessa perspectiva, não é sinal de decadência uma mulher mostrar uma grande área de sua pele ou um homem dizer palavrão em público. Ao contrário, indica que vivem em uma sociedade tão civilizada que não precisam temer ser importunados ou agredidos por isso. Nas palavras do escritor Robert Roward, "os homens civilizados são mais descorteses do que os selvagens porque sabem que podem ser impolidos sem ter o crânio partido". Quem sabe talvez tenha chegado o tempo de eu poder usar a faca para ajeitar as ervilhas no garfo.

4. A Revolução Humanitária

Quem é capaz de fazer você acreditar em absurdos é capaz de fazer você cometer atrocidades.

Voltaire

Existem no mundo museus muitos estranhos. Há o Museum of Pez Memorabilia, em Burlingame, Califórnia, onde estão expostas mais de quinhentas caixinhas de balas Pez cujas tampas são cabeças de personagens de desenho animado. Turistas em Paris há tempos fazem fila para ver o museu dedicado ao sistema de esgotos da cidade. O Devil's Rope [Corda do Diabo], em McLean, Texas, "apresenta todos os detalhes e aspectos do arame farpado". Em Tóquio, o Museu Meguro de Parasitologia convida: "Tente pensar nos parasitas sem sentir medo e dedique algum tempo a aprender sobre o maravilhoso mundo dos Parasitas". E há o Museu Falológico de Reykjavik, "um acervo de mais de cem pênis e partes de pênis pertencentes a quase todos os animais terrestres e marinhos que podem ser encontrados na Islândia".

Mas o museu em que eu menos gostaria de passar um dia é o Museo della Tortura e di Criminologia Medievale, em San Gimignano, Itália.[1] Segundo uma útil apreciação crítica em <www.tripadvisor.com>, o ingresso custa oito euros. Um tanto salgado para pouco mais de uma dezena de saletas contendo uns cem a 150 itens no total. Mas, se você é chegado em coisas macabras, não deve perder. Originais e reproduções de instrumentos de tortura e execução são expostos em salas de paredes de pedra com iluminação apropriada para dar um clima. Cada item é acompanhado por excelentes descrições escritas em italiano, francês e inglês. Nenhum detalhe é poupado, inclusive o orifício do corpo a que se destinava o artefato, para que membro ele foi criado para deslocar, quem eram os clientes habituais e como a vítima sofria e/ou morria.

Creio que até os leitores mais calejados pelas atrocidades da história recente encontrarão algo que os choque nessa vitrine da crueldade medieval. Há o Berço de Judas, usado pela Inquisição espanhola: a vítima, nua, de mãos e pés atados, era suspensa pela cintura por um cinto de ferro, e depois seu corpo era baixado sobre uma cunha afiada que penetrava em seu ânus ou vagina; quando a vítima relaxava os músculos, a ponta esticava e dilacerava seus tecidos. A Virgem de Nuremberg era uma versão da dama de ferro, com espetos cuidadosamente posicionados para não perfurar os órgãos vitais da vítima, o que encerraria prematuramente seu sofrimento. Uma série de gravuras mostra vítimas penduradas pelos tornozelos e serradas ao meio da virilha para baixo; na vitrine explica-se que esse método de execução foi usado em toda a Europa para crimes que incluíam rebelião, bruxaria e desobediência militar. A Pera é um pedaço arredondado de madeira bipartido e com a ponta afiada que, ao ser inserido na boca, ânus ou vagina, era alargado por um mecanismo de parafuso, a fim de rasgar a vítima de dentro para fora; era usada para punir sodomia, adultério, incesto, heresia, blasfêmia e "união sexual com Satã". A Pata de Gato era um conjunto de ganchos para perfurar e retalhar a carne da vítima. Máscaras da Infâmia tinham a forma de uma cabeça de porco ou asno; sujeitavam a vítima à humilhação pública e à dor de uma lâmina ou protuberância introduzida em sua boca ou nariz para impedir a pessoa de gritar. O Garfo do Herege tinha duas hastes afiadas em cada ponta; uma era posta sob a mandíbula da vítima, e a outra na base de seu pescoço, para que, quando seus músculos exaustos cedessem, ela se empalasse nessas duas partes.

Os artefatos expostos no Museo della Tortura não são particularmente raros. Também existem coleções de instrumentos de tortura medievais em San Marino, Amsterdam, Munique, Praga, Milão e na Torre de Londres. Ilustrações de centenas de tipos de tortura podem ser vistas em álbuns luxuosos como *Inquisiton* e *Torment in Art*, algumas delas reproduzidas na figura 4.1.[2]

A tortura não é coisa do passado, evidentemente. É praticada em tempos modernos por Estados policiais, por multidões em limpezas étnicas e genocídios e por governos democráticos em interrogatórios e no combate a insurreições; o mais infame caso ocorreu durante o governo de George W. Bush, na esteira dos ataques terroristas do Onze de Setembro. Mas as recentes erupções esporádicas, clandestinas e universalmente execradas de tortura em tempos recentes não se comparam com os séculos de sadismo institucionalizado na Europa medieval. A tortura na Idade Média não era escondida, negada ou mencionada com eufemismos. Não era apenas uma tática com a qual regimes brutais intimidavam seus inimigos políticos ou regimes moderados extraíam informações de suspeitos de terrorismo. Não irrompia em uma multidão furiosa insuflada de ódio contra um inimigo desumanizado. Nada disso. A tortura integrava a tessitura da vida pública. Era uma forma de punição cultivada e celebrada, um veículo da criatividade artística e tecnológica. Muitos dos instrumentos de tortura eram primorosamente trabalhados e ornamentados. Eram projetados para infligir não apenas a dor física, coisa que um espancamento faria, mas também horrores viscerais, como penetrar orifícios sensíveis, violar o invólucro do corpo, expor a vítima em posturas humilhantes ou colocá-las em posições nas quais sua energia, ao esgotar-se, aumentaria sua dor e levaria à desfiguração ou morte. Os torturadores eram os grandes peritos de sua época em anatomia e fisiologia, e usavam seu conhecimento para maximizar a agonia, evitar danos a nervos que pudessem amortecer a dor e prolongar a consciência o mais possível antes da morte. Quando a vítima era do sexo feminino, o sadismo tornava-se erotizado: as mulheres eram despidas antes de ser torturadas, e em muitos casos seus seios e genitália eram os alvos. Gracejos insensíveis caçoavam do sofrimento das vítimas. Na França, o Berço de Judas era chamado de Vigia Noturno, por sua capacidade de manter a vítima acordada. Algumas vítimas eram assadas vivas dentro de um touro de ferro, para que seus gritos saíssem pela boca do touro como o urro de uma fera. Um homem acusado de perturbar a paz podia ser forçado a usar o Pífaro do Barulhento, uma imitação de flauta ou trompete com um colar de ferro em volta do pescoço e um torniquete para esmagar os ossos e as articulações dos dedos. Muitos instrumentos de tortura tinham forma de animal e nomes singulares.

Figura 4.1. *Tortura na Europa na Idade Média e no início da era moderna.*

FONTES: Serrote: Held, 1986, p. 47. Pata de Gato: Held, 1986, p. 107. Empalação: Held, 1986, p. 141. Fogueira: Pinker, 2007a. Berço de Judas: Held, 1986, p. 51. Roda: Puppi, 1990, p. 39.

A cristandade medieval foi uma cultura da crueldade. A tortura era aplicada por governos nacionais e locais em todo o continente europeu, codificada em leis que prescreviam cegar, marcar a ferro, amputar mãos, orelhas, nariz e língua e outras formas de mutilação e punição para pequenos delitos. As execuções eram orgias de sadismo e culminavam em suplícios de morte prolongada, como queimar na fogueira, ter os ossos quebrados na roda, ser puxado e partido ao meio por cavalos, ser empalado pelo reto, ter os intestinos removidos por uma colher giratória e até ser enforcado com o corpo sendo lentamente esticado até o estrangulamento, em vez de ter o pescoço quebrado rapidamente.[3] Torturas sádicas também foram infligidas pela Igreja cristã durante suas inquisições, caças às bruxas e guerras religiosas. A tortura fora autorizada em 1251 pelo papa ironicamente chamado Inocêncio IV, e a ordem dos monges dominicanos executava-a com gosto. Como salienta o luxuoso álbum *Inquisiton*, sob o papa Paulo IV (1555-59) a Inquisição era "positivamente insaciável — Paulo, dominicano e ex-Grande Inquisidor, era ele próprio um fervoroso e hábil praticante da tortura e de atrozes assassinatos em massa, talentos pelos quais foi santificado em 1712".[4]

A tortura não era apenas uma espécie de justiça tosca, uma tentativa grosseira de dissuadir a violência com a ameaça de violência maior. A maioria das infrações que levavam uma pessoa à roda ou à fogueira não era violenta, e hoje em dia muitas nem ao menos são consideradas legalmente puníveis, por exemplo, heresia, blasfêmia, apostasia, crítica ao governo, maledicência, rabugice, adultério e práticas sexuais não convencionais. Os sistemas legais cristão e secular, inspirados no direito romano, usavam a tortura para extrair uma confissão e assim condenar um suspeito, desconsiderando o óbvio fato de que uma pessoa dirá qualquer coisa para livrar-se da dor. Portanto, a tortura usada para assegurar a confissão é ainda mais sem sentido do que a tortura usada para dissuadir, aterrorizar ou extrair informações comprováveis, como nome de cúmplices ou localização de armas. Também não se permitia que outros absurdos atrapalhassem a diversão. Se uma vítima queimava na fogueira em vez de ser poupada por um milagre, o fato servia de prova de que ela era culpada. Uma pessoa suspeita de bruxaria era amarrada e jogada em um lago; se flutuasse, era prova de que era bruxa, e então a enforcavam; se afundasse e se afogasse, provava sua inocência.[5]

Longe de serem praticadas às ocultas em masmorras, as execuções com tortura eram formas de entretenimento popular e atraíam multidões de espectadores para ver a vítima se debater e gritar. Corpos quebrados na roda, pendurados na forca ou apodrecendo em gaiolas de ferro nas quais a vítima fora deixada para morrer de inanição eram detalhes comuns da paisagem. (Na Europa, algumas dessas gaiolas ainda pendem em edifícios públicos, como a catedral de Münster.) A tortura era frequentemente um esporte coletivo. As pessoas faziam cócegas, espancavam, mutilavam, apedrejavam, sujavam de lama ou fezes uma vítima no tronco, às vezes matando-a por sufocamento.

A crueldade sistêmica não foi exclusiva da Europa. Centenas de métodos de tortura, aplicados a milhões de vítimas, foram documentados em outras civilizações, por exemplo entre os assírios, persas, selêucidas, romanos, chineses, hindus, polinésios, astecas e muitos reinos africanos e tribos de nativos americanos. Mortes e punições brutais também foram documentadas entre os israelitas, gregos, árabes e turcos otomanos. De fato, como vimos no final do capítulo 2, *todas* as civilizações complexas antigas foram teocracias absolutistas que puniam crimes sem vítimas com tortura e mutilação.[6]

Este capítulo trata da notável transformação na história que hoje nos leva a reagir com horror a essas práticas. No Ocidente moderno e em boa parte do resto do mundo, punições capitais e corporais foram efetivamente eliminadas, o poder do governo para usar violência contra os cidadãos foi severamente reduzido, a escravidão foi abolida e as pessoas perderam a sede de crueldade. Tudo isso aconteceu em uma estreita fatia da história, que teve início na Idade da Razão no século XVII e avançou extraordinariamente em fins do século XVIII com o Iluminismo.

Parte desse progresso — e, se isso não for progresso, não sei o que é — foi impelida por ideias: argumentos explícitos de que a violência institucionalizada devia ser minimizada ou abolida. E parte foi impelida por uma mudança nas sensibilidades. As pessoas começaram a *ter um sentimento de afinidade* com um maior número de seres humanos e a não ser mais indiferentes a seu sofrimento. Uma nova ideologia coalesceu dessas forças, situando a vida e a felicidade no centro dos valores e usando a razão e as evidências para motivar a estruturação das instituições. A nova ideologia pode ser chamada de humanismo ou direitos humanos, e seu súbito impacto sobre a vida no Ocidente na segunda metade do século XVIII pode ser chamada Revolução Humanitária.

Hoje muitos mencionam o Iluminismo com sarcasmo. "Teóricos críticos" de esquerda culpam-no pelos desastres do século XX; teoconservadores no

Vaticano e na direita intelectual americana anseiam por substituir seu secularismo tolerante pela alegada clareza moral do catolicismo medieval.[7] Até mesmo muitos escritores seculares moderados tacham o Iluminismo de vingança dos nerds, a ingênua fé de que os seres humanos são uma raça de agentes racionais de orelhas pontudas. Essa amnésia e essa ingratidão colossais são possíveis graças à caiação natural da história que vimos no capítulo 1, na qual a realidade por trás das atrocidades do passado é consignada ao buraco da memória e lembrada somente em brandas expressões e ícones. Se a introdução deste capítulo foi vívida, é apenas para lembrar você das realidades da era à qual o Iluminismo pôs fim.

É claro que nenhuma mudança histórica acontece em um único trovão; correntes humanistas fluíram por séculos antes e depois do Iluminismo e em outras partes do mundo além do Ocidente.[8] Mas a historiadora Lynn Hunt salienta, em *A invenção dos direitos humanos*, que estes foram ostensivamente defendidos em dois momentos da história. Um deles foi o final do século XVIII, época da Declaração de Independência americana, em 1776, e da Declaração dos Direitos do Homem e do Cidadão, em 1789, na França. O outro foi em meados do século XX, quando o mundo ganhou a Declaração Universal dos Direitos Humanos em 1948, seguida por uma série de Revoluções dos Direitos nas décadas subsequentes (capítulo 7).

Como veremos, essas declarações foram mais do que mero palavrório para aliviar a consciência. A Revolução Humanitária inspirou a abolição de muitas práticas bárbaras que haviam sido características irrepreensíveis da vida por boa parte da história humana. Mas o costume que ilustra mais eloquentemente o avanço dos sentimentos humanitários foi erradicado bem antes dessa época, e seu desaparecimento é um ponto de partida para entendermos o declínio da violência institucionalizada.

EXECUÇÕES SUPERSTICIOSAS: SACRIFÍCIO HUMANO, BRUXARIA E LIBELO DE SANGUE

A mais desatinada forma de violência institucionalizada é o sacrifício humano: a tortura e morte de uma pessoa inocente para aplacar uma deidade sedenta de sangue.[9]

A história bíblica de Isaac amarrado no altar mostra que o sacrifício humano estava longe de ser impensável no primeiro milênio AEC. Os israelitas vangloriavam-se de que seu deus era moralmente superior aos das tribos vizinhas porque, em vez de crianças, exigia apenas ovelhas e bois como sacrifício em seu nome. Mas a tentação deve ter existido, pois os israelitas acharam conveniente proibir esses sacrifícios no Levítico 18,21: "E da tua descendência não darás nenhum para dedicar-se a Moloque, nem profanarás o nome de teu Deus". Durante séculos, seus descendentes precisaram tomar providências para que as pessoas não recaíssem nesse costume. No século VII AEC, o rei Josias profanou a arena sacrificial de Tofete "para que ninguém queimasse seu filho ou sua filha como sacrifício a Moloque".[10] Após retornarem da Babilônia, a prática do sacrifício humano extinguiu-se entre os judeus, mas sobreviveu como um ideal em uma de suas seitas dissidentes, que acreditava que Deus aceitava o sacrifício-tortura de um homem inocente como condição de não impor um destino pior ao resto da humanidade. O nome dessa seita é cristianismo.

O sacrifício humano aparece na mitologia de todas as grandes civilizações. Além de constar nas Bíblias hebraica e cristã, é relatado na lenda grega de Agamêmnon, que sacrifica a filha Ifigênia na esperança de conseguir bons ventos para sua frota de guerra; no episódio da história romana em que quatro escravos são enterrados vivos para manter Aníbal acuado; em uma lenda druida do País de Gales na qual sacerdotes matam uma criança para fazer cessar o desaparecimento de material de construção para um forte; e em muitas lendas relacionadas a Kali, a deusa hindu de numerosos braços, e ao deus asteca emplumado Quetzacoatl.

O sacrifício humano foi mais do que um mito fascinante. Dois milênios atrás, o historiador romano Tácito deixou testemunhos em primeira mão dessa prática entre tribos germânicas. Plutarco descreveu sua ocorrência em Cartago, onde hoje os turistas podem ver os vestígios carbonizados de crianças sacrificadas. A prática foi documentada entre tribos tradicionais havaianas, escandinavas, incas e celtas (lembra-se do Homem do Pântano?). Foi uma verdadeira indústria para os astecas no México, o povo khond, do sudeste da Índia, e os reinos Ashanti, Benin e Daomé, na África Ocidental, onde as vítimas eram sacrificadas aos milhares. Matthew White estima que entre os anos 1440 e 1524 os astecas tenham sacrificado cerca de quarenta pessoas por dia, um total de 1,2 milhão de seres humanos.[11]

O sacrifício humano costuma ser precedido de tortura. Os astecas, por exemplo, baixavam a vítima sobre uma fogueira, içavam-na antes que estivesse morta e arrancavam seu coração ainda batendo (um espetáculo incongruentemente reencenado em *Indiana Jones e o templo da perdição* como um sacrifício a Kali na Índia dos anos 1930). Os dayaks, de Bornéu, infligiam a morte com mil cortes, sangrando lentamente a vítima com agulhas e lâminas de bambu. Para atender à demanda por vítimas sacrificiais, os astecas iam à guerra e capturavam prisioneiros, e os khonds criavam suas vítimas desde pequenas para esse propósito.

A matança de inocentes em geral vinha combinada a outros costumes supersticiosos. Sacrifícios em alicerces, nos quais uma vítima era enterrada nas fundações de um forte, palácio ou templo para mitigar a afronta da intromissão no elevado reino dos deuses, eram praticados no País de Gales, Alemanha, Índia, Japão e China. Outra ideia brilhante descoberta independentemente em muitos reinos (entre eles Suméria, Egito, China e Japão) foi o sacrifício fúnebre: quando um rei morria, seu séquito e seu harém eram sepultados junto com ele. A prática indiana do sati, na qual a viúva juntava-se ao corpo do marido na pira funerária, é mais uma variação. Cerca de 200 mil mulheres tiveram essa morte despropositada entre a Idade Média e 1829, quando a prática foi proibida por lei.[12]

O que essa gente tinha na cabeça? Muitas execuções institucionalizadas, por mais imperdoáveis que sejam, são pelo menos compreensíveis. Os poderosos matam para eliminar inimigos, dissuadir perturbadores da ordem ou demonstrar força. Mas sacrificar crianças inofensivas, fazer guerra a fim de capturar vítimas e criar uma casta condenada desde a infância não parecem modos economicamente viáveis de se manter no poder.

Em um livro perspicaz sobre a história da força, o cientista político James Payne aventa que os povos antigos davam pouco valor à vida das outras pessoas porque a dor e a morte eram muito comuns entre eles próprios. Isso determinava um limiar baixo para qualquer prática que tivesse alguma chance de trazer-lhes alguma vantagem, mesmo que o preço fosse a vida de outros. E se os antigos acreditavam em deuses, como ocorre com a maioria das pessoas, então o sacrifício humano facilmente poderia ser visto como um modo de alcançar essa vantagem.

> O mundo primitivo em que viviam era cheio de perigos, sofrimento e surpresas ruins, como pestes, fomes coletivas e guerras. Devia ser natural para eles indagar: "Que tipo de deus criaria um mundo assim?". Uma resposta plausível seria: um deus sádico, um deus que gosta de ver gente sangrar e sofrer.[13]

Portanto, talvez eles pensassem, se esses deuses têm um requisito diário mínimo de sangue humano, então por que não sermos proativos? Antes ele do que eu.

O sacrifício humano foi eliminado em algumas partes do mundo por doutrinadores cristãos, como são Patrício, na Irlanda, e em outras partes por potências coloniais europeias, como os britânicos na África e na Índia. Charles Napier, comandante em chefe do Exército britânico na Índia, diante de queixas do povo sobre a abolição do sati, replicou:

> Vocês dizem que é seu costume incinerar as viúvas. Pois muito bem. Nós também temos um costume: quando homens queimam uma mulher viva, passamos uma corda em volta do pescoço deles e os enforcamos. Construam sua pira funerária; ao lado dela, meus carpinteiros construirão um patíbulo. Vocês podem seguir seu costume. E nós seguiremos o nosso.[14]

Mas na maioria dos lugares o sacrifício humano extinguiu-se sozinho. Foi abandonado pelos israelitas por volta de 600 AEC, e pelos gregos, romanos, chineses e japoneses alguns séculos antes. Alguma coisa nos Estados maduros e letrados acaba por levá-los a pensar bem e desistir do sacrifício humano. Uma possibilidade é que a combinação de elite letrada, conhecimentos elementares de história e contatos com sociedades vizinhas dá ao povo meios para concluir que a hipótese do deus sedento de sangue é incorreta. Inferem que jogar uma virgem num vulcão não cura doenças, não derrota inimigos nem traz bom tempo. Outra possibilidade, preferida por Payne, é que uma vida mais afluente e previsível erode o fatalismo do povo e eleva sua valorização da vida das outras pessoas. Ambas as teorias são plausíveis, mas nenhuma é fácil de provar, pois é difícil encontrar algum avanço científico ou econômico que coincida com o abandono do sacrifício humano.

A transição para o abandono do sacrifício humano sempre teve uma coloração moral. As pessoas que passam por uma abolição sabem que fizeram progresso e veem com repulsa os estrangeiros obscurantistas que se aferram a velhos costumes. Um episódio ocorrido no Japão ilustra a expansão da compaixão que sempre contribui para a abolição. Quando o irmão do imperador morreu em 2 AEC, seu séquito foi enterrado com ele em um tradicional sacrifício fúnebre. Mas as vítimas demoraram vários dias para morrer; "choravam e gemiam durante a noite", perturbando o imperador e outras testemunhas. Cinco anos depois, quando morreu a esposa do imperador, ele mudou o costume: mandou pôr imagens de argila na tumba em vez de seres humanos vivos. Como ressalta Payne, "o imperador passou a perna nos deuses porque gastar vidas humanas tornara-se caro demais".[15]

* * *

Um deus sanguinário, ávido por quaisquer bodes expiatórios humanos, é uma teoria extremamente tosca sobre o infortúnio. Quando as pessoas a superam, continuam propensas a buscar explicações sobrenaturais para as coisas ruins que lhes acontecem. A diferença é que suas explicações tornam-se mais sintonizadas com suas especificidades. As pessoas ainda sentem que são alvo de forças sobrenaturais, só que as forças provêm de um indivíduo específico e não de um deus genérico. Esse indivíduo é chamado de bruxo.

Bruxaria é um dos motivos mais comuns de vingança entre os povos caçadores-coletores e as sociedades tribais. Na teoria da causação deles, não existe morte natural. Qualquer fatalidade que não pode ser explicada por uma causa observável é explicada por uma causa inobservável, a feitiçaria.[16] Para nós, parece inacreditável que tantas sociedades tenham sancionado o assassinato a sangue-frio por motivos estapafúrdios. Mas certas características da cognição humana, combinadas a certos conflitos de interesses recorrentes, tornam o fato um pouco mais compreensível. O cérebro evoluiu para caçar poderes ocultos na natureza, inclusive aqueles que ninguém pode ver.[17] O espaço para a criatividade é considerável quando se começa a vasculhar o reino do não comprovável, e as acusações de feitiçaria geralmente andam de mãos dadas com motivos interesseiros. Antropólogos mostraram que povos tribais costumam escolher os parentes afins desprezados para acusar de bruxaria: um pretexto conveniente para vê-los executados. As acusações também podem ser usadas para pôr um rival em seu devido lugar (especialmente se ele tiver se gabado de que tem mesmo poderes mágicos), para se dizer mais santo do que os demais quando há competição pela melhor reputação, ou para se livrar de vizinhos intratáveis, excêntricos ou incômodos, especialmente se eles não tiverem parentes para vingar sua morte.[18]

Acusações de bruxaria também podem ser usadas para recuperar parte dos prejuízos resultantes de algum revés, cobrando a conta de outra pessoa — mais ou menos como aquelas vítimas de acidentes que tropeçam em um buraco na calçada ou derramam café quente em si mesmas e processam deus e o mundo nos Estados Unidos. E talvez o mais potente motivo seja dissuadir adversários de tramar contra o acusador e encobrir as pistas: conspiradores podem ser capazes de refutar qualquer ligação física com um ataque, mas nunca serão capazes de refutar uma ligação não física. No romance *O poderoso chefão*, de Mario Puzo, acredita-se que Vito Corleone tenha o seguinte princípio: "Acidentes não acontecem com gente que considera acidentes uma ofensa pessoal". Na versão para o cinema, ele deixa isso bem claro aos chefes de outras famílias mafiosas: "Sou um homem supersticioso. E se infelizmente algum acidente acontecer com meu filho, se meu filho for atingido por um raio, considerarei culpados alguns dos presentes".

Acusações moralistas às vezes podem descambar para denúncias contra quem não faz acusações moralistas, crescendo como bola de neve e gerando extraordinários delírios coletivos e loucura em massa.[19] No século XV, dois monges publicaram um manual para identificação de bruxos intitulado *Malleus Maleficarum*, que o historiador Anthony Grafton definiu como "um estranho amálgama de Monty Python com *Mein Kampf*".[20] Instigados por essas revelações e inspirados pela injunção em Êxodo 22,17, "A feiticeira não deixarás viver", caçadores de bruxas franceses e alemães mataram entre 60 mil e 100 mil pessoas acusadas de bruxaria (85% mulheres) durante os dois séculos seguintes.[21] A execução, geralmente na fogueira, vinha depois de torturas que levavam as mulheres a confessar crimes como causar naufrágios, comer bebês, destruir colheitas, voar em vassoura no sabá, copular com demônios e depois transformá-los em cães e gatos e tornar impotentes homens comuns convencendo-os de que perderam o pênis.[22]

A psicologia das acusações de bruxaria pode mesclar-se a outras calúnias letais, ou "libelos de sangue", como os recorrentes boatos na Europa medieval de que os judeus envenenavam os poços ou matavam crianças cristãs durante a Páscoa judaica e usavam seu sangue para fazer matzá. Milhares de judeus foram massacrados na Inglaterra, França, Alemanha e Holanda na Idade Média, e regiões inteiras foram esvaziadas de sua população judaica.[23]

A caça às bruxas sempre é vulnerável ao bom senso. Objetivamente falando, é impossível uma mulher voar numa vassoura ou transformar um homem num gato, e esses fatos não são difíceis de demonstrar se for permitido que um número suficiente de pessoas compare observações e questione crenças populares. Por toda a Idade Média foram raros os clérigos e políticos que chamaram a atenção para o óbvio, isto é, que não existem bruxas, portanto perseguir alguém por bruxaria era uma abominação moral. (Lamentavelmente, alguns desses céticos foram eles próprios mandados para a câmara de tortura.)[24] Essas vozes ganharam mais força durante a Idade da Razão, e incluíram escritores influentes como Erasmo, Montaigne e Hobbes.

Algumas autoridades contagiaram-se com o espírito científico e decidiram testar por conta própria a hipótese da bruxaria. Um juiz milanês matou sua mula, acusou seu criado de perpetrar o ato e o submeteu à tortura, em virtude da qual o criado confessou o crime; ele até mesmo se recusou a se retratar ao pé da forca, com medo de ser novamente torturado. (Hoje tal experimento não seria aprovado pelos comitês de proteção a sujeitos humanos de pesquisas.) Com isso, o juiz aboliu o uso da tortura em sua corte. O escritor Daniel Mannix relata outra demonstração:

> O duque de Brunswick, na Alemanha, horrorizou-se tanto com os métodos usados pelos inquisidores em seu ducado que pediu a dois eruditos jesuítas para supervisionarem as audiências. Depois de um meticuloso estudo, os jesuítas disseram ao duque: "Os inquisidores estão cumprindo seu dever. Prendem apenas pessoas que foram implicadas pela confissão de outros bruxos".
>
> "Venham comigo à câmara de tortura", sugeriu o duque. Os padres seguiram-no até onde uma infeliz mulher estava sendo esticada no potro. "Deixem-me interrogá-la", o duque ordenou. "Mulher, você é uma bruxa confessa. Desconfio que estes dois homens são bruxos. O que você me diz? Mais uma volta no potro, carrascos."
>
> "Não, não!", ela berrou. "O senhor está certo. Eu os vi muitas vezes no sabá. Eles podem se transformar em bodes, lobos e outros animais."
>
> "O que mais sabe sobre eles?", indagou o duque.
>
> "Várias bruxas têm filhos com eles. Uma teve oito filhos destes dois homens. As crianças tinham cabeça de sapo e pernas de aranha."
>
> O duque virou-se para os atônitos jesuítas. "Devo mandar torturá-los até que confessem, meus amigos?"[25]

Um dos jesuítas, o padre Friedrich Spee, ficou tão impressionado que escreveu um livro em 1631 ao qual se credita o fim das acusações de bruxaria em boa parte da Alemanha. A perseguição a bruxas começou a diminuir no século XVII, abolida em vários Estados europeus. A última mulher foi enforcada por bruxaria na Inglaterra em 1716, e 1749 foi o último ano em que uma mulher foi queimada como bruxa em qualquer parte da Europa.[26]

Na maior parte do mundo, as execuções supersticiosas institucionalizadas, seja em sacrifícios humanos, libelos de sangue ou perseguição a bruxos, sucumbiram a duas pressões. Uma delas foi de ordem intelectual: a percepção de que alguns eventos, inclusive aqueles com profunda importância pessoal, deviam ser atribuídos a forças físicas impessoais e ao puro acaso, e não aos desígnios de outros seres conscientes. Um grande princípio de progresso moral, ao lado de "Ama teu próximo" e "Todos os homens são criados iguais" é aquele do adesivo de para--choque: "*Shit happens*" [coisas ruins acontecem].

A outra pressão é mais difícil de explicar, mas igualmente poderosa: uma crescente valorização da vida e felicidade humana. Por que nos estarrecemos com o experimento do juiz que torturou seu criado para provar que a tortura era imoral, se ele prejudicou um para ajudar muitos? É porque nos compadecemos de outros seres humanos, inclusive desconhecidos, pelo fato de eles serem *humanos*, e usamos essa compaixão na criação de diretrizes claras que proíbem a imposição de sofrimento a qualquer ser humano identificável. Mesmo que não tenhamos eliminado as características da natureza humana que nos tentam a culpar outros por nossos infortúnios, cada vez mais impedimos que essa tentação se traduza em violência. Uma crescente valorização do bem-estar de outras pessoas, como veremos, foi uma linha comum no abandono de outras práticas bárbaras durante a Revolução Humanitária.

EXECUÇÕES SUPERSTICIOSAS: VIOLÊNCIA CONTRA BLASFEMADORES, HEREGES E APÓSTATAS

O sacrifício humano e a incineração de bruxas são apenas dois exemplos do mal que pode resultar quando pessoas se empenham em objetivos baseados em obras de sua imaginação. Outro exemplo pode ser visto nos psicóticos que matam em busca de um delírio, como o plano de Charles Manson de apressar uma guerra racial apocalíptica e o projeto de John Hinckley para impressionar Jodie Foster. Mas o maior dano provém das crenças religiosas que depreciam a vida das pessoas de carne e osso, como a fé de que o sofrimento neste mundo será recompensado no próximo, ou de que jogar um avião contra um edifício dará ao piloto 72 virgens no céu. Como vimos no capítulo 1, a crença de que só se pode escapar de uma eternidade no inferno aceitando Jesus como salvador gera o imperativo moral de forçar outras pessoas a aceitar essa crença e silenciar qualquer um que possa semear dúvidas sobre ela.

Um perigo mais abrangente das crenças impossíveis de comprovar é a tentação de defendê-las por meios violentos. As pessoas casam-se com suas crenças, pois a validade da crença reflete-se na competência da pessoa, recomenda-a como autoridade e racionaliza seu mandato para liderar. Refutar a crença de alguém é refutar sua dignidade, posição e poder. E quando essa crença se baseia em nada além da fé, ela é cronicamente frágil. Ninguém se perturba com a fé de que as pedras caem para baixo e não para cima, pois qualquer pessoa mentalmente sã pode comprovar isso com os próprios olhos. O mesmo não se pode dizer quanto a bebês nascerem com o pecado original, ou quanto a Deus existir em três pessoas, ou a Ali ser o segundo homem mais divinamente inspirado depois de Maomé. Quando pessoas organizam sua vida em torno dessas crenças, e depois ficam sabendo que outros parecem estar vivendo muito bem sem elas — ou pior, refutando-as de maneira digna de credibilidade —, sentem-se em perigo de ser vistas como tolas. Como não se pode defender uma crença alicerçada na fé persuadindo os céticos de que ela é verdadeira, o fiel tende a reagir à descrença com raiva, e muitos tentam eliminar essa afronta a tudo o que dá significado à sua vida.

O sofrimento humano decorrente da perseguição de hereges e descrentes pelo cristianismo na Idade Média e início da era moderna é inimaginável e contradiz a ideia convencional de que o século XX foi uma era incomumente violenta. Embora não saibamos exatamente quantas pessoas foram mortas nesses santos massacres, podemos ter uma noção com base em estimativas numéricas de atrocitologistas como o cientista político R. J. Rummel nos livros *Death by Government* e *Statistics of Democide*, e o historiador Matthew White em *The Great Big Book of Horrible Things* e em seu site Deaths by Mass Unpleasantness.[27] Esses autores tentaram pôr em números as vítimas de guerras e massacres, inclusive aquelas para as quais inexistem estatísticas convencionais; para isso, combinaram as fontes disponíveis, avaliaram sua credibilidade com testes de sanidade e admissão de margens de erro e selecionaram um valor médio, geralmente a média geométrica entre os números críveis mais baixos e mais altos. Apresentarei as estimativas de Rummel para essa era, que em geral são mais baixas que as de White.[28]

Entre 1095 e 1208, exércitos de cruzados foram mobilizados para travar uma "guerra justa" e retomar Jerusalém dos turcos muçulmanos, em troca da remissão dos pecados e de um bilhete de entrada para o céu. Pelo caminho, massacraram comunidades judaicas e, depois do cerco e da pilhagem de Niceia, Antioquia, Jerusalém e Constantinopla, dizimaram suas populações muçulmanas e judaicas.

Rummel estima em 1 milhão o número de mortos. O mundo tinha na época cerca de 400 milhões de pessoas, aproximadamente um sexto da população de meados do século XX; portanto, como proporção da população mundial as baixas nos massacres das cruzadas atingiriam hoje 6 milhões, o equivalente ao genocídio dos judeus pelos nazistas.[29]

No século XIII, os cátaros do sul da França converteram-se à heresia albigense, segundo a qual existiam dois deuses, um do bem e um do mal. O papado, enfurecido, em conluio com o rei da França, despachou levas de exércitos para a região e matou por volta de 200 mil cátaros. Para dar uma noção da tática desses exércitos: depois de tomar a cidade de Bram em 1210, pegaram cem dos soldados derrotados, cortaram-lhes o nariz e o lábio superior, arrancaram os olhos de todos, exceto de um, e fizeram este último conduzir os demais pela cidade de Cabaret a fim de aterrorizar a população e levá-la a render-se.[30] A razão pela qual você nunca viu um cátaro é que a cruzada albigense os exterminou. Os historiadores classificam esse episódio como um caso inequívoco de genocídio.[31]

Pouco depois da supressão da heresia albigense, a Inquisição foi acionada para erradicar outras heresias na Europa. Entre o fim do século XV e o começo do século XVIII, o ramo espanhol mirou os convertidos do judaísmo e islamismo, suspeitos de recair em suas antigas práticas. Uma transcrição de Toledo no século XVI descreve a inquisição de uma mulher acusada de usar roupas de baixo limpas em um sábado, sinal de que ela era secretamente judia. Ela foi torturada no potro e na água (pouparei o leitor dos detalhes — foi pior que o "*waterboarding*" de Guantánamo), deram-lhe vários dias para se recuperar e novamente a torturaram, enquanto ela tentava desesperadamente descobrir o que devia confessar.[32] Atualmente o Vaticano afirma que a Inquisição matou apenas alguns milhares de pessoas, mas não põe na conta o grande número de vítimas que foram entregues a autoridades seculares para execução ou prisão (frequentemente uma sentença de morte lenta), nem as vítimas de sucursais no Novo Mundo. Rummel estima em 350 mil os mortos pela Inquisição espanhola.[33]

Depois da Reforma, a Igreja Católica teve de lidar com o imenso número de pessoas que se tornaram protestantes na Europa setentrional, muitas delas involuntariamente, após a conversão de seu príncipe ou rei.[34] Os protestantes, por sua vez, tiveram de lidar com as seitas dissidentes que não queriam nada com nenhum desses dois ramos do cristianismo e, naturalmente, com os judeus. Poderíamos pensar que os protestantes, depois de terem sido tão violentamente perseguidos por suas heresias contra as doutrinas católicas, não se sentiriam bem diante da ideia de perseguir hereges, mas não. Em seu tratado de 65 mil palavras *Sobre os judeus e suas mentiras*, Martinho Lutero deu aos cristãos o seguinte conselho sobre o que fazer com esse "povo rejeitado e condenado":

> Primeiro, [...] ateiem fogo em suas sinagogas e escolas e [...] enterrem e cubram com terra tudo o que não queimar, para que nenhum homem jamais torne a ver uma só pedra ou cinza deles. [...] Segundo, recomendo que suas casas também sejam demolidas e destruídas. [...] Terceiro, recomendo que todos os seus livros de oração e escritos talmúdicos, nos quais se ensinam idolatria, mentiras, imprecações e blasfêmia, sejam deles tomados. [...] Quarto, recomendo que seus rabinos sejam doravante proibidos de ensinar sob pena de perder a vida. Quinto, recomendo que o salvo-conduto para as estradas seja totalmente abolido para os judeus. Sexto, recomendo que a usura lhes seja proibida, e que todo o dinheiro e tesouros em prata e ouro lhes sejam tirados e guardados em custódia. Sétimo, recomendo pôr um mangual, um machado, uma enxada, uma pá, uma roca ou um fuso nas mãos de judeus e judias jovens e fortes e deixar que ganhem o pão com o suor de seu rosto, como foi imposto aos filhos de Adão (Gn 3[3,19]). Pois não tem cabimento que eles deixem para nós, gentios amaldiçoados, o trabalho de suar o rosto enquanto eles, o povo santo, passam seu tempo na ociosidade atrás do fogão, festejando e mandriando, e sobretudo gabando-se com blasfêmias sobre sua superioridade sobre os cristãos às custas de nosso suor. Emulemos o bom senso de outras nações [...] e expulsemo-los para sempre do país.[35]

Pelo menos ele consentiu que a maioria deles vivesse. Os anabatistas (precursores dos atuais amish e menonitas) não tiveram tal misericórdia. Eles acreditavam que as pessoas não deviam ser batizadas ao nascer; deviam afirmar sua fé elas mesmas mais tarde; por isso, Lutero ordenou sua execução. O outro principal fundador do protestantismo, João Calvino, pensava de modo parecido a respeito de blasfêmia e heresia:

> Alguns dizem que, como o crime consiste apenas em palavras, não há razão para punição tão severa. Mas nós amordaçamos cães; devemos deixar homens livres para abrir a boca e dizer o que bem entendem? [...] Deus manda claramente que o falso profeta seja apedrejado sem piedade. Temos de esmagar sob nossos pés todas as

afeições naturais quando sua honra está em jogo. O pai não deve poupar o filho, nem o marido sua mulher, nem o amigo aquele amigo que lhe é mais caro do que a vida.[36]

Calvino pôs em prática esse argumento ordenando, entre outras coisas, que o escritor Miguel Serveto (que havia questionado a trindade) morresse na fogueira.[37] O terceiro grande rebelde contra o catolicismo foi Henrique VIII, cujo governo queimou, em média, 3,25 hereges por ano.[38]

Com as pessoas que nos trouxeram as cruzadas e a Inquisição de um lado e as que queriam matar rabinos, anabatistas e unitaristas de outro, não admira que as guerras religiosas europeias entre 1520 e 1648 fossem sórdidas, brutais e longas. Guerreava-se, é bem verdade, não apenas por religião, mas também pelo poder territorial e dinástico, porém as diferenças religiosas mantinham os ânimos em ponto de ebulição. Segundo a classificação do historiador especialista em guerras Quincy Wright, as guerras religiosas incluem as Guerras dos Huguenotes na França (1562-94), as Guerras de Independência Holandesa, também conhecidas como Guerra dos Oito Anos (1568-1648), a Guerra dos Trinta Anos (1618-48) e a Guerra Civil Inglesa (1642-48), as guerras de Elizabeth I na Irlanda, Escócia e Espanha (1586-1603), a Guerra da Santa Liga (1508-16) e as guerras de Carlos V no México, Peru, França e Império Otomano (1521-52).[39] As taxas de mortes nessas guerras foram assombrosas. Durante a Guerra dos Trinta Anos, soldados arrasaram boa parte da atual Alemanha e reduziram sua população em aproximadamente um terço. Rummel calcula as vítimas em 5,75 milhões, o que, como proporção da população mundial na época, foi superior ao dobro da taxa de mortes na Primeira Guerra Mundial e semelhante à da Segunda Guerra Mundial na Europa.[40] O historiador Simon Schama estima que a Guerra Civil Inglesa tenha matado quase meio milhão de pessoas, o que significa perdas proporcionalmente maiores que as da Primeira Guerra Mundial.[41]

Só na segunda metade do século XVII os europeus finalmente começaram a perder o fervor pela execução de pessoas com as crenças sobrenaturais erradas. A Paz de Westfália, que pôs fim à Guerra dos Trinta Anos em 1648, confirmou o princípio de que cada príncipe devia decidir se seu Estado seria protestante ou católico e que a denominação minoritária em cada local poderia viver mais ou menos em paz. (O papa Inocêncio X não foi um bom perdedor: declarou a Paz "nula, vazia, inválida, injusta, condenável, censurável, réproba, inane, destituída de significado e de efeito por todos os tempos".)[42] As Inquisições espanhola e portuguesa começaram a perder o gás no século XVII, declinaram ainda mais no século XVIII e foram abolidas respectivamente em 1834 e 1821.[43] A Inglaterra deixou para trás as execuções religiosas após a Revolução Gloriosa de 1688. Embora até hoje as divisões do cristianismo continuem esporadicamente suas escaramuças (protestantes e católicos na Irlanda do Norte, católicos e cristãos ortodoxos nos Bálcãs), atualmente as disputas são mais étnicas e políticas do que teológicas. A partir dos anos 1790, concedeu-se aos judeus a igualdade legal no Ocidente, primeiro nos Estados Unidos, França e Holanda, depois, ao longo do século seguinte, em boa parte do resto da Europa.

O que levou os europeus a finalmente decidir que não havia problema em permitir que seus compatriotas dissidentes se arriscassem à danação eterna e, com seu mau exemplo, atraíssem outros para o mesmo destino? Talvez estivessem exaustos pelas guerras religiosas, mas não está claro por que precisaram de trinta anos, em vez de dez ou vinte, para chegar à exaustão. A impressão que se tem é que as pessoas começaram a dar mais valor à vida humana. Parte dessa recém-descoberta apreciação foi uma mudança emocional: um hábito de identificar-se com as dores e prazeres de outros. E outra parte foi uma mudança intelectual e moral: da valorização das *almas* passou-se à valorização das *vidas*. A doutrina da sacralidade da alma soa vagamente sublime, mas na verdade é muito maligna. Ela despreza a vida terrena como simplesmente uma fase temporária que as pessoas atravessam: uma fração infinitesimal de sua existência. A morte torna-se um mero rito de passagem, como a puberdade ou a crise da meia-idade.

A gradual substituição da alma pela vida como o lócus do valor moral foi auxiliada pela ascendência do ceticismo e da razão. Ninguém pode negar a diferença entre vida e morte ou a existência do sofrimento, mas é preciso doutrinação para se acalentar uma crença sobre o que acontece com uma alma imortal depois que ela se separa do corpo. O século XVII é chamado de Idade da Razão, uma era na qual os escritores começaram a insistir para que as crenças fossem justificadas pela experiência e pela lógica. Isso solapa dogmas sobre almas e salvação, e solapa a política de forçar as pessoas a acreditar em coisas inacreditáveis a poder da espada (ou do Berço de Judas).

Erasmo e outros filósofos céticos salientaram que o conhecimento humano é inerentemente frágil. Se nossos olhos podem ser enganados por uma ilusão de óptica (como a impressão de que um remo está quebrado na superfície da água, ou de que uma torre cilíndrica parece quadrada à distância), por que deveríamos confiar em nossas crenças sobre objetos mais etéreos?[44] A execução na fogueira de Miguel Serveto a mando de Calvino em 1553 levou a uma ampla reflexão sobre a própria ideia de perseguição religiosa.[45] O erudito francês Sebastian Castellio encabeçou a crítica, chamando a atenção para o absurdo fato de que diferentes pessoas têm certeza inabalável quanto à verdade de suas crenças mutuamente incompatíveis. Também ressaltou as pavorosas consequências morais de agir com base nessas crenças.

> Calvino diz que ele está certo, e [outras seitas] dizem que estão certas; Calvino diz que elas estão erradas e quer julgá-las, elas dizem e querem a mesma coisa. Quem há de ser o juiz? Quem fez de Calvino o árbitro de todas as seitas, para que somente ele possa matar? Ele tem a Palavra de Deus, os outros também. Se a questão é inequívoca, para quem ela o é? Para Calvino? Mas então por que ele escreve tantos livros sobre a verdade manifesta? [...] Diante da incerteza, devemos definir o herege simplesmente como aquele que discorda de nós. E se com isso vamos matar os hereges, o resultado lógico será uma guerra de extermínio, uma vez que cada um está convicto. Calvino teria de invadir a França e todas as demais nações, aniquilar cidades, passar todos os habitantes pela espada, sem poupar idade nem sexo, nem mesmo os bebês e os animais.[46]

Tais argumentos foram desenvolvidos no século XVII por Baruch Espinosa, John Milton (que escreveu: "Deixemos que a verdade e a falsidade se atraquem [...] a verdade é forte), Isaac Newton e John Locke, entre outros. O advento da ciência moderna provou que as crenças arraigadas podem ser totalmente falsas, e que o mundo funciona segundo leis físicas e não pelos caprichos divinos. A Igreja Católica fez a si mesma um grande desfavor quando ameaçou torturar Galileu e o condenou à prisão domiciliar perpétua por defender ideias que se revelaram corretas sobre o mundo físico. E a mentalidade cética, às vezes temperada com humor e bom senso, cada vez mais foi sendo autorizada a desafiar a superstição. Em *Henrique IV*, parte 1, Glendower jacta-se: "Eu posso chamar espíritos das profundezas". Hotspur replica: "Ora, eu também, e qualquer homem;/ Mas eles virão quando os chamares?". Francis Bacon, a quem muitos creditam o princípio de que as crenças têm de se alicerçar na observação, escreveu sobre um homem que foi levado a um templo, onde lhe mostraram uma pintura de marinheiros que haviam escapado de um naufrágio fazendo uma promessa. Perguntaram então ao homem se isso não provava o poder dos deuses. "Sim", ele respondeu. "Mas onde estão pintados aqueles que fizeram a promessa e se afogaram?"[47]

PUNIÇÕES CRUÉIS E INCOMUNS

O desmascaramento da superstição e do dogma remove um dos pretextos para a tortura, mas ainda a deixa disponível como punição para crimes e delitos seculares. Na Antiguidade, na Idade Média e no começo da era moderna, as pessoas achavam perfeitamente razoáveis as punições cruéis. O objetivo de castigar um indivíduo nada mais é do que fazê-lo tão infeliz que nem ele nem outros venham a ser tentados a praticar a ação proibida. Por esse raciocínio, quanto mais dura a punição, melhor ela cumprirá seu papel. Além disso, um Estado sem polícia e judiciário eficientes tinha de fazer o máximo com as poucas punições que conseguisse aplicar. Suas punições deviam ser tão memoravelmente brutais que quem as testemunhasse ficaria aterrorizado, submisso e espalharia a notícia, aterrorizando outros.

No entanto, a função prática das punições cruéis era apenas parte do atrativo. Os espectadores *divertiam-se* com a crueldade, mesmo quando ela não tinha nenhum propósito judicial. Torturar animais, por exemplo, era puro deleite. Em Paris no século XVI, uma forma popular de entretenimento era queimar gatos: um gato era içado em uma tipoia sobre um palco, e então lentamente baixado em cima de uma fogueira. Segundo o historiador Norman Davies, "os espectadores, inclusive reis e rainhas, gargalhavam desbragadamente enquanto os animais, urrando de dor, eram chamuscados, assados e por fim carbonizados".[48] Também eram populares as brigas de cães, corridas de touro, brigas de galo, execuções públicas de animais "criminosos" e o acossamento de urso, no qual um urso era acorrentado a um poste para que cães o fizessem em pedaços ou morressem tentando.

Mesmo quando não apreciavam ativamente a tortura, as pessoas mostravam uma gélida despreocupação com ela. Samuel Pepys, presumivelmente um dos mais refinados homens de sua época, fez a seguinte anotação em seu diário em 13 de outubro de 1660:

> Fui a Sharing Cross, ver o general de divisão Harrison ser enforcado, eviscerado e esquartejado; o que foi feito, com ele a mostrar-se tão alegre quanto qualquer homem poderia fazê-lo em sua condição. Ele logo foi cortado em pedaços, e sua cabeça e coração mostrados ao povo, sob gritos exultantes. [...] De lá para a casa de meu senhor, e levei o capitão Cuttance e o sr. Sheply à Taverna Sun, e dei a eles algumas ostras.[49]

A piada macabra de Pepys sobre Harrison "mostrar-se tão alegre quanto qualquer homem poderia fazê-lo em sua condição" referia-se ao fato de ele ser estrangulado parcialmente, eviscerado, castrado e ver seus órgãos serem queimados antes de o decapitarem.

Até as punições menos espalhafatosas que lembramos com o eufemismo "punição corporal" eram medonhas formas de tortura. Hoje muitos locais turísticos têm troncos e pelourinhos onde as crianças podem posar para fotos. Eis a descrição de uma punição real de dois homens no pelourinho, na Inglaterra no século XVIII:

> Um deles tinha baixa estatura e não alcançava o buraco feito para inserir a cabeça. Mesmo assim, os agentes da justiça forçaram sua cabeça através do buraco, e o pobre desgraçado ficou pendurado, sem tocar os pés no chão. Logo seu rosto enegreceu, e sangue saiu-lhe pelas narinas, olhos e orelhas. A multidão, apesar disso, atacou-o com grande fúria. Os guardas abriram o pelourinho e o infeliz caiu morto no estrado do instrumento. O outro homem ficou tão mutilado e ferido pelo que atiraram nele que ali permaneceu, sem esperança de recuperação.[50]

Outro tipo de "punição corporal" era o açoitamento, um castigo comum por insolência ou ociosidade para marinheiros britânicos e escravos afro-americanos. Os chicotes eram projetados em inúmeros modelos, capazes de esfolar a pele, pulverizar a carne em inúmeros pedaços ou rasgar os músculos até os ossos. Charles Napier relatou que em meados do século XVIII não era raro as Forças Armadas britânicas aplicarem sentenças de mil chibatadas:

> Vi muitas vítimas serem trazidas do hospital três ou quatro vezes para receber o resto da punição, severa demais para ser suportada em uma única sessão de açoitamento sem perigo de morte. Era terrível ver a pele nova e delicada das costas mal curadas ser novamente desnudada para receber o açoite. Vi centenas de homens serem açoitados e sempre observei que quando a pele está totalmente cortada ou esfolada, a dor maior atenua-se. Frequentemente, os homens se debatem e gritam durante o tempo em que lhes aplicam de uma a trezentas chibatadas, depois suportam o restante, até oitocentas ou mil, sem um gemido. É comum jazerem como se não mais vivessem, e os carrascos parecem estar flagelando um sangrento pedaço de carne morta.[51]

A palavra "keelhaul" às vezes é usada para designar uma repreensão verbal. Seu sentido literal provém de outra punição na Marinha britânica. Um marinheiro era atado a uma corda e puxado pelo fundo do casco de um navio. Se ele não se afogasse, era retalhado pelas cracas encrustadas.

Em fins do século XVI na Inglaterra e na Holanda, a prisão começou a substituir a tortura e a mutilação como punição por delitos menores. Não foi um grande progresso. Os prisioneiros tinham de pagar pela comida, pela roupa e pela palha, e se o detento ou sua família não pudesse pagar, ele ficava sem. Às vezes tinham de pagar pelo "afrouxamento dos ferros", ou seja, para ser libertados do colar de pontas de ferro ou da barra que prendia suas pernas ao chão. Animais nocivos, calor e frio, dejetos humanos e comida escassa e pútrida não só aumentavam o sofrimento, mas também causavam doenças que faziam das prisões verdadeiros campos da morte. Muitas prisões eram casas de trabalhos forçados, onde os prisioneiros subalimentados eram obrigados a grosar madeira, quebrar pedras ou subir em esteiras móveis durante a maior parte das horas que passavam acordados.[52]

No século XVIII a crueldade institucionalizada deu uma guinada no Ocidente. Na Inglaterra, reformistas e comitês criticavam a "crueldade, barbaridade e extorsão" que viam nas prisões do país.[53] Vívidos relatos de torturas-execuções começaram a incomodar a consciência pública. Segundo uma descrição da execução de Catherine Hayes em 1726, assim que as chamas a alcançaram, ela tentou empurrar para longe os feixes de madeira com as mãos, mas eles se espalharam. O carrasco agarrou a corda que ela trazia amarrada ao pescoço e tentou estrangulá-la, porém o fogo atingiu e queimou sua mão, por isso ele precisou largá-la. Imediatamente jogaram mais lenha ao fogo, e em três ou quatro horas ela estava reduzida a cinzas.[54]

A amena expressão "quebrado na roda" nem de longe capta o horror dessa forma de punição. Segundo um cronista, a vítima era transformada em uma "enorme marionete a gritar e se contorcer em riachos de sangue, uma marionete com quatro tentáculos, como um monstro marinho, de carne viva, viscosa e informe misturada a lascas de ossos esmagados".[55] Em 1762 um protestante francês de 64 anos chamado Jean Calas foi acusado de matar o filho para impedir que ele se convertesse ao catolicismo; na verdade, ele tentara ocultar o fato de que o filho se suicidara.[56] Durante um interrogatório para arrancar dele o nome dos cúmplices, ele foi torturado na estrapada e na água, e por fim quebrado na roda. Depois de ter sido deixado agonizante por duas horas, finalmente, em um ato de misericórdia, Calas foi estrangulado. Testemunhas que ouviram seus protestos de inocência enquanto seus ossos eram quebrados comoveram-se com o terrível espetáculo. Cada golpe da maça de ferro "soava-lhes no fundo da alma", e "torrentes de lágrimas desencadearam-se, tarde demais, em todos os olhos presentes".[57] Voltaire abraçou a causa, ressaltando a ironia de que os estrangeiros julgavam a França por sua magnífica literatura e belas atrizes, sem saber que se tratava de uma nação cruel que seguia "atrozes costumes antiquados".[58]

Outros escritores proeminentes também começaram a invectivar contra as punições sádicas. Alguns, como Voltaire, usaram a linguagem do aviltamento, qualificando as práticas de bárbaras, selvagens, cruéis, primitivas, canibalescas e atrozes. Outros, como Montesquieu, acusaram a hipocrisia de cristãos que lastimavam o tratamento cruel que haviam sofrido nas mãos dos romanos, japoneses e muçulmanos enquanto eles próprios infligiam crueldade igual.[59] Outros ainda, como o médico americano e signatário da Declaração de Independência Benjamin Rush, apelaram à humanidade que os leitores tinham em comum com as pessoas punidas. Em 1787, ele ressaltou que "os homens, ou talvez as mulheres, cujas pessoas detestamos, têm alma e corpo compostos da mesma matéria que nossos amigos e familiares. São ossos de seus ossos". Além disso, acrescentou, se considerarmos seu sofrimento sem emoção ou compaixão, então "o princípio da compaixão [...] deixará de agir completamente; e logo perderá seu lugar no peito humano".[60] O objetivo do sistema judicial deveria ser reabilitar os transgressores em vez de causar-lhes mal, e "a reforma de um criminoso nunca pode ser efetuada por uma punição em público".[61] O advogado inglês William Eden também destacou, em 1771, a brutalização que resultava das punições cruéis:

> Deixamo-nos uns aos outros a apodrecer como espantalhos nas cercas; e nossos patíbulos estão abarrotados de carcaças humanas. Pode alguém pensar que uma familiaridade forçada com tais objetos terá algum outro efeito que não o de embotar os sentimentos e destruir as predisposições benevolentes das pessoas?[62]

O mais influente de todos foi o economista e cientista social milanês Cesare Beccaria, cujo best-seller de 1764, *Dos delitos e das penas*, influenciou todos os pensadores importantes do mundo literário, incluindo Voltaire, Denis Diderot, Thomas Jefferson e John Adams.[63] Beccaria começou com os primeiros princípios: o objetivo de um sistema de justiça é possibilitar "a maior felicidade possível para o maior número possível de pessoas" (frase depois adotada por Jeremy Bentham como lema do utilitarismo). Assim, a única função legítima da punição é dissuadir as pessoas de infligir a outras maior dano que o que lhes foi infligido. Consequentemente, uma punição deve ser proporcional ao mal causado pelo crime — não para equilibrar alguma balança cósmica da justiça, mas para estabelecer a estrutura de incentivos apropriada: "Se uma pena igual for imposta a dois crimes que lesam a sociedade em diferentes graus, nada haverá que detenha os homens de cometer o maior outras vezes enquanto isso for acompanhado de maior vantagem". Uma visão lúcida da justiça criminal também implica que a certeza e a prontidão de uma pena são mais importantes do que sua severidade, que os julgamentos criminais devem ser públicos e baseados em evidências, e que a pena de morte é desnecessária como dissuasão e não consta dos poderes que devem ser concedidos a um Estado.

O ensaio de Beccaria não agradou a todos. Foi inserido pelo papa no Índex dos Livros Proibidos e vigorosamente contestado pelo jurista e erudito religioso Pierre-François Muyart de Vouglans. Muyart zombou da sensibilidade extremada de Beccaria, acusou-o de solapar desastradamente um sistema consagrado pelo tempo e argumentou que era preciso penas severas para contrabalançar a perversidade inata do homem, a começar pelo pecado original.[64]

Mas as ideias de Beccaria levaram a melhor, e em poucas décadas a tortura punitiva foi abolida em todos os principais países do Ocidente, inclusive nos Estados Unidos recém-independentes, em sua famosa proibição às "punições cruéis e incomuns" na Oitava Emenda à Constituição. Embora seja impossível traçar com precisão o declínio da tortura (porque muitos países proibiram diferentes práticas em diferentes períodos), o gráfico cumulativo na figura 4.2 mostra quando quinze principais países europeus, juntamente com os Estados Unidos, aboliram explicitamente as principais formas de tortura judicial praticadas em seus territórios.

Demarquei o século XVIII neste gráfico e em outros deste capítulo para ressaltar as numerosas reformas humanitárias que foram iniciadas nessa notável fatia da história. Outra reforma notável foi a prevenção da crueldade com animais. Em 1789, Jeremy Bentham articulou as bases racionais dos direitos dos animais em uma passagem que até hoje é a palavra de ordem dos movimentos de proteção aos animais: "A questão não é se eles podem *raciocinar* ou se eles podem *falar*, mas se eles podem *sofrer*". A partir de 1800 foram introduzidas no Parlamento as primeiras leis contra o acossamento de urso (*bearbaiting*). Em 1822 foi aprovada a Lei Contra Maus-Tratos ao Gado e em 1835 a proteção foi estendida a touros, ursos, cães e gatos.[65] Como muitos movimentos humanitários originados no Iluminismo, a oposição à crueldade com animais encontrou um segundo alento durante as Revoluções dos Direitos na segunda metade do século XX, culminando em 2005 na proibição do último esporte de sangue ainda permitido na Grã-Bretanha: a caça à raposa.

PENA DE MORTE

A introdução do enforcamento rápido em 1783 na Inglaterra e da guilhotina em 1792 na França foi um avanço moral, pois uma execução que deixa a vítima inconsciente instantaneamente é mais humana do que as destinadas a prolongar seu sofrimento. Ainda assim, a execução é uma forma extrema de violência, ainda mais quando aplicada com a frivolidade com que a maioria dos Estados a usou durante a maior parte da história humana. Nos tempos bíblicos e medievais e no início da era moderna, muitas afrontas e infrações triviais eram punidas com a morte, entre elas sodomia, maledicência, roubar couves, apanhar gravetos no

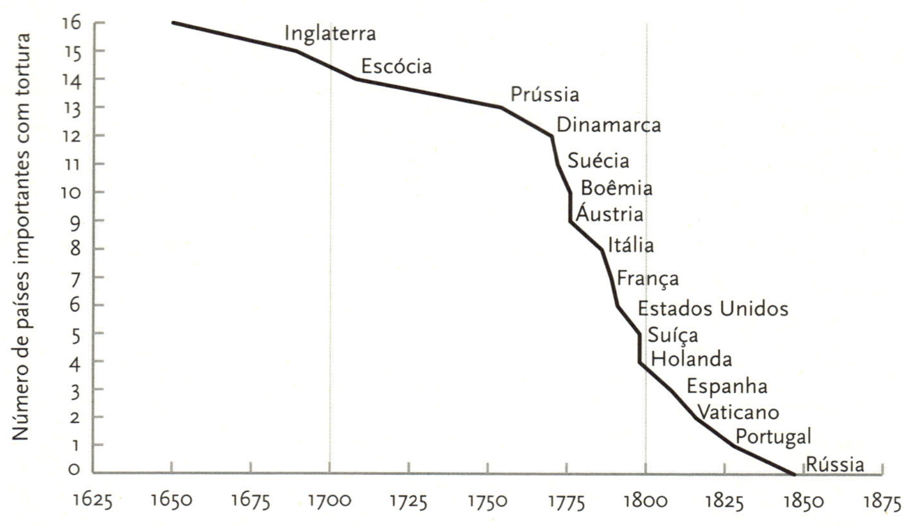

Figura 4.2. *Linha do tempo da abolição da tortura judicial.*
FONTES: Hunt, 2007, pp. 76, 179; Mannix, 1964, pp. 137-8.

sabá, responder mal aos pais e criticar o jardim real.[66] Nos últimos anos do reinado de Henrique VIII houve mais de dez execuções *por semana* em Londres. Em 1822, a Inglaterra tinha 222 crimes capitais na legislação, incluindo caçar em local proibido, fraudar, roubar coelhos e cortar uma árvore. E como os julgamentos tinham uma duração média de oito minutos e meio, sem dúvida muitas das pessoas mandadas para o carrasco eram inocentes.[67] Rummel estima que entre a época de Jesus e o século XX o número de pessoas executadas por delitos triviais tenha chegado a 19 milhões.[68]

Em fins do século XVIII, porém, a própria pena capital estava no corredor da morte. Os enforcamentos públicos, que por muito tempo haviam sido barulhentos carnavais, foram abolidos na Inglaterra em 1783. A exposição de corpos no patíbulo foi abolida em 1834, e em 1861 a Inglaterra, que tinha 222 crimes capitais, reduziu-os a quatro.[69] Durante o século XIX, muitos países europeus pararam de executar pessoas por qualquer crime exceto assassinato e alta traição, e por fim quase todos os países do Ocidente aboliram de vez a pena de morte. Para avançarmos na história, a figura 4.3 mostra que, dos 53 países hoje restantes na Europa, todos menos a Rússia e Belarus aboliram a pena de morte por crimes comuns. (Alguns a mantêm na legislação para crimes de alta traição e graves transgressões militares.) A abolição da pena capital ganhou grande ímpeto depois da Segunda Guerra Mundial, mas essa prática já havia declinado muito antes dessa época. A Holanda, por exemplo, aboliu oficialmente a pena capital em 1982, mas desde 1860 não executava ninguém. Em média cinquenta anos se passaram entre a última execução em um dado país e o ano em que nele se aboliu formalmente a pena de morte.

Hoje, a pena capital é amplamente vista como violação dos direitos humanos. Em 2007, a Assembleia Geral da ONU votou (por 105 votos a favor, 54 contra e 29 abstenções) pela declaração de moratória sem efeito obrigatório para a pena de morte, uma medida que havia fracassado em 1994 e 1999.[70] Os Estados Unidos foram um dos países que se opuseram a essa resolução. Como na maioria das formas de violência, os Estados Unidos destoam entre as democracias ocidentais (entretanto, dezessete estados americanos, a maioria do norte, também aboliram a pena de morte — quatro deles nos últimos dois anos — e dezoito não executam nenhum condenado há 45 anos).[71] Mas até a pena de morte americana, por mais famigerada que seja, é mais simbólica do que real. A figura 4.4 mostra que a taxa de execuções nos Estados Unidos como proporção de sua população despencou desde os tempos coloniais, e que a queda mais acentuada ocorreu nos séculos XVII e XVIII, quando tantas outras formas de violência institucional estavam revivendo no Ocidente.

O aumento quase imperceptível nas duas últimas décadas reflete as políticas de endurecimento com o crime que foram uma reação ao surto de homicídios dos anos 1960, 1970 e 1980. Entretanto, hoje nos Estados Unidos uma "sentença de morte" é praticamente uma ficção, pois as revisões legais obrigatórias postergam quase indefinidamente a maioria das execuções, e somente alguns décimos de um ponto percentual dos assassinos do país são realmente executados.[72] Além disso, a tendência mais recente aponta para baixo: o ano de pico das execuções foi 1999, e desde então o número anual de execuções caiu quase pela metade.[73]

Ao mesmo tempo que a taxa de sentenças capitais caiu, também declinou o número de crimes capitais. Em séculos anteriores, pessoas podiam ser executadas por furtar, praticar sodomia, bestialidade, adultério, bruxaria e incêndio premeditado, omitir um nascimento, roubar uma residência, revoltar-se se fosse escravo, forjar dinheiro e roubar cavalo. A figura 4.5 mostra a proporção de americanos executados por crimes com exceção do homicídio, desde os tempos coloniais. Em décadas recentes, o único crime além do homicídio que levou à execução foi

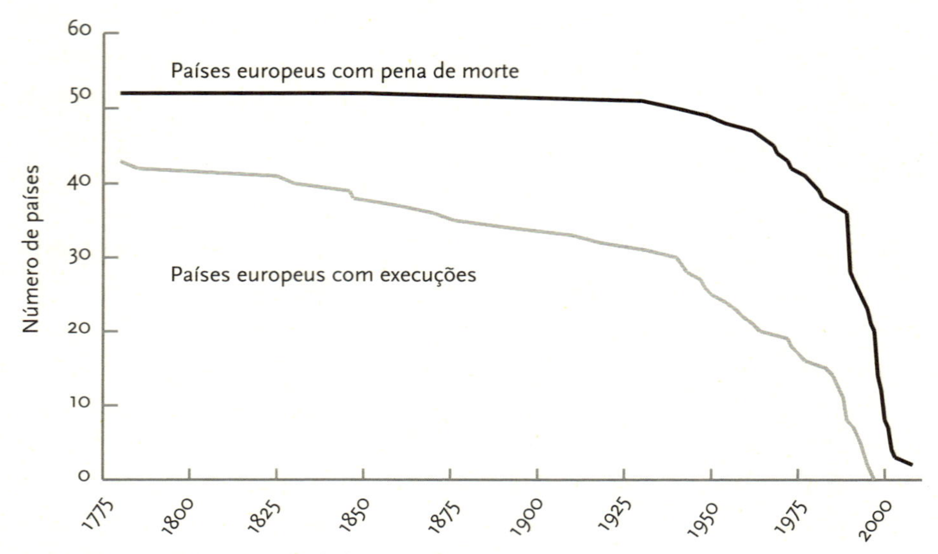

Figura 4.3. *Linha do tempo da abolição da pena de morte na Europa.*
FONTES: Ministério das Relações Exteriores da França, 2007; Capital Punishment U. K., 2004; Anistia Internacional, 2010.

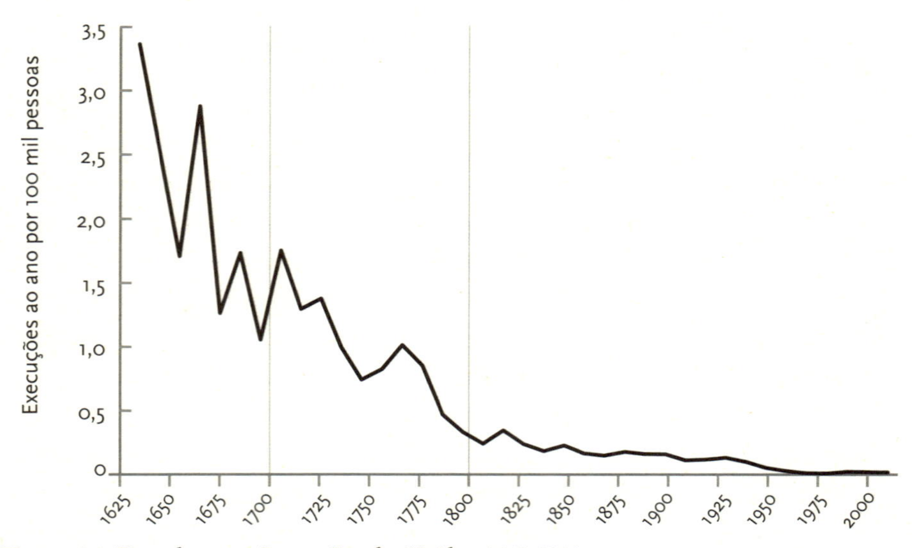

Figura 4.4. *Taxa de execuções nos Estados Unidos, 1640-2010.*
FONTES: Payne, 2004, p. 130, baseado em dados de Espy e Smykla, 2002. Os números para as décadas terminadas em 2000 e 2010 provêm de Death Penalty Information Center, 2010b.

"conspirar para cometer assassinato". Em 2007, a Suprema Corte dos Estados Unidos determinou que a pena de morte não pode ser aplicada por qualquer crime a um indivíduo "que não tenha tirado a vida da vítima" (embora a pena de morte continue existindo para "crimes contra o Estado", como espionagem, traição e terrorismo).[74]

Os meios de execução também mudaram. Não só há muito tempo o país abandonou as execuções com tortura, como queimar na fogueira, mas, além disso, experimentou uma sucessão de métodos "humanos"; o problema é que, quanto mais eficazmente um método garante a morte instantânea (digamos, algumas balas no cérebro), mais horripilante ele parece às testemunhas, que não desejam ser lembradas de que se aplicou violência para matar um corpo vivo. Assim, a fisicalidade das cordas e balas deu lugar aos agentes invisíveis do gás e da eletricidade, substituídos depois pelo procedimento quase médico da injeção letal sob anestesia geral — e mesmo esse método é criticado por ser demasiado estressante para o prisioneiro ao morrer. Como Payne observou,

> Em reforma após reforma, os legisladores moderaram a pena de morte, e hoje ela é apenas um vestígio do que já foi. Não é aterradora, não é rápida e, em seu presente uso restrito, não é certa (apenas um assassinato a cada duzentos leva à execução). O que significa, então, dizer que os Estados Unidos "têm" a pena de morte? Se os Estados Unidos tivessem a pena de morte na forma robusta, tradicional, estaríamos executando aproximadamente 10 mil prisioneiros por ano, entre eles dezenas de pessoas inocentes. As vítimas seriam mortas sob tortura, e esses eventos seriam mostrados pela televisão a todo o país, para serem vistos por todos os cidadãos, inclusive crianças (a 27 execuções por dia, isso deixaria pouco tempo para outras atrações na programação). O fato de que os defensores da pena capital ficariam abismados com essa perspectiva mostra que até eles sentem os efeitos fermentativos do crescente respeito pela vida humana.[75]

Pode-se imaginar que no século XVIII a ideia de abolir a pena capital pareceria imprudente. Talvez se pensasse que, sem o medo de uma execução medonha, as pessoas não hesitariam em assassinar por lucro ou vingança. No entanto, hoje sabemos que a abolição, longe de reverter o declínio secular do homicídio, acompanhou essa tendência decrescente, e que os países da Europa Ocidental moderna, nenhum dos quais executa pessoas, têm as mais baixas taxas de homicídios do

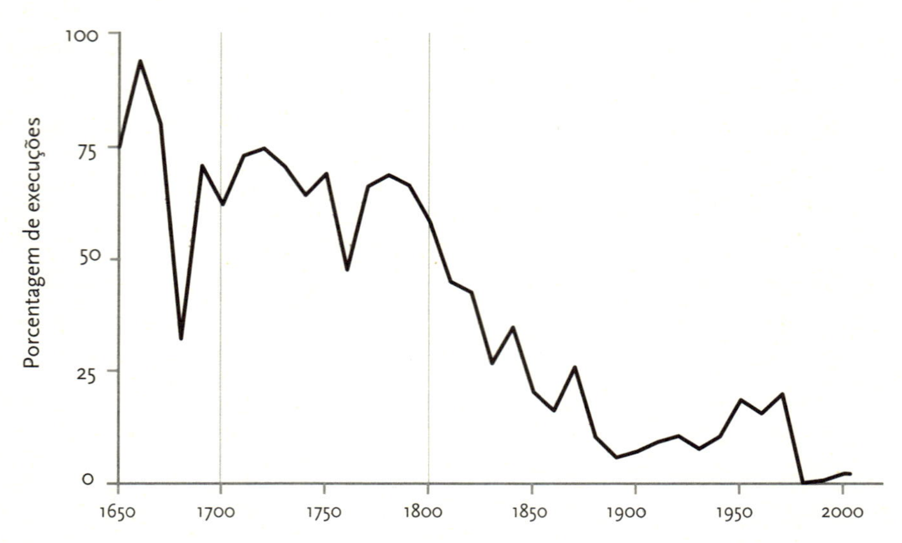

Figura 4.5. *Execuções por crimes exceto homicídio nos Estados Unidos, 1650-2002.*
FONTES: Espy e Smykla, 2002; Death Penalty Information Center, 2010a.

mundo. É um dos muitos exemplos em que a violência institucionalizada outrora foi vista como indispensável ao funcionamento de uma sociedade, mas, assim que foi abolida, a sociedade conseguiu viver muito bem sem ela.

ESCRAVIDÃO

Durante a maior parte da história da civilização, a prática da escravidão foi regra e não exceção. Foi permitida nas Bíblias hebraica e cristã e justificada por Platão e Aristóteles como uma instituição natural essencial à sociedade civilizada. A chamada Atenas democrática na época de Péricles escravizou 35% de sua população, e o mesmo fez a República Romana. Escravos sempre foram um importante butim em tempo de guerra, e povos sem Estado de todas as raças foram vulneráveis à captura.[76] A palavra "slave" [escravo] deriva de "Slav" [eslavo], porque, como nos informa o dicionário, "povos eslavos foram capturados e escravizados em grandes números durante a Idade Média". Estados e forças armadas, quando não eram usados como instrumentos escravizadores, serviam como instrumentos de prevenção à escravização, como nos lembra a letra da canção patriótica britânica:

"Rule, Britannia! Britannia rule the waves. Britons never, never, never shall be slaves" [Domina, Grã-Bretanha! Grã-Bretanha, domina as ondas. Os britânicos nunca, nunca, nunca hão de ser escravos]. Muito antes de os europeus escravizarem africanos, estes eram escravizados por outros africanos e também por Estados islâmicos na África do Norte e no Oriente Médio. Alguns desses Estados só recentemente aboliram a escravidão legal: o Catar em 1952, a Arábia Saudita e o Iêmen em 1962, a Mauritânia em 1980.[77]

Ser escravizado na guerra era, em geral, um destino melhor do que a alternativa de ser massacrado, e em muitas sociedades a escravidão matizou-se em formas mais brandas de servidão, emprego, serviço militar e guildas ocupacionais. Mas a violência é inerente à definição de escravidão: se um indivíduo fizesse todo o trabalho de um escravo, mas tivesse a opção de deixar essa ocupação a qualquer momento sem ser fisicamente restrito ou punido, não o chamaríamos de escravo; e essa violência frequentemente foi parte normal da vida em cativeiro. O Êxodo 21,20-21 decreta: "Se alguém ferir com vara seu escravo ou sua escrava, e o ferido morrer debaixo de sua mão, será punido; porém se ele sobreviver por um ou dois dias, não será punido, porque é dinheiro seu". Não ser o dono do próprio corpo deixava até o mais bem tratado escravo vulnerável à exploração perversa. Mulheres em haréns eram perpétuas vítimas de estupro, e os homens que as guardavam, os eunucos, tinham os testículos — ou, no caso dos eunucos negros, toda a genitália — decepados com faca e cauterizados com manteiga fervente para não morrerem de hemorragia.

O tráfico de escravos africanos foi um dos capítulos mais brutais da história humana. Entre os séculos XVI e XVII, no mínimo 1,5 milhão de africanos morreram em navios negreiros durante a travessia do Atlântico, acorrentados lado a lado em porões sufocantes e imundos; e, como destacou um observador, "os que restam para ver a costa apresentam uma imagem tão deplorável que a linguagem não pode expressar".[78] Outros milhões pereceram em marchas forçadas por selvas e desertos até os mercados de escravos na costa ou no Oriente Médio. Os traficantes tratavam sua carga com a mesma ideia dos mercadores de gelo: uma certa proporção da mercadoria fatalmente há de perder-se no transporte. No mínimo 17 milhões de africanos, talvez até 65 milhões, morreram no tráfico.[79] O tráfico de escravos não só matava pessoas em trânsito, mas, como fornecia um fluxo contínuo de trabalhadores, encorajava os proprietários a matá-los de trabalho, substituindo-os depois por novos cativos. Mas até os escravos mantidos em relativamente boa saúde viviam à sombra da chibata, do estupro, da mutilação, da separação forçada da família e da execução sumária.

Em várias épocas, proprietários alforriaram escravos, com frequência em testamento, depois de conviver com eles mais intimamente. Em alguns lugares, como a Europa na Idade Média, a escravidão deu lugar à servidão feudal e à parceria agrícola quando se tornou mais barato tributar as pessoas do que mantê-las em cativeiro, ou quando Estados fracos não puderam fazer valer os direitos de propriedade dos senhores de escravos. Mas um movimento em massa contra a instituição da escravidão eclodiu pela primeira vez no século XVIII e rapidamente levou o escravismo quase à extinção.

Por que as pessoas finalmente abriram mão do supremo recurso poupador de trabalho? Há tempos os historiadores debatem o grau em que a abolição da escravidão foi impelida pela economia ou por preocupações humanitárias. Houve uma época em que a explicação econômica pareceu irrefutável. Em 1776, Adam Smith argumentou que a escravidão devia ser menos eficiente do que o trabalho pago porque somente o segundo era um jogo de soma positiva:

> O trabalho feito por escravos, embora pareça custar apenas sua manutenção, no fim das contas é de todos o mais caro. Uma pessoa que não pode adquirir propriedade não pode ter outro interesse além de comer tanto quanto puder e trabalhar o menos possível. Qualquer trabalho que faça além do que é suficiente para comprar sua própria manutenção somente poderá ser dele arrancado pela violência, e não por um interesse próprio.[80]

O cientista político John Mueller observou: "A opinião de Smith conquistou adeptos, só que não entre os proprietários de escravos. Portanto, ou Smith estava errado ou esses proprietários eram maus negociantes".[81] Alguns economistas, como Robert Fogel e Stanley Engerman, concluíram que Smith estava enganado, ao menos parcialmente, no caso do sul americano antes da guerra, que na época tinha uma economia razoavelmente eficiente.[82] Além disso, é claro, a escravidão sulista não deu lugar gradualmente a técnicas de produção economicamente eficazes: teve de ser obliterada pela guerra e pela lei.

Foram necessárias armas e leis para pôr fim à escravidão no resto do mundo também. A Grã-Bretanha, antes uma das mais ativas nações traficantes de escravos, proibiu o tráfico em 1807 e aboliu a escravidão em todo o seu império em

1833. Nos anos 1840, estava pressionando outros países a abandonar sua participação no tráfico, escorada em sanções econômicas e em quase um quarto de sua Marinha Real.[83]

A maioria dos historiadores concluiu que a política britânica de abolição da escravidão baseou-se em motivos humanitários.[84] Locke minou a base moral do escravagismo em sua obra *Dois tratados sobre o governo*, de 1689, e, embora ele e muitos de seus descendentes intelectuais hipocritamente lucrassem com a instituição, sua defesa da liberdade, igualdade e universalidade dos direitos do homem desencadeou um processo sem volta, tornando cada vez mais constrangedor justificar a prática. Muitos dos escritores do Iluminismo que, por motivos humanitários, deblateraram contra a tortura, como Jacques-Pierre Brissot, na França, aplicaram a mesma lógica para opor-se à escravidão. O mesmo fizeram os quacres, que em 1787 fundaram a influente Sociedade para a Abolição do Tráfico de Escravos, e pregadores religiosos, acadêmicos, negros livres, ex-escravos e políticos.[85]

Ao mesmo tempo, muitos políticos e pregadores religiosos *defenderam* a escravidão, com argumentos como a aprovação bíblica à prática, a inferioridade da raça africana, o valor de preservar o modo de vida sulista e o receio paternalista de que os escravos libertos não fossem capazes de sobreviver por conta própria. Mas tais racionalizações desmoronaram sob o escrutínio intelectual e moral. O argumento intelectual dizia que era indefensável permitir a uma pessoa ser dona de outra, excluindo-a arbitrariamente da comunidade dos tomadores de decisão cujos interesses eram negociados no contrato social. Nas palavras de Jefferson, "a massa da humanidade não nasceu com sela nas costas, assim como uma minoria favorecida não nasceu de botas e esporas, pronta para cavalgar legitimamente os demais".[86] A repulsa moral foi estimulada por relatos em primeira pessoa de como era ser escravo. Alguns foram autobiografias, como *The Interesting Narrative of the Life of Olaudah Equiano, the African, Written by Himself* (1789), e *Narrative of the Life of Frederick Douglas, an American Slave* (1845). Ainda mais influente foi uma obra de ficção, *A cabana do Pai Tomás*, de Harriet Beecher Stowe (1852). Nesse romance há um dilacerante episódio em que mães são separadas dos filhos, e outro em que o bondoso Tomás é surrado até a morte por recusar-se a açoitar outros cativos. O livro vendeu 300 mil exemplares e foi um catalisador do movimento abolicionista. Segundo a lenda, quando Abraham Lincoln encontrou-se com a autora, em 1862, comentou: "Então você é a mulherzinha que começou essa guerra colossal!".

Em 1865, depois da mais destrutiva guerra da história dos Estados Unidos, a escravidão foi abolida pela 13ª Emenda da Constituição. A abolição já ocorrera em muitos países, e a França teve a dúbia distinção de aboli-la duas vezes, uma logo após a Revolução Francesa, em 1794, e a outra em 1848, durante a Segunda República, depois de Napoleão ter restaurado a escravidão em 1802. O resto do mundo não demorou a imitar. Muitas enciclopédias fornecem cronologias da abolição da escravidão; diferem ligeiramente no modo como delineiam os territórios e no que consideram "abolição", porém todas mostram o mesmo padrão: um surto de proclamações, começando em fins do século XVIII. A figura 4.6 mostra o número cumulativo de países e colônias que aboliram formalmente a escravidão desde 1575.

Uma prática muito semelhante ao escravismo é a da escravidão por dívida. Desde os tempos bíblicos e clássicos, as pessoas que não conseguiam honrar seus empréstimos podiam ser escravizadas, presas ou executadas.[87] A palavra "draconiano" deriva do nome do legislador grego Draco, que em 621 AEC codificou leis sobre

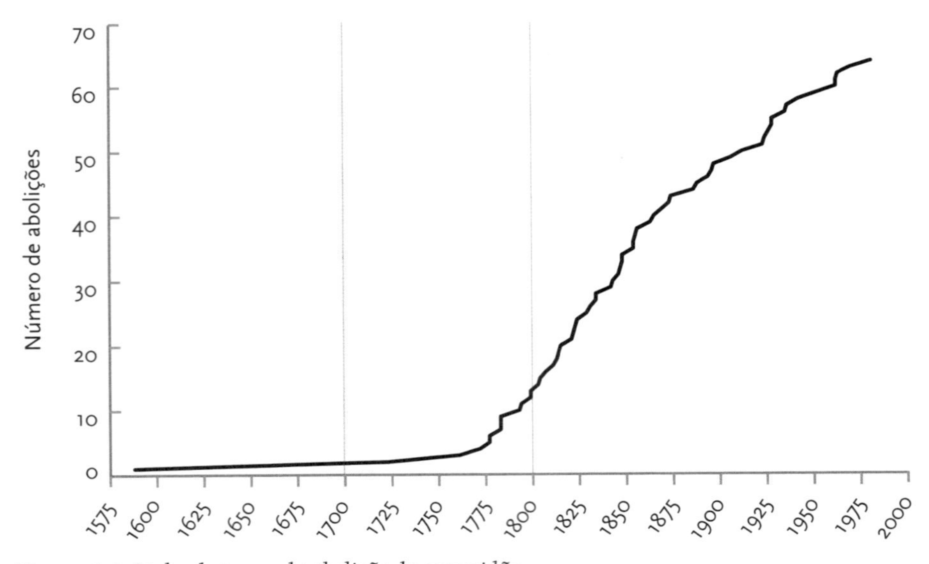

Figura 4.6. *Linha do tempo da abolição da escravidão.*
FONTE: A lista mais abrangente de abolições que encontrei está em "Abolition of Slavery Timeline", Wikipedia, <en.wikipedia.org.wiki/Abolition_of_slavery_timeline>, acessada em 18 de agosto de 2009. Inclui todos os verbetes de "Modern Timeline" que mencionam a abolição formal da escravidão em uma jurisdição política.

a escravização de devedores. O direito de Shylock de cortar uma libra de carne de Antônio em *O mercador de Veneza* é outro lembrete dessa prática. No século XVI, os inadimplentes já não eram mais escravizados ou executados, mas enchiam as prisões de devedores aos milhares. A alguns, apesar de estarem falidos, era cobrada a comida, e eles tinham de sobreviver com o que conseguiam mendigar dos passantes pelas janelas da cadeia. Nos Estados Unidos em princípios do século XIX, milhares de pessoas, inclusive muitas mulheres, definharam em prisões de devedores, metade por dívidas inferiores a dez dólares. Nos anos 1830 emergiu um movimento reformista que, como o movimento antiescravista, apelava tanto para a razão como para a emoção. Um comitê do Congresso afirmou que a prática contradizia os princípios da justiça de não "dar ao credor, em qualquer caso, poder sobre o corpo do devedor". O comitê também salientou que, "se todas as vítimas de opressão nos fossem postas diante dos olhos em uma só massa congregada, com todo o acompanhamento de esposas, filhos e amigos envolvidos na mesma ruína, exibiriam um espetáculo que faria a humanidade estremecer".[88] A escravidão por dívida foi abolida em quase todos os estados americanos entre 1820 e 1840, e pela maioria dos governos europeus nos anos 1860 e 1870.

A história do tratamento dado aos devedores, observa Payne, ilustra o misterioso processo de declínio da violência em todas as esferas da vida. As sociedades ocidentais passaram de escravizar e executar devedores a aprisioná-los, e por fim a apoderar-se de seus bens para saldar a dívida. Mesmo a apreensão de bens, ele salienta, é um tipo de violência: "Quando João compra víveres a crédito e mais tarde recusa-se a pagar por eles, não fez uso da força. Se o merceeiro vai à justiça e consegue que a polícia apreenda o carro ou a conta bancária de João, o merceeiro e a polícia são quem está iniciando o uso da força".[89] E porque é uma forma de violência, mesmo que em geral as pessoas não a vejam desse modo, essa prática também vem declinando. A tendência da lei das falências tem sido evitar punir os devedores ou tirar deles os bens, preferindo dar-lhes a oportunidade de começar de novo. Em muitos estados, a casa, o carro, o fundo de aposentadoria e os bens do cônjuge estão protegidos, e quando uma pessoa ou empresa se declara insolvente, pode dar baixa em muitas dívidas com impunidade. Nos velhos tempos das prisões para devedores, provavelmente se prediria que essa leniência levaria à degringolada do capitalismo, que depende da quitação dos empréstimos. Mas o ecossistema comercial desenvolveu alternativas para compensar essa perda de poder de pressão. Verificação de crédito, classificação de crédito, seguro de empréstimo e cartão de crédito são apenas alguns dos modos que permitem a continuidade da vida econômica depois que devedores não podem mais ser dissuadidos pela ameaça de coerção legal. Toda uma categoria de violência evaporou, e mecanismos para a mesma função materializaram-se, sem que ninguém se desse conta do que estava acontecendo.

A escravidão e outras formas de servidão não se extinguiram totalmente no mundo, é claro. Em consequência de publicidade recente sobre o tráfico de pessoas para trabalhos forçados e prostituição, às vezes ouvimos os estatisticamente analfabetos e moralmente obtusos dizerem que nada mudou desde o século XVIII, como se não houvesse diferença entre uma prática clandestina em algumas partes do mundo e uma prática autorizada em qualquer parte do mundo. Além do mais, o tráfico moderno de seres humanos, por mais hediondo que seja, não pode ser equiparado aos horrores do tráfico africano de escravos. David Feingold, que criou o Trafficking Statistics Project [Projeto de Estatísticas do Tráfico] da Unesco, em 2003, observa sobre os viveiros atuais do tráfico humano:

> A identificação do tráfico humano com a escravidão — em particular, o tráfico transatlântico de cativos — é tênue, na melhor das hipóteses. Nos séculos XVIII e XIX, os escravos africanos eram raptados ou capturados em guerras. Eram levados para o Novo Mundo para uma servidão vitalícia, da qual raramente eles ou seus filhos conseguiam escapar. Em contraste, embora algumas das vítimas do tráfico moderno sejam raptadas, o mais das vezes [...] esse tráfico é uma migração que dá muito errado. A maioria deixa seu lar voluntariamente — ainda que às vezes coagida pelas circunstâncias — em busca de uma vida materialmente melhor ou mais interessante. Pelo caminho, essas pessoas enredam-se em uma situação em que são coagidas ou exploradas. No entanto, raramente essa situação persiste por toda a vida; tampouco [...] as pessoas traficadas tornam-se uma casta permanente ou hereditária.[90]

Feingold também observa que geralmente os números de vítimas do tráfico informados por grupos ativistas e repetidos por jornalistas e organizações não governamentais são tirados do nada e inflados por seu valor advocatício. Não obstante, até os ativistas reconhecem o fantástico progresso que fizemos. Uma declaração de Kevin Bales, presidente da ONG Free the Slaves, embora comece com uma estatística dúbia, põe a questão em perspectiva:

Apesar de o verdadeiro número de escravos ser o maior de todos os tempos, também é a menor proporção escravizada da população mundial desde que a escravidão existe. Já não precisamos ganhar a batalha legal; hoje uma lei contra a escravidão vigora em cada país. Não temos de ganhar o argumento econômico; nenhuma economia depende da escravidão (ao contrário do que ocorria no século XIX, quando atividades inteiras entrariam em colapso). E não temos de ganhar o argumento moral; ninguém mais está tentando justificar a prática.[91]

A Idade da Razão e o Iluminismo deram um fim súbito a muitas instituições violentas. Duas outras mostraram maior poder de permanência e por mais dois séculos foram toleradas em grandes partes do mundo: a tirania e a guerra entre grandes Estados. Embora os primeiros movimentos sistemáticos para erodir essas instituições fossem quase ceifados de pronto e só começassem a predominar quando já tínhamos nascido, originaram-se na grandiosa mudança das ideias e sensibilidades que constituem a Revolução Humanitária, por isso os introduzirei aqui.

O DESPOTISMO E A VIOLÊNCIA POLÍTICA

Um governo, de acordo com a famosa caracterização do sociólogo Max Weber, é uma instituição que detém o monopólio do uso legítimo da violência. Portanto, governos são instituições que, por sua própria natureza, foram concebidas para executar a violência. Idealmente, essa violência é mantida de reserva, para dissuadir criminosos e invasores, mas por milênios a maioria dos governos não mostrou esse comedimento e se serviu exuberantemente da violência.

Todos os primeiros Estados complexos foram despotismos no sentido de um "direito exercido pelos líderes da sociedade de assassinar seus governados arbitrariamente e com impunidade".[92] Laura Betzig mostrou que existem evidências de despotismo nos registros dos babilônios, hebreus, romanos imperiais, samoanos, fijianos, khmers, natchezes, astecas, incas e nove reinos africanos. Os déspotas dão um uso claramente darwiniano a seu poder, vivendo no luxo e desfrutando dos serviços de um enorme harém. Segundo um relato dos primeiros tempos da colonização britânica na Índia, "uma festa dada pelo governador mongol de Surat

[...] foi rudemente interrompida quando o anfitrião se enfureceu de súbito e ordenou que todas as dançarinas fossem decapitadas imediatamente, para estupefação dos convidados ingleses".[93] Estes só podiam dar-se ao luxo de ficar estupefatos porque seu país natal recentemente abandonara o despotismo. Em seus diversos ataques de mau humor, Henrique VIII executou duas esposas, vários dos alegados amantes delas, muitos de seus próprios conselheiros (inclusive Thomas More e Thomas Cromwell), o tradutor da Bíblia William Tyndale e dezenas de milhares de outros.

O poder dos déspotas de matar quando lhes desse na veneta compõe o pano de fundo de histórias contadas no mundo todo. O sábio rei Salomão propôs resolver uma disputa pela maternidade matando o bebê em questão. A base para a história de Sherazade é um rei persa que matava uma nova esposa por dia. O lendário rei Narashimhadev, de Orissa, Índia, exigiu que exatamente 12 mil artesãos construíssem um templo em exatamente doze anos, ou todos seriam executados. E na história *The Five Hundred Hats of Bartholomew Cubbins* [Os quinhentos chapéus de Bartolomeu Cubbins], do Dr. Seuss, o protagonista quase é decapitado por não conseguir tirar o chapéu na presença do rei.

Quem vive pela espada morre pela espada, e na maior parte da história humana o assassínio político — um desafiante mata um líder e toma seu lugar — foi o principal mecanismo de transferência de poder.[94] O assassino político difere do assassino moderno que tenta fazer uma declaração política, quer entrar para os livros de história ou é louco varrido. Normalmente, ele é membro da elite política, mata um líder para tomar-lhe o lugar e conta com sua ascensão para ser reconhecido como legítimo. Os reis Saul, Davi e Salomão foram, todos, perpetradores ou alvos de conspirações de assassinato, e Júlio César foi um dos 34 imperadores romanos (de um total de 49 que reinaram até a divisão do império) mortos por guardas, autoridades ou pessoas de sua própria família. Manuel Eisner calculou que entre 600 e 1800 aproximadamente um a cada oito monarcas europeus foi assassinado durante seu reinado, a maioria por nobres, e que um terço dos assassinos assumiu o trono.[95]

Líderes políticos não só matam uns aos outros como também perpetram violência em massa contra seus governados. Podem torturá-los, aprisioná-los, executá-los, matá-los de fome ou fazê-los trabalhar até morrer em projetos faraônicos. Rummel estima que antes do século XX governos tenham matado 133 milhões de pessoas, e o total pode chegar a 625 milhões.[96] Assim, quando as incursões violentas e as rixas são postas sob controle em uma sociedade, a maior oportunidade para reduzir a violência é reduzir a violência *do governo.*

Nos séculos XVII e XVIII muitos países haviam começado a debelar a tirania e o assassinato político.[97] Entre o começo da Idade Média e 1800, calcula Eisner, a taxa de regicídios na Europa caiu para um quinto, em especial no oeste e no norte da Europa. Um famoso exemplo dessa mudança é o destino dos dois reis Stuart que enfrentaram o Parlamento inglês. Em 1649 Carlos I foi decapitado, mas em 1688 seu filho Jaime II foi deposto sem derramamento de sangue na Revolução Gloriosa. Mesmo depois de tentar um golpe de Estado, ele foi apenas mandado para o exílio. Em 1776, os revolucionários americanos haviam rebaixado a definição de "despotismo" para cobrança de impostos sobre o chá e aquartelamento de soldados.

Ao mesmo tempo os governos tornavam-se gradualmente menos tirânicos, pensadores buscavam princípios que reduzissem ao mínimo necessário a violência do governo. Tudo começou com uma revolução conceitual. Em vez de considerar o governo naturalmente uma parte orgânica da sociedade, ou a delegação, por uma deidade, do poder sobre aquela fatia de seu reino na terra, as pessoas começaram a conceber o governo como um instrumento — uma tecnologia inventada pelos seres humanos com o propósito de aumentar o bem-estar coletivo. Sem dúvida os governos nunca tinham sido inventados deliberadamente, e existiam desde muito antes da história escrita, por isso pensar dessa maneira requereu uma considerável façanha da imaginação. Pensadores como Hobbes, Espinosa, Locke e Rousseau, e posteriormente Jefferson, Hamilton, James Madison e John Adams, imaginaram como seria a vida no estado natural e fizeram experimentos mentais sobre o que um grupo de agentes racionais inventaria para melhorá-la. As instituições resultantes claramente não se pareceriam em nada com as teocracias e monarquias hereditárias da época. É difícil imaginar uma simulação plausível de agentes racionais em um estado natural escolhendo uma organização que lhes daria o direito divino dos reis, "*L'État c'est moi*", ou rebentos endógamos ascendendo ao trono aos dez anos de idade. Em vez disso, o governo serviria segundo a vontade dos governados. Seu poder de "manter todos em um temor respeitoso", como concluiu Hobbes, não era uma licença para brutalizar os cidadãos tendo em vista os interesses do governo, mas somente um mandato para implementar o acordo de que "um homem aceite, quando os outros também o façam, [...] abrir mão desse direito a todas as coisas, e se contente com tanta liberdade em relação aos outros homens quanto ele permita aos outros homens em relação a si mesmo".[98]

É justo dizer que o próprio Hobbes não refletiu sobre esse problema com suficiente profundidade. Ele imaginou que, desde o princípio dos tempos, de algum modo as pessoas investiriam de autoridade um soberano ou um comitê, e dali por diante essa entidade encarnaria os interesses do povo tão perfeitamente que nunca haveria razão para questioná-la. Basta pensar em um típico congressista americano ou em um membro da família real britânica (sem falar em um generalíssimo ou em um comissário do povo) para ver como essa seria uma receita para o desastre. Os Leviatãs da vida real são seres humanos, com toda a cobiça e desatino que devemos esperar de um espécime de *Homo sapiens*. Locke reconheceu que as pessoas no poder seriam tentadas a "isentar-se da obediência às leis que elas criam, e adequar a lei, tanto em sua feitura como em sua execução, a seu próprio desejo privado, e desse modo virão a ter um interesse distinto do resto da comunidade, contrário à finalidade da sociedade e do governo".[99] Ele preconizou que os ramos legislativo e executivo do governo fossem separados e que os cidadãos se reservassem o poder de depor o governo que não estivesse mais cumprindo sua missão.

Essa linha de pensamento foi levada ao nível seguinte pelos herdeiros de Hobbes e Locke. Depois de anos de estudos e debates, eles elaboraram um projeto para um governo constitucional americano. Eram obcecados com o problema de como uma entidade dirigente composta de seres humanos falíveis poderia ser dotada de força suficiente para impedir os cidadãos de prejudicar uns aos outros sem arrogar tanto a si mesma a ponto de tornar-se o mais destrutivo predador de todos.[100] Como escreveu Madison, "se os homens fossem anjos, nenhum governo seria necessário. Se anjos governassem os homens, nenhum controle externo ou interno sobre o governo seria necessário".[101] Assim, o ideal lockiano da separação dos poderes foi inserido no projeto do novo governo porque "deve-se fazer de tal modo que se contraponha ambição a ambição".[102] O resultado foi a divisão do governo em executivo, judiciário e legislativo, o sistema federalista no qual a autoridade é dividida entre os estados e o governo nacional, e eleições periódicas para forçar o governo a dar atenção aos desejos do povo e para transferir o poder de modo organizado e pacífico. Mais importante, talvez, foi dar ao governo uma missão circunscrita — assegurar a vida, a liberdade e a busca da felicidade a todos os cidadãos, com o consentimento destes — e, na forma da Declaração de

Direitos, uma série de limites que o governo não poderia transpor em seu uso da violência contra eles.

Outra inovação do sistema americano foi seu reconhecimento explícito dos efeitos pacificadores da cooperação de soma positiva. O ideal do comércio gentil foi implementado nas cláusulas de Comércio, Contrato e Desapropriações da Constituição, que impedem o governo de interferir demais nas transações entre os cidadãos.[103]

As formas de democracia experimentadas no século XVIII foram o que se poderia esperar da versão 1.0 de uma nova tecnologia complexa. A implementação inglesa foi tíbia, a francesa foi um rematado desastre, e a americana teve uma falha perfeitamente captada pelo ator Ice-T ao representar Thomas Jefferson revendo um esboço da Constituição: "Vejamos: liberdade de expressão; liberdade de religião; liberdade de imprensa; a gente pode ser proprietário de negros... para mim, está bom!". Mas o valor das primeiras versões de democracia está na possibilidade de upgrade. Não só elas criaram zonas, embora restritas, livres de inquisições, punições cruéis e autoridade despótica, mas também contiveram os meios para sua própria expansão. A declaração "Consideramos estas verdades evidentes por si mesmas, que todos os homens são criados iguais", por mais hipócrita que fosse na época, constituiu-se em um amplificador de direitos embutido que pôde ser invocado para dar fim à escravidão 87 anos depois e a outras formas de coerção racial um século mais tarde. A ideia de democracia, uma vez solta no mundo, acabaria por infectar porções cada vez maiores dele e, como veremos, se revelaria uma das melhores tecnologias para redução da violência desde o surgimento do próprio governo.

GRANDES GUERRAS

Durante a maior parte da história humana, a justificativa para a guerra foi aquela expressa com precisão por Júlio Cesar: "Vim. Vi. Venci". Conquista era o que faziam os governos. Impérios ascendiam, impérios caíam, populações inteiras eram aniquiladas ou escravizadas, e ninguém parecia ver nada de errado nisso. As figuras históricas que ganharam o cognome honorífico "Fulano de Tal, o Grande", não foram grandes artistas, eruditos, médicos ou inventores, pessoas que aumentaram a sabedoria ou a felicidade humana. Foram ditadores que conquistaram grandes faixas de território e as pessoas nele residentes. Se a sorte de Hitler tivesse durado mais algum tempo, ele provavelmente teria entrado para a história como Adolf, o Grande. Ainda hoje as clássicas histórias de guerra ensinam muito ao leitor sobre cavalos, couraças e pólvora, mas dão apenas uma ideia muito vaga dos imensos números de pessoas que foram mortas e mutiladas nesses superespetáculos.

Ao mesmo tempo, sempre existiram olhos que focalizaram na escala dos homens e mulheres individuais afetados pela guerra e enxergaram sua dimensão moral. No século V AEC, o filósofo chinês Mozi, fundador de uma religião rival do confucionismo e do taoismo, observou:

> Matar um homem é ser culpado de um crime capital, matar dez homens é multiplicar essa culpa por dez, matar cem homens é multiplicá-la por cem. Isso todos os governantes da terra reconhecem; no entanto, quando se trata do maior dos crimes — fazer a guerra contra outro Estado —, eles o louvam! [...]
>
> Se um homem, ao ver um pequeno ponto preto, disser que ele é preto, mas ao ver muitos pontos pretos disser que são brancos, estaria claro que ele é incapaz de distinguir o preto do branco. [...] Portanto, quem reconhece um pequeno crime como tal, mas não reconhece a perversidade do maior de todos os crimes — fazer a guerra contra outro Estado —, e em vez disso o louva, não sabe distinguir o certo do errado.[104]

Um ou outro olhar ocidental também prestou homenagem ao ideal da paz. O profeta Isaías expressou a esperança de que os povos "converterão suas espadas em relhas de arados, e suas lanças em podadeiras; uma nação não levantará a espada contra outra nação, nem aprenderão mais a guerra".[105] Jesus pregou: "Amai os vossos inimigos, fazei o bem aos que vos odeiam; bendizei aos que vos maldizem, orai pelos que vos caluniam. Ao que te bate numa face, oferece-lhe também a outra".[106] Embora o cristianismo tenha começado como um movimento pacifista, as coisas degringolaram em 312, quando o imperador romano Constantino teve uma visão de uma cruz flamejante no céu com as palavras "Por este sinal vencerás" e converteu o Império Romano a essa versão militante da fé.

As expressões periódicas de pacifismo ou saturação da guerra ao longo do milênio seguinte não contribuíram para deter o quase constante estado de guerra. Segundo a *Encyclopaedia Britannica*, as premissas do direito internacional na Idade Média foram:

> Na ausência de um estado de trégua ou paz mantido por acordo, a guerra foi o estado básico das relações internacionais, mesmo entre comunidades cristãs independentes; (2) Afora as exceções geradas por salvo-conduto individual ou tratado, os governantes julgavam-se no direito de tratar os estrangeiros como bem entendessem; (3) O alto-mar era terra de ninguém, onde qualquer um podia fazer o que quisesse.[107]

Nos séculos XV, XVI e XVII eclodiram guerras entre países europeus à taxa de aproximadamente três novas guerras por ano.[108]

Os argumentos morais contra a guerra são irrefutáveis. Como disse o músico Edwin Starr: "Guerra? Rá! Para que ela serve? Absolutamente nada. Guerra significa lágrimas para os olhos de mil mães, quando seus filhos partem para lutar e perdem a vida". Porém, durante a maior parte da história, esse argumento não teve influência, por duas razões.

A primeira é o problema do outro. Se um país decide deixar de aprender a guerrear, mas seu vizinho continuar a fazê-lo, suas podadeiras não serão páreo para as espadas do vizinho, e o país poderá ver-se do lado errado de um exército invasor. Esse foi o destino de Cartago nas mãos dos romanos, da Índia nas mãos dos invasores muçulmanos, dos cátaros nas mãos dos franceses e da Igreja Católica, e dos vários países entalados entre a Alemanha e a Rússia em muitos momentos de sua história.

O pacifismo também é vulnerável a forças militaristas *dentro* de um país. Quando uma nação está enredada em uma guerra ou prestes a entrar em um confronto, seus líderes têm dificuldade para distinguir os pacifistas dos covardes ou traidores. Os anabatistas foram uma das seitas pacifistas perseguidas ao longo de toda a sua história.[109]

Para ganhar poder de tração, os sentimentos antiguerra precisam contagiar muitos eleitorados ao mesmo tempo. E têm de alicerçar-se em instituições econômicas e políticas, para que a postura avessa à guerra não dependa de todos decidirem tornar-se e manter-se virtuosos. Foi na Idade da Razão e no Iluminismo que o pacifismo evoluiu de um sentimento consciencioso mas ineficaz para um movimento com um programa de ação praticável.

Um modo de demonstrar a futilidade e a perversidade da guerra é explorar o poder distanciador de uma sátira. Um moralizador pode ser alvo de zombaria, um polemista pode ser silenciado, mas um satirista pode defender o mesmo argumento de um modo dissimulado. Seduzindo seu público para que adote a perspectiva de um forasteiro — um bobo da corte, um estrangeiro, um viajante —, o satirista pode fazer as pessoas avaliar a hipocrisia de sua sociedade e as falhas da natureza humana que a fomentam. Se a plateia entender a piada, se os leitores ou espectadores perderem-se na obra, terão aquiescido tacitamente com a desconstrução de uma norma pelo autor, sem que ninguém precise refutá-la minuciosamente. Fallstaff, de Shakespeare, por exemplo, faz a mais primorosa análise de todos os tempos sobre o conceito de honra, a fonte de tanta violência no decurso da história humana. O príncipe Hal instiga-o a entrar em batalha, dizendo: "Deves a Deus uma morte". Fallstaff pondera:

> Não é tempo ainda: eu detestaria pagar-lhe antes da data devida. Por que preciso ser tão pressuroso com quem não me cobra? Ora, não importa; a honra espicaça-me a ir. Sim, mas e se a honra parar de me espicaçar quando eu lá estiver? Como será então? Pode a honra consertar uma perna? Não. Ou um braço? Não. Ou remover a dor de uma ferida? Não. Então a honra não é hábil cirurgiã? Não. O que é honra? Uma palavra. O que é essa palavra honra? Ar — bela conclusão! Quem é seu autor? Aquele que morreu numa quarta-feira. Ele a sente? Não. Ele a ouve? Não. Então ela é insensível? Sim, para os mortos. Mas ela não vive com os vivos? Não. Por quê? A detração não o permitiria. Portanto, nada quero com ela. A honra é um mero brasão. E assim termina meu catecismo.[110]

A detração não o permitiria! Mais de um século depois, em 1759, Samuel Johnson imaginou um chefe índio do Quebec comentando sobre "a arte e a regularidade da guerra europeia" em um discurso a seu povo durante a Guerra dos Sete Anos:

> Eles têm uma lei escrita, que alardeiam ter derivado daquele que fez a terra e o mar, e em nome do qual professam acreditar que o homem será feliz quando a vida o abandonar. Por que tal lei não nos foi comunicada? Escondem-na porque ela é violada. Pois como podem pregá-la a uma nação indígena quando me dizem que um de seus primeiros preceitos proíbe-os de fazer aos outros o que não querem que façam a eles? [...]
>
> Os filhos da rapacidade agora sacam as espadas uns contra os outros, e deixam suas pretensões para a guerra decidir; pareçamos despreocupados com a matança, e

lembremos que a morte de cada europeu livra a terra de um tirano e de um ladrão; pois o que é a pretensão de cada nação senão a pretensão do abutre ao lebracho, ou do tigre à jovem corça?[111]

(Lebracho é um macho de lebre jovem.) *Viagens de Gulliver*, de Jonathan Swift (1726), é um perfeito exercício de mudança de pontos de vista: nesse caso, dos liliputianos para os brobdingnagianos. Swift faz Gulliver descrever a história recente de sua terra natal ao rei de Brobdingnag:

> Ele muito se assombrou com o relato histórico que lhe fiz de nossos assuntos durante o século passado, e asseverou que não passavam de um monte de conspirações, rebeliões, assassinatos, massacres, revoluções, banimentos, os piores efeitos que podem produzir a avareza, a parcialidade, a hipocrisia, a perfídia, a crueldade, a ira, a loucura, o ódio, a inveja, a luxúria, a malignidade ou a ambição. [...]
>
> "Quanto a vós" (prosseguiu o rei) "que passastes grande parte da vida a viajar, disponho-me a esperar que talvez tenhais até agora escapado a muitos dos vícios do vosso país. Porém, pelo que depreendo do vosso próprio relato, e das respostas que com grande esforço arranquei e extorqui de vós, só posso concluir que a maioria dos vossos nativos é a mais perniciosa raça de pestezinhas odiosas que a natureza já permitiu rastejar na superfície da Terra."[112]

Na França também surgiram sátiras. Em um de seus *pensées*, Blaise Pascal (1623-62) imaginou o seguinte diálogo: "Por que me matas em teu benefício? Estou desarmado". "Ora, não vives do outro lado da água? Meu amigo, se vivesses deste lado, eu seria um assassino, mas, como vives do lado de lá, sou um herói, e é justo."[113] *Cândido*, de Voltaire (1759), foi outra novela que, à socapa, pôs comentários antiguerra na boca de um personagem fictício, por exemplo, a seguinte definição de guerra: "Um milhão de assassinos fardados, vagando de uma ponta à outra da Europa, assassinam e saqueiam com disciplina para ganhar seu pão de cada dia".

Junto com as sátiras sugerindo que a guerra era hipócrita e desprezível, o século XVIII viu o surgimento de teorias afirmando que ela era irracional e evitável. Uma das mais destacadas foi a do comércio gentil, a teoria de que o resultado de soma positiva do comércio era mais vantajoso do que o resultado de soma zero ou de soma negativa da guerra.[114] A matemática da teoria dos jogos só estaria disponível dois séculos depois, mas a ideia básica podia ser exposta facilmente em palavras: por que gastar dinheiro e sangue para invadir um país e saquear seu tesouro quando podemos simplesmente comprar dele suas riquezas a um custo menor e vender-lhe parte das nossas? O abade de Saint Pierre (1713), Montesquieu (1748), Adam Smith (1776), George Washington (1788) e Immanuel Kant (1795) foram alguns dos autores que louvaram o livre-comércio porque ele atrelava mutuamente os interesses materiais das nações e, assim, incentivava-as a valorizar o bem-estar umas das outras. Como disse Kant, "o espírito do comércio cedo ou tarde apodera-se de todo povo, e não pode existir lado a lado com a guerra. [...] Assim, os Estados sentem-se compelidos a promover a nobre causa da paz, ainda que não exatamente por motivos de moralidade".[115]

Como fizeram em sua luta contra o escravismo, os quacres formaram grupos ativistas para opor-se à instituição da guerra. Embora o comprometimento da seita com a não violência derivasse da crença religiosa de que Deus fala através da vida humana individual, não prejudicou em nada sua causa o fato de os quacres serem influentes negociantes e não ascéticos luditas — eles foram os criadores de empreendimentos como o Lloyd's de Londres, o Barclays Bank e a colônia da Pensilvânia, entre outros.[116]

O mais notável documento antiguerra dessa época foi o ensaio "Paz perpétua", de Kant, escrito em 1795.[117] Kant não era um sonhador; começa o ensaio com a depreciativa confissão de que escolhera o título inspirado nos dizeres da placa de um albergue com a imagem de um cemitério. Em seguida, enumera seis passos preliminares em direção à paz perpétua, seguidos por três princípios abrangentes. Os passos preliminares são: os tratados de paz não devem dar margem à opção da guerra; Estados não devem absorver outros Estados; exércitos permanentes devem ser abolidos; governos não devem tomar empréstimo para financiar guerras; um Estado não deve interferir no governo interno de outro; e, na guerra, os Estados devem evitar táticas que minem a confiança em uma paz futura, como assassinatos políticos, envenenamentos e incitamento à traição.

Mais interessantes são seus "artigos definitivos". Kant acreditava na natureza humana; em outra obra, escrevera que "com a madeira torta da humanidade nada verdadeiramente direito se pode construir". Começa, assim, com uma premissa hobbesiana:

> O estado de paz entre homens que vivem lado a lado não é o estado natural; o estado natural é o de guerra. Isso nem sempre significa a hostilidade aberta, mas no mínimo uma incessante ameaça de guerra. Portanto, um estado de paz tem de ser *estabelecido*, pois para que seja assegurado contra a hostilidade não basta simplesmente que não se cometam hostilidades; e, a menos que essa garantia seja dada a cada um por seu vizinho (o que só pode ocorrer em um estado civil), cada um pode tratar seu vizinho, de quem ele requer essa garantia, como um inimigo.

Em seguida, ele expõe suas três condições para a paz perpétua. A primeira é que os Estados devem ser democráticos. Kant preferia o termo "republicanos", pois associava a palavra "democracia" ao populacho no poder; o que ele tinha em mente era um governo dedicado a liberdade, igualdade e estado de direito. Democracias não tendem a lutar umas contra as outras, argumenta Kant, por duas razões. Uma é que democracia é uma forma de governo essencialmente concebida ("emanada da pura fonte do conceito de lei") em torno da não violência. Um governo democrático usa seu poder apenas para salvaguardar os direitos de seus cidadãos. As democracias, segundo Kant, tendem a externar esse princípio em seu trato com outras nações, as quais, tanto quanto seus próprios cidadãos, não merecem a dominação pela força.

Mais importante é que as democracias tendem a evitar guerras porque os benefícios da guerra vão para os líderes do país enquanto os custos são pagos pelos cidadãos. Em uma autocracia,

> decidir-se por uma declaração de guerra é a coisa mais fácil do mundo, pois a guerra não requer do governante, que é o proprietário e não um membro do Estado, o menor sacrifício dos prazeres de sua mesa, da caça, de suas casas de campo, de suas festas na corte e coisas do gênero. Assim, ele pode decidir fazer a guerra como decidiria dar uma festa, pelas razões mais triviais.

Mas, se os cidadãos estiverem no comando, pensarão duas vezes em gastar seu próprio dinheiro e sangue em uma tola aventura no estrangeiro.

A segunda condição de Kant para a paz perpétua é que "a lei das nações seja fundamentada em uma Federação de Estados Livres", uma "Liga das Nações", como ele também a chamou. Essa federação, uma espécie de Leviatã internacional, ficaria encarregada de adjudicar com objetividade as disputas, contornando a tendência de cada país a acreditar que sempre está com a razão. Assim como os indivíduos aceitam um contrato social no qual entregam parte de sua liberdade ao Estado para escapar à sordidez da anarquia, o mesmo deve ocorrer com os Estados:

> Para os Estados em relação uns com os outros, não pode existir qualquer saída razoável da condição sem lei que acarreta unicamente a guerra, exceto a de que eles, como os homens individualmente, abram mão de sua liberdade selvagem (sem lei), ajustem-se às restrições do direito público e assim estabeleçam um Estado continuamente crescente, composto de várias nações que por fim incluirá todas as nações do mundo.

Kant não tinha em mente um governo mundial com um exército global. Achava que as leis internacionais podiam fazer-se respeitar por si mesmas.

> A homenagem que cada Estado presta (ao menos em palavras) ao conceito de lei prova que existe dormente no homem uma disposição moral ainda maior de dominar o princípio do mal em si mesmo (um princípio que ele não pode negar) e de esperar o mesmo dos outros.

Afinal de contas, o autor de "Paz perpétua" é o mesmo homem que propôs o imperativo categórico, a ideia de que devemos agir de tal modo que a máxima que baseia nossa ação possa ser universalizada. Isso está começando a entrar um pouco demais no mundo dos sonhos, mas Kant traz a ideia de volta à terra vinculando-a à difusão da democracia. Em duas democracias, cada uma pode reconhecer a validade dos princípios que governam a outra. Isso as distingue das teocracias, que se baseiam na fé local, e das autocracias, que se baseiam em clãs, dinastias ou líderes carismáticos. Em outras palavras, se um Estado tem razão para crer que um Estado vizinho organiza seus assuntos políticos do mesmo modo que ele porque ambos chegaram à mesma solução para o problema do governo, nenhum dos dois precisa temer um ataque do outro, nem será tentado a atacá-lo em autodefesa preventiva e assim por diante, e desse modo livram-se todos da armadilha hobbesiana. Hoje em dia, por exemplo, os suecos não perdem o sono temendo que seus vizinhos estejam tramando uma Noruega Über Alles, ou vice-versa.

A terceira condição para a paz perpétua é a "hospitalidade universal", ou "cidadania mundial". As pessoas de um país devem ser livres para viver com segurança em outros, contanto que não tragam consigo um exército. A esperança é que a comunicação, o comércio e outras "relações pacíficas" entre as fronteiras nacionais unam as pessoas do mundo em uma só comunidade, de modo que uma "violação de direitos em um lugar seja sentida no mundo todo".

Obviamente, o desdouro da guerra pelos satiristas e as ideias práticas de Kant para reduzi-la não tiveram influência suficientemente ampla para poupar a civilização ocidental das catástrofes do século e meio seguinte. Porém, como veremos, plantaram as sementes de um movimento que floresceria mais tarde e faria o mundo dar as costas à guerra. As novas atitudes tiveram também um impacto imediato. Os historiadores notaram uma mudança nas atitudes em relação à guerra aproximadamente a partir de 1700. Líderes começaram a professar seu amor pela paz e a afirmar que foram forçados a entrar em guerra.[118] Mueller ressalta que "deixou de ser possível proclamar simples e honestamente, como fez Júlio César, 'Vim, vi, venci'. Gradualmente isso mudou para 'vim, vi, ele me atacou quando eu estava ali só olhando, venci'. Podemos considerar isso um progresso".[119]

Um progresso mais tangível é visto no minguante atrativo do poder imperial. No século XVIII, algumas das mais belicosas nações do mundo, como Holanda, Suécia, Espanha, Dinamarca e Portugal, não reagiram a decepções militares dobrando a aposta e tramando o retorno à glória; abandonaram o jogo da conquista, deixaram a guerra e o império para outros países e se tornaram nações comerciais.[120] Um dos resultados, como veremos no próximo capítulo, foi que as guerras entre grandes potências tornaram-se mais breves, menos frequentes e limitadas a menos países (embora o avanço da organização militar significasse que as guerras que chegaram a ocorrer causassem mais danos).[121]

E o maior progresso ainda estava por vir. O extraordinário declínio das grandes guerras nos últimos sessenta anos pode ser uma confirmação tardia das teorias sublimes de Immanuel Kant — se não a "paz perpétua", pelo menos certamente uma "longa paz" que se torna cada vez mais longa. Como predisseram os grandes pensadores do Iluminismo, devemos essa paz não só ao desdouro da guerra, mas à disseminação da democracia, à expansão das trocas e do comércio e ao crescimento das organizações internacionais.

Vimos que, no decorrer de pouco mais de um século, práticas cruéis que por milênios haviam sido parte da civilização foram subitamente abolidas. A execução de bruxos e não conformistas, a tortura de prisioneiros, a perseguição de hereges e a escravização de estrangeiros — tudo praticado com uma crueldade de revirar o estômago — passaram depressa do irrepreensível ao impensável. Payne comenta sobre a dificuldade de explicar tais mudanças:

> As rotas pelas quais os usos da força são abandonados são muitas vezes bastante inesperadas, até misteriosas — tão misteriosas que alguns ficam tentados a aludir à intervenção de algum poder superior. Frequentemente encontramos práticas violentas tão arraigadas e autossustentáveis que quase parece obra de magia que elas tenham sido superadas. Ficamos reduzidos a apontar a "História" para explicar como essa política imensamente benéfica — uma redução no uso da força — foi gradualmente imposta a uma raça humana que não a buscou conscientemente nem concordou com ela.[122]

Um exemplo desse processo misterioso e impremeditado é a tendência declinante a longo prazo do uso da força para punir devedores, algo que a maioria das pessoas nunca percebeu ser uma tendência. Outro exemplo é o modo como o assassínio político diminuiu gradualmente nos países anglófonos muito antes de os princípios da democracia terem sido articulados. Em casos como esses, uma nebulosa mudança nas sensibilidades pode ter sido um requisito prévio para reformas conscientemente elaboradas. É difícil imaginar como uma democracia estável pode ser implementada antes que facções rivais desistam da ideia de que assassinar é um bom modo de alocar o poder. O recente fracasso em consolidar a democracia em numerosos Estados africanos e islâmicos é um lembrete de que uma mudança nas normas relacionadas à violência tem de preceder uma mudança nas engrenagens do governo.[123]

Ainda assim, frequentemente uma mudança gradual nas sensibilidades é incapaz de mudar as práticas efetivas antes que a mudança seja posta em vigor por lei. O tráfico de escravos, por exemplo, foi abolido como resultado de uma agitação moral que persuadiu os poderosos a aprovar leis e fazê-las cumprir a poder de armas e navios.[124] Esportes sangrentos, enforcamentos públicos, punições cruéis e prisões de devedores também foram eliminados por atos de legisladores, influenciados por agitadores morais e pelos debates públicos que eles iniciaram.

Portanto, para explicar a Revolução Humanitária não precisamos decidir entre normas tácitas e argumentação moral explícita. Elas se afetam mutuamente. Conforme mudam as sensibilidades, aumenta a probabilidade de que se materializem os pensadores que questionam uma dada prática, e seus argumentos ficam mais propensos a ser ouvidos e em seguida a conquistar o público. Os argumentos podem não só persuadir as pessoas que manejam as alavancas do poder, mas também infiltrar-se nas sensibilidades da cultura, encontrando seu caminho até os debates nas mesas de bar e de jantar, mudando a mentalidade de uma pessoa por vez. E quando uma prática desaparece da experiência cotidiana graças a uma proibição legal de cima para baixo, ela pode sair do menu de opções de vida na imaginação das pessoas. Do mesmo modo que fumar em escritórios e salas de aula passou de coisa comum a proibida e depois a impensável, práticas como a escravidão e o enforcamento público, depois de decorrido tempo suficiente para que ninguém vivo se lembre delas, tornam-se tão inimagináveis que nem sequer são assuntos de debate.

A mais abrangente mudança nas sensibilidades comuns deixada pela Revolução Humanitária é a reação ao sofrimento de outros seres vivos. As pessoas de hoje estão longe de ser moralmente imaculadas. Podem cobiçar objetos luxuosos, fantasiar sobre fazer sexo com parceiros impróprios ou sobre matar alguém que as humilhou em público.[125] Mas outros desejos perversos não mais ocorrem primordialmente às pessoas. Hoje a maioria não tem vontade alguma de ver um gato, muito menos um homem ou mulher, morrer queimado. Nesse aspecto, somos diferentes de nossos ancestrais de alguns séculos atrás, que aprovavam, praticavam e até apreciavam a indizível agonia infligida a outros seres vivos. Quais eram os sentimentos dessas pessoas? E por que não os sentimos hoje?

Não estaremos equipados para responder a essa questão antes de mergulhar na psicologia do sadismo, no capítulo 8, e da empatia, no capítulo 9. Mas podemos, por enquanto, examinar algumas mudanças históricas que militaram contra a apreciação da crueldade. Como sempre, o desafio é encontrar uma mudança exógena que tenha precedido a mudança nas sensibilidades e no comportamento, para que possamos evitar a circularidade de dizer que as pessoas pararam de fazer coisas cruéis porque se tornaram menos cruéis. O que mudou no ambiente das pessoas que poderia ter desencadeado a Revolução Humanitária?

* * *

O Processo Civilizador é um candidato. Lembremos a hipótese de Elias de que, durante a transição para a modernidade, as pessoas não só passaram a ter maior autocontrole, mas também cultivaram a empatia. Fizeram isso não como um exercício de aperfeiçoamento moral, mas para melhorar sua habilidade de entender o pensamento dos burocratas e comerciantes e prosperar numa sociedade dependente cada vez mais de redes de troca e cada vez menos da agricultura e da pilhagem. Certamente o gosto pela crueldade colide com os valores de uma sociedade cooperativa: deve ser mais difícil trabalhar com seus vizinhos se você pensar que eles gostariam de vê-lo estripado. E a redução na violência pessoal ensejada pelo Processo Civilizador pode ter diminuído a demanda por punições cruéis, assim como as atuais demandas de "endurecimento com o crime" sobem e descem com a taxa de criminalidade.

Lynn Hunt, a historiadora dos direitos humanos, salienta outro efeito desencadeador do Processo Civilizador: o refinamento na higiene e nas maneiras — por exemplo, comer com talheres, fazer sexo na privacidade, tentar manter os eflúvios corporais longe das vistas dos outros e longe das próprias roupas. Esse decoro maior, ela sugere, contribuiu para a noção de que as pessoas são *autônomas* — são donas do próprio corpo, o qual tem uma integridade inerente e não é propriedade da sociedade. A integridade física cada vez mais passou a ser vista como digna de respeito, como algo que não pode ser violado em detrimento da pessoa para o benefício da sociedade.

Minhas sensibilidades tendem para o concreto, e desconfio que existe uma hipótese mais simples para o efeito do asseio sobre as sensibilidades morais: as pessoas tornaram-se menos repulsivas. O ser humano tem nojo de sujeira e de secreções corporais, e, assim como hoje as pessoas podem evitar um sem-teto que fede a urina e fezes, as pessoas de séculos passados podem ter sido mais insensíveis ao próximo porque esse próximo era mais repugnante. E, pior ainda, as pessoas facilmente passam da repulsa visceral à repulsa moralista, e tratam as coisas imundas como desprezivelmente corruptas e sórdidas.[126] Os estudiosos das atrocidades do século XX perguntaram-se como a brutalidade pode se alastrar tão facilmente quando um grupo alcança o domínio sobre outro. O filósofo Jonathan Glover indicou uma espiral descendente de desumanização. Uma minoria desprezada é forçada a viver na miséria, o que faz seus integrantes parecerem animalizados e sub-humanos, e isso, por sua vez, encoraja o grupo dominante a maltratá-los ainda mais, aumentando sua degradação e removendo qualquer peso remanescente na consciência dos opressores.[127] Talvez essa espiral de desumanização volte o filme do Processo Civilizador. Ela reverte a tendência histórica a um maior asseio e dignidade que levaram, no decorrer dos séculos, ao maior respeito pelo bem-estar das pessoas.

Infelizmente, o Processo Civilizador e a Revolução Humanitária não se alinham no tempo de modo a sugerir que um causou o outro. A ascensão do governo e do comércio e a queda dos homicídios que impeliram o Processo Civilizador já vinham ocorrendo por vários séculos sem que ninguém se preocupasse muito com a barbaridade das punições, o poder dos reis ou a supressão violenta da heresia. Na verdade, quando os Estados tornaram-se mais poderosos, também ficaram mais cruéis. O uso da tortura para extrair confissões (e não para punir), por exemplo, foi reintroduzido na Idade Média quando muitos Estados reviveram o direito romano.[128] Alguma outra coisa deve ter acelerado os sentimentos humanitários nos séculos XVII e XVIII.

Uma explicação alternativa é que as pessoas tornam-se mais compassivas conforme melhora sua própria vida. Payne aventa que "quando as pessoas ficam mais ricas, e assim se tornam mais bem alimentadas, mais sadias e têm mais conforto, passam a valorizar mais sua própria vida e a vida de outros".[129] A hipótese de que a vida era barata mas encareceu encaixa-se aproximadamente no escopo mais amplo da história. Ao longo de milênios, o mundo foi abandonando práticas bárbaras, como o sacrifício humano e as execuções sádicas, e ao longo de milênios as pessoas foram passando a viver mais tempo e com maior conforto. Países que estiveram na vanguarda da abolição da crueldade, como a Inglaterra e a Holanda no século XVII, também estiveram entre os países mais afluentes de sua época. E hoje é nos rincões mais pobres do planeta que continuamos a encontrar lugares atrasados com escravidão, execuções supersticiosas e outros costumes bárbaros.

Mas a hipótese da vida barata também tem seus problemas. Muitos dos Estados mais afluentes em sua época, como o Império Romano, foram viveiros de sadismo, e atualmente punições cruéis como amputações e apedrejamentos podem ser encontradas entre os ricos países exportadores de petróleo do Oriente Médio. Um problema maior é que as linhas do tempo não condizem. A história da riqueza no Ocidente moderno é representada na figura 4.7, na qual o historiador da economia Gregory Clark indica a renda real por pessoa (calibrada pela quantidade de dinheiro necessária para comprar uma quantidade fixa de alimento) na Inglaterra de 1200 a 2000.

A riqueza começou a decolar somente com o advento da Revolução Industrial, no século XIX. Antes de 1800, a matemática de Malthus prevaleceu: qualquer avanço na produção de alimentos só gerava mais bocas para alimentar, deixando a população tão pobre quanto antes. Isso se aplica não só à Inglaterra, mas ao mundo todo. Entre 1200 e 1800, as medidas de bem-estar econômico, como renda, calorias e proteínas per capita e número de filhos sobreviventes por mulher, não mostraram tendência ascendente em nenhum país europeu. Na verdade, mal superaram os níveis de sociedades de caçadores-coletores. Só quando a Revolução Industrial introduziu técnicas fabris mais eficientes e construiu uma infraestrutura de canais e ferrovias as economias europeias começaram a progredir acentuadamente, e o povo tornou-se mais afluente. No entanto, as mudanças humanitárias que estamos tentando explicar começaram no século XVII e se concentraram no século XVIII.

Mesmo que pudéssemos mostrar que a afluência correlacionou-se com as

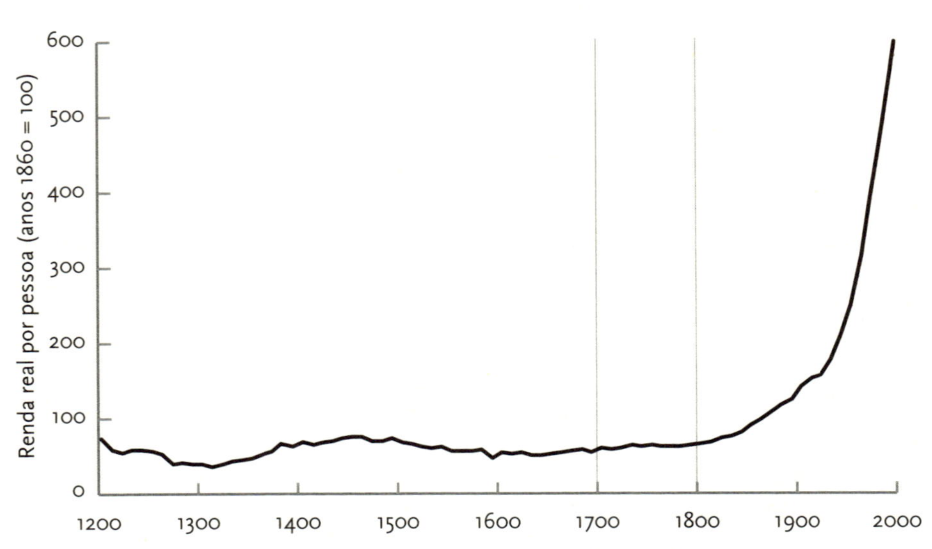

Figura 4.7. *Renda real por pessoa na Inglaterra, 1200-2000.*
FONTE: Gráfico de Clark, 2007a, p. 195.

sensibilidades humanitárias, seria difícil especificar as razões. O dinheiro não só enche o estômago e põe um teto sobre a cabeça das pessoas, mas também compra melhores governos, taxas mais altas de instrução, maior mobilidade e outros bens. Além disso, não é completamente óbvio que a pobreza e a miséria deveriam levar as pessoas a deleitar-se com a tortura dos outros. Poderíamos igualmente predizer o oposto: se alguém tem experiência pessoal de sofrimentos e privações, deveria ser avesso a infligi-los aos outros, ao passo que, para quem tem uma vida confortável, o sofrimento alheio deveria ser menos real. Retornarei à hipótese da vida barata no último capítulo, mas por ora precisamos procurar outros candidatos à mudança exógena que possa ter tornado as pessoas mais compassivas.

Uma tecnologia que realmente apresentou um aumento precoce de produtividade antes da Revolução Industrial foi a produção de livros. Antes da invenção da prensa móvel por Gutenberg em 1452, cada exemplar de um livro tinha de ser totalmente manuscrito. O processo não só era demorado — um livro de 250 páginas requeria o trabalho de 37 dias de uma pessoa — como também era ineficiente em materiais e energia. A letra manuscrita é mais difícil de ler do que a letra impressa, por isso os livros manuscritos tinham de ser maiores, usavam mais papel e encareciam a encadernação, o armazenamento e a remessa dos livros. Nos dois séculos depois de Gutenberg, a publicação de livros tornou-se um empreendimento de alta tecnologia, e a produtividade da impressão e da fabricação de papel cresceu mais de vinte vezes (figura 4.8) mais rápido do que a taxa de crescimento de toda a economia britânica durante a Revolução Industrial.[130]

A recém-eficiente tecnologia editorial ensejou um crescimento explosivo na publicação de livros. A figura 4.9 mostra que o número de obras publicadas por ano cresceu significativamente no século XVII e teve uma alta estratosférica em fins do século XVIII.

Os livros, além disso, não eram apenas diversão de aristocratas e intelectuais. Como observa a estudiosa de literatura Suzanne Keen, "em fins do século XVIII, as bibliotecas circulantes já eram comuns em Londres e em cidades provinciais, e boa parte das obras que emprestavam eram romances".[131] Com livros mais numerosos e mais baratos à disposição, as pessoas tiveram mais incentivo para ler. Não é fácil estimar o nível de alfabetização em períodos anteriores ao advento do ensino universal e dos testes padronizados, mas os historiadores

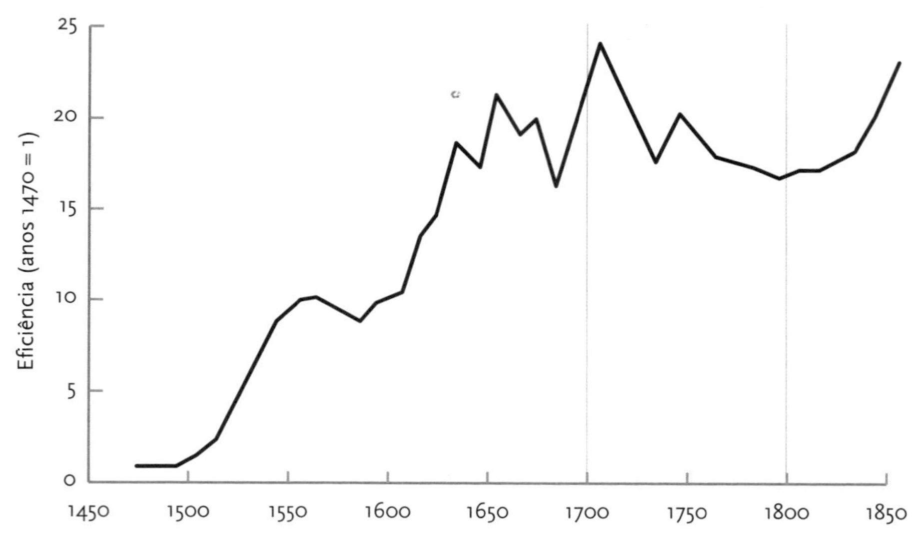

Figura 4.8. *Eficiência em produção de livros na Inglaterra, anos 1470 a 1860.*
FONTE: Gráfico de Clark, 2007a, p. 253.

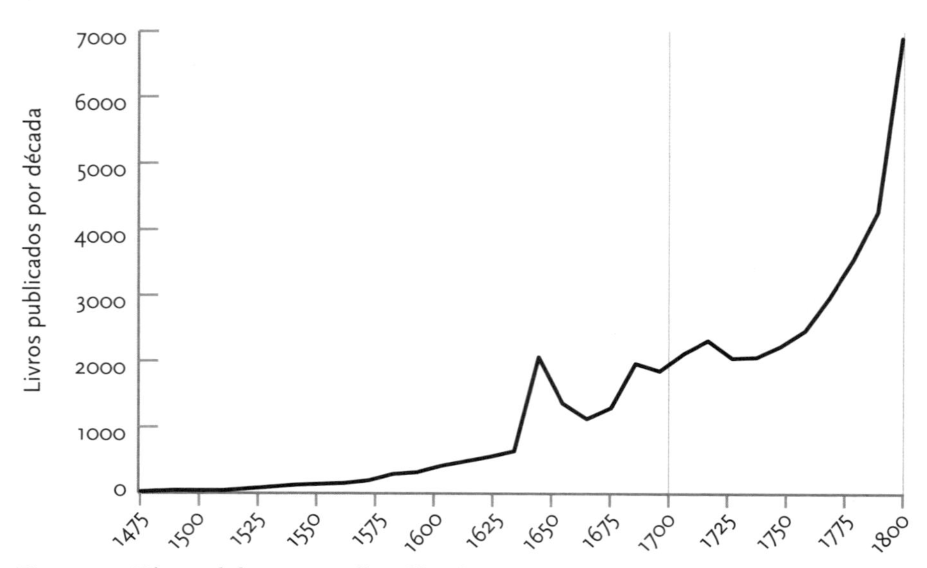

Figura 4.9. *Número de livros em inglês publicados por década, 1475-1800.*
FONTES: Simons, 2001; gráfico adaptado de <en.wikipedia.org/wiki/File:1477-1799_ESTC_titles_per_decade,_statistics.png>.

usaram engenhosas mensurações substitutas, por exemplo, a proporção de pessoas capazes de assinar o registro de casamento ou declarações em tribunais. A figura 4.10 apresenta duas séries temporais de Clark que sugerem que na Inglaterra oitocentista as taxas de alfabetização dobraram, e que em fins do século a maioria dos ingleses sabia ler e escrever.[132]

A alfabetização esteve igualmente em crescimento em outras partes da Europa Ocidental nessa época. Em fins do século XVIII a maioria dos franceses era alfabetizada, e embora só mais tarde tenham sido feitas estimativas da instrução em outros países, elas indicam que no começo do século XIX a maioria dos homens sabia ler e escrever também na Dinamarca, Finlândia, Alemanha, Islândia, Escócia, Suécia e Suíça.[133] Não só mais pessoas liam, mas além disso estavam lendo de modos diferentes, um avanço que o historiador Rolf Engelsing chamou de Revolução da Leitura.[134]

As pessoas começaram a ler obras seculares em vez de apenas textos religiosos, a ler sozinhas e não em grupo, e a ler uma grande variedade de tipos de publicação, como panfletos e periódicos, em vez de reler alguns textos canônicos como almanaques, devocionários e a Bíblia. Nas palavras do historiador Robert Darnton,

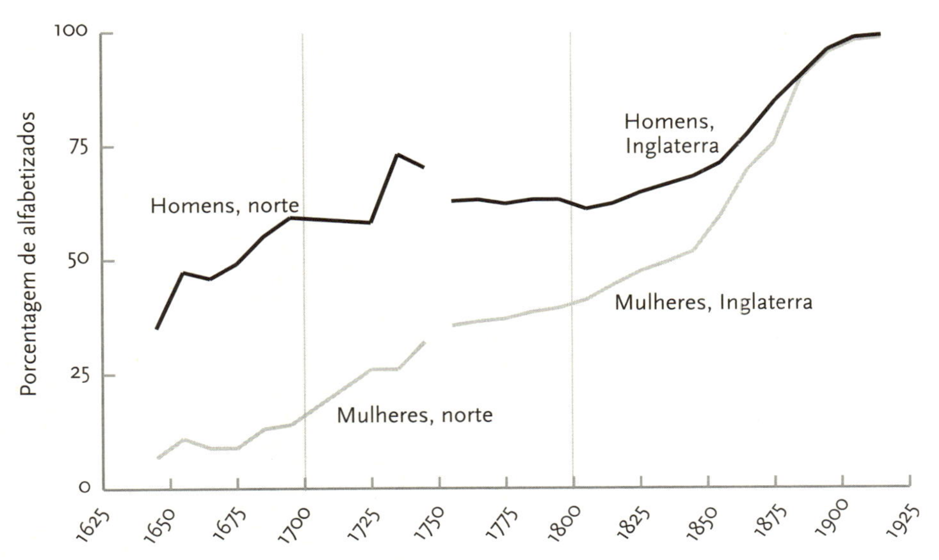

Figura 4.10. *Taxa de alfabetização na Inglaterra, 1625-1925.*
FONTE: Gráfico adaptado de Clark, 2007a, p. 179.

> a fase final do século XVIII parece representar um momento decisivo, uma época em que o público passou a ter acesso a leituras mais variadas, na qual podemos ver o surgimento de uma massa de leitores que assumiria proporções gigantescas no século XIX, com o desenvolvimento do papel de fabricação mecanizada, das prensas a vapor, da linotipo e da alfabetização quase universal.[135]

Além disso, obviamente nos séculos XVII e XVIII as pessoas tiveram mais assuntos para ler. A Revolução Científica revelara que a experiência cotidiana é uma estreita fatia de um vasto continuum de escalas, da microscópica à astronômica, e que nossa morada é uma rocha que orbita uma estrela, e não o centro da criação. A exploração europeia das Américas, Oceania e África, bem como a descoberta das rotas marítimas para a Índia e a Ásia, haviam aberto novos mundos e revelado a existência de povos exóticos com modos de vida muito diferentes.

A meu ver, esse crescimento da escrita e leitura parece o melhor candidato a uma mudança exógena que teria ajudado a desencadear a Revolução Humanitária. O tacanho mundinho do vilarejo e do clã, acessível pelos cinco sentidos e informado por um único provedor de conteúdo, a Igreja, deu lugar a uma profusão de pessoas, lugares, culturas e ideias. E, por várias razões, a expansão da mente pode ter adicionado uma dose de humanitarismo às emoções e crenças das pessoas.

A ASCENSÃO DA EMPATIA E O APREÇO PELA VIDA HUMANA

A capacidade humana para a compaixão não é um reflexo desencadeado automaticamente pela presença de outro ser vivo. Como veremos no capítulo 9, embora em todas as culturas as pessoas possam ter reações compassivas em relação a parentes, amigos e bebês, tendem a conter-se quando se trata de círculos mais amplos como vizinhos, estranhos, estrangeiros e outros seres sencientes. Em seu livro *The expanding circle* [O círculo expandido], o filósofo Peter Singer mostra que, ao longo da história, as pessoas ampliaram os círculos de seres vivos cujos interesses elas valorizam tanto quanto os seus próprios.[136] Uma questão interessante é: o que expandiu o círculo de empatia? E um bom candidato é o crescimento da alfabetização.

Ler é uma tecnologia para mudança de perspectiva. Quando você tem na cabeça os pensamentos de outra pessoa, observa o mundo do ponto de vista dessa pessoa. Não só está recebendo visões e sons que não pode vivenciar em primeira mão, mas também entra na mente desse indivíduo e temporariamente compartilha suas atitudes e reações. Como veremos, "empatia" no sentido de adotar o ponto de vista do outro não é o mesmo que "empatia" no sentido de sentir compaixão pela pessoa, mas a primeira pode levar à segunda por um caminho natural. Entrar no ponto de vista de outro nos lembra que ele tem um fluxo de consciência contínuo, em primeira pessoa e no presente que é muito semelhante, mas não idêntico, ao nosso. Não é um grande salto supor que o hábito de ler palavras de outras pessoas possa ter ensejado o hábito de entrar na mente dos outros, incluindo seus prazeres e dores. Entrar, ainda que por um momento, na perspectiva de alguém que está ficando roxo em um pelourinho, empurrando desesperadamente para longe do corpo a lenha flamejante ou estrebuchando sob a ducentésima chibatada pode levar a pessoa a pensar duas vezes se essas crueldades devem ser infligidas a alguém.

Adotar os pontos de vista de outras pessoas pode alterar nossas convicções de outros modos. A exposição a mundos que só podem ser vistos pelos olhos de um estrangeiro, um explorador ou um historiador pode transformar uma norma não questionada ("É assim que se faz") em uma observação explícita ("Acontece que é assim que nossa tribo faz agora"). Essa autoconsciência é o primeiro passo em direção à pergunta: essa prática poderia ser feita de algum outro modo? Além disso, aprender que ao longo da história os primeiros podem tornar-se os últimos e vice-versa pode incutir o hábito mental que nos lembra, como na canção de Phil Ochs, "There but for fortune go I" [Ali, se não fosse o destino, iria eu].

O poder da alfabetização para tirar os leitores de seu mundinho restrito não se limita aos fatos registrados por escrito. Já vimos que a ficção satírica, que transporta os leitores para um mundo hipotético do qual eles podem observar suas próprias tolices, pode ser um modo eficaz de mudar as sensibilidades das pessoas sem arengas ou sermões.

A ficção realista, por sua vez, pode expandir o círculo de empatia dos leitores seduzindo-os a pensar e sentir como pessoas muito diferentes deles mesmos. Os estudantes de literatura aprendem que o século XVIII foi um momento decisivo na história do romance. Ele se tornou uma forma de entretenimento em massa, e em fins do século quase cem novos romances eram publicados por ano na Inglaterra e na França.[137] E em contraste com os épicos anteriores, que relatavam feitos de heróis, aristocratas ou santos, os romances trouxeram à vida as aspirações e privações de pessoas comuns.

Lynn Hunt observa que o auge da Revolução Humanitária, em fins do século XVIII, também foi o auge do romance epistolar. Nesse gênero, a história é narrada pelo próprio personagem, expondo seus pensamentos e sentimentos em tempo real, em vez de descrevê-los da perspectiva distanciadora de um narrador incorpóreo. Em meados do século, três romances melodramáticos intitulados com o nome da protagonista foram surpreendentes campeões de venda: *Pamela* (1740) e *Clarissa* (1748), de Samuel Richardson, e *Júlia, ou a nova Heloísa*, de Rousseau (1761). Homens barbados caíam no choro lendo sobre os amores proibidos, os intoleráveis casamentos arranjados e as cruéis guinadas do destino nas vidas de mulheres simples (inclusive criadas) com quem eles não tinham nada em comum. Um oficial militar reformado derreteu-se numa carta a Rousseau:

> O senhor deixou-me louco por ela. Imagine então as lágrimas que verti por sua morte. [...] Nunca derramei lágrimas assim deliciosas. Tão poderoso efeito produziu em mim a leitura que, creio, teria morrido feliz naquele momento supremo.[138]

Os filósofos do Iluminismo louvavam o modo como os romances levavam o leitor a identificar-se com outras pessoas e sentir por elas um interesse compassivo. Em seu elogio a Richardson, Diderot escreveu:

> Apesar de todas as precauções, assumimos um papel em suas obras, somos lançados em conversas, aprovamos, censuramos, admiramos, nos zangamos, nos irritamos. Quantas vezes não me surpreendi, como uma criança levada ao teatro pela primeira vez, avisando: "Não acredite, ele está enganando você!". [...] Seus personagens são extraídos da sociedade comum [...] as paixões que ele descreve são as que sinto em mim mesmo.[139]

O clero, naturalmente, censurou esses romances e inseriu vários no Índex dos Livros Proibidos. Um clérigo católico escreveu: "Abri essas obras e vereis em quase todas elas os direitos da justiça divina e humana violados, a autoridade dos pais sobre os filhos menosprezada, os sagrados laços do matrimônio e da amizade rompidos".[140]

Hunt sugere uma cadeia causal: ler romances epistolares sobre personagens diferentes de nós exercita nossa habilidade de nos pôr no lugar de outra pessoa, o que, por sua vez, nos indispõe contra punições cruéis e outras violações dos direitos humanos. Como de costume, é difícil excluir interpretações alternativas para essa correlação. Talvez a empatia tenha aumentado por outras razões, que tornaram as pessoas simultaneamente receptivas aos romances epistolares e preocupadas com maus-tratos infligidos a outros.

Mas a hipótese causal da força total pode ser mais do que uma fantasia dos professores de literatura. A ordem dos eventos segue a direção certa: avanços tecnológicos na atividade editorial, produção em massa de livros, expansão da alfabetização e popularidade do romance, tudo isso precedeu as grandes reformas humanitárias no século XVIII. E, em alguns casos, um romance ou relato biográfico muito popular demonstravelmente expôs uma grande faixa dos leitores ao sofrimento de uma classe obscura de vítimas e levou a uma mudança nas políticas. Mais ou menos na época em que *A cabana do Pai Tomás* mobilizou os sentimentos abolicionistas nos Estados Unidos, *Oliver Twist* (1838) e *Nicholas Nickleby* (1839), de Charles Dickens, abriram os olhos das pessoas para os maus-tratos a crianças nos asilos de pobres e orfanatos britânicos, e *Dois anos ao pé do mastro* (1840), de Richard Henry Dana, e *White Jacket*, de Herman Melville, ajudaram a pôr fim ao açoitamento de marinheiros. No século passado, *Nada de novo no front*, de Erich Maria Remarque, *1984*, de George Orwell, *O zero e o infinito*, de Arthur Koestler, *Um dia na vida de Ivan Denisovitch*, de Alexander Soljenítsin, *O sol é para todos*, de Harper Lee, *A noite*, de Elie Wiesel, *Matadouro 5*, de Kurt Vonnegut, *Raízes*, de Alex Haley, *Azaleia vermelha*, de Anchee Min, *Lendo Lolita em Teerã*, de Azar Nafisi, e *Possessing the secret of a joy*, de Alice Walker (um romance que enfoca a mutilação genital feminina), foram livros que trouxeram ao conhecimento do público os sofrimentos de pessoas que, sem eles, poderiam continuar ignorados.[141] O cinema e a televisão atingiram um público ainda mais numeroso e ofereceram experiências ainda mais imediatas. No capítulo 9 trataremos de experimentos que confirmaram que as narrativas ficcionais podem evocar a empatia e estimular pessoas a agir.

Se os romances em geral ou os romances epistolares em particular foram ou não o gênero crítico para a expansão da empatia, o fato é que o grande crescimento da leitura pode ter contribuído para a Revolução Humanitária criando nas pessoas o hábito de sair de seu ponto de vista limitado. E pode ter contribuído de um segundo modo: gerando um viveiro de novas ideias em torno dos valores morais e da ordem social.

Em *Small World* [Mundo é pequeno], romance de David Lodge lançado em 1988, um professor explica por que acredita que a universidade de elite está obsoleta:

> As informações no mundo moderno são muito mais portáteis do que antes. As pessoas também [...]. Três coisas revolucionaram a vida acadêmica nos últimos vinte anos [...] o avião a jato, os telefones de discagem direta e a fotocopiadora. [...] Se você tem acesso a um telefone, a uma máquina Xerox e a um financiamento para suas conferências, você está feito, está ligado à única universidade que realmente importa: o campus global.[142]

Morris Zap tinha certa razão, porém exagerou na ênfase sobre as tecnologias dos anos 1980. Duas décadas depois de escritas, essas palavras foram suplantadas pelo e-mail, os documentos digitais, sites, blogs, teleconferências, Skype e telefones inteligentes. E dois séculos *antes*, as tecnologias da época — o navio a vela, o livro impresso e o serviço postal — já tinham tornado portáteis as informações e as pessoas. O resultado foi o mesmo: um campus global, uma esfera pública ou, como se dizia no século XVII e XVIII, a República das Letras.

Qualquer leitor do século XXI que mergulhe na história intelectual não poderá deixar de se impressionar com a blogosfera do século XVIII. Mal um livro era lançado, esgotava-se, era reimpresso, traduzido para meia dúzia de idiomas e gerava uma avalanche de comentários em folhetos, correspondências e livros adicionais. Pensadores como Locke e Newton trocaram dezenas de milhares de cartas; Voltaire escreveu mais de 18 mil, que hoje enchem quinze volumes.[143] Obviamente, essas trocas de ideias aconteciam numa escala que pelos padrões atuais é glacial: semanas, às vezes meses; porém era rápida o suficiente para que as ideias pudessem ser abordadas, criticadas, amalgamadas, refinadas e levadas à atenção dos poderosos. Um exemplo clássico é *Dos delitos e das penas*, de Beccaria, que foi sensação instantânea e deu ímpeto à abolição das punições cruéis em toda a Europa.

Com tempo e fornecedores suficientes, um mercado de ideias não só pode disseminar ideias como mudar sua composição. Ninguém é suficientemente inteligente para descobrir do zero qualquer coisa que valha a pena. Isaac Newton (que não primava pela humildade) admitiu em uma carta de 1675 a um colega cientista, Robert Hooke: "Se consegui enxergar mais longe, foi por estar sobre o ombro de gigantes". A mente humana é perita em acondicionar uma ideia complexa em um pacote pequeno, combiná-la com outras ideias formando um conjunto mais complexo, acondicionar esse conjunto em uma invenção ainda maior, combiná-la a ainda outras ideias e assim por diante.[144] Fazer isso, porém, requer um fornecimento constante de conexões e submontagens, que só podem provir de uma rede de outras mentes.

Um campus global aumenta não só a complexidade das ideias, mas também sua qualidade. No isolamento hermético, os mais diversos tipos de ideias bizarras e tóxicas podem proliferar. A luz do sol é o melhor desinfetante, e expor uma ideia ruim ao fulgor crítico de outras mentes traz pelo menos uma chance de que ela murche e morra. Superstições, dogmas e lendas fatalmente terão meia-vida mais curta em uma República das Letras, juntamente com más ideias sobre como controlar o crime ou governar um país. Atear fogo numa pessoa para ver se ela queima ou não é um modo estúpido de determinar se ela é culpada. Executar uma mulher por copular com demônios e transformá-los em gato é outra sandice. E, a menos que você seja um monarca hereditário absolutista, provavelmente ninguém irá persuadi-lo de que a monarquia hereditária absolutista é a forma ótima de governo.

O avião a jato é a única tecnologia do pequeno mundo de Lodge em 1988 que a internet não lançou na obsolescência, e isso nos lembra que às vezes não existe substituto para a comunicação face a face. O avião pode juntar as pessoas, mas quem vive na cidade já está junto, e por isso há muito tempo as cidades são um cadinho de ideias. As cidades cosmopolitas podem reunir uma massa crítica de mentes diversas, e seus recantos podem oferecer lugares para os dissidentes se refugiarem. A Idade da Razão e o Iluminismo foram também uma era de urbanização. Londres, Paris e Amsterdam tornaram-se bazares intelectuais, e pensadores congregaram-se em seus salões, cafés e livrarias para discutir as ideias da época.

Amsterdam teve um papel especial como arena de ideias. Durante a Era de Ouro holandesa no século XVII, a cidade tornou-se um porto movimentado, aberto ao fluxo de mercadorias, ideias, dinheiro e gente. Acolheu católicos, anabatistas, protestantes de várias denominações e judeus cujos ancestrais haviam sido expulsos de Portugal. Abrigou muitos editores, que fizeram bons negócios imprimindo livros polêmicos e exportando-os para países dos quais haviam sido banidos. Um morador de Amsterdam, Espinosa, fez uma análise literária da Bíblia e elaborou uma teoria de tudo que não deixou lugar para um Deus animado. Em 1656 ele foi excomungado por sua comunidade judaica, a qual, com as memórias da Inquisição ainda frescas, temeu causar frisson entre os cristãos circundantes.[145] Isso não foi nenhuma tragédia para Espinosa, mas poderia ter sido se ele vivesse em um vilarejo isolado; ele simplesmente fez as malas e se mudou para outro bairro, e de lá para outra cidade holandesa tolerante, Leiden. Nos dois lugares, foi bem acolhido pela comunidade de escritores, pensadores e artistas. John Locke refugiou-se em Amsterdam em 1683 depois de suspeitarem que ele tomara parte em uma conspiração contra o rei inglês Carlos II. René Descartes também mudou frequentemente de endereço, alternando-se entre a Holanda e a Suécia sempre que a situação esquentava demais.

O economista Edward Glaeser atribui o surgimento da democracia liberal à ascensão das cidades.[146] Autocratas opressivos podem permanecer no poder mesmo quando seus governados os desprezam graças ao que os economistas chamam de dilema social ou problema do aproveitador (*free-rider problem*). Em uma ditadura, o autocrata e seus sequazes têm um forte incentivo para permanecer no poder, mas nenhum cidadão individualmente tem incentivo para depô-lo, pois o rebelde assumiria todos os riscos da represália do ditador, enquanto os benefícios da democracia se estenderiam a todos no país. O cadinho de uma cidade, no entanto, pode reunir financistas, advogados, escritores, editores e mercadores bem relacionados, que podem tramar em bares e guildas para desafiar o líder, dividindo o trabalho e distribuindo o risco. A Atenas clássica, a Veneza renascentista, Boston e Filadélfia revolucionárias e as cidades da Holanda são exemplos de lugares onde novas democracias foram gestadas, e hoje em dia a urbanização e a democracia tendem a andar juntas.

O poder subversivo do fluxo de informações e pessoas nunca passou despercebido aos tiranos políticos e religiosos. É por isso que eles suprimem as associações e a expressão falada e escrita, e que as democracias protegem esses canais em suas cartas de direitos. Antes do advento das cidades e da alfabetização, era difícil conceber e amalgamar ideias libertadoras; por isso, a ascensão do cosmopolitismo nos séculos XVII e XVIII merece parte do crédito pela Revolução Humanitária.

É claro que reunir ideias e pessoas não determina como essas ideias evoluirão. O surgimento da República das Letras e da cidade cosmopolita não pode, isoladamente, explicar por que emergiu uma ética humanitária no século XVIII em vez de aparecerem justificativas cada vez mais engenhosas para a tortura, a escravidão, o despotismo e a guerra.

A meu ver, os dois avanços estão ligados. Quando uma comunidade suficientemente grande de agentes livres e racionais discute como uma sociedade deve gerir seus assuntos, baseada na coerência lógica e nas reações do mundo, seu consenso seguirá determinadas direções. Assim como não precisamos explicar por que biólogos moleculares descobriram que o DNA tem quatro bases — uma vez que eles fizeram seus experimentos adequadamente e que o DNA tem mesmo quatro bases, a longo prazo eles não poderiam ter descoberto coisa diferente —, talvez não seja preciso explicar por que os pensadores iluministas acabaram por argumentar contra a escravidão africana, as punições cruéis, os monarcas despóticos e a execução de bruxas e hereges. Tais práticas, quando suficientemente analisadas por pensadores desinteressados, racionais e bem informados, não podem ser justificadas indefinidamente. O universo das ideias, no qual uma ideia acarreta outra, é ele próprio uma força exógena, e assim que uma comunidade de pensadores adentra esse universo, eles são impelidos em certas direções, independentemente de seu entorno material. Acho que esse processo de descoberta moral foi uma causa importante da Revolução Humanitária.

Estou disposto a levar um passo além essa linha de explicação. A razão pela qual tantas instituições violentas sucumbiram em tão pouco tempo foi que os argumentos que as liquidaram pertencem a uma filosofia coerente nascida durante a Idade da Razão e o Iluminismo. As ideias de pensadores como Hobbes, Espinosa, Descartes, Locke, David Hume, Mary Astell, Kant, Beccaria, Smith, Mary Wollstonecraft, Madison, Jefferson, Hamilton e John Stuart Mill coalesceram em uma visão de mundo que podemos chamar de humanismo esclarecido. (Também chamado às vezes de liberalismo clássico, embora desde os anos 1960 a palavra "liberalismo" tenha adquirido significados adicionais.) Eis uma descrição concisa dessa filosofia — uma composição imprecisa, porém mais ou menos coerente, das ideias desses pensadores do Iluminismo.

Ela começa com o ceticismo.[147] A história da tolice humana, e da nossa suscetibilidade a ilusões e falácias, nos diz que os homens e mulheres são falíveis. Portanto, devemos procurar boas *razões* para acreditar em alguma coisa. Fé, revelação, tradição, dogma, autoridade, o brilho estático da certeza subjetiva, tudo isso é receita para o erro e tem de ser descartado como fonte de conhecimento.

Existe algo de que podemos ter certeza? Descartes tem uma resposta das boas: nossa consciência. Sei que sou consciente, pelo próprio fato de me perguntar o que sou capaz de saber, e sei também que minha consciência abrange vários tipos de experiência. Entre eles incluem-se a percepção de um mundo externo e de outras pessoas, bem como de vários prazeres e dores, tanto sensuais (alimento, conforto, sexo) como espirituais (amor, conhecimento, apreciação da beleza).

Somos, além disso, comprometidos com a razão. Se fazemos uma pergunta, avaliamos possíveis respostas e tentamos persuadir os outros do valor dessas respostas, estamos deliberando e, portanto, tacitamente endossamos a validade da razão. Também somos comprometidos com quaisquer conclusões decorrentes da cuidadosa aplicação da razão, como os teoremas de matemática e lógica.

Embora não possamos *provar* logicamente qualquer coisa acerca do mundo físico, podemos ter *confiança* em certas crenças a respeito dele. A aplicação da razão e da observação para descobrir generalizações exploratórias a respeito do mundo é o que chamamos de ciência. O progresso da ciência, com seu magnífico sucesso em explicar e manipular o mundo, mostra que o conhecimento do universo é possível, mesmo sendo sempre probabilístico e sujeito a revisão. A ciência, portanto, é um paradigma de como devemos adquirir conhecimento — não os métodos específicos de instituições científicas, mas seu sistema de valores, isto é, procurar explicar o mundo, avaliar objetivamente as candidatas a explicações e ter em mente o caráter preliminar e a incerteza daquilo que sabemos em qualquer dado momento.

A indispensabilidade da razão não implica que, individualmente, as pessoas sempre são racionais ou que não são influenciadas por paixões ou ilusões. Significa apenas que as pessoas têm *capacidade* para a razão, e que uma comunidade de pessoas que escolhe aperfeiçoar essa faculdade e exercitá-la abertamente e de modo justo pode, coletivamente, usar a razão para chegar a conclusões mais sensatas a longo prazo. Como observou Lincoln, você pode enganar todas as pessoas por algum tempo, pode enganar algumas pessoas todo o tempo, mas não pode enganar todas as pessoas todo o tempo.

Entre as crenças a respeito do mundo nas quais podemos ter muita confiança está a de que as outras pessoas são conscientes do mesmo modo que nós. As outras pessoas são feitas da mesma matéria, empenham-se pelos mesmos tipos de objetivo e reagem com sinais externos de prazer e dor aos tipos de evento que causam dor e prazer a cada um de nós.

Por esse mesmo raciocínio, podemos inferir que pessoas diferentes de nós em muitos aspectos superficiais — gênero, raça, cultura — são como nós em aspectos fundamentais. Como pergunta Shylock, de Shakespeare:

> Um judeu não tem olhos? Um judeu não tem mãos, órgãos, dimensões, sentidos, afetos, paixões? Alimenta-se do mesmo alimento, fere-se com as mesmas armas, é sujeito às mesmas doenças, curado pelos mesmos meios, é aquecido e resfriado pelo mesmo inverno e verão que um cristão? Se nos furam, não sangramos? Se nos fazem cócegas, não rimos? Se nos envenenam, não morremos? E se nos lesam, não nos devemos vingar?

A universalidade das reações humanas básicas nas diversas culturas tem implicações profundas. Uma delas é que existe uma natureza humana universal. Ela engloba os prazeres e dores que temos em comum, nossos métodos de raciocínio comuns e nossa vulnerabilidade comum à insensatez (que tem como um dos principais exemplos o desejo de vingança). A natureza humana pode ser estudada, assim como qualquer outra coisa no mundo. E nossas decisões sobre como organizar nossa vida podem levar em conta os fatos da natureza humana — inclusive para descartar as nossas intuições quando um saber científico as põe em dúvida.

A outra implicação da nossa universalidade psicológica é que, por mais que as pessoas difiram, pode, em princípio, existir um encontro das mentes. Posso apelar para sua razão e tentar persuadir você, aplicando padrões de lógica e evidências que nós dois aceitamos pelo próprio fato de que somos, ambos, seres racionais.

A universalidade da razão é uma percepção importantíssima, pois define um lugar para a moralidade. Se apelo a você para que faça alguma coisa que me afeta — sair de cima do meu pé, não me apunhalar por diversão ou salvar meu filho de se afogar —, não posso, se quiser que você me leve a sério, fazê-lo de um modo que privilegie meus interesses em detrimento dos seus (por exemplo, conservando meu direito de pisar no seu pé, de apunhalar você ou de deixar que seu filho se afogue). Preciso dizer o que quero de um modo que me force a tratar você do mesmo modo. Não posso agir como se meus interesses fossem especiais só porque eu sou eu e você não é, assim como não posso persuadir você de que o lugar em que piso é um lugar especial no universo só porque estou pisando ali.[148]

Você e eu temos de chegar a esse entendimento moral não apenas para que possamos ter uma conversa logicamente consistente, mas também porque o desprendimento mútuo é o único modo de ser que nos permite um empenho simultâneo por nossos interesses. Você e eu sairemos ganhando se partilharmos nossos excedentes, salvarmos o filho um do outro quando ele estiver em dificuldades e nos abstivermos de esfaquear um ao outro; não sairemos ganhando se guardarmos nossos excedentes até que apodreçam, deixarmos que o filho um do outro se afogue e brigarmos incessantemente. É bem verdade que eu me sairia um pouco melhor caso agisse com egoísmo e se você fosse otário, mas o mesmo vale para seu modo de agir comigo, por isso, se cada um de nós tentar obter tais vantagens, terminaremos os dois em pior situação. Qualquer observador neutro, assim como eu e você se pudéssemos debater racionalmente, concluiria que o estado que devemos almejar é aquele no qual nenhum de nós dois seja egoísta.

A moralidade, portanto, não é um conjunto de regras arbitrárias, ditadas por uma deidade vingativa e registradas num livro; também não é o costume de uma cultura ou tribo específica. Ela é uma consequência da permutabilidade das perspectivas e da oportunidade que o mundo proporciona para os jogos de soma positiva. O alicerce da moralidade pode ser visto nas muitas versões da Regra de Ouro que foi descoberta pelas principais religiões do mundo, e também no "ponto de vista da eternidade" de Espinosa, no "imperativo categórico" de Kant, no "contrato social" de Hobbes e Rousseau, e na "verdade autoevidente de que todas as pessoas são criadas iguais" de Locke e Jefferson.

Do conhecimento factual de que existe uma natureza humana universal e do princípio moral de que nenhuma pessoa tem justificativa para privilegiar seus interesses em detrimento das demais, podemos inferir muita coisa sobre como devemos conduzir nossos assuntos. Um governo é uma coisa boa de se ter, pois, num estado de anarquia, nosso autointeresse, autoengano e o medo dessas deficiências nos outros podem levar a lutas constantes. As pessoas têm mais vantagem quando abjuram a violência se todas as demais concordam em fazê-lo, conferindo autoridade a uma terceira parte desinteressada. No entanto, como essa terceira parte consistirá em seres humanos e não em anjos, seu poder tem de ser refreado pelo poder de outras pessoas, para forçar os dirigentes a governar com o consentimento dos governados. Eles não podem usar violência contra seus cidadãos além do mínimo necessário para impedir violência maior. E devem promover esquemas que permitam às pessoas prosperar com a cooperação e a troca voluntária.

Essa linha de raciocínio pode ser chamada de humanismo porque o valor que ela reconhece é o engrandecimento dos seres humanos, o único valor que não pode ser negado. Vivencio prazeres e dores e me empenho por objetivos a serviço dessas sensações, por isso não posso, racionalmente, negar o direito de outros agentes sencientes a fazer o mesmo.

Se isso tudo soa banal e óbvio para você, é porque você é um filho do Iluminismo e absorveu sua filosofia humanista. Como fato histórico, isso nada tem de banal nem de óbvio. O humanismo esclarecido, embora não necessariamente ateísta (ele é compatível com um deísmo no qual Deus é identificado com a natureza do universo), não recorre a escrituras, Jesus, rituais, leis religiosas, propósito divino, almas imortais, vida após a morte, era messiânica ou um Deus que responde aos indivíduos. O humanismo esclarecido também põe de lado muitas fontes seculares de valor se não for demonstrado que elas são necessárias para promover o engrandecimento humano. Entre elas incluem-se o prestígio da nação, raça ou classe, virtudes fetichistas como virilidade, dignidade, heroísmo, glória e honra, além de outras forças místicas, missões, destinos, dialéticas e lutas.

Penso que o humanismo esclarecido, seja invocado explicitamente ou implicitamente, alicerça as diversas reformas humanitárias dos séculos XVIII e XIX. Essa filosofia foi claramente invocada na concepção das primeiras democracias liberais, com a máxima transparência nas "verdades autoevidentes" professadas na Declaração de Independência americana. Posteriormente ele se difundiria para outras partes do mundo, combinado a argumentos humanistas que haviam surgido independentemente nessas civilizações.[149] E, como veremos no capítulo 7, ele recobrou o ímpeto durante a Revolução dos Direitos na presente era.

Apesar de tudo isso, o humanismo, inicialmente, não prevaleceu. Embora tenha ajudado a eliminar muitas práticas bárbaras e estabelecesse cabeças de ponte nas primeiras democracias liberais, suas implicações plenas foram totalmente rejeitadas em boa parte do mundo. Uma objeção surgiu da tensão entre as forças do Iluminismo que estamos examinando neste capítulo e as forças da civilização que exploramos no capítulo anterior — embora, como veremos, não seja difícil conciliar as duas. A outra objeção foi mais fundamental, e suas consequências, mais decisivas.

Nos calcanhares do Iluminismo veio a Revolução Francesa: uma breve promessa de democracia seguida por uma série de regicídios, golpes, fanáticos, vândalos, terrores e guerras preventivas, culminando em um imperador megalomaníaco e uma insana guerra de conquista. Mais de um quarto de milhão de pessoas foram mortas na Revolução, e, em seguida, outros 2 milhões a 4 milhões pereceram nas guerras revolucionárias e napoleônicas. Quando refletiam sobre tal catástrofe, era natural que as pessoas pensassem "depois disso, portanto por causa disso", e que os intelectuais de direita e esquerda pusessem a culpa no Iluminismo. É isso o que vocês ganham, diziam, quando comem o fruto da árvore do conhecimento, roubam o fogo dos deuses e abrem a caixa de Pandora.

A teoria de que o Iluminismo foi responsável pelo Terror e por Napoleão é dúbia, para dizer o mínimo. Assassinatos políticos, massacres e guerras de expansão imperial são tão antigos quanto a civilização, e há muito tempo vinham sendo expedientes comuns das monarquias europeias, inclusive a França. Muitos dos filósofos franceses que serviram de inspiração aos revolucionários eram intelectuais pesos-pena e não representavam a linha de raciocínio que liga Hobbes, Descartes, Espinosa, Locke, Hume e Kant. A Revolução Americana, que se ateve mais ao roteiro do Iluminismo, deu ao mundo uma democracia liberal que perdura há mais de dois séculos. No final do livro mostrarei que os dados sobre o declínio histórico da violência corroboram o humanismo esclarecido e refutam seus críticos de direita e de esquerda. Mas um desses críticos, o pensador anglo-irlandês Edmund Burke, merece nossa atenção, pois seu argumento serve-se da outra explicação influente para o declínio da violência, o Processo Civilizador. As duas explicações sobrepõem-se — ambas citam a expansão da empatia e os efeitos pacificadores da cooperação de soma positiva — mas diferem no aspecto da natureza humana que enfatizam.

Burke foi o pai do conservadorismo intelectual secular, que se baseia no que o economista Thomas Sowell chamou de visão trágica da natureza humana.[150] Segundo essa visão, os seres humanos são permanentemente tolhidos por limitações no conhecimento, na sabedoria e na virtude. As pessoas são egoístas e míopes, e se forem deixadas por conta própria, mergulharão em uma guerra hobbesiana de todos contra todos. As únicas coisas que as impedem de cair nesse abismo são os hábitos de autocontrole e harmonia social que elas absorvem quando acatam as normas de uma sociedade civilizada. Costumes sociais, tradições religiosas, costumes sexuais, estruturas familiares e instituições políticas duradouras, mesmo se ninguém souber explicar suas bases racionais, são modos comprovados de contornar as deficiências da natureza humana imutável, e são tão indispensáveis hoje quanto na época em que nos tiraram do barbarismo.

Segundo Burke, nenhum mortal é suficientemente inteligente para projetar uma sociedade desde os primeiros princípios. Uma sociedade é um sistema orgânico que se desenvolve espontaneamente, governado por um sem-número de interações e ajustamentos que nenhuma mente humana pode ter a pretensão de entender. Só porque não podemos captar seu funcionamento em proposições verbais não significa que ela deve ser descartada e reinventada de acordo com as teorias da moda corrente. Essas modificações desajeitadas nada mais farão do que acarretar consequências impremeditadas, culminando no caos violento.

Burke claramente foi longe demais. Seria loucura afirmar que as pessoas nunca deveriam ter militado contra a tortura, a caça às bruxas e a escravidão porque essas eram tradições de longa data e, se fossem subitamente abolidas, a sociedade descambaria para a selvageria. As próprias práticas eram selvagens e, como vimos, as sociedades encontram modos de compensar o desaparecimento de práticas violentas que outrora foram consideradas indispensáveis. O humanitarismo pode ser a mãe da invenção.

Em uma coisa, porém, Burke tinha razão. As normas tácitas de comportamento civilizado, tanto nas interações cotidianas como na conduta do governo, podem ser um requisito prévio para a implementação bem-sucedida de certas reformas. O desenvolvimento dessas normas pode constituir as misteriosas "forças históricas" mencionadas por Payne — por exemplo, o desaparecimento gradual espontâneo do assassinato político muito antes de os princípios da democracia terem sido articulados, e a sequência em que alguns movimentos abolicionistas deram o golpe de misericórdia em práticas que já estavam em declínio. Talvez isso explique por que, hoje em dia, é tão difícil impor a democracia liberal a países do mundo em desenvolvimento que não superaram suas superstições, seus chefes militares e suas tribos beligerantes.[151]

A civilização e o Iluminismo não precisam ser alternativos na explicação do declínio da violência. Em alguns períodos, as normas tácitas de empatia, autocontrole e cooperação podem encabeçar o processo, e os princípios de igualdade, não violência e direitos humanos racionalmente articulados podem vir em seguida. Em outros períodos, o processo pode ocorrer na outra direção.

Esse vaivém talvez explique por que a Revolução Americana não foi tão calamitosa quanto sua congênere francesa. Os Fundadores eram produto não só do Iluminismo, mas também do Processo Civilizador inglês, e neles o autocontrole e a cooperação eram uma segunda natureza. "O respeito decente pelas opiniões da humanidade requer que sejam declaradas as causas que impelem o povo à separação", explica polidamente a Declaração. "A prudência, é bem verdade, manda que governos há muito tempo estabelecidos não sejam substituídos por causas triviais e transitórias." A prudência. É bem verdade.

Mas a decência e a prudência dos Fundadores eram mais do que hábitos impensados. Os Fundadores deliberaram conscientemente sobre aquelas mesmas limitações da natureza humana que deixavam Burke com o pé atrás no assunto da deliberação consciente. "O que é o próprio governo", indagou Madison, "senão a maior de todas as reflexões sobre a natureza humana?"[152] A democracia, na concepção deles, tinha de ser projetada para contrapor-se aos vícios da natureza humana, em especial à tentação dos líderes de abusar do poder. O reconhecimento da natureza humana pode ter sido a principal diferença entre os revolucionários americanos e seus *confrères* franceses, que tinham a romântica convicção de que estavam relegando as limitações humanas à obsolescência. Em 1794 Maximilien Robespierre, o arquiteto do Terror, escreveu: "Os franceses parecem ter suplantado o resto da humanidade em 2 mil anos; quem viver entre eles poderá ser tentado a considerá-los uma espécie à parte".[153]

Em *Tábula rasa*, argumentei que duas visões extremas da natureza humana — uma visão trágica, que se resigna às suas deficiências, e uma visão utópica, que nega que ela existe — definem a grande divisão entre as ideologias políticas de direita e esquerda.[154] E sugeri que uma melhor compreensão da natureza humana à luz da ciência moderna pode mostrar o caminho para uma postura política mais refinada do que qualquer uma dessas duas. A mente humana não é uma tábula rasa, e nenhum sistema político humano deve ser autorizado a deificar seus líderes ou reformular seus cidadãos. No entanto, apesar de todas as suas limitações, a natureza humana inclui um sistema combinatório recursivo e aberto de raciocínio, e esse sistema pode tomar conhecimento de suas próprias limitações. É por isso que o motor do humanismo esclarecido, a racionalidade, nunca pode ser refutado por alguma falha ou erro no raciocínio de um povo em uma dada era. A razão sempre pode dar um passo atrás, tomar nota da falha e rever suas regras, para não sucumbir a ela da próxima vez.

SANGUE E SOLO

Um segundo movimento contrailuminista criou raízes em fins do século XVIII e começo do século XIX, centralizado não na Inglaterra, mas na Alemanha. Suas várias vertentes foram examinadas em um ensaio de Isaiah Berlin e em um livro do filósofo Graeme Garrard.[155] Esse Contrailuminismo originou-se com Rousseau e foi desenvolvido por teólogos, poetas e ensaístas como Johann Hamann, Friedrich Jacobi, Johann Herder e Friedrich Schelling. Seu alvo não foram, como haviam sido para Burke, as consequências impremeditadas da razão iluminista para a estabilidade social, e sim os alicerces da própria razão.

O primeiro erro, disseram esses autores, foi tomar como ponto de partida a consciência de uma mente individual. O indivíduo que raciocina, desincorporado, despido de sua cultura e de sua história, é produto da imaginação do pensador iluminista. Uma pessoa não é um lócus de cogitação abstrata — um cérebro sem o resto do corpo — e sim um corpo com emoções, uma parte da complexidade da natureza.

O segundo erro foi postular uma natureza humana universal e um sistema de raciocínio universalmente válido. As pessoas estão imersas em uma cultura e encontram significado em seus mitos, símbolos e epopeias. A verdade não reside em proposições no céu, postas lá em cima para todo mundo ver; situa-se em narrativas e arquétipos que são específicos da história de um lugar e dão sentido à vida de seus habitantes.

Com base nesse modo de pensar, engana-se o analista que critica as crenças ou costumes tradicionais. Somente entrando na experiência dos que vivem segundo essas crenças é possível compreendê-los. A Bíblia, por exemplo, só pode ser avaliada reproduzindo-se a experiência dos antigos pastores nos montes judaicos. Cada cultura tem seu exclusivo *Schwerpunkt*, um centro de gravidade, e, a menos que tentemos ocupá-lo, não poderemos compreender seu significado e seu valor.[156] Ser cosmopolita, longe de ser uma virtude, é "livrar-se de tudo o que nos faz mais humanos, mais nós mesmos".[157] Saem a universalidade, a objetividade e a racionalidade; entram o romantismo, o vitalismo, a intuição e o irracionalismo.

Herder assim resumiu o movimento *Sturm und Drang* (tempestade e ímpeto), que ele ajudou a inspirar: "Não estou aqui para pensar, mas para ser, sentir, viver! [...] Coração! Calor! Sangue! Humanidade! Vida!".[158]

Assim, um filho do Contrailuminismo não se empenha por um objetivo porque ele é objetivamente verdadeiro ou virtuoso, mas porque é um produto único da criatividade de uma pessoa. O manancial da criatividade pode estar no verdadeiro eu, como diziam os pintores e escritores românticos, ou pode estar em algum tipo de entidade transcendental: um espírito cósmico, uma chama divina. Berlin elabora:

> Outros ainda identificaram o eu criativo com um "organismo" superpessoal do qual se consideravam elementos ou membros — nação, ou Igreja, cultura, classe, a própria história, uma força poderosa da qual, na concepção deles, emanava seu eu terreno. O nacionalismo agressivo, a autoidentificação com os interesses da classe, cultura ou raça, ou as forças do progresso — com a onda do dinamismo da história dirigido para o futuro, algo que ao mesmo tempo explica e justifica atos que podem ser abominados ou desprezados quando cometidos por cálculo, vantagem própria ou algum outro motivo mundano —, essa família de concepções políticas e morais é um conjunto de expressões de uma doutrina de autorrealização baseada na rejeição desafiadora das teses centrais do Iluminismo, segundo as quais o que é verdadeiro, ou certo, ou bom, ou belo, pode ter sua validade demonstrada a todos os homens pela aplicação correta de métodos objetivos de descoberta e interpretação, aberto a qualquer um que deseje usar e comprovar.[159]

O Contrailuminismo também rejeitou a suposição de que a violência era um problema a ser resolvido. Luta e derramamento de sangue são inerentes à ordem natural, e não podem ser eliminados sem drenar a vida de sua vitalidade e subverter o destino da humanidade. Como observou Herder, "os homens desejam a harmonia, mas a natureza sabe o que é bom para a espécie: ela deseja a discórdia".[160] A glorificação da luta na "natureza de dentes e garras rubras" (como descreveu Tennyson) foi um tema predominante nas artes plásticas e na literatura do século XIX. Ela receberia a posteriori um verniz científico na forma do "darwinismo social", embora a ligação com Darwin seja anacrônica e injusta: *A origem das espécies* foi publicado em 1859, bem depois de a beligerância romântica ter se tornado uma filosofia popular, e o próprio Darwin foi um humanista liberal convicto.[161]

O Contrailuminismo foi o viveiro de uma família de movimentos românticos que ganharam ímpeto no século XIX. Alguns deles influenciaram as artes e nos legaram músicas e poesias sublimes. Outros se tornaram ideologias políticas e levaram a horrendas inversões na tendência declinante da violência. Uma dessas ideologias foi uma forma de nacionalismo militante que veio a ser conhecida como "sangue e solo" — a ideia de que um grupo étnico e a terra na qual ele se originou formam um todo orgânico com qualidades morais únicas, e que sua grandeza e glória são mais preciosas que as vidas e a felicidade de seus membros individualmente. Outra foi o militarismo romântico, a ideia de que (como sintetizou Mueller) "a guerra é nobre, enaltecedora, virtuosa, gloriosa, heroica, empolgante, bela, santa, emocionante".[162] Uma terceira foi o socialismo marxista, para o qual a história é uma gloriosa luta de classes que culmina na subjugação da burguesia e na supremacia do proletariado. E uma quarta foi o nacional-socialismo, para o qual a história é uma gloriosa luta de raças que culmina na subjugação das raças inferiores e na supremacia dos arianos.

A Revolução Humanitária foi um marco na redução histórica da violência, e é uma das realizações de que a humanidade mais deve se orgulhar. Matanças supersticiosas, punições cruéis, execuções frívolas e escravidão podem não ter sido obliteradas da face da Terra, mas certamente foram empurradas para as margens. E o despotismo e as grandes guerras, cujas sombras pairavam sobre a humanidade desde os primórdios da civilização, começaram a mostrar rachaduras. A filosofia do humanismo esclarecido que uniu esses avanços conseguiu um ponto de apoio no Ocidente e aguardou enquanto ideologias mais violentas seguiam seu curso trágico.

5. A Longa Paz

A guerra parece ser tão antiga quanto a humanidade, mas a paz é uma invenção moderna.

Henry Maine

No começo dos anos 1950, dois eminentes estudiosos britânicos refletiram sobre a história da guerra e arriscaram predições sobre o que o mundo deveria esperar para os anos vindouros. Um deles foi Arnold Toynbee (1889--1975), talvez o mais famoso historiador do século XX. Toynbee serviu no Ministério do Exterior britânico durante as duas guerras mundiais, representou o governo nas conferências de paz seguindo cada uma delas e elaborou a crônica da ascensão e queda de 26 civilizações em sua monumental obra em doze volumes *Um estudo da história*. Os padrões da história, como ele os viu em 1950, não o deixaram otimista: "Em nossa história ocidental recente, guerra segue-se a guerra em uma ordem ascendente de intensidade; e atualmente já se evidencia que a guerra de 1939-45 não foi o clímax desse movimento progressivo".[1] Toynbee escreveu à sombra da Segunda Guerra Mundial e no início da Guerra Fria e da guerra nuclear, portanto certamente poderíamos perdoá-lo por seu lúgubre prognóstico. Muitos outros estudiosos ilustres foram igualmente pessimistas, e as previsões de um apocalipse iminente continuaram por mais três décadas.[2]

O currículo do outro acadêmico não poderia ser mais diferente. Lewis Fry Richardson (1881-1953) era médico, meteorologista, psicólogo e especialista em matemática aplicada. Ascendeu à fama principalmente por criar técnicas numéricas para predizer o tempo, décadas antes de existirem computadores poderosos o suficiente para implementá-las.[3] A predição de Richardson não se baseou em erudição sobre as grandes civilizações, mas em análises estatísticas de um banco de dados sobre centenas de conflitos violentos ao longo de mais de um século. Richardson foi mais comedido do que Toynbee, e mais otimista: "A ocorrência de duas guerras mundiais neste século leva-nos a uma vaga noção de que o mundo tornou-se mais beligerante. Mas essa crença pede uma análise lógica. Talvez tenhamos um longo futuro sem uma terceira guerra mundial".[4] Richardson privilegiou as estatísticas e não as impressões para refutar a noção comum de que a guerra nuclear global era uma certeza. Mais de meio século depois, sabemos que o renomado historiador estava errado e o obscuro físico estava certo.

Este capítulo trata dos fatos que basearam a presciência de Richardson: as tendências da guerra entre os países mais influentes, culminando na inesperada boa notícia de que o aparente crescendo da guerra não prosseguiu até um novo clímax. Durante as duas últimas décadas, a atenção do mundo desviou-se para outros tipos de conflito, entre eles as guerras em países menores, guerras civis, genocídios e terrorismo; estes serão abordados no próximo capítulo.

ESTATÍSTICAS E NARRATIVAS

O século XX pode parecer uma afronta à própria sugestão de que a violência declinou ao longo da história. Comumente chamado de o século mais violento da história, sua primeira metade viu uma série de guerras mundiais, guerras civis e genocídios que Matthew White chamou de Hemoclismo, o dilúvio de sangue.[5] O Hemoclismo não foi apenas uma incomensurável tragédia em número de vítimas humanas, mas também uma revolução no modo como a humanidade concebe seu movimento histórico. A esperança iluminista de progresso encabeçado pela ciência e pela razão deu lugar a um feixe de diagnósticos sinistros: a recrudescência de um instinto de morte, o julgamento da modernidade, a condenação da civilização ocidental, um pacto faustiano do homem com a ciência e a tecnologia.[6]

Mas um século são cem anos, não cinquenta. A segunda metade do século XX viu uma abstenção de guerra historicamente sem precedentes entre as grandes potências, um período que o historiador John Gaddis chamou de Longa Paz, seguido pelo igualmente assombroso esvaziamento da Guerra Fria.[7] Como entender as múltiplas personalidades desse século tortuoso? E o que podemos concluir acerca das perspectivas de guerra e paz no século presente?

As predições concorrentes de Toynbee, o historiador, e Richardson, o físico, representam modos complementares de interpretar o fluxo dos acontecimentos no tempo. A história tradicional é uma narrativa do passado. Mas para podermos levar em conta o alerta de George Santayana de que é preciso lembrar o passado para não repeti-lo, precisamos discernir *padrões* no passado, para podermos saber o que generalizar para as dificuldades do presente. Inferir padrões generalizáveis de um conjunto finito de observações é o ofício do cientista, e algumas das lições da extração de padrões pela ciência podem ser aplicadas aos dados da história.

Suponhamos, para desenvolver nosso argumento, que a Segunda Guerra Mundial foi o evento mais destrutivo da história. (Ou, se você preferir, suponhamos que todo o Hemoclismo merece essa designação, se consideramos as duas guerras mundiais e os genocídios a elas associados como um único episódio histórico prolongado.) O que isso nos diz acerca das tendências da guerra e da paz a longo prazo?

A resposta é: nada. O mais destrutivo evento da história tinha de ocorrer em *algum* século, e poderia estar embutido em qualquer uma entre várias e muito diferentes tendências a longo prazo. Toynbee supôs que a Segunda Guerra Mundial foi um degrau em uma escala ascendente, como no painel esquerdo da figura 5.1. Quase tão sinistra é a ideia comum de que as épocas de guerra são cíclicas, como no painel direito da figura 5.1. Como muitas previsões desalentadoras, os dois modelos inspiraram tiradas de humor negro. Muita gente me pergunta se já ouvi aquela do homem que caiu do telhado de um prédio de escritórios e foi gritando para os empregados de cada andar: "Até aqui, tudo bem!". Também muitos me contaram aquela do peru que, na véspera do dia de Ação de Graças, comentou sobre a extraordinária era de 364 dias de paz entre fazendeiros e perus na qual ele tinha a sorte de viver.[8]

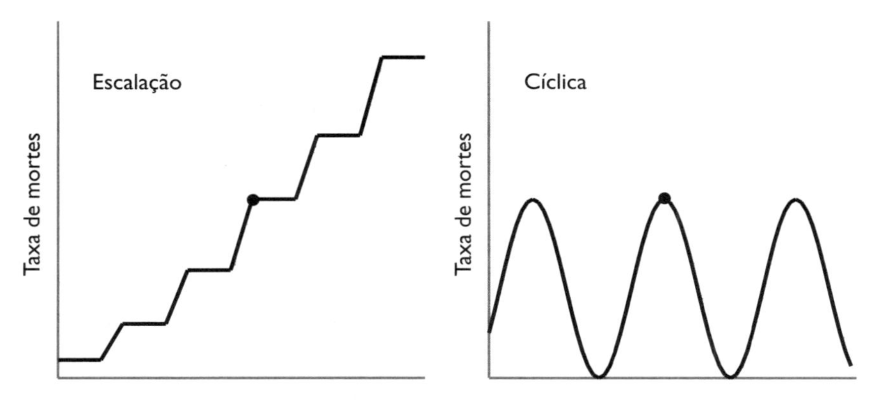

Figura 5.1. *Duas possibilidades pessimistas de tendências históricas da guerra.*

Mas os processos da história são realmente tão deterministas quanto a lei da gravidade ou os giros planetários? Os matemáticos nos dizem que é possível traçar um número infinito de curvas através de qualquer conjunto finito de pontos. A figura 5.2 mostra duas outras curvas que situam o mesmo episódio em narrativas muito diferentes.

O painel esquerdo retrata a possibilidade radical de que a Segunda Guerra Mundial foi uma aberração estatística — nem um degrau em uma série ascendente, nem um arauto do que estava por vir, tampouco parte de qualquer tipo de tendência. A princípio, essa suposição parece absurda. Como um desdobramento aleatório de eventos no tempo pode resultar em tantas catástrofes juntas em apenas uma

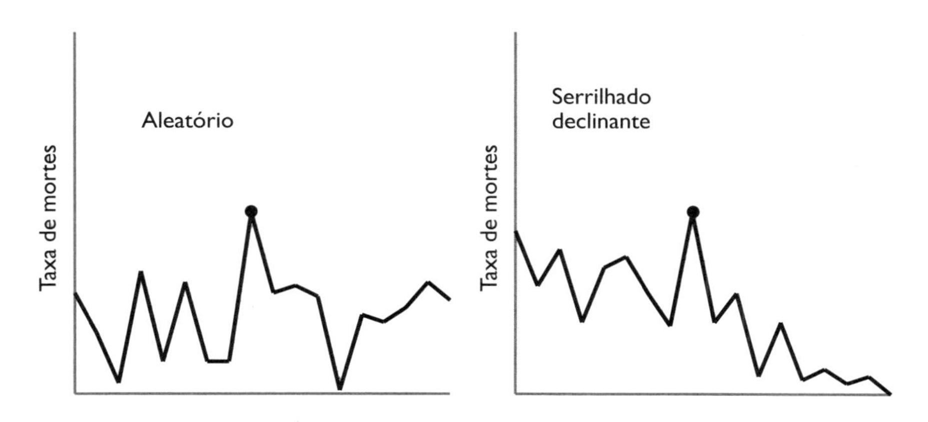

Figura 5.2. *Duas possibilidades menos pessimistas de tendências históricas da guerra.*

década: as brutais invasões de Hitler, Mussolini, Stálin e Japão imperial; o Holocausto; o expurgo stalinista; o Gulag; e duas explosões atômicas (sem falar na Primeira Guerra Mundial e nas guerras genocidas das duas décadas precedentes)? Além disso, as guerras que costumamos encontrar nos livros de história tendem a mostrar números de vítimas na casa de dezenas ou centenas de milhares ou, muito raramente, dos milhões. Se realmente as guerras eclodissem ao acaso, uma guerra que levasse à morte de 55 milhões de pessoas não seria astronomicamente improvável? Richardson mostrou que essas duas intuições são ilusões cognitivas. Quando os dados de ferro começam a rolar (nas palavras do chanceler alemão Theobald von Bethmann-Hollweg às vésperas da Primeira Guerra Mundial), os resultados infelizes podem ser muito piores do que prevê nossa primitiva imaginação.

O painel direito da figura 5.2 situa a guerra em uma narrativa tão destituída de pessimismo que é quase otimista. A Segunda Guerra Mundial poderia ser um pico isolado em um serrilhado descendente — o último arquejo em um longo mergulho das grandes guerras na obsolescência histórica? Novamente, veremos que essa possibilidade não é tão sonhadora quanto parece.

Na realidade, a trajetória da guerra a longo prazo provavelmente é uma sobreposição de várias tendências. Sabemos que os padrões em outras sequências complexas, por exemplo, os padrões do clima, são um composto de várias curvas: o ritmo cíclico das estações, a aleatoriedade das flutuações diárias, a tendência a longo prazo do aquecimento global. O objetivo deste capítulo é identificar os componentes das tendências a longo prazo nas guerras entre Estados. Tentarei persuadir você de que eles têm as seguintes características:

- sem ciclos;
- alta dose de aleatoriedade;
- uma escalada, recentemente revertida, da destrutividade da guerra;
- declínios em todas as demais dimensões da guerra e, portanto, da guerra entre Estados em geral.

O século XX não foi, portanto, um mergulho permanente na perversidade. Ao contrário, a tendência moral duradoura do século foi um humanismo avesso à violência que se originou no Iluminismo, foi eclipsado por ideologias contrailuministas ligadas a agentes de crescente poder destrutivo e recobrou o ímpeto na esteira da Segunda Guerra Mundial.

Para chegar a essas conclusões, combinarei os dois modos de interpretar a trajetória da guerra: as estatísticas de Richardson e seus herdeiros e as narrativas dos historiadores e cientistas políticos tradicionais. A abordagem estatística é necessária para evitar a falácia de Toynbee, ou seja, a tendência, muito humana, de enxergar equivocadamente padrões abrangentes em fenômenos estatísticos complexos e extrapolá-los confiantemente para o futuro. Mas se as narrativas sem a estatística são cegas, a estatística sem as narrativa é vazia. A história não é um salva-telas com belas curvas geradas por equações; as curvas são abstrações baseadas em eventos reais que envolveram decisões de pessoas e os efeitos de suas armas. Assim, precisamos explicar também como as várias escadas, rampas e serrilhados que vemos nos gráficos emergem do comportamento de líderes, soldados, baionetas e bombas. No decorrer do capítulo, os ingredientes da fusão passarão de estatísticos a narrativos, mas nenhum deles é dispensável para se entender algo tão complexo quanto a trajetória da guerra a longo prazo.

O SÉCULO XX FOI MESMO O PIOR?

"O século XX foi o mais sangrento da história" é um clichê usado para indiciar uma grande variedade de demônios, entre eles o ateísmo, Darwin, o governo, a ciência, o capitalismo, o comunismo, o ideal do progresso e o sexo masculino. Mas é verdade? Essa afirmação raramente vem acompanhada de números sobre quaisquer outros séculos, ou de alguma menção a hemoclismos de séculos anteriores. A verdade é que nunca saberemos realmente qual foi o pior século, pois se já é difícil enumerar com precisão as vítimas do século XX, que dirá as de séculos passados. No entanto, temos duas razões para desconfiar que o factoide do século mais sangrento é uma ilusão.

A primeira é que, embora o século XX certamente tenha tido mais mortes violentas do que os séculos anteriores, ele também teve mais pessoas. A população do planeta em 1950 era 2,5 bilhões, aproximadamente duas vezes e meia a população de 1800, quatro vezes e meia a de 1600, sete vezes a de 1300 e quinze vezes a de 1 EC. Portanto, as baixas de uma guerra em 1600, por exemplo, teriam de ser multiplicadas por 4,5 para que pudéssemos comparar sua destrutividade à de meados do século XX.[9]

A segunda ilusão é a *miopia histórica*: quanto mais uma era está próxima de nosso ponto de observação no presente, mais detalhes conseguimos discernir. A miopia histórica pode afetar tanto o senso comum como a história profissional. Os psicólogos cognitivos Amos Tversky e Daniel Kahneman mostraram que as pessoas estimam intuitivamente a frequência relativa usando um atalho chamado heurística da disponibilidade: quanto mais fácil é lembrar exemplos de um acontecimento, mais provável as pessoas pensam que ele é.[10] Por exemplo, as pessoas superestimam as probabilidades dos tipos de acidentes que viram manchete, como queda de avião, ataque de tubarão e bombas terroristas, e subestimam aqueles que se amontoam despercebidos, como eletrocussões, quedas e afogamentos.[11] Quando julgamos a densidade de mortes em diferentes séculos, quem não consultar os números tenderá a dar peso excessivo a conflitos que foram mais recentes, mais estudados ou mais criticados. Em um levantamento da memória histórica, pedi a cem internautas que escrevessem o nome de todas as guerras que conseguissem recordar em cinco minutos. As respostas penderam acentuadamente para as guerras mundiais, guerras travadas pelos Estados Unidos e guerras próximas do presente. Embora os séculos anteriores tenham tido muito mais guerras, como veremos, as pessoas *lembram-se* mais de guerras de séculos recentes.

Se vasculharmos os livros de história para corrigir os efeitos do viés da disponibilidade e levarmos em conta o tamanho da população do século XX, e em seguida calcularmos a proporção das vítimas na população mundial de cada época, encontraremos muitas guerras e massacres que poderiam andar de cabeça erguida em meio às atrocidades do século XX. Na tabela da página 278 vemos uma lista, compilada por White, intitulada "(Possivelmente) as (cerca de) vinte piores coisas que pessoas fizeram a outras".[12] Cada cômputo de vítimas é a mediana ou moda dos números citados em um grande número de obras historiográficas e enciclopédias. Incluem-se aí não só as mortes em campo de batalha, mas também as mortes indiretas de civis pela fome e por doença; são, portanto, consideravelmente maiores do que as estimativas de baixas em batalhas, mas o são coerentemente, pois se aplicam tanto aos eventos recentes como aos antigos. Acrescentei duas colunas que ponderam os números de vítimas e ajustam a classificação segundo o que veríamos caso o mundo tivesse na época a população que tinha em meados do século XX.

Em primeiro lugar, você já tinha ao menos ouvido falar de todas elas? (Eu, não.) Em segundo, você sabia que houve cinco guerras e quatro atrocidades antes da Primeira Guerra Mundial que mataram mais pessoas do que essa guerra? Desconfio que muitos leitores também ficarão surpresos ao saber que, das 21 piores coisas que pessoas fizeram a outras (e de que temos conhecimento), catorze ocorreram em séculos anteriores ao XX. E tudo isso diz respeito a números absolutos. Quando fazemos a ponderação segundo o tamanho da população, só uma das atrocidades do século XX chega à lista das dez mais. A pior atrocidade de todos os tempos foi a Revolta e Guerra Civil de An Lushan, uma rebelião de oito anos durante a dinastia Tang, da China que, segundo os censos, resultou na perda de dois terços da população do império, um sexto da população mundial na época.[13]

Evidentemente, não devemos interpretar todos esses números sem ressalvas. Alguns, tendenciosamente, atribuem o total de vítimas de uma fome coletiva ou de uma epidemia a determinada guerra, rebelião ou tirano. E alguns provêm de inúmeras culturas que não dispunham de técnicas modernas de contagem e registro. Ao mesmo tempo, a história narrativa confirma que civilizações antigas certamente eram capazes de matar em números imensos. O atraso tecnológico não era nenhum impedimento; sabemos, graças a Ruanda e Camboja, que números colossais de pessoas podem ser assassinadas com recursos de baixa tecnologia, como machetes e fome. E, no passado distante, os implementos de matar não eram de tão baixa tecnologia, pois os armamentos militares ostentavam a tecnologia mais avançada de sua época. O historiador militar John Keegan salienta que, em meados do segundo milênio da Era Comum, o carro de guerra permitiu a exércitos nômades trazer um dilúvio de mortes às civilizações invadidas.

> Circulando à distância de cem ou duzentos metros dos rebanhos de soldados a pé, uma dupla num carro de guerra — um para conduzir, outro para atirar — podia transfixar seis homens em um minuto. Dez minutos de trabalho de dez carros de guerra causavam quinhentas ou mais baixas, uma verdadeira Batalha do Somme, entre os pequenos exércitos do período.[14]

CLASSIFICAÇÃO	CAUSA	SÉCULO	Nº DE VÍTIMAS	Nº DE VÍTIMAS EQUIVALENTE A MEADOS DO SÉCULO XX	CLASSIFICAÇÃO AJUSTADA
1	Segunda Guerra Mundial	XX	55 milhões	55 milhões	9
2	Mao Tsé-tung (sobretudo fome coletiva causada pelo governo)	XX	40 milhões	40 milhões	11
3	Conquistas mongóis	XIII	40 milhões	278 milhões	2
4	Revolta de An Lushan	VIII	36 milhões	429 milhões	1
5	Queda da dinastia Ming	XVII	25 milhões	112 milhões	4
6	Rebelião Taiping	XIX	20 milhões	40 milhões	10
7	Aniquilação dos índios americanos	XV-XIX	20 milhões	92 milhões	7
8	Ióssif Stálin	XX	20 milhões	20 milhões	15
9	Tráfico de escravos no Oriente Médio	VII-XIX	19 milhões	132 milhões	3
10	Tráfico atlântico de escravos	XV-XIX	18 milhões	83 milhões	8
11	Timur Lenk (Tamerlão)	XIV-XV	17 milhões	100 milhões	6
12	Índia britânica (sobretudo fome evitável)	XIX	17 milhões	35 milhões	12
13	Primeira Guerra Mundial	XX	15 milhões	15 milhões	16
14	Guerra civil russa	XX	9 milhões	9 milhões	20
15	Queda de Roma	III-V	8 milhões	105 milhões	5
16	Estado livre do Congo	XIX-XX	8 milhões	12 milhões	18
17	Guerra dos Trinta Anos	XVII	7 milhões	32 milhões	13
18	Tempo das perturbações na Rússia	XVI-XVII	5 milhões	23 milhões	14
19	Guerras napoleônicas	XIX	4 milhões	11 milhões	19
20	Guerra civil chinesa	XX	3 milhões	3 milhões	21
21	Guerras religiosas na França	XVI	3 milhões	14 milhões	17

Os massacres de alto rendimento também foram aperfeiçoados por hordas montadas vindas das estepes, como os citas, hunos, mongóis, turcos, magiares, tártaros, mogóis e manchus. Por 2 mil anos, esses guerreiros usaram arcos compostos meticulosamente trabalhados (feitos de madeira laminada colada, tendões e chifre) para produzir imensas contagens de corpos em seus saques e incursões. Essas tribos foram responsáveis pelos terceiro, quinto, 11º e 15º lugares na lista das 21 mais, e por quatro dos seis primeiros lugares na classificação proporcional à população. As invasões mongóis de territórios islâmicos no século XIII resultaram no massacre de 1,3 milhão de pessoas só na cidade de Merv, e de outros 800 mil habitantes de Bagdá. Como observa J. J. Sauders, historiador dos mongóis:

> É indescritivelmente revoltante a insensível selvageria com que os mongóis perpetravam seus massacres. Obrigavam os habitantes de uma cidade condenada a reunir-se em uma planície fora dos muros, e cada soldado mongol, empunhando uma acha de armas, devia matar um dado número de pessoas, dez, vinte ou cinquenta. Como prova de que a ordem fora obedecida, às vezes se exigia que os executores cortassem uma orelha de cada vítima, pusessem as orelhas num saco e as levassem aos oficiais para a contagem. Poucos dias depois do massacre, soldados eram mandados às ruínas em busca de alguns desgraçados que pudessem estar escondidos em buracos ou porões; estes eram arrastados para fora e mortos.[15]

O primeiro líder dos mongóis, Gêngis Khan, assim refletiu sobre os prazeres da vida: "O maior deleite que um homem pode ter é vencer seus inimigos e varrê-los de seu caminho. Cavalgar seus cavalos e tirar-lhes os bens. Ver banhados em lágrimas os rostos dos que lhe eram queridos, e ter nos braços suas mulheres e filhas".[16] A genética moderna mostra que ele não se vangloriava sem razão. Atualmente, 8% dos homens que vivem na região do antigo Império Mongol têm em comum um cromossomo Y que remonta à época de Gêngis Khan, muito provavelmente porque descendem dele, de seus filhos e do imenso número de mulheres que eles tiveram nos braços.[17] Tais façanhas criaram precedentes bem elevados, mas Tamerlão, um turco que pretendeu restaurar o Império Mongol, fez o melhor que pôde. Matou dezenas de milhares de prisioneiros em cada uma de suas conquistas de cidades da Ásia ocidental, e marcou suas façanhas construindo minaretes com os crânios das vítimas. Uma testemunha síria contou 28 torres com 15 mil cabeças cada uma.[18]

A lista das piores coisas também desmente a ideia convencional de que no século XX houve um salto quântico na violência organizada em relação ao pacífico século XIX. Para começar, o século XIX teria de ser adulterado para mostrar o tal salto quântico: seria preciso tirar de seu começo as destrutivas guerras napoleônicas. Além disso, a calmaria nas guerras no restante do século aplica-se apenas à Europa. Em outras partes, houve hemoclismos, entre eles a Rebelião Taiping, na China (uma revolta de inspiração religiosa que pode ter sido a pior guerra civil da história), o tráfico de escravos africanos, guerras imperiais na Ásia, África e Pacífico Sul, e duas grandes carnificinas que não conseguiram entrar na lista: a Guerra de Secessão americana (650 mil mortes) e o reinado de Shaka, um Hitler zulu que matou entre 1 milhão e 2 milhões de pessoas durante sua conquista do sul da África entre 1816 e 1827. Esqueci de mencionar algum continente? Ah, sim, a América do Sul. Entre suas numerosas guerras está a Guerra da Tríplice Aliança, ou Guerra do Paraguai, que pode ter matado 400 mil pessoas, entre as quais mais de 60% da população do Paraguai, o que faz dela, proporcionalmente, a mais destrutiva guerra dos tempos modernos.

É claro que uma lista de casos extremos não pode determinar uma tendência. Houve mais grandes guerras e massacres antes do século XX, porém houve mais séculos antes do século XX. A figura 5.3 estende a lista das 21 mais de White para as cem mais, registra-as proporcionalmente à população mundial da época e indica como se distribuíram no tempo entre 500 AEC e 2000 EC.

Dois padrões destacam-se nesses salpicos. O primeiro indica que as guerras e atrocidades mais terríveis — as que mataram mais que a décima parte de um ponto percentual da população do mundo — distribuem-se mais ou menos uniformemente ao longo de 2500 anos de história. O outro padrão mostra que a nuvem de dados afila-se para a direita e para baixo no gráfico, representando conflitos cada vez menores nos anos mais próximos do presente. Como poderíamos explicar esse funil? Não é provável que nossos ancestrais distantes evitassem pequenos massacres e só se dessem ao trabalho de engajar-se nos grandes. White oferece uma explicação mais provável:

> Talvez a única razão de parecer que tanta gente foi morta nos últimos duzentos anos seja que temos mais registros para esse período. Estudo isso há anos, e já faz muito tempo desde que encontrei algum grande massacre novo e ainda não publicado ocorrido no século XX; por outro lado, parece que toda vez que abro um livro

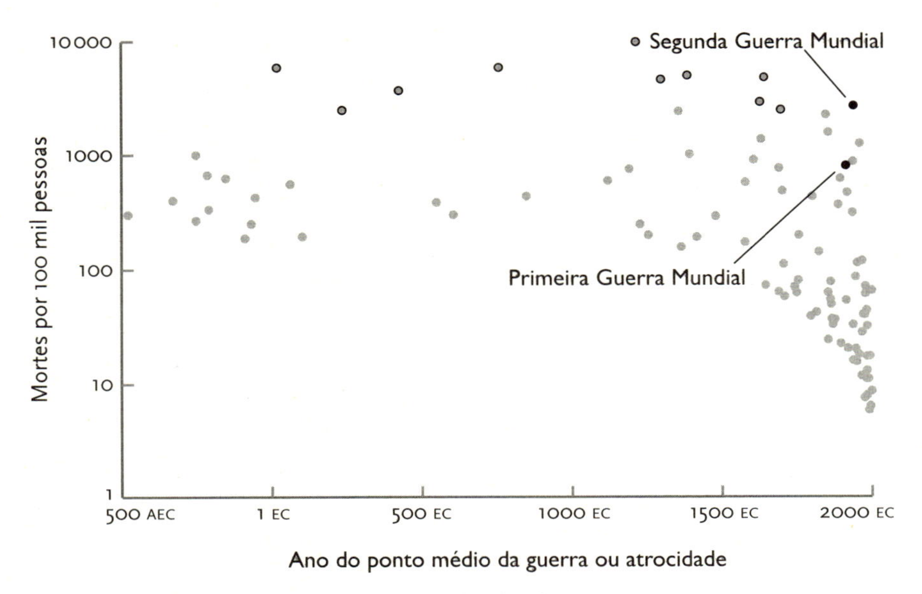

Figura 5.3. *Cem piores guerras e atrocidades da história humana.*
FONTE: Dados de White, no prelo, proporcionais à população mundial, de McEvedy e Jones, 1978, no ponto médio da série arrolada. Note-se que as estimativas não estão escaladas segundo a duração da guerra ou atrocidade. Os pontos dentro de círculos representam eventos selecionados com taxas de mortes mais elevadas que as das guerras mundiais do século XX (do mais antigo para o mais recente): dinastia Xin, Três Reinos, queda de Roma, Revolta de An Lushan, Gêngis Khan, tráfico de escravos do Oriente Médio, Tamerlão, tráfico atlântico de escravos, queda da dinastia Ming e conquista das Américas.

> antigo, descubro mais uma centena de milhar de pessoas esquecidas, mortas em algum lugar no passado distante. Talvez algum cronista tenha anotado muito tempo atrás o número de mortos, mas agora esse evento sumiu-se no passado esquecido. Talvez alguns historiadores modernos tenham reestudado o evento, porém não se preocuparam com a contagem dos mortos, já que isso não se encaixa na percepção que eles têm do passado. Eles não acreditam que era possível matar tanta gente sem câmaras de gás e metralhadoras, por isso descartam como não confiáveis as evidências em contrário.[19]

E, obviamente, para cada massacre que foi registrado por algum cronista e depois desconsiderado ou descartado, deve ter havido muitos outros que nunca foram registrados.

Como não se ajustaram a essa miopia histórica, até mesmo historiadores foram levados a conclusões enganosas. William Eckhardt elaborou uma lista de guerras desde 3000 AEC e fez um gráfico das vítimas ao longo do tempo.[20] O gráfico indicou uma aceleração na taxa de mortes por guerras no decorrer de cinco milênios, ganhando ímpeto depois do século XVI e decolando quase na vertical no século XX.[21] Mas esse taco de hóquei é, quase certamente, uma ilusão. Como observou James Payne, um estudo que diz mostrar um aumento das guerras ao longo do tempo sem fazer a correção para a miopia histórica mostra apenas que "a Associated Press é uma fonte de informação mais abrangente sobre as batalhas mundo afora do que os monges do século XVI".[22] Payne mostrou que esse problema é genuíno, e não apenas hipotético, examinando uma das fontes de Eckhardt, o monumental *A guerra*, de Quincy Wright, que traz uma lista de conflitos armados de 1400 a 1940. Wright conseguira encontrar o mês inicial e o mês final de 99% das guerras entre 1875 e 1940, mas somente de 13% das guerras entre 1480 e 1650: uma revelação de que os registros do passado distante são muito menos completos do que os do passado recente.[23]

O historiador Rein Taagepera quantificou a miopia de outra maneira. Pegou um almanaque histórico e mediu com uma régua o número de centímetros das colunas dedicadas a cada século.[24] A variação foi tanta que ele precisou indicar os dados em escala logarítmica (na qual um declínio exponencial parece uma linha reta). Seu gráfico, reproduzido na figura 5.4, mostra que, conforme retrocedemos no tempo, a cobertura histórica despenca exponencialmente por dois séculos e meio, depois declina com mais suavidade, mas ainda exponencialmente, pelos três milênios anteriores.

Se fosse apenas uma questão de desconsiderar algumas guerras menores que escaparam à atenção de cronistas antigos, poderíamos nos tranquilizar de que a contagem de vítimas não foi subestimada, pois a maioria das mortes teria ocorrido em grandes guerras que ninguém deixaria de notar. Mas a subcontagem pode introduzir nas estimativas um viés, e não apenas uma imprecisão. Keegan menciona um "horizonte militar".[25] Abaixo dele estão as incursões, emboscadas, escaramuças, batalhas de gangues, rixas e depredações que os historiadores menosprezam como guerra "primitiva". Acima dele estão as campanhas organizadas com intuito de conquista e ocupação, incluindo as complexas operações militares que os aficionados da guerra reencenam a caráter ou com soldados de brinquedo. Lembremos as "guerras privadas" do século XIV mencionadas por Tuchman, aquelas nas quais os cavaleiros lutavam com um deleite furioso e uma única estratégia: matar o máximo possível dos camponeses do cavaleiro rival. Muitos desses massacres nunca foram nomeados como "Guerra Tal e Tal" nem imortalizados nos livros de história. Em teoria, uma subcontagem dos conflitos situados abaixo do horizonte militar poderia deturpar a contagem das vítimas para todo o período. Se mais conflitos incidiram abaixo do horizonte militar nas anárquicas sociedades feudais, fronteiras e terras tribais dos períodos anteriores do que nos conflitos entre os Leviatãs dos períodos mais recentes, os períodos mais antigos nos parecerão menos violentos do que realmente foram.

Portanto, quando fazemos os ajustes para levar em conta o tamanho da população, o viés de disponibilidade e a miopia histórica, não fica nada claro se o século XX foi ou não o mais sangrento da história. Tirar esse dogma do caminho é o primeiro passo para compreendermos a trajetória histórica da guerra. O passo seguinte é examinar mais de perto a distribuição das guerras ao longo do tempo — o que traz ainda mais surpresas.

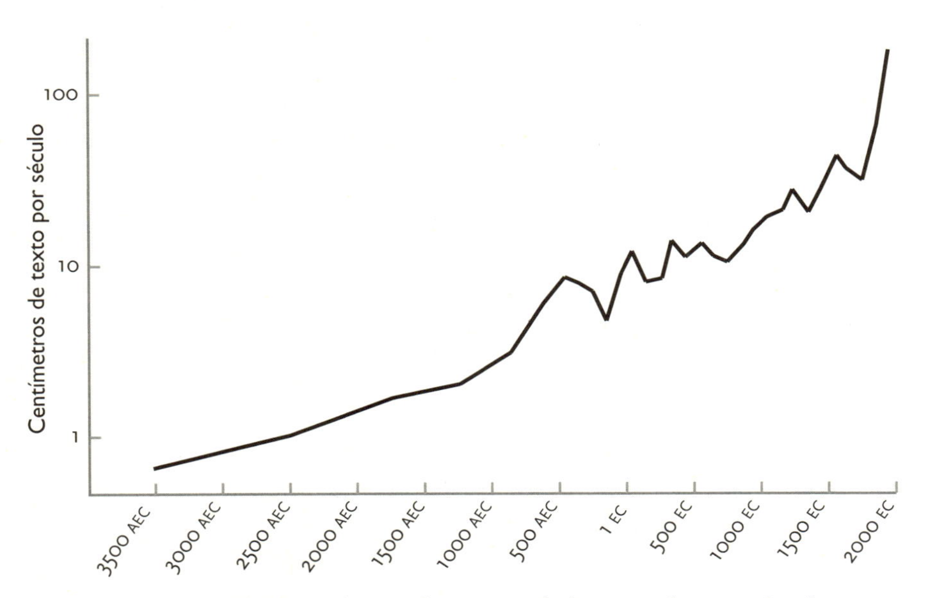

Figura 5.4. *Miopia histórica: Centímetros de texto por século em um almanaque histórico.*
FONTE: Dados de Taagepera e Colby, 1979, p. 911.

Lewis Richardson escreveu que seu esforço para analisar a paz através dos números derivou de dois preconceitos. Como quacre, ele acreditava que "o mal moral da guerra suplanta o bem moral, embora este último seja evidente".[26] Como cientista, achava que na questão da guerra sobrava moralização e faltava conhecimento:

> Pois a indignação é um estado de espírito tão fácil e satisfatório que tende a nos impedir de atentar para quaisquer fatos que se oponham a ela. Se o leitor objetar que troquei a ética pela falsa doutrina de que *"tout comprendre c'est tout pardonner"* [compreender tudo é perdoar tudo], posso replicar que se trata apenas de uma suspensão temporária do julgamento ético, porque *"beaucoup condamner c'est peu comprendre"* [condenar muito é compreender pouco].[27]

Depois de vasculhar enciclopédias e histórias de diferentes regiões do mundo, Richardson compilou dados sobre 315 "brigas mortais" que terminaram entre 1820 e 1952. Ele encontrou alguns problemas intimidantes. Um deles é o fato de a maioria das obras historiográficas ser muito esquemática ao tratar dos números. Outro é que nem sempre está claro como se deve contar as guerras, pois elas tendem a dividir-se, a coalescer, a parar e recomeçar repetidamente. A Segunda Guerra Mundial é uma só guerra ou duas guerras, uma na Europa e a outra no Pacífico? Se for uma só guerra, não deveríamos dizer que começou em 1937, com a invasão da China pelo Japão, ou mesmo em 1931, quando os japoneses ocuparam a Manchúria, em vez de escolhermos a data de início convencional, 1939? "O conceito de uma guerra como uma coisa delimitada não condiz com os fatos", ele observou. "Não dá para coisificar."[28]

Não conseguir "coisificar" é um problema bem conhecido dos físicos, e Richardson lidou com ele usando duas técnicas de estimativa matemática. Em vez de procurar uma fugidia "definição precisa" de guerra, ele deu prioridade à média e não ao caso individual: conforme considerou um a um cada conflito impreciso, ele sistematicamente se alternou entre contá-lo como uma só briga e dividi-lo em dois, supondo que os erros se compensariam a longo prazo. (É o mesmo princípio que baseia a prática de arredondar um número terminado em 5 para o algarismo par mais próximo — metade das vezes o número aumentará, metade das vezes diminuirá.) E, tomando de empréstimo uma prática da astronomia, Richardson atribuiu a cada conflito uma magnitude, o logaritmo de base 10 (aproximadamente o número de zeros) da quantidade de vítimas da guerra em questão. Em uma escala logarítmica, um certo grau de imprecisão nas medidas não tem tanta importância quanto em uma escala linear convencional. Por exemplo, não saber se uma guerra matou 100 mil ou 200 mil pessoas traduz-se em uma incerteza entre 5 e 5,3 na magnitude. Assim, Richardson distribuiu as magnitudes em escaninhos logarítmicos: 2,5 a 3,5 (ou seja, entre 316 e 3162 mortes), 3,5 a 4,5 (3163 a 31 622) e assim por diante. A outra vantagem da escala logarítmica é que ela nos permite visualizar conflitos de vários tamanhos, de batalhas de gangues a guerras mundiais, em uma única escala.

Richardson também enfrentou o problema de que tipos de conflito incluir, que mortes contar e qual o mínimo a ser computado. Seu critério para inserir um evento histórico em seu banco de dados foi a "premeditação"; assim, incluiu guerras de todos os tipos e tamanhos, e também motins, insurreições, arruaças letais e genocídios. É por isso que ele chamou suas unidades de análise de "brigas mortais" em vez de discutir interminavelmente sobre o que, de fato, merecia o nome de "guerra". Seus números de magnitude incluíram soldados mortos em batalha, civis mortos deliberadamente ou como vítimas secundárias e soldados mortos por doença ou efeitos do clima; ele não computou civis mortos por doenças ou efeitos do clima, já que tais mortes são mais apropriadamente atribuídas à negligência do que à premeditação.

Richardson lastimou a existência de uma lacuna importante no registro histórico: as rixas, incursões e escaramuças que mataram entre quatro e 315 pessoas cada uma (magnitude 0,5 a 2,5), que eram grandes demais para ser registradas por criminologistas, mas pequenas demais para os historiadores se ocuparem delas. Ele ilustrou o problema dessas brigas abaixo do horizonte militar citando a história do tráfico de escravos do leste africano escrita por Reginald Coupland:

> "As principais fontes de abastecimento de cativos eram as incursões organizadas em áreas escolhidas, que adentraram constantemente o interior conforme trecho após trecho 'se esgotava'. Os árabes podiam fazer eles mesmos as incursões, porém o mais comum era incitarem um chefe a atacar outra tribo, emprestando-lhe armas e seus próprios escravos armados para assegurar sua vitória. O resultado, obviamente, foi um crescente estado de guerra intertribal, até que 'toda a região se inflamou'."

> Como deve ser classificado esse costume abominável? Foi todo ele uma colossal guerra entre árabes e negros, iniciada 2 mil anos antes de encerrar-se em 1880? Em caso positivo, ela pode ter causado mais mortes do que qualquer outra guerra na história. No entanto, pela descrição de Coupland, pareceria mais razoável considerar o tráfico de escravos uma numerosa coleção de pequenas brigas fatais, cada uma entre uma caravana árabe e uma tribo ou aldeia de negros, e de magnitudes como 1, 2 e 3. Não existem estatísticas detalhadas.[29]

Também não existiam estatísticas detalhadas para oitenta revoluções na América Latina, 556 levantes camponeses na Rússia e 477 conflitos na China, dos quais Richardson tinha conhecimento, mas foi forçado a excluir de suas contagens.[30]

No entanto, Richardson ancorou a escala na magnitude zero incluindo estatísticas de homicídios, que são brigas com número de vítimas igual a um (pois $10^0 = 1$). Ele previu uma objeção da Pórcia de Shakespeare: "Não deveis confundir assassinato com guerra; pois o assassinato é um crime egoísta abominável, mas a guerra é uma aventura heroica e patriótica". Richardson replica: "Entretanto, ambos são brigas fatais. Não vos intriga ser uma perversidade matar uma pessoa, mas glorioso matar 10 mil?".[31]

Richardson analisou, então, as 315 brigas (sem o auxílio de um computador) para ter uma visão panorâmica da violência humana e testar várias hipóteses sugeridas por historiadores, bem como seus próprios preconceitos.[32] A maioria das hipóteses não sobreviveu ao confronto com os dados. Ter uma língua em comum não diminuía a probabilidade de duas facções entrarem em guerra (basta lembrarmos a maioria das guerras civis ou das guerras do século XIX entre países sul-americanos) — um golpe na "esperança" que deu seu nome ao esperanto. Indicadores econômicos não permitiam muitas previsões; por exemplo, países ricos não atormentavam sistematicamente países pobres ou vice-versa. As guerras, de modo geral, não eram precipitadas por corridas armamentistas.

No entanto, algumas generalizações sobreviveram. Um governo duradouro inibe brigas: povos de um mesmo lado de uma fronteira nacional têm menor probabilidade de fazer uma guerra civil do que povos de lados opostos têm de fazer uma guerra interestados. Países têm maior probabilidade de combater seus vizinhos, mas grandes potências têm maior probabilidade de combater contra todos, em grande medida porque seus vastos impérios fazem de quase todos os seus vizinhos. Certas culturas, especialmente aquelas com uma ideologia militante, são particularmente propensas à guerra.

Mas as descobertas mais duradouras de Richardson dizem respeito aos padrões estatísticos das guerras. Três de suas generalizações são poderosas, profundas e insuficientemente apreciadas. Para entendê-las, precisamos primeiro fazer uma breve digressão sobre o paradoxo da probabilidade.

Suponha que você vive em um lugar que tem uma chance constante de ser atingido por raios a qualquer época do ano. Suponha que os raios caiam aleatoriamente: a cada dia, a chance de cair um raio é a mesma, e a taxa é de um raio por mês. Sua casa é atingida por um raio hoje, segunda-feira. Qual é o dia em que mais provavelmente o *próximo* raio atingirá sua casa?

A resposta é "amanhã", terça-feira. Essa probabilidade não é muito alta, é verdade; suponhamos que ela seja de aproximadamente 0,03 (cerca de uma vez por mês). Agora pense na chance de que o próximo raio caia em sua casa depois de amanhã, quarta-feira. Para que isso ocorra, duas coisas terão de acontecer. Primeiro, o raio tem de cair na quarta-feira, uma probabilidade de 0,03. Segundo, o raio *não pode ter caído na terça-feira*, do contrário a terça, e não quarta, teria sido o dia do próximo raio. Para calcular essa probabilidade você teria de multiplicar a chance de que o raio não caia na terça (0,97 ou 1 menos 0,03) pela chance de que o raio caia na quarta (0,03), o que nos dá 0,0291, um pouco mais baixa que a chance da terça-feira. E quanto à quinta-feira? Para que esse seja o dia, o raio não pode ter caído na terça (0,97) ou na quarta (também 0,97), devendo cair na quinta, portanto as chances são de 0,97 × 0,97 × 0,03 = 0,0282. E quanto à sexta-feira? São de 0,97 × 0,97 × 0,97 × 0,03 = 0,274. A cada dia, a probabilidade diminui (0,0300... 0,0291... 0,0282... 0,0274), pois, para que um determinado dia seja o próximo dia em que o raio cairá, todos os dias anteriores têm de ter sido livres de raios, e quanto mais dias sem raio houver, menores as chances de que a sorte continue. Para ser exato, a probabilidade diminui exponencialmente, acelera-se a uma taxa acelerada. A chance de que o próximo raio caia daqui a trinta dias é de $0{,}97^{29} \times 0{,}03$, pouco mais de 1%.

Quase ninguém consegue acertar essa resposta. Fiz a pergunta a cem internautas, grifando a palavra "próximo" para que não deixassem de percebê-la. A opção "todos os dias têm a mesma chance" foi escolhida por 67 deles. Mas essa resposta, embora intuitivamente seja atrativa, está errada. Se cada dia tivesse a mesma probabilidade do dia seguinte, então um dia daqui a mil anos seria tão provável quanto um dia daqui a um mês. Isso significaria que a casa teria a mesma probabilidade de passar mil anos sem um raio do que de ser atingida por um no mês seguinte. Dos internautas restantes, dezenove pensavam que o dia mais provável seria daqui a um mês. Apenas cinco dos cem responderam corretamente, "amanhã".

A queda de raios é um exemplo do que os estatísticos chamam de processo de Poisson, em honra ao matemático e físico do século XIX Siméon-Denis Poisson. Em um processo de Poisson, os eventos ocorrem de modo contínuo, aleatoriamente e independentemente uns dos outros. A cada instante, o senhor do céu, Júpiter, joga dois dados, e se obtiver 1 e 1 ele manda um raio. No instante seguinte ele torna a jogar os dados, esquecido do que aconteceu um momento antes. Pelas razões que já vimos, em um processo de Poisson os intervalos entre os eventos distribuem-se exponencialmente: há muitos intervalos breves, e os intervalos vão sendo menos frequentes conforme são mais longos. Isso implica que os eventos que ocorrem aleatoriamente parecerão vir agrupados, pois é preciso um processo *não* aleatório para espaçá-los.

A mente humana tem grande dificuldade para entender essa lei da probabilidade. Durante minha pós-graduação, trabalhei em um laboratório de percepção auditiva. Em um experimento, os ouvintes tinham de apertar um botão o mais rápido possível toda vez que ouviam um bip. Os bips eram espaçados aleatoriamente, ou seja, segundo um processo de Poisson. Os ouvintes, que também eram estudantes de pós-graduação, sabiam disso, mas assim que o experimento começava eles saíam da cabine para avisar: "Seu gerador de eventos aleatórios está quebrado. Os bips saem em rajadas. Estão assim: bipbipbipbipbip... bip... bipbip... bipitbiptibipbipbip". Eles não percebiam que a aleatoriedade soa assim.

Essa ilusão cognitiva foi observada pela primeira vez em 1968 pelo matemático William Feller em seu clássico livro sobre probabilidade: "Para o olho destreinado, a aleatoriedade parece uma regularidade ou uma tendência ao agrupamento".[33] Eis alguns exemplos da ilusão do agrupamento.

Blitz de Londres. Feller conta que, durante a Blitz na Segunda Guerra Mundial, os londrinos notaram que algumas partes da cidade eram atingidas por foguetes V-2 alemães muitas vezes, enquanto outras não eram atingidas. Eles estavam convencidos de que os foguetes visavam a determinados tipos de bairros. Mas quando estatísticos dividiram um mapa de Londres em pequenos quadrados e contaram as bombas explodidas, constataram que a distribuição seguia um processo de Poisson: em outras palavras, as bombas estavam caindo aleatoriamente. Esse episódio é descrito no romance *O arco-íris da gravidade*, de Thomas Pynchon, de 1973, em que o estatístico Roger Mexico prediz corretamente a distribuição da queda de bombas, embora não as localizações exatas. Mexico precisa negar que tem poderes paranormais e se esquivar dos pedidos desesperados de conselho sobre onde se esconder.

A falácia do jogador. Muita gente que gosta de apostar alto perde sua fortuna por causa da falácia do jogador: a crença de que, após uma série de resultados semelhantes em um jogo de azar (números vermelhos na roleta, setes aparecendo seguidamente em um jogo de dados), a próxima rodada provavelmente terá resultado contrário. Tversky e Kahneman mostraram que as pessoas pensam que sequências legítimas de cara ou coroa (por exemplo, coroa, coroa, cara, cara, coroa, cara, coroa, coroa, coroa, coroa) são viciadas, porque contêm séries mais longas de coroas ou de caras do que sua intuição admite, e pensam que sequências que foram manipuladas para evitar longas séries do mesmo resultado (por exemplo, cara, coroa, cara, coroa, coroa, cara, coroa, cara, cara, coroa) são legítimas.[34]

O paradoxo do aniversário. A maioria das pessoas se surpreenderia ao saber que, se houver pelo menos 23 pessoas numa sala, a chance de que haja duas que fazem aniversário no mesmo dia são superiores a 50%. Se houver 57 pessoas, a probabilidade aumenta para 99%. Nesse caso, os agrupamentos ilusórios estão no calendário. As datas de aniversário possíveis são limitadas (366), por isso alguns dos dias de aniversários espalhados ao longo do ano fatalmente coincidirão, a menos que alguma força misteriosa tente separá-los.

Constelações. Meu exemplo favorito foi descoberto pelo biólogo Stephen Jay Gould quando fez uma viagem às famosas cavernas de vaga-lumes em Waitomo, Nova Zelândia.[35] Os pontinhos de luz dos vaga-lumes contra o teto escuro dão à gruta a aparência de um planetário, porém com uma diferença: não há constelações. Gould deduziu o porquê. Os vaga-lumes são glutões, e comem qualquer coisa que passe por perto; assim, cada vaga-lume conserva uma boa distância dos outros quando escolhe seu lugar no teto. Como resultado, eles se espaçam mais regularmente do que as estrelas, que, vistas de nosso ponto de observação, espalham-se aleatoriamente pelo céu. No entanto, as estrelas parecem constituir formas, por exemplo, o carneiro, o touro, os gêmeos etc., que por milênios serviram como presságios para cérebros ávidos por padrões. O físico Ed Purcell, colega de Gould, confirmou a intuição deste programando um computador para gerar dois conjuntos de pontos aleatórios. As estrelas virtuais foram representadas numa página sem restrições. Já aos vaga-lumes virtuais foi atribuído um minúsculo trecho aleatório a seu redor, no qual nenhum outro vaga-lume poderia entrar. Os dois conjuntos são mostrados na figura 5.5; você provavelmente consegue adivinhar qual é qual. O da esquerda, com os agrupamentos, linhas, vazios e filamentos (e talvez, dependendo das obsessões do leitor, animais, nus ou Virgens Marias), é o conjunto traçado aleatoriamente no gráfico, como as estrelas. O da direita, que parece ter sido traçado a esmo, é aquele cujas posições foram espaçadas propositalmente, como os vaga-lumes.

Dados de Richardson. Meu último exemplo provém de outro físico, nosso amigo Lewis Fry Richardson. Esses são dados reais, de um fenômeno que ocorre na natureza. Os segmentos da figura 5.6 representam eventos de várias durações, e estão dispostos da esquerda para a direita no tempo e de baixo para cima em magnitude. Richardson mostrou que os eventos são governados por um processo de Poisson: eles param e começam a esmo. Nossos olhos podem discernir alguns padrões — por exemplo, uma escassez de segmentos na parte superior esquerda, e os dois desgarrados na parte superior direita. Mas a essa altura você já aprendeu a desconfiar desses fenômenos. E, de fato, Richardson mostrou que não há uma tendência estatisticamente significativa na distribuição das magnitudes do início ao fim da sequência. Se você cobrir os dois destoantes com o polegar, a impressão de aleatoriedade será total.

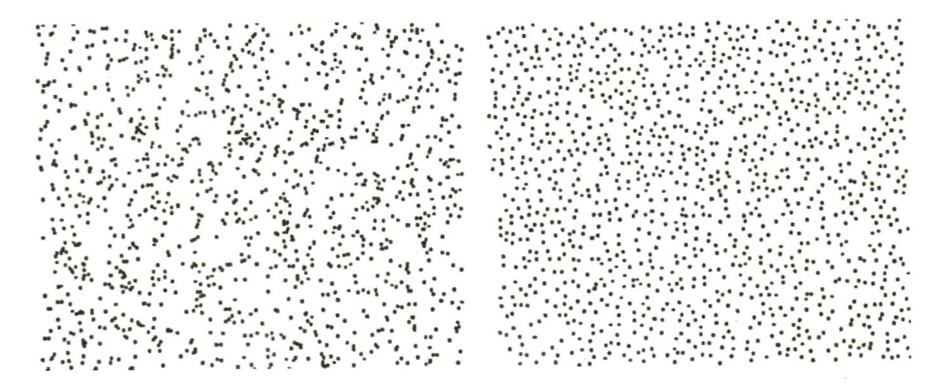

Figura 5.5. *Padrões aleatórios e não aleatórios.*
FONTES: Conjuntos de pontos gerados por Ed Purcell; reproduzido de Gould, 1991, pp. 266-7.

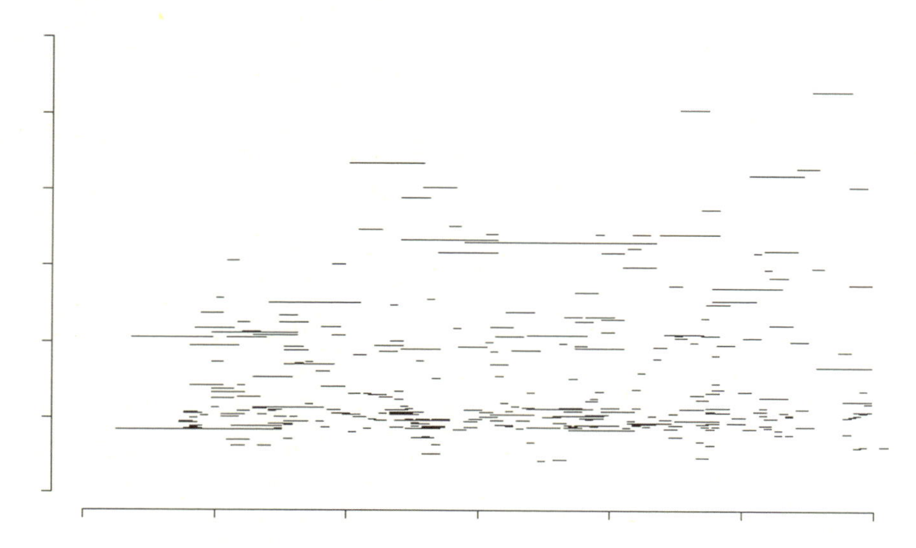

Figura 5.6. *Dados de Richardson.*
FONTE: Gráfico de Hayes, 2002, baseado em dados de Richardson, 1960.

Você provavelmente consegue adivinhar o que esses dados representam. Cada segmento é uma guerra. O eixo horizontal demarca quartos de séculos de 1800 a 1950. O eixo vertical indica a magnitude da guerra, medida como o logaritmo de base 10 do número de mortes, a partir de 2 na parte inferior (cem mortes) até 8 na parte superior (100 milhões de mortes). E os dois segmentos na parte superior direita correspondem à Primeira e à Segunda Guerra Mundial.

A principal descoberta de Richardson a respeito da cronologia das guerras é que elas começam aleatoriamente. A cada instante, Marte, o deus da guerra, joga seus dados de ferro e, se der 1 e 1, ele faz um par de nações guerrear. No instante seguinte ele joga de novo os dados, sem lembrar do que aconteceu no momento anterior. Isso tornaria exponencial a distribuição dos intervalos entre os inícios das guerras, com numerosos intervalos curtos e menos intervalos mais longos.

O fato de as guerras encaixarem-se no processo de Poisson solapa as narrativas históricas que enxergam constelações em agrupamentos ilusórios. E também confunde teorias que enxergam grandes padrões, ciclos e dialética na história humana. Um conflito horrível não deixa o mundo cansado de guerra e lhe dá um período para se recobrar pacificamente da exaustão. Tampouco um par de beligerantes tosse no planeta e o infecta com uma contagiosa coqueluche de guerra. E um mundo em paz não está acumulando o desejo de guerra, como uma coceira impossível de ignorar, que acabará por explodir em um espasmo súbito e violento. Não. Marte vive jogando seus dados. Cerca de meia dúzia de outros conjuntos de dados sobre guerras foi compilada durante e depois da época de Richardson; todos corroboram essa mesma conclusão.[36]

Richardson constatou que não só os inícios, mas também os fins das guerras são aleatórios no tempo. A cada instante, Pax, a deusa da paz, joga os dados *dela*, e se obtém dois 6 as partes beligerantes depõem as armas. Richardson constatou que, ao ter início uma pequena guerra (magnitude 3), a cada ano existe uma probabilidade ligeiramente menor do que 50% (0,43) de que ela termine. Isso significa que a maioria das guerras dura um pouco mais de dois anos, certo? Se você respondeu sim, não prestou atenção! Com uma probabilidade constante de terminar a cada ano, uma guerra tem maior probabilidade de terminar depois de seu primeiro ano, ligeiramente menor dentro de dois anos, um pouco menor ainda de estender-se para três anos e assim por diante. O mesmo vale para guerras maiores (magnitude 4 a 7), cuja probabilidade de terminar antes de se passar mais um ano é 0,235. As durações das guerras distribuem-se exponencialmente, sendo as mais comuns as guerras mais curtas.[37] Isso nos diz que as nações em guerra não têm de "remover a agressão de seu sistema" antes de se darem conta de sua insensatez, que as guerras não têm um "ímpeto" que se deve deixar "prosseguir até que se esgote". Assim que uma guerra começa, alguma combinação de forças antiguerra — pacifismo, medo, uma derrota acachapante — faz pressão para que ela termine.[38]

Se as guerras começam e terminam aleatoriamente, é inútil então até mesmo procurar tendências históricas nas guerras? Não. A "aleatoriedade" em um processo de Poisson diz respeito às relações entre eventos sucessivos, isto é, nos diz que não existe relação alguma: o evento gerador, como os dados, não tem memória. Mas nada diz que a probabilidade tem de ser constante no decorrer de longos períodos. Marte poderia decidir causar guerra não toda vez que os dados caíssem em 1 e 1, mas toda vez, por exemplo, que eles somassem 3, ou 6, ou 7. Qualquer uma dessas mudanças alteraria a probabilidade da guerra ao longo do tempo sem mudar sua aleatoriedade — o fato de que a eclosão de uma guerra não torna outra guerra mais ou menos provável. Um processo de Poisson com uma probabilidade variável é chamado de não estacionário. A possibilidade de que a guerra decline no decorrer de algum período histórico, portanto, está viva. Ela residiria em um processo de Poisson não estacionário com um parâmetro de taxa declinante.

Pelo mesmo raciocínio, é matematicamente possível que a guerra seja um processo de Poisson *e também* apresente ciclos. Em teoria, Marte poderia oscilar causando uma guerra em 3% de suas jogadas de dados, e então passar a causar uma guerra em 6%, e depois voltar aos 3%. Na prática, não é fácil distinguir os ciclos em um processo de Poisson não estacionário dos agrupamentos ilusórios em um processo estacionário. Alguns agrupamentos podem enganar os olhos, levando-nos a pensar que todo o sistema sobe e desce (como no chamado ciclo dos negócios, que na realidade é uma sequência de surtos imprevisíveis na atividade econômica, e não um genuíno ciclo com um período constante). Existem bons métodos estatísticos que permitem testar as periodicidades em dados de séries temporais, mas eles funcionam melhor quando o período é muito mais longo do que o período dos ciclos que procuramos, pois ele dá margem a que muitos dos supostos ciclos se encaixem. Para termos confiança nos resultados, também ajuda termos um segundo conjunto de dados no qual a análise possa ser replicada, para que não sejamos enganados pela possibilidade de "encontrar ciclos demais" no que, na verdade, são agrupamentos aleatórios em um conjunto de dados específico. Richardson examinou um número de possíveis ciclos para guerras de magnitudes 3, 4 e 5 (as maiores guerras foram esparsas demais para permitir testes), e não encontrou nenhum. Outros analistas procuraram em conjuntos de dados maiores, e a literatura contém avistamentos de ciclos em cinco, quinze, vinte, 24, trinta, cinquenta, sessenta, 120 e duzentos anos. Com tantos candidatos fracos, é mais seguro concluir que a guerra não segue nenhum ciclo significativo, e essa é a conclusão aceita pela maioria dos historiadores quantitativos da guerra.[39] O sociólogo Pitirim Sorokin, outro pioneiro do estudo estatístico da guerra, concluiu:

> A história não parece ser nem tão monótona e sem inventividade quanto pensam os partidários das periodicidades rigorosas e das "leis férreas" e "uniformidades universais", nem tão insípida e mecânica quanto um motor que faz o mesmo número de revoluções em uma unidade de tempo.[40]

O Hemoclismo do século XX poderia, então, ter sido algum tipo de acaso? Até pensar nessa possibilidade parece um monstruoso desrespeito com as vítimas.

Mas a estatística das brigas mortais não nos força a essa conclusão extrema. A aleatoriedade no decorrer de longos períodos pode coexistir com probabilidades mutáveis, e certamente algumas das probabilidades nos anos 1930 devem ter sido diferentes das de outras décadas. A ideologia nazista que justificou a invasão da Polônia para adquirir espaço de vida para os arianos "racialmente superiores" foi parte da mesma ideologia que justificou a aniquilação dos judeus "racialmente inferiores". O nacionalismo militante foi um fio comum que percorreu Alemanha, Itália e Japão. Também houve um denominador comum de utopismo contrailuminista por trás das ideologias do nazismo e do comunismo. E, mesmo que a longo prazo as guerras se distribuírem aleatoriamente, pode haver uma ou outra exceção. A ocorrência da Primeira Guerra Mundial, por exemplo, presumivelmente incrementou a probabilidade de que eclodisse na Europa uma guerra como a Segunda Guerra Mundial.

Mas o pensamento estatístico, principalmente a consciência da ilusão do agrupamento, indica que tendemos a *exagerar* a coerência narrativa dessa história — a pensar que o que de fato ocorreu deve ter acontecido por causa de forças históricas como ciclos, crescendos e rotas de colisão. Mesmo com todas as probabilidades no lugar certo, eventos altamente contingentes, que não precisam tornar a ocorrer se de algum modo voltássemos a fita da história e a tocássemos de novo, podem ter sido necessários para desencadear as guerras com os números de vítimas na escala de magnitude de 6 e 7.

White, escrevendo em 1999, repetiu uma das Perguntas Mais Frequentes daquele ano: "Quem foi a pessoa mais importante do século XX?". Sua escolha: Gavrilo Princip. Mas quem foi esse Gavrilo Princip? Foi o nacionalista sérvio de dezenove anos que assassinou o arquiduque Francisco Ferdinando da Áustria-Hungria durante uma visita de Estado à Bósnia, após uma série de erros e acidentes ter deixado o arquiduque ao alcance do tiro. White explica sua escolha:

> Eis um homem que, sozinho, provoca uma reação em cadeia que acaba por levar à morte de 80 milhões de pessoas.
>
> Nada mau, hein, Albert Einstein?
>
> Com apenas duas balas, esse terrorista inicia a Primeira Guerra Mundial, que destrói quatro monarquias, conduzindo a um vácuo de poder preenchido pelos comunistas na Rússia e pelos nazistas na Alemanha, que então se enfrentam em uma Segunda Guerra Mundial. [...]

Alguns minimizariam a importância de Princip dizendo que, considerando as tensões da época, uma Guerra de Grandes Potências era inevitável mais cedo ou mais tarde; mas digo que ela não era mais inevitável do que, por exemplo, uma guerra entre a Otan e o Pacto de Varsóvia. Sem a fagulha, a Grande Guerra poderia ter sido evitada, e sem ela não teria havido Lênin, nem Hitler, nem Eisenhower.[41]

Outros historiadores que se comprazem com cenários contrários aos fatos, como Richard Ned Lebow, apresentaram argumentos semelhantes.[42] Quanto à Segunda Guerra Mundial, o historiador F. H. Hinsley escreveu: "Os historiadores são, corretamente, unânimes na opinião de que [...] as causas da Segunda Guerra Mundial foram a personalidade e os desígnios de Adolf Hitler". Keegan concorda: "Um único europeu queria a guerra: Adolf Hitler".[43] O cientista político John Mueller conclui:

> Essas afirmações sugerem que não houve um impulso na direção de outra guerra na Europa, que as condições históricas não requeriam essa contenda em nenhum aspecto importante, e que as principais nações da Europa não estavam em uma rota de colisão que provavelmente levaria à guerra. Ou seja: se Adolf Hitler se dedicasse à arte em vez de à política, se os britânicos houvessem jogado um pouco mais de gás nele em vez de no homem ao lado nas trincheiras de 1918, se ele tivesse levado um tiro fatal no Putsch da Cervejaria em Munique em 1923, se ele não tivesse sobrevivido ao acidente de automóvel que sofreu em 1930, se lhe houvesse sido negada a posição de liderança na Alemanha ou se ele tivesse sido deposto de seu cargo em praticamente qualquer momento antes de setembro de 1939 (e possivelmente até mesmo antes de maio de 1940), a maior guerra da Europa muito provavelmente nunca teria ocorrido.[44]

E o mesmo se aplica ao genocídio perpetrado pelos nazistas. Como veremos no próximo capítulo, a maioria dos historiadores do genocídio concorda com o título de um ensaio de 1984 do sociólogo Milton Himmelfarb: "No Hitler, no Holocaust" [Sem Hitler, sem Holocausto].[45]

Probabilidade é uma questão de perspectiva. Vistos suficientemente de perto, eventos individuais determinaram causas. Até uma jogada de cara ou coroa pode ser predita com base nas condições iniciais e nas leis da física, e um mágico habilidoso pode explorar essas leis para obter cara todas as vezes.[46] No entanto, quando desfazemos o zoom e contemplamos um grande número desses eventos da perspectiva da grande-angular, vemos a soma de um imenso número de causas que às vezes anulam umas às outras, e outras vezes se alinham na mesma direção. O físico e filósofo Henri Poincaré explicou que vemos a atuação do acaso em um mundo determinístico ora quando um grande número de casos desimportantes soma-se produzindo um efeito formidável, ora quando uma pequena causa que nos passa despercebida determina um grande efeito que não podemos deixar de notar.[47] No caso da violência organizada, alguém pode querer começar uma guerra; espera pelo momento oportuno, que pode ou não chegar; seu inimigo decide enfrentar ou bater em retirada; balas são disparadas, bombas explodem, pessoas morrem. Cada evento pode ser determinado pelas leis da neurociência, da física e da fisiologia. No agregado, porém, as muitas causas que entram nessa matriz às vezes podem ser embaralhadas em combinações extremas. Juntamente com quaisquer correntes ideológicas, políticas e sociais que tenham posto o mundo em risco na primeira metade do século XX, essas décadas também foram assoladas por uma tremenda maré de azar.

Agora vamos ao que mais interessa: a probabilidade de eclodir uma guerra aumentou, diminuiu ou se manteve igual ao longo do tempo? O conjunto de dados de Richardson tende a indicar um aumento. Ele começa pouco depois das guerras napoleônicas, deixando de fora, em uma das pontas, uma das mais destrutivas guerras da história, e termina logo depois da Segunda Guerra Mundial, enganchando na outra ponta a mais destrutiva guerra da história. Richardson não viveu para ver a Longa Paz que dominou as décadas subsequentes, mas foi um matemático sagaz o bastante para saber que ela era estatisticamente possível, e concebeu modos engenhosos de verificar a existência de tendências em séries temporais sem ser desencaminhado pelos eventos extremos nas duas pontas. O mais simples foi separar as guerras por faixas magnitude e verificar a existência de tendências em cada faixa. Em nenhuma das cinco faixas (3 a 7) ele encontrou tendências significativas. Na melhor das hipóteses, constatou um ligeiro declínio. "Há um indício", ele escreveu,

> mas não uma prova conclusiva, de que a humanidade tornou-se menos belicosa desde 1820. As melhores observações disponíveis mostram uma ligeira diminuição do número de guerras com o passar do tempo. [...] Mas a distinção não é grande o bastante para destacar-se em meio às variações aleatórias.[48]

Escrito numa época em que as cinzas da Europa e da Ásia ainda fumegavam, esse é um testamento da disposição de um grande cientista para deixar que os fatos e a razão predominem sobre as impressões casuais e a sabedoria convencional.

Como veremos, análises da frequência da guerra ao longo do tempo com base em outros conjuntos de dados apontam para essa mesma conclusão.[49] No entanto, a frequência da guerra não diz tudo; a magnitude também importa. Seria perdoável argumentar que a conjectura de Richardson de que a humanidade estava se tornando menos beligerante dependia de segregar as guerras mundiais em uma microclasse de dois conflitos, um caso em que a estatística é inútil. As outras análises de Richardson levaram em consideração todas as guerras do mesmo modo, sem diferenciar, por exemplo, a Segunda Guerra Mundial de uma revolução na Bolívia com mil mortos em 1952. O filho de Richardson mostrou-lhe que, se ele dividisse seus dados em guerras grandes e pequenas, eles pareceriam indicar tendências opostas: as guerras pequenas estavam se tornando consideravelmente menos frequentes, ao passo que as grandes, apesar de menos numerosas, tornavam-se um pouco mais frequentes. Outro modo de expor essa mesma ideia é observar que, entre 1820 e 1953, as guerras tornaram-se menos frequentes, porém mais letais. Richardon testou esse padrão de contraste e constatou que ele era estatisticamente significante.[50] Na próxima seção, veremos que essa também foi uma conclusão sagaz: outros conjuntos de dados confirmam que, até 1945, a história da guerra na Europa e entre países importantes em geral conteve guerras menos numerosas, porém mais destrutivas.

Mas, afinal, isso quer dizer que a humanidade tornou-se mais ou menos belicosa? Não há uma única resposta, pois "belicosa" refere-se a duas coisas distintas. Pode dizer respeito à probabilidade de os países entrarem em guerra, ou pode estar relacionada ao número de pessoas que morrem quando eles guerreiam. Imagine duas áreas rurais com o mesmo tamanho de população. Uma delas tem cem adolescentes incendiários que adoram pôr fogo em florestas. Mas as florestas situam-se em trechos isolados, por isso cada incêndio extingue-se antes de causar muitos danos. A outra área contém apenas dois incendiários, mas suas florestas são interligadas, por isso, uma pequena chama tende a alastrar-se furiosamente. Qual área tem o pior problema de incêndios na floresta? Seria possível argumentar em favor de qualquer uma das duas. No tocante à quantidade de maldade e descuido, a primeira área é a pior; no que diz respeito ao risco de danos graves, a pior é a segunda. Também não é óbvio qual delas terá a maior quantidade de danos globais, a que sofre com numerosos incêndios de pequeno porte ou a que tem poucos incêndios grandes. Para entender essa questão, precisamos passar das estatísticas de tempo às estatísticas de magnitude.

ESTATÍSTICA DE BRIGAS MORTAIS, PARTE 2: A MAGNITUDE DAS GUERRAS

Richardson fez uma segunda descoberta importante sobre a estatística das brigas mortais. Aconteceu quando ele contou o número de brigas de cada magnitude — quantas havia com vítimas na casa do milhar, quantas na casa das dezenas de milhares, quantas na das centenas de milhares e assim por diante. Não foi uma total surpresa constatar que existiram muitas guerras pequenas e apenas umas poucas guerras grandes. A surpresa foi que as relações eram muito claras. Quando Richardson pôs em um gráfico o logaritmo do número de brigas de cada magnitude contra o logaritmo do número de mortes por briga (ou seja, a própria magnitude), obteve um gráfico como o da figura 5.7.

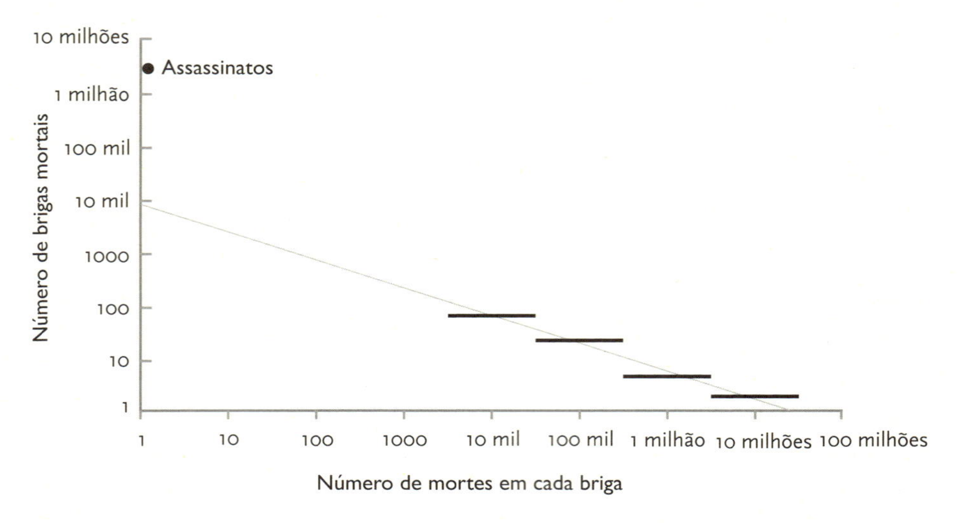

Figura 5.7. *Número de brigas mortais de diferentes magnitudes, 1820-1952.*
FONTE: Gráfico adaptado de Weiss, 1963, p. 103, baseado em dados de Richardson, 1960, p. 149. A faixa de 1820-1952 refere-se ao ano de término das guerras.

Os cientistas estão acostumados a ver dados incidirem em perfeitas linhas retas nas ciências exatas como a física — por exemplo, num gráfico representando o volume de um gás em relação à temperatura. Mas nem em sonhos eles esperavam que os caóticos dados da história fossem tão bem-comportados. Os dados que estamos examinando provêm de uma miscelânea de brigas mortais, que vão do maior cataclismo da história da humanidade a um golpe de Estado numa república de banana, e do início da Revolução Industrial ao início da era do computador. Os queixos caem diante dessa miscelânea de dados que incidem sobre uma perfeita diagonal.

Grupos de dados nos quais o logaritmo da *frequência* de certo tipo de entidade é proporcional ao logaritmo do *tamanho* dessa entidade, de modo que o traçado do gráfico em papel log-log parece uma linha reta, são chamados distribuições de lei de potência.[51] Esse nome deriva do fato de que, quando deixamos de lado os logaritmos e voltamos aos números originais, a probabilidade de uma entidade aparecer nos dados é proporcional ao tamanho dessa entidade elevada a alguma potência (o que se traduz visualmente na inclinação da linha no gráfico log-log), mais uma constante. Nesse caso, a potência é –1,5, o que significa que a cada multiplicação por dez no número de vítimas de uma guerra, podemos esperar que o número de guerras seja um terço menor. Richardson representou os assassinatos (brigas de magnitude zero) no mesmo gráfico das guerras, observando que, qualitativamente, eles seguem o padrão global: são muito, muito menos danosos que as menores guerras e muito, muito mais frequentes. Porém, como você pode ver na posição solitária dos assassinatos no alto do eixo vertical, muito acima do ponto onde uma extrapolação da linha para as guerras o atingiria, Richardson arriscou-se quando disse que todas as brigas mortais incidem em um só continuum. Ele corajosamente ligou o ponto correspondente aos assassinatos à linha correspondente às guerras com uma curva acentuada, para poder interpolar os números de brigas com vítimas fatais nas casas de um dígito, das dezenas e das centenas, que não são encontrados no registro histórico. (São as escaramuças abaixo do horizonte militar que caem na fenda entre a criminologia e a história.) Mas, por enquanto, deixemos de lado os assassinatos e escaramuças e nos concentremos nas guerras.

Será que Richardson simplesmente teve sorte em sua amostragem? Cinquenta anos depois, o cientista político Lars-Erik Cederman elaborou um gráfico com um conjunto mais recente de números, extraídos de um grande conjunto de dados sobre mortes em batalha encontrado no Correlates of War Project [Projeto Correlatos da Guerra]; seu gráfico abrange 97 guerras entre Estados de 1820 a 1997 (figura 5.8).[52] Também esses dados incidem sobre uma linha reta em coordenadas log-log. (Cederman representou os dados no gráfico de um modo um pouco diferente, mas isso não interessa para nossos propósitos.)[53]

Os cientistas fascinam-se com as distribuições de lei de potência por duas razões.[54] Uma é que essa distribuição é vista na mensuração de muitas coisas que poderíamos pensar não terem nada em comum. Uma das primeiras distribuições de lei de potência foi descoberta nos anos 1930 pelo linguista G. K. Zipf, quando ele elaborou um gráfico das frequências de palavras na língua inglesa.[55] Se contarmos as ocorrências de cada uma das palavras em um texto grande, encontraremos aproximadamente uma dúzia que ocorrem com frequência excepcionalmente alta, ou seja, em mais de 1% de todas as palavras grafadas, incluindo "the" (7%), "be" (4%), "of" (4%) "and" (3%) e "a" (2%).[56] Cerca de 3 mil ocorrem na faixa de frequência média centrada em um em 10 mil, como "confidence", "junior" e "afraid". Dezenas de milhares ocorrem uma vez a cada 1 milhão de palavras, incluindo "embitter", "memorialize" e

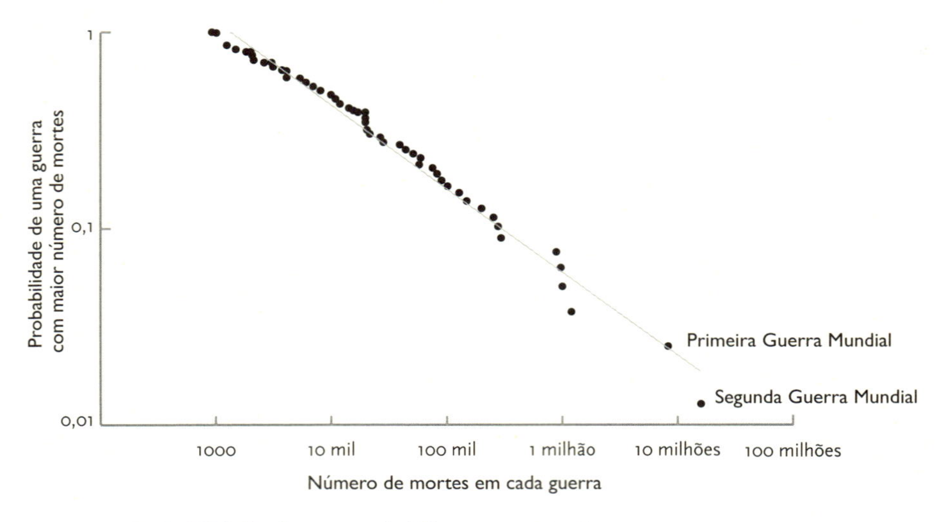

Figura 5.8. *Probabilidades de guerras de diferentes magnitudes, 1820-1997.*
FONTE: Gráfico de Cederman, 2003, p. 136.

"titular". E centenas de milhares têm frequências muito menores do que um em 1 milhão, como "kankedrot", "apotropaic" e "deliquesce".

Outro exemplo de uma distribuição de lei de potência foi descoberto em 1906 pelo economista Vilfredo Pareto quando analisou a distribuição das rendas na Itália: os muito ricos eram um punhado, os muito pobres eram uma multidão. Desde essas descobertas, foram encontradas distribuições de lei de potência nas populações de cidades, na frequência dos nomes próprios, na popularidade de sites da internet, no número de citações em textos científicos, na venda de livros e discos, no número de espécies em táxons biológicos e no tamanho das crateras lunares, entre outros.[57]

A segunda característica notável das distribuições de lei de potência é que elas parecem iguais para um grande conjunto de valores. Para entender por que isso é tão notável, comparemos distribuições de lei de potência com uma distribuição mais conhecida, a chamada distribuição da curva normal, de Gauss ou do sino. Com medidas como as alturas de homens ou as velocidades de carros em uma rodovia, a maioria dos números aglomera-se em torno de uma média e se afila em ambas as direções, configurando uma curva com desenho de sino.[58] A

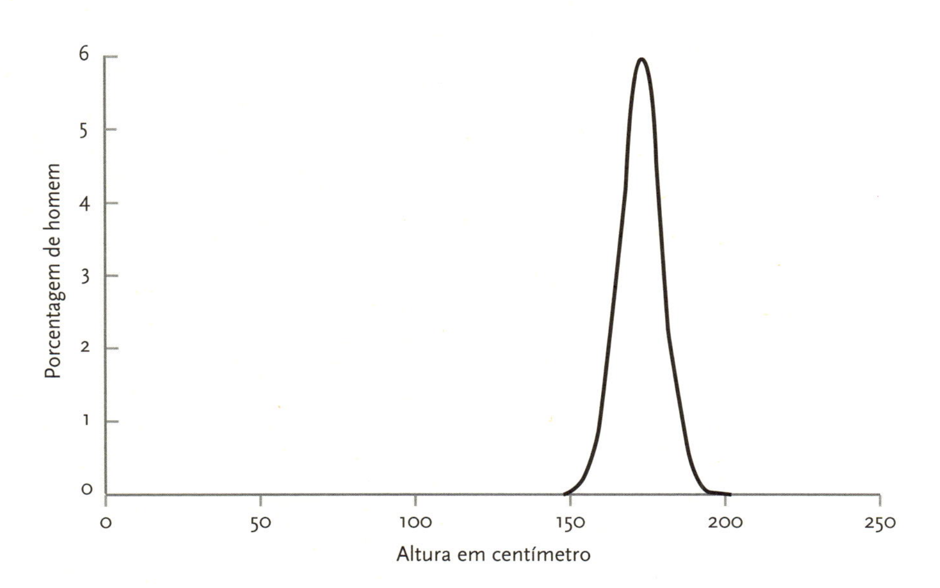

Figura 5.9. *Alturas de homens (distribuição em curva normal ou de Gauss).*
FONTE: Gráfico de Newman, 2005, p. 324.

figura 5.9 mostra uma curva normal das alturas de homens americanos. Existem muitos homens com 1,775 metro, menos homens com 1,675 ou 1,88 metro, menos ainda com 1,525 ou 2,032 metros, e ninguém é mais baixo do que 58,4 centímetros ou mais alto que 2,718 metros (os dois extremos constam do *Guinness Book of World Records*). A razão entre o homem mais alto e o homem mais baixo do mundo é 4,8, e você pode apostar que nunca encontrará um homem com seis metros de altura.

No entanto, com outros tipos de entidade, as mensurações não se aglomeram em torno de um valor típico, não se afilam simetricamente em ambas as direções e não se encaixam em limites aconchegantes. Os tamanhos de metrópoles e pequenas cidades são um bom exemplo. É difícil responder à pergunta "De que tamanho é um município americano típico?". Nova York tem 8 milhões de habitantes; a menor localidade classificada como "cidade", segundo o *Guinness*, é Duffield, na Virgínia, com apenas 52 pessoas. A razão entre o maior

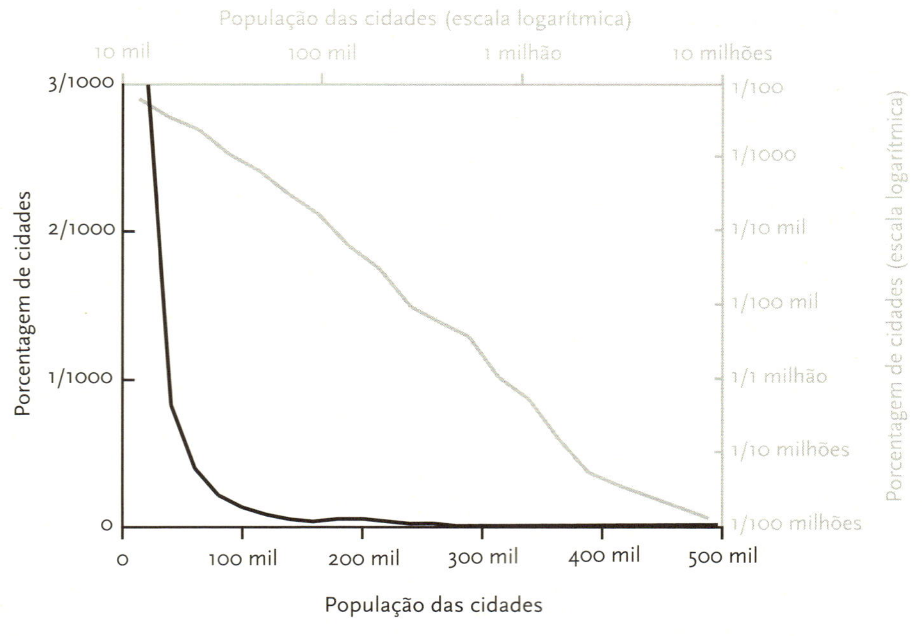

Figura 5.10. *Populações de cidades (uma distribuição de lei de potência) representadas nas escalas linear e logarítmica.*
FONTE: Gráfico adaptado de Newman, 2005, p. 324.

e o menor município é 150 mil, bem diferente da variação inferior a cinco vezes nas alturas dos homens.

Além disso, a distribuição dos tamanhos dos municípios não segue uma curva em forma de sino. Como mostra a linha preta na figura 5.10, ela traça uma curva em forma de L, com uma espinha alta à esquerda e uma cauda longa à direita. Nesse gráfico, as populações das cidades são representadas ao longo de uma escala linear convencional no eixo horizontal preto: cidades de 100 mil, cidades de 200 mil e assim por diante. O mesmo vale para as proporções de cidades em cada faixa de tamanho de população no eixo vertical preto: três milésimos (3/1000 ou 0,003) de 1% dos municípios americanos têm população de 20 mil pessoas, dois milésimos de 1% têm população de 30 mil, um milésimo de 1% tem população de 40 mil e assim por diante, com proporções cada vez menores tendo populações cada vez maiores.[59] Por sua vez, os eixos cinzentos no alto e à direita do gráfico representam esses mesmos números em uma escala logarítmica, na qual as *ordens de magnitude* (o número de zeros), e não os próprios valores, são espaçadas uniformemente. As marcas que delimitam as faixas de tamanho de população são da ordem de 10 mil, 100 mil, 1 milhão e assim por diante. Analogamente, as proporções das cidades de cada faixa de tamanho de população dispõem-se ao longo de marcas de mesma ordem de magnitude: um centésimo (1/100 ou 0,01) de 1%, um milésimo (1/1000 ou 0,001) de 1%, um 10 mil avos (1/10000) e assim por diante. Quando os eixos são estendidos desse modo, uma coisa interessante ocorre com a distribuição: o L endireita-se para uma linha bem-comportada. E essa é a forma característica de uma distribuição de lei de potência.

O que nos leva de volta às guerras. Como as guerras enquadram-se em uma distribuição de lei de potência, algumas das propriedades matemáticas dessas distribuições podem nos ajudar a entender a natureza das guerras e os mecanismos que as causam. Para começar, as distribuições de lei de potência com o expoente que vemos para as guerras não têm nem mesmo uma média finita. Não existe uma "guerra típica". Não devemos esperar, mesmo na média, que uma guerra prossiga até que as baixas atinjam um nível esperado para depois, naturalmente, declinar e se extinguir.

Além disso, as distribuições de lei de potência *não têm escala*. Quando percorremos a linha no gráfico log-log, ela sempre tem a mesma aparência, de uma linha. A implicação matemática é que, se aumentarmos ou diminuirmos as unidades que estamos observando, a distribuição parecerá igual. Suponha que arquivos de computador de dois kilobytes apareçam com 25% da frequência de arquivos de um kilobyte. Se dermos um passo atrás e olharmos os arquivos em faixas de tamanho maiores, encontraremos a mesma coisa: arquivos de dois megabytes aparecem com 25% da frequência dos arquivos de um megabyte, e arquivos de dois terabytes aparecem com 25% da frequência dos arquivos de um terabyte. No caso das guerras, podemos raciocinar desse modo. Quais são as probabilidades de passar de uma guerra pequena, por exemplo, com mil mortes, para uma guerra de tamanho médio, com 10 mil mortes? É a mesma probabilidade de passar de uma guerra média com 10 mil mortes a uma guerra grande de 100 mil mortes, ou de uma guerra grande de 100 mil mortes para uma guerra historicamente grande de 1 milhão de mortes, ou de uma guerra histórica a uma guerra mundial.

Finalmente, as distribuições de lei de potência têm "caudas grossas", o que significa que têm um número não desprezível de valores extremos. Você nunca irá encontrar um homem de seis metros de altura, nem verá um carro na estrada a oitocentos quilômetros por hora. Mas poderia, concebivelmente, encontrar uma cidade de 14 milhões de habitantes ou um livro que esteja na lista dos mais vendidos há dez anos, ou uma cratera lunar grande o suficiente para ser vista da Terra a olho nu — ou uma guerra que matou 55 milhões de pessoas.

A cauda grossa de uma distribuição de lei de potência, que declina gradualmente, e não de modo abrupto, conforme subimos na escala de magnitude, significa que valores extremos são *extremamente improváveis*, mas não *astronomicamente improváveis*. É uma diferença importante. As chances de encontrar um homem de seis metros de altura são astronomicamente improváveis; você pode apostar tudo o que tem que isso jamais acontecerá. Mas as chances de que uma cidade cresça até ter 20 milhões de habitantes, ou de que um livro se mantenha na lista dos mais vendidos por vinte anos, são apenas extremamente improváveis — provavelmente tal coisa nunca acontecerá, mas dá para imaginá-la. Nem é preciso discorrer sobre as implicações disso para a guerra. É extremamente improvável que o mundo tenha uma guerra que mate 100 milhões de pessoas, e ainda menos provável que tenha uma que mate 1 bilhão. Mas, em uma era de armas nucleares, nossas imaginações aterrorizadas e a matemática das distribuições de lei de potência concordam: astronomicamente improvável não é.

Até agora, discutimos as causas da guerra como abstrações platônicas, como se os exércitos fossem mandados para a guerra por equações. O que realmente precisamos entender é *por que* as guerras distribuem-se como leis de potência; ou seja, que combinação de psicologia, política e tecnologia podem gerar esse padrão. Ainda não temos certeza da resposta. Muitos tipos de mecanismo podem gerar distribuições de lei de potência, e os dados sobre as guerras não são precisos o bastante para nos dizer qual deles atua.

Ainda assim, a natureza sem escala da distribuição das brigas mortais nos dá uma noção sobre o que impulsiona as guerras.[60] Intuitivamente, ela sugere que *o tamanho não importa*. Quer as coalizões sejam gangues de rua, milícias ou exércitos de grandes potências, encontramos a mesma dinâmica psicológica ou da teoria dos jogos governando a possibilidade de coalizões inimigas ameaçarem, recuarem, blefarem, lutarem, escalarem o conflito, continuarem lutando ou se renderem. Presumivelmente isso ocorre porque os seres humanos são animais sociais que se agregam em coalizões, as quais se amalgamam em coalizões maiores e assim por diante. No entanto, em qualquer escala, essas coalizões podem ser mandadas para batalha por um único grupo ou indivíduo, seja ele um líder de gangue, um *capo*, um líder militar, um rei ou um imperador.

Como a intuição de que o tamanho não importa pode ser usada em modelos de conflito armado que geram realmente distribuições de lei de potência?[61] O mais simples é supor que, em tamanho, as próprias coalizões têm uma distribuição de lei de potência, que lutam entre si em proporção a seus números e que sofrem perdas em proporção a seu tamanho. Sabemos que alguns agregados humanos, os municípios, seguem uma distribuição de lei de potência, e sabemos o porquê. Um dos geradores mais comuns de distribuições de lei de potência é a ligação preferencial: quanto maior alguma coisa é, mais novos membros ela atrai. A ligação preferencial também é conhecida como vantagem cumulativa, ricos tornam-se mais ricos, e efeito Mateus, nome derivado da passagem em Mateus 25,29 que Billie Holiday resumiu como "a todo o que tem se lhe dará, todo o que não tem perderá". Os sites da internet que são mais populares atraem mais visitantes, e assim se tornam mais populares; livros bem vendidos entram para as listas de best-sellers, o que atrai mais compradores para eles; e cidades com muitos habitantes oferecem mais oportunidades profissionais e culturais, por isso mais pessoas afluem para elas. (Como se pode mantê-los na roça depois de terem visto Paris?)

Richardson levou em conta essa explicação simples, mas constatou que ela não condiz com os números.[62] Se as brigas mortais refletissem os tamanhos das cidades, para cada caso em que o tamanho de uma briga fosse dez vezes menor, deveria haver dez vezes mais brigas, mas, na verdade, são encontradas menos de quatro vezes. Além disso, em estudos recentes, as guerras são travadas por Estados, não por cidades, e os Estados seguem uma distribuição log-normal (uma "curva do sino" entortada) e não uma lei de potência.

Outro tipo de mecanismo foi sugerido pela ciência dos sistemas complexos, que procura leis que governem estruturas organizadas em padrões semelhantes apesar de feitas de material diferente. Muitos teóricos da complexidade são fascinados por sistemas que apresentam um padrão chamado criticalidade auto-organizada. Podemos conceber a "criticalidade" como a gota d'água que faz transbordar o copo: uma pequenina adição produz um efeito enorme. A criticalidade "auto-organizada" seria um copo que perde água exatamente até um ponto em que gotas de vários tamanhos poderiam fazê-lo transbordar novamente. Um bom exemplo é um punhado de areia caindo sobre uma duna, que periodicamente provoca deslizamentos de tamanhos diferentes; os deslizamentos distribuem-se segundo uma lei de potência. Uma avalanche de areia cessa em um ponto no qual o monte é raso apenas o suficiente para ser estável, mas a nova areia que cai sobre ele aos pouquinhos torna-o mais íngreme e desencadeia uma nova avalanche. Terremotos e incêndios na floresta são outros exemplos. Um incêndio queima uma floresta, isso permite que árvores voltem a crescer aleatoriamente, formando agrupamentos que podem aumentar de tamanho até se encontrarem uns com os outros e servir de combustível para outro incêndio. Vários cientistas políticos criaram simulações por computador para as guerras baseados em uma analogia com os incêndios em florestas.[63] Nesses modelos, países conquistam seus vizinhos e criam países maiores do mesmo modo que trechos arborizados crescem até encontrar outros trechos, criando bosques maiores. Assim como um cigarro jogado na floresta pode atear fogo numa moita ou provocar uma conflagração, um evento desestabilizador na simulação dos Estados pode desencadear uma escaramuça ou uma guerra mundial.

Nessas simulações, a destrutividade de uma guerra depende sobretudo do tamanho territorial dos combatentes e suas alianças. No mundo real, porém, as variações na destrutividade dependem também da determinação das duas partes a continuar a guerra, cada qual esperando que a outra desabe primeiro. Alguns dos mais sangrentos conflitos da história, como a Guerra de Secessão americana, a Primeira Guerra Mundial, a Guerra do Vietnã e a Guerra Irã-Iraque foram guerras de atrito, nas quais os dois lados foram jogando homens e material bélico na bocarra da máquina de guerra e torcendo para que o outro lado se exaurisse primeiro.

John Maynard Smith, o biólogo que primeiro aplicou a teoria dos jogos à evolução, criou um modelo desse tipo de impasse na forma de um jogo de Guerra de Atrito.[64] Cada um dos dois contendores compete por um recurso valioso tentando durar mais que o adversário, acumulando constantemente os custos enquanto espera. No cenário original, eles poderiam ser animais fortemente armados que, na competição por um território, encaram um ao outro até que um deles vá embora; os custos são o tempo e a energia que os animais despendem nessa imobilização enquanto poderiam estar buscando alimento ou parceiros sexuais. Um jogo de atrito é matematicamente equivalente a um leilão no qual quem dá o lance mais alto leva o prêmio e *ambos* os lados têm de pagar pela aposta baixa do perdedor. E, obviamente, podemos fazer a analogia com uma guerra na qual os gastos são calculados em vidas de soldados.

A guerra de atrito é um dos cenários paradoxais da teoria dos jogos (como o dilema do prisioneiro, a tragédia dos bens comuns e o leilão de dólar) nos quais agentes racionais empenhados em seus interesses acabam em pior situação do que se tivessem trabalhado em conjunto e chegado a um acordo coletivo e obrigatório. Poderíamos pensar que, em um jogo de atrito, cada lado deveria fazer o que os participantes dos leilões da eBay são aconselhados a fazer: decidir quanto vale o recurso leiloado e dar lances até esse limite. O problema é que essa estratégia pode ser suplantada por algum outro participante do leilão. Basta que ele dê um lance de um dólar a mais (ou que espere apenas mais um pouco, ou que despache só mais uma leva de soldados), e pronto: ele vence. Arremata o prêmio por uma quantia próxima do valor que você calculou, enquanto você também tem de abrir mão dessa quantia, sem obter nada em troca. Você seria louco se deixasse isso acontecer, por isso é tentado a usar você mesmo a estratégia "Sempre dê um lance um dólar maior", a qual seu oponente também é tentado a adotar. Você pode perceber aonde isso leva. Graças à perversa lógica do jogo de atrito, na qual o perdedor também paga, os participantes podem continuar a dar lances depois do ponto em que o gasto excede o valor do prêmio. Já não podem ganhar, mas cada lado espera não perder tanto. O termo técnico para essa situação na teoria dos jogos é "situação ruinosa". Também é chamada de "vitória de Pirro"; a analogia militar é profunda.

Uma estratégia que pode evoluir para um jogo do tipo guerra de atrito (onde, lembremos, o gasto é de tempo) consiste em cada jogador esperar uma quantidade de tempo *aleatória*, com uma média de tempo de espera que seja equivalente, em valor, ao que o recurso vale para ele. A longo prazo, cada jogador obtém um bom valor por seu gasto, mas, como os tempos de espera são aleatórios, nenhum é capaz de predizer o tempo de rendição do outro e, confiavelmente, esperar mais do que ele. Em outras palavras, eles seguem a regra: a cada instante, jogue dois dados, e se der (por exemplo) 4 ceda; se não, jogue de novo. Isso, naturalmente, é um processo de Poisson, e a essa altura você já sabe que ele leva a uma distribuição exponencial dos tempos de espera (pois uma espera cada vez mais longa depende de uma rodada de lances com probabilidades cada vez menores). Como a competição termina quando o primeiro lado joga a toalha, as durações das contendas também terão distribuição exponencial. Voltando a nosso modelo no qual os gastos são em soldados em vez de segundos, se as verdadeiras guerras de atrito forem como a "Guerra de Atrito" modelada segundo a teoria dos jogos, e sendo tudo o mais igual, as guerras de atrito se enquadrariam em uma distribuição exponencial de magnitudes.

Evidentemente, as guerras reais seguem uma distribuição de lei de potência, que tem uma cauda mais grossa do que uma distribuição exponencial (nesse caso, um maior número de guerras grandes). Mas uma distribuição exponencial pode ser transformada em uma lei de potência se os valores forem modulados por um segundo processo exponencial que empurre na direção oposta. E os jogos de atrito têm uma peculiaridade que poderia fazer justamente isso. Se um dos lados em um jogo de atrito desse a perceber sua intenção de ceder no próximo instante, por exemplo, empalidecendo, tremendo ou mostrando qualquer outro sinal de nervosismo, seu oponente poderia aproveitar a "dica" e esperar só mais um pouquinho, e assim ganharia o prêmio todas as vezes. Como explicou Richard Dawkins, em uma espécie que participa frequentemente de guerras de atrito, podemos prever a evolução da arte de parecer imperturbável.

Ora, poderíamos também imaginar que organismos aproveitem o tipo oposto do sinal da rendição iminente: um sinal de que a determinação permanece. Se um contendor pudesse adotar uma postura desafiadora que significasse "Vou aguentar firme; não recuarei", isso tornaria racional, para seu adversário, desistir e reduzir seus prejuízos em vez de escalar a briga até a ruína mútua. Mas isso é "fazer pose". Qualquer covarde pode cruzar os braços e armar uma carranca, mas o outro lado pode simplesmente pagar para ver. Só quando um sinal é *custoso* — se o desafiante mantiver a mão sobre uma chama de vela, ou cortar seu braço com uma faca — poderá indicar que se está falando sério. (Obviamente, arcar com um custo autoimposto valeria a pena somente se o prêmio fosse especialmente precioso para a pessoa, ou se ela tivesse razão para crer que prevaleceria sobre seu oponente caso houvesse escalação da disputa.)

Em uma guerra de atrito, podemos imaginar um líder cuja disposição de arcar com um custo *muda* com o passar do tempo, aumentando à medida que o conflito prossegue e sua determinação se fortalece. Seu lema seria: "Continuaremos a lutar para que nossos homens não tenham morrido em vão". Essa postura, conhecida como aversão à perda, falácia do custo perdido ou gastar vela com mau defunto, é irracional, sem dúvida, mas é surpreendentemente frequente nos processos de tomada de decisão dos seres humanos.[65] Há quem permaneça em um casamento danoso por causa dos anos que já investiu nele, ou continue a assistir a um filme ruim porque já pagou pelo ingresso, ou tente reverter uma perda no jogo apostando o dobro na rodada seguinte, ou despeje dinheiro em um projeto sem esperanças porque já despejou muito dinheiro ali. Embora os psicólogos não entendam por que as pessoas se deixam prejudicar pelos custos perdidos, uma explicação comum é que isso é um sinal de comprometimento. O indivíduo está anunciando: "Quando tomo uma decisão, não sou tão fraco, idiota ou vacilante que me permito facilmente convencer a desistir". Em uma contenda de resolução como um jogo de atrito, a aversão a perder poderia servir como um sinal custoso e, portanto, crível, de que o contendor não está prestes a ceder, e assim ele se previne contra a estratégia de seu oponente de aguentar-se mais do que ele só pela próxima rodada.

Já mencionei algumas evidências do conjunto de dados de Richardson sugerindo que os combatentes lutam por mais tempo quando a guerra é mais letal: as guerras pequenas mostram maior probabilidade do que as grandes de terminar a cada ano que passa.[66] Os números de magnitude no Correlates of War Dataset também indicam um comprometimento cada vez maior: guerras de duração mais longa não são apenas mais custosas em mortes; são mais custosas do que se esperaria com base apenas em sua duração.[67] Se voltarmos rapidamente das estatísticas de guerra à conduta nas guerras reais, poderemos ver esse mecanismo em ação. Muitas das guerras mais sangrentas da história devem sua destrutividade a líderes de um ou de ambos os lados que seguem uma estratégia de aversão à perda flagrantemente irracional. Hitler lutou nos últimos meses da Segunda Guerra Mundial com uma fúria maníaca muito além do ponto em que a derrota tornou-se certa, e o mesmo fez o Japão. As repetidas escaladas da Guerra do Vietnã no governo Lyndon Johnson inspiraram uma canção de protesto que serviu de síntese do que o povo vê numa guerra destrutiva: "*We were waist-deep in the Big Muddy; The big fool said to push on*" [Estávamos atolados até a cintura no (rio) Grande Lamacento; o grande tolo disse para prosseguir].

O biólogo de sistemas Jean-Baptiste Michel explicou-me como os comprometimentos cada vez maiores em uma guerra de atrito podem produzir uma distribuição de lei de potência. Só precisamos supor que os líderes continuam a escalada do conflito como uma proporção constante de seu comprometimento passado — o tamanho de cada avanço é, digamos, 10% do número de soldados que combateram até então. Um aumento proporcional constante seria condizente com a conhecida descoberta da psicologia chamada Lei de Weber: para que um aumento de intensidade seja notado, ele deve ser uma proporção constante da intensidade já existente. (Se uma sala é iluminada por dez lâmpadas, você notará um aumento de luminosidade quando a 11ª lâmpada for acesa, mas, se a sala for iluminada por cem lâmpadas, você não notará quando se acender a 101ª; alguém teria de acender mais *dez* lâmpadas para que você notasse um aumento da luminosidade.) Richardson observou que as pessoas percebem a perda de vidas desse mesmo modo:

> Contraste, por exemplo, os muitos dias de lamentações nos jornais pela perda do submarino britânico *Thetis* em tempo de paz com o seco anúncio de perdas semelhantes durante a guerra. Esse contraste pode ser considerado um exemplo da doutrina de Weber-Fechner de que um incremento é avaliado com base na quantidade anterior.[68]

O psicólogo Paul Slovic analisou recentemente vários experimentos que corroboram essa observação.[69] A frase falsamente atribuída a Stálin "Uma morte é uma tragédia; 1 milhão de mortes é uma estatística" não acerta nos números, mas capta um fato real da psicologia humana.

Se a escalação é proporcional a comprometimentos passados (e uma proporção constante de soldados mandados para o campo de batalha for morta em combate), as perdas aumentarão exponencialmente à medida que a guerra prossegue, como nos juros compostos. E, se as guerras são jogos de atrito, suas durações também são distribuídas exponencialmente. Lembremos a lei matemática de que uma variável se enquadrará em uma distribuição de lei de potência se for uma função exponencial de uma segunda variável que se distribua exponencialmente.[70] Minha aposta é que a combinação de escalada e atrito constitui a melhor explicação para a distribuição de lei de potência das magnitudes das guerras.

Embora não saibamos exatamente por que as guerras se enquadram na distribuição de lei de potência, a natureza dessa distribuição — livre de escalas, cauda grossa — sugere que ela envolve um conjunto de processos subjacentes no qual o tamanho não importa. Coalizões armadas sempre podem ficar um pouco maiores, guerras sempre podem durar um pouco mais, e perdas sempre podem aumentar mais um tanto, com a mesma probabilidade, independentemente do quanto eram grandes, longas ou onerosas no início.

A próxima questão óbvia sobre as estatísticas das brigas mortais é: o que destrói mais vidas, o grande número de pequenas guerras ou as poucas guerras grandes? Uma distribuição de lei de potência não fornece a resposta. Podemos imaginar um conjunto de dados no qual o dano agregado das guerras de cada tamanho totaliza o mesmo número de mortes: uma guerra com 10 milhões de mortos, dez guerras com 1 milhão de mortos, cem guerras com 100 mil mortos, e assim por diante até 10 milhões de assassinatos com uma só vítima cada. Mas acontece que nas distribuições com expoentes maiores do que um (que é o que se obtém no caso das guerras) os números tenderão mais para a cauda. Uma distribuição de lei de potência com um expoente nessa faixa segue, dizem alguns, a regra 80:20, também conhecida como Princípio de Pareto, segundo o qual, por exemplo, os 20% mais ricos da população controlam 80% da riqueza. A razão pode não ser exatamente 80:20, mas muitas distribuições de lei de potência apresentam esse tipo de assimetria. Por exemplo, os sites que estão entre os 20% mais populares da internet têm cerca de dois terços dos acessos.[71]

Richardson calculou o número de vítimas de todas as brigas mortais em cada faixa de magnitude. O cientista da computação Brian Hayes representou esses valores no histograma da figura 5.11. As barras cinza, que indicam as mortes em pequenas brigas difíceis de documentar (entre três e 3,162 mortes), não representam dados reais, pois caem na fenda entre a criminologia e a história e não estavam disponíveis nas fontes consultadas por Richardson. Elas mostram números hipotéticos que Richardson interpolou com uma curva regular entre os assassinatos e as guerras menores.[72] Com ou sem elas, a forma do gráfico é notável: alcança um pico em cada uma das pontas e afunda no meio. Isso nos diz que os tipos mais destrutivos de violência letal (pelo menos de 1820 a 1952) foram os assassinatos e as guerras mundiais; todos os outros tipos de briga mataram menos gente. Isso continuou válido nos sessenta anos decorridos desde então. Nos Estados Unidos, 37 mil militares morreram na Guerra da Coreia, e 58 mil na do Vietnã; nenhuma outra guerra chegou perto disso. No entanto, em média 17 mil pessoas foram assassinadas no país *por ano*, totalizando quase 1 milhão de mortes desde 1950.[73] Analogamente, no mundo como um todo, os homicídios superam numericamente as mortes relacionadas a guerras, mesmo se incluirmos as mortes indiretas por fome e doença.[74]

Richardson estimou também a proporção de mortes causadas por brigas mortais de todas as magnitudes combinadas, desde os assassinatos até as guerras mundiais. A resposta é: 1,6%. Ele observa que "isso é menos do que se poderia supor com base na grande atenção que as brigas atraem. Quem se deleita com guerras pode desculpar seu gosto dizendo que, afinal de contas, elas são muito

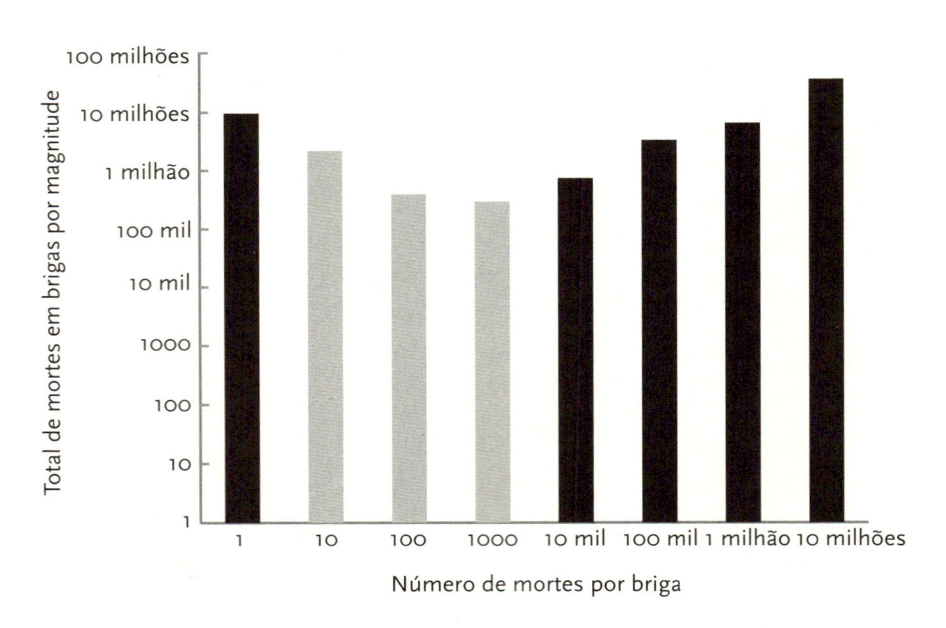

Figura 5.11. *Total de mortes em brigas de diferentes magnitudes.*
FONTE: Gráfico de Hayes, 2002, baseado em Richardson, 1960.

menos letais do que as doenças".[75] Novamente, isso continua a ser verdade, e por uma grande margem.[76]

É extraordinária a descoberta de que as duas guerras mundiais mataram 77% das pessoas que pereceram em todas as guerras ocorridas em um período de 130 anos. As guerras nem sequer seguem a regra 80:20 que estamos acostumados a ver nas distribuições de lei de potência. Elas seguem uma regra 80:2 — quase 80% das mortes foram causadas por *2%* das guerras.[77] Essa razão assimétrica nos diz que o esforço global para prevenir mortes em guerras deveria dar prioridade à prevenção de guerras maiores.

A taxa também ressalta a dificuldade de conciliar nossa vontade de ter uma narrativa histórica coerente com as estatísticas de brigas mortais. No esforço de compreender o século XX, nosso anseio por um bom enredo é amplificado por duas ilusões estatísticas. Uma é a tendência de enxergar agrupamentos significativos em eventos aleatoriamente espaçados. Outra é a mentalidade de curva normal, que faz parecer astronomicamente improváveis os valores extremos, de modo que, quando deparamos com um evento extremo, logo pensamos que por trás dele só pode ter havido algum desígnio extraordinário. Essa mentalidade torna difícil aceitar que os dois piores eventos da história recente, embora improváveis, não foram astronomicamente improváveis. Mesmo que a probabilidade houvesse sido aumentada pelas tensões da época, essas guerras não teriam obrigatoriamente que ter começado. E, uma vez eclodidas, tiveram uma chance constante de escalar para uma letalidade maior, independentemente do quanto já fossem letais. As duas guerras mundiais foram, em certo sentido, exemplos pavorosamente desafortunados de uma distribuição estatística que se estende por uma imensa faixa de destruição.

A TRAJETÓRIA DA GUERRA DE GRANDES POTÊNCIAS

Richardson chegou a duas conclusões abrangentes sobre as estatísticas das guerras: as ocorrências são aleatórias no tempo, e as magnitudes distribuem-se segundo uma lei de potência. Mas ele não foi capaz de concluir muita coisa sobre como mudam ao longo do tempo os dois principais parâmetros — a probabilidade das guerras e a quantidade de danos que elas causam. Sua ideia de que as guerras estão se tornando menos frequentes, porém mais letais, restringiu-se ao intervalo entre 1820 e 1950 e foi limitada pela lista imperfeita de guerras em seu conjunto de dados. Quanto mais sabemos hoje a respeito da trajetória a longo prazo das guerras?

Não existe nenhum bom conjunto de dados para o total das guerras no mundo desde o início da história escrita, e não saberíamos como interpretá-lo caso ele existisse. As sociedades passaram por mudanças tão radicais e assimétricas ao longo dos séculos que um total único de mortes para o mundo juntaria dados de sociedades diferentes demais. No entanto, o cientista político Jack Levy montou um conjunto de dados que nos dá uma ideia clara da trajetória da guerra em uma fatia particularmente importante do espaço e do tempo.

A faixa de tempo é a era iniciada em fins dos anos 1400, quando a pólvora, a navegação oceânica e a prensa móvel inauguraram a Idade Moderna (usando aqui uma das muitas definições da palavra "moderna"). Essa também foi a época na qual Estados soberanos começaram a emergir da colcha de retalhos medieval dos baronatos e ducados.

Os países que Levy destacou são os pertencentes ao *sistema de grandes potências* — o punhado de Estados que, em uma dada época, conseguem dar as cartas no mundo. Levy constatou que, em cada época, um pequeno número de gorilas de quatrocentos quilos é responsável pela maioria dos estragos.[78] As grandes potências participaram de aproximadamente 70% de todas as guerras que Wright incluiu em seu conjunto de dados de meio milênio para o mundo todo, e quatro delas ficaram com a duvidosa honra de ter participado de no mínimo um quinto de todas as guerras europeias.[79] (Isso continua valendo hoje: França, Reino Unido, Estados Unidos e União Soviética / Rússia estiveram envolvidos em mais conflitos internacionais desde a Segunda Guerra Mundial do que qualquer outro país.)[80] Os países que entram e saem da liga das grandes potências participam de mais guerras quando estão na liga do que quando estão fora. Outra vantagem de concentrar-se no estudo das grandes potências é que, com pegadas tão grandes, não é provável que qualquer guerra de que elas tenham participado passasse despercebida pelos cronistas de sua época.

Como poderíamos predizer a partir da assimétrica distribuição de lei de potência das magnitudes das guerras, os conflitos entre grandes potências (especialmente as guerras que envolveram várias delas ao mesmo tempo) respondem por uma proporção substancial de todas as mortes registradas em guerras.[81] Segundo um provérbio africano (como a maioria dos provérbios africanos, atribuído a muitas tribos diferentes), quando elefantes lutam, é a grama que sofre. E esses paquidermes têm o hábito de lutar entre si porque não são refreados por algum suserano maior, e vivem encarando uns aos outros em um estado de nervosa anarquia hobbesiana.

Levy estipulou critérios técnicos para classificar um país como grande potência, e arrolou os países que se enquadraram nesses critérios entre 1495 e 1975. A maioria deles são grandes Estados europeus: França e Inglaterra/Grã-Bretanha/Reino Unido para todo o período; as entidades governadas pela dinastia Habsburgo até 1918; Espanha até 1808; Holanda e Suécia no século XVII e início do XVIII; Rússia/União Soviética de 1721 em diante; Prússia/Alemanha de 1740 em diante; Itália de 1861 a 1943. Mas o sistema também inclui algumas potências fora da Europa: o Império Otomano até 1699; Estados Unidos a partir de 1898; Japão de 1905 a 1945; e China a partir de 1949. Levy montou um conjunto de dados de guerras que tiveram no mínimo mil mortes em batalha por ano (um corte convencional para uma "guerra" em muitos conjuntos de dados, como o Correlates of War Project), que tiveram uma grande potência em pelo menos um dos lados e um Estado do outro lado. Ele excluiu guerras coloniais e guerras civis, exceto quando uma grande potência se intrometeu em uma guerra civil do lado dos insurgentes, o que poderia significar que a guerra jogou uma grande potência contra um governo estrangeiro. Usando o Correlates of War Dataset, e em consulta com Levy, estendi seus dados para o quarto de século encerrado em 2000.[82]

Comecemos com as lutas de titãs — as guerras com no mínimo uma grande potência de cada lado. Entre elas estão as que Levy chama de "guerras gerais", mas que também poderiam ser chamadas de "guerras mundiais", pelo menos no sentido em que a Primeira Guerra Mundial merece esse nome — não que a luta tenha ocorrido em todo o planeta, mas no sentido de que envolveu a maioria das grandes potências do mundo. Nessa categoria incluem-se a Guerra dos Trinta Anos (1618-48; seis das sete grandes potências), a Guerra Holandesa de Luís XIV (1672-78; seis das sete); a Guerra da Liga de Augsburgo (1688-97; cinco das sete), a Guerra de Sucessão Espanhola (1701-13; cinco das seis), a Guerra de Sucessão Austríaca (1739-48; seis das seis), a Guerra dos Sete Anos (1755-63; seis das seis), e as guerras revolucionárias e napoleônicas da França (1792-1815; seis das seis), juntamente com as duas guerras mundiais. Há mais de cinquenta outras guerras nas quais duas ou mais grandes potências enfrentaram-se.

Uma indicação do impacto da guerra em diferentes eras é a porcentagem do tempo que as pessoas tiveram de suportar guerras entre grandes potências, com suas perturbações, sacrifícios e mudanças de prioridades. A figura 5.12 mostra a porcentagem de anos em cada quarto de século nos quais as grandes potências da época guerrearam. Em dois dos primeiros quartos de século (1550-75 e 1625-50), a linha alcança o teto: grandes potências lutaram entre si em todos os 25 anos do período. Essas fases foram saturadas com as horrendas guerras religiosas europeias, incluindo a Primeira Guerra Huguenote e a Guerra dos Trinta Anos. A partir daí, a tendência é inequivocamente decrescente. Grandes potências lutaram entre si por menos tempo com o passar dos séculos, embora com alguns retrocessos parciais, entre eles os quartos de século das guerras revolucionárias e napoleônicas na França e os das duas guerras mundiais. Na beirada inferior direita do gráfico, podemos ver os primeiros sinais da Longa Paz. O quarto de século de 1950 a 1975 teve uma guerra de grandes potências (a Guerra da Coreia, de 1950 a 1953), com Estados Unidos e China em lados opostos), e desde então não houve mais nenhuma.

Agora mudemos a distância focal e examinemos um panorama mais amplo da guerra: os cento e tantos conflitos com uma grande potência de um lado e

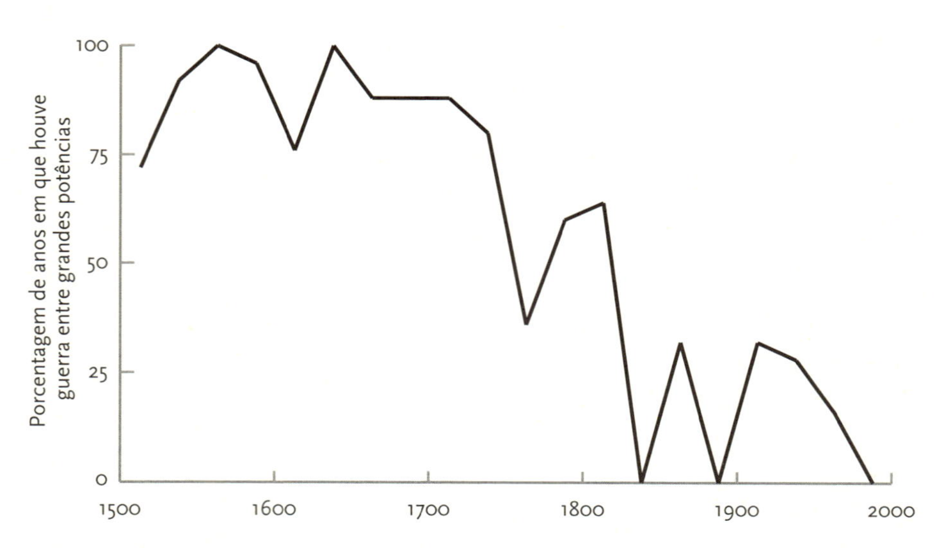

Figura 5.12. *Porcentagem de anos em que houve guerra entre grandes potências, 1500-2000.*
FONTE: Gráfico adaptado de Levy e Thompson, 2011. Dados agregados por períodos de 25 anos.

qualquer país, grande ou não, do outro.[83] Com esse conjunto de dados maior, podemos desdobrar a medida de anos em guerra do gráfico anterior em duas dimensões. A primeira é a frequência. A figura 5.13 indica quantas guerras houve em cada quarto de século. Novamente, vemos um declínio ao longo dos cinco séculos: as grandes potências mostraram probabilidades cada vez menores de entrar em guerra. No último quarto do século XX, apenas quatro guerras enquadraram-se nos critérios de Levy: as duas guerras entre China e Vietnã (1979 e 1987), a guerra sancionada pela ONU para reverter a invasão do Kuait pelo Iraque (1991) e o bombardeio da Iugoslávia pela Otan para impedir o desalojamento de albaneses étnicos em Kosovo (1999).

A segunda dimensão é a duração. A figura 5.14 mostra o tempo médio de duração dessas guerras. Mais uma vez, a tendência é decrescente, apesar de um pico quase em meados do século XVII. Isso não é uma consequência simplória de considerar exatamente trinta anos a duração da Guerra dos Trinta Anos; seguindo a prática de outros historiadores, Levy dividiu-a em quatro guerras mais circunscritas. Mesmo depois dessa divisão, as guerras religiosas dessa era

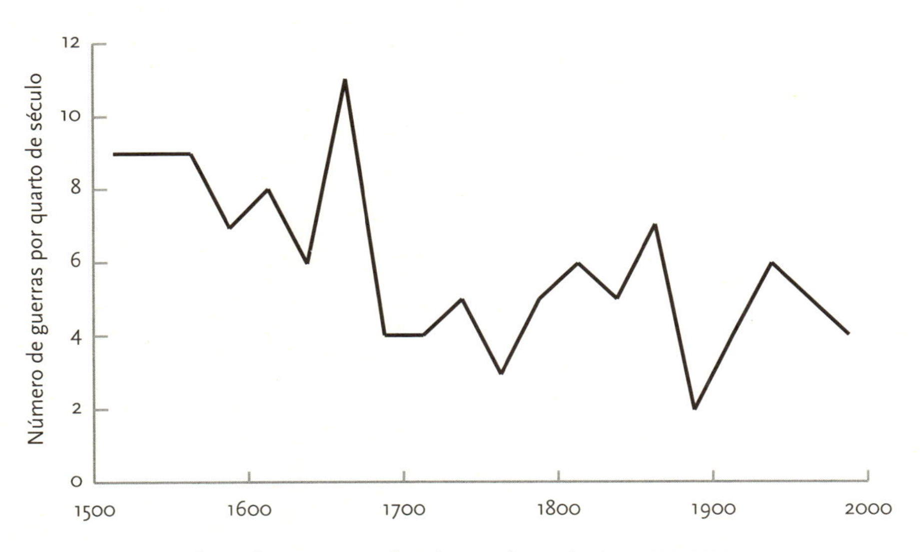

Figura 5.13. *Frequência de guerras envolvendo grandes potências, 1500-2000.*
FONTES: Gráfico de Levy, 1983, exceto o último ponto, que se baseia no Correlates of War Inter-State War Dataset, 1816-1997, Sarkees, 2000, e, para 1997-99, Prio Battle Deaths Dataset 1946-2008, Lacina e Gleditsch, 2005. Os dados estão agregados por períodos de 25 anos.

foram brutalmente longas. Mas, dali em diante, as grandes potências procuraram terminar suas guerras logo depois de iniciá-las, culminando no último quarto do século XX, quando as quatro guerras envolvendo grandes potências duraram em média 97 dias.[84]

E quanto à destrutividade? A figura 5.15 representa o logaritmo do número de mortes em batalha nas guerras em que pelo menos uma potência participou. A perda de vidas aumenta de 1500 até o começo do século XIX, declina hesitante pelo resto desse século, retoma a subida durante as duas guerras mundiais e depois mergulha acentuadamente na segunda metade do século XX. Temos a impressão de que, ao longo de boa parte desse meio milênio, as guerras que ocorreram foram ficando mais destrutivas, presumivelmente em razão dos avanços na tecnologia e da organização militar. Se isso for verdade, as tendências cruzadas — menos guerras, porém guerras mais destrutivas — seriam condizentes com a conjectura de Richardson, embora se estendam por um período cinco vezes mais longo.

Não podemos provar que é isso que estamos vendo, pois a figura 5.15

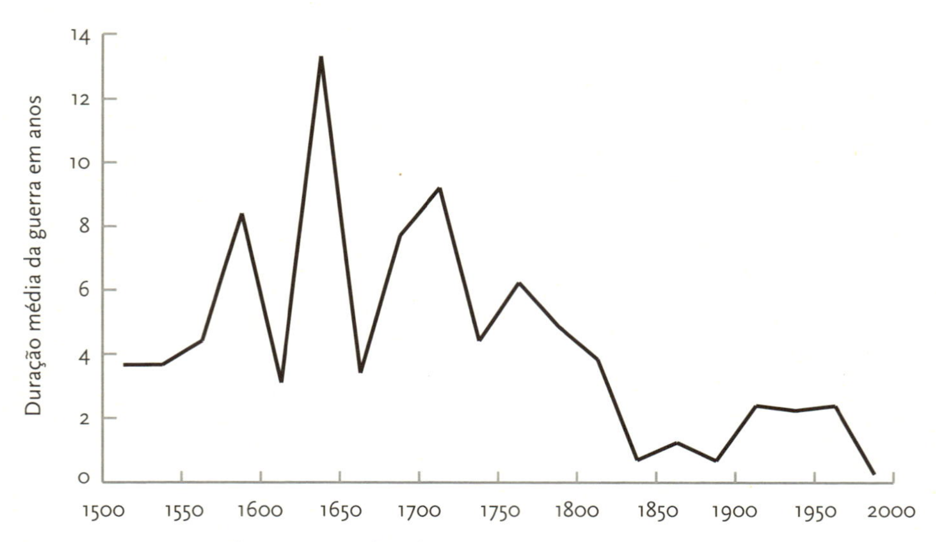

Figura 5.14. *Duração de guerras envolvendo grandes potências, 1500-2000.*
FONTES: Gráfico de Levy, 1983, exceto o último ponto, que se baseia no Correlates of War Inter-State War Dataset, 1816-1997, Sarkees, 2000, e, para 1997-99, Prio Battle Deaths Dataset 1946-2008, Lacina e Gleditsch, 2005. Os dados estão agregados por períodos de 25 anos.

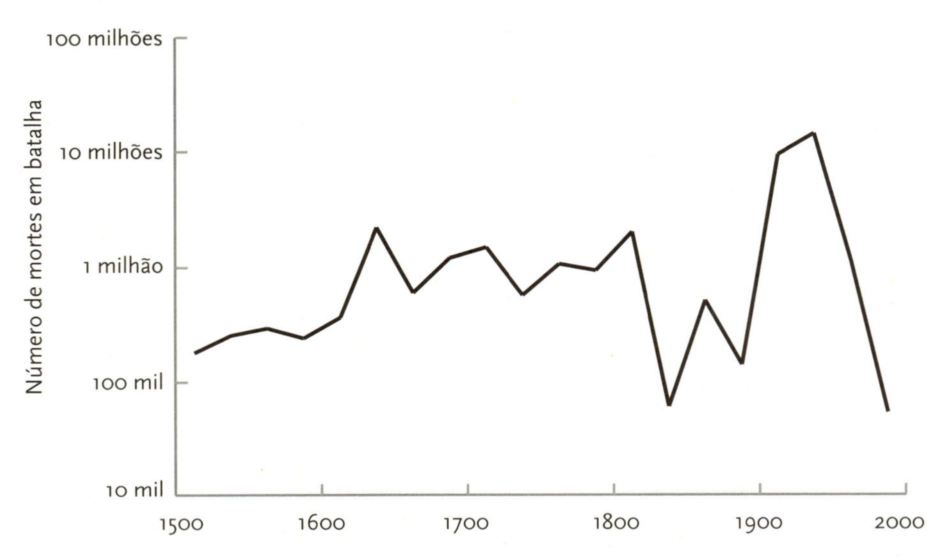

Figura 5.15. *Mortes em guerras envolvendo grandes potências, 1500-2000.*
FONTES: Gráfico de Levy, 1983, exceto o último ponto, que se baseia em Correlates of War Inter-State War Dataset, 1816-1997, Sarkees, 2000, e, para 1997-99, Prio Battle Deaths Dataset 1946-2008, Lacina e Gleditsch, 2005. Os dados estão agregados por períodos de 25 anos.

engloba a frequência e a magnitude das guerras; mas Levy sugere que a destrutividade pura pode ser isolada em uma medida que ele denomina "concentração", isto é, os danos por país que um conflito causa a cada ano de guerra. A figura 5.16 representa essa medida. Nesse gráfico, o aumento constante na letalidade das guerras de grandes potências até a Segunda Guerra Mundial é mais visível, já que não está oculto pela raridade dessas guerras em fins do século XIX. O que mais surpreende na segunda metade do século XX é a súbita inversão das tendências ziguezagueantes dos 450 anos precedentes. O final do século XX foi único no aspecto de apresentar declínios tanto no número de guerras de grandes potências como no poder letal de cada uma: duas quedas que captam a aversão da Longa Paz à guerra. Antes de passarmos das estatísticas às narrativas para entender os eventos por trás dessas tendências, precisamos nos assegurar de que elas podem ser vistas em um panorama mais amplo da trajetória da guerra.

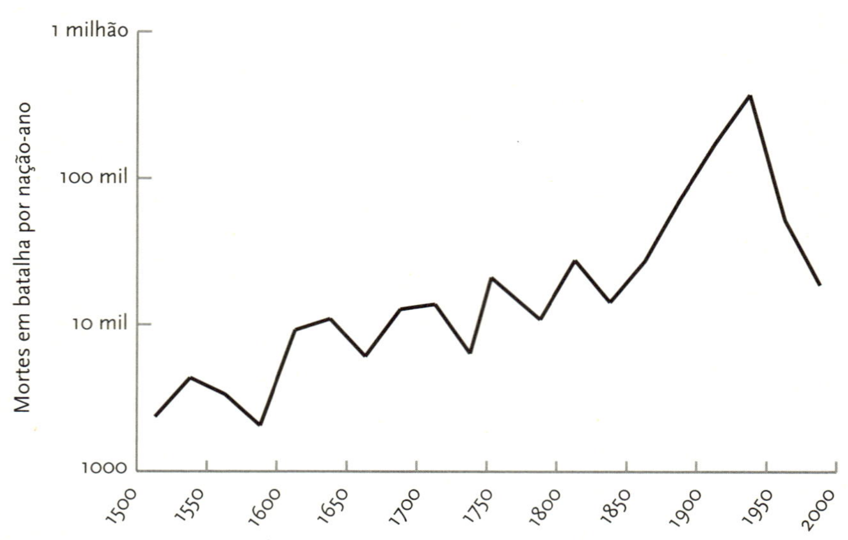

Figura 5.16. *Concentração de mortes em guerras envolvendo grandes potências, 1500-2000.*
FONTES: Gráfico de Levy, 1983, exceto o último ponto, que se baseia nos Correlates of War Inter-State War Dataset, 1816-1997, Sarkees, 2000, e, para 1997-99, Prio Battle Deaths Dataset 1946-2008, Lacina e Gleditsch, 2005. Os dados estão agregados por períodos de 25 anos.

A TRAJETÓRIA DA GUERRA EUROPEIA

As guerras envolvendo grandes potências oferecem um teatro circunscrito mas importante, no qual podemos observar tendências históricas da guerra. Outro desses teatros é a Europa. Esse continente, além de ter os dados mais abrangentes sobre as mortes em tempo de guerra, também exerceu uma influência desproporcional sobre o mundo como um todo. Durante o meio milênio passado, boa parte do globo foi parte de um império europeu, e as partes remanescentes guerrearam contra esses impérios. Além disso, muitas das tendências na guerra e na paz, tanto quanto em outras esferas da atividade humana, como tecnologia, moda e ideias, originaram-se na Europa e transbordaram para o resto do planeta.

Os numerosos dados históricos da Europa também nos dão a oportunidade de ampliar nossa perspectiva sobre os conflitos organizados, passando de guerras entre Estados que envolvem grandes potências a guerras entre países menos poderosos, conflitos que não são abrangidos pelo corte das mil mortes, guerras civis e genocídios, juntamente com as mortes de civis por fome coletiva e doença.

Que tipo de quadro obtemos quando agregamos essas outras formas de violência — a espinha alta dos pequenos conflitos e a cauda longa dos grandes?

O cientista político Peter Brecke está compilando o inventário definitivo das brigas letais, que ele intitula Catálogo de Conflitos.[85] Seu objetivo é amalgamar cada fragmento de informação sobre conflitos armados no conjunto completo da história registrada desde 1400. Brecke começou fundindo as listas de guerras elaboradas por Richardson, Wright, Sorokin, Eckhardt, o Correlates of War Project, o historiador Evan Luard e o cientista político Kalevi Holsti. A maioria tem um limiar alto para incluir um conflito e critérios legalistas para o que pode ser considerado um Estado. Brecke afrouxou esses critérios para incluir qualquer conflito registrado que tenha causado pelo menos 32 mortes em um ano (magnitude 1,5 na escala Richardson) e envolvido qualquer unidade política que exercesse efetiva soberania sobre um território. Ele foi à biblioteca e vasculhou os livros de história e atlas, incluindo muitos publicados em outros países e línguas. Como se esperaria da distribuição de lei de potência, afrouxar os critérios trouxe para a análise não apenas alguns casos marginais, mas uma enxurrada deles: Brecke descobriu pelo menos três vezes mais conflitos que os listados em todos os conjuntos de dados anteriores combinados. O Catálogo de Conflitos contém, até agora, 4560 conflitos ocorridos entre 1400 e 2000 (3700 dos quais foram inseridos em uma planilha), e chegará a 6 mil. Cerca de um terço deles contém estimativas do número de mortes, que Brecke divide em mortes militares (soldados mortos em batalha) e mortes totais (que inclui mortes indiretas de civis por fome e doenças decorrentes de guerra). Brecke fez a gentileza de me fornecer o conjunto de dados no estado em que se encontrava em 2010.

Comecemos com uma simples contagem dos conflitos — não apenas as guerras que envolveram grandes potências, mas as brigas mortais grandes e pequenas. Essas contagens, representadas na figura 5.17, oferecem uma visão independente da história da guerra na Europa.

Mais uma vez, vemos um declínio em uma das dimensões do conflito armado: a frequência com que ele eclode. Quando a história começa, em 1400, os Estados europeus iniciavam conflitos a uma taxa superior a três por ano. Essa taxa caiu, ziguezagueante, até praticamente nenhum conflito na Europa Ocidental e menos de um conflito por ano no Leste Europeu. Mesmo esse zigue-zague é um tanto enganoso, pois metade dos conflitos ocorreu em países codificados como "Europa" no conjunto de dados só porque, um dia, foram parte do Império

Otomano ou do soviético; hoje eles geralmente são classificados como países do Oriente Médio, Ásia Meridional ou Central (por exemplo, conflitos na Turquia, Geórgia, Azerbaidjão, Daguestão e Armênia).[86] Os outros conflitos no Leste Europeu ocorreram nas ex-repúblicas da Iugoslávia ou da União Soviética. Essas regiões — Iugoslávia, Rússia/União Soviética e Turquia — também foram responsáveis pelo pico de conflitos europeus no primeiro quartel do século XX.

E quanto às perdas humanas em conflitos? É aqui que a abrangência do Catálogo de Conflitos nos é mais útil. A distribuição de lei de potência nos diz que a maior dentre as guerras de grandes potências deveria ser responsável pela parte do leão nas mortes em guerra como um todo — ou pelo menos no total das guerras que tiveram mais de mil mortes, que são aquelas que compõem os dados apresentados até agora nos gráficos deste livro. Mas Richardson alerta-nos para a

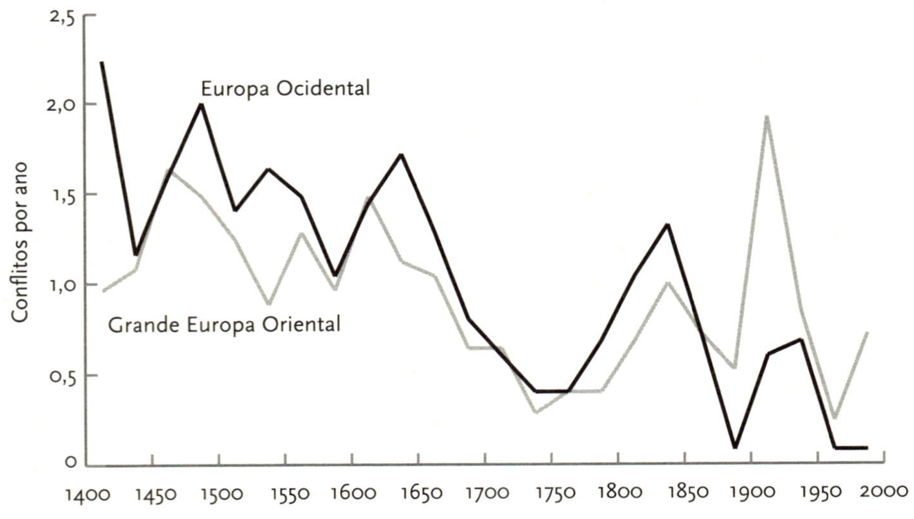

Figura 5.17. *Conflitos por ano na Grande Europa, 1400-2000.*
FONTES: Catálogo de Conflitos, Brecke, 1999; Long e Brecke, 2003. Os conflitos estão agregados para períodos de 25 anos e incluem guerras entre Estados e guerras civis, genocídios, insurreições e arruaças. "Europa Ocidental" inclui os atuais territórios do Reino Unido, Irlanda, Dinamarca, Suécia, Noruega, França, Bélgica, Luxemburgo, Holanda, Alemanha, Suíça, Áustria, Espanha, Portugal e Itália. "Europa Oriental" inclui os atuais territórios de Chipre, Finlândia, Polônia, República Tcheca, Eslováquia, Hungria, Romênia, as repúblicas que anteriormente constituíam a Iugoslávia, Albânia, Grécia, Bulgária, Turquia (Europa e Ásia), Rússia (Europa), Geórgia, Armênia, Azerbaidjão e outras repúblicas do Cáucaso.

possibilidade de, em teoria, um grande número de conflitos menores ignorados pela historiografia tradicional e pelos conjuntos de dados ter causado um número substancial de mortes adicionais (as barras cinzentas na figura 5.11). O Catálogo de Conflitos é o primeiro conjunto de dados a longo prazo que explora essa área cinzenta e tenta listar as escaramuças, arruaças e massacres que se mantiveram abaixo do horizonte militar (embora, evidentemente, muitos outros ocorridos em séculos anteriores possam não ter sido jamais registrados). Infelizmente, o catálogo ainda é uma obra em andamento, e nos fornece menos de metade dos conflitos para os quais existem registros do número de mortos. Enquanto ele não é concluído, podemos ter um vislumbre bem impreciso da trajetória das mortes em conflitos na Europa preenchendo os valores faltantes com base na mediana do número de vítimas fatais no quarto de século em questão. Brian Atwood e eu fizemos a interpolação desses valores, adicionamos as mortes diretas e indiretas em conflitos de todos os tipos e tamanhos e os dividimos pela população da Europa em cada período; por fim, nós os representamos graficamente em uma

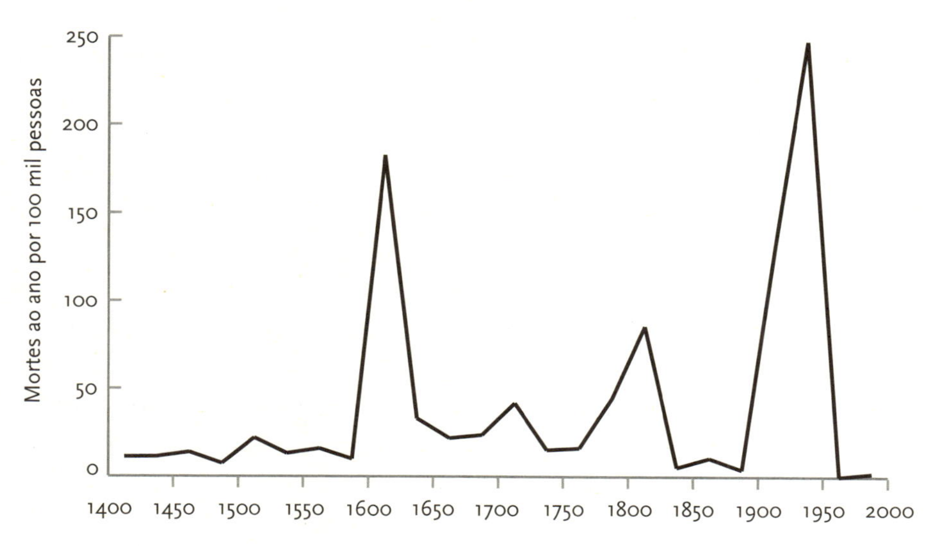

Figura 5.18. *Taxa de mortes em conflitos na Grande Europa, 1400-2000.*
FONTES: Catálogo de Conflitos, Brecke, 1999; Long e Brecke, 2003. Os números provêm da coluna "Total de Mortos", agregados por períodos de 25 anos. Dados redundantes foram eliminados. Dados faltantes foram preenchidos usando a mediana para o respectivo quarto de século. As estimativas históricas de população provêm de McEvedy e Jones, 1978, referentes ao fim do quarto de século. "Europa" é definido como na figura 5.17.

escala linear.[87] A figura 5.18 apresenta esse quadro maximalista (embora provisório) da história do conflito violento na Europa:

A representação proporcional ao tamanho da população não eliminou uma tendência global ascendente até 1950, o que mostra que a capacidade da Europa para matar pessoas suplantou sua capacidade para gerar mais seres humanos. Mas o que realmente sobressai no gráfico são três hemoclismos. Afora o quarto de século contendo a Segunda Guerra Mundial, a época mais mortífera para se viver na Europa foi durante as guerras religiosas no começo do século XVII, seguida pelo quarto de século da Primeira Guerra Mundial, e depois pelo período das guerras revolucionárias e napoleônicas na França.

A carreira da violência organizada na Europa, portanto, foi mais ou menos assim: houve um nível básico de conflitos, baixo mas constante, de 1400 a 1600, seguido pelo banho de sangue das guerras religiosas, um declínio abrupto até 1775 seguido pelo morticínio das revoluções francesas, uma calmaria perceptível em meados e fins do século XIX e, por fim, depois do Hemoclismo do século XX, os inauditos níveis baixíssimos da Longa Paz.

Como podemos interpretar os vários períodos de lentidão e as súbitas arrancadas na violência entre as grandes potências e na Europa durante o meio milênio passado? Chegamos a um ponto no qual a estatística precisa passar o bastão para a história narrativa. Nas seções seguintes, contarei a história por trás dos gráficos, combinando os números dos contadores de conflito às narrativas de historiadores e cientistas políticos como David Bell, Niall Ferguson, Azar Gat, Michael Howard, John Keegan, Evan Luard, John Mueller, James Payne e James Sheehan.

Eis uma amostra do que veremos. Pense nos zigue-zagues da figura 5.18 como uma combinação de quatro correntes. A Europa moderna começou em um Estado hobbesiano de guerras frequentes, mas pequenas. As guerras tornaram-se menos numerosas à medida que as unidades políticas foram se consolidando em Estados maiores. Ao mesmo tempo, as guerras que ocorriam tornavam-se mais letais, graças a uma revolução militar que criou exércitos maiores e mais eficazes. Finalmente, em diferentes períodos, países europeus transitaram entre ideologias totalitárias que subordinavam os interesses individuais a uma visão utópica e a um humanismo esclarecido que elevava esses interesses a valor supremo.

O pano de fundo da história europeia durante a maior parte do milênio passado é um onipresente estado de guerra. A partir das incursões de cavaleiros e das rixas de feudos medievais, as guerras envolveram todos os tipos de unidade política surgidos ao longo dos séculos seguintes.

O número de guerras europeias é estarrecedor. Brecke compilou uma lista anterior a seu Catálogo de Conflitos na qual ele enumera 1148 conflitos no período de 900 a 1400; o catálogo propriamente dito lista outros 1166 de 1400 até o presente — aproximadamente dois novos conflitos por ano no decorrer de 1100 anos.[88] A imensa maioria desses conflitos, inclusive grande parte das grandes guerras envolvendo grandes potências, é do conhecimento apenas dos historiadores mais especializados. Vejamos alguns exemplos, escolhidos aleatoriamente, que suscitam olhares interrogativos na maioria das pessoas instruídas: a guerra entre Dinamarca e Suécia (1516-25), a Guerra de Schmalkadic (1546-47), a Guerra Franco-Saboiana (1600-1601), a Guerra Turco-Polonesa (1673-76), a Guerra da Sucessão de Jülich (1609-10), a Guerra Áustria-Sardinha (1848-49).[89]

A guerra não só prevalecia na prática, mas também era aceita na teoria. Howard observa que, entre as classes dirigentes, "a paz era vista como um breve intervalo entre guerras", e a guerra era "uma atividade quase automática, parte da ordem natural das coisas".[90] Luard acrescenta que, enquanto muitas batalhas nos séculos XV e XVI tiveram taxas moderadamente baixas de mortes, "mesmo quando as baixas eram elevadas, há poucos indícios de que elas preocupassem demais os governantes ou os comandantes militares. Eram vistas, de modo geral, como um preço inevitável da guerra, a qual era, em si mesma, meritória e gloriosa".[91]

Por que se lutava? Os motivos eram as "três principais causas de contenda" identificadas por Hobbes: predação (sobretudo de terra), prevenção da predação por terceiros e dissuasão crível, ou honra. A principal diferença entre as guerras europeias e as incursões e rixas de tribos, cavaleiros e chefes militares era que as guerras eram travadas por unidades políticas, e não por indivíduos ou clãs. A conquista e a pilhagem eram as principais vias de mobilidade ascendente nos séculos em que a riqueza consistia em terra e recursos em vez de comércio e inovação. Hoje em dia, ser governante de um território não é uma escolha de carreira que atraia a maioria de nós. Mas a expressão "viver como um rei" nos lembra que, séculos atrás, essa era o principal rota para amenidades como comida farta, abrigo confortável, belos objetos, entretenimento na hora desejada e filhos que sobreviviam ao primeiro ano de vida. O eterno incômodo dos bastardos reais também nos lembra que uma vida sexual movimentada era privilégio dos reis europeus, tanto quanto dos sultões donos de haréns, e que "criada de quarto" era eufemismo para concubina.[92]

Mas o que os líderes almejavam não eram apenas as recompensas materiais; queriam também satisfazer sua necessidade espiritual de dominação, glória e grandeza — a delícia de contemplar um mapa e ver mais centímetros quadrados pintados na cor que simboliza seu domínio e não o de outros. Luard observa que, mesmo quando os governantes tinham pouca autoridade genuína sobre seus reinos nominais, faziam a guerra pelo "direito teórico da suserania: quem devia lealdade a quem e por quais territórios".[93] Muitas dessas guerras eram por meros sinais de status. Não havia nada em jogo exceto a aquiescência de um líder em prestar homenagem a outro sob a forma de títulos, cortesias e assentos privilegiados. Guerras podiam ser desencadeadas por afrontas simbólicas como uma recusa a inclinar uma bandeira, a saudar as cores simbólicas, a remover símbolos heráldicos de um brasão ou seguir protocolos de precedência dos embaixadores.[94]

Embora a motivação para liderar um bloco político dominante fosse constante por toda a história europeia, a definição dos blocos mudou, e com ela a natureza e a duração das lutas. Em *War in International Society*, o mais sistemático esforço para combinar um conjunto de dados sobre guerras com uma história narrativa, Luard sugere que os conflitos armados na Europa podem ser divididos em cinco "eras", cada qual definida pela natureza dos blocos que lutaram pela dominância. Na verdade, as eras de Luard parecem-se mais com fios sobrepostos em uma corda do que com vagões em um trem; ainda assim, se mantivermos isso em mente, seu esquema ajuda a organizar as principais mudanças histórias na guerra.

Luard chama a primeira de suas eras, que vai de 1400 a 1559, de Era das Dinastias. Nessa época, as "casas" reais, ou coalizões estendidas baseadas em parentesco, competiram pelo controle de territórios na Europa. A biologia elementar mostra por que a ideia de basear a liderança na linhagem é uma receita para intermináveis guerras de sucessão.

Governantes sempre se defrontam com o dilema de como conciliar sua sede de poder eterno com a noção de sua mortalidade. Uma solução natural é designar como sucessor um descendente, em geral o filho primogênito. Não só as pessoas pensam em sua progênie genética como uma extensão de si mesmas, mas além disso o afeto filial deveria inibir qualquer inclinação do sucessor a apressar as coisas com um regicídio. Isso resolveria o problema da sucessão em uma espécie na qual um organismo poderia produzir um clone adulto de si mesmo pouco antes de morrer. Entretanto, muitos aspectos da biologia do *Homo sapiens* atrapalham esse esquema.

Primeiro, seres humanos são altriciais: seus recém-nascidos são imaturos e sua infância é longa. Isso significa que um pai pode morrer quando um filho ainda é muito jovem para governar. Segundo, os traços de caráter são poligênicos, portanto seguem a lei estatística chamada regressão à média: por mais excepcionalmente corajoso ou sábio que um pai possa ser, em média seus filhos o serão menos. (Como escreveu a crítica Rebecca West, 645 anos de dinastia Habsburgo não produziram "nenhum gênio, apenas dois governantes hábeis, [...] inúmeros simplórios e não poucos imbecis e lunáticos".)[95] Terceiro, seres humanos se reproduzem sexualmente, o que significa que cada pessoa é o legado genético de duas linhagens, e não de uma só, e cada uma delas pode exigir a lealdade da pessoa enquanto ela vive e demandar seus privilégios depois que ela morre. Quarto, seres humanos são sexualmente dimórficos, e, embora a fêmea da espécie possa, em média, obter menos gratificação emocional do que o macho com conquistas e tiranias, muitas são capazes de cultivar esse gosto quando a oportunidade se apresenta. Quinto, seres humanos são moderadamente políginos, portanto os machos tendem a ter filhos bastardos, que se tornam rivais dos herdeiros legítimos. Sexto, seres humanos são multíparos, têm vários filhos ao longo de sua carreira reprodutiva. Isso arma o palco para o conflito entre pais e filhos, no qual um filho pode querer assumir a franquia reprodutiva de sua linhagem antes que um pai esteja disposto a abrir mão dela, e para a rivalidade entre irmãos, na qual um irmão mais novo pode cobiçar o investimento paterno prodigalizado ao primogênito. Sétimo, seres humanos são nepotistas, e investem nos filhos de seus irmãos tanto quanto nos seus próprios. Cada uma dessas realidades biológicas, e muitas vezes várias delas simultaneamente, deram margem à discórdia em torno de quem era o sucessor adequado de um monarca morto, e os europeus resolveram essas discórdias em incontáveis guerras dinásticas.[96]

Luard designa 1559 como o início da Era das Religiões, que durou até 1648, com o encerramento da Guerra dos Trinta Anos pelo Tratado de Westfália. Coalizões religiosas rivais, frequentemente aliadas a governantes seguindo o princípio *Un roi, une loi, une foi* (Um rei, uma lei, uma fé), lutaram pelo controle de cidades e Estados em no mínimo 25 guerras internacionais e 26 guerras civis. Geralmente protestantes guerreavam contra católicos, mas durante o Tempo das Perturbações na Rússia (um interregno entre o reinado de Boris Godunov e o estabelecimento da dinastia Romanov), facções católicas e ortodoxas competiram pelo controle. A febre religiosa não se limitou à cristandade: países cristãos lutaram contra turcos muçulmanos, e muçulmanos sunitas e xiitas travaram quatro guerras contra a Turquia e a Pérsia.

Essa é a era que contribuiu com as atrocidades números 13, 14 e 17 na lista ajustada para a população das 21 piores coisas da página 278, e ela é marcada por pináculos de mortes na figura 5.15 e na figura 5.18. Essa era bateu recordes de mortandade em parte por causa de avanços na tecnologia militar como o mosquete, o pique e a artilharia. Mas essa pode não ter sido a principal causa da carnificina, pois em séculos subsequentes a tecnologia continuou a aumentar a letalidade enquanto o número de mortos desceu da estratosfera. Luard destaca a exaltação religiosa como a causa:

> Foi, sobretudo, a extensão da guerra aos civis, os quais, de modo geral (especialmente se cultuassem o deus errado), eram considerados dispensáveis, o que aumentou nessa fase a brutalidade da guerra e o nível da mortandade. Um estarrecedor derramamento de sangue podia ser atribuído à ira divina. O duque de Alba mandou matar toda a população masculina de Naarden após sua captura (1572), considerando isso um julgamento de Deus por sua ousada obstinação em resistir; assim como Cromwell, mais tarde, depois de ter permitido que seus soldados saqueassem Drogheda com um pavoroso banho de sangue (1649), declarou que era um "justo julgamento de Deus". Assim, por um cruel paradoxo, os que lutaram em nome de sua fé frequentemente mostraram menor probabilidade do que quaisquer outros de tratar humanamente seus oponentes na guerra. E isso se refletiu na deplorável perda de vidas, por fome e destruição das colheitas tanto quanto pelas batalhas, vista nas áreas mais assoladas pelo conflito religioso nessa era.[97]

Nomes como "Guerra dos Trinta Anos" e "Guerra dos Oito Anos", juntamente com o nunca igualado pico nas durações das guerras visto na figura 5.14, nos dizem que as guerras religiosas não foram apenas intensas, mas também intermináveis. O historiador da diplomacia Garrett Mattingly observa que, nesse período, foi desativado um importante mecanismo para terminar guerras:

> Conforme as questões religiosas passaram a predominar sobre as políticas, quaisquer negociações com os inimigos de um Estado foram, cada vez mais, parecendo heresia e traição. As questões que dividiam católicos de protestantes haviam deixado de ser negociáveis. Consequentemente [...] os contatos diplomáticos diminuíram.[98]

Não seria a última vez que o fervor ideológico atuaria como acelerador de uma conflagração militar.

TRÊS CORRENTES NA ERA DA SOBERANIA

Para os historiadores, o Tratado de Westfália de 1648 não só pôs fim às guerras religiosas, mas também estabeleceu a primeira versão da ordem internacional moderna. A Europa foi então dividida em Estados soberanos, em vez de continuar a ser uma alucinante colcha de retalhos de jurisdições nominalmente supervisionadas pelo papa e pelo Sacro Imperador Romano. Essa Era da Soberania viu a ascensão de Estados que ainda eram ligados a dinastias e religiões, mas cujo prestígio dependia, na verdade, de seus governos, territórios e impérios comerciais. Foi essa consolidação gradual de Estados soberanos (que culminou em um processo iniciado bem antes de 1648) que originou duas tendências opostas encontradas em todos os estudos estatísticos da guerra que me caíram nas mãos: as guerras estavam se tornando menos frequentes, porém mais destrutivas.

Uma importante razão do declínio numérico das guerras foi a diminuição do próprio número das unidades capazes de lutar entre si. Lembremos, do capítulo 3, que o número de unidades políticas na Europa encolheu de quinhentos na época da Guerra dos Trinta Anos para menos de trinta nos anos 1950.[99] Ora, você poderia pensar, isso faz da diminuição da frequência das guerras apenas um truque de contabilidade. Com um movimento da borracha, os diplomatas apagam uma linha do mapa que separa as partes conflitantes e, por mágica, removem o conflito dos livros sobre "guerras entre Estados" e o escondem nos livros sobre "guerras civis". Entretanto, essa redução é real. Como Richardson mostrou, quando mantemos uma área constante, vemos muito menos guerras civis dentro de fronteiras nacionais do que guerras entre Estados através delas. (Pense, por exemplo, na Inglaterra, que não tem uma verdadeira guerra civil há 350 anos, mas lutou em muitas guerras entre Estados desde então.) Essa é mais uma ilustração da lógica do Leviatã. Conforme os pequenos baronatos e ducados coalesceram em reinos maiores, as autoridades centralizadas impediram-nos de guerrear entre si, pela mesma razão que impediram os cidadãos individuais de assassinarem uns aos outros (e que os fazendeiros impedem seus animais de matarem-se uns aos outros): para um suserano, as brigas privadas em seus domínios são uma perda total. A redução na frequência da guerra, portanto, é mais uma manifestação do Processo Civilizador de Elias.

A maior letalidade das guerras que ocorreram resultou de um avanço chamado de revolução militar.[100] Os Estados mergulharam de cabeça na guerra. Isso, em parte, deveu-se ao progresso nos armamentos, especialmente canhões e armas de fogo, mas também resultou do recrutamento de maior número de pessoas para matar e ser mortas. Na Europa medieval na Era das Dinastias, os governantes, compreensivelmente, receavam armar grandes números de seus camponeses e treiná-los para combate. (Podemos ouvi-los matutar: O que poderia dar errado?) Em vez disso, formavam milícias ad hoc: contratavam mercenários ou recrutavam hereges ou pobretões incapazes de pagar para escapar. Em seu ensaio "War Making and State Making as Organized Crime", Charles Tilly escreveu:

> Em tempo de guerra [...] muitos líderes de Estados plenamente formados contratavam corsários, às vezes empregavam bandidos para atacar seus inimigos e encorajavam seus soldados regulares a saquear. A serviço do rei, era comum que os soldados e marinheiros devessem buscar sua remuneração espoliando a população civil: confiscavam, estupravam, pilhavam, extorquiam. Quando desmobilizados, em geral continuavam com as mesmas práticas, porém sem a mesma proteção régia; os navios desmobilizados tornavam-se navios piratas; os soldados desmobilizados viravam bandidos.
>
> O caminho inverso também era seguido. Às vezes, a melhor fonte de apoio armado para um rei era o mundo dos fora da lei. A conversão de Robin Hood em arqueiro real pode ser um mito, mas esse mito reflete uma prática. As distinções entre os

usuários "legítimos" e "ilegítimos" da violência só muito lentamente tornaram-se claras, no processo durante o qual as forças armadas dos Estados tornaram-se relativamente unificadas e permanentes.[101]

À medida que as forças armadas tornaram-se mais unificadas e permanentes, também ganharam eficácia. Os facínoras que compunham as primeiras milícias podiam fazer mal a muitos civis, mas não eram assim tão eficazes no combate organizado, pois a bravura e a disciplina não tinham atrativos para eles. Mueller explica:

> O lema dos criminosos, afinal de contas, não é uma variação de "*Semper fidelis*", "Um por todos e todos por um", "Dever, honra, pátria", "Banzai" ou "Lembremos Pearl Harbor" — é "Pegue o dinheiro e corra". De fato, para um criminoso, morrer em batalha (ou quando contratado para um roubo de banco) é essencialmente um absurdo; é profundamente irracional morrer pela emoção da violência, e mais ainda quando em busca de um butim, pois um morto não pode levar essas coisas consigo.[102]

Mas durante a revolução militar dos séculos XVI e XVII, os Estados começaram a formar exércitos profissionais permanentes. Recrutavam grandes números de homens nas várias camadas da sociedade em vez de buscá-los apenas na pior ralé. Recorriam a uma combinação de treinamento, doutrinação e punição brutal para prepará-los para o combate organizado. E incutiam nos homens um código de disciplina, estoicismo e valor. O resultado era que, quando dois desses exércitos se enfrentavam, conseguiam elevar velozmente a contagem dos cadáveres.

O historiador Azar Gat, especializado em assuntos militares, diz que "revolução" é um nome impróprio para o que foi, na verdade, um desenvolvimento gradual.[103] O processo que tornou os exércitos mais eficazes foi parte da onda de mudança tecnológica e organizacional que demorou séculos e tornou *tudo* mais eficaz. Talvez um avanço na carnificina no campo de batalha ainda maior do que a revolução militar original seja o atribuído a Napoleão, que substituiu as batalhas combinadas, nas quais ambos os lados tentavam conservar seus soldados, por ataques ousados nos quais um país mobilizava todos os seus recursos para infligir uma derrota total ao inimigo.[104] No entanto, um outro "avanço" serviu-se da Revolução Industrial, a partir do século XIX, para alimentar e equipar maiores quantidades de soldados e transportá-los mais rapidamente para a frente de batalha. O suprimento renovável de bucha de canhão abasteceu os jogos de atrito que empurraram as guerras mais à frente na cauda da distribuição de lei de potência.

Durante esse longo robustecimento do poder militar, uma segunda força (aliada à consolidação dos Estados) levou à diminuição da frequência dos combates. Muitos historiadores veem o século XVIII como uma época de relativa calmaria na longa história europeia da guerra. No capítulo anterior, mencionei que potências imperiais como Holanda, Suécia, Dinamarca, Portugal e Espanha pararam de competir no grande jogo do poder e redirecionaram suas energias para a conquista do comércio. Brecke escreve sobre "um século XVIII relativamente pacífico" (pelo menos de 1713 a 1789), que pode ser visto como um U nas figuras 5.17 e como um W raso de cabeça para baixo entre os picos das guerras religiosas e francesas na figura 5.18. Luard observa que, na Era da Soberania, de 1648 a 1789,

> muitos objetivos eram relativamente limitados; e muitas guerras, de qualquer modo, terminavam empatadas, sem que nenhum país alcançasse seus objetivos máximos. Várias guerras eram demoradas, porém o mais das vezes o método de combate era deliberadamente comedido, e as baixas eram menos pesadas que as da era precedente e as das eras subsequentes.

É verdade que esse século viu alguns combates sangrentos, como a guerra mundial conhecida como Guerra dos Sete Anos; no entanto, como observa David Bell, "os historiadores precisam ser capazes de distinguir entre nuanças de horror, e, se o século XVIII não exatamente reduziu os raivosos cães de guerra a 'poodles de palco', [...] ainda assim seus conflitos estão entre os *menos* horripilantes da história europeia".[105]

Como vimos no capítulo 4, essa tranquilidade foi parte da Revolução Humanitária ligada à Era da Razão, ao Iluminismo e ao nascimento do liberalismo clássico. O abrandamento do fervor religioso significou que as guerras deixaram de ser inflamadas por ideias escatológicas, e isso permitiu aos líderes firmar tratados em vez de lutar até o último homem. Estados soberanos estavam se transformando em potências comerciais, o que tende a favorecer o comércio de soma positiva em detrimento da conquista de soma zero. Escritores populares estavam desconstruindo a honra, equiparando a guerra ao assassinato, ridicularizando a história de violência europeia e assumindo os pontos de vista dos soldados e dos povos conquistados. Filósofos estavam redefinindo o governo, de um meio para pôr em prática os caprichos de um monarca para um meio de melhorar a vida, a liberdade e a felicidade das pessoas individualmente, e procurando descobrir modos para limitar o poder dos líderes políticos e incentivá-los a evitar a guerra. Essas ideias transmitiram-se lentamente escala social acima e se infiltraram nas atitudes de pelo menos alguns governantes da época. Embora seu "absolutismo esclarecido" continuasse a ser absolutismo, certamente foi melhor do que o absolutismo não esclarecido. E a democracia liberal (que, como veremos, parece ser uma força pacificadora) conseguiu seus primeiros pontos de apoio nos Estados Unidos e na Grã-Bretanha.

IDEOLOGIAS CONTRAILUMINISTAS E A ERA DO NACIONALISMO

É claro que tudo deu terrivelmente errado. A Revolução Francesa e as guerras revolucionárias e napoleônicas na França causaram nada menos do que 4 milhões de mortes, o que conquistou para a sequência um bom lugar entre as 21 piores coisas que as pessoas já fizeram umas às outras e desenhou um pico importante no gráfico das mortes em guerra na figura 5.18.

Luard designa 1789 como o início da Era do Nacionalismo. Os participantes da precedente Era da Soberania haviam sido impérios dinásticos espalhados que não se definiam como "nação" no sentido de um grupo que compartilha uma terra natal, uma língua e uma cultura. Essa nova era foi povoada por Estados mais bem alinhados com nações, que competiam com outros Estados-nações pela predominância. Anseios nacionalistas desencadearam trinta guerras de independência na Europa e levaram à autonomia da Bélgica, Grécia, Bulgária, Albânia e Sérvia. Também inspiraram as guerras de unificação nacional da Itália e Alemanha. Os povos da Ásia e da África não eram considerados dignos de autoexpressão nacional, por isso os Estados-nações europeus trataram de aumentar sua glória colonizando-os.

A Primeira Guerra Mundial, nesse esquema, é a culminância desses anseios nacionalistas. Foi desencadeada pelo nacionalismo sérvio contra o Império Habsburgo, inflamada por lealdades nacionalistas que jogaram os povos germânicos contra os eslavos (e logo depois contra os britânicos e franceses), e terminou com o desmembramento dos impérios multiétnicos Habsburgo e Otomano, dando origem aos Estados-nações da Europa Central e Oriental.

Luard encerra essa Era do Nacionalismo em 1917. Esse foi o ano em que os Estados Unidos entraram na guerra e a redefiniram como uma luta da democracia contra a autocracia, e na qual a Revolução Russa criou o primeiro Estado comunista. O mundo entrou na Era da Ideologia, na qual a democracia e o comunismo lutaram contra o nazismo na Segunda Guerra Mundial e um contra o outro durante a Guerra Fria. Luard, escrevendo em 1986, deixou pendurado um travessão após "1917"; hoje podemos concluir com "1989".

O conceito de uma Era do Nacionalismo é um tanto arbitrário. A era começa com as guerras revolucionárias e napoleônicas na França porque elas foram inflamadas pelo espírito nacional da França; entretanto, no mesmo grau essas guerras foram inflamadas pelo resíduo ideológico da Revolução Francesa, bem antes da chamada Era da Ideologia. Além disso, a era é um desajeitado sanduíche, com guerras imensamente destrutivas em cada ponta e dois inusitados intervalos de paz (1815-54 e 1871-1914) no meio.

Um modo melhor de entender os dois séculos passados, argumentou Michael Howard, é vê-los como uma batalha por influência entre quatro forças — humanismo esclarecido, conservadorismo, nacionalismo e ideologias utópicas — que ocasionalmente se juntaram em coalizões temporárias.[106] A França napoleônica, como emergiu da Revolução Francesa, tornou-se associada, na Europa, ao Iluminismo francês. Na verdade, é melhor classificá-la como a primeira implementação do fascismo. Embora Napoleão realmente realizasse algumas reformas racionais, como o sistema métrico e códigos de direito civil (que sobrevivem até hoje em muitas regiões de influência francesa), na maioria dos aspectos ele voltou o relógio em relação aos avanços humanistas do Iluminismo. Assumiu o poder recorrendo a um golpe de Estado, eliminou o governo constitucional, reinstituiu a escravidão, enalteceu a guerra, obrigou o papa a coroá-lo imperador, restaurou o catolicismo como religião do Estado, instalou três irmãos e um cunhado em tronos estrangeiros e empreendeu implacáveis campanhas de aumento territorial com uma criminosa desconsideração pela vida humana.

A França revolucionária e napoleônica, mostrou Bell, foi consumida pela combinação do nacionalismo francês com uma ideologia utópica.[107] Essa ideologia, como as versões do cristianismo que a precederam e o fascismo e o comunismo que a sucederam, era messiânica, apocalíptica, expansionista e certa de sua retidão. Via seus oponentes como irremediavelmente perversos, como ameaças existenciais que tinham de ser eliminadas em nome de uma causa santa. Bell observa que o utopismo militante foi um desfiguramento do ideal iluminista do progresso humanitário. Para os revolucionários, o objetivo da paz perpétua de Kant

> tinha valor não porque condizia com uma lei moral fundamental, mas porque condizia com o progresso histórico da civilização. [...] Assim, os revolucionários abriram a porta à ideia de que, em nome da paz futura, quaisquer meios podiam ser justificados — inclusive a guerra de extermínio.[108]

O próprio Kant desprezou essa deturpação, observando que tal guerra "somente permitiria a paz perpétua sobre o túmulo de toda a raça humana". E os pais da república americana, igualmente cientes da madeira torta da humanidade, tinham verdadeiro pavor da perspectiva de líderes imperiais ou messiânicos.

Depois que a ideologia francesa disseminou-se pela Europa à força de baionetas e foi rechaçada a um custo imenso, suscitou uma profusão de reações, as quais, como vimos no capítulo 4, frequentemente são agrupadas como Contrailuminismos. Para Howard, o denominador comum é

> a ideia de que o homem não é simplesmente um indivíduo que, à luz da razão e da observação, pode formular leis com base nas quais ele é capaz de criar uma sociedade justa e pacífica, mas um membro de uma comunidade que o moldou de tal modo que ele próprio não consegue entender totalmente, e que lhe exige primazia em suas lealdades.

Lembremos que houve dois Contrailuminismos, e eles reagiram de modos opostos aos abalos franceses. O primeiro foi o conservadorismo de Edmund Burke, segundo o qual os costumes da sociedade eram implementações consagradas pelo tempo de um processo civilizador que havia domado o lado escuro da humanidade e, como tal, mereciam tanto respeito quanto as proposições formais explícitas de intelectuais e reformadores. O conservadorismo burkiano, ele próprio uma elegante aplicação da razão, representou um pequeno desvio do humanismo esclarecido. Mas esse ideal foi explodido pelo nacionalismo romântico de Johann Gottfried von Herder, para quem um grupo étnico — no caso de Herder, o *Volk* alemão — apresentava qualidades únicas que não podiam ser submergidas no suposto caráter universal da humanidade e eram mantidas coesas por laços de sangue e solo, e não por um contrato social derivado da razão.

Segundo Howard, "essa dialética entre o Iluminismo e o Contrailuminismo, entre o indivíduo e a tribo, impregnaria e, em grande medida, moldaria a história da Europa no século XIX e do mundo inteiro depois disso".[109] Durante esses dois séculos, o conservadorismo burkiano, o liberalismo esclarecido e o nacionalismo romântico enfrentaram-se mudando as alianças (e por vezes tornando-se estranhos colaboradores).

O Congresso de Viena em 1815, quando estadistas das grandes potências engendraram um sistema de relações internacionais que duraria um século, foi um triunfo do conservadorismo burkiano, e visou acima de tudo à estabilidade. Não obstante, salienta Howard, seus arquitetos

> foram herdeiros do Iluminismo tanto quanto haviam sido dos líderes revolucionários franceses. Não acreditavam no direito divino dos reis nem na autoridade divina da Igreja; mas como Igreja e rei eram instrumentos necessários para a restauração e manutenção da ordem doméstica que a revolução tão rudemente perturbara, sua autoridade tinha de ser restaurada e mantida em toda parte.[110]

Mais importante foi que eles "não aceitaram mais a guerra entre grandes Estados como um elemento inelutável do sistema internacional. Os eventos dos 25 anos anteriores haviam mostrado que ela era perigosa demais". As grandes potências assumiram a responsabilidade de preservar a paz e a ordem (que consideravam mais ou menos sinônimas), e seu Concerto da Europa foi um precursor da Liga das Nações, das Nações Unidas e da União Europeia. Esse Leviatã internacional merece grande parte do crédito pelos longos intervalos de paz na Europa do século XIX.

Mas a estabilidade foi imposta por monarcas que reinaram sobre heterogêneos amálgamas de grupos étnicos, os quais começaram a clamar por voz ativa na gestão dos seus assuntos. O resultado foi um nacionalismo que, segundo Howard, "baseou-se não tanto nos direitos humanos universais, e mais nos direitos das nações de lutar pela existência e defender-se quando existiam". A paz não era particularmente desejável no curto prazo; só viria quando "todas as nações fossem livres. Enquanto isso, [as nações] reivindicavam o direito de usar de quanta força fosse necessária para libertar-se, travando precisamente as guerras de libertação nacional que o sistema de Viena fora criado para impedir".[111]

Os sentimentos nacionalistas logo se entrelaçaram a todos os outros movimentos políticos. Assim que os Estados-nações emergiram, tornaram-se o novo establishment que os conservadores se empenhavam em conservar. Quando os monarcas se converteram em ícones de suas nações, o conservadorismo e o nacionalismo gradualmente se fundiram.[112] E, para muitos intelectuais, o nacionalismo romântico entrelaçou-se à doutrina hegeliana de que a história é uma inexorável dialética do progresso. Luard assim resume essa doutrina:

> Toda história representa a concretização de algum plano divino; a guerra é o modo como os Estados soberanos, através dos quais esse plano se manifesta, devem resolver suas diferenças, levando ao surgimento de Estados superiores (como o Estado prussiano), que representam a realização do propósito divino.[113]

Por fim, a doutrina gerou os movimentos nacionalistas messiânicos, militantes e românticos do fascismo e do nazismo. Uma interpretação semelhante da história como uma irreprimível dialética de libertação violenta, porém substituindo as nações pelas classes sociais, tornou-se o alicerce do comunismo no século XX.[114]

Poderíamos pensar que os herdeiros liberais do Iluminismo britânico, americano e kantiano fariam oposição ao nacionalismo cada vez mais militante. Mas eles se viram num impasse: não podiam defender monarquias e impérios autocráticos. Assim, o liberalismo aderiu ao nacionalismo envernizado como "autodeterminação dos povos", que cheirava vagamente a democracia. Infelizmente, o leve odor de humanismo que emana dessa frase dependia de uma sinédoque fatal. O termo "nação" ou "povo" passou a representar os homens, mulheres e crianças individuais que compunham a nação, e então os líderes políticos passaram a representar a nação. Um governante, uma bandeira, um exército, um território, uma língua, passaram a ser cognitivamente equiparados a milhões de indivíduos de carne e osso. A doutrina liberal da autodeterminação dos povos foi consagrada em 1916 por um discurso de Woodrow Wilson e se tornou a base da ordem global após a Primeira Guerra Mundial. Um das pessoas que viram imediatamente a contradição inerente na "autodeterminação dos povos" foi o secretário de Estado de Woodrow Wilson, Robert Lansing, que escreveu em seu diário:

> Essa é uma frase carregada de dinamite. Despertará esperanças que nunca poderão se realizar. Temo que venha a custar milhares de vidas. No fim, está fadada a cair em descrédito, a ser chamada de sonho de um idealista que só conseguiu perceber o perigo tarde demais para conter aqueles que tentavam impor o princípio à força. Que calamidade essa frase ter sido pronunciada! Que desgraças há de causar! Pense nos sentimentos do autor quando ele contar os mortos, os que pereceram porque ele disse uma frase![115]

Lansing errou em uma coisa: o custo não foi de milhares de vidas, mas dezenas de milhões. Um dos perigos da "autodeterminação" é que, na verdade, não existe "nação" no sentido de um grupo etnocultural que coincide com um pedaço de terra. Ao contrário de características da paisagem como árvores e montanhas, as pessoas têm pés. Mudam-se para lugares com melhores oportunidades e logo convidam amigos e parentes para juntar-se a elas. Essa mistura demográfica transforma a paisagem num fractal, com minorias dentro de minorias dentro de minorias. Um governo com soberania sobre um território que afirma incorporar uma "nação" deixará de incorporar os interesses de muitos dos indivíduos que vivem nesse território, ao mesmo tempo que demonstrará um interesse de proprietário por indivíduos que vivem em outros territórios. Se um mundo utópico for aquele no qual fronteiras políticas coincidem com fronteiras étnicas, os líderes serão tentados a acelerar seu advento com campanhas de limpeza étnica e irredentismo. Além disso, na ausência da democracia liberal e de um forte comprometimento com os direitos humanos, a sinédoque na qual um povo é igualado a seu governante político transformará qualquer confederação internacional (como a Assembleia Geral das Nações Unidas) em uma caricatura. Ditadores baratos são acolhidos na família das nações e recebem carta branca para matar de fome, aprisionar e assassinar seus cidadãos.

Outra tendência do século XIX que romperia o longo intervalo de paz na Europa foi o militarismo romântico: a doutrina de que a própria guerra era uma atividade salutar, totalmente distinta de seus objetivos estratégicos. Liberais e conservadores convenceram-se de que a guerra evocava qualidades espirituais de heroísmo, autossacrifício e virilidade, e era necessária como uma terapia purificadora e revigorante contra a vida efeminada e materialista da sociedade burguesa.

Hoje em dia, a ideia de que pode existir algo inerentemente admirável em uma atividade destinada a matar pessoas e destruir coisas parece loucura rematada. Mas naquela era intelectuais derramavam-se em elogios:

> A guerra quase sempre expande a mente de uma pessoa e engrandece seu caráter.
>
> Alexis de Tocqueville

> [A guerra é] a própria vida. [...] Temos de comer e ser comidos para que o mundo possa viver. As nações que prosperam são apenas as beligerantes: uma nação morre assim que se desarma.
>
> Émile Zola

> A grandeza da guerra está na total aniquilação do insignificante homem na grandiosa concepção do Estado, e ela evidencia toda a magnificência do sacrifício de compatriotas uns pelos outros [...] o amor, a amizade e a força desse sentimento mútuo.
>
> Heinrich von Treitschke

> Quando digo que a guerra é o alicerce de todas as artes, estou dizendo também que ela é o alicerce de todas as virtudes e faculdades elevadas do homem.
>
> John Ruskin

> Guerras são terríveis, mas necessárias, pois poupam o Estado da petrificação e estagnação social.
>
> Georg Wilhelm Friedrich Hegel

> [A guerra é] uma depuração e uma libertação.
>
> Thomas Mann

> A guerra é necessária para o progresso humano.
>
> Igor Stravinski[116]

A paz, em contraste, era "um sonho, e nada agradável", escreveu o estrategista militar alemão Helmuth von Moltke; "sem guerra, o mundo chafurdaria no materialismo".[117] Friedrich Nietzsche concordava: "É mera ilusão e sentimento bonito esperar muito (ou mesmo qualquer coisa) da humanidade se ela esquecer como se faz guerra". Segundo o historiador britânico J. A. Cramb, a paz significaria "um mundo atolado num contentamento bovino [...] um pesadelo que só será percebido quando o gelo houver penetrado sorrateiramente no coração do sol, e as estrelas, enegrecidas e sem trajetória, saltarem de suas órbitas".[118]

Até pensadores que se opunham à guerra, como Kant, Adam Smith, Ralph Waldo Emerson, Oliver Wendell Holmes, H. G. Wells e William James, tinham belas palavras sobre ela. O título do ensaio de James "The Moral Equivalente of War", de 1906, referia-se não a algo que fosse tão *ruim* quanto a guerra, mas *tão bom* quanto ela.[119] É bem verdade que ele começava satirizando a visão romântica da guerra pelos militares:

> Seus "horrores" são um preço baixo a ser pago para livrar-se da única alternativa suposta, a de um mundo de escriturários e professores, de ensino misto e zoofilia, de "ligas de consumidores" e "associações beneficentes", de industrialismo ilimitado e feminismo despudorado. Não mais o escárnio, os rigores, o valor! Abaixo esse planeta curral!

Mas então ele admitia que

> precisamos de novas energias e asperezas que deem prosseguimento à virilidade à qual a mente militar se aferra tão fielmente. As virtudes marciais devem ser o cimento resistente; a intrepidez, o desprezo pela frouxidão, o desapego aos interesses privados, a obediência ao comando devem ainda permanecer como a rocha sobre a qual os Estados se constroem.

Para isso, ele propunha um programa de serviço militar compulsório nacional, no qual "nossos jovens mimosos sejam recrutados [...] para que lhes seja extirpada a puerilidade" nas minas de carvão, fundições, navios pesqueiros e canteiros de obras.

O nacionalismo romântico e o militarismo romântico alimentaram-se mutuamente, sobretudo na Alemanha, que chegou tarde à festa dos Estados europeus e achou que também merecia um império. Na Inglaterra e na França, o militarismo romântico assegurou que a perspectiva da guerra não fosse tão aterradora quanto deveria. Ao contrário, escreveu Hillaire Belloc: "Como anseio pela Grande Guerra! Ela varrerá a Europa como uma vassoura!".[120] Paul Valéry tinha o mesmo sentimento: "Quase desejo uma guerra monstruosa".[121] Até Sherlock Holmes entrou no jogo; em 1914, Arthur Conan Doyle disse através dele: "Será frio e amargo, Watson, e muitos de nós poderão secar em suas rajadas. Mas é o sopro de Deus, apesar de tudo, e uma terra mais limpa, melhor e mais forte se estenderá ao sol quando a tempestade passar".[122] As metáforas proliferaram: vassoura, vento revigorante, podadeira, tempestade purificadora, vento saneante. Pouco antes de se alistar na Marinha britânica, o poeta Rupert Brooke escreveu:

Now, God be thanked Who has matched us with His hour,
And caught our youth, and wakened us from sleeping,
With hand made sure, clear eye, and sharpened power,
To turn, as swimmers into cleanness leaping. *

"É claro que não estavam pulando em águas purificadoras, mas chafurdando em sangue." Esse foi o comentário do crítico Adam Gopnik em 2004, em uma resenha de sete novos livros que, quase um século depois, ainda tentavam entender como exatamente a Primeira Guerra Mundial aconteceu.[123] A carnificina foi estonteante: 8,5 milhões de mortes em combate, e talvez 15 milhões no total, em apenas quatro anos.[124] O militarismo romântico, sozinho, não pode explicar essa orgia sanguinolenta. Escritores vinham enaltecendo a guerra desde o século XVIII, no mínimo, mas o século XIX pós-napoleônico passara por dois períodos sem precedentes em que não houvera nenhuma guerra de grandes potências. Essa guerra foi uma tempestade perfeita de correntes destrutivas, reunidas subitamente pelos dados de ferro de Marte: antecedentes ideológicos de militarismo e nacionalismo, uma repentina disputa de honra que ameaçou a credibilidade de cada uma das grandes potências, uma armadilha hobbesiana que atemorizou os líderes e os levou a atacar antes que fossem atacados, um excesso de confiança que iludiu cada um deles a pensar que a vitória viria rápido, máquinas militares capazes de levar imensas quantidades de homens a uma frente de batalha que podia esmagá-los tão depressa quanto eles haviam

* "Agradeçamos a Deus que nos emparelhou com Sua hora, / E colheu nossa juventude, e nos despertou do sono, / Nos deu mão segura, olhar claro e força renovada, / Para nos lançar em um mergulho purificador." (N. T.)

chegado, e um jogo de atrito que forçou os dois lados a empatar custos exponencialmente crescentes em uma situação ruinosa — tudo isso desencadeado por um nacionalista sérvio que teve um dia de sorte.

HUMANISMO E TOTALITARISMO NA ERA DA IDEOLOGIA

A Era da Ideologia que começou em 1917 foi um período no qual os rumos da guerra foram determinados pelos sistemas de crenças inevitabilistas do Contrailuminismo do século XIX. O nacionalismo militarizado romântico inspirou os programas expansionistas da Itália fascista e do Japão imperial e, com uma dose adicional de pseudociência racista, da Alemanha nazista. A liderança de cada um desses países cerrou fileiras contra o individualismo e o universalismo decadentes do Ocidente liberal moderno, e cada uma foi movida pela convicção de que estava destinada a ter o domínio sobre um território natural: o Mediterrâneo, a orla do Pacífico e o continente europeu, respectivamente.[125] A Segunda Guerra Mundial começou com invasões para concretizar esses destinos. Ao mesmo tempo, o comunismo romântico militarizado inspirou os programas expansionistas da União Soviética e da China, que quiseram dar uma mãozinha ao processo dialético pelo qual o proletariado ou o campesinato deveria derrotar a burguesia e estabelecer uma ditadura em país após país. A Guerra Fria foi produto da determinação dos Estados Unidos de conter esse movimento mais ou menos dentro das fronteiras em que ele se encontrava no fim da Segunda Guerra Mundial.[126]

Essa narrativa, contudo, deixa de fora um enredo importante que talvez tenha tido o mais duradouro impacto sobre o século XX. Mueller, Howard, Payne e outros historiadores políticos nos lembram de que o século XIX abrigou ainda outro movimento: uma continuação da crítica iluminista à guerra.[127] Ao contrário da vertente do liberalismo que adquiriu uma queda pelo nacionalismo, ela não tirou os olhos do ser humano individual como a entidade cujos interesses são supremos. E invocou os princípios kantianos da democracia, comércio, cidadania universal e direito internacional como um meio prático de implementar a paz.

A intelectualidade do século XIX e início do século XX empenhada no movimento antiguerra incluiu quacres como John Bright, abolicionistas como William Lloyd Garrison, defensores da teoria do comércio gentil como John Stuart Mill e Richard Cobden, escritores pacifistas como Liev Tolstói, Victor Hugo, Mark

Twain e George Bernard Shaw, o filósofo Bertrand Russell, industriais como Andrew Carnegie Hall e Alfred Nobel (famoso pelo prêmio da paz), muitas feministas e um ou outro socialista (lema: "Uma baioneta é uma arma com um trabalhador em cada ponta"). Alguns desses empreendedores morais criaram novas instituições destinadas a prevenir ou refrear a guerra, por exemplo, uma corte internacional de arbitragem em Haia e uma série de Convenções de Genebra sobre a condução da guerra.

A paz, pela primeira vez, tornou-se um sucesso popular com a publicação de dois best-sellers. Em 1889, a escritora austríaca Bertha von Suttner publicou uma obra de ficção intitulada *Die Waffen nieder!* [Deponham as armas!], um relato em primeira pessoa dos horrores da guerra. E em 1909 o jornalista britânico Norman Angell publicou um panfleto intitulado "Europe's Optical Illusion", depois expandido para *A grande ilusão*, no qual argumentava que a guerra era economicamente inútil. O saque pode ter sido lucrativo em economias primitivas, quando a riqueza residia em recursos finitos como o ouro, a terra ou o trabalho de artesãos autossuficientes. Mas em um mundo no qual a riqueza nasce da troca, do crédito e da divisão do trabalho, a conquista não pode tornar um conquistador mais rico. Minérios não saltam do chão sozinhos, grãos não se colhem por conta própria, por isso o conquistador ainda teria de pagar aos mineiros para minerar e aos agricultores para plantar. Na verdade, ele empobreceria, pois a conquista custaria dinheiro e vidas, além de prejudicar a rede de confiança e cooperação que permite a todos ganhar com as trocas. A Alemanha não teria vantagem alguma conquistando o Canadá, assim como Manitoba nada ganharia se conquistasse Saskatchewan.

Apesar de toda a sua popularidade literária, na época o movimento antiguerra pareceu idealista demais para ser levado a sério pela corrente política dominante. Von Suttner foi chamada de "um delicado perfume de absurdo", e sua Sociedade Germânica da Paz de "um cômico sarau composto de tias sentimentais de ambos os sexos". Os amigos de Angell disseram-lhe para "evitar esse negócio, ou será classificado entre os excêntricos e novidadeiros, entre aqueles devotos do Pensamento Superior que andam de sandálias e barba comprida e vivem de nozes".[128] H. G. Wells escreveu que Shaw era "um adolescente idoso que ainda brinca. [...] Durante toda a guerra ouviremos esse acompanhamento shawiano, como uma criança idiota berrando num hospital".[129] E, embora Angell nunca tenha dito que a guerra estava obsoleta — argumentou apenas que ela não servia a nenhum propósito econômico, e ele temia que mesmo assim os líderes inebriados de glória resvalassem para ela —, é assim que ele foi interpretado.[130] Depois da Primeira Guerra Mundial ele virou motivo de riso, e até hoje continua a ser um símbolo do otimismo ingênuo sobre o fim iminente da guerra. Enquanto eu escrevia este livro, mais de um colega, preocupado, chamou-me em particular para me alertar sobre Norman Angell.

No entanto, segundo Mueller, quem riu por último foi Angell. A Primeira Guerra Mundial pôs fim não só ao militarismo romântico que prevalecia nas sociedades ocidentais, mas também à ideia de que a guerra era em algum aspecto desejável ou inevitável. "A Primeira Guerra Mundial", salienta Luard, "transformou as tradicionais atitudes com a guerra. Pela primeira vez, foi quase universal a noção de que desencadear deliberadamente uma guerra não podia mais justificar-se."[131] Não era só pelo fato de a Europa estar abalada com a perda de vidas e recursos. Como observa Mueller, a história europeia já vira guerras comparavelmente destrutivas antes, e em muitos casos os países haviam sacudido a poeira e, como se não tivessem aprendido nada, mergulhado prontamente em um novo conflito. Lembremos que as estatísticas de brigas mortais não têm indícios de cansaço da guerra. Mueller afirma que, dessa vez, a diferença crucial foi que um movimento antiguerra bem articulado estava espreitando nos bastidores e pôde então dizer "Eu bem que avisei".

Essa mudança pôde ser vista tanto na liderança política como na cultura em geral. Quando a destrutividade da Grande Guerra veio à luz, surgiu a designação "a guerra para acabar com todas as guerras"; assim que ela terminou, os líderes mundiais tentaram legislar para transformar em realidade essa esperança renunciando formalmente à guerra e instituindo uma Liga das Nações para impedi-la. Por mais patéticas que tais medidas possam nos parecer hoje, na época foram uma ruptura radical com os séculos nos quais a guerra fora considerada gloriosa, heroica, honrosa ou, nas famosas palavras do teórico militar Karl von Clausewitz, "meramente a continuação da política por outros meios".

A Primeira Guerra Mundial também foi chamada de primeira "guerra literária". Em fins dos anos 1920, um gênero de amargas reflexões levava ao conhecimento do homem comum a tragédia e a futilidade da guerra. Entre as grandes obras dessa época estão os poemas e autobiografias de Siegfried Sassoon, Robert

Graves e Wilfred Owen, o livro campeão de vendas e filme de grande bilheteria *Nada de novo no front*, o poema "Os homens ocos", de T.S. Eliot, o romance *Adeus às armas*, de Hemingway, a peça teatral *Journey's End*, de R. C. Sherriff, o filme *O grande desfile*, de King Vidor, e o filme *A grande ilusão*, de Jean Renoir (título adaptado do panfleto de Angell). Como outras obras de arte humanistas, essas histórias, com suas narrativas em primeira pessoa, criaram uma ilusão de proximidade e despertaram no público a empatia com o sofrimento de outros. Em uma cena inesquecível de *Nada de novo no front*, um jovem soldado alemão examina o corpo de um francês que ele acaba de matar:

> Sem dúvida sua mulher ainda pensa nele; ela não sabe o que aconteceu. Ele tem cara de quem escrevia bastante para ela — ela ainda vai receber cartas dele — amanhã, daqui a uma semana — talvez até uma carta extraviada, daqui a um mês. Ela vai ler, e na carta ele vai falar com ela. [...]
>
> Falo com ele, digo: "[...] Me perdoe, companheiro. [...] Porque nunca nos dizem que vocês são uns pobres-diabos como nós, que suas mães se preocupam tanto quanto as nossas e que temos o mesmo medo de morrer, e a mesma morte e a mesma agonia?". [...]
>
> "Vou escrever para sua mulher", digo depressa ao morto. [...] "Direi a ela isso tudo o que falei para você, ela não sofrerá, vou ajudá-la, e seus pais também, e seu filho..." Hesitante, pego a carteira. Ela cai de minha mão e se abre. [...] Há retratos de uma mulher e de uma menina, pequenas fotografias amadoras, tiradas diante de um muro coberto de hera. E, junto com elas, cartas.[132]

Outro soldado pergunta como as guerras começam, e ouve a resposta: "Em geral quando um país ofende gravemente outro". O soldado replica: "Um país? Não faz sentido. Uma montanha na Alemanha não pode ofender uma montanha na França. Nem um rio, uma floresta, ou um trigal".[133] A conclusão dessa literatura, afirma Mueller, é que a guerra já não era vista como gloriosa, heroica, santa, emocionante, viril ou purificadora. Agora ela era imoral, repulsiva, incivilizada, fútil, estúpida, ruinosa e cruel.

E, talvez tão importante quanto tudo isso, absurda. A causa imediata da Primeira Guerra Mundial fora uma defesa da honra. Os líderes da Áustria-Hungria haviam dado um humilhante ultimato à Sérvia, exigindo um pedido de desculpas pelo assassinato do arquiduque e pela repressão dos movimentos nacionalistas sérvios. A Rússia ofendeu-se com essa afronta a seus irmãos eslavos, a Alemanha ofendeu-se pelo fato de a Rússia ter se ofendido e tomou as dores de seus irmãos germanófonos, e quando a Grã-Bretanha e a França entraram na briga, uma disputa por dignidade, humilhação, vergonha, envergadura e credibilidade agravou-se e saiu de controle. O medo de serem "reduzidas a potência de segunda classe" lançou umas contra as outras em um pavoroso jogo que destinava ao opróbrio quem desistisse primeiro.

As disputas de honra, evidentemente, haviam desencadeado guerras na Europa durante toda a sua sangrenta história. Mas a honra, como definiu Falstaff, é apenas uma palavra — uma construção social, poderíamos dizer hoje — e "a detração não a permitiria". Detração foi o que logo se viu. Talvez o melhor filme antiguerra de todos os tempos seja o filme *Diabo a quatro*, dos Irmãos Marx (1933). Groucho é Rufus T. Firefly, recém-nomeado governante de Freedônia, e lhe pedem que faça as pazes com o embaixador da vizinha Sylvania:

> Eu seria indigno da imensa responsabilidade que me foi confiada se não fizesse tudo ao meu alcance para manter nossa amada Freedônia em paz com o mundo. Será um grande prazer encontrar-me com o embaixador Trentino e oferecer-lhe, em nome de meu país, a mão direita em sinal de amizade. E tenho certeza de que ele aceitará esse gesto com o mesmo sentimento que lhe é oferecido.
>
> Mas e se não aceitar? Que bela cena seria. Estendo-lhe a mão e ele se recusa a apertá-la. Isso aumentaria muito meu prestígio, hein? Eu, o líder de um país, esnobado por um embaixador estrangeiro. Quem ele pensa que é, achar que pode vir aqui e me fazer de bobo na frente de todo o meu povo? Imagine só. Estendo a mão. E aquela hiena se recusa a apertá-la. Ah, esse pilantra, esse enganador barato! Ele vai se arrepender, você vai ver só. [Entra o embaixador.] Então você se recusa a apertar minha mão, hein? [Esbofeteia o embaixador.]
>
> *Embaixador*: Sra. Teasdale, essa foi a última gota! Não dá mais para voltar atrás! Isso significa guerra!

E então começa um bizarro número com os Irmãos Marx tocando xilofone no capacete dos soldados reunidos, e em seguida se esquivam de balas e bombas enquanto seus uniformes vão mudando, de soldados da Guerra Civil para escoteiros, guardas do palácio britânicos, pioneiros da fronteira com gorros de pele de castor. A guerra é equiparada ao duelo, e lembremos que o duelo acabou sendo extinto pelo ridículo. Agora a guerra passava por um esvaziamento semelhante, talvez realizando a profecia de Oscar Wilde — "Enquanto a guerra for considerada perversa, sempre terá seu fascínio. Quando for considerada vulgar, deixará de ser popular".

O alvo da piada é diferente em outro clássico da era das sátiras à guerra, *O grande ditador* (1940), de Charlie Chaplin. Não se visavam mais aos irascíveis líderes de países centro-europeus genéricos, pois a essa altura praticamente todo mundo estava alérgico à cultura militar da honra. Em vez disso, os bufões eram ditadores contemporâneos mal disfarçados, empenhados anacronicamente em um ideal. Em uma cena memorável, os personagens correspondentes a Hitler e Mussolini conversam em uma barbearia e cada um tenta dominar o outro erguendo mais seu assento, até que batem a cabeça no teto.

Nos anos 1930, segundo Mueller, a aversão da Europa à guerra prevalecia até entre as massas e a liderança militar da Alemanha.[134] Embora o ressentimento pelas condições do Tratado de Versalhes fosse intenso, poucos estavam dispostos a iniciar uma guerra de conquista para retificá-las. Mueller analisou a série de líderes alemães que tiveram alguma chance de tornar-se chanceler, e afirmou que, exceto Hitler, nenhum demonstrou o menor desejo de subjugar a Europa. Nem mesmo um golpe pelas Forças Armadas alemãs, segundo o historiador Henry Turner, teria levado à Segunda Guerra Mundial.[135] Hitler explorou o cansaço do mundo com a guerra professando repetidamente seu amor pela paz e sabendo que ninguém estava disposto a detê-lo enquanto isso ainda era possível. Mueller examinou biografias de Hitler para defender a ideia, também mantida por muitos historiadores, de que um homem foi o principal responsável pelo maior cataclismo do mundo:

> Depois de assumir o controle do país em 1933, [Hitler] apressou-se a decisivamente persuadir, intimidar, dominar, ludibriar, rebaixar e, em muitos casos, assassinar oponentes ou aspirantes a oponentes. Ele era dotado de imensa energia e resistência, excepcional poder de persuasão, excelente memória, grande capacidade de concentração, uma avassaladora ânsia de poder, uma crença fanática em sua missão, autoconfiança monumental, audácia inigualável, uma espetacular facilidade para mentir, um estilo de oratória hipnotizante e a capacidade de ser absolutamente implacável com quem lhe atravessasse o caminho ou tentasse desviá-lo de seus planos de ação. [...]

> Hitler necessitou do caos e da insatisfação para trabalhar — embora também tenha gerado parte deles. E sem dúvida precisou de assistência — colegas reverentes e subservientes, um exército magnífico que pudesse ser manipulado e instigado à ação, uma população capaz de ser hipnotizada e levada para o matadouro, oponentes estrangeiros confusos, desorganizados, crédulos, míopes e vacilantes, vizinhos que preferissem ser presas a lutar — embora ele tenha criado boa parte disso também. Hitler aproveitou as condições do mundo como ele as encontrou e as manipulou e moldou segundo seus próprios objetivos.[136]

Cinquenta e cinco milhões de mortes depois (incluindo pelo menos 12 milhões que morreram na campanha atávica do Japão para dominar o Leste Asiático), o mundo estava mais uma vez em condições de dar uma chance à paz.

A LONGA PAZ: ALGUNS NÚMEROS

Passei boa parte deste capítulo discorrendo sobre estatísticas de guerra. Mas agora estamos prontos para a mais interessante estatística desde 1945: zero. Zero é o número que se aplica a uma espantosa coleção de categorias de guerra durante os dois terços de século decorridos desde o fim da guerra mais letal de todos os tempos. Começarei com as de maior impacto.

• Zero é o número de vezes em que armas nucleares foram usadas em conflitos. Cinco grandes potências as possuem, e todas elas guerrearam. No entanto, nenhum dispositivo nuclear foi disparado em um acesso de cólera. Não simplesmente porque as grandes potências evitaram o mútuo suicídio de uma guerra nuclear total. Elas também evitaram usar armas nucleares menores, "táticas", muitas delas comparáveis a explosivos convencionais, no campo de batalha ou para bombardear instalações inimigas. E os Estados Unidos abstiveram-se de usar seu arsenal nuclear em fins dos anos 1940, quando tinham o monopólio nuclear e não precisavam se preocupar com a destruição mutuamente assegurada. Ao longo deste livro, venho quantificando a violência através de proporções. Se fôssemos calcular a quantidade de destruição que as nações efetivamente causaram como uma proporção do quanto elas *poderiam* causar dada a capacidade destrutiva disponível, as décadas do pós-guerra se mostrariam muitas ordens de magnitude mais pacíficas do que qualquer época da história.

Nada disso era uma conclusão previsível. Até o súbito fim da Guerra Fria, muitos especialistas (entre eles Albert Einstein, C. P. Snow, Herman Kahn, Carl Sagan e Jonathan Schell) haviam escrito que o juízo final termonuclear era provável, e talvez até inevitável.[137] O eminente especialista em estudos internacionais Hans Morgenthau, por exemplo, escreveu em 1979: "O mundo está rumando inexoravelmente para uma terceira guerra mundial — uma guerra nuclear estratégica. Não creio que alguma coisa possa ser feita para impedir".[138] O *Bulletin of the Atomic Scientists*, segundo seu site na internet, tem o objetivo de "informar o público e influenciar as políticas através de análises minuciosas, artigos de opinião na imprensa e relatórios sobre armas nucleares". Desde 1947 o *Bulletin* publica o famoso Doomsday Clock [Relógio do Juízo Final], que mede "quanto a humanidade está próxima de uma destruição catastrófica — a figurativa meia-noite". O relógio foi inaugurado com o ponteiro dos minutos marcando sete para meia-noite, e ao longo dos sessenta anos seguintes ele foi atrasado e adiantado algumas vezes, variando entre dois minutos para meia-noite (em 1953) e dezessete para meia-noite (em 1991). Em 2007, o *Bulletin* aparentemente decidiu que um relógio com um ponteiro que se moveu dois minutos em sessenta anos estava precisando de uma regulagem. Só que, em vez de mexer no mecanismo, eles redefiniram a meia-noite. O Juízo Final agora consiste em "dano a ecossistemas, inundações, tempestades destrutivas, seca crescente e derretimento do gelo polar". É um tipo de progresso.

• Zero é o número de vezes em que as duas superpotências da Guerra Fria lutaram entre si no campo de batalha. É verdade que ocasionalmente combateram contra aliados menores umas das outras e alimentaram guerras "por procuração" entre seus Estados clientes. Mas quando ou os Estados Unidos ou a União Soviética enviaram soldados para uma região em disputa (Berlim, Hungria, Vietnã, Tchecoslováquia, Afeganistão), o outro se manteve fora do caminho.[139] Essa distinção é importantíssima, pois, como vimos, uma grande guerra pode matar muito mais pessoas do que muitas guerras pequenas. No passado, quando um inimigo de uma grande potência invadia um país neutro, a grande potência expressava sua contrariedade no campo de batalha. Em 1979, quando a União Soviética invadiu o Afeganistão, os Estados Unidos expressaram sua contrariedade deixando de enviar sua delegação de atletas aos Jogos Olímpicos de Moscou. A

Guerra Fria, para surpresa de todos, terminou sem um único tiro em fins dos anos 1980, pouco depois de Mikhail Gorbatchóv assumir o poder. Foi seguida pela pacífica queda do Muro de Berlim e então pelo colapso pacífico da União Soviética.

• Zero é o número de vezes em que qualquer uma das grandes potências lutou contra outra grande potência desde 1953 (ou talvez desde 1945, já que muitos cientistas políticos só admitem a China no clube das grandes potências depois da Guerra da Coreia). O intervalo sem guerras desde 1953 supera facilmente os dois recordes anteriores do século XIX, de 38 e 44 anos. De fato, até 15 de maio de 1984 as grandes potências mundiais haviam permanecido em paz entre si pelo mais longo período desde o Império Romano.[140] Desde o século II AEC, quando tribos teutônicas desafiaram os romanos, não se tinha um intervalo comparável sem que algum exército cruzasse o Reno.[141]

• Zero é o número de guerras entre Estados ocorridas entre países da Europa Ocidental desde o fim da Segunda Guerra Mundial.[142] É também o número de guerras entre Estados ocorridas na Europa como um todo desde 1956, quando a União Soviética invadiu brevemente a Hungria.[143] Tenhamos em mente que, até aquele ponto, Estados europeus haviam iniciado cerca de dois conflitos armados *por ano* desde 1400.

• Zero é o número de guerras entre Estados ocorridas desde 1945 entre países em desenvolvimento importantes (os 44 de maior renda per capita) em qualquer parte do mundo (novamente, com exceção da invasão da Hungria em 1956).[144] Hoje achamos natural que a guerra seja algo que acontece em países menores, mais pobres e mais atrasados. Mas as duas guerras mundiais, junto com as muitas guerras europeias hifenizadas de séculos passados (Franco-Prussiana, Austro-Prussiana, Russo-Sueca, Britânico-Espanhola, Anglo-Holandesa) lembram-nos de que nem sempre foi assim.

• Zero é o número de países desenvolvidos que expandiram seu território desde fins dos anos 1940 conquistando outro país. Não mais a Polônia é eliminada do mapa, nem a Grã-Bretanha adiciona a Índia a seu império, ou a Áustria se apodera de alguma nação balcânica. Zero também é o número de vezes em que qualquer país conquistou até mesmo *partes* de algum outro país desde 1975, e não está longe do número de conquistas permanentes desde 1948 (um avanço que logo examinaremos mais de perto).[145] De fato, o processo de ampliação das grandes potências inverteu-se. No que foi chamado de "a maior transferência de poder da história", países europeus abriram mão de vastos territórios quando encerraram seus impérios e concederam a independência a colônias, ora pacificamente, ora porque haviam perdido a vontade de prevalecer em guerras coloniais.[146] Como veremos no próximo capítulo, duas categorias inteiras de guerra — a guerra imperial para adquirir colônias e a guerra colonial para mantê-las — não existem mais.[147]

• Zero é o número de Estados internacionalmente reconhecidos desde a Segunda Guerra Mundial que deixaram de existir através de conquista.[148] (O Vietnã do Sul pode ser a exceção, dependendo de considerarmos conquista ou fim de uma guerra civil internacionalizada sua unificação com o Vietnã do Norte em 1975.) Na primeira metade do século XX, em comparação, 22 Estados foram ocupados ou absorvidos, e isso numa época em que o mundo tinha muito menos Estados.[149] Embora dezenas de países tenham alcançado a independência desde 1945 e vários tenham se desmembrado, a maioria das fronteiras no mapa-múndi de 1950 continuam presentes no mapa-múndi de 2010. Esse também é um avanço extraordinário em um mundo no qual os governantes costumavam tratar a expansão imperial como parte das atribuições de seu cargo.

Este capítulo procura mostrar que esses zeros — a Longa Paz — são resultado de uma daquelas ressintonizações psicológicas que acontecem vez ou outra no decurso da história e causam o declínio da violência. Nesse caso, trata-se de uma mudança na caracterização cognitiva comum da guerra vista na corrente dominante da sociedade no mundo desenvolvido (e, crescentemente, no resto do mundo). Durante a maior parte da história humana, pessoas influentes sedentas de poder, prestígio ou vingança puderam contar com sua rede política para ratificar essa ânsia e, no esforço de satisfazer os poderosos, desativar sua compaixão pelas vítimas. Em outras palavras, acreditava-se na legitimidade da guerra. Embora os componentes psicológicos da guerra não tenham desaparecido — dominância, vingança, insensibilidade, tribalismo, pensamento de grupo, autoengano —, desde fins dos anos 1940 eles vêm se desagregando na Europa e em outros países desenvolvidos de um modo que leva à diminuição da frequência das guerras.

Alguns menosprezam esses assombrosos avanços dizendo que ainda estão ocorrendo guerras no mundo em desenvolvimento, por isso talvez a violência tenha apenas mudado de lugar, e não se reduzido. No próximo capítulo examinaremos o conflito armado no resto do mundo, mas por ora vale a pena notar que essa objeção não tem sentido. Não existe nenhuma Lei da Conservação da Violência, nenhum sistema hidráulico no qual uma compressão da violência em uma parte do mundo acabe por forçá-la a se avolumar em outra parte. Guerras tribais, civis, privadas, de caça a escravos, imperiais e coloniais inflamam territórios do mundo em desenvolvimento há milênios. Um mundo no qual a guerra continua em alguns dos países mais pobres ainda assim é melhor do que um mundo no qual ela ocorre *tanto* nos países ricos *como* nos pobres, ainda mais considerando o dano incalculavelmente maior que os países ricos e poderosos podem causar.

É bem verdade que uma longa paz não significa a paz perpétua. Ninguém com uma noção estatística da história poderia dizer que uma guerra entre grandes potências, países desenvolvidos ou Estados europeus nunca mais acontecerá. Mas as probabilidades podem mudar ao longo de períodos que importam para nós. As chances de Marte acertar nos dados de ferro podem cair; a linha da lei de potência pode baixar ou inclinar-se. E em boa parte do mundo, parece que isso aconteceu.

No entanto, a mesma noção das estatísticas alerta-nos para possibilidades alternativas. Talvez as probabilidades não tenham mudado coisa nenhuma, e estejamos exagerando na interpretação de uma série aleatória de anos pacíficos do mesmo modo que somos propensos a exagerar na interpretação de um agrupamento aleatório de guerras ou atrocidades. Talvez a pressão para a guerra esteja se acumulando, e o sistema venha a explodir a qualquer momento.

Mas provavelmente não. As estatísticas de brigas mortais mostram que a guerra não é um pêndulo, uma panela de pressão ou uma massa em alta velocidade, e sim um jogo de dados sem memória, talvez com probabilidades mutáveis. E a história de muitas nações atesta que uma paz entre elas pode durar indefinidamente. Como observa Mueller, se a febre da guerra fosse cíclica, "poderíamos esperar que, a essa altura, suíços, dinamarqueses, holandeses e espanhóis estivessem *loucos* por uma briga".[150] Tampouco canadenses e americanos andam perdendo o sono por causa de uma mais do que atrasada invasão da maior fronteira desprotegida do mundo.

E quanto à possibilidade de uma temporada de boa sorte? Também improvável. Os anos pós-guerra são, incomparavelmente, o mais longo período de paz entre grandes potências desde que elas emergiram como tal há quinhentos anos.[151] O estirão de paz entre os Estados europeus também é o mais longo em sua beligerante história. Praticamente todos os testes estatísticos podem confirmar que os zeros e quase zeros da Longa Paz são extremamente improváveis, considerando as taxas de guerra dos séculos precedentes. Tomando como base de referência a frequência das guerras entre grandes potências de 1495 a 1945, a probabilidade de que houvesse um período de 65 anos com apenas uma guerra de grande potência (o caso marginal da Guerra da Coreia) era um em mil.[152] Mesmo se tomarmos 1815 como ponto de partida, o que predispõe o teste contra nós porque deixa o pacífico século XIX pós-napoleônico dominar a taxa básica, constatamos que a probabilidade de que a era pós-guerra tivesse no máximo quatro guerras envolvendo uma grande potência era menor do que 0,004, e a probabilidade que contivesse no máximo uma guerra entre Estados europeus (a invasão soviética da Hungria em 1956) era 0,0008.[153]

É bem verdade que o cálculo das probabilidades depende criticamente de como definimos os eventos. As probabilidades diferem muito quando as estimamos sabendo plenamente o que aconteceu (uma comparação *post hoc*, também conhecida como *data snooping*, ou "bisbilhotar dados") e quando fazemos a predição de antemão (uma comparação planejada ou a priori). Lembremos que a chance de, numa sala com 57 indivíduos, haver duas pessoas com a mesma data de aniversário é de 99 em cem. Nesse caso, estamos especificando o dia exato só após identificar o par de pessoas. A chance de que alguém faça aniversário no mesmo dia que *eu* é menor do que uma em sete; nesse caso, especificamos o dia previamente. Um espertalhão do mercado de ações pode explorar essa distinção enviando circulares com todas as predições possíveis sobre a trajetória do mercado. Vários meses mais tarde, a fração de destinatários que recebeu o palpite que acabou dando certo pensará que ele é um gênio. Um cético da Longa Paz poderia argumentar que qualquer um que esteja dando importância demasiada a um longo período sem guerras no fim desse mesmo período está apenas incorrendo no erro do "*data snooping*".

Entretanto, mais de duas décadas atrás muitos estudiosos já constatavam que os anos sem guerra estavam se acumulando; atribuíram o fato a uma nova mentalidade e torceram para que ela durasse. Hoje podemos dizer que suas predições a priori se confirmaram. Essa história pode ser contada em títulos e datas: *The Coming End of War* [O fim iminente da guerra], de Werner Levi (1981); "The

Long Peace: Elements of Stability in the Postwar International Systems" [A Longa Paz: Elementos de estabilidade no sistema internacional pós-guerra], de John Gaddis (1986); "The Horsemen of the Apocalypse: At the Gate, Detoured or Retreating?" [Os Cavaleiros do Apocalipse: Às portas, desviados ou em retirada?], de Kalevi Holsti (1986), *The Blunted Sword: The Erosion of Military Power in Modern World Politics* [A espada sem fio: A erosão do poder militar na política do mundo moderno], de Evan Luard (1988); *Retreat from Doomsday: The Obsolescence of Major War* [O recuo do Juízo Final: A obsolescência da grande guerra], de John Mueller (1989); "The End of History?" [O fim da história?], de Francis Fukuyama (1989); "The Abolition of Slavery and the End of International War" [A abolição da escravidão e o fim da guerra internacional], de James Lee Ray (1989); "Is War Obsolete?" [A guerra está obsoleta?], de Carl Kaysen (1990).[154] Em 1988 o cientista político Robert Jervis sintetizou o fenômeno que todos esses autores estavam captando: "A mais notável característica do período pós-guerra é simplesmente esta: ele pode ser chamado de "pós-guerra" porque as grandes potências não lutam entre si desde 1945. Um período de paz tão longo entre os Estados mais poderosos não tem precedentes".[155]

Esses estudiosos tinham certeza de que não estavam sendo enganados por uma série fortuita e estavam apontando para uma mudança básica que corroborava as predições do futuro. No começo de 1990, Kaysen adicionou às pressas um pós-escrito à sua resenha do livro de Mueller de 1989, em que dizia:

> Está claro que vem por aí uma profunda transformação da estrutura internacional da Europa — e do mundo todo. No passado, tais mudanças foram regularmente consumadas pela guerra. O argumento apresentado neste ensaio apoia a predição de que, dessa vez, as mudanças podem ocorrer sem guerra (embora não necessariamente sem violência doméstica nos Estados envolvidos). Até agora — meados de janeiro — tudo bem. O autor e seus leitores testarão ansiosamente essa predição dia após dia.[156]

Conclusões precoces sobre a obsolescência das guerras entre Estados são especialmente tocantes quando provêm de historiadores especializados em assuntos militares. Esses são os acadêmicos que passaram a vida imersos nos anais da guerra e deveriam estar mais calejados para a possibilidade de que dessa vez será diferente. Em sua obra magistral *Uma história da guerra*, John Keegan (tão habitualmente chamado de "ilustre" que até seria perdoável pensar que o adjetivo faz parte de seu nome) escreveu em 1993:

> A guerra, parece-me, depois de toda uma vida lendo sobre o tema, convivendo com seus participantes, visitando locais onde ela aconteceu e observando seus efeitos, pode muito bem estar deixando de recomendar-se aos seres humanos como um meio desejável ou produtivo, e muito menos racional, de conciliar suas insatisfações.[157]

O igualmente ilustre Michael Howard já havia escrito em 1991: "[Tornou-se] bem possível que a guerra, no sentido de um conflito armado importante entre sociedades altamente desenvolvidas, não venha a reaparecer e que se consolide uma estrutura estável para a ordem internacional".[158]

E o não menos ilustre Evan Luard, nosso guia por seis séculos de guerra, antes ainda, em 1986, já escrevera:

> O mais surpreendente foi a mudança ocorrida na Europa, onde praticamente cessou a guerra internacional. [...] Considerando a escala e a frequência da guerra na Europa nos séculos precedentes, essa é uma mudança de proporções espetaculares: talvez a mais espantosa descontinuidade, isoladamente considerada, que a história da guerra já apresentou em qualquer parte.[159]

Mais de duas décadas depois, nenhum deles teria razões para mudar sua avaliação. Em seu livro *War in Human Civilization*, de 2006, uma história militar que é mais abrangente do que suas predecessoras e temperada com o realismo hobbesiano da psicologia evolucionista, Azar Gat escreveu:

> Entre as democracias liberais afluentes [...] parece ter se desenvolvido um verdadeiro *estado* de paz, baseado em uma genuína confiança mútua de que a guerra entre elas está praticamente eliminada até mesmo como uma opção. Nada assim jamais existira na história.[160]

A LONGA PAZ: ATITUDES E EVENTOS

O itálico em "verdadeiro *estado* de paz" na citação acima salienta não apenas o dado de que o número de guerras entre Estados desenvolvidos por acaso é zero, mas também uma mudança na mentalidade dos países. Os modos como os países desenvolvidos conceituam a guerra e se preparam para ela passaram por grandes mudanças.

Um importante elemento da crescente letalidade da guerra desde 1500 (ver figura 5.16) é o recrutamento, que abastece os Exércitos nacionais com um suprimento renovável de corpos. Na época das guerras napoleônicas, a maioria dos países europeus tinha alguma forma de alistamento. A objeção consciente ainda nem era um conceito, e os métodos de recrutamento eram muito menos polidos do que o telegrama, temido pelos rapazes americanos nos anos 1960, que começava com "Saudações". A expressão "pressed into service", forçado a alistar-se, provém da instituição das *press gangs*, grupos de brutamontes pagos pelo governo para arrancar homens das ruas e forçá-los a entrar para o Exército ou a Marinha. (A Marinha Continental, durante a Guerra Revolucionária Americana, foi quase totalmente formada por homens arrebanhados pelas *press gangs*.)[161] O serviço militar compulsório podia consumir uma parte substancial da vida de um homem — até 25 anos, no caso de um servo na Rússia oitocentista.

O alistamento militar representa um uso da força ao quadrado: as pessoas são forçadas a servir, e o serviço militar as expõe às altas probabilidades de ser mutiladas ou mortas. Exceto em épocas de ameaça existencial, o nível de alistamento é um barômetro da disposição de um país para sancionar o uso da força. Nas décadas após a Segunda Guerra Mundial, o mundo viu uma redução ininterrupta do tempo do serviço militar compulsório. Estados Unidos, Canadá e a maioria dos países europeus eliminaram totalmente o alistamento compulsório, e em outros ele funciona mais como um exercício de construção da cidadania do que como um treinamento de guerreiros.[162] Payne compilou estatísticas sobre a duração da conscrição militar entre 1970 e 2000 em 48 nações bem estabelecidas, e as atualizei até 2010 na figura 5.19. Os dados mostram que o alistamento estava em declínio mesmo antes do término da Guerra Fria, em fins dos anos 1980. Apenas 19% desses países não tinham alistamento obrigatório em 1970. A proporção aumentou para 35% em 2000 e 50% em 2010, e logo excederá esses 50% porque pelo menos dois outros países (Polônia e Sérvia) planejam abolir o recrutamento no começo dos anos 2010.[163]

Outro indicador do apreço pela guerra é o tamanho das forças militares de um país em proporção a seus habitantes, sejam eles alistados obrigatoriamente ou por anúncios na televisão prometendo aos voluntários que eles podem ser tudo o que eles podem ser. Payne mostrou que a proporção da população que um país

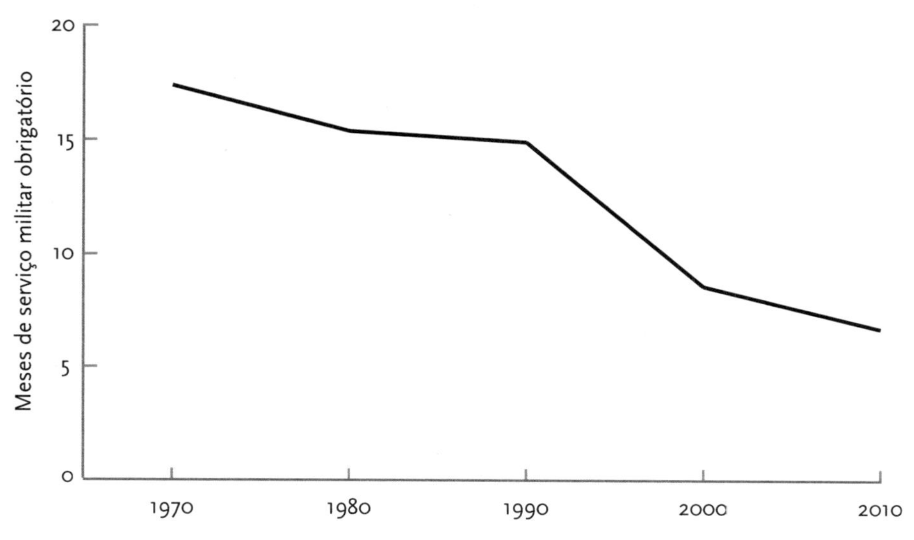

Figura 5.19. *Duração do serviço militar, 48 países bem estabelecidos, 1970-2010.*
FONTES: Gráfico de 1970-2000 de Payne, p. 74, baseado em dados de International Institute for Strategic Studies (Londres), *The Military Balance*, várias edições. Dados de 2010 da edição de 2010 de *The Military Balance* (International Institute for Strategic Studies, 2010), suplementados, quando incompletos, com dados de *The World Factbook*, Central Intelligence Agency, 2010.

manda vestir farda é o melhor indicador de sua adoção ideológica do militarismo.[164] Quando os Estados Unidos se desmobilizaram após a Segunda Guerra Mundial, enfrentaram um novo inimigo na Guerra Fria e nunca encolheram suas Forças Armadas até os níveis pré-guerra. Mas a figura 5.20 mostra que, desde meados dos anos 1950, a tendência é acentuadamente declinante. O desinvestimento da Europa em capital humano no setor militar começou ainda mais cedo.

Outros países grandes, entre eles Austrália, Brasil, Canadá e China, também encolheram suas Forças Armadas durante esse meio século. Depois de terminada a Guerra Fria, a tendência tornou-se global: de um pico com mais de nove militares por 100 mil pessoas em 1998, a média em países bem estabelecidos despencou para menos de 5,5 em 2001.[165] Parte dessa economia provém da terceirização para a iniciativa privada de funções desvinculadas do combate, como lavanderia e serviços alimentícios e, nos países mais ricos, da substituição de soldados na linha de frente por robôs e aviões manejados por controle remoto. Mas a era da guerra

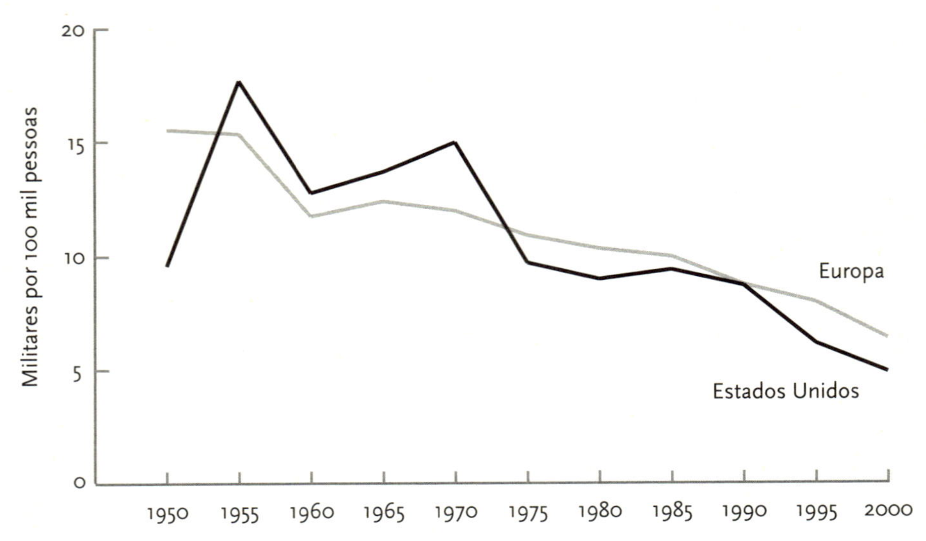

Figura 5.20. *Efetivo das Forças Armadas, Estados Unidos e Europa, 1950-2000.*
FONTES: Correlates of War National Material Capabilities Dataset (1816-2001); <www.correlatesofwar.org>, Sarkees, 2000. Médias não ponderadas, cada cinco anos. "Europa" inclui Bélgica, Dinamarca, Finlândia, França, Grécia, Hungria, Irlanda, Itália, Luxemburgo, Holanda, Noruega, Polônia, Romênia, Rússia/União Soviética, Espanha, Suécia, Suíça, Turquia, Reino Unido, Iugoslávia.

robótica está no futuro distante, e eventos recentes mostram que o número de botas disponíveis no chão continua a ser uma importante restrição à projeção da força militar. A propósito, a robotização do pessoal militar é, ela própria, uma manifestação da tendência que estamos analisando. Países desenvolvem essas tecnologias com gastos fenomenais porque a vida de seus cidadãos (e, como veremos, a dos cidadãos estrangeiros) encareceu.

Como a guerra começa na mente dos homens, é na mente dos homens que as defesas da paz devem ser construídas.

Lema da Unesco

Outro indício de que a Longa Paz não é acidental é um conjunto de testes de racionalidade que confirmam que a mentalidade dos líderes e da população mudou. Cada componente da mentalidade de apreço à guerra — nacionalismo, ambição territorial, uma cultura internacional da honra, aceitação popular da guerra e indiferença a seus custos humanos — saiu de moda em países desenvolvidos na segunda metade do século XX.

O primeiro evento sinalizador foi o endosso por 48 países da Declaração Universal dos Direitos Humanos em 1948. A declaração começa com os seguintes artigos:

> *Artigo 1.* Todas as pessoas nascem livres e iguais em dignidade e direitos. São dotadas de razão e consciência e devem agir em relação umas às outras com espírito de fraternidade.
> *Artigo 2.* Toda pessoa tem capacidade para gozar os direitos e as liberdades estabelecidos nesta declaração, sem distinção de qualquer espécie, seja de raça, cor, sexo, língua, religião, opinião política ou de outra natureza, origem nacional ou social, posses, nascimento ou qualquer outra condição. Além disso, não será feita nenhuma distinção fundada na situação política, jurídica ou internacional do país ou do território da naturalidade da pessoa, seja esse país ou território independente, administrado legalmente, não autônomo ou sujeito a qualquer outra limitação de soberania.
> *Artigo 3.* Toda pessoa tem direito à vida, à liberdade e à segurança pessoal.

É tentador descartar esse manifesto como um palavrório cor-de-rosa. Mas quando endossaram o ideal iluminista de que o valor supremo na esfera política é o ser humano individual, os signatários estavam repudiando uma doutrina que havia imperado por mais de um século, de que o valor supremo era a nação, o povo, a cultura, o *Volk*, a classe ou outra coletividade (sem falar na doutrina de séculos anteriores de que o valor supremo era o monarca e as pessoas eram propriedade dele). A necessidade de uma declaração universal dos direitos humanos evidenciou-se durante os Julgamentos de Nuremberg de 1945-46, quando alguns advogados argumentaram que os nazistas só poderiam ser processados pela parcela dos genocídios que cometeram em países ocupados, como a Polônia. O que eles haviam feito em seu próprio território, segundo o modo antigo de pensar, não era da conta de ninguém.

Outro sinal de que a declaração era mais do que palavras vazias foi o fato de as grandes potências hesitarem em assiná-la. A Grã-Bretanha preocupava-se com suas colônias, os Estados Unidos com seus negros, e a União Soviética com seus Estados fantoches.[166] Mas depois que Eleanor Roosevelt conduziu a declaração ao longo de 83 reuniões, ela foi aprovada sem oposição (embora reveladoramente com oito abstenções do bloco soviético).

O repúdio dessa era à ideologia contrailuminista foi explicitado 45 anos mais tarde por Václav Havel, o dramaturgo que se tornou presidente da Tchecoslováquia depois que a Revolução de Veludo derrubou sem violência o governo comunista. Havel escreveu: "A grandeza da ideia da integração europeia sobre alicerces democráticos está em sua capacidade de suplantar a velha ideia herderiana [do filósofo Johann Gottfried Herder] de que o Estado-nação é a mais elevada expressão da vida nacional".[167]

Uma contribuição paradoxal à Longa Paz proveio da fixação das fronteiras nacionais. A ONU instaurou a norma de que os Estados existentes e suas fronteiras eram sacrossantos. Demonizando como "agressão" qualquer tentativa de mudá-los à força, essa nova regra tirou a expansão territorial da lista de movimentos legítimos no jogo das relações internacionais. As fronteiras podem não ser muito coerentes, os governos dentro delas podem não merecer governar, mas racionalizar as fronteiras pela violência deixou de ser uma opção viva na mente dos estadistas. Dar às fronteiras o direito adquirido foi, em média, um avanço pacificador, pois, como observa o cientista político John Vasquez, "de todas as questões que podem justificar logicamente a guerras, as territoriais parecem estar entre as mais frequentemente associadas a conflitos armados. Poucas guerras entre Estados ocorrem sem que alguma questão territorial esteja envolvida de algum modo".[168]

O cientista político Mark Zacher quantificou essa mudança.[169] Desde 1951, houve apenas dez invasões que resultaram em uma mudança importante em fronteiras nacionais, todas elas antes de 1975. Várias fincaram bandeiras em rincões e ilhas esparsamente povoados, e algumas criaram novas entidades políticas (como Bangladesh), em vez de expandir o território do conquistador. Dez podem parecer muito, mas, como mostra a figura 5.21, representam uma queda abrupta com relação aos três séculos precedentes.

Israel é uma exceção que prova a regra. A serpenteante "linha verde" onde os Exércitos israelense e árabe pararam em 1949 não era aceitável para ninguém na época, sobretudo para os Estados árabes. No entanto, nas décadas seguintes ela adquiriu uma qualidade quase mítica para a comunidade internacional como a única fronteira real e correta de Israel. O país cedeu à pressão internacional para

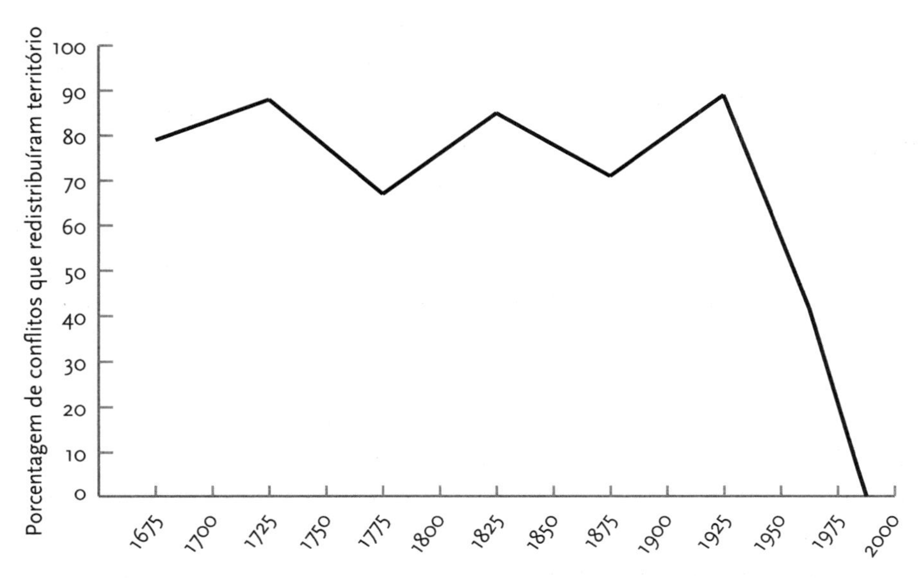

Figura 5.21. *Porcentagem de guerras territoriais que resultaram em redistribuição de território, 1651-2000.*

FONTE: Dados de Zacher, 2001, tabelas 1 e 2; a coordenada para cada meio século está indicada em seu ponto médio, exceto na última metade do século XX, em que cada coordenada representa um quarto de século.

abrir mão da maior parte do território que havia ocupado nas várias guerras até então, e provavelmente ainda em nosso tempo de vida veremos Israel retirar-se do território restante, com algumas trocas secundárias de terras e, talvez, um complicado acordo sobre Jerusalém, onde a norma das fronteiras inamovíveis colidirá contra a norma das cidades indivisas. A maioria das outras conquistas, como a tomada de Timor Leste pela Indonésia, também foi revertida. O mais destacado exemplo recente ocorreu em 1990, quando Saddam Hussein invadiu o Kuait (a única vez, desde 1945, em que um membro das Nações Unidas engoliu outro inteiro), e uma coalizão multinacional horrorizada tratou logo de tirá-lo de lá.

A psicologia por trás da sacralização das fronteiras nacionais apoia-se menos na empatia ou em algum raciocínio moral do que em normas e tabus (um tema que examinaremos no capítulo 9). Para países respeitáveis, a conquista não é mais uma opção concebível. Hoje em dia, um político em uma democracia que sugerisse conquistar outro país depararia não com argumentos em contrário, e sim com perplexidade, constrangimento ou gargalhadas.

A norma da integridade territorial, salienta Zacher, excluiu não só a conquista, mas também outros tipos de modificações de fronteiras. Durante a descolonização, as fronteiras de Estados recém-independentes foram as linhas que algum administrador imperial traçara em um mapa décadas antes, muitas vezes dividindo territórios étnicos ou juntando tribos inimigas. Apesar disso, não houve nenhum movimento para reunir todos os novos líderes à mesa diante de um mapa e um lápis a fim de redesenhar totalmente as fronteiras. A separação entre União Soviética e Iugoslávia também levou as linhas pontilhadas entre repúblicas e províncias internas a se transformarem em linhas contínuas entre Estados soberanos, sem nenhuma modificação de traçado.

A sacralização de linhas arbitrárias em um mapa pode parecer ilógica, mas existe um fundamento lógico de respeito às normas, ainda que elas sejam arbitrárias e injustificáveis. O especialista em teoria dos jogos Thomas Schelling observou que, quando um conjunto de concessões pode deixar dois negociadores em melhor situação do que ficariam se não as fizessem, qualquer referência cognitiva destacada pode atraí-los para um acordo que beneficie a ambos.[170] Por exemplo, pessoas que negociam um preço podem chegar ao sim escolhendo um valor intermediário entre as duas ofertas ou aceitando um valor aproximado, em vez de regatear indefinidamente sobre o preço mais justo. Os baleeiros de Melville em *Moby Dick* acatavam a norma de que um peixe preso pertencia a quem o estivesse prendendo porque eles sabiam que isso evitaria "disputas por demais aflitivas e violentas". Os advogados dizem que a posse é nove décimos da lei, e todo mundo sabe que boas cercas fazem bons vizinhos.

O respeito à norma da integridade territorial assegura que já não é concebível o tipo de discussão que os líderes europeus tiveram com Hitler nos anos 1930, quando se considerava perfeitamente razoável que ele engolisse a Áustria e partes da Tchecoslováquia para fazer as fronteiras da Alemanha coincidirem com a distribuição dos alemães étnicos. De fato, essa norma erode o ideal do Estado-nação e seu princípio irmão da autodeterminação dos povos, que obcecaram os líderes em fins do século XIX e início do século XX. O objetivo de traçar uma fronteira uniforme através do fractal de grupos étnicos que se interpenetram é um problema de geometria insolúvel, e viver com as fronteiras existentes é hoje considerado melhor do que as intermináveis tentativas de quadrar o círculo, com seus convites à limpeza étnica e à conquista irredentista.

A norma da integridade territorial implica numerosas injustiças, pois grupos étnicos podem ver-se submersos em entidades políticas sem nenhum interesse benevolente pelo seu bem-estar. Isso não passou despercebido a Ismael, que refletiu: "O que é, para o respeitado arpoador John Bull, a Irlanda, senão um peixe preso?". Algumas das fronteiras pacíficas da Europa demarcam países que foram convenientemente homogeneizados pela colossal limpeza étnica da Segunda Guerra Mundial e seu pós-guerra, quando milhões de alemães e eslavos étnicos foram arrancados à força da terra natal. O mundo em desenvolvimento agora depara com critérios mais elevados, e é provável, segundo a socióloga Ann Hironaka, que suas guerras civis se prolonguem por causa da insistência em preservar Estados e manter fronteiras inalteradas. Tudo sopesado, porém, a norma da sacralidade das fronteiras parece ter sido um bom negócio para o mundo. Como veremos no próximo capítulo, o número de mortos resultante de muitas guerras civis pequenas é menor do que o decorrente de poucas guerras internacionais grandes, sem falar nas guerras mundiais, o que condiz com a distribuição de lei de potência para as brigas mortais. E até as guerras civis vêm se tornando menos numerosas e destrutivas à medida que o Estado moderno evolui de repositório da alma nacional para um contrato social multiétnico que respeita o princípio dos direitos humanos.

Além do nacionalismo e da conquista, outro ideal desbotou nas décadas pós-guerra: a honra. Nas mais do que comedidas palavras de Luard, "em geral, o valor dado à vida humana hoje é provavelmente maior, e o atribuído ao prestígio (ou 'honra') nacional, é provavelmente menor do que em tempos passados".[171] Nikita Krushchóv, o líder da União Soviética durante os piores anos da Guerra Fria, captou essa nova sensibilidade quando comentou: "Não sou nenhum oficial tzarista que tem de se matar se por acaso peidar num baile de máscaras. Retratar-se é melhor do que ir à guerra".[172] Muitos líderes nacionais concordam, e se retrataram ou se contiveram diante de provocações que, em eras anteriores, teriam sido uma incitação à guerra.

Em 1979 os Estados Unidos responderam a duas afrontas em rápida sucessão — a invasão do Afeganistão pelos russos e a invasão da embaixada americana no Irã à qual as autoridades iranianas fizeram vista grossa — com pouco mais do que um boicote à Olimpíada e uma vigília noturna televisionada. Jimmy Carter explicou mais tarde: "Eu poderia ter destruído o Irã com meus armamentos, mas achei que com isso as vidas dos reféns se perderiam, e eu não queria matar 20 mil iranianos. Por isso, não ataquei".[173] Embora os falcões americanos tenham se enfurecido com a tibieza de Carter, o herói deles, Ronald Reagan, reagiu em 1983 a um bombardeio que matou 241 militares americanos em Beirute retirando todas as forças americanas do país, e se conteve em 1987 quando jatos de combate iraquianos mataram 37 marinheiros do navio americano *Stark*. A bomba explodida num trem em Madri por um grupo islâmico terrorista, longe de incitar a Espanha a uma fúria anti-islâmica, levou o povo nas urnas a tirar do poder o governo que os envolvera na Guerra do Iraque, uma participação que muitos espanhóis julgavam ter sido a responsável por atrair o ataque sobre eles.

A desconsideração da honra que teve as consequências mais monumentais na história do mundo foi a resolução da Crise dos Mísseis de Cuba em 1962. Embora a busca do prestígio nacional possa ter precipitado a crise, assim que se viram nela, Krushchóv e Kennedy refletiram acerca de sua mútua necessidade de salvar as aparências, e estipularam isso como um problema para os dois resolverem.[174] Kennedy lera *Canhões de agosto*, de Barbara Tuchman, uma história da Primeira Guerra Mundial, e sabia que um jogo internacional para ver quem se acovarda e desiste primeiro, movido por "complexos pessoais de inferioridade e superioridade", podia acarretar um cataclismo. Robert Kennedy, em suas memórias, relembrou a crise e escreveu:

> Nenhum dos lados desejava guerrear por causa de Cuba, nós concordávamos, mas era possível que um dos dois desse um passo que — por razões de "segurança", "orgulho" ou "dignidade" — exigisse uma resposta do outro lado, o qual, por sua vez, pelas mesmas razões de segurança, orgulho ou dignidade, provocaria uma contrarresposta até por fim uma escalada para o conflito armado. Era isso que ele queria evitar.[175]

A graçola de Krushchóv sobre o oficial tzarista mostra que também ele tinha familiaridade com a psicologia da honra e uma noção intuitiva da teoria dos jogos. Durante um tenso momento de crise, ele ofereceu a Kennedy a seguinte análise:

> Você e eu não devemos agora puxar as pontas da corda na qual você fez um nó de guerra, pois quanto mais você e eu puxarmos, mais apertado ficará o nó. E pode chegar um momento em que esse nó estará tão apertado que a pessoa que o atou não será mais capaz de desatá-lo, e então o nó terá de ser cortado.[176]

Eles desataram o nó fazendo concessões mútuas: Krushchóv removeu seus mísseis de Cuba, Kennedy tirou os dele da Turquia e prometeu não invadir Cuba. A desescalada também não foi puramente um assombroso golpe de sorte. Mueller analisou a história dos confrontos das superpotências durante a Guerra Fria e concluiu que a sequência assemelhou-se mais a subir uma escada de mão do que a andar de escada rolante. Embora por várias vezes os líderes iniciassem uma perigosa ascensão, a cada degrau que subiam tornavam-se cada vez mais acrofóbicos e sempre buscavam um jeito de, cautelosamente, tornar a descer.[177]

E, apesar de muito sapatear e ameaçar, a liderança da União Soviética durante a Guerra Fria poupou o mundo de outro cataclismo quando Mikhail Gorbatchóv permitiu que o bloco soviético, e depois a própria União Soviética, deixassem de existir — no que o historiador Timothy Garton Ash chamou de "uma espetacular renúncia ao uso da força" e "um luminoso exemplo da importância do indivíduo na história".

Esta última observação nos lembra que a contingência história funciona de dois modos. Existem universos paralelos nos quais o motorista do arquiduque não entrou na rua errada em Sarajevo, ou um policial fez pontaria diferente no Putsch da Cervejaria, e a história desenrolou-se com uma ou duas guerras mundiais a menos. Há outros universos paralelos nos quais um presidente americano deu ouvidos a seus chefes conjuntos do Estado-Maior e invadiu Cuba, ou nos quais um líder soviético reagiu à brecha no Muro de Berlim chamando os tanques, e a história aconteceu com uma ou duas guerras mundiais a mais. No entanto, a julgar pelas probabilidades mutáveis determinadas pelas ideias e normas prevalecentes, não é de surpreender que em nosso universo tenha sido a primeira metade do século XX a que foi moldada por um Princip ou um Hitler, e a segunda por um Kennedy, um Krushchóv e um Gorbatchóv.

Outra sublevação histórica na paisagem dos valores no século XX foi a resistência das populações de países democráticos aos planos belicosos de seus líderes. Em fins dos anos 1950 e início dos anos 1960 ocorreram grandes manifestações pela proibição da bomba atômica, cujo legado inclui o símbolo da paz composto pelo tridente dentro do círculo, cooptado por outros movimentos antiguerra. Em fins dos anos 1960, os Estados Unidos foram sacudidos por protestos contra a

Guerra do Vietnã. As convicções contra a guerra não se restringiam mais a tias sentimentais de ambos os sexos, e os barbudos idealistas de sandálias já não eram excêntricos, e sim uma parcela significativa da geração que se tornou adulta nos anos 1960. Ao contrário das principais obras de arte criticando a Primeira Guerra Mundial, que surgiram mais de uma década depois de seu fim, a arte popular nos anos 1960 condenou a corrida armamentista nuclear e a Guerra do Vietnã em tempo real. A campanha antiguerra desenrolou-se no horário nobre da televisão (em programas como *The Smothers Brothers Comedy Hour* e *M*A*S*H*) e em muitos filmes e canções populares:

Ardil-22 • *Dr. Fantástico* • *Corações e mentes* • *FTA* • *Como ganhei a guerra* • *Johnny vai à guerra* • *Este mundo é dos loucos* • *M*A*S*H* • *Oh! Que bela guerra* • *Matadouro 5*

"Alice's Restaurant" • "Blowin' in the Wind" • "Cruel War" • Eve of Destruction" • "Feel Like I'm Fixin' to Die Rag" • "Give Peace a Chance" • "Happy Xmas (War is Over)" • "I Ain't Marchin' Anymore" • "If I Had a Hammer" • "Imagine" • "It's a Hard Rain's a Gonna Fall" • "Last Night I Had the Strangest Dream" • "Machine Gun" • "Masters of War" • Sky Pilot" • "Three-Five-Zero-Zero" • "Turn! Turn! Turn!" • "Universal Soldier" • "What's Goin' On?" • "With God on Our Side" • "War (What Is It Good For?)" • "Waist-Deep in the Big Muddy" • "Where Have All the Flowers Gone?"

Como nos anos 1700 e nos anos 1930, artistas não só pregavam contra a guerra para fazê-la parecer imoral como também a satirizavam para fazê-la parecer ridícula. Durante o concerto de Woodstock, em 1969, Country Joe and the Fish cantaram a enérgica "Feel Like I'm Fixin' to Die Rag", cujo refrão era:

And it's one, two, three, what are we fighting for?
Don't ask me, I don't give a damn; next stop is Vietnam!
And it's five, six, seven, open up the pearly gates.
*There ain't no time to wonder why; Whopee! We're all going to die.**

* "É um, é dois, é três, por que estamos lutando?/ Não me pergunte, não estou nem aí; a próxima parada é o Vietnã!/ É cinco, é seis, é sete, abram as portas do céu./ Não há tempo para perguntar por quê; Oba! Vamos todos morrer." (N. T.)

Em seu monólogo "Alice's Restaurant", de 1967, Arlo Guthrie fala sobre ser recrutado e encaminhado para um psiquiatra do Exército no centro de alistamento em Nova York:

> Entrei lá e disse: "Doutor, eu quero matar. Mas eu quero muito, muito, matar. Eu quero, quero, eu quero ver sangue e tripas e veias nos meus dentes. Comer corpos mortos queimados. Quero é matar, Matar, MATAR, MATAR". E comecei a pular e a gritar "MATAR, MATAR", e ele começou a pular junto comigo, e ficamos os dois pulando e berrando "MATAR, MATAR". E o sargento veio, me botou uma medalha no peito, me mandou seguir pelo corredor e disse: "Rapaz, você é dos nossos".

É fácil menosprezar esse momento cultural como nostalgia de *baby-boomers*. Como satirizou Tom Lehrer, eles ganharam todas as batalhas, mas nós tivemos as boas músicas. Em certo sentido, contudo, nós ganhamos batalhas, sim. Na esteira dos protestos por todo o país, Lyndon Johnson chocou a nação quando não tentou ser indicado como candidato de seu partido para a eleição presidencial de 1968. Embora uma reação contra os protestos cada vez mais turbulentos tenha ajudado a eleger Richard Nixon em 1968, este mudou os planos bélicos do país, de uma vitória militar para uma retirada digna (não antes, porém, que mais 20 mil americanos e 1 milhão de vietnamitas morressem na luta). Após um cessar-fogo em 1973, as tropas americanas foram retiradas, e o Congresso encerrou efetivamente a guerra proibindo intervenções adicionais e cortando o financiamento ao governo sul-vietnamita.

Os Estados Unidos, dizia-se na época, foram acometidos de "síndrome do Vietnã", e passaram a se esquivar de confrontos militares. Nos anos 1980, o país se recobrara o suficiente para travar várias guerras de pequeno porte e apoiar forças anticomunistas em várias guerras por procuração, mas claramente sua política militar nunca mais seria a mesma. O fenômeno chamado "medo de baixas", "aversão à guerra" e "Doutrina Dover" (o imperativo de minimizar os caixões que desembarcavam cobertos com a bandeira nacional na Base da Força Aérea de Dover) lembrava até os mais beligerantes presidentes que o país não toleraria aventuras militares com baixas numerosas. Nos anos 1990, as únicas guerras americanas politicamente aceitáveis foram intervenções cirúrgicas realizadas com a tecnologia do controle remoto. Não poderia mais haver guerras de atrito que atolavam dezenas de milhares de soldados, nem holocaustos aéreos de civis como em Dresden, Hiroshima e Vietnã do Norte.

Essa mudança é palpável até nas próprias Forças Armadas americanas. Líderes militares de todos os escalões perceberam que a matança gratuita é um desastre de relações públicas em seu país natal e contraproducente no exterior, que atrai a antipatia de aliados e encoraja os inimigos.[178] Os fuzileiros navais americanos agora participam de um programa de artes marciais instituído para doutriná-los em um novo código de honra, o "Ethical Marine Warrior".[179] Seu catecismo prega: "O Guerreiro Ético é um protetor da vida. Da vida de quem? A dele mesmo e a de outros. Que outros? Todos os outros". Esse código é incutido com alegorias destinadas a expandir a empatia, por exemplo, a "História da caça", relatada por Robert Humphrey, um oficial reformado de qualificações marciais impecáveis que comandou um pelotão de fuzileiros em Iwo Jima na Segunda Guerra Mundial.[180] Nessa história, uma unidade militar americana está aquartelada em um país asiático pobre e, num dia de folga, membros dessa unidade saem para caçar javali:

> Pegaram um caminhão na garagem de serviço e enveredaram por aquele fim de mundo. Pararam numa aldeia para contratar alguns homens que abrissem picadas no mato e servissem de guia.
>
> Era um vilarejo muito pobre. Choças de barro, sem eletricidade nem água encanada. Ruas de terra, fedor por toda parte. Moscas enxameavam. Os homens eram carrancudos e tinham as roupas imundas. As mulheres cobriam o rosto, e as crianças ranhentas andavam esfarrapadas.
>
> Não demorou para que um americano no caminhão reclamasse: "Este lugar fede!". Outro comentou: "Essa gente vive como animais". Finalmente, um rapaz da Força Aérea disse: "Eles não têm razão nenhuma para viver, não faria diferença se estivessem mortos".
>
> Como dizer o contrário? Parecia verdade.
>
> Mas então um sargento no caminhão se pronunciou. Era um sujeito caladão, dificilmente abria a boca. De fato, não fosse pela farda, ele até se pareceria com um daqueles homens rústicos da aldeia. Ele olhou para o rapaz da Força Aérea e disse: "Então você acha mesmo que eles não têm razão para viver? Pois se tem tanta certeza, por que não pega minha faca, pula do caminhão e vai lá tentar matar um deles?".
>
> Silêncio total no caminhão. [...]
>
> O sargento prosseguiu: "Não sei por que eles dão tanto valor à vida deles. Talvez seja por causa dessas crianças ranhentas, ou das mulheres de calça comprida. Mas,

seja lá o que for, eles têm amor à vida e à vida daqueles a quem estimam, exatamente como nós, americanos. E se não pararmos de falar mal deles, eles vão nos chutar para fora deste país!".

[Um soldado] perguntou a ele o que nós, americanos, com toda a nossa riqueza, poderíamos fazer para demonstrar nosso respeito pela igualdade humana daqueles camponeses, apesar de sua indigência. O sargento não teve dificuldade para responder: "Você tem que ter coragem suficiente para pular deste caminhão e se ajoelhar na lama e no esterco de carneiro. Tem que ter coragem de andar por essa aldeia com um sorriso no rosto. E quando encontrar um camponês fedorento e mal-encarado, tem de ser capaz de olhar na cara dele e fazê-lo saber, só com os olhos, que você sabe que ele é um homem que sente dor como você, que tem esperança como você, e que se preocupa com os filhos dele tanto quanto você com os seus. É assim que tem de ser, ou perderemos".

O código do Guerreiro Ético, mesmo como uma aspiração, mostra que as Forças Armadas americanas progrediram muito desde o tempo em que seus soldados se referiam aos camponeses vietnamitas com termos pejorativos como "gooks", "slopes" e "slants", e em que as Forças Armadas demoravam a investigar atrocidades contra civis como o massacre de My Lai. O ex-capitão dos fuzileiros navais Jack Hoban, que ajudou a implementar o programa do Guerreiro Ético, escreveu-me: "Quando me alistei nos fuzileiros navais nos anos 1970, era 'Matar, matar, matar'. A probabilidade de que viesse a existir um código de honra para treinar os marines a serem 'protetores de todos os outros — inclusive do inimigo, se possível' — devia ser 0%".

Sem dúvida as guerras americanas no Afeganistão e no Iraque na primeira década do século XXI indicam que o país não reluta absolutamente em ir à guerra. Mas até esses conflitos não se parecem em nada com os do passado. Em ambos, a fase da guerra entre Estados foi breve e (pelos padrões históricos) teve poucas baixas em batalha.[181] No Iraque, a maioria das mortes foi causada pela violência entre comunidades na anarquia subsequente, e em 2008 o ônus de 4 mil americanos mortos na guerra (em contraste com 58 mil no Vietnã) ajudou a eleger um presidente que, dentro de dois anos, encerrou a missão de combate do país. No Afeganistão, a Força Aérea americana seguiu um conjunto de protocolos humanitários durante o auge da campanha de bombardeio do Talibã em 2008, elogiada pela ONG Human Rights Watch por seu "excelente desempenho na minimização do dano a civis".[182] O cientista político Joshua Goldstein, em uma análise do modo como as técnicas de alvo inteligente haviam reduzido drasticamente as mortes de civis em Kosovo e em ambas as guerras do Iraque, fez o seguinte comentário sobre o uso de aviões pilotados por controle remoto contra alvos do Talibã e da Al-Qaeda no Afeganistão e no Paquistão em 2009:

> Onde antes um exército abria caminho com explosões até os esconderijos dos militantes, matando e desalojando dezenas de milhares de civis no processo, e por fim reduzia a escombros cidades e vilarejos inteiros com artilharia imprecisa e bombardeios aéreos para acertar uns poucos combatentes inimigos, agora um avião pilotado por controle remoto sobrevoa e lança um único míssil sobre uma casa onde os militares estão reunidos. Sim, às vezes esses ataques atingem a casa errada, mas, por qualquer comparação histórica, a taxa de mortes de civis caiu drasticamente.
>
> Essa tendência foi tão longe, e nós passamos a achá-la tão natural, que um único míssil extraviado que matou dez civis no Afeganistão foi manchete em fevereiro de 2010. Esse evento, que é também uma terrível tragédia, ainda assim foi uma exceção em uma taxa total baixa de danos a civis em meio a uma importante ofensiva militar, uma das maiores em oito anos de guerra. No entanto, essas dez mortes levaram o comandante militar americano no Afeganistão a apresentar um veemente pedido de desculpas ao presidente afegão, e a mídia mundial a exagerar o acontecido como um importante avanço na ofensiva. Não se está dizendo que não há problema em matar dez civis, e sim que, em qualquer guerra anterior, mesmo alguns anos atrás, esse tipo de morte de civis quase passaria despercebido. Mortes de civis, em números consideráveis, antes eram universalmente consideradas um subproduto da guerra necessário e inevitável, embora talvez lamentável. É uma excelente notícia estarmos adentrando uma era em que essas suposições não mais se aplicam.[183]

A avaliação de Goldstein confirmou-se em 2011, quando a revista *Science* publicou dados de documentos do WikiLeaks e de uma base de dados antes confidencial sobre mortes de civis, mantida pela coalizão militar liderada pelos americanos. Os documentos revelaram que aproximadamente 5300 civis haviam sido mortos no Afeganistão de 2004 a 2010, a maioria (cerca de 80%) por insurgentes talibãs e não pelas forças de coalizão. Mesmo que a estimativa fosse duplicada, para uma grande operação militar isso representaria um número extraordinariamente baixo de mortes de civis — na Guerra do Vietnã, em comparação, no mínimo 800 mil civis foram mortos em batalha.[184]

Por maior que tenha sido a mudança nas atitudes dos americanos em relação à guerra, a mudança na Europa foi além do imaginável. Nas palavras do analista de política externa Robert Kagan, "os americanos são de Marte, os europeus são de Vênus".[185] Em fevereiro de 2003, manifestantes em cidades europeias protestaram em massa contra a iminente invasão do Iraque pelos americanos: 1 milhão de pessoas foi às ruas em Londres, Barcelona e Roma, e mais de meio milhão em Madri e Berlim.[186] Em Londres, os cartazes diziam "Sangue por Petróleo, Não!", "Acabem com a Doença do Caubói Louco", "Estados Unidos, o Verdadeiro Estado Pária", "Faça Chá, Não Faça a Guerra", "Abaixo Esse Tipo de Coisa" e simplesmente "Não". A Alemanha e a França ostensivamente se recusaram a juntar-se aos Estados Unidos e à Grã-Bretanha, e a Espanha logo depois tirou o corpo fora. Mesmo na guerra no Afeganistão, que despertou menos oposição na Europa, a maioria dos soldados são americanos. Não só eles compõem mais da metade da operação militar de 44 países da Otan, como também as forças continentais adquiriram uma certa reputação no campo das virtudes marciais. Um capitão das Forças Armadas canadenses escreveu-me de Cabul em 2003:

> Hoje, durante o concerto matinal de Kalashnikovs, esperei que os guardas da torre em nosso acampamento abrissem fogo. Acho que estavam dormindo. Claro que isso é bem típico deles. Nossas torres são guardadas pelos Bundeswehr, e eles não fazem um bom trabalho [...] isso quando estão lá. Minha ressalva neste último comentário é porque os alemães já abandonaram as torres várias vezes. A primeira, quando fomos atingidos por foguetes. As ocasiões restantes, porque fazia frio nas torres. Um tenente alemão com quem falei sobre essa falta de honra e desrespeito à etiqueta básica dos soldados retrucou que era responsabilidade do Canadá fornecer aquecedores para as torres. Repliquei que era responsabilidade da Alemanha fornecer agasalhos a seus soldados. Fiquei tentado a dizer que Cabul não era Stalingrado, mas mordi a língua.
>
> O Exército alemão não é mais como antigamente. Ou, como já ouvi falar por aqui muitas vezes, "essa não é a Wehrmacht". Considerando a história de nosso povo, posso argumentar que isso é muito bom. No entanto, como agora minha segurança depende da vigilância desses descendentes do Herrenvolk, ando meio preocupado, para dizer o mínimo.[187]

Em um livro intitulado *Where Have All the Soldiers Gone? The Transformation of Modern Europe* [Para onde foram todos os soldados? A transformação da Europa moderna] (e, na Grã-Bretanha, *The Monopoly of Violence: Why Europeans Hate Going to War* [Monopólio da violência: Por que os europeus odeiam ir para a guerra]), o historiador James Sheehan mostra que os europeus mudaram sua concepção de Estado. Este não é mais o proprietário de uma força militar que zela pela grandeza e pela segurança da nação, mas um fornecedor de segurança social e bem-estar material. Não obstante, apesar de todas as diferenças entre os "caubóis loucos" americanos e os "macacos rendidos" europeus, o distanciamento paralelo de sua cultura política em relação à guerra nas últimas seis décadas é mais historicamente significativo do que suas diferenças restantes.

A LONGA PAZ É UMA PAZ NUCLEAR?

O que deu certo? Como é que, contrariando os especialistas, os relógios do juízo final e os séculos de história europeia, a Terceira Guerra Mundial não aconteceu? O que permitiu que renomados historiadores militares usassem frases inebriadas como "uma mudança de proporções espetaculares", "a mais espantosa descontinuidade na história da guerra" e "nada parecido na história"?

Para muitos, a resposta é óbvia: a bomba. A guerra tornou-se perigosa demais para ser aventada, e os líderes se amedrontaram. O balanço do terror nuclear dissuadiu-os de iniciar uma guerra que pudesse escalar para um holocausto e dar fim à civilização, ou talvez até à espécie humana.[188] Como disse Winston Churchill em seu último discurso importante ao Parlamento: "Pode ser que tenhamos, por um processo de sublime ironia, atingido um estágio nesta história no qual a segurança será a robusta filha do terror, e a sobrevivência, a irmã gêmea da aniquilação".[189] Nessa mesma linha, o analista de política externa Kenneth Waltz sugeriu agradecermos "às nossas bênçãos nucleares", e Elspeth Rostow propôs que a bomba atômica recebesse o Prêmio Nobel da Paz.[190]

Esperemos que não. Se a Longa Paz fosse uma paz nuclear, seria uma bênção ilusória, pois um acidente, um equívoco de comunicação ou um general da Força Aérea obcecado por fluidos corporais preciosos poderia desencadear um apocalipse. Felizmente, um exame mais atento indica que a ameaça da aniquilação nuclear merece pouco crédito pela Longa Paz.[191]

Para começar, armas de destruição em massa nunca frearam a marcha da guerra anteriormente. O patrono do Prêmio Nobel da Paz escreveu nos anos 1860 que sua invenção da dinamite levaria à paz "mais cedo do que mil convenções mundiais, [pois] assim que os homens descobrirem que em um instante exércitos inteiros podem ser totalmente destruídos, sem dúvida aquiescerão com a venturosa paz".[192] Predições semelhantes foram feitas com referência aos submarinos, artilharia, pólvora sem fumaça e metralhadora.[193] Nos anos 1930 alastrou-se o temor de que o gás venenoso lançado de aviões acabasse por aniquilar a civilização e a vida humana, mas esse medo nem de longe deu fim à guerra.[194] Nas palavras de Luard,

> na história há poucos indícios de que a existência de armas extraordinariamente destrutivas é capaz de, por si, impedir a guerra. Se o desenvolvimento de armas bacteriológicas, gás venenoso, gases asfixiantes e outros armamentos químicos não impediu a guerra em 1939, é difícil imaginar por que as armas nucleares fariam isso agora.[195]

Além disso, a teoria da paz nuclear não pode explicar por que países sem armas nucleares também se abstiveram de guerrear — por que, por exemplo, a briga por direitos de pesca entre o Canadá e a Espanha em 1995 ou a disputa entre a Hungria e a Eslováquia pelo represamento do Danúbio em 1997 não escalaram para uma guerra, como ocorria frequentemente no passado com as crises que envolviam países europeus. Durante a Longa Paz, líderes de países desenvolvidos nunca precisaram calcular quais de seus congêneres eles poderiam atacar impunemente (sim para Alemanha e Itália, não para Grã-Bretanha e França), porque, antes de tudo, eles jamais cogitaram em um ataque militar. Tampouco foram dissuadidos por padrinhos nucleares — os Estados Unidos nunca precisaram ameaçar o Canadá e a Espanha com uma sova nuclear se eles aprontassem muita confusão por causa dos linguados.

Quanto às superpotências propriamente ditas, Mueller fornece uma explicação mais simples para que elas evitem lutar entre si: foram sobejamente dissuadidas pela perspectiva de uma guerra convencional. A Segunda Guerra Mundial mostrou que as linhas de montagem podiam produzir em massa tanques, artilharia e bombardeiros capazes de matar dezenas de milhões de pessoas e reduzir cidades a escombros. Isso foi especialmente óbvio na União Soviética, que sofrera as maiores perdas na guerra. Não é provável que a diferença marginal entre o inconcebível dano que seria causado por uma guerra nuclear e o dano concebível mais ainda assim avassalador que seria causado por uma guerra convencional tenha sido o principal fator que impediu as grandes potências de guerrear.

Finalmente, a teoria da paz nuclear não pode explicar por que, em várias das guerras que ocorreram, uma força não nuclear provocou uma potência nuclear (ou não se rendeu a ela) — exatamente a combinação que a ameaça nuclear deveria dissuadir.[196] Coreia do Norte, Vietnã do Norte, Irã, Iraque, Panamá e Iugoslávia desafiaram os Estados Unidos; insurgentes afegãos e tchetchenos desafiaram a União Soviética; o Egito desafiou a Grã-Bretanha e a França; Egito e Síria desafiaram Israel; o Vietnã desafiou a China; e a Argentina desafiou o Reino Unido. A propósito, a União Soviética manteve o jugo sobre o Leste Europeu justamente durante os anos (1945-49) em que os americanos tiveram armas nucleares e os soviéticos, não. Os países que cutucaram seus superiores nucleares não eram suicidas. Previram, corretamente, que, com exceção de um perigo existencial, a ameaça implícita de uma resposta nuclear era blefe. A junta argentina ordenou a invasão das Malvinas certa de que a Grã-Bretanha não retaliaria reduzindo Buenos Aires a uma cratera radioativa. Israel, por sua vez, não poderia, com credibilidade, ameaçar os exércitos egípcios reunidos em 1967 ou 1973, sem falar no Cairo.

Schelling e a cientista política Nina Tannenwald escreveram sobre o "tabu nuclear": uma percepção comum de que as armas nucleares pertencem a uma categoria singularmente pavorosa.[197] O uso de uma única arma nuclear tática, mesmo que seus danos fossem comparáveis a armamentos convencionais, seria visto como uma ruptura na história, uma entrada em um novo mundo com consequências inimagináveis. A ignomínia ligou-se a todas as formas de detonação nuclear. A bomba de nêutron, uma arma que causaria danos mínimos por explosão, mas mataria soldados com uma rajada temporária de radiação, jazeu natimorta no laboratório militar graças à repulsa universal, muito embora, como explicou o cientista político Stanley Hoffman, ela satisfizesse os requisitos dos filósofos morais para uma guerra justa.[198] Os planos amalucados dos "Átomos para a Paz" nos anos 1950 e 1960, que pretendiam canalizar explosões nucleares para escavar túneis, esculpir enseadas ou mandar foguetes ao espaço, hoje pertencem a incrédulas reminiscências de uma era de trevas.

É verdade que ninguém recorreu a armas nucleares desde Nagasaki, mas seu uso não chega a ser tabu.[199] Bombas nucleares não se constroem sozinhas, e muita energia foi dedicada a concepção, construção, lançamento e condições de uso dessas armas. No entanto, tal atividade manteve-se compartimentalizada em uma esfera hipotética que praticamente não tem intersecção com o planejamento de guerras reais. E há sinais reveladores de que a psicologia do tabu — um entendimento mútuo de que é perversidade pensar em certas coisas — esteve em ação, a começar pela palavra mais usada quando alguém se refere à perspectiva da guerra nuclear: impensável. Em 1964, depois que Barry Goldwater refletiu sobre como poderiam ser usadas armas nucleares táticas no Vietnã, a campanha eleitoral de Lyndon Johnson veiculou na televisão o famoso anúncio da "Margarida", no qual uma menina que conta as pétalas de uma margarida é seguida pela contagem regressiva para uma explosão nuclear. Atribuiu-se a esse anúncio parte do crédito pela avassaladora vitória de Johnson nesse ano.[200] Alusões religiosas rondam as armas nucleares desde que Robert Oppenheimer citou o Bhagavad-Gita ao ver o primeiro teste atômico em 1945: "Agora eu me tornei a Morte, a destruidora de mundos". Mais comumente, a linguagem é bíblica: Apocalipse, Armagedom, Fim dos Tempos, Dia do Juízo Final. Dean Rusk, secretário de Estado nos governos Kennedy e Johnson, escreveu que, se o país tivesse usado uma arma nuclear, "levaríamos a marca de Caim nas gerações vindouras".[201] O físico Alvin Weinberg, cujas pesquisas ajudaram a tornar a bomba possível, indagou em 1985:

> Estamos vendo uma santificação gradual de Hiroshima — isto é, a elevação de Hiroshima à condição de um evento profundamente místico, um evento, em última análise, com a mesma força religiosa dos eventos bíblicos? Não posso provar tal coisa, mas tenho certeza de que o quadragésimo aniversário de Hiroshima, com seus profusos arroubos de preocupação, assemelha-se à observância de importantes feriados religiosos. [...] A santificação de Hiroshima é um dos mais auspiciosos avanços da era nuclear.[202]

O tabu nuclear só veio a emergir gradualmente. Como vimos no capítulo 1, no mínimo por uma década após Hiroshima muitos americanos acharam a bomba atômica adorável. Em 1953, John Foster Dulles, secretário de Estado do governo Eisenhower, deplorou o que ele chamou de "falsa distinção" e "tabu" em torno das armas nucleares.[203] Durante uma crise em 1955 envolvendo Taiwan e a República Popular da China, Eisenhower declarou: "Em qualquer combate no qual essas coisas possam ser usadas sobre alvos estritamente militares e para fins estritamente militares, não vejo razão para que não sejam usadas exatamente como se usaria uma bala ou qualquer outra coisa".[204]

Mas na década seguinte as armas nucleares adquiriram um estigma que tornaria declarações desse tipo algo fora dos limites. Começou-se a entender que a capacidade destrutiva dessas armas era de uma ordem diferente da de qualquer outra coisa na história, que elas violavam quaisquer concepções de proporcionalidade em uma guerra e que os planos para a defesa civil (como abrigos nucleares no quintal e exercícios de procurar abrigo debaixo da mesa) eram lorota. As pessoas se deram conta de que a radiação remanescente da precipitação radioativa podia causar dano aos cromossomos e câncer por décadas após as explosões propriamente ditas. A precipitação radioativa decorrente de testes atmosféricos já havia contaminado a água das chuvas em todo o planeta com estrôncio 90, um isótopo radioativo semelhante ao cálcio que é absorvido pelos ossos e dentes das crianças (o que inspirou uma canção de protesto de Malvina Reynold que dizia: "O que fizeram com a chuva?").

Embora Estados Unidos e União Soviética continuassem a desenvolver a tecnologia nuclear a uma velocidade alucinante, começaram, ainda que hipocritamente, a tecer loas ao desarmamento nuclear em conferências e pronunciamentos públicos. Ao mesmo tempo, um movimento popular passou a estigmatizar as armas. Manifestações e petições atraíram milhões de cidadãos, e também figuras públicas como Linus Pauling, Bertrand Russell e Albert Schweitzer. A pressão crescente ajudou a empurrar as superpotências para uma moratória, seguida por uma proibição dos testes nucleares atmosféricos e finalmente por uma série de acordos sobre o controle de armas. A Crise dos Mísseis de Cuba, em 1962, foi um momento crítico. Lyndon Johnson aproveitou essa mudança para demonizar Goldwater no anúncio da margarida, e chamou a atenção para a fronteira categórica em um pronunciamento público que fez em 1964: "Não se enganem. Arma nuclear convencional é coisa que não existe. Por dezenove periclitantes anos, nenhum país lançou o átomo contra outro. Fazê-lo agora é uma decisão política de máximas consequências".[205]

Como a sorte do planeta continuou e as duas décadas sem ataques nucleares tornaram-se quatro, cinco e seis, o tabu alimentou a si mesmo no processo sem controle pelo qual normas tornam-se conhecimento comum. O uso de armas nucleares era impensável porque todos sabiam que era impensável, e todos sabiam que todos sabiam. O fato de a cada vez mais ineficaz ameaça nuclear não dissuadir os países de guerras grandes (Vietnã) e pequenas (Malvinas) era um preço irrisório a se pagar pelo adiamento indefinido do Armagedom.

Uma norma que depende apenas do reconhecimento mútuo é, obviamente, vulnerável a desmoronar subitamente. Poderíamos nos preocupar — deveríamos nos preocupar — com a possibilidade de países não pertencentes ao clube das grandes potências, como Índia, Paquistão, Coreia do Norte e, talvez em breve, Irã, não partilharem da noção comum de que o uso de armas nucleares é impensável. Pior ainda: uma organização terrorista que surrupiasse uma arma nuclear extraviada poderia fazer questão de desafiar o tabu, já que o único objetivo do terrorismo internacional é chocar o mundo com o espetáculo mais horripilante imaginável. Uma vez estabelecido o precedente de uma única explosão nuclear, poderíamos recear, todas as restrições seriam descartadas. Um pessimista poderia argumentar que, mesmo que a Longa Paz não tenha, até agora, dependido da dissuasão nuclear, ela é um hiato efêmero. Com certeza terminará quando as armas nucleares proliferarem, um maníaco do mundo em desenvolvimento der fim à nossa temporada de sorte e o tabu desmoronar entre as potências grandes e pequenas.

Ninguém em seu perfeito juízo pode estar calmo diante do arriscado estado da segurança nuclear no mundo atual. Mas, mesmo nesse aspecto, as coisas não são tão ruins como muita gente pensa. No próximo capítulo, examinarei a perspectiva do terrorismo nuclear. Por ora, tratemos dos Estados nucleares.

Um sinal promissor é o fato de a proliferação nuclear não ter ocorrido na velocidade furiosa que todos previam. Nos debates para a eleição presidencial de 1960, John F. Kennedy previu que em 1964 poderia haver "dez, quinze, vinte" países com armas nucleares.[206] Essa preocupação aumentou quando a China fez seu primeiro teste nuclear em 1964, elevando para cinco o número de países membros do clube nuclear em menos de vinte anos. Tom Lehrer retratou os temores da proliferação nuclear entre as massas com sua canção "Who's Next?" [Quem será o próximo?], na qual enumerava uma série de países que ele previa tornarem-se em breve potências nucleares ("Luxemburgo será o próximo/ E quem sabe Mônaco").

No entanto, o único país que cumpriu essa profecia foi Israel ("O Senhor é meu pastor, diz o Salmo/ Mas, para garantir, é melhor termos a bomba!").

Contrariando predições de especialistas de que o Japão "inequivocamente se lançará no processo de adquirir armas nucleares" em 1980 e que a Alemanha reunificada "se sentirá insegura sem armas nucleares", nenhum desses dois países parece interessado em produzi-las.[207] E, acredite ou não, desde 1964 países *desistiram* das armas nucleares em número igual ao de países que as *adquiriram*. Como assim? Enquanto Israel, Índia, Paquistão e Coreia do Norte têm atualmente capacidade nuclear, a África do Sul desmontou seu esconderijo pouco depois do colapso do regime do apartheid em 1989, e Cazaquistão, Ucrânia e Belarus disseram "Não, obrigado" aos arsenais que haviam herdado da finada União Soviética. Além disso, acredite ou não, o número de países não nucleares empenhados em desenvolver armas nucleares despencou desde os anos 1980. A figura 5.22, baseada em um levantamento do cientista político Scott Sagan, indica o número de Estados não nucleares em cada ano desde 1945 que tinham programas para desenvolver armas nucleares.

Os declives da curva mostram que, em vários momentos, Argélia, Austrália, Brasil, Egito, Iraque, Líbia, Romênia, Coreia do Sul, Suíça, Suécia, Taiwan e Iugoslávia procuraram ter armas nucleares, mas depois mudaram de ideia — ocasionalmente graças à persuasão de um ataque aéreo israelense, porém, o mais das vezes, por escolha própria.

Quão precário é o tabu nuclear? Um Estado pária inevitavelmente desafiará o tabu e, com isso, o anulará para o resto do mundo? A história não mostra que toda tecnologia bélica cedo ou tarde é posta em uso e a partir de então se torna irrepreensível?

A história do gás venenoso — supremo horror da Primeira Guerra Mundial — é um lugar onde podemos buscar a resposta. Em seu livro *The Chemical Weapons Taboo*, o cientista político Richard Price relata como as armas químicas adquiriram seu próprio estigma na primeira metade do século XX. A Convenção de Haia de 1899, um de vários acordos internacionais destinados a regular a conduta na guerra, havia proibido os projéteis de ponta oca, o bombardeio aéreo (a bordo de balões, pois a invenção do avião ainda demoraria quatro anos) e os projéteis com gás venenoso. Considerando o que estava por vir, essa convenção parece mais um manifesto simpático e inócuo condenado à lata de lixo da história.

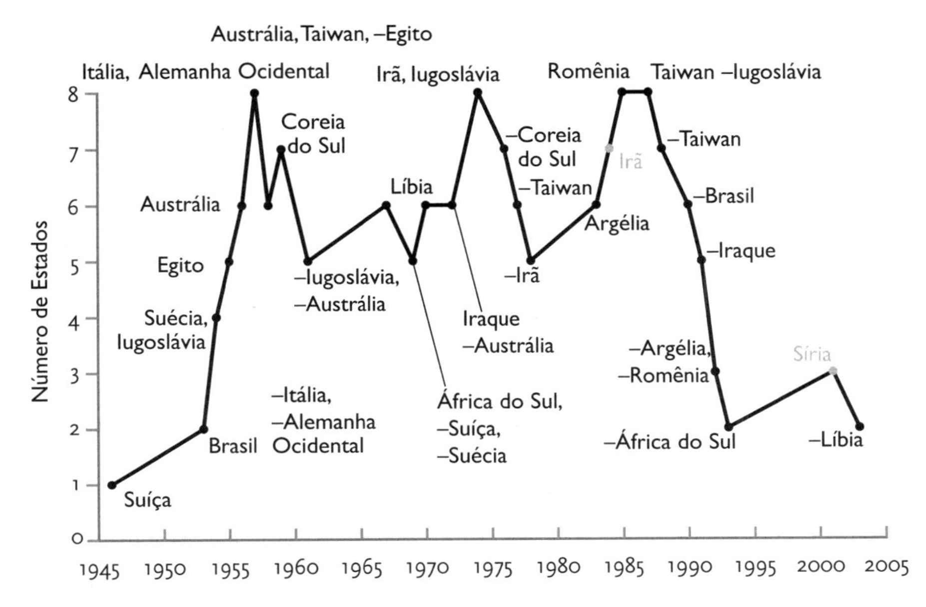

Figura 5.22. *Estados não nucleares que começaram e pararam a busca da bomba atômica, 1945-2010.*

O sinal "–" representa o ano em que um programa nuclear no país foi encerrado. Os países grafados em cinza supostamente estavam tentando desenvolver armas nucleares em 2010. Embora Israel tenha bombardeado uma construção síria suspeita de ser uma instalação nuclear em 2007, até 2010 a Síria não aceitou inspeções da Agência Internacional de Energia Atômica, por isso é mantida na lista dos Estados ativos. FONTES: Gráfico adaptado de Sagan, 2009, com informações atualizadas em Sagan, 2010, fornecidas por Scott Sagan e Jane Esberg.

Mas Price mostra que mesmo os combatentes na Primeira Guerra Mundial sentiram a necessidade de prestar homenagem à convenção. Quando a Alemanha introduziu o gás letal no campo de batalha, alegou que estava retaliando porque a França usara granadas de gás lacrimogêneo e que, de qualquer modo, estava de acordo com as determinações legais, pois não lançava o gás em projéteis de artilharia; simplesmente abria os cilindros e deixava que o vento levasse o gás na direção do inimigo. Essas racionalizações absolutamente inaceitáveis não devem obscurecer o fato de que a Alemanha sentiu necessidade de justificar sua conduta. Inglaterra, França e Estados Unidos alegaram, então, que estavam agindo em represália pelo uso ilegal da Alemanha, e todos os lados concordaram que a convenção não vigorava mais porque países não signatários (entre eles os Estados Unidos) haviam entrado no conflito.

Depois da guerra, a repulsa pelas armas químicas espalhou-se pelo mundo todo. Uma proibição com menos brechas foi institucionalizada no Protocolo de Genebra em 1925, que declarava:

> Considerando que o uso na guerra de gases asfixiantes, venenosos ou de outro tipo, e todos os líquidos, substâncias ou dispositivos análogos, foi justamente condenado pela opinião geral do mundo civilizado [...] a proibição de tal uso [...] será universalmente aceita como parte do direito internacional, e com ela se comprometem a consciência e prática das nações.[208]

Por fim, 133 países assinaram o protocolo, embora muitos dos signatários se reservassem o direito de estocar essas armas como um recurso dissuasivo. Winston Churchill explicou: "Estamos, é claro, firmemente decididos a não usar essa arma odiosa, a menos que ela seja usada primeiro pelos alemães. Entretanto, conhecendo nossos hunos,* não negligenciamos os preparativos em uma escala formidável".[209]

Se foi ou não o pedaço de papel que fez diferença, o tabu contra o uso de gás venenoso nas guerras entre Estados vingou. Assombrosamente, embora ambos os lados possuíssem toneladas do material, o gás venenoso nunca foi usado em campo de batalha durante a Segunda Guerra Mundial. Cada lado quis evitar o opróbrio de ser o primeiro a reintroduzir o gás venenoso no campo de batalha, especialmente enquanto os nazistas tinham esperança de que a Inglaterra aquiescesse com sua conquista da Europa continental. E cada lado temia a retaliação do outro.

Essa contenção prosseguiu mesmo diante de eventos desestabilizadores que poderiam muito bem ter desencadeado uma escalada irrefreável. Em pelo menos dois episódios na Europa, as forças aliadas lançaram gás venenoso acidentalmente. Foram transmitidas explicações aos comandantes alemães, eles acreditaram e não retaliaram.[210] Uma espécie de compartimentalização cognitiva também ajudou. Nos anos 1930, a Itália fascista usou gás venenoso na Abissínia, e o Japão imperial, na China. Mas esses eventos foram expulsos para as profundezas da mente dos líderes porque haviam ocorrido em partes "incivilizadas" do mundo, e não no seio da família das nações. Nenhum país registrou o fato como uma brecha que pudesse anular o tabu.

* Designação pejorativa de "alemães". (N. T.)

Os únicos usos prolongados de gás venenoso em guerra desde os anos 1930 foram do Egito contra o Iêmen em 1967 e do Iraque contra força iranianas (e contra seus próprios cidadãos curdos) durante a guerra de 1980-88. Desafiar o tabu pode ter selado a ruína de Saddam Hussein. A repulsa ao uso de gás venenoso pelo ditador do Iraque calou parte da oposição à guerra encabeçada pelos Estados Unidos que o depôs em 2003, e constou em duas das sete acusações contra ele no julgamento iraquiano que levou à sua execução em 2006.[211] Os países do mundo aboliram formalmente as armas químicas em 1993, e todos os estoques conhecidos estão em processo de desmanche.

Não é imediatamente óbvio por que o gás venenoso, de todas as armas de guerra, foi apontado como singularmente abominável — tão incivilizado que até os nazistas deixaram-no de fora do campo de batalha. (Eles claramente não tiveram escrúpulos de usá-lo em outro lugar.) Ser atingido por gás venenoso é extremamente desagradável, mas acontece que o mesmo se pode dizer de ser perfurado ou retalhado por pedaços de metal. No aspecto numérico, o gás é muito menos letal do que balas e bombas. Na Primeira Guerra Mundial, menos de 1% dos homens que foram atingidos por gás venenoso morreram, e essas mortes constituíram menos de 1% do total de mortes na guerra.[212] Embora a guerra química seja militarmente desorganizada — nenhum comandante de campo quer ficar à mercê da direção em que sopra o vento —, a Alemanha poderia tê-la usado para devastar as forças britânicas em Dunquerque, e ela seria bem útil às forças americanas, para desentocar os soldados japoneses escondidos em cavernas na orla do Pacífico. E, mesmo que a utilização de armas químicas seja difícil, isso não as torna únicas, pois a maioria das novas tecnologias bélicas é ineficaz logo que introduzida. As primeiras armas de fogo, por exemplo, eram demoradas para carregar, dificultavam a pontaria e tendiam a explodir no rosto do soldado que as disparava. Tampouco as armas químicas foram as primeiras a ser condenadas por barbarismo: na era das lanças e flechas, as armas de fogo foram criticadas como imorais, desumanas e covardes. Por que o tabu contra as armas químicas vingou?

Uma possibilidade é que a mente humana vê algo distintamente repulsivo no veneno. Ao que parece, seja qual for a suspensão das regras normais da decência que permite aos guerreiros fazer o que têm de fazer, ela os autoriza apenas a aplicação súbita e direta da força contra um adversário que tem o potencial para fazer o mesmo. Até pacifistas podem gostar de filmes de guerra ou videogames nos quais pessoas são baleadas, apunhaladas ou explodidas, mas ninguém parece ter prazer em ver uma névoa esverdeada envolver um campo de batalha e lentamente transformar homens em cadáveres. O envenenador há tempos é execrado como um assassino supremamente vil e pérfido. Veneno é o método do bruxo, não do guerreiro; da mulher (com seu temível controle da cozinha e do armário de remédios) e não do homem. Em *Venomous Woman* [Mulher venenosa], a estudiosa Margaret Hallissy explica o arquétipo:

> O veneno nunca pode ser usado como uma arma respeitável em um duelo justo entre oponentes dignos, como podem sê-lo a espada ou a pistola, armas masculinas. Um homem que recorra a tal arma secreta é mais do que desprezível. A rivalidade publicamente admitida é uma espécie de vínculo, no qual cada oponente digno dá ao outro a oportunidade de demonstrar intrepidez. [...] o duelista é franco, honesto e forte; o envenenador é fraudulento, ardiloso e fraco. Um homem com um revólver ou uma espada é uma ameaça, mas declara-se como tal, e a vítima a que ele visa pode armar-se. [...] O envenenador usa um conhecimento secreto superior para compensar sua inferioridade física. Uma mulher fraca que planeja um envenenamento é tão letal quanto um homem com uma arma, mas, porque ela trama em segredo, a vítima é mais desarmada.[213]

Qualquer ojeriza ao veneno que possamos ter herdado de nosso passado evolutivo ou cultural precisou de um empurrão da contingência histórica para arraigar-se como um tabu sobre a conduta na guerra. Price supõe que o não evento crucial foi o fato de, na Primeira Guerra Mundial, nunca ter sido usado gás venenoso deliberadamente contra civis. Pelo menos nessa aplicação, nenhum precedente destruidor de tabus foi criado, e, nos anos 1930, o horror generalizado à possibilidade de aviões lançarem gás venenoso e destruírem cidades inteiras moveu as pessoas a opor-se categoricamente a todos os usos dessa arma.

As analogias entre os tabus sobre armas químicas e os tabus sobre armas nucleares são bem claras. Hoje esses dois tipos são classificados juntos como "armas de destruição em massa", embora as armas nucleares sejam incomparavelmente mais destrutivas, pois cada tabu pode ganhar força mediante a associação com o outro. O pavor de ambos os tipos de arma é multiplicado pelas perspectivas de uma morte lenta por doença e de ausência de uma fronteira entre o campo de batalha e a vida civil.

A experiência mundial com armas químicas oferece algumas lições moderadamente auspiciosas, ao menos pelos aterradores padrões da era nuclear. Nem toda tecnologia letal torna-se uma parte permanente do kit de ferramentas militar; alguns processos podem ser revertidos; e sentimentos morais podem às vezes arraigar-se como normas internacionais e afetar a condução da guerra. Essas normas, ademais, podem ser suficientemente robustas para suportar uma exceção isolada, que não necessariamente desencadeia uma escalada incontrolável. Essa, em especial, é uma descoberta promissora, embora talvez seja bom para o mundo que não muitas pessoas tenham conhecimento dela.

Se o mundo safou-se com as armas químicas, poderia acontecer o mesmo com as armas nucleares? Recentemente, um grupo de ícones americanos propôs justamente isso em um manifesto idealista intitulado "A World Free of Nuclear Weapons" [Um mundo livre de armas nucleares]. Os ícones não foram Peter, Paul and Mary, e sim George Schultz, William Perry, Henry Kissinger e Sam Nunn.[214] Schultz foi secretário de Estado no governo Reagan. Perry foi secretário da Defesa no governo Clinton. Kissinger foi conselheiro de segurança nacional e secretário de Estado sob Nixon e Ford. Nunn foi presidente do Comitê de Serviços Armados do Senado e há tempos é considerado o legislador americano mais entendido em defesa nacional. Nenhum deles pode ser acusado de pacifismo ingênuo.

Eles têm o apoio de um grupo de elite de estadistas calejados pela guerra, altos funcionários de governos democratas e republicanos que remontam ao de John F. Kennedy. Entre eles incluem-se cinco ex-secretários de Estado, cinco ex-assessores de segurança nacional e quatro ex-secretários de Defesa. Ao todo, três quartos dos ex-ocupantes desses cargos hoje vivos aderiram ao clamor pela eliminação gradual, atestada e obrigatória de todas as armas nucleares, processo que atualmente alguns denominam Global Zero.[215] Barack Obama e Dmitri Medvedev endossaram essa coalizão em discursos (uma das razões de Obama ter sido laureado com o Nobel da Paz em 2009), e vários grupos interdisciplinares começaram a pesquisar como isso poderia ser implementado. O principal mapa do caminho requer quatro fases de negociação, redução e verificação, com a última ogiva nuclear desmontada em 2030.[216]

Como se poderia deduzir pelos currículos de seus patronos, a iniciativa Global Zero tem por trás uma sagaz *realpolitik*. Desde o fim da Guerra Fria, o arsenal nuclear das grandes potências tornou-se um absurdo. Ele não é mais necessário para dissuadir uma superpotência inimiga de representar uma ameaça existencial e, dado o tabu nuclear, não serve a nenhum outro propósito militar. A ameaça de um ataque retaliatório não pode dissuadir terroristas sem Estado, pois a bomba deles não viria com endereço para devolução, e se fossem fanáticos religiosos não haveria nada neste mundo que eles valorizassem o suficiente para temer caso fosse ameaçado. Por mais louváveis que tenham sido os vários acordos sobre redução de armas nucleares, eles fazem pouca diferença para a segurança global enquanto milhares de armas continuarem existindo e a tecnologia para fabricar novas armas não for esquecida.

A psicologia por trás do Global Zero é estender o tabu do *uso* de armas nucleares para a *posse* delas. Tabus dependem de um entendimento mútuo de que existem linhas claras que delineiam categorias tudo-ou-nada, e a linha que distingue zero de mais do que zero é a mais clara de todas. Nenhum país poderia justificar a aquisição de uma arma nuclear para se proteger de um vizinho possuidor de arma nuclear se tais vizinhos não existissem. Tampouco esse país poderia argumentar que as nações do legado nuclear estão hipocritamente se reservando o direito de manter suas próprias armas. Um país em desenvolvimento não poderia mais tentar parecer-se com um adulto adquirindo um arsenal nuclear se os adultos houvessem descartado essas armas como antiquadas e repulsivas. E qualquer Estado pária ou grupo terrorista que flertasse com a aquisição de uma arma nuclear se tornaria abjeto aos olhos do mundo — um criminoso depravado em vez de um formidável desafiante.

O problema, evidentemente, é como chegar lá a partir daqui. O processo de eliminação das armas abriria janelas de vulnerabilidade durante as quais uma das potências nucleares remanescentes poderia cair sob o domínio de um fanático expansionista. Países poderiam ser tentados a trapacear conservando algumas armas nucleares escondidas, só para o caso de os adversários fazerem o mesmo. Um Estado pária poderia apoiar terroristas nucleares assim que tivesse certeza de que nunca seria alvo de retaliação. E em um mundo sem armas nucleares mas com o conhecimento de como construí-las — e esse processo certamente não pode ser revertido —, uma crise poderia desencadear um esforço desesperado de rearmamento, no qual o primeiro a lograr o objetivo poderia ser tentado a atacar preventivamente, antes que o adversário conseguisse predominar. Alguns especialistas em estratégia nuclear, entre eles Schelling, John Deutch e Harold Brown, duvidam que um mundo sem armas nucleares seja atingível ou mesmo desejável, embora outros estejam elaborando cronogramas e salvaguardas destinados a responder às suas objeções.[217]

Com tantas incertezas, ninguém deveria predizer que as armas nucleares irão pelo mesmo caminho do gás venenoso em algum futuro próximo. No entanto, o fato de a abolição poder ser discutida como uma perspectiva previsível já é um sinal de vitalidade da Longa Paz. Se a abolição acontecer, ela representará o supremo declínio da violência. Um mundo livre de armas nucleares! Que realista teria sonhado com isso?

A LONGA PAZ É UMA PAZ DEMOCRÁTICA?

Se a Longa Paz não é a filha robusta do terror e a irmã gêmea da aniquilação, então é filha de quem? Podemos identificar alguma variável exógena — algum processo que não seja parte da paz em si — que tenha florescido nos anos pós-guerra e que nos dê razões para crer que ela atua como uma força genérica contra a guerra? Existe alguma história causal com maior poder explicativo do que "Os países desenvolvidos pararam de guerrear porque se tornaram menos belicosos"?

No capítulo 4 encontramos uma teoria de duzentos anos atrás que oferece algumas predições. Em seu ensaio "Paz perpétua", Immanuel Kant concluiu que três condições devem reduzir os incentivos à guerra para os líderes nacionais sem que eles tenham de tornar-se mais bondosos ou gentis.

A primeira condição é a democracia. O governo democrático é concebido para resolver conflitos entre os cidadãos pelos ditames consensuais da lei; assim, as democracias devem externar essa ética quando lidam com outros Estados. Além disso, uma democracia conhece o modo como funciona cada uma das outras democracias, pois são todas construídas sobre as mesmas bases racionais, em vez de nascidas de um culto da personalidade, de um credo messiânico ou de uma missão chauvinista. A resultante confiança entre as democracias deveria cortar pela raiz o ciclo hobbesiano no qual o medo de um ataque preventivo tenta cada um dos lados a desferir um ataque preventivo. Finalmente, como os líderes democráticos precisam dar satisfação a seu povo, é menos provável que iniciem guerras estúpidas que lhes tragam glória à custa do sangue e do tesouro de seus cidadãos.

A Paz Democrática, como agora se chama essa teoria, tem dois pontos a seu favor como explicação para a Longa Paz. O primeiro é que as tendências estão seguindo na direção certa. Na maior parte da Europa, a democracia tem raízes surpreendentemente rasas. A metade oriental foi dominada por ditaduras comunistas até 1989, e Espanha, Portugal e Grécia foram ditaduras fascistas até os anos 1970. A Alemanha começou uma guerra mundial como uma monarquia militarista, apoiada pela Áustria-Hungria monárquica, e outra como uma ditadura nazista, apoiada pela Itália fascista. Até a França precisou de cinco tentativas para acertar com a democracia, intercaladas com regimes monárquicos, imperiais e o de Vichy. Não muito tempo atrás, diversos especialistas pensavam que a democracia estava condenada. Em 1975, Daniel Patrick Moynihan lamentou que

> a democracia liberal no modelo americano tende cada vez mais à condição da monarquia oitocentista: uma forma de governo remanescente, que persiste em lugares isolados ou peculiares aqui e ali, e pode até servir razoavelmente em circunstâncias especiais, mas não tem relevância alguma para o futuro. Ela esteve onde o mundo esteve, não onde ele está indo.[218]

Cientistas sociais nunca deveriam predizer o futuro; já é bem difícil predizer o passado. A figura 5.23 mostra que destino tiveram as democracias, autocracias e anocracias (países que não são totalmente democráticos nem totalmente autocráticos) do mundo todo nas décadas após a Segunda Guerra Mundial. O ano em que Moynihan anunciou a morte da democracia foi um momento decisivo para as sortes relativas das diferentes formas de governo, e a democracia mostrou que estava exatamente onde o mundo estava indo, em especial o mundo desenvolvido. A Europa Meridional tornou-se totalmente democrática nos anos 1970, e a Europa Oriental, no começo dos anos 1990. Atualmente, o único país europeu classificado como autocracia é Belarus, e todos menos a Rússia são democracias no pleno sentido da palavra. Também nas Américas e em importantes países desenvolvidos no Pacífico, como Coreia do Sul e Taiwan, predominam as democracias.[219] Deixando de lado qualquer contribuição que a democracia possa dar à paz internacional, ela é uma forma de governo que inflige o mínimo de violência a seus cidadãos, e por isso a ascensão da democracia, em si mesma, deve ser vista como mais um marco no declínio histórico da violência.

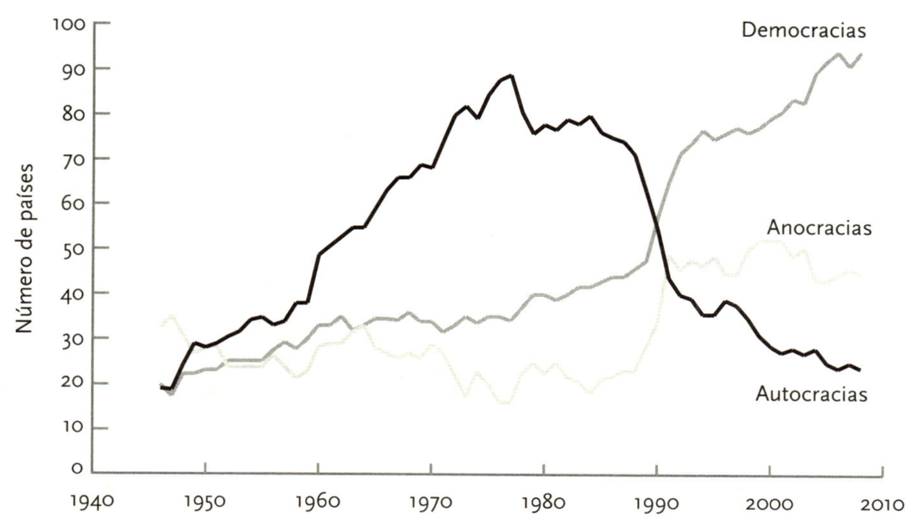

Figura 5.23. *Democracias, autocracias e anocracias, 1946-2008.*
FONTE: Gráfico adaptado de Marshall e Cole, 2009. Considerados apenas países com população superior a 500 mil habitantes em 2008.

O segundo diferencial em favor da Paz Democrática é um factoide que às vezes é elevado a lei da história. Ei-lo explicado pelo ex-primeiro-ministro Tony Blair em uma entrevista a Jon Stewart no programa satírico americano *The Daily Show* em 2008:

Stewart: Nosso presidente — você já foi apresentado a ele? É um paladino da liberdade. Acredita que, se todos fossem uma democracia, não haveria mais luta.
Blair: Bem, a história diz que nunca duas democracias guerrearam entre si.
Stewart: Permita-me uma pergunta. Argentina. Democracia?
Blair: Bem, é democracia. Eles elegem seu presidente.
Stewart: Inglaterra. Democracia?
Blair: Mais ou menos. Era, quando estive lá pela última vez.
Stewart: Hum... vocês não guerrearam?
Blair: Na verdade, na época a Argentina não era uma democracia.
Stewart: Bolas! Pensei que tinha pegado ele.

Se países desenvolvidos tornaram-se democráticos depois da Segunda Guerra Mundial, e se nunca houve guerra entre democracias, temos então uma explicação para o fato de os países desenvolvidos terem parado de guerrear depois da Segunda Guerra Mundial.

Como insinua o cético questionamento de Stewart, a teoria da Paz Democrática tem sido posta em dúvida, especialmente depois de ter fornecido parte da exposição de motivos para a invasão do Iraque por Bush e Blair em 2003. Entusiastas da história deliciam-se em encontrar possíveis contraexemplos; vejamos alguns, extraídos de uma coletânea de White:

- Guerras gregas, século V AEC: Atenas contra Siracusa
- Guerras púnicas, séculos II e III AEC: Roma contra Cartago
- Revolução Americana, 1775-83: Estados Unidos contra Inglaterra
- Guerras revolucionárias francesas, 1793-99: França contra Grã-Bretanha, Suíça e Holanda.
- Guerra de 1812, 1812-15: Estados Unidos contra Grã-Bretanha
- Guerra Franco-Romana, 1849: França contra República Romana
- Guerra Civil Americana, 1861-65: Estados Unidos contra Estados Confederados
- Guerra Hispano-Americana, 1898: Estados Unidos contra Espanha
- Guerra Anglo-Bôer, 1899-1901: Grã-Bretanha contra Transvaal e Estado Livre de Orange
- Primeira Guerra Índia-Paquistão, 1947-49
- Guerra civil libanesa, 1978, 1982: Israel contra Líbano
- Guerra de independência da Croácia, 1991-92: Croácia contra Iugoslávia
- Guerra de Kosovo, 1999: Otan contra Iugoslávia
- Guerra de Kargil, 1999: Índia contra Paquistão
- Guerra Israel-Líbano, 2006[220]

Cada contraexemplo motivou uma investigação sobre a verdadeira condição democrática dos Estados envolvidos. Grécia, Roma e a Confederação eram Estados escravistas; a Grã-Bretanha era uma monarquia com um número minúsculo de cidadãos com direito de voto até 1832. As outras guerras envolveram, na melhor das hipóteses, democracias incipientes ou marginais como Líbano, Paquistão, Iugoslávia, além de França e Espanha do século XIX. E até as primeiras décadas do século XX, o direito de voto era negado às mulheres, e elas, como veremos, tendem a apoiar mais do que os homens as propostas pacifistas. A maioria dos defensores da

Paz Democrática está disposta a desconsiderar os séculos anteriores ao XX, juntamente com as democracias recentes e instáveis, e assevera que, desde então, democracias maduras e estáveis nunca lutaram entre si numa guerra.

Os críticos da Paz Democrática, por sua vez, argumentam que, se traçarmos um círculo da "democracia" muito pequeno, não sobrarão muitos países lá dentro; assim, pelas leis da probabilidade, não é de surpreender que encontremos poucas guerras com uma democracia de cada lado. Com exceção das grandes potências, dois países tendem a lutar somente quando têm uma fronteira em comum; por isso, a geografia exclui a maioria dos oponentes teóricos. Não precisamos recorrer à democracia para explicar por que Nova Zelândia e Uruguai, ou Bélgica e Tailândia, nunca se enfrentaram numa guerra. Se restringirmos ainda mais a base de dados descartando trechos anteriores da linha do tempo (limitando-a, como fazem alguns, ao período posterior à Segunda Guerra Mundial), uma teoria mais cética explicará a Longa Paz: desde o início da Guerra Fria, os aliados da potência dominante, os Estados Unidos, não lutaram entre si. Outras manifestações da Longa Paz — como o fato de que as grandes potências nunca lutaram umas contra as outras — nunca foram explicadas pela Paz Democrática e, segundo os críticos, provavelmente derivam de uma dissuasão mútua, nuclear ou convencional.[221]

Uma última dor de cabeça para a teoria da Paz Democrática, pelo menos como ela se aplica à propensão geral para a guerra, é que muitas democracias não se comportam tão bem quanto Kant diz que deveriam. A ideia de que as democracias exteriorizam a atribuição de poder e a resolução pacífica de conflitos determinadas pela lei não condiz com as muitas guerras que Grã-Bretanha, França, Holanda e Bélgica empreenderam para adquirir e defender seus impérios coloniais — no mínimo 33 entre 1838 e 1920, e mais algumas contando até os anos 1950 e mesmo 1960 (como a França na Argélia). Igualmente desconcertantes para os teóricos da Paz Democrática são as intervenções americanas durante a Guerra Fria, quando a CIA ajudou a derrubar governos mais ou menos democráticos no Irã (1953), Guatemala (1954) e Chile (1973), que haviam se inclinado demais para a esquerda para o gosto americano. Os defensores da teoria replicam que o imperialismo europeu, embora não desaparecesse instantaneamente, esteve em abrupto declínio justamente quando a democracia ascendia no continente, e que as intervenções americanas foram operações dissimuladas, escondidas do público, e não guerras travadas à vista de todos, constituindo, portanto, exceções que provam a regra.[222]

Quando um debate descamba para definições movediças, exemplos forçados e desculpas ad hoc, é hora de chamar as estatísticas de brigas mortais. Dois cientistas políticos, Bruce Russett e John Oneal, insuflaram vida nova à teoria da Paz Democrática fixando as definições, controlando as variáveis que causavam confusão e testando uma versão quantitativa da teoria: não é que as democracias *nunca* fazem guerra (pois, nesse caso, cada suposto contraexemplo torna-se uma questão de vida ou morte), e sim que, sendo tudo o mais igual, elas fazem guerra *menos frequentemente* do que as não democracias.[223]

Russett e Oneal desataram o nó com uma técnica estatística que separa os efeitos de variáveis confundidas: a regressão logística múltipla. Suponhamos que você descubra que fumantes inveterados têm mais ataques cardíacos, e queira confirmar que o risco maior foi causado pelo fumo e não pela falta de exercícios que acompanha o hábito de fumar. Primeiro você tenta explicar o mais possível os dados sobre ataques cardíacos usando o fator perturbador, ou seja, as taxas de exercício. Depois de analisar uma grande amostra de registros sobre a saúde de homens, você poderia determinar que, em média, cada hora adicional de exercício por semana diminui em certo grau a probabilidade de um homem ter um ataque cardíaco. Ainda assim, a correlação não é perfeita: alguns sedentários têm coração sadio, alguns atletas morrem em campo. A diferença entre a taxa de ataques cardíacos que você prediria com base em uma certa taxa de exercícios e a taxa de ataques cardíacos efetivamente medida é chamada "resíduo". O conjunto total dos resíduos nos dá alguns números que podemos usar para avaliar os efeitos da variável na qual você realmente está interessado, o fumo.

Agora você aproveita uma segunda fonte de espaço de manobra. Em média, fumantes inveterados exercitam-se menos, mas alguns deles se exercitam bastante, ao passo que alguns não fumantes quase não se exercitam. Isso lhe dá um segundo conjunto de resíduos: as discrepâncias entre a verdadeira taxa de fumantes entre os homens e a taxa que prediríamos com base em sua taxa de exercícios. Finalmente, você verifica se os resíduos que sobram da relação fumo-exercício (o grau em que homens fumam mais ou menos do que você prediria com base em sua taxa de exercícios) se correlacionam com os resíduos restantes da relação exercícios-ataques cardíacos (o grau em que homens têm mais ou menos ataques cardíacos do que você prediria com base em sua taxa de exercícios). Se os resíduos se correlacionarem com os resíduos, você pode concluir que fumar tem correlação com os ataques cardíacos, independentemente de sua correlação conjunta com o exercício. E, se você medir o fumo em um momento anterior das vidas dos homens e os ataques cardíacos em um momento posterior (para excluir a possibilidade de os ataques cardíacos levarem os homens a fumar e não vice-versa), poderá se aproximar mais um pouco da afirmação de que o fumo *causa* ataques cardíacos. A regressão múltipla lhe permite fazer isso não só com dois fatores de predição enredados, mas com qualquer número deles.

Um problema geral da regressão múltipla é que quanto mais fatores de predição você quer desenredar, mais dados são necessários, pois mais variação nos dados é "consumida" conforme cada variável perturbadora suga o máximo da variação que puder, e a hipótese na qual você está interessado tem de servir-se apenas do restante. E, felizmente para a humanidade, mas infelizmente para os cientistas sociais, guerras entre Estados não eclodem assim tão frequentemente. O Correlates of War Project registra apenas 79 guerras plenas entre Estados (com no mínimo mil mortos por ano) entre 1823 e 1997, e apenas 49 desde 1900, o que é pouco demais para a estatística. Por isso, Russett e Oneal examinaram uma base de dados muito maior, que lista disputas militarizadas entre Estados — incidentes nos quais um país pôs suas forças em alerta, disparou uma flecha, enviou aviões, cruzou espadas, sacudiu sabres ou mostrou de algum outro modo seus músculos militares.[224] Supondo que, para cada guerra que efetivamente eclode, existam muito mais disputas que se resolvem sem guerra mas têm causas semelhantes, as disputas devem ser moldadas pelas mesmas causas das próprias guerras e, portanto, podem servir como substitutas abundantes para as guerras. O Correlates of War Project identifica mais de 2300 disputas militarizadas entre Estados no período de 1816 a 2001, um número capaz de satisfazer até um cientista social faminto por dados.[225]

Russett e Oneal primeiramente alinharam suas unidades de análise: pares de países em cada ano, de 1886 a 2001, que tiveram pelo menos algum risco de guerrear, seja porque eram vizinhos, seja porque um deles era uma grande potência. O dado que interessava era se, de fato, o par teve alguma disputa militarizada naquele ano. Em seguida, os pesquisadores verificaram o quanto fora democrático no ano anterior o *menos* democrático do par, supondo que, mesmo se um Estado democrático for avesso à guerra, ele ainda assim pode ser arrastado para um conflito por um adversário mais beligerante (e talvez menos democrático). Não parece justo punir a democrática Holanda em 1940 por entrar em guerra contra seus invasores alemães; por isso, o par Holanda-Alemanha em 1940 é nivelado por baixo em democracia por causa da Alemanha de 1939.

Para evitar a tentação do *data snooping* na hora de decidir se um Estado era ou não democrático, especialmente em se tratando de países que se intitulavam "democracias" com base em eleições fraudulentas, Russett e Oneal extraíram seus números do Polity Project, que atribui a cada país uma nota em democracia de zero a dez baseada no quanto seu processo político é competitivo, no grau em que seu líder é escolhido abertamente e em quantas restrições existem ao poder do líder. Os pesquisadores também puseram na panela algumas variáveis que se supõe afetarem disputas militares através de pura *realpolitik*: se um par de países tinha ou não uma aliança formal (uma vez que é menor a probabilidade de aliados guerrearem entre si); se um deles era uma grande potência (pois grandes potências tendem a se meter em encrenca); e, caso nenhum fosse uma grande potência, se um deles era ou não consideravelmente mais poderoso do que o outro (porque os Estados lutam menos frequentemente quando há desigualdade de forças e o resultado é muito previsível).

Então, com tudo o mais constante, as democracias têm ou não menor probabilidade de entrar em disputas militarizadas? A resposta é, claramente, sim. Nos casos em que o membro menos democrático de um par era uma autocracia plena, dobrava a chance de esses dois países terem uma briga, em comparação com um par médio de países em risco. Quando ambos os países eram plenamente democráticos, a chance de uma disputa caía para menos da metade.[226]

Na verdade, a teoria da Paz Democrática saiu-se ainda melhor do que seus defensores esperavam. Não só as democracias evitam disputas entre si, mas também há razões para supor que elas tendem a se manter fora de disputas de modo geral.[227] E a razão de não lutarem entre si não é só o fato de serem semelhantes; não existe a Paz Autocrática, uma espécie de honra entre ladrões na qual as autocracias também evitam disputas entre si.[228] A Paz Democrática aplicou-se não apenas a todo o período de 115 anos abrangido pela base de dados, mas também aos subperíodos de 1900 a 1939 e de 1989 a 2001. Isso mostra que a Paz Democrática não é um subproduto da Pax Americana durante a Guerra Fria.[229] Aliás, nunca houve sinal algum de uma Pax Americana ou uma Pax Britannica: os anos em que um desses países foi a potência militar dominante não foram mais pacíficos do que os anos nos quais eles foram apenas uma potência entre muitas.[230] Tampouco houve sinal algum de que as novas democracias sejam exceções belicosas à Paz Democrática — pense nos países bálticos e centro-europeus que adotaram a democracia depois do colapso do império soviético, e nos países sul-americanos que se livraram de suas juntas militares nos anos 1970 e 1980, nenhum dos quais entrou subsequentemente em guerra.[231] Russett e Oneal encontraram apenas uma restrição à Paz Democrática: ela só entrou em funcionamento por volta de 1900, como se poderia esperar com base na profusão de contraexemplos do século XIX.[232]

Portanto, a Paz Democrática saiu em boa forma de um teste duro. Mas isso não significa que devemos todos ser paladinos da liberdade e tentar impor o governo democrático a cada autocracia que conseguirmos invadir. A democracia não é completamente exógena a uma sociedade; não é uma lista de procedimentos para o funcionamento do governo da qual decorrem todas as outras coisas boas. Ela faz parte da tessitura de atitudes civilizadas que inclui, com destaque, uma renúncia à violência política. A Inglaterra e os Estados Unidos, vale lembrar, haviam preparado o terreno para suas democracias quando seus líderes políticos e seus oponentes tinham perdido o costume de assassinar uns aos outros. Sem essa tessitura, a democracia não traz nenhuma garantia de paz interna. Embora democracias novas e frágeis não comecem guerras entre Estados, veremos no próximo capítulo que elas têm desproporcionalmente mais guerras civis.

Mesmo quando se trata da aversão das democracias à guerra entre Estados, é prematuro ungir a democracia como a causa primeira. Os países democráticos são beneficiários do lado feliz do efeito Mateus ("Porque a todo o que tem se lhe dará, e terá em abundância; mas ao que não tem, até o que tem lhe será tirado"). Não só as democracias são livres de déspotas, mas também são mais ricas, mais sadias, mais educadas e mais abertas ao comércio externo e às organizações internacionais. Para entender a Longa Paz, temos de isolar essas influências.

A LONGA PAZ É UMA PAZ LIBERAL?

Alguns consideram a Paz Democrática um caso especial de Paz Liberal — "liberal" no sentido do liberalismo clássico, com sua ênfase na liberdade política e econômica, e não do liberalismo de esquerda.[233] A teoria da Paz Liberal abrange também a doutrina do comércio gentil, segundo a qual o comércio é uma forma de altruísmo recíproco que oferece benefícios de soma positiva para ambas as partes e dá a cada uma um interesse egoísta no bem-estar da outra. Robert Wright, que deu suprema importância à reciprocidade em *Não zero: A lógica do destino humano*, seu tratado sobre a expansão da cooperação ao longo da história, ilustra assim essa ideia: "Uma das muitas razões por que penso que não devemos bombardear os japoneses é que eles fizeram minha minivan".

A palavra da moda, "globalização", é um lembrete de que, em décadas recentes, o comércio internacional proliferou. Muitos avanços exógenos facilitaram e baratearam o comércio. Entre eles temos as tecnologias de transportes, como o avião a jato e o navio porta-contêineres, as tecnologias de comunicação eletrônica, como o telex, a telefonia de longa distância, o fax, o satélite e a internet; os acordos de comércio, que reduzem tarifas e regulações; canais de finanças internacionais e câmbio, que facilitam o fluxo de dinheiro pelas fronteiras; e o crescente apoio das economias modernas nas ideias e informações em vez de no trabalho manual e objetos físicos.

A história sugere muitos exemplos nos quais a maior liberdade de comércio correlaciona-se com mais paz. O século XVIII viu uma calmaria nas guerras e uma ênfase no comércio, quando os alvarás e monopólios régios começaram a dar lugar a mercados livres, e a mentalidade protecionista do mercantilismo deu lugar à mentalidade do ganho para todos do comércio internacional. Muitos países que se retiraram do jogo das grandes potências e suas consequentes guerras, como a Holanda no século XVIII e Alemanha e Japão na segunda metade do século XX, canalizaram suas aspirações nacionais para o objetivo de se tornarem potências comerciais. As tarifas protecionistas dos anos 1930 acarretaram um declínio no comércio internacional e, talvez, um aumento nas tensões internacionais. A atual cortesia entre Estados Unidos e China, países que têm pouco em comum além do rio de produtos manufaturados numa direção e dólares na outra, é um lembrete recente dos efeitos conciliadores do comércio. E, rivalizando com a teoria da Paz Democrática como um fator categórico de prevenção de conflitos em nossa época, temos a teoria dos Arcos Dourados: nunca dois países com um McDonald's guerrearam entre si. O único Ataque Big Mac inequívoco ocorreu em 1999, quando a Otan bombardeou brevemente a Iugoslávia.[234]

Casos como esse à parte, muitos historiadores duvidam que o comércio, como regra geral, conduza à paz. Em 1986, por exemplo, John Gaddis escreveu: "É agradável acreditar nessas coisas, porém existem notavelmente poucas evidências históricas que as validem".[235] Certamente avanços na infraestrutura de apoio ao comércio não foram suficientes para produzir a paz na Antiguidade e na Idade Média. As tecnologias que facilitaram o comércio, como navios e estradas, também facilitaram o saque, às vezes entre os mesmos itinerantes, que seguiam uma regra: "Se eles forem mais numerosos, comercie; se nós formos mais numerosos, saqueie".[236] Em séculos posteriores, os lucros possíveis pelo comércio foram tão tentadores que às vezes o comércio era imposto com canhoneiras às colônias e países fracos que a ele resistiam; o mais infame exemplo são as Guerras do Ópio do século XIX, quando a Grã-Bretanha guerreou contra a China para forçá-la a permitir que traficantes britânicos vendessem sua droga viciante dentro de suas fronteiras. E muitas guerras de grandes potências envolveram pares de países que tiveram alto volume de comércio entre si.

Norman Angell inadvertidamente prejudicou a reputação da associação entre comércio e paz quando se atribuiu a ele a afirmação de que o livre-comércio tornara a guerra obsoleta e cinco anos depois eclodiu a Primeira Guerra Mundial. Os céticos gostam de tripudiar salientando que os anos pré-guerra tiveram níveis sem precedentes de interdependência financeira, incluindo um grande volume de comércio entre Inglaterra e Alemanha.[237] E, como o próprio Angell fez questão de ressaltar, a futilidade econômica da guerra é uma razão para evitá-la somente se, antes de tudo, os países estiverem interessados em prosperar. Muitos líderes estão dispostos a sacrificar um pouco de prosperidade (ou frequentemente muito mais do que um pouco) para aumentar o poder nacional, implementar ideologias utópicas ou retificar o que veem como injustiças históricas. Seus cidadãos, mesmo em democracias, podem concordar com eles.

Russett e Oneal, que defendem a Paz Democrática com armas numéricas, também procuraram testar a teoria da Paz Liberal, e foram os céticos dos céticos. Observaram que, embora o comércio internacional atingisse um pico local pouco antes da Primeira Guerra Mundial, proporcionalmente ao produto interno bruto ainda era uma fração do nível que os países alcançariam após a Segunda Guerra (ver figura 5.24).

Além disso, o comércio só pode atuar como força pacificadora quando se alicerça em acordos internacionais que impedem um país de voltar-se subitamente para o protecionismo e cortar o fornecimento de ar a seus parceiros comerciais. Gat mostra que, na virada do século XX, Grã-Bretanha e França estavam ameaçando tornar-se autossuficientes na esfera econômica, vivendo exclusivamente do comércio em seus impérios coloniais. Isso pôs a Alemanha em pânico e deu a seus líderes a ideia de que eles também precisavam de um império.[238]

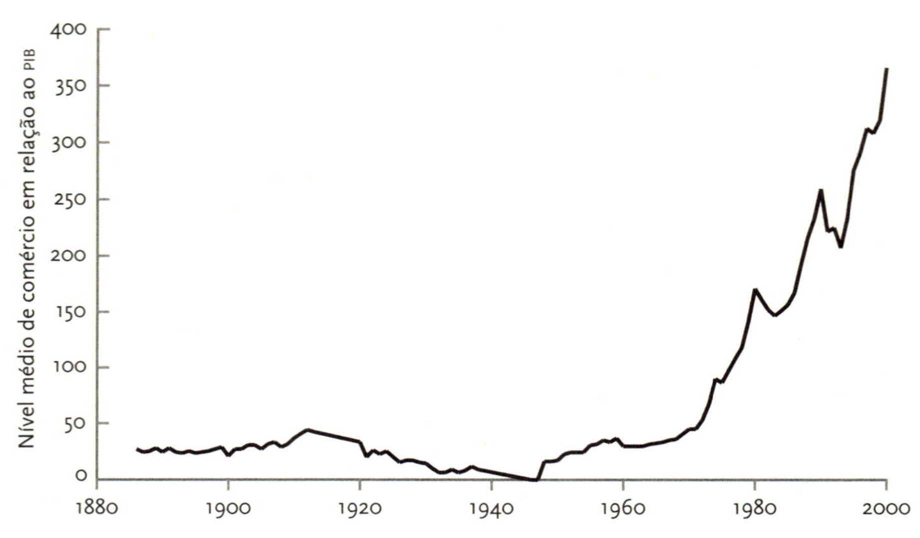

Figura 5.24. *Comércio internacional em relação ao PIB, 1885-2000.*
FONTE: Gráfico de Russett, 2008, baseado em dados de Gleditsch, 2002.

Com exemplos e contraexemplos de ambos os lados, e os muitos elementos capazes de gerar confusões estatísticas entre o comércio e outras características propícias (democracia, participação em organizações internacionais, ser membro de alianças, prosperidade geral), chegou mais uma vez a hora da regressão múltipla. Para cada par de países em risco, Russett e Oneal anotaram a quantidade de comércio (como proporção do PIB) para o membro mais dependente dessa atividade. Constataram que os países que dependiam mais de comércio em um dado ano tinham menor probabilidade de entrar em uma disputa militarizada no ano subsequente, mesmo fazendo o controle para os fatores democracia, razão de poder, condição de grande potência e crescimento econômico.[239] Outros estudos mostraram que os efeitos pacificadores do comércio dependem do nível de desenvolvimento dos países: os que têm acesso à infraestrutura financeira e tecnológica responsável pela diminuição dos custos do comércio têm maior probabilidade de resolver suas disputas sem exibições de força militar.[240] Isso condiz com as sugestões de Angell e Wright de que grandes mudanças históricas afastaram os incentivos financeiros da guerra e os aproximaram do comércio.

Russett e Oneal concluíram que não era apenas o nível de comércio bilateral entre os países componentes de um par que contribuía para a paz, e sim a dependência de cada país em relação ao comércio de modo geral: um país aberto à economia global tem menor probabilidade de se envolver em uma disputa militarizada.[241] Isso convida a uma versão mais expansiva da teoria do comércio gentil. O comércio internacional é apenas uma faceta do espírito comercial de um país. Outras facetas são a abertura ao investimento estrangeiro, a liberdade de seus cidadãos para firmar contratos executáveis e sua dependência de transações financeiras voluntárias em vez da autossuficiência, escambo ou extorsão. Os efeitos pacificadores do comércio nesse sentido amplo parecem ter sido ainda mais robustos do que os efeitos pacificadores da democracia. Uma paz democrática surge forte apenas quando *ambos* os membros de um par de países são democráticos, mas os efeitos do comércio são demonstráveis quando *qualquer um* dos membros do par tem uma economia de mercado.[242]

Tais conclusões levaram alguns cientistas políticos a ter uma ideia herética chamada de Paz Capitalista.[243] A palavra "liberal" em Paz Liberal refere-se tanto à abertura política da democracia como à abertura econômica do capitalismo e, segundo a heresia da Paz Capitalista, é a abertura econômica a maior responsável pela pacificação. Em argumentos que decerto deixam os esquerdistas sem fala, os defensores dessa teoria afirmam que muitos dos argumentos de Kant sobre a democracia aplicam-se igualmente ao capitalismo. O capitalismo pertence a uma economia que funciona por meio de contratos voluntários entre os cidadãos, e não através do comando e controle governamental, e esse princípio pode trazer algumas das mesmas vantagens que Kant mencionou para as repúblicas democráticas. A ética da negociação voluntária em um país (como a ética da transferência de poder governada por lei) é naturalmente externada para as relações desse país com os outros. A transparência e a inteligibilidade de um país com uma economia de livre mercado podem tranquilizar seus vizinhos de que ele não está em pé de guerra, e isso pode desativar uma armadilha hobbesiana e tolher a liberdade de um líder para se de dedicar a blefes e malabarismos políticos arriscados. E, independentemente de o poder de um líder ser ou não restringido pelas urnas, em uma economia de mercado ele é restringido pelos detentores dos meios de produção, os quais poderiam se opor a uma interrupção do comércio internacional que prejudicasse os negócios. Essas restrições refreiam a ambição pessoal do líder por glória, poder e justiça cósmica, bem como sua tentação de reagir a uma provocação com uma escalada irrefletida.

Democracias tendem a ser capitalistas e vice-versa, mas essa correlação é imperfeita: a China, por exemplo, é capitalista, mas autocrática, e a Índia é democrática, mas, até pouco tempo atrás, era acentuadamente socialista. Vários cientistas políticos exploraram essas discrepâncias e opuseram democracia e capitalismo ao analisarem conjuntos de dados sobre disputas militarizadas ou outras crises internacionais. Como Russett e Oneal, todos eles veem um claro efeito pacificador em variáveis capitalistas como o comércio internacional e a abertura à economia global. Mas alguns discordam com a dupla na questão de se a democracia dá ou não uma contribuição para a paz quando se remove estatisticamente sua correlação com o capitalismo.[244] Assim, enquanto as contribuições relativas do liberalismo político e econômico estão atualmente atoladas em complicados cálculos de regressão, a abrangente teoria da Paz Liberal está em terreno firme.

A própria ideia de uma Paz Capitalista é chocante para aqueles que se lembram de quando os capitalistas eram considerados "mercadores da morte" e "senhores da guerra". A ironia não passou despercebida ao eminente pesquisador da paz Nils Petter Gleditsch, que encerrou seu discurso de 2008 como presidente da International Studies Association atualizando o lema da paz dos anos 1960: "Faça dinheiro, não faça a guerra".[245]

A LONGA PAZ É UMA PAZ KANTIANA?

Na esteira da Segunda Guerra Mundial, pensadores renomados estavam desesperados para descobrir o que dera errado, e bolaram vários planos para impedir uma reprise. Mueller explica o mais popular deles:

> Alguns cientistas ocidentais, aparentemente consumidos pela culpa por terem participado da criação de uma arma capaz de matar com nova eficiência, [...] tiraram uma folga de seus laboratórios e estudos e foram refletir sobre questões humanas. Chegaram depressa a conclusões expressas com uma certeza evangélica que nunca haviam exibido ao discutirem o mundo físico. Embora houvesse feito seu maior trabalho em física quando era cidadão da nação soberana da Suíça, Einstein mostrou-se tão imune quanto qualquer outro ao exemplo suíço. "Enquanto existirem países soberanos com grande poder", ele declarou, "a guerra é inevitável." [...] Felizmente,

ele e outros cientistas haviam conseguido descobrir o único recurso capaz de resolver o problema. "Só a criação de um governo mundial pode impedir a iminente destruição da humanidade."[246]

O governo mundial parece ser uma extensão direta da lógica do Leviatã. Se um governo nacional com o monopólio do uso da força é a solução para o problema do homicídio entre indivíduos e da guerra privada e civil entre facções, um governo *mundial* com o monopólio do uso legítimo da força *militar* não seria a solução para o problema das guerras entre países? A maioria dos intelectuais não foi tão longe quanto Bertrand Russell; em 1948 ele propôs que se desse à União Soviética o seguinte ultimato: se ela não se submetesse imediatamente ao governo mundial, os Estados Unidos a atacariam com armas nucleares.[247] Mas o governo mundial foi endossado por Einstein, Wendell Willkie, Hubert Humphrey, Norman Cousins, Robert Maynard Hutchins e William O. Douglas, entre outros. Muita gente pensou que o governo mundial emergiria gradualmente das Nações Unidas.

Hoje a campanha pelo governo mundial persiste principalmente entre excêntricos e fãs de ficção científica. Um problema é que um governo, para funcionar, depende de um grau de confiança mútua e de valores comuns entre os governados, coisa que não é provável existir no planeta inteiro. Outro é que um governo mundial não teria alternativas com as quais pudesse aprender a governar melhor, ou para as quais os cidadãos descontentes pudessem emigrar; portanto, não teria freios naturais contra a estagnação e a arrogância. E não é provável que as Nações Unidas se transformem em um governo pelo qual alguém queira ser governado. O Conselho de Segurança é tolhido pelo poder de veto que as grandes potências exigem ter antes de ceder-lhe qualquer autoridade, e a Assembleia Geral é mais um palanque para déspotas do que um parlamento dos povos do mundo.

Em "Paz perpétua", Kant imaginou uma "federação de Estados livres" que não chegaria nem perto de ser um Leviatã internacional. Ela seria um clube gradualmente crescente de repúblicas liberais, e não um megagoverno global, e teria por base o poder brando da legitimidade moral em vez do monopólio do uso da força. O equivalente moderno é a organização intergovernamental, ou OIG — uma burocracia com um poder limitado para coordenar as políticas dos países participantes em alguma área na qual eles têm um interesse comum. A entidade internacional com a melhor folha de serviço para implementar a paz mundial provavelmente não é a ONU, mas a Comunidade Europeia do Carvão e do Aço, uma OIG fundada em 1950 pela França, Alemanha Ocidental, Bélgica, Holanda e Itália para supervisionar um mercado comum e regular a produção dos dois mais importantes produtos básicos estratégicos. A organização foi projetada especificamente como um mecanismo para submergir rivalidades e ambições históricas — sobretudo da Alemanha Ocidental — em um empreendimento comercial conjunto. A Comunidade do Carvão e do Aço preparou o palco para a Comunidade Econômica Europeia, que, por sua vez, gerou a União Europeia.[248]

Muitos historiadores acreditam que essas organizações ajudaram a manter a guerra fora da consciência coletiva da Europa Ocidental. Tornando as fronteiras nacionais porosas às pessoas, dinheiro, mercadorias e ideias, elas enfraqueceram nos países a tentação de acalentar rivalidades militantes, do mesmo modo que a existência dos Estados Unidos enfraquece a tentação, por exemplo, de Minnesota e Winconsin acalentarem uma rivalidade militante. Juntando em um clube países cujos líderes precisavam conviver e trabalhar em conjunto, essas organizações impuseram certas normas de cooperação. Servindo como juízes imparciais, puderam mediar disputas entre as nações participantes. E, acenando com o incentivo de um vasto mercado, puderam instigar aspirantes a desistir de seus impérios (no caso de Portugal) ou comprometer-se com a democracia liberal (no caso de ex-satélites soviéticos e, talvez em breve, a Turquia).[249]

Russett e Oneal supõem que a participação em organizações intergovernamentais é o terceiro vértice de um triângulo de forças pacificadoras que eles atribuem a Kant, sendo as outras duas forças a democracia e o comércio. (Embora Kant não destacasse o comércio em "Paz perpétua", louvou-o em outros textos; por isso, Russett e Oneal sentiram-se autorizados a traçar esse triângulo.) As organizações internacionais não precisam ter missões utópicas ou mesmo idealistas. Podem coordenar a defesa, a moeda, o serviço postal, as tarifas, o trânsito pelos canais, os direitos de pesca, a poluição, o turismo, os crimes de guerra, os pesos e as medidas, a sinalização rodoviária, qualquer coisa — contanto que sejam associações voluntárias de governos. A figura 5.25 mostra como a participação em tais organizações aumentou constantemente durante o século XX, com uma elevação acentuada após a Segunda Guerra Mundial.

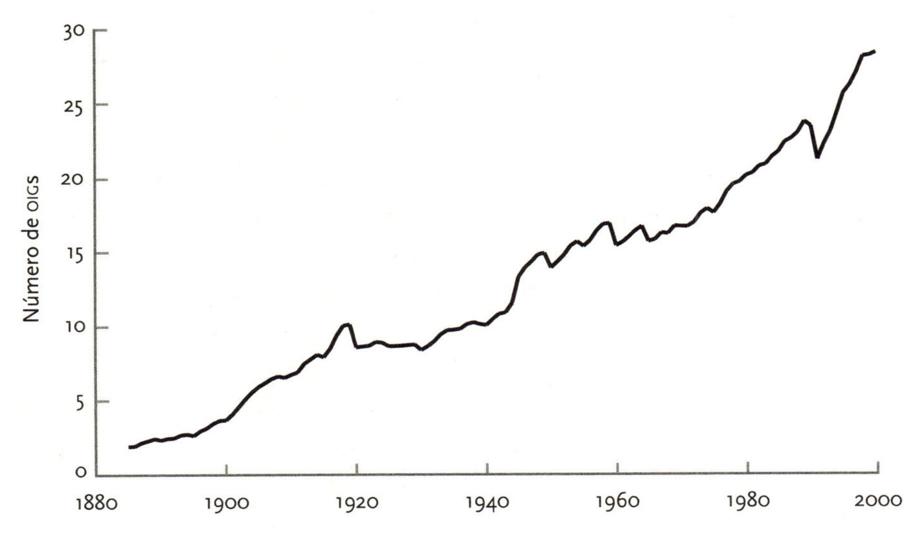

Figura 5.25. *Número médio de participações em OIG partilhadas por um par de países, 1885-2000.*
FONTE: Gráfico de Russett, 2008.

Para verificar se a participação em OIGS deu alguma contribuição independente à paz ou se apenas acompanhou a democracia e o comércio, Russett e Oneal contaram a quantas dessas organizações cada par de países pertenceu conjuntamente e inseriram os resultados na análise de regressão junto com as contagens para a democracia e o comércio e as variáveis de *realpolitik*. Os pesquisadores concluíram que Kant acertou três de três fatores: a democracia favorece a paz, o comércio favorece a paz e a participação em organizações intergovernamentais favorece a paz. Um par de países que se encontra entre os dez mais na escala em todas as três variáveis tem 83% menos chance do que um par de países médio de entrar em uma disputa militarizada em um dado ano, o que significa que a probabilidade é muito próxima de zero.[250]

Será que Kant tinha razão em um sentido ainda mais amplo? Russett e Oneal defenderam o triângulo kantiano com complexas correlações. Mas uma narrativa causal derivada de dados de correlação é sempre vulnerável à possibilidade de que alguma entidade oculta seja a verdadeira causa tanto do efeito que se está tentando explicar como das variáveis que estão sendo usadas para explicá-lo. No caso do triângulo kantiano, cada suposto agente pacificador pode depender de uma causa ainda mais profunda e mais kantiana: uma disposição para resolver conflitos por meios que sejam aceitáveis para todas as partes afetadas, e não pela imposição da vontade da parte mais forte à mais fraca. Países tornam-se democracias estáveis somente quando suas facções políticas se cansam de assassinar como meio de aquinhoar o poder. Dedicam-se ao comércio somente quando passam a dar mais valor à prosperidade mútua do que à glória unilateral. E filiam-se a organizações intergovernamentais apenas quando estão dispostos a ceder um pouco de soberania em troca de um pouco de benefícios mútuos. Em outras palavras, aderindo às variáveis kantianas, os países e seus líderes estão cada vez mais agindo de tal modo que o princípio por trás de suas ações pode ser tornado universal. A Longa Paz poderia representar a ascendência do imperativo categórico na arena internacional?[251]

Muitos estudiosos das relações internacionais zombariam dessa ideia. Segundo uma influente teoria tendenciosamente chamada de "realismo", a ausência de um governo mundial relega os países a um estado permanente de anarquia hobbesiana. Isso significa que líderes têm de agir como psicopatas e levar em consideração apenas o autointeresse nacional, não abrandado por ideias sentimentais (e suicidas) de moralidade.[252]

Alguns defendem o realismo como uma consequência da existência da natureza humana, e nesse caso a teoria subjacente da natureza humana diz que as pessoas são animais racionais movidos pelo autointeresse. Porém, como veremos nos capítulos 8 e 9, o ser humano também é um animal *moral*: não no sentido de que seu comportamento é moral à luz da análise ética desinteressada, e sim de que ele é guiado por intuições morais alicerçadas em emoções, normas e tabus. O homem também é um animal cognitivo, que urde crenças e as usa para guiar suas ações. Nenhuma dessas qualidades invariavelmente impele nossa espécie para a paz. Mas não é sentimental nem anticientífico imaginar que momentos históricos específicos podem ativar as faculdades morais e cognitivas dos líderes e suas coalizões em uma combinação que os incline à coexistência pacífica. Talvez a Longa Paz seja um desses momentos.

Portanto, além das três causas próximas kantianas, a Longa Paz pode depender de uma causa última kantiana. Entre o eleitorado influente de países desenvolvidos podem ter evoluído normas que incorporem a convicção de que a guerra é imoral devido a seus custos para o bem-estar humano, e de que ela só pode ser justificada em raras ocasiões, quando se tiver certeza de que impedirá custos ainda maiores para o bem-estar humano. Se for assim, a guerra entre países desenvolvidos irá pelo mesmo caminho de costumes como a escravidão, a servidão feudal, a tortura na roda, a evisceração, o acossamento de ursos, a incineração de gatos e hereges, o afogamento de bruxas, o enforcamento de ladrões, as execuções públicas, a exibição de cadáveres em decomposição no patíbulo, o duelo, as prisões de devedores insolventes, o açoitamento, o arrastamento sob a quilha do navio e outras práticas que passaram de inatacáveis a controversas até se tornarem imorais ou impensáveis e, por fim, a nem serem mais cogitadas durante a Revolução Humanitária.

Podemos identificar causas exógenas da nova aversão humanitária à guerra encontrada nos países desenvolvidos? Aventei no capítulo 4 que a Revolução Humanitária teria sido acelerada pela atividade editorial, pela alfabetização, pelas viagens, pela ciência e por outras forças cosmopolitas que ampliam os horizontes intelectuais e morais das pessoas. Na segunda metade do século XX vemos óbvios paralelos. Tivemos o advento da televisão, dos computadores, satélites, telecomunicações e viagens em aviões a jato, além de uma expansão sem precedentes da ciência e da educação superior. O guru da comunicação Marshall McLuhan definiu o mundo pós-guerra como "aldeia global". Em uma aldeia, o que acontece com outras pessoas é sentido imediatamente. Se a aldeia é o tamanho natural de nosso círculo de empatia, então talvez quando a aldeia se tornar global seus habitantes se importarão mais com seus semelhantes humanos do que quando a aldeia era apenas seu clã ou sua tribo. Um mundo onde uma pessoa pode abrir o jornal de manhã e dar de cara com os olhos de uma menina aterrorizada correndo nua de um ataque de napalm a milhares de quilômetros de distância não é um mundo no qual um escritor pode afirmar que a guerra é "o alicerce de todas as virtudes e faculdades superiores do homem" ou que ela "expande a mente de uma pessoa e engrandece seu caráter".

O término da Guerra Fria e a dissolução pacífica do império soviético também foram associados à maior facilidade de movimentação das pessoas e ideias no fim do século XX.[253] Nos anos 1970 e 1980, o empenho da União Soviética em conservar seu poder através do controle totalitário dos meios de comunicação e das viagens trazia desvantagens consideráveis. Não só estava ficando ridículo para uma economia moderna operar sem fotocopiadoras, máquinas de fax e computadores pessoais (sem falar na nascente internet), como também era impossível os dirigentes do país impedirem que os cientistas e os estudiosos de política aprendessem sobre as ideias no cada vez mais próspero Ocidente, ou que a geração pós-guerra aprendesse sobre o rock, o blue jeans e outras prerrogativas da liberdade pessoal. Mikhail Gorbatchóv era um homem de gostos cosmopolitas, e levou para seu governo muitos analistas que haviam viajado e estudado no Ocidente. A liderança soviética assumiu verbalmente um comprometimento com os direitos humanos nos Acordos de Helsinque, de 1975, e uma rede internacional de ativistas dos direitos humanos estava tentando instigar a população a exigir que essa palavra fosse honrada. A política da glasnost (abertura) de Gorbatchóv permitiu em 1989 a publicação seriada de *Arquipélago Gulag*, de Alexander Soljenítsin, e autorizou a transmissão pela televisão dos debates do Congresso dos Representantes do Povo, expondo milhões de russos à brutalidade da liderança soviética no passado e à inépcia da liderança corrente.[254] O chip de silício, o avião a jato e o espectro eletromagnético estavam introduzindo ideias que ajudavam a corroer a Cortina de Ferro. Embora possa parecer que a autoritária China atual está desafiando a hipótese de que a tecnologia e as viagens são forças liberalizantes, a liderança desse país é incomparavelmente menos assassina do que o regime insular de Mao, como demonstrarão os números no próximo capítulo.

Pode haver outra razão para que os sentimentos antiguerra finalmente tenham vindo para ficar. A trajetória de mortes violentas na Europa que vimos na figura 5.18 é uma paisagem acidentada na qual três pináculos — as guerras religiosas, as guerras revolucionárias e napoleônicas da França e as duas guerras mundiais — são seguidos por vastas depressões, cada uma com altitude menor que a precedente. Após cada hemoclismo, os líderes mundiais tentaram, com algum sucesso, diminuir a probabilidade de uma recorrência. Evidentemente, seus tratados e acordos não duraram para sempre, e uma leitura da história não baseada em números pode convidar à conclusão de que os dias da Longa Paz estão no fim e uma guerra ainda maior aguarda para nascer. Mas os salpicos poissonianos da guerra não mostram nenhuma periodicidade, nenhum ciclo de acumulação e extravasamento. Nada impede que o mundo aprenda com seus erros e empurre a probabilidade cada vez mais para baixo.

Lars-Erik Cederman reexaminou os ensaios de Kant e descobriu uma peculiaridade em sua prescrição para a paz perpétua. Kant não tinha nenhuma ilusão de que os líderes nacionais seriam suficientemente sagazes para deduzir as condições da paz a partir de primeiros princípios; percebeu que precisariam aprendê-los graças a uma amarga experiência histórica. Em um ensaio intitulado "Ideia para uma história universal com um propósito cosmopolita", ele escreveu:

> Guerras, preparativos tensos e incessantes e a resultante aflição que todo Estado deve sentir em seu íntimo, mesmo em meio à paz — são esses os meios pelos quais a natureza impele as nações a fazer tentativas inicialmente imperfeitas, mas por fim, depois de muitas devastações, comoções e até mesmo uma completa exaustão interna de suas forças, a tomar providências que a razão poderia ter lhes sugerido mesmo sem tantas experiências tristes: abandonar seu estado de selvageria sem lei.[255]

Cederman propõe que a teoria de Kant da paz pelo aprendizado seja combinada à sua teoria da paz pela democracia. Embora todos os Estados, inclusive as democracias, comecem beligerantes (pois muitas democracias nasceram como grandes potências), e todos os Estados possam ser subitamente surpreendidos por guerras terríveis, talvez as democracias sejam mais bem equipadas para aprender com suas catástrofes, pois são abertas à informação, e seus líderes têm de prestar contas.[256]

Cederman traçou em um gráfico a trajetória histórica de disputas militarizadas de 1837 a 1992 em pares de democracias e outros pares de países (figura 5.26). O serrilhado inclinado das democracias mostra que elas começaram beligerantes e foram sofrendo choques periódicos que elevaram acentuadamente sua taxa de disputas. Mas, após cada pico, sua taxa de disputas tornou a cair depressa. Cederman constatou ainda que a curva de aprendizado foi mais pronunciada para as democracias maduras do que para as recentes. As autocracias também retornaram a níveis mais pacíficos depois de choques inopinados de grandes guerras, porém o fizeram de modo mais lento e errático. A vaga ideia de que depois do Hemoclismo do século XX um mundo cada vez mais democrático ficou "cansado da guerra" e "aprendeu com seus erros" pode conter alguma verdade.[257]

Um tema popular nas baladas antibélicas dos anos 1960 era que a estupidez da guerra sempre estivera evidente, mas as pessoas teimosamente se recusavam a enxergar. "*How many deaths will it take till they learn that too many people have died? The answer, my friend, is blowin' in the wind.*" "*Where have all the soldiers gone? Gone to*

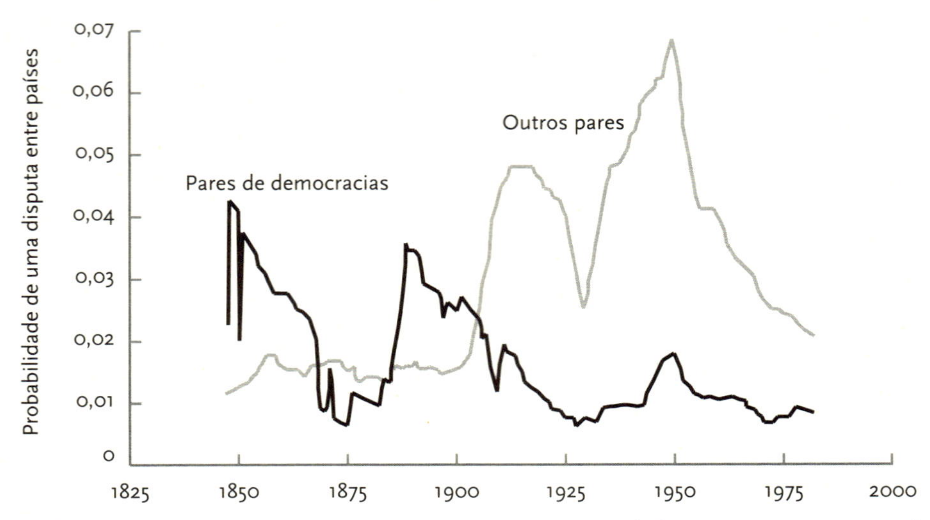

Figura 5.26. *Probabilidade de disputas militarizadas entre pares de democracias e outros pares de países, 1825-1992.*

FONTE: Gráfico de Cederman, 2001. As curvas representam médias móveis de vinte anos para pares de países em risco.

*graveyards, every one. When will they ever learn?"** Depois de meio milênio de guerras de dinastias, guerras religiosas, guerras por soberania, guerras nacionalistas e guerras ideológicas, das muitas pequenas guerras na espinha da distribuição e de algumas guerras horrendas na cauda, os dados sugerem que talvez, finalmente, estejamos aprendendo.

* "Quantas mortes será preciso até eles se darem conta de que morreu gente demais? A resposta, meu amigo, anda voando ao vento"; "Aonde foram todos os soldados? Foram para o cemitério, todos eles. Quando é que irão aprender?" (N. T.)

6. A Nova Paz

As autojustificativas de Macbeth eram débeis — e sua consciência o devorava. Sim, até Iago também era um cordeirinho. A imaginação e a força espiritual dos malfeitores de Shakespeare detinham-se no limiar de uma dúzia de cadáveres. Porque eles não tinham ideologia.

Alexander Soljenítsin

Você pensaria que o desaparecimento da mais grave ameaça na história da humanidade provocaria um suspiro de alívio nos comentaristas internacionais. Contrariamente aos vaticínios dos experts, não houvera invasão da Europa Ocidental por tanques soviéticos, nem escalada de uma crise em Cuba, ou Berlim, ou no Oriente Médio, no rumo de um holocausto nuclear.[1] As cidades do mundo não tinham se evaporado; a atmosfera não estava envenenada por contaminação radioativa ou coalhada de detritos que obscureciam o sol e condenariam o *Homo sapiens* ao destino dos dinossauros. Mais ainda, uma Alemanha reunificada não se converteria em um Quarto Reich, a democracia não seguiria o caminho da monarquia e as grandes potências e nações desenvolvidas não mergulhariam em uma terceira guerra mundial, mas sim em uma longa paz, que continua a se prolongar. E sem dúvida os experts vinham tendo conhecimento dos aprimoramentos na sina do mundo desde décadas antes.

Mas não — os discursos eram mais agourentos do que nunca! Em 1989, John Gray previu "um retorno ao terreno clássico da história, um terreno de grandes rivalidades entre potências [...] e pretensões e guerras irredentistas".[2] Um editor do *New York Times* escreveu em 2007 que o retorno já ocorrera: "Não foi preciso muito tempo [após 1989] para se retornar à rota da precariedade sangrenta, sob o impulso de novos assomos de violência e absolutismo ideológicos".[3] O cientista político Stanley Hoffman disse que fora desencorajado de ministrar seu curso sobre relações internacionais porque, depois do fim da Guerra Fria, não se ouvia "nada além de terrorismo, homens-bomba, gente refugiada e genocídios".[4] O pessimismo é bipartido: em 2007, o escritor conservador Norman Podhoretz publicou um livro chamado *World War IV* [Quarta Guerra Mundial], sobre "a longa luta contra o islamofascismo", enquanto o colunista liberal Frank Rich escrevia que o mundo era "um lugar mais perigoso do que nunca".[5] Se Rich está certo, então o mundo era mais perigoso em 2007 do que fora durante as duas guerras mundiais, as crises de Berlim em 1949 e 1961, a Crise dos Mísseis de Cuba e as guerras no Oriente Médio. O que é um bocado perigoso.

Por que a visão sombria? Parcialmente devido às forças do mercado no ramo da sapiência, que favorecem as Cassandras em detrimento das Polianas. Parcialmente em decorrência do temperamento humano: como David Hume observou, "a disposição para inculpar o presente, e admirar o passado, está fortemente enraizada na natureza humana, e exerce influência mesmo sobre pessoas com o mais profundo julgamento e o mais extenso conhecimento". Mas principalmente, penso eu, ela provém da aversão a números de nossa cultura jornalística e intelectual. O jornalista Michael Kinsley escreveu que "é um esmagador desapontamento que a geração do *baby boom* tenha se tornado adulta com os americanos matando e morrendo por todo o mundo, enquanto agora, quando ela chega à aposentadoria, ou mais, nosso país esteja fazendo as mesmas desgraças".[6] Isso significa que 5 mil americanos morrendo é a mesma desgraça que 58 mil americanos morrendo, e que uma centena de milhar de iraquianos sendo mortos é a mesma desgraça que vários milhões de vietnamitas sendo mortos. Se não damos uma espiada nos números, a política de programação do tipo "quem sangra lidera" irá alimentar o curto-circuito cognitivo "quanto mais memorável, mais frequente", e terminaremos naquilo que tem sido chamado falsa sensação de insegurança.[7]

Este capítulo fala sobre três tipos de violência que têm alimentado o novo pessimismo. Elas tiveram pouco espaço no capítulo precedente, que se concentrou nas guerras entre grandes potências e Estados desenvolvidos. A Longa Paz não assistiu a um fim desses três tipos de conflito, dando a impressão de que o mundo é "um lugar mais perigoso do que nunca".

O primeiro desses tipos de violência organizada abarca todas as outras categorias de guerra, mais destacadamente as guerras civis e aquelas entre milícias, guerrilhas e paramilitares que infestam o mundo em desenvolvimento. São as "novas guerras" ou "conflitos de baixa intensidade", que dizem ter "antigos ódios" como combustível.[8] Imagens familiares de rapazolas africanos com suas Kalashnikovs dão a impressão de que a carga global de guerras não diminuiu, apenas deslocou-se do hemisfério norte para o hemisfério sul.

As novas guerras foram concebidas para serem especialmente destrutivas na esfera civil, devido à fome e às doenças que elas deixam em seu caminho, omitidas em muitos dos levantamentos dos custos de guerras. Conforme uma estatística amplamente repetida, no início do século XX, 90% das mortes em guerras vitimavam soldados e 10% civis, porém no fim do século as proporções tinham se invertido. Horrendas estimativas das vidas perdidas devido a fome e epidemias, rivalizando com o Holocausto nazista, foram atribuídas a países conflagrados como a República Democrática do Congo.

A segunda espécie de violência organizada que acompanharei é a matança em massa de grupos étnicos e políticos. O período de cem anos do qual escapamos recentemente foi chamado de "era do genocídio" e "século do genocídio". Muitos comentaristas já escreveram que as limpezas étnicas emergiram com a modernidade, eram mantidas ancoradas pela hegemonia das superpotências, retornaram como uma vingança após o fim da Guerra Fria e hoje são tão predominantes como sempre.

O terceiro tipo é o terrorismo. Desde os ataques de 11 de setembro de 2001 aos Estados Unidos, o medo do terrorismo produziu uma maciça burocracia, duas guerras externas e uma obsessiva discussão na arena política. Diz-se que a ameaça do terrorismo representa uma "ameaça à existência" dos Estados Unidos, com a capacidade de "acabar com nosso estilo de vida" ou pôr fim à "própria civilização".[9]

Por certo, cada uma dessas mazelas continua a cobrar seu tributo de vidas humanas. A questão que colocarei neste capítulo é qual exatamente é o tamanho do tributo, e se ele aumentou ou diminuiu ao longo das últimas décadas. Apenas ultimamente os cientistas políticos tentaram medir esses tipos de destruição, e agora que o fizeram chegaram a uma conclusão surpreendente: *todos esses gêneros de morticínio estão em declínio*.[10] Os decréscimos são recentes — datam das duas últimas décadas, ou menos —, de modo que não podemos contar com eles, e reconhecerei sua natureza incipiente chamando esse processo de Nova Paz. Ainda assim, as tendências são de genuínas reduções da violência e merecem nossa cautelosa atenção. São substanciais em tamanho, opõem-se à percepção convencional e sugerem caminhos para podermos identificar o que foi que deu certo e repetir a dose no futuro.

A TRAJETÓRIA DA GUERRA NO RESTO DO MUNDO

O que o resto do mundo andou fazendo durante os seiscentos anos em que as grandes potências e os Estados europeus atravessaram os períodos das guerras de dinastias, religiosas, pela soberania, pelo nacionalismo e pelas ideologias; foram sacudidos pelas duas guerras mundiais; e tombaram a seguir em uma longa paz? Desgraçadamente, a inclinação eurocêntrica da informação histórica torna impossível desenhar as curvas com alguma segurança. Antes do advento do colonialismo, enormes extensões da África, as Américas e a Ásia abrigaram episódios de predação, razias e incursões escravagistas que desapareceram do horizonte militar ou entraram pelas matas sem que qualquer historiador ouvisse falar delas. O próprio colonialismo foi implementado pela via de muitas guerras imperiais que as grandes potências conduziram para adquirir suas colônias, suprimir revoltas e repelir rivais. Toda essa era esteve repleta de guerras. No período que vai de 1400 a 1938, o Catálogo de Conflitos de Brecke lista 276 conflitos violentos nas Américas, 283 na África do Norte e no Oriente Médio, 586 na África subsaariana, 313 na Ásia Central e Meridional e 567 no Leste e no Sudeste Asiáticos.[11] A miopia histórica impede que possamos tabular tendências confiáveis de frequência ou declínio da mortalidade em guerras, porém vimos no capítulo precedente que muitas delas eram devastadoras. Elas incluem guerras civis e interestatais que foram proporcionalmente (e, em alguns casos) mais letais que qualquer coisa que tenha ocorrido na Europa, tais como a Guerra Civil Americana, a Rebelião Taiping, na China, a

Guerra da Tríplice Aliança, na América do Sul, e as conquistas de Shaka Zulu, na África Meridional.

Em 1946, justamente quando a Europa, as grandes potências e o mundo desenvolvido começaram a engrenar seus pacíficos índices zerados, os dados do mundo como um todo entraram em foco. Foi esse o primeiro ano coberto pelo meticuloso banco de dados reunido por Bethany Lacina, Nils Petter Gleditsch e outros colegas no Peace Research Institute of Oslo [Instituto de Pesquisa da Paz de Oslo] — Prio, chamado Prio Battle Deaths Dataset [Banco de Dados de Mortos em Combate do Prio].[12] Os dados incluem todos os conflitos armados conhecidos em que morreram ao menos 25 pessoas em um ano. Os conflitos que alcançam o índice de milhares de mortes por ano são promovidos a "guerras", acompanhando a definição usada no Correlates of War Project, porém não passaram a ter outro tipo de tratamento. (Continuarei a usar a palavra "guerra" em seu sentido não técnico, referindo-me a conflitos armados de todos os tamanhos.)

Os pesquisadores do Prio seguem critérios que são tão confiáveis quanto possível, de modo que os analistas possam comparar regiões do mundo e identificar tendências ao longo do tempo usando um referencial fixo. Sem critérios estritos — quando o analista usa mortes diretamente em combate, em algumas guerras, mas em outras inclui mortes indiretas, em epidemias e fomes, ou quando conta guerras de exército contra exército em algumas regiões, mas agrega genocídios em outras —, as comparações perdem o sentido e podem facilmente ser usadas na propaganda desta ou daquela causa. A análise do Prio seleciona a partir de relatos, textos da mídia, relatórios de organizações governamentais e de direitos humanos a contagem de mortes em guerras mais objetiva possível. As contagens são conservadoras; algumas sem dúvida estão subestimadas, pois omitem todas as mortes que sejam meramente estimadas ou cujas causas não possam ser certificadas com segurança. Critérios semelhantes, e dados que coincidem com estes, têm sido usados em outros bancos de dados sobre conflitos, como o Uppsala Conflict Data Project [Projeto de Dados de Conflitos de Uppsala] — UCDP, cujos dados iniciam em 1989; o Stockholm International Peace Research Institute [Instituto de Pesquisa da Paz de Estocolmo] — Sipri, que emprega dados do UCDP ajustados; e o Human Security Report Project [Projeto Relatório de Segurança Humana] — HSRP, que se apoia nos dados tanto do Prio como do UCDP.[13]

Tal como Lewis Richardson, os novos contadores de conflitos tiveram de lidar com lacunas de objetividade, e assim dividiram os conflitos em categorias empregando critérios obsessivo-compulsivos.[14] O primeiro corte distingue três tipos de violência em massa que se diferenciam por suas causas e, igualmente importante, por sua contabilidade. O conceito de "guerra" (e sua versão atenuada, "conflito armado") é empregado com grande naturalidade em mortandades coletivas organizadas e socialmente legitimadas. Isso convida a uma definição em que uma "guerra" passa a ter um governo em pelo menos um dos lados beligerantes, e os dois lados devem contestar algum objeto identificável, usualmente um território ou o aparelho de governo. Para tornar isso claro, o levantamento chama de guerra, em sentido estrito, os "conflitos armados baseados em Estados" — e estes são os únicos conflitos em que o levantamento abarca todo o período retrocedendo até 1946.

A segunda categoria compreende os conflitos "não estatais" ou "intercomunais", opondo entre si senhores da guerra, milícias ou paramilitares (frequentemente alinhados com grupos étnicos ou religiosos).

A terceira categoria tem o nome clínico de "violência unilateral" e abarca genocídios, politicídios e outros massacres de civis desarmados, sejam eles perpetrados por governos ou por milícias. A exclusão da violência unilateral por parte do banco de dados do Prio é em parte uma escolha tática para dividir a violência conforme as diferentes causas, mas é também um legado do persistente fascínio dos historiadores pela guerra, às custas do genocídio, que apenas recentemente foi reconhecido como mais destruidor de vidas humanas.[15] Rudolph Rummel e a cientista política Barbara Harff, assim como o UCDP, coletaram dados sobre genocídios que examinaremos na próxima seção.[16]

A primeira das três categorias, dos conflitos de base estatal, é por sua vez subdividida conforme qual o governo que combate. A guerra arquetípica é a guerra *interestatal*, que engaja dois Estados um contra o outro, tal como na Guerra Irã-Iraque de 1980-88. Vêm então as guerras *extraestatais*, ou *extrassistêmicas*, em que um governo move a guerra contra uma entidade de fora das suas fronteiras que não é um Estado reconhecido. Estas em geral são guerras imperiais, em que um Estado combate forças indígenas para adquirir uma colônia, ou guerras coloniais, em que ele guerreia para manter a colônia, como a que opôs França e Argélia de 1954 a 1962.

Por fim, há as guerras civis ou *intraestatais*, nas quais o governo combate com uma insurreição, rebelião ou movimento separatista. Estas são por sua vez subdivididas em guerras civis que são inteiramente internas (como a recentemente concluída guerra no Sri Lanka entre o governo e os Tigres Tâmeis) e *guerras intraestatais internacionalizadas*, em que intervêm Exércitos estrangeiros, usualmente para ajudar um governo a se defender contra rebeldes. Tanto a guerra no Afeganistão como a Guerra do Iraque começaram como conflitos interestatais (os Estados Unidos e seus aliados contra o Afeganistão controlado pelo Talibã e os Estados Unidos e seus aliados contra o Iraque controlado pelo Baath), mas, assim que os governos locais foram derrubados e os exércitos invasores permaneceram no país para dar apoio ao novo governo contra insurgências, os conflitos foram reclassificados como conflitos intraestatais internacionalizados.

Surge então a questão de quais mortes contabilizar. Os bancos de dados do Prio e do UCDP referem-se diretamente a *mortes em batalha relatadas* — pessoas que foram mortas a tiros, facadas, gás, explosivos, afogadas ou deliberadamente esfomeadas, como parte de um confronto em que os próprios perpetradores por sua vez estavam sujeitos a sofrer baixas.[17] As vítimas podem ser soldados ou podem ser civis colhidos pelo fogo cruzado ou vítimas de "danos colaterais". As estatísticas sobre mortes em batalha relatadas excluem *mortes indiretas* causadas por doenças, fome, estresse e pelo colapso da infraestrutura. Quando as mortes indiretas são agregadas às diretas para abranger as baixas totais atribuídas à guerra, a soma pode ser chamada de *supermortalidade*.

Por que os levantamentos excluem as mortes indiretas? Não é para expurgar esse tipo de sofrimento dos livros de história, mas porque as mortes diretas são as únicas que podem ser contabilizadas com segurança. Elas também se adequam a nossa intuição básica sobre o que significa para um ator ser responsável por um dado efeito, concretamente que o ator prevê o efeito, pretende produzi-lo e provoca-o pela via de uma cadeia de acontecimentos que não tem um grande número de conexões intervenientes incontroláveis.[18] O problema de se estimar as mortes indiretas é que isso requer um exercício filosófico de simular na imaginação um mundo suposto onde a guerra não ocorresse e estimar o número de mortes ocorrida nesse mundo, para então usá-lo como base de referência. E isso reclama algo que se aproxima da onisciência. Teria determinada fome do pós-guerra acontecido mesmo que a guerra não estourasse, devido à inépcia do governo derrubado? E, caso ocorresse uma seca no ano em questão, as mortes de fome seriam atribuídas a ela ou à guerra? Caso o índice de mortes pela fome estivesse caindo nos anos pré-guerra, deveríamos assumir que continuariam recuando ainda mais caso a guerra não ocorresse, ou seria melhor congelá-lo no ponto do último ano antes da guerra? Se Saddam Hussein não tivesse sido deposto, teria ele matado mais inimigos políticos que o número de pessoas que pereceram na violência intercomunal após sua derrota? Deveríamos agregar os 40 milhões a 50 milhões de mortos na pandemia da gripe espanhola de 1918 aos 15 milhões de mortos na Primeira Guerra Mundial, já que o vírus da gripe espanhola não teria adquirido tanta virulência se o conflito não tivesse concentrado tantas tropas nas trincheiras?[19] Estimar as mortes indiretas requer que se responda a esse tipo de indagação de modo consequente e em centenas de conflitos, o que é uma empresa impossível.

Guerras, em geral, tendem a ser destrutivas em muitos sentidos ao mesmo tempo, e as que matam mais gente nos campos de batalha em geral conduzem a mais mortes por fome, doença e colapso dos serviços. Pela dimensão que apresentam, as mortes em combate podem servir como amostragem das tendências no conjunto da destruição. Mas não em todos os casos, e mais adiante neste capítulo indagaremos se os países em desenvolvimento, com sua infraestrutura mais frágil, são mais vulneráveis a efeitos em série, na comparação com os desenvolvidos, e se a relação se manteve ao longo do tempo, fazendo das mortes em campanha um índice enganoso das tendências no balanço das baixas humanas em conflitos.

Agora que dispomos de instrumentos de precisão quanto a dados sobre conflitos, o que eles nos mostram da recente trajetória da guerra no mundo inteiro? Comecemos com uma visão panorâmica do século XX, na figura 6.1. O perfil foi organizado por Lacina, Gleditsch e Russett, que projetaram os números do Correlates of War Projet, entre 1900 e 1945, e do Prio, de 1946 a 2005, e dividiram os totais pela população mundial, para obter um índice de risco individual de morte em combate ao longo do século.

O gráfico recorda-nos o monstruoso poder destrutivo das duas guerras mundiais. Estas não eram degraus de uma escada, ou pontos extremos de um pêndulo, mas abruptos espigões atravessados em uma planície ondulada. A queda da taxa de mortes em combate após o início dos anos 1940 (com um pico de trezentas mortes por 100 mil pessoas/ano) foi íngreme; desde então o mundo nunca mais viu algo parecido àquele nível.

Algum leitor com olhos de águia detectará um declínio dentro do declínio, entre os pequenos picos do imediato pós-guerra e os recentes traços de baixa altitude. Façamos um zoom nesta tendência, na figura 6.2, que também subdivide as mortes em combate segundo o tipo das guerras que as causaram.

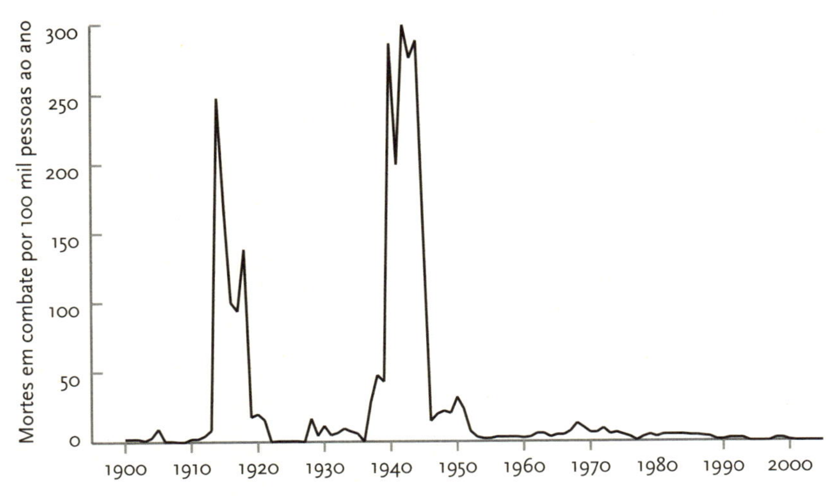

Figura 6.1. *Taxa de mortes em combate em conflitos armados com base estatal, 1900-2005.*
FONTE: Gráfico de Russett, 2008, a partir de Lacina, Gleditsch e Russett, 2006.

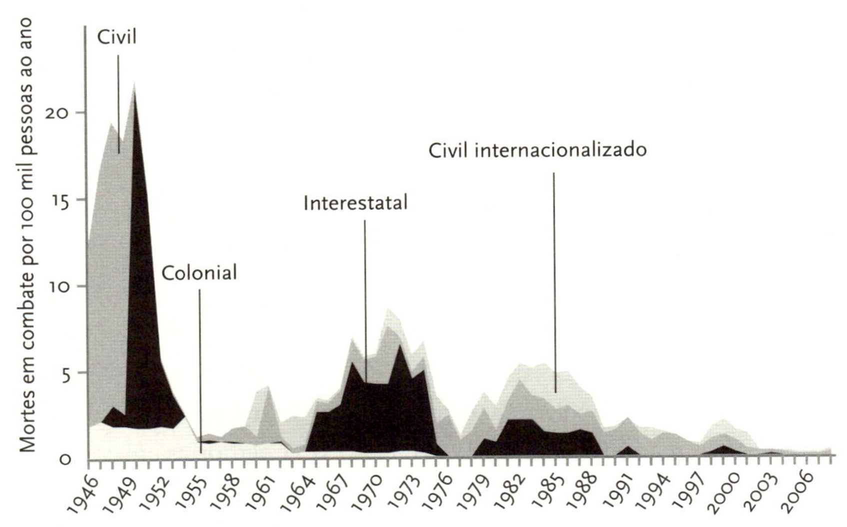

Figura 6.2. *Taxa de mortes em combate em conflitos armados com base estatal, 1946-2008.* Mortes de civis e militares em conflitos de base estatal, divididas pela população mundial. FONTES: UCDP/Prio Armed Conflict Dataset; ver Human Security Report Projetc, 2007, baseado em dados de Lacina e Gleditsch, 2005, atualizados em 2010 por Tara Cooper. "Melhor alternativa" estimada quando disponível; foi usada também a estimativa da média geométrica dos "picos" e "pisos". Cifras da população mundial de U. S. Census Bureau, 2010c. Informação populacional de 1946-49 tomada de McEvedy e Jones, 1978, e multiplicada por 1,01 para permitir a comparação com o restante.

Trata-se de um gráfico de área, no qual cada superfície representa o índice de mortes em combate de um tipo específico de conflito de base estatal, enquanto a altura das camadas empilhadas representa as baixas de todos os conflitos somados. Primeiro contemplemos por um momento a silhueta do conjunto da trajetória. Mesmo depois de vencido o escarpado salto para cima na Segunda Guerra Mundial, a ninguém escapará uma nova queda no índice de mortos em combate, que aconteceu ao longo dos últimos sessenta anos, tendo no final uma lâmina fina como uma folha de papel para a primeira década do século XXI. Esse período, mesmo com 31 conflitos em curso na metade da década — entre eles os do Iraque, Afeganistão, Chade, Sri Lanka e Sudão —, desfrutou de uma taxa espantosamente baixa de mortes em combate: em torno de 0,5 por 100 mil pessoas / ano, tombando abaixo das taxas de homicídios mesmo nas sociedades mais pacíficas.[20] A imagem, certamente, merece um sinal de alerta, já que inclui apenas as mortes relatadas em combate, mas o mesmo é verdade para todo o período retratado. E, mesmo que multiplicássemos os números recentes por cinco, estes ainda ficariam abaixo da taxa média de homicídios no mundo, de 8,8 por 100 mil / ano.[21] Em números absolutos, as mortes em combate anuais despencaram mais de 90%, de em torno de meio milhão por ano, no fim da década de 1940, para perto de 30 mil por ano no início dos anos 2000. Portanto, acredite se quiser: de uma perspectiva global, histórica e quantitativa, o sonho da música popular dos anos 1960 tornou-se realidade: o mundo (quase) acabou com as guerras.

Fixemos os olhos no gráfico para verificar mais de perto o que aconteceu com cada categoria bélica. Podemos começar pela área mais clara na parte inferior esquerda, que representa um tipo de guerra desaparecida da face da Terra: as guerras extraestatais ou coloniais. Conflitos em que uma grande potência tentava se apegar a uma colônia podiam ser extremamente destrutivos, como na tentativa da França para reter o Vietnã, entre 1946 e 1954 (375 mil mortes em combate), e a Argélia, entre 1954 e 1962 (182 500 mortes em combate).[22] Depois do que foi denominado "a maior transferência de poder da história do mundo", esse tipo de guerra não existe mais.

Agora olhemos para a área negra, das guerras entre Estados. Ela está segmentada em três grandes manchas, cada uma mais delgada que a antecessora: aquela que compreende a Guerra da Coreia, de 1950 a 1953 (1 milhão de mortes em combate espalhadas pelos quatro anos), a que inclui a Guerra do Vietnã, de 1962 a 1975 (1,6 milhão de mortes em combate ao longo de catorze anos), e a que abarca a Guerra Irã-Iraque (645 mil mortes em combate distribuídas por nove anos).[23] Desde o fim da Guerra Fria, ocorreram apenas duas guerras interestatais relevantes: a primeira Guerra do Golfo, com 23 mil mortos em combate, e a guerra de 1998-2000 entre a Eritreia e a Etiópia, com 50 mil. Por volta da primeira década do novo milênio, as guerras interestatais tinham se tornado menos numerosas, mais curtas e com um número relativamente baixo de mortes em combate (os confrontos Índia-Paquistão e Eritreia-Djibuti, nenhum dos quais conta como uma "guerra", no sentido técnico de ter chegado a um milhar de mortes por ano, e a rápida derrubada dos regimes no Afeganistão e Iraque). Em 2004, 2005, 2006, 2007 e 2009, não houve um só conflito interestatal.

A Longa Paz — a abstinência de grandes guerras entre potências e Estados desenvolvidos — está se espalhando pelo resto do mundo. Aspirantes a grandes potências já não sentem a necessidade de assentar sua grandeza adquirindo um império ou abocanhando países mais fracos: a China se vangloria de seu "crescimento pacífico" e a Turquia, de uma política que batizou de "Zero problemas com vizinhos"; o ministro das Relações Exteriores do Brasil recentemente asseverou: "Não creio que existam muitos países que possam se jactar de ter dez vizinhos e não ter tido guerra alguma nos últimos 140 anos".[24] E o Extremo Oriente parece estar acompanhando a repulsa europeia por guerras. Ao longo das décadas que se seguiram à Segunda Guerra Mundial, ele foi a região mais sangrenta do mundo, com ruinosas guerras na China, na Coreia e na Indochina; entre 1980 e 1993 o número de conflitos e de baixas em combate despencou; e mesmo desde então permaneceram em níveis de uma modéstia sem precedentes.[25]

Enquanto as guerras interestatais se apagavam, porém, as guerras civis começaram a se acender. Podemos constatá-lo na enorme massa cinza-escura na parte esquerda da figura 6.2, representando principalmente 1,2 milhão de mortos em combate na Guerra Civil Chinesa de 1946-50, e uma saliência cinza menor no alto do assomo dos anos 1980, que contém 435 mil mortes em combate na guerra civil do Afeganistão reforçada pela União Soviética. E, seguindo a caminhada pelos anos 1980 e 1990, encontramos a continuidade da área cinza-escura em um conjunto de guerras civis menores em países como Angola, Bósnia, Tchetchênia, Croácia, El Salvador, Etiópia, Guatemala, Iraque, Libéria, Moçambique, Somália, Sudão, Tadjiquistão e Uganda. Mas mesmo estas refluíram nos anos 2000 para uma fina faixa.

Para se ter um quadro mais claro do que esses números nos dizem, é útil desagregar as baixas fatais conforme as duas dimensões principais das guerras: quantas foram elas e qual o grau de letalidade de cada tipo de conflito. A figura 6.3 mostra o total de conflitos de cada tipo, desconsiderando os números das baixas mortais, que, recordemos, podem chegar a apenas 25. Enquanto as guerras coloniais desapareciam e as guerras interestatais esmoreciam, as guerras civis internacionalizadas se ausentavam por um breve instante ao fim da Guerra Fria, quando a União Soviética e os Estados Unidos deixaram de apoiar seus países-satélites, e então reapareceram com as guerras policiais na Iugoslávia, Afeganistão, Iraque e outros lugares. Porém a grande notícia foi a explosão de várias guerras civis puramente internas que começaram em torno de 1960, tiveram seu pico no início dos anos 1990 e declinaram até 2003, com um ligeiro incremento a seguir.

Por que os tamanhos das manchas parecem tão diferentes nos dois gráficos? Devido à lei da distribuição das potências das guerras, segundo a qual um pequeno número de conflitos, que formam a haste vertical de uma figura em forma de L, é responsável por uma grande parcela das mortes. Mais da metade dos 9,4

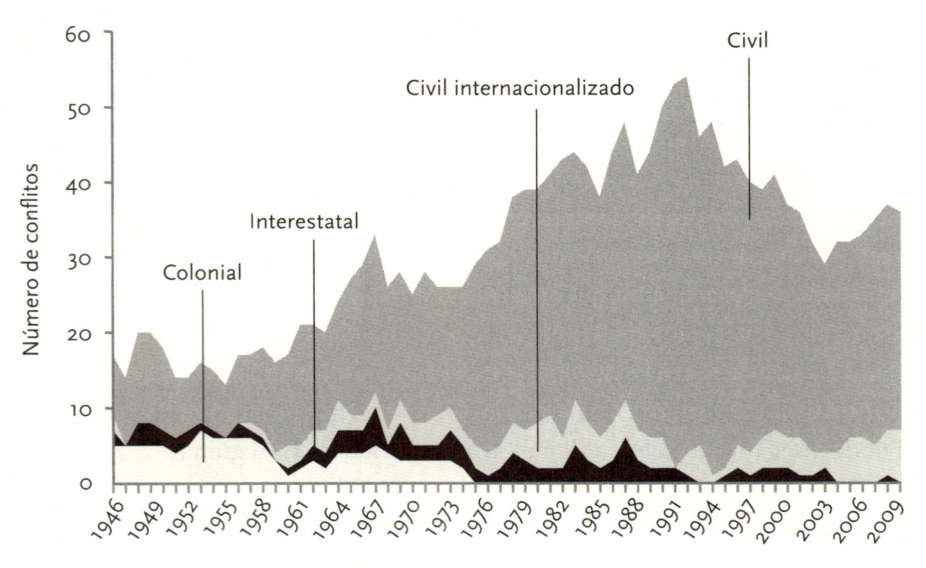

Figura 6.3. *Número de conflitos de base estatal, 1946-2009.*
FONTES: UCDP/Prio Armed Conflict Dataset; ver Human Security Report Project, 2007, baseado em dados de Lacina e Gleditsch, 2005, atualizados em 2010 por Tara Cooper.

milhões de mortes em combate nos 260 conflitos entre 1946 e 2008 vieram de apenas cinco guerras, três delas entre Estados (Coreia, Vietnã e Irã-Iraque) e duas no interior de Estados (China e Afeganistão). A maior parte da tendência declinante no perfil das mortes provém do afilamento dessa grossa cauda, deixando menos guerras realmente devastadoras.

Além das diferenças na contribuição das guerras de diferentes *tamanhos* para o cômputo geral das mortes, existem diferenças substanciais na contribuição de cada tipo de guerras. A figura 6.4 mostra a segunda dimensão da guerra: quantas pessoas uma guerra média mata.

Até recentemente, o tipo mais mortífero de guerra era, *de longe*, a guerra interestatal. Não há nada como um par de Leviatãs arregimentando buchas de canhão, arremessando projéteis de artilharia e pulverizando as cidades um do outro para produzir contagens de cadáveres realmente impressionantes. Distantes segundo e terceiro lugares ficam com as guerras em que o Leviatã projeta seu poder em alguma outra parte do mundo para escorar um governo periclitante ou

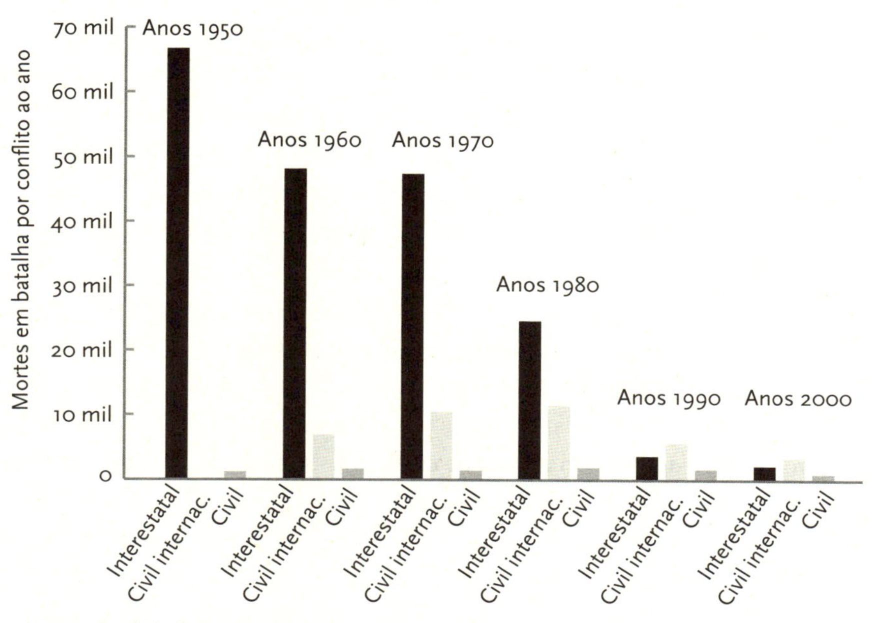

Figura 6.4. *Letalidade das guerras interestatais e civis, 1950-2005.*
FONTES: UCDP/Prio Armed Conflict Dataset, Lacina e Gleditsch, 2005; adaptado por Human Security Report Project; Human Security Centre, 2006.

manter as garras em suas colônias. Puxando para cima a retaguarda, figuram as guerras civis internas, em que têm sido bem menos mortíferas, pelo menos a partir do matadouro chinês do fim dos anos 1940. Quando uma gangue de rebeldes carregando Kalashnikovs fustiga o governo em um pequeno país que não incomoda as grandes potências, o estrago produzido é mais limitado. E mesmo esses índices de baixas têm decrescido ao longo do último quarto de século.[26] Em 1950 o conflito armado padrão (de qualquer tipo) matava 33 mil pessoas; em 2007 matava menos de mil.[27]

Como podemos atribuir um sentido à espasmódica trajetória dos conflitos desde o fim da Segunda Guerra Mundial, facilitando a calmaria da Nova Paz? Uma mudança primordial ocorreu nos teatros dos conflitos armados. As guerras hoje acontecem principalmente em países pobres, principalmente em um arco que se estende da África Central e Oriental, para o Oriente Médio e Índia setentrional, descendo até o Sudeste Asiático. A figura 6.5 assinala os conflitos em curso em 2008, com pontos negros, e sombreia os países que contêm o "bilhão de baixo", as pessoas com a renda mais baixa. Cerca de metade dos conflitos ocorrem em países com população no sextil mais pobre. Nas décadas anteriores ao ano 2000, os conflitos se espalhavam igualmente por outras partes do mundo, como a América Central e a África Ocidental. Nem a vinculação econômica da guerra nem a geográfica é uma constante na história. Lembremos que durante meio milênio os mais prósperos países da Europa se atiraram constantemente ao pescoço uns dos outros.

A relação entre pobreza e guerra no mundo de hoje é suave porém acentuadamente não linear. Entre os países ricos do mundo desenvolvido, o risco de guerra civil é essencialmente zero. Para os países com produto interno bruto per capita em torno de 1500 dólares anuais (em dólares de 2003), a probabilidade de um novo conflito deflagrado dentro de cinco anos sobe para cerca de 3%. Porém a partir daqui o risco dispara: para países com um PIB per capita de 750 dólares, ele é de 6%; para os com renda de quinhentos dólares, é de 8%; e para aqueles que sobrevivem com 250 dólares, é de 15%.[28]

Uma interpretação simplista da correlação seria que a pobreza causa a guerra porque gente pobre precisa lutar pela sobrevivência ou por uma fatia mais magra de recursos. Embora indubitavelmente alguns conflitos tenham por objeto

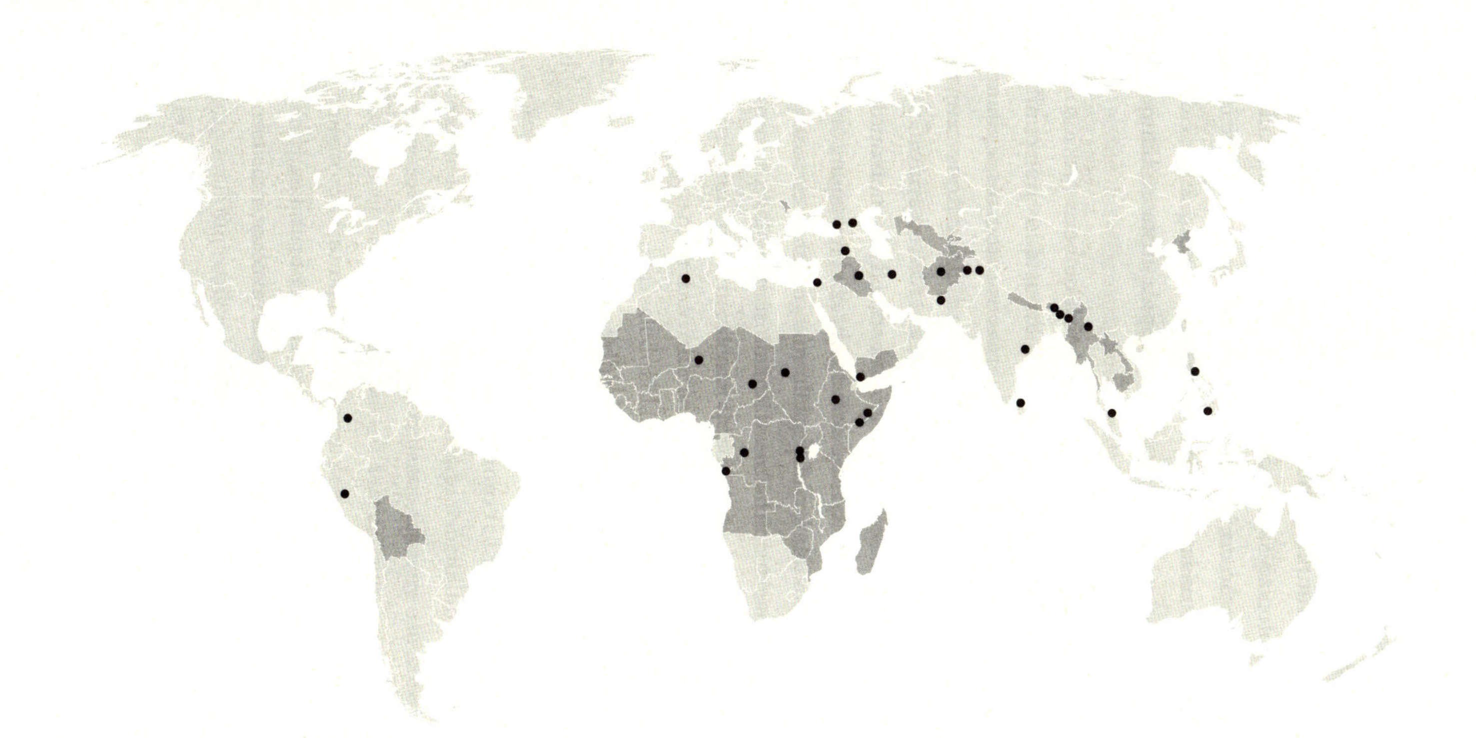

Figura 6.5. *Geografia de conflitos armados, 2008.*

Os países em cinza-escuro contêm o "bilhão de baixo", a parte mais pobre da população mundial. Os pontos representam áreas de conflito armado em 2008. FONTES: Dados de Håvard Strand e Andreas Forø Tollefsen, do Peace Research Institute of Oslo (Prio); adaptado de um mapa de Halvard Buhaug e Siri Rustad em Gleditsch, 2008.

o acesso a recursos hídricos ou terras aráveis, a conexão é bem mais complicada que isso.[29] Para começar, a seta causal também avança na direção oposta. A guerra causa pobreza, pois é difícil gerar prosperidade quando rodovias, fábricas e celeiros vão pelos ares tão depressa como são construídos e quando os trabalhadores e administradores mais capazes são constantemente afastados de seus ofícios, ou mortos. A guerra tem sido chamada de "desenvolvimento ao contrário"; e o economista Paul Collier estimou que uma guerra civil típica custa 50 bilhões de dólares ao país afetado.[30]

Tampouco a guerra, nem a paz, vem da existência de bens preciosos no terreno. Muitos dos países africanos mais pobres e devastados por conflitos transbordam de ouro, petróleo, diamantes e minérios estratégicos, enquanto países abastados e pacíficos como a Bélgica, Cingapura e Hong Kong carecem de recursos naturais dignos de nota. Deve existir uma terceira variável, presumivelmente as normas e aptidões de uma civilizada sociedade mercantil, que causa tanto a riqueza como a paz. E, mesmo que a pobreza provoque conflitos, pode ser que ela o faça não devido à competição por recursos escassos, mas porque a coisa mais importante que uma modéstia abastança oferece a um país é uma força policial efetiva e um exército para manterem a paz doméstica. Os frutos do fluxo de desenvolvimento convergem muito mais para o governo que para uma força guerrilheira, e esta é uma das razões pelas quais os tigres econômicos do mundo em desenvolvimento passaram a desfrutar de uma situação de relativa tranquilidade.[31]

Quaisquer que sejam os efeitos que a pobreza possa ter, suas dimensões, e as de outras "variáveis estruturais", como a juventude e a masculinidade da população de um país, eles mudam devagar demais para explicar plenamente a recente ascensão e queda das guerras civis no mundo em desenvolvimento.[32] Seus efeitos, contudo, interagem com a forma de governo de um país. O aumento da mancha das guerras civis nos anos 1960 tinha um detonador evidente: a descolonização. Os governos europeus podem ter brutalizado os nativos quando conquistavam uma colônia e esmagavam revoltas, mas em geral eles tinham uma infraestrutura policial, judicial e de serviços públicos que funcionava bem melhor. E, ainda que tivessem com frequência seus grupos étnicos de estimação, sua preocupação principal era controlar a colônia como um todo, de modo que aplicavam a lei e a ordem bem mais amplamente e em geral não permitiam que um grupo brutalizasse a outro com excessiva impunidade.

Quando os governos coloniais partiram, levaram consigo a competência governamental. Uma semianarquia parecida irrompeu em partes da Ásia Central e dos Bálcãs nos anos 1990, quando se desvaneceram subitamente as federações comunistas que as haviam governado por décadas. Um croata da Bósnia explicou assim por que a violência eclodiu após o colapso da Iugoslávia: "Nós vivíamos em paz e harmonia porque a cada cem metros havia um policial para garantir que nos amássemos imensamente uns aos outros".[33]

Muitos dos governos das colônias recentemente independentes eram chefiados por homens fortes, cleptocratas e ocasionalmente psicóticos. Eles deixaram vastas parcelas de seus países na anarquia, convidando à predação e às guerras de gangues que vimos no capítulo 3, no relato de Polly Wiessner sobre o processo de degradação civilizacional na Nova Guiné. Eles desviaram os recursos tributários para si, para seus clãs e autocracias, não deixando aos grupos excluídos outra esperança exceto o golpe ou a insurreição. Reagiram erraticamente a transtornos menores, deixando que estes crescessem, e em seguida enviaram esquadrões da morte para brutalizar aldeias inteiras, o que apenas inflamou ainda mais a oposição.[34] Talvez um emblema da era tenha sido Jean-Bédel Bokassa, do Império Centro-Africano, nome dado anteriormente ao pequeno país mais tarde chamado República Centro-Africana. Bokassa tinha dezessete esposas, esquartejava pessoalmente (e, conforme rumores, às vezes devorava) seus inimigos políticos, espancou até a morte colegiais quando estes protestaram contra o preço dos uniformes escolares obrigatórios, e coroou a si próprio imperador em uma cerimônia (completada por um trono de ouro e uma coroa cravejada de diamantes) que custou um terço da renda anual de um dos mais pobres países do mundo.

Durante a Guerra Fria muitos tiranos permaneceram no posto com a bênção das grandes potências, que seguiram o raciocínio de Franklin Roosevelt sobre o nicaraguense Anastasio Somoza: "Ele pode ser um filho da puta, mas é um filho da puta nosso".[35] A União Soviética era simpática a qualquer regime que enxergasse como um avanço da revolução mundial comunista; e os Estados Unidos eram simpáticos a qualquer regime que se mantivesse fora da órbita soviética. Outras grandes potências, como a França, tratavam de ficar do lado certo de qualquer regime que as suprisse de petróleo e minérios. Os autocratas eram armados e financiados por uma superpotência, os insurretos que os combatiam eram armados e financiados pela outra, e ambos os patrões estavam mais interessados em ver seu cliente vencer do que em ver o conflito acabar. A figura 6.3

revela uma segunda expansão das guerras civis por volta de 1975, quando Portugal desmantelou seu império colonial e a derrota dos Estados Unidos no Vietnã estimulou insurreições por todo o mundo. O número de guerras civis chegou a um pico de 51 em 1991, que, não por acaso, é o ano em que a União Soviética deixou de existir, levando consigo os conflitos por procuração típicos da Guerra Fria.

Contudo, apenas um quinto dos conflitos pode ser atribuído ao desaparecimento das guerras por procuração.[36] O fim do comunismo removeu outra fonte de combustível do conflito mundial: foi o último dos credos anti-humanistas, enaltecedores da luta na Era das Ideologias conforme Luard (examinaremos uma nova, o islamismo, mais tarde neste capítulo). As ideologias, sejam elas religiosas ou políticas, impulsionam guerras ao longo de sua mortífera difusão porque estimulam os líderes a tentar superar seus adversários em devastadoras guerras de atrito, sem olhar para os custos humanos. Os três conflitos mais letais do pós-guerra foram alimentados pelos regimes comunistas chinês, coreano e vietnamita, que tinham uma fanática determinação de sobrepujar seus oponentes. Mao Tsé-tung, em particular, não se constrangeu de dizer que as vidas de seus cidadãos nada significavam para ele: "Temos tanta gente. Podemos arcar com a perda de alguns. Que diferença faz?".[37] Em certa ocasião ele quantificou os "alguns" — 300 milhões, ou a metade da população do país na época. Ele também estabeleceu que desejava levar consigo, pela causa, uma proporção equivalente da humanidade: "Se o pior redundar no pior e metade da humanidade morrer, a outra metade há de permanecer enquanto o imperialismo será varrido da Terra e todo o mundo se tornará socialista".[38]

Quanto aos velhos camaradas dos chineses no Vietnã, muito já foi escrito, frequentemente pelos próprios purificados responsáveis pelas decisões, sobre os equívocos americanos nessa guerra. A maior culpa foi sua subestimação da capacidade dos norte-vietnamitas e vietcongues de suportar baixas. Conforme revelaram eles, estrategistas estadunidenses como Dean Rusk e Robert McNamara não acreditavam que um país atrasado como o Vietnã do Norte pudesse resistir ao mais poderoso Exército do planeta, e sempre confiaram que a escalada seguinte o forçaria a capitular. Como comentou John Mueller:

> Caso as mortes em combate, enquanto porcentagem da população pré-guerra, sejam calculadas em cada um das centenas de países que entraram em guerras internacionais e coloniais desde 1816, aparentemente o Vietnã foi um caso extremo

> [...]. O lado comunista aceitou índices de morte em combate que foram mais ou menos o dobro daqueles aceitos pelos fanáticos, amiúde suicidas, japoneses na Segunda Guerra Mundial, por exemplo. Mais ainda, os poucos países combatentes que tiveram experiências de baixas tão grandes como os comunistas vietnamitas eram principalmente aqueles, como os alemães ou os soviéticos na Segunda Guerra Mundial, que travavam um combate de vida ou morte por sua existência nacional, não por expansão como os norte-vietnamitas. No Vietnã, ao que parece, os Estados Unidos se defrontaram com uma organização incrivelmente eficiente — paciente, firmemente disciplinada, liderada com tenacidade, e em grande medida livre de corrupção ou enervante autoindulgência. Embora os comunistas frequentemente experimentassem massivos reveses militares, períodos de estresse e exaustão, eles sempre eram capazes de se recompor, se rearmar e voltar à carga. Pode muito bem ser verdade que, como disse um general americano, "eles eram na verdade o melhor inimigo jamais enfrentado em nossa história".[39]

Ho Chi Minh estava certo quando profetizou: "Matem dez de nossos homens e mataremos um de vocês. No final, serão vocês que se cansarão". A democracia americana estava disposta a sacrificar uma diminuta fração das vidas que o ditador norte-vietnamita estava disposto a perder (ninguém perguntou aos proverbiais dez homens o que eles achavam a respeito); e os Estados Unidos por fim perderam a guerra de desgaste, embora tendo todas as outras vantagens. Porém, por volta dos anos 1980, tanto a China como o Vietnã estavam se transformando de Estados ideológicos em mercantis, aliviando os regimes de terror sobre suas populações, e menos dispostos a sofrer perdas comparáveis em guerras desnecessárias.

Um mundo menos revigorado pela honra, pela glória e pela ideologia, e mais tentado pelos prazeres da vida burguesa, é um mundo onde menos pessoas são mortas. Depois que a Geórgia perdeu uma guerra de cinco dias com a Rússia, em 2008, pelo controle dos diminutos territórios da Abekásia e da Ossétia do Sul, o presidente georgiano Mikheil Saakashvili explicou a um jornalista do *New York Times* como ele decidiu não se insurgir contra a ocupação:

> Nós tínhamos uma escolha a fazer. Podíamos transformar este país em uma Tchetchênia — tínhamos gente e equipamento suficientes para tanto — ou teríamos de não fazer nada e permanecer como um país europeu moderno. No fim

nós iríamos expulsá-los, porém teríamos de galgar as montanhas e deixar crescer a barba. Isso teria sido um tremendo fardo nacional, filosófico e emocional.[40]

A explicação era melodramática, e até inverdadeira — a Rússia não tinha a intenção de ocupar a Geórgia —, mas captava uma das escolhas subjacentes à Nova Paz no mundo em desenvolvimento: galgar as montanhas e deixar crescer a barba... ou nada fazer e ser um país moderno.

Afora o fim da Guerra Fria e o declínio das ideologias, o que conduziu a um moderado decréscimo do número de guerras civis nas duas décadas passadas, e a uma drástica redução das mortes em combate na última delas? E como os conflitos persistem no mundo em desenvolvimento (36 em 2008, sendo todos guerras civis, com uma exceção), quando essencialmente desapareceram no mundo desenvolvido?

Um bom ponto de partida é o triângulo kantiano — democracia, economias abertas e compromisso com a comunidade internacional. As análises estatísticas de Russett e Oneal, descritas no capítulo anterior, abarcam o mundo inteiro, mas incluem apenas disputas entre Estados. Até que ponto a tríade de fatores pacificadores se aplica a guerras civis no interior de países em desenvolvimento, onde ocorre a maioria dos conflitos atuais? Cada variável, ao que parece, encerra importantes injunções.

Alguém pode pensar que um bocado de democracia é benéfico para inibir a guerra, enquanto um pouco de democracia pelo menos é melhor do que nada. Porém no caso das guerras civis não é assim que as coisas funcionam. Anteriormente neste capítulo (e no capítulo 3, quando examinamos os homicídios através do mundo), deparamo-nos com o conceito de anocracia, uma forma de governo que não é nem plenamente democrática nem plenamente autocrática.[41] Anocracias também são conhecidas entre os cientistas políticos como semidemocracias, regimes pretorianos e (meu favorito, ouvido em uma conferência) governos merdosos. São aquelas administrações que não fazem nada bem. Diferentemente dos Estados policiais autocráticos, eles não intimidam suas populações forçando a aquiescência, mas tampouco têm os sistemas mais ou menos justos do estado de direito, próprios de uma democracia decente. Em vez disso, frequentemente respondem a crimes locais com retaliações indiscriminadas contra comunidades inteiras. Conservam os hábitos cleptocráticos das autocracias das quais evoluíram, distribuindo receitas tributárias e sinecuras a seus capangas, em que estes extorquem propinas a troco de proteção policial, sentenças judiciais convenientes ou acesso às infindáveis autorizações necessárias para se fazer qualquer coisa. Um cargo no governo é o único bilhete para longe da miséria, e ter um cupincha no poder representa o único bilhete para um cargo no governo. Quando o controle do governo é periodicamente posto em jogo por uma "eleição democrática", as apostas são tão elevadas como em qualquer disputa de preciosos e indivisíveis despojos. Clãs, tribos e grupos étnicos tentam intimidar uns aos outros para fora das urnas ou então lutam para reverter um resultado que não tenha sido de seu agrado. Conforme o *Global Report on Conflict, Governance, and State Fragility* [Relatório global sobre conflito, governança e fragilidade do Estado], as anocracias são "cerca de seis vezes mais propensas que as democracias e duas vezes e meia mais propensas que as autocracias a experimentar novas irrupções de guerras societárias", tais como guerras civis étnicas, guerras revolucionárias e golpes de Estado.[42]

A figura 5.23, no capítulo anterior, mostra por que a vulnerabilidade das anocracias à violência tornou-se um problema. Conforme começou a declinar o número de autocracias no mundo, no fim dos anos 1980, começou a crescer o número de anocracias. Atualmente elas se distribuem por um crescente que vai da África Central, através do Oriente Médio, da Ásia Ocidental e Meridional, que coincidem largamente com as zonas de guerra na figura 6.5.[43]

A vulnerabilidade à guerra civil por parte de países onde o controle do governo é uma caixa de surpresas multiplica-se quando o governo controla trunfos caídos do céu como petróleo, ouro, diamantes e minerais estratégicos. Longe de serem uma bênção, esses tesouros criam a chamada maldição da riqueza, também conhecida como paradoxo da abundância e ouro de tolo. Países férteis em recursos não renováveis e facilmente monopolizáveis apresentam crescimento econômico mais lento, governos mais merdosos e mais violência. Como disse o político venezuelano Juan Pérez Alfonzo, "o petróleo é o excremento do diabo".[44] Um país pode ser amaldiçoado por tais recursos, porque eles concentram poder e riqueza em mãos de quem os monopoliza, em geral uma elite governante, mas algumas vezes um senhor da guerra regional. Este fica obcecado em afastar os rivais de sua vaca leiteira e não tem estímulo em estabelecer as redes de comércio que enriquecem uma sociedade e criam a tessitura das obrigações recíprocas. Collier, junto com a economista Dambisa Moyo e outros analistas políticos, chamou a atenção para um paradoxo relacionado. A ajuda externa, tão amada pelas cruzadas de celebridades, pode ser outro cálice envenenado, pois pode enriquecer e reforçar os líderes através dos quais é canalizada, em vez de construir uma infraestrutura econômica sustentável. Um valioso contrabando, como o de coca, ópio e diamantes, é uma terceira maldição, pois cria um nicho de políticos cruéis ou senhores da guerra assegurando-lhes enclaves ilegais e canais de distribuição.

Collier observa que "os países do andar de baixo coexistem com o século XXI, mas sua realidade é do século XIV: guerra civil, pragas, ignorância".[45] Faz sentido a analogia com esse século calamitoso, situado na véspera do Processo Civilizador, antes da consolidação de governos efetivos. Em *The Remnants of War* [Os remanescentes da guerra], Mueller observa que muitos conflitos armados do mundo atual já não consistem em campanhas por território empreendidas por exércitos profissionais. Consistem em pilhagem, intimidação, vingança e estupro por parte de gangues de jovens desocupados servindo a senhores da guerra ou políticos locais, muito assemelhados à escória arregimentada pelos senhores feudais em suas guerras privadas. Mueller comenta:

> Várias dessas guerras foram rotuladas de "nova guerra", "conflito étnico" ou, mais grandiosamente, "choque de civilizações". Mas, na prática, muitas, se não todas, estão mais próximas de predações oportunistas por parte de bandos, frequentemente muito pequenos, de criminosos, bandidos e capangas. Estes se alistam no conflito armado seja como mercenários contratados por governos em desespero, seja servindo a senhores da guerra independentes ou semi-independentes, ou em quadrilhas de salteadores. O dano perpetrado por esses empresários da violência, que comumente empregam retórica étnica, nacionalista, civilizacional ou religiosa, pode ser extenso, particularmente para os cidadãos, que são sua presa predileta, porém pouco difere do crime.[46]

Mueller cita relatos de testemunhas oculares que confirmam que as infames guerras civis e genocídios dos anos 1990 eram em grande medida perpetradas por gangues de arruaceiros drogados ou bêbados, entre elas as da Bósnia, Colômbia, Croácia, Timor Leste, Kosovo, Libéria, Ruanda, Serra Leoa, Somália, Zimbábue e outros países do crescente conflito afro-asiático. Mueller descreve alguns dos "soldados" da guerra civil liberiana de 1989-96:

> Os combatentes rotineiramente adotam para si o estilo de heróis de violentos filmes de ação americanos como *Rambo*, *Terminator* e *Jungle Killer*, e muitos adotavam nomes de guerra fantasiosos, como coronel Ação, capitão Missão Impossível, general Assassínio, coronel Jovem Matador, general Rei da Selva, coronel Matador Mau, general Chefão da Guerra III, general Jesus, major Encrenca, general Bunda Nua, e, claro, general Rambo. Especialmente nos anos iniciais, os rebeldes trajavam-se de modo bizarro e até lunático: roupas de mulher, perucas e meias-calças; adornos feitos de ossos humanos; unhas pintadas e até (talvez em apenas um caso) capacete feito com uma florida tampa de privada.[47]

Os cientistas políticos James Fearon e David Laitin complementaram esses esboços com dados confirmando que as guerras civis atuais são travadas por homens com armamento leve e em número reduzido, empregando seu conhecimento do terreno local para iludir as tropas nacionais e intimidar informantes e simpatizantes do governo. Essas insurgências e guerras de guerrilha rurais podem usar qualquer tipo de pretextos, porém no fundo são menos contestações étnicas, religiosas ou ideológicas que batalhas territoriais entre gangues ou máfias. Em uma análise resenhando 122 guerras civis entre 1945 e 1999, Fearon e Laitin concluíram que, mantida constante a renda per capita (que eles interpretaram como uma procuração para o governo obter recursos), as guerras civis *não* tendiam a estourar mais provavelmente em países étnica ou religiosamente diversificados, com políticas discriminatórias contra línguas ou religiões minoritárias ou com alta concentração de renda. As guerras civis eclodiam preferencialmente em países com grande população, territórios montanhosos, governos novos ou instáveis, exportações petrolíferas significativas e (talvez) uma elevada população jovem e masculina. Fearon e Laitin concluíram que

> nossa interpretação teórica é mais hobbesiana que econômica. Onde os Estados são relativamente débeis e caprichosos, tanto os temores como as oportunidades encorajam o levante de candidatos a líderes locais que promovem uma justiça rude enquanto se arrogam o poder de "cobrar taxas" por conta própria e, frequentemente, por uma causa mais ampla.[48]

Tal e qual o aumento nas guerras civis derivou da anarquia anticivilizacional da descolonização, seu declínio recente pode refletir um processo recivilizador em que governos competentes começaram a proteger e prestar ajuda a seus cidadãos em vez de os atacarem.[49] Muitas nações africanas trocaram seus psicopatas do tipo Bokassa por democratas responsáveis e, no caso de Nelson Mandela, um dos maiores estadistas da história.[50]

A transição reclamou igualmente uma mudança ideológica, não apenas nos países afetados mas na comunidade internacional mais ampla. O historiador Gérard Prunier fez notar que, na África da década de 1960, a independência do domínio colonial tornou-se um ideal messiânico. As novas nações converteram em prioridade a adoção das armadilhas da soberania, tais como empresas de aviação, palácios e instituições com as marcas da nacionalidade. Muitas sofriam a influência dos "teóricos da dependência", que advogavam que os governos do Terceiro Mundo se desengajassem da economia global e cultivassem indústrias e setores agrícolas autossuficientes, o que muitos economistas consideram atualmente como uma passagem para a penúria. Frequentemente o nacionalismo econômico combinava-se com o militarismo romântico, que glorificava a revolução violenta, simbolizada pelos dois ícones dos anos 1960, o retrato em cores suaves de um brilhante Mao e o grafismo em alto contraste de um audacioso Che. Quando as ditaduras dos gloriosos revolucionários perderam seus atrativos, eleições democráticas se tornaram o novo elixir. Ninguém achou muito românticas as antiquadas instituições do Processo Civilizador, nomeadamente um governo e uma força policial competentes, assim como uma infraestrutura confiável para o intercâmbio comercial. Contudo, a história sugere que essas instituições são necessárias para a redução da violência crônica, que é um pré-requisito para qualquer outro benefício social.

Durante as duas últimas décadas as grandes potências, nações doadoras de ajuda e organizações intergovernamentais (como a União Africana) começaram a insistir no que interessa. Eles isolaram, responsabilizaram, humilharam e em alguns casos invadiram Estados que tinham caído nas mãos de incompetentes tiranos.[51] Medidas para detectar e combater a corrupção se tornaram comuns, assim como a identificação das barreiras que punem as nações em desenvolvimento no comércio global. Alguma combinação dessas medidas nada glamorosas pode ter começado a reverter as patologias governamentais e sociais libertadas pelas guerras civis no mundo em desenvolvimento, desde a década de 1960 até o início da de 1990.

Governos decentes tendem a ser razoavelmente democráticos e direcionados para o mercado; e vários estudos sobre regressão examinaram dados de conflitos civis, em busca de sinais de uma paz liberal, tal como aquela que ajuda a explicar a evitação das guerras entre nações desenvolvidas. Agora estamos verificando que a primeira perna da paz, a democracia, não reduz o *número* de conflitos civis, particularmente quando ela surge sob a frágil forma de uma anocracia. Porém isso parece reduzir sua *gravidade*. A cientista política Bethany Lacina apurou que guerras civis em democracias têm menos da metade das mortes em combate no confronto com as guerras civis em países não democráticos, mantidas constantes as variáveis usuais. Em sua pesquisa de 2008 sobre a paz liberal, Gleditsch concluiu que "democracias raramente experimentam guerras civis em grande escala".[52] A segunda perna da paz liberal é ainda mais forte. A abertura para a economia global, inclusive o comércio, o investimento estrangeiro, a ajuda com condicionamentos e o acesso à mídia eletrônica parecem reduzir tanto a probabilidade *como também* a severidade de conflitos civis.[53]

A teoria da paz kantiana apoia o peso da paz em três pernas, sendo que a terceira são as organizações internacionais. Um tipo de organização internacional, particularmente, pode reivindicar grande parte do crédito pela redução das guerras civis: as forças de paz internacionais.[54] Nas décadas após a descolonização as guerras civis se acumularam não tanto por terem irrompido em ritmo crescente, mas por irromperem em um ritmo superior ao das guerras concluídas (2,2 irrupções por ano comparadas com 1,8 término), e portanto começarem a se amontoar.[55] Em 1999 uma guerra civil média tinha uma duração de quinze anos! Isso começou a mudar no fim dos anos 1990 e no novo século, quando as novas guerras civis começaram a desaparecer mais depressa que o surgimento de outras novas que tomassem seu lugar. Elas também tenderam a terminar em acordos negociados, sem um vencedor nítido, em vez de continuarem até seu amargo fim. Anteriormente ocorria de suas chamas amainarem por um par de anos para então voltarem a pegar fogo, porém com o tempo mostraram uma tendência a morrer de vez.

Essa arrancada da paz coincide com uma arrancada das forças de manutenção da paz. A figura 6.6 mostra que a partir do fim dos anos 1980 a comunidade internacional intensificou suas operações de manutenção da paz e, mais importante, passou a dotá-las de um número crescente de soldados para que pudessem fazer seu trabalho apropriadamente. O fim da Guerra Fria foi um momento decisivo, pois por fim as grandes potências se interessavam mais em ver o fim do conflito que em assistir à vitória de seu mandatário.[56] A ascensão das forças de paz também é um sinal de tempos humanistas. A guerra é cada vez mais encarada com repugnância, o que inclui as guerras que matam gente negra e morena.

A manutenção da paz é uma das coisas que as Nações Unidas, com todas as suas debilidades, faz bem (não faz tão bem a prevenção das guerras, antes de mais nada). Em *Does Peacekeeping Work?* [A manutenção da paz funciona?], a cientista política Virginia Page Fortna responde à indagação de seu título com "um claro e sonoro sim".[57] Fortna recolheu os dados de 115 acordos de cessar-fogo em guerras civis de 1944 a 1997, examinando se a presença de uma missão de manutenção da paz reduziu as possibilidades da guerra se reacender. Os dados incluem missões da ONU, de organizações permanentes como a Otan e a União Africana, assim como de coalizões específicas de Estados. Ela concluiu que a presença de forças de paz reduziu *em 80%* o risco de incidência de outra guerra. Isso não significa que as missões de manutenção da paz sejam sempre bem-sucedidas — os genocídios na Bósnia e em Ruanda foram dois visíveis fracassos —, mas apenas que elas em

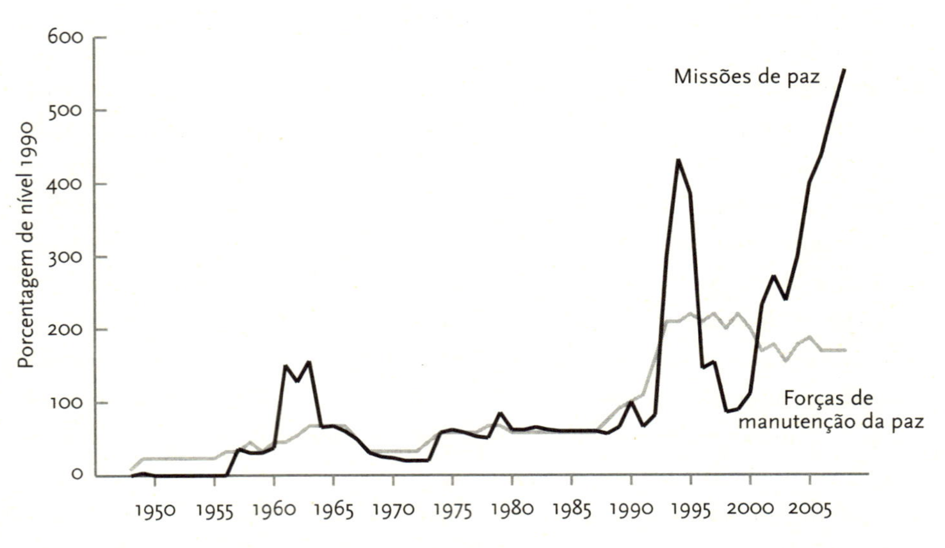

Figura 6.6. *Crescimento das missões de paz, 1948-2008.*
FONTE: Gráfico de Gleditsch, 2008, baseado em pesquisa de Siri Rustad.

média previnem um recrudescimento. As tropas de paz não precisam ser exércitos substanciais. Assim como árbitros franzinos conseguem apartar brigas de jogadores de hóquei, missões com armamento leve ou mesmo desarmadas podem se colocar entre as milícias e induzi-las a baixar as armas. E, mesmo que elas não tenham êxito em fazê-lo, podem servir como um arame farpado afastando as armas mais pesadas. As forças de paz não precisam ser capacetes azuis da ONU. Funcionários que observam eleições, reformam forças policiais, monitoram direitos humanos e supervisionam o funcionamento de maus governos também fazem diferença.

Por que uma missão de paz funciona? A primeira causa provém diretamente do *Leviatã*: as missões maiores e mais bem armadas podem retaliar concretamente os violadores de um acordo de paz em qualquer dos lados, elevando o preço de uma agressão. Os custos e benefícios impostos podem ser materiais ou no plano da reputação. Um integrante de uma missão assim resumiu o que levou Afonso Dhlakama e sua força rebelde, a Renamo, a assinar um acordo de paz com o governo de Moçambique: "Para Dhlakama, representava muito isso de ser levado a sério, ir a um coquetel das partes e ser tratado com respeito. Por meio da ONU ele conseguiu que o governo cessasse de chamar a Renamo de 'bandidos armados'. Sentiu-se bem ao ser cortejado".[58]

Mesmo pequenas missões podem ser efetivas na manutenção da paz, pois logram liberar os adversários da armadilha hobbesiana em que cada lado é tentado a atacar por medo de ser atacado primeiro. O simples gesto de aceitar tropas de paz intrusivas é um custoso (embora confiável) sinal de que cada lado fala a sério sobre não atacar. Uma vez que os mantenedores da paz assumem sua função, podem reforçar essa segurança monitorando o cumprimento do acordo, o que lhes permite asseverar com credibilidade a cada lado que seu oposto não está se rearmando secretamente. Eles também podem assumir as atividades de policiamento de todos os dias, o que detém os pequenos atos de violência que podem degenerar em ciclos de vingança. E eles podem identificar os exaltados e saqueadores que desejam subverter o acordo. Mesmo que um saqueador desfeche um ataque provocativo, os mantenedores da paz podem assegurar com credibilidade ao alvo que se tratou de um ato desgarrado e não do primeiro tiro de uma retomada da agressão.

As iniciativas de manutenção da paz têm outras alavancas de influência. Elas podem tentar conter o comércio contrabandeado que financia os rebeldes e senhores da guerra, que frequentemente são as mesmas pessoas. Podem manejar o fundo de compensação como um incentivo aos líderes que trabalham pela paz, incrementando seu poder e popularidade eleitoral. Como disse um candidato presidencial de Serra Leoa, "se Kabbah se for, os homens brancos se vão, as Nações Unidas se vão, o dinheiro se vai".[59] Ademais, como os soldados do Terceiro Mundo (tal como os soldados pré-modernos) frequentemente são remunerados com oportunidades de pilhagem, o dinheiro pode ser aplicado em programas de "desmobilização, desarmamento e reintegração" visando conduzir o general Bunda Nua e seus camaradas de volta à sociedade civil. Com guerrilhas que têm uma agenda mais ideológica, o fato de que as propinas provêm de uma parte neutra e não de um inimigo despojado transmite-lhes a sensação de que não foram vendidas. Uma alavanca também pode ser usada para forçar líderes políticos a abrir seus governos para grupos étnicos ou políticos rivais. Tal como no caso dos apaziguadores financeiros, o fato de que as concessões são feitas por uma parte neutra e não pelo odiado inimigo oferece ao cedente uma oportunidade de salvar as parências. Desmond Malloy, um funcionário da ONU em Serra Leoa, observou que "as forças de paz criam um clima de negociação. [As concessões] tornam-se um ponto de honra — é uma característica humana. Você precisa de um mecanismo que lhe permita negociar sem perder a dignidade e o amor-próprio".[60]

Apesar de todas essas estatísticas encorajadoras, os novos leitores que têm conhecimento das carnificinas na República Democrática do Congo, Iraque, Sudão e outras armadilhas mortais pode não estar tranquilizado. Os dados do Prio e do UCDP que temos examinado são limitados em dois sentidos. Eles incluem apenas conflitos de base estatal: guerras em que pelo menos um dos lados é um governo. E eles compreendem apenas mortes em combate relatadas: baixas fatais causadas por armas no campo de batalha. Como se comportam as tendências quando começamos a olhar para as áreas não iluminadas por esses focos?

A primeira exclusão consiste nos conflitos sem base estatal (também chamados de violência intercomunal), em que senhores da guerra, milícias, máfias, grupos rebeldes ou paramilitares, amiúde identificados com grupos étnicos, enfrentam-se uns aos outros. Esses conflitos geralmente acontecem em Estados falidos, é quase uma regra. Uma guerra que nem sequer se incomoda em convidar o governo representa o derradeiro fracasso do monopólio estatal da violência.

O problema dos conflitos não estatais é que até recentemente os aficionados do estudo das guerras simplesmente não se interessavam por eles. Ninguém os rastreava, de modo que não há nada que contar e não podemos tabular as tendências. Mesmo as Nações Unidas, cuja missão é prevenir "o flagelo da guerra", recusa-se a manter estatísticas sobre a violência intercomunal (ou qualquer outra forma de conflito armado) porque seus Estados-membros não querem cientistas sociais bisbilhotando seus territórios e expondo a violência que seus mortíferos governos causam ou que seus ineptos governos falham em prevenir.[61]

Entretanto, uma contemplação ampla da história sugere que deve haver bem menos conflitos não estatais hoje do que havia nas décadas e séculos anteriores, quando uma parte menor da superfície terrestre era controlada por Estados. Batalhas tribais, razias selvagens, pilhagens por bandos de cavalarianos, ataques de piratas e guerras privadas de fidalgos e senhores da guerra, todos não estatais, flagelaram a humanidade durante milênios. Durante a "era dos senhores da guerra" na China, nos doze anos entre 1916 e 1928, mais de 900 mil pessoas foram mortas por caciques militares rivais.[62]

Foi apenas em 2002 que os conflitos não estatais começaram a ser tabulados. Desde então, o UCDP mantém o Non-State Conflict Dataset [Banco de Dados de Conflitos Não Estatais], e este contém três revelações. Primeiro, que esse tipo de conflito em alguns anos se iguala em número aos conflitos de base estatal — o que fala mais sobre as penúrias da guerra que sobre uma prevalência dos combates intercomunais. A maioria deles, não surpreendentemente, localiza-se na África subsaariana, embora um número crescente esteja no Oriente Médio (predominantemente no Iraque). Segundo, que os conflitos não estatais matam uma quantidade de gente muito menor, talvez uma quarta parte, em face dos conflitos envolvendo um governo. Mais uma vez, não é de espantar, já que os governos estão no ramo da violência quase que por definição. Terceiro, que a tendência da taxa de mortes entre 2002 e 2008 (o ano mais recente coberto pelo levantamento) foi basicamente declinante, embora 2007 tenha sido o ano mais mortífero da violência intercomunitária no Iraque.[63] Assim, até onde qualquer pessoa pode dizer, parece improvável que os conflitos não estatais matem gente a ponto de figurar como um exemplo contrário ao declínio das dimensões globais dos conflitos armados, que constituem a Nova Paz.

Um desafio mais sério é o número de mortes indiretas de civis, devido à fome, às doenças e à carência de leis exacerbadas pela guerra. Ouve-se com frequência que um século atrás apenas 10% das mortes em guerras vitimavam civis, enquanto a cifra atual é de 90%. Coincidem com essa afirmação as novas pesquisas de epidemiologistas que revelam os horrendos números das "mortes em excesso" (diretas e indiretas) entre civis. Em vez de contar os cadáveres a partir dos relatos da mídia e de organizações não governamentais, os pesquisadores indagaram a uma amostragem de entrevistados se eles conheciam alguém que tivesse sido morto, mais tarde extrapolando a porcentagem para a população como um todo. Uma dessas pesquisas, publicada pelo jornal de medicina *Lancet*, em 2006, estimou que 600 mil pessoas morreram na Guerra do Iraque entre 2003 e 2006 — um número esmagadoramente maior que as 80 mil a 90 mil mortes em combate registradas na estimativa de mortos em combate pelo Prio e pela Iraq Body Count [Contagem de Corpos do Iraque], uma respeitada organização não governamental.[64] Outra pesquisa, na República Democrática do Congo, fixou o total de mortos na guerra civil local em 5,4 milhões — cerca de 35 vezes a estimativa de mortos em combate feita pelo Prio, e mais da metade da soma de *todas* as mortes em combate registradas no conjunto das guerras desde 1946.[65] Mesmo levando-se em conta que as cifras do Prio pretendem ser um piso (devido à exigência restritiva de que as mortes sejam relacionadas com uma causa), é uma considerável discrepância, despertando dúvidas sobre se, no quadro maior, o declínio das mortes em combate pode realmente ser interpretado como um avanço da paz.

Números das baixas são sempre moralizados, e não é de surpreender que essas três cifras, que foram usadas para incriminar, respectivamente, o século XX, a invasão do Iraque por Bush e a indiferença do mundo pela África, tenham sido amplamente disseminadas. Porém um exame objetivo das fontes sugere que as estimativas revisionistas não são confiáveis (o que, nem é preciso dizer, não implica que se deva ser indiferente às mortes de civis em tempos de guerra).

Em primeiro lugar, a muito citada reversão dos 10% para os 90% nas baixas civis revela-se ao fim completamente falsa. Os cientistas políticos Andrew Mack (do HSRP), Joshua Goldstein e Adam Roberts tentaram cada um por sua conta rastrear a fonte desse meme,* uma vez que sabiam que a afirmativa carecia de

* Meme: termo cunhado por Richard Dawkins em 1976 para o equivalente comportamental do gene. (N. T.)

uma verificação básica de sua consistência.[66] Durante grande parte da história humana, os camponeses sobreviveram daquilo que podiam cultivar, pouco produzindo de excedentes. Uma horda de soldados que não viviam da terra podia facilmente matar de fome uma população rural. A Guerra dos Trinta Anos em especial compreendeu não só numerosos massacres de civis mas uma deliberada destruição de residências, lavouras, gado e recursos hídricos, alcançando somas verdadeiramente horrendas de baixas civis (a realidade histórica por trás do augúrio de Scarlett O'Hara em *... E o vento levou*: "Com Deus por testemunha, nunca mais passarei fome").[67] Durante a Primeira Guerra Mundial o campo de batalha se deslocava por áreas populosas, fazendo chover projéteis de artilharia sobre as cidades e aldeias, e cada lado tratava de esfomear os civis do adversário com bloqueios. Como já mencionei, caso se incluísse as vítimas da gripe espanhola de 1918 como mortes indiretas devidas à guerra, seria possível multiplicar várias vezes o total das baixas civis. A Segunda Guerra Mundial, também na primeira metade do século XX, dizimou civis com o Holocausto, a guerra-relâmpago, os bombardeios tipo *Matadouro 5* sobre cidades da Alemanha e do Japão e não uma, mas duas explosões atômicas. Parece improvável que as guerras atuais, por mais assassinas de civis que as consideremos, possam ser substancialmente piores.

Goldstein, Roberts e Mack seguiram as pegadas do meme em uma sequência de menções nebulosas, em que se misturava diferentes tipos de estimativas de baixas: mortes em combate de um período eram comparadas com mortes em combate, mortes indiretas, feridos e refugiados em outro. Mack e Goldstein avaliam que em uma guerra os civis sofrem em torno da metade das mortes em combate, e que o índice varia de guerra para guerra, porém não aumentou ao longo do tempo. Ainda veremos que ultimamente ele declinou, consideravelmente.

A mais amplamente difundida das estimativas epidemiológicas é o estudo do *Lancet* sobre mortes no Iraque.[68] Uma equipe de oito trabalhadores da saúde iraquianos passou de porta em porta em dezoito regiões e indagou às pessoas sobre mortes recentes na família. Os epidemiologistas subtraíram o índice de mortalidade dos anos anteriores à invasão do mesmo índice dos anos posteriores, presumindo que a diferença poderia ser atribuída à guerra, e multiplicaram o resultado pela população do Iraque. Essa aritmética sugere que morreram 655 mil iraquianos a mais do que se a invasão não tivesse acontecido. E 92% desse excedente de mortes, conforme indicaram as famílias, consistiu em mortes em combate diretas, causadas por armas de fogo, bombardeios aéreos e carros-bomba, não mortes indiretas por enfermidades ou fome. Assim, a contagem padrão de cadáveres estaria subestimada em cerca de sete vezes.

Contudo, sem critérios meticulosos para selecionar uma amostragem, as extrapolações para uma população inteira podem ser completamente errônea. Uma equipe de estatísticos liderada por Michael Spagat e Neil Johnson considerou essas estimativas inacreditáveis e descobriu que um número desproporcional de famílias sobreviventes vivia nas principais ruas e cruzamentos, justamente os lugares onde os bombardeios e tiros eram mais prováveis.[69] Um estudo improvisado conduzido pela Organização Mundial da Saúde chegou a uma cifra que era um quarto daquela do *Lancet*, e mesmo este requeria que se elevasse a estimativa original por um fator arbitrário de 35% para compensar mentiras, movimentações e lapsos de memória. O resultado ajustado, em torno de 110 mil, é bem mais próximo da contagem dos corpos dos mortos em combate.[70]

Outra equipe de epidemiologistas extrapolou os dados de levantamentos retrospectivos de mortos em guerras em treze países, visando questionar o conjunto da conclusão de que as mortes em combate declinaram desde meados do século XX.[71] Spagat, Mack e seus colaboradores examinaram os dados e mostraram que as estimativas estão todas superestimadas e não têm utilidade para rastrear as baixas fatais das guerras ao longo do tempo.[72]

O que dizer do relatório sobre 5,4 milhões de mortos (90% deles de doenças e fome) durante a guerra civil na República Democrática do Congo?[73] Também se revelou inflada. O International Rescue Committee [Comitê Internacional de Resgate] (IRC) obteve o número fazendo uma estimativa da taxa de mortalidade de antes da guerra que era bastante rebaixado (pois provinha da África subsaariana como um todo, onde a situação é em média melhor que na República Democrática do Congo) e subtraindo-a de uma estimativa da taxa durante a guerra, estimativa que era excessivamente elevada (pois vinha de áreas onde o IRC estava oferecendo assistência humanitária, que são exatamente aquelas onde a guerra teve maior impacto). O HSRP, embora reconhecendo que o total de mortes indiretas na República Democrática do Congo era alto — provavelmente mais de 1 milhão —, pediu cautela na aceitação de estimativas de mortes excedentes a partir de dados de pesquisas retrospectivas, pois estas, além de suas armadilhas na amostragem, partem de conjecturas duvidosas sobre o que teria acontecido caso a guerra não tivesse sido travada.[74]

Surpreendentemente, o HSRP coletou evidências de que as taxas de mortalidade por doenças e fome tenderam a *diminuir*, e não a aumentar, durante as guerras das três últimas décadas.[75] Pode soar como se eles estivessem dizendo que a guerra apesar de tudo foi saudável para as crianças e outros seres vivos, mas não se trata disso. Trata-se de que eles documentaram que as mortes por subnutrição e fome no mundo em desenvolvimento vêm se reduzindo constantemente ao longo dos anos, e que as guerras civis atuais, travadas por grupos de insurgentes em regiões limitadas de um país, não têm poder destrutivo suficiente para reverter a tendência. Na verdade, o processo pode ganhar velocidade quando assistência médica e alimentar é lançada em uma zona de guerra, onde frequentemente é administrada durante tréguas humanitárias.

Como isso é possível? Muita gente desconhece aquilo que a Unicef chama de revolução da sobrevivência das crianças. (A revolução diz respeito à sobrevivência de adultos também, embora as crianças com menos de cinco anos sejam a população mais vulnerável e, portanto, a que mais dramaticamente precisa de ajuda.) A assistência humanitária ficou mais inteligente. Em lugar de simplesmente reservar dinheiro para um problema, as organizações de ajuda adaptaram as descobertas da ciência da saúde pública sobre quais são as tragédias que matam mais gente e qual aparelhagem é mais efetiva contra cada uma delas. A maior parte das mortes infantis no mundo em desenvolvimento se deve a quatro causas: malária, enfermidades diarreicas como o cólera e a disenteria; infecções respiratórias como a pneumonia, a gripe e a tuberculose; e sarampo. Todas elas são preveníveis e tratáveis, muitas vezes a preço notavelmente baixo. Mosquiteiros, fármacos antimaláricos, antibióticos, filtros d'água, terapias de reidratação oral (uma pitada de sal e açúcar em água limpa), vacinações e alimentos frescos (que reduzem as enfermidades diarreicas e respiratórias) podem salvar um número enorme de vidas. Durante as três últimas décadas, só a vacinação (que em 1974 protegia apenas 5% das crianças do mundo e hoje protege 75%) salvou 20 milhões de vidas.[76] Alimentos terapêuticos prontos como o Pumply'nut, uma barra energética à base de amendoim em uma embalagem de alumínio, que as crianças dizem gostar, pode fazer uma grande diferença entre a subnutrição e a desnutrição.

Em conjunto essas medidas rebaixaram o custo humano das guerras e desmentiram a preocupação de que um acréscimo das mortes indiretas cancelasse ou contrabalançasse o decréscimo das mortes em combate. O HSRP calcula que durante a Guerra da Coreia cerca de 4,5% da população morreu de doenças e fome em cada um dos quatro anos do conflito. Durante a guerra civil congolesa, mesmo que aceitássemos a estimativa exageradamente pessimista de 5 milhões de mortes indiretas, isso representaria a cada ano 1% da população do país, uma redução de mais de quatro vezes em relação à Coreia.[77]

Não é fácil ver o lado luminoso no mundo em desenvolvimento, onde os remanescentes da guerra continuam a causar tremenda miséria. O esforço para derrubar os índices que quantificam a miséria podem parecer desapiedados, especialmente quando cifras elevadas servem como propaganda para atrair dinheiro e atenção. Porém existe um imperativo moral de se tomar os fatos corretamente, e não apenas resguardar a credibilidade. A descoberta de que menos pessoas estão morrendo nas guerras pelo mundo afora pode frustrar o cinismo entre os novos leitores cansados de compaixão, leitores que de outro modo poderiam pensar que os países em desenvolvimento são infernos sem salvação. E uma maior compreensão sobre o que derrubou os números pode nos orientar no sentido de fazer coisas que melhoram a situação das pessoas, em vez de congratularmos a nós mesmos pelo muito altruístas que somos. Entre as surpresas nas estatísticas: umas tantas coisas que parecem estimulantes, como independência instantânea, recursos naturais, marxismo revolucionário (quando este é eficaz) e democracia eleitoral (quando não) podem aumentar as mortes violentas; enquanto coisas que soam aborrecidas, como aplicação efetiva da lei, abertura para a economia mundial, forças da paz da ONU e Pumply'nut podem reduzi-las.

A TRAJETÓRIA DO GENOCÍDIO

De todas as variedades de violência de que nossa lastimável espécie é capaz, o genocídio figura à parte, não só como a mais hedionda, mas também como a mais difícil de entender. Podemos facilmente compreender por que de tempos em tempos as pessoas se envolvem em mortíferas disputas por dinheiro, honra ou amor, por que castigam excessivamente malfeitores e por que pegam em armas para combater outras pessoas que também pegaram em armas. Porém, que alguém queira massacrar milhões de inocentes, inclusive mulheres, crianças e anciãos, parece insultar qualquer aspiração que tenhamos a compreender nossa espécie. Seja ele denominado genocídio (matar as pessoas devido à sua raça, religião, origem étnica ou outra associação indelével a um grupo), politicídio (matar as pessoas devido à sua filiação política) ou democídio (qualquer morticínio em massa de civis por um governo ou milícia), a chacina de gente por categorias-alvo, pelo que elas *são* e não pelo que *fazem*, é algo que parece zombar dos costumeiros motivos de ganho, medo ou vingança.[78]

O genocídio também choca a imaginação pelo espantoso número de vítimas. Rummel, que foi um dos primeiros historiadores a tentar reunir todos eles, ficou célebre por calcular que durante o século XX um total de 169 milhões de pessoas tinham sido mortas por seus governos.[79] O número com certeza é uma estimativa puxando para cima, porém a maioria dos atrocitologistas concorda que durante o século passado mais gente foi morta em democídios que em guerras.[80] Em uma abrangente resenha das estimativas publicadas, Matthew White admite que 81 milhões de pessoas tenham sido mortas em democídios e mais 40 milhões em fomes provocadas pelo homem (principalmente Stálin e Mao), somando um total de 121 milhões. As guerras, em comparação, mataram 37 milhões de soldados e 27 milhões de civis em combate, além de mais 18 milhões nas fomes resultantes, o que totaliza 82 milhões de mortes.[81] (White acrescenta, contudo, que cerca da metade das mortes em democídios teve lugar durante guerras e que elas poderiam não ter sido possíveis sem estas.)[82]

Matar tantas pessoas em um tempo curto requer métodos de produção em massa da morte que acrescentam uma outra camada ao horror. As câmaras de gás e crematórios nazistas ficarão para sempre como os símbolos visualmente mais chocantes do genocídio. Porém não se requer de modo algum ferrovias ou química moderna para matar em grande escala. Quando os revolucionários franceses esmagaram uma revolta na região de Vendeia, em 1793, eles tiveram a ideia de encher um barco de prisioneiros, manter o barco debaixo d'água por um intervalo suficiente para afogar a carga humana e então fazê-lo flutuar de novo para uma nova fornada.[83] Mesmo durante o Holocausto, as câmaras de gás não eram os meios de matança mais eficientes. Os nazistas mataram mais gente com seus *Einsatzgruppen*, pelotões móveis de fuzilamento, que foram prenunciados por outras equipes militares de alta mobilidade e armadas de projéteis, como os carros de guerra assírios e os cavalos mongóis.[84] Durante o genocídio dos hutus pelos tutsis no Burundi de 1972 (antecessor do genocídio inverso em Ruanda, 22 anos mais tarde), um perpetrador esclareceu:

> Muitas técnicas, muitas, muitas. Pode-se reunir 2 mil pessoas em um prédio — uma prisão, digamos. Ali há algumas salas que são grandes. O prédio é trancado. Os homens são deixados ali por quinze dias, sem comer, sem beber. Então se abre. Encontra-se cadáveres. Sem bater, sem nada. Mortos.[85]

O brando termo militar "sítio" oculta o fato de que privar uma cidade de comida e liquidar os debilitados sobreviventes é uma forma de extermínio consagrada pelo tempo e com custo eficaz. Como afirmam Frank Chalk e Kurt Jonassohn em *The History and Sociology of Genocide*, "os autores de livros didáticos de história raramente sequer relatam o que a destruição de uma antiga cidade representa para seus habitantes".[86] Uma exceção é o Deuteronômio, que oferece uma profecia com data retroativa, baseada na conquista assíria ou babilônica:

> No cerco e no aperto com que os teus inimigos te apertarão, comerás o fruto do teu ventre, a carne de teus filhos e de tuas filhas, que o Senhor teu Deus te houver dado. Quanto ao homem mais mimoso e delicado no meio de ti, seu olho será mesquinho para com seu irmão, para com a mulher de seu regaço, e para com os filhos que ainda lhe ficarem de resto; de sorte que não dará a nenhum deles da carne de seus filhos que ele comer, porquanto nada lhe terá ficado de resto no cerco e no aperto com que o teu inimigo te apertará em todas as tuas portas. Igualmente, quanto à mulher mais mimosa e delicada no meio de ti, que de mimo e delicadeza nunca tentou pôr a planta de seu pé sobre a terra, será mesquinho seu olho para com o homem de seu regaço, para com seu filho, e para com sua filha; também ela será mesquinha para com suas páreas, que saírem dentre seus pés, e para com seus filhos que tiver; porque os comerá às escondidas pela falta de tudo, no cerco e no aperto com que o teu inimigo te apertará nas tuas portas.[87]

À parte os números e os métodos, o genocídio empedernece a imaginação moral pelo gratuito sadismo a que se entregam seus autores. Relatos de testemunhas visuais de todos os continentes e décadas retratam como as vítimas são insultadas, atormentadas e mutiladas antes de as matarem.[88] Em *Os irmãos Karamázov*, Dostoiévski comenta as atrocidades turcas na Bulgária durante a Guerra Russo-Turca de 1877-78, quando crianças por nascer eram arrancadas dos úteros das mães e prisioneiros pregados pelas orelhas em uma cerca durante uma noite, antes de serem enforcados:

> As pessoas às vezes falam da crueldade "animal" do homem, mas isso é terrivelmente injusto e ofensivo aos animais. Nenhum animal consegue jamais ser tão cruel como um homem, tão engenhosamente, tão artisticamente cruel. Um tigre simplesmente morde e estraçalha, é tudo que pode fazer. Jamais ocorreria a ele pregar gente pelas orelhas por uma noite, mesmo que fosse capaz de fazê-lo.[89]

Minha própria leitura das histórias de genocídios deixou imagens capazes de perturbar o sonho pela vida inteira. Relatarei duas que ficaram em minha mente não por alguma infâmia (embora estas sejam bastante comuns) mas devido a seu sangue-frio. Ambas foram tomadas de *Humanity: A Moral History of the Twentieth Century* [Humanidade: Uma história moral do século XX], do filósofo Jonathan Glover.

Durante a Revolução Cultural chinesa, em 1966-75, Mao encorajou os saqueadores da Guarda Vermelha a aterrorizar os "inimigos de classe", inclusive professores, administradores e descendentes de latifundiários e "camponeses ricos", matando talvez 7 milhões.[90] Em um incidente:

> Jovens que saqueiam a casa de um casal idoso encontram caixas de precioso vidro francês. Quando o velho pede-lhes que não destruam os vidros, um do grupo bate em sua boca com um porrete, deixando-o cuspir sangue e dentes. Os estudantes esmigalham os vidros e deixam o casal de joelhos, chorando.[91]

Durante o Holocausto, Christian Wirth comandava um coletivo de mão de obra escrava na Polônia, onde os judeus labutavam até a morte tirando as roupas de seus compatriotas assassinados. Seus filhos tinham sido tomados deles e enviados para os campos de extermínio.

> Wirth admitiu uma exceção [...]. Um garoto judeu de seus dez anos recebeu bombons e foi vestido como um pequeno SS. Wirth e o menino cavalgavam por entre os prisioneiros, o alemão em um cavalo e o garoto em um pônei, ambos usando metralhadoras para matar prisioneiros (entre eles a mãe do menino) à queima-roupa.[92]

Glover permite-se um comentário: "Diante dessa expressão suprema de desprezo e mofa, nenhuma reação de repulsa ou cólera é sequer remotamente adequada".

* * *

Como podem as pessoas fazer essas coisas? Para se emprestar um sentido ao assassinato por categorias, se é que se pode fazê-lo, é preciso começar pela psicologia das categorias.[93]

As pessoas classificam outras pessoas em compartimentos mentais conforme suas afiliações, costumes, aparências e crenças. Embora seja tentador pensar nessa estereotipagem como uma espécie de defeito mental, a categoria é indispensável à inteligência. Categorias permitem-nos fazer inferências a partir de umas poucas qualidades observadas para um grande número de não observadas. Se observo a cor e o aspecto de um fruto e o classifico como uma framboesa, posso inferir que ele terá um gosto doce, satisfará minha fome e não me envenenará. As sensibilidades politicamente corretas podem empertigar-se à ideia de que um grupo de pessoas, como uma variedade de fruta, pode ter características em comum, mas caso não fosse assim não haveria diversidade cultural a celebrar nem qualidades étnicas das quais se orgulhar. Grupos humanos agrupam-se porque realmente partilham características, ainda que estatisticamente. Assim, uma mente que generalize a respeito de pessoas a partir de sua filiação a uma categoria não é ipso facto defeituosa. Os afro-americanos realmente têm mais chances que os brancos de depender da assistência social; os judeus efetivamente têm renda média mais alta que os *wasp*;* e estudantes de administração de fato são mais conservadores que os de artes — em média.[94]

O problema da classificação reside em que frequentemente ela extrapola a estatística. Por algum motivo, quando alguém está pressionado, distraído ou emocionado, esquece que uma categoria é uma aproximação e age como se o estereótipo se aplicasse até o último homem, mulher ou criança.[95] Por outro lado, as pessoas tendem a *moralizar* as categorias, atribuindo traços louváveis a seus aliados e outros tantos condenáveis a seus inimigos. Durante a Segunda Guerra Mundial, por exemplo, os americanos achavam que os russos tinham características mais positivas que os alemães; durante a Guerra Fria, acreditavam no oposto.[96] Por fim, as pessoas tendem a *essencializar* os grupos. Quando crianças, elas dizem nos experimentos que os bebês afastados de seus pais ao nascerem irão falar a linguagem dos pais biológicos e não a dos adotivos. Quando adultas, tendem a

* Sigla em inglês para "branco, anglo-saxão e protestante". (N. T.)

pensar que os membros de determinados grupos étnicos e religiosos partilham uma essência quase biológica, que os torna homogêneos, imutáveis, previsíveis e distintos dos outros.[97]

O hábito cognitivo de tratar pessoas como instâncias de uma categoria torna-se verdadeiramente perigoso quando as pessoas entram em conflito. Retorna-se ao trio das motivações de Hobbes para a violência — ganho, medo e dissuasão —, desde os motivos da dissuasão em uma briga individual até o *casus belli* em uma guerra étnica. Pesquisas históricas mostraram que os genocídios são causados por essa tríade de motivos, com, conforme veremos, duas toxinas adicionais misturadas ao fermento.[98]

Alguns genocídios começam por razões de conveniência. Os nativos ocupam um território desejável, ou monopolizam uma fonte de água, comida ou minérios; e os invasores gostariam de tomá-los para si. Eliminar gente é como varrer o chão ou exterminar uma peste, algo acionado por nada mais fantasioso em nossa psicologia que o fato de que a solidariedade humana pode ser ligada e desligada dependendo da categoria em que se encontra a outra pessoa. Muitos genocídios de povos indígenas são pouco mais que expedientes para se apossar de terras ou escravos, com as vítimas rotuladas como sub-humanas. Genocídios assim compreendem as numerosas expulsões e massacres de nativos americanos por colonos ou governos nas Américas, a brutalização das tribos africanas pelo rei Leopoldo da Bélgica no Estado Livre do Congo, o extermínio dos hererós pelos colonialistas alemães no Sudoeste Africano e os ataques no Darfur por parte das milícias janjawid encorajadas pelo governo em 2008.[99]

Quando os conquistadores acham conveniente tolerar que os nativos vivam de modo que possam pagar tributos e taxas, o genocídio pode ter uma segunda e pragmática função. Uma reputação de estar disposto a cometê-lo vem a calhar para um conquistador, pois permite-lhe apresentar a uma cidade um ultimato: render-se ou morrer. Para tornar a ameaça confiável, o invasor deve estar disposto a efetivá-la. Esse era o raciocínio subjacente à devastação das cidades da Ásia Ocidental por Gêngis Khan e suas hordas mongóis.

Uma vez que os conquistadores anexaram uma cidade ou território a seu império, podem mantê-lo na linha com a ameaça de que voltarão com força total no caso de qualquer revolta. No ano 68, o governador de Alexandria pediu o envio de tropas romanas para submeter uma rebelião dos judeus contra o domínio de Roma. Conforme o historiador Flávio Josefo,

> uma vez que [os judeus] foram forçados a recuar, foram impiedosa e completamente destruídos. Alguns eram apanhados em campo aberto, outros em suas casas, que eram saqueadas e então incendiadas. Os romanos não tiveram compaixão das crianças, nem respeito pelos velhos, e prosseguiram a matança de pessoas de todas as idades até que todo o lugar se encharcasse de sangue e 50 mil judeus morressem.[100]

Táticas semelhantes foram usadas nas campanhas de contrainsurgência do século XX, como as dos soviéticos no Afeganistão e as dos governos direitistas na Indonésia e América Central.

Quando um povo desumanizado está em condições de se defender ou virar a mesa, ele pode estabelecer uma armadilha hobbesiana de medo de grupo-contra-grupo. Cada lado pode encarar o outro como uma ameaça à sua existência que precisa ser eliminada preventivamente. Depois do colapso da Iugoslávia nos anos 1990, o genocídio cometido pelos nacionalistas sérvios contra bósnios e kosovares foi alimentado em parte pelo temor de que eles próprios viessem a ser vítimas de massacres.[101]

Caso os membros de um grupo tenham assistido à vitimização de seus camaradas, tenham escapado por pouco de serem eles próprios atingidos ou se atormentem com a perspectiva da vitimização, podem deixar-se levar por uma fúria moralista e buscar a vingança sobre seus agressores percebidos. Como todas as formas de vingança, um massacre retaliatório é inútil uma vez que foi cometido, mas uma *movimentação* bem planejada e implacável visando perpetrá-lo, sem ligar para os custos ou circunstâncias, pode estar programada no cérebro das pessoas pela evolução, pelas normas culturais, ou por ambas, para tornar a dissuasão digna de fé.

As motivações hobbesianas não explicam plenamente por que a predação, a dissuasão e a vingança se voltariam contra *grupos inteiros* em vez de indivíduos que se atravessam no caminho ou causam problemas. O hábito cognitivo de classificar pode ser uma razão, enquanto outra é explicada em *O poderoso chefão*, parte dois, quando a mãe do jovem Vito Corleone pede a um *don* siciliano que poupe a vida do rapaz:

> *Viúva*: Don Francesco. O senhor matou meu marido porque ele não queria se curvar. E o filho mais velho dele, por jurar vingança. Mas Vitone tem só nove anos e é abestalhado. Nunca fala.
>
> *Don Francesco*: Não temo as palavras dele.
>
> *Viúva*: Ele é débil.

Don Francesco: Vai crescer e ficar forte.

Viúva: A criança não pode lhe fazer mal.

Don Francesco: Ele vai se tornar um homem, e então virá se vingar.

E ele vem se vingar. Mais tarde, no filme, o Vito crescido retorna à Sicília, pede uma audiência com o *don*, murmura seu nome ao ouvido do ancião e esfaqueia-o como um cirurgião.

A solidariedade entre os membros de uma família, clã ou tribo — em particular sua determinação de vingar assassinatos — torna-os presa fácil de alguém com contas a ajustar com um deles. Embora grupos de tamanho equivalente e em contato frequente se inclinem a constranger suas vinganças a uma reciprocidade olho por olho, violações repetidas podem transformar uma cólera episódica em ódio permanente. Como escreveu Aristóteles, "o homem colérico deseja que o objeto de sua ira sofra por sua vez; o ódio deseja que seu objeto não exista".[102] Quando um lado encontra-se em vantagem numérica ou tática, ele pode aproveitar a oportunidade para impor uma solução final. Tribos em vendeta têm uma nítida consciência das vantagens práticas do genocídio. O antropólogo Rafael Karsten trabalhou com os jivaros da Amazônia equatoriana (uma tribo que contribuiu com uma das barras mais longas no gráfico dos índices de mortes em guerras, mostrado na figura 2.2) e relata seus meios de guerrear:

> Enquanto as pequenas querelas entre subtribos têm o caráter de vinganças de sangue privadas, com base no princípio da justa retaliação, as guerras entre as tribos diferentes são em princípio guerras de extermínio. Aqui não existe a possibilidade de se aquilatar vida contra vida; a meta é aniquilar completamente a tribo inimiga [...]. A parte vitoriosa é a que se mostra mais ansiosa em não deixar um só sobrevivente do povo inimigo, nem mesmo as crianças pequenas, por temer que estes surjam mais tarde como vingadores contra os vitoriosos.[103]

A meio planeta de distância, a antropóloga Margaret Durham oferece uma cena similar, de uma tribo albanesa costumeiramente regida pelas normas de vingança comedida:

> Em fevereiro de 1912, relataram-me um espantoso caso de justiça por atacado [...]. Uma certa família dos fandis bairtaks (subtribo) notabilizara-se desde há muito

> como malfeitora, roubando, dando tiros, sendo uma peste para a tribo. Um conselho de todos os chefes condenou à morte todos os homens da família. Os homens foram instruídos a ficar à espera deles, em determinado dia, e apanhá-los; e nesse dia todos os dezessete foram abatidos a tiros. Um deles tinha cinco anos, outro não mais de doze. Protestei contra essa matança de crianças que só podiam ser inocentes e me disseram: "Era sangue ruim, que não devia se propagar". Era tamanha a crença na hereditariedade que se propôs a morte de uma desafortunada mulher grávida, por temor de que ela gerasse um menino e assim renovasse o mal.[104]

A noção essencial de "sangue ruim" é uma das muitas metáforas biológicas inspiradas pelo medo da vingança que vem do berço. As pessoas antecipam que, caso deixem vivos mesmo que apenas uns poucos dos inimigos derrotados, os remanescentes se multiplicarão e criarão problemas mais adiante. A cognição humana frequentemente trabalha por analogias, e a visão de uma incômoda coleção de seres que procriam repetidamente traz à mente a imagem de vermes.[105] Perpetradores de genocídios do mundo inteiro encontram-se na redescoberta das mesmas metáforas, quase como um clichê. As pessoas desprezadas são ratos, cobras, vermes, piolhos, moscas, parasitas, baratas, ou (em certas partes do mundo onde eles são pragas) macacos, babuínos e cães.[106] "Mate as lêndeas e você não terá piolhos", escreveu um comandante inglês na Irlanda em 1641, justificando uma ordem para matar milhares de católicos irlandeses.[107] "Uma lêndea vai produzir um piolho", rememorou um líder de colonos californianos em 1856, antes de trucidar 240 yukis para vingar a morte de um cavalo.[108] "Lêndeas produzem piolhos", disse o coronel John Chivington às vésperas do Massacre de Sand Creek, que matou centenas de cheyennes e arapahos em 1864.[109] Cancros, cânceres, bacilos e vírus são outros agentes biológicos traiçoeiros que se introduzem como figuras de linguagem na poética do genocídio. Quando se tratava dos judeus, Hitler diversificava suas metáforas, mas elas eram sempre biológicas: os judeus são um vírus; os judeus são parasitas sanguessugas; os judeus são uma raça vira-lata; os judeus têm sangue envenenado.[110]

A mente humana desenvolveu uma defesa contra a contaminação por agentes biológicos: a emoção da repugnância.[111] Usualmente desencadeada por secreções corpóreas, partes de animais, insetos e vermes parasitários, vetores de enfermidades, a repugnância impele as pessoas a ejetar a substância poluente e qualquer coisa que se assemelhe a ela ou tenha estado em contato com ela. A repugnância é facilmente moralizada, configurando uma graduação em que um dos polos é identificado com a espiritualidade, a pureza, a castidade, a limpidez, e o outro com a animalidade, a impureza, a lascívia e a contaminação.[112] Dessa forma, vemos os agentes repugnantes não apenas como fisicamente asquerosos, mas também como moralmente desprezíveis. Muitas metáforas da língua inglesa para designar alguém traiçoeiro usam um vetor de doenças: *um rato, um piolho, um verme, uma barata*. O infame termo dos anos 1990 para as expulsões e genocídios era *limpeza étnica*.

O pensamento metafórico caminha nas duas direções. Não apenas aplicamos metáforas repugnantes às pessoas moralmente menosprezadas; também tendemos a moralizar os desprezados que são fisicamente repugnantes (um fenômeno que encontramos no capítulo 4 ao examinar a teoria de Lynn Hunt, de que o incremento da higiene na Europa causou um declínio dos castigos cruéis). Em um polo da gradação, imaculados ascetas que promovem rituais de purificação são reverenciados como homens e mulheres santos. No polo oposto, pessoas vivendo na degradação e imundície são insultadas como sub-humanas. O químico e escritor Primo Levi descreveu essa espiral durante o transporte dos judeus para os campos de extermínio na Alemanha:

> A escolta SS não ocultou seu divertimento face à visão de homens e mulheres que se acocoravam sempre que podiam, nas plataformas e no meio dos trilhos, e os passageiros alemães expressavam abertamente seu nojo: gente como essa merece sua sina, veja só como se comportam. Não são *Menschen*, seres humanos, mas animais, isso é claro como a luz do dia.[113]

As vias emocionais que conduzem ao genocídio — raiva, medo e aversão — podem apresentar várias combinações. Em *Worse Than War* [Pior que a guerra], uma história do genocídio no século XX, o cientista político Daniel Goldhagen sublinha que nem todos os genocídios têm as mesmas causas. Ele os classifica conforme o grupo vítima é *desumanizado* (alvo de repugnância moralizada), *demonizado* (alvo de raiva moralizada), ambas as coisas ou nenhuma delas.[114] Um grupo desumanizado pode ser exterminado como vermes, como os hererós aos olhos dos colonialistas alemães, os armênios aos olhos dos turcos, os negros de Darfur aos olhos dos muçulmanos sudaneses e muitos povos indígenas aos olhos dos colonos europeus. Um grupo demonizado, em contraste, é encarado como tendo as faculdades de raciocínio do padrão humano, o que o torna ainda mais culpado por abraçar a heresia ou rejeitar a verdadeira fé. Entre os modernos hereges estavam as vítimas das autocracias comunistas, e as vítimas de seu oposto, as ditaduras direitistas no Chile, Argentina, Indonésia e El Salvador. A seguir, existem os demônios excluídos — grupos que lograram ser, ao mesmo tempo, asquerosamente sub-humanos *e* odiosamente maus. Por fim, pode haver grupos que não são repelidos por serem maus ou sub-humanos, mas temidos como predadores potenciais e eliminados em ataques preventivos, como na anarquia balcânica que se seguiu ao colapso da Iugoslávia.

Até agora tentei explicar o genocídio da seguinte maneira: o hábito mental do essencialismo pode fixar as pessoas em categorias; suas emoções morais podem ser aplicadas à totalidade delas. A combinação pode transformar a competição hobbesiana entre indivíduos ou exércitos em uma competição hobbesiana entre povos. Porém o genocídio tem um outro componente decisivo. Como apontou Soljenítsin, para se matar aos milhões é preciso uma *ideologia*.[115] Credos utópicos que submergem os indivíduos em categorias moralizadas podem deitar raízes em regimes poderosos e desencadear sua plena potência destrutiva. Por essa razão são as ideologias que geram os picos na distribuição dos índices de mortes em genocídio. As ideologias da divisão incluem a cristandade durante as cruzadas e as guerras religiosas (e, em uma variante, a Rebelião Taiping, na China); o romantismo revolucionário durante os politicídios da Revolução Francesa; o nacionalismo por ocasião dos genocídios na Turquia otomana e nos Bálcãs; o nazismo no Holocausto; e o marxismo nos expurgos, expulsões e fomes do terror na União Soviética, na China de Mao e no Camboja de Pol Pot.

Por que as ideologias utópicas levam tão frequentemente ao genocídio? À primeira vista isso parece não fazer sentido. Mesmo que uma autêntica ideologia seja inatingível por todos os tipos de razões práticas, a busca de um mundo perfeito não deveria ao menos deixar-nos um mundo melhor — digamos, a 60% do caminho da perfeição, ou mesmo 15%? Afinal, o alcance de um homem tem de exceder seu gesto. Não deveríamos almejar alto, sonhar o sonho impossível, imaginar coisas que nunca o foram e indagar: "Por que não?".

As ideologias utópicas convidam ao genocídio por duas razões. Uma é que elas estabelecem um pernicioso cálculo utilitário. Em uma utopia, todos são felizes para sempre, portanto seu valor moral é infinito. Muitos de nós concordam que é eticamente permissível desviar um vagão desgovernado que ameaça matar cinco pessoas para um trilho lateral onde ele matará apenas uma. Mas suponha que o desvio do vagão permitiria salvar 100 milhões de vidas, ou 1 bilhão, ou — projetando-se no futuro — infinitas. Quantas pessoas seria legítimo sacrificar para atingir o infinito bem? Uns tantos milhões podem parecer um excelente negócio.

Mais do que isso, considere as pessoas que tomam contato com a promessa de um mundo perfeito e ainda assim se opõem a ele. Elas são o único obstáculo no caminho de um plano que conduz ao bem infinito. O quanto são más? Faça você as contas.

O segundo perigo de uma ideologia genocida é que ela deve obedecer a um plano metódico. Em uma utopia, tudo tem sua razão. E as pessoas? Bem, existem diversos grupos de pessoas. Alguns se apegam teimosamente, talvez devido à sua essência, a valores que não têm espaço em um mundo perfeito. Eles podem ser empreendedores em um mundo onde funciona a partilha comunal, ou eruditos em um mundo que funciona por meio da labuta, ou atrevidos em um mundo que funciona pela piedade, ou particularistas em um mundo que funciona pela unidade, ou urbanos e mercantis em um mundo que retornou às suas raízes na natureza. Caso você esteja arquitetando a sociedade perfeita em uma folha de papel em branco, por que não excluir desde o início esses aleijões?

Em *Blood and Soil: A World History of Genocide and Extermination from Sparta to Darfur* [Sangue e solo: Uma história mundial do genocídio e extermínio de Esparta a Darfur], o historiador Ben Kiernan observa outra característica curiosa das ideologias utópicas. Repetidamente elas se voltam para um paraíso perdido agrário, que buscam restaurar enquanto substituto saudável da decadência predominantemente urbana. No capítulo 4 vimos que, depois do Iluminismo que emergiu do bazar intelectual das cidades cosmopolitas, o Contrailuminismo alemão romantizava o apego das pessoas à sua terra — o sangue e solo do título de Kiernan. As ingovernáveis metrópoles, com suas populações fluidas e enclaves étnicos e ocupacionais, afrontam uma mentalidade que divisa um mundo de harmonia, pureza e integridade orgânica. Muitos dos nacionalismos do século XIX e início do século XX eram guiados por imagens utópicas de grupos étnicos florescendo em suas terras natais, frequentemente baseados nos mitos de tribos ancestrais que colonizaram o território na aurora dos tempos.[116] Esse utopismo agrário encontra-se por trás das obsessões duais de Hitler: seu ódio aos judeus, que ele associava ao comércio e às cidades, e seu louco plano de despovoar o Leste Europeu para fornecer terras de cultivo aos alemães das cidades que as colonizariam. As massivas comunas agrícolas de Mao e a expulsão, por Pol Pot, dos citadinos cambojanos para acampamentos da morte rurais são outros exemplos.

As próprias atividades comerciais, que tendem a se concentrar nas cidades, podem ser detonadoras de ódio moralista. Como veremos no capítulo 9, o sentimento econômico intuitivo das pessoas deita raízes no intercâmbio direto de bens e serviços por seu valor equivalente — digamos, três galinhas por uma faca. Não é fácil captar os aparatos matemáticos abstratos de uma economia moderna, tais como dinheiro, lucro, juro e renda.[117] Na economia intuitiva, lavradores e artesãos produzem bens de valor palpável. Mercadores e outros intermediários, que auferem lucro fazendo os bens mudarem de mãos sem produzir coisas novas, são vistos como parasitas, a despeito do valor que criam ao estabelecer transações entre produtores e consumidores que não se conhecem ou estão separados pela distância. Agiotas, que emprestam uma soma e então reclamam dinheiro adicional em troca, são encarados com ojeriza ainda maior, a despeito do serviço que prestam quando fornecem dinheiro às pessoas no momento de suas vidas em que ele terá o melhor uso. As pessoas se inclinam a esquecer as contribuições dos mercadores e agiotas, encarando-os como sanguessugas (mais uma vez a metáfora vem da biologia). A antipatia por intermediários individuais pode facilmente se transformar em antipatia por grupos étnicos. O capital necessário para se prosperar em ocupações de intermediação consiste mais em perícia que em terras ou fábricas, de modo que é fácil partilhá-lo com parentes e amigos, sendo altamente portátil. Por essas razões é comum que grupos étnicos específicos se especializem em nichos de intermediação e se desloquem para quaisquer comunidades que careçam deles, onde tendem a se tornar minorias prósperas — e alvos de inveja e ressentimento.[118] Muitas vítimas de discriminações, expulsões, motins e genocídios têm sido grupos sociais ou étnicos que se especializaram em nichos de intermediação. Estes incluem as diferentes minorias burguesas da União Soviética, China e Camboja, os indianos na África Oriental e Oceania, os ibos na Nigéria, os armênios na Turquia, os chineses na Indonésia, Malásia e Vietnã, e os judeus na Europa.[119]

Os democídios frequentemente se inserem no clímax de uma narrativa escatológica, como o derradeiro espasmo de violência que inaugurará uma milenar beatitude. Os paralelos entre as ideologias utópicas dos séculos XIX e XX e as visões apocalípticas das religiões tradicionais são amiúde observados pelos historiadores do genocídio. Daniel Chirot, ao escrever com o psicólogo Clark McCauley, comenta:

> A escatologia marxista sempre imitou a doutrina cristã. No início, havia um mundo perfeito sem propriedade privada, sem classes, sem exploração e sem alienação — o Jardim do Éden. Então veio o pecado, a descoberta da propriedade privada e a criação dos exploradores. A humanidade foi expulsa do Éden para sofrer a desigualdade e a privação. Os seres humanos então experimentaram uma série de modos de produção, do modo escravista ao feudal e ao capitalista, sempre buscando uma solução sem encontrá-la. Por fim, eis que adveio um verdadeiro profeta com a mensagem da salvação, Karl Marx, que pregou a verdade da ciência. Ele prometeu a salvação mas não foi ouvido, exceto por seus íntimos discípulos, que difundiram a verdade. No futuro, contudo, o proletariado, os portadores da verdadeira fé, será convertido pelos eleitos da religião, os líderes do partido, e se unirá para criar um mundo mais perfeito. Uma revolução final e terrível liquidará com o capitalismo, a alienação, a exploração e a desigualdade. Depois disso, a história terá fim, pois haverá perfeição na Terra e os verdadeiros crentes terão sido salvos.[120]

Baseando-se no trabalho dos historiadores Joachim Fest e George Mosse, eles também comentam a escatologia nazista:

> Não foi por acidente que Hitler prometeu um Reich de mil anos, um milênio de perfeição, semelhante aos mil anos do reino da bondade prometido no Apocalipse, antes do retorno do mal, da grande batalha entre o bem e o mal e do triunfo final do bem sobre Satã. Toda a iconologia de seu partido e do regime nazista era profundamente mística, impregnada de religiosidade, frequentemente cristã, de simbolismo litúrgico e de apelos a uma lei mais elevada, a uma missão designada pelo destino e confiada ao profeta Hitler.[121]

Por fim, há os requisitos do ofício. Você gostaria de viver o estresse e a responsabilidade de conduzir um mundo perfeito? A liderança utópica é selecionada por seu monumental narcisismo e impiedade.[122] Seus líderes estão possuídos pela certeza da retidão de sua causa e pelo impaciente descarte de reformas graduais ou ajustes durante o percurso guiados pela realimentação das consequências humanas de seus grandes esquemas. Mao, que tinha sua imagem afixada por toda a China e seu livrinho vermelho de citações entregue a cada cidadão, foi descrito por seu médico e único confidente Li Zhisui como ávido de lisonjas, exigente no serviço sexual de concubinas e desprovido de calor ou compaixão.[123] Em 1958, ele teve a revelação de que seu país poderia dobrar sua produção de aço em um ano, caso as famílias camponesas contribuíssem para o progresso nacional tocando siderúrgicas de fundo de quintal. Temerosos de morrer por não terem cumprido as metas, os camponeses fundiram suas panelas, facas, enxadas e as dobradiças das portas em montes de metal imprestável. Também foi revelado a Mao que a China poderia cultivar vastas quantidades de cereais em pequenas glebas de terra, liberando o restante para pastagens e jardins, caso os lavradores plantassem as mudas bem fundo e apertadas, de modo que a solidariedade de classe fizesse com que crescessem fortes e grossas.[124] Os camponeses foram reunidos em comunas de 50 mil pessoas para implementar essa visão, e quem fizesse corpo mole ou apontasse o óbvio era executado como um inimigo de classe. Impermeável aos sinais da realidade informando-lhe que seu Grande Salto Adiante era um grande salto para trás, Mao arquitetou uma fome que matou entre 20 milhões e 30 milhões de pessoas.

Os motivos dos líderes são fundamentais para se compreender o genocídio, porque os ingredientes psicológicos — a mentalidade essencialista; a dinâmica hobbesiana da ganância, medo e vingança; a moralização de emoções como a repugnância; o apelo a ideologias utópicas — não envolvem uma população inteira de uma só vez, incitando-a à matança em massa. Grupos que se evitam, que desconfiam ou até suspeitam uns dos outros podem coexistir indefinidamente sem genocídios.[125] Pense, por exemplo, nos afro-americanos no sul segregado dos Estados Unidos; nos palestinos em Israel e nos territórios ocupados; e nos africanos na África do Sul sob o apartheid. Mesmo na Alemanha nazista, onde o antissemitismo se entrincheirara por séculos, não existem indícios de que alguém exceto Hitler e uns poucos capangas fanáticos pensasse que seria uma boa ideia que os judeus fossem exterminados.[126] Quando se promove um genocídio, quem comete os assassinatos é apenas uma fração da população, usualmente a força policial, o estamento militar ou uma milícia.[127]

No século I, Tácito escreveu: "Um crime chocante foi cometido por inescrupulosa iniciativa de uns poucos indivíduos, com o apoio de outros e em meio à passiva aquiescência de todos". Conforme o cientista político Benjamin Valentino em *Final Solutions*, essa divisão de trabalho se aplica igualmente aos genocídios do século XX.[128] Um líder ou uma panelinha decide que chegou o momento do genocídio. Ele transmite o sinal verde a uma força relativamente pequena de homens armados, forma uma mistura de verdadeiros crentes, conformistas e capangas (frequentemente recrutados, como os exércitos medievais, nas hostes de criminosos, vagabundos e outros jovens homens desocupados). Eles contam com o fato de que o restante da população não se atravessará em seu caminho, e, graças às características da psicologia social que exploraremos no capítulo 8, geralmente é o que ocorre. Os elementos que contribuem para o genocídio, como o essencialismo, a moralização e as ideologias utópicas, estão engajados em diferentes níveis em cada um desses elementos. Eles consomem as mentes de seus líderes e dos verdadeiros crentes, porém precisam empurrar os demais apenas o bastante para permitir que os líderes transformem seus planos em realidade. A indispensabilidade de líderes para o genocídio do século XX é patenteada pelo fato de que quando os líderes morreram ou foram removidos pela força as matanças pararam.[129]

Caso esta análise esteja no caminho certo, genocídios podem emergir de reações tóxicas entre a natureza humana (que inclui o essencialismo, a moralização e a economia intuitiva), os dilemas hobbesianos da segurança, as ideologias milenaristas e as oportunidades à disposição dos líderes. A pergunta agora é: como essa interação modificou-se no decorrer da história?

Não é uma questão de resposta fácil, pois os historiadores nunca acharam o genocídio particularmente interessante. Desde a Antiguidade as prateleiras das bibliotecas se encheram de tratados sobre a guerra, mas os tratados sobre o genocídio são quase inexistentes, ainda que este mate mais gente. Como Chalk e Jonassohn destacam, sobre a história antiga,

> sabemos que impérios desapareceram e cidades foram destruídas, e suspeitamos que algumas guerras foram genocidas em seus resultados; mas não sabemos o que aconteceu com o grosso das populações envolvidas nestes eventos. Seu destino simplesmente não tinha importância. Quando elas eram mencionadas, aqui e ali, usualmente figuravam junto com os rebanhos de bois, ovelhas e outros animais.[130]

Na medida em que se compreende que as pilhagens, razias e massacres dos séculos passados eram o que hoje seria chamado genocídio, fica ainda mais claro que este não é um fenômeno do século XX. Aqueles que têm familiaridade com a história clássica sabem que os atenienses destruíram Milo durante a Guerra do Peloponeso, no século V AEC; de acordo com Tucídides, "os atenienses então executaram todos que estavam em idade militar e converteram em escravos as mulheres e as crianças". Outro exemplo familiar é a destruição de Cartago pelos romanos no século III AEC, uma guerra tão total que os romanos, ao que se diz, espalharam sal no solo para que nada ali germinasse. Outros genocídios históricos incluem os banhos de sangue na vida real que inspiraram aqueles narrados na *Ilíada* e na *Odisseia*, bem como na Bíblia hebraica; os massacres e as pilhagens durante as cruzadas; a eliminação da heresia albigense; as invasões mongóis; as caças às bruxas europeias; e a carnificina das guerras religiosas na Europa.

Os autores de livros de história recentes sobre chacinas em massa insistem que a ideia de um "século do genocídio" sem precedentes (o século XX) é um mito. Já na primeira página Chalk e Jonassohn escrevem: "O genocídio vem sendo praticado em todas as regiões do mundo e em todos os períodos da história". E acrescentam que seus onze estudos de caso de genocídios pré-século XX "não pretendem ser nem exaustivos nem representativos".[131] Kiernan concorda: "Uma conclusão primordial deste livro é que o genocídio também ocorreu corriqueiramente antes do século XX". Pode-se ver o que ele tem em mente passando os olhos pela primeira página de seu sumário:

Parte 1: A expansão imperial antiga
1. Genocídio clássico e memória na Alta Idade Moderna
2. A conquista espanhola do Novo Mundo, 1492-1600
3. Armas e genocídio no Extremo Oriente, 1400-1600
4. Massacres genocidas no Sudeste Asiático na Alta Idade Moderna

Parte 2: O colonialismo de assentamento
5. A conquista inglesa da Irlanda, 1565-1603
6. A América do Norte colonial, 1600-1776
7. Violência genocida na Austrália do século XIX
8. Genocídio nos Estados Unidos
9. Genocídios de assentamento na África, 1830-1910.[132]

Rummel estabeleceu um número para sua conclusão de que "o assassínio em massa, por parte de imperadores, reis, sultões, *khans*, presidentes, governadores, generais e outros dirigentes, vitimando seus próprios cidadãos ou aqueles sob sua proteção ou controle, é em grande medida uma parte da nossa história". Ele contou 133 147 000 vítimas de dezesseis democídios antes do século XX (incluindo os da Índia, Irã, Império Otomano, Japão e Rússia) e supõe que o número de vítimas de democídio pode ter chegado no total a 625 716 000.[133]

Esses autores não recolhem suas listas empilhando indiscriminadamente todo episódio histórico em que morre uma grande quantidade de gente. Eles têm o cuidado de observar, por exemplo, que a população de nativos americanos foi dizimada mais por doenças que por um plano de extermínio, embora incidentes específicos *fossem* espalhafatosamente genocidas. Em um exemplo precoce, os puritanos da Nova Inglaterra exterminaram a nação pequot, em 1638, após o que o ministro Increase Mather concitou sua congregação a agradecer a Deus, "pois neste dia enviamos seiscentas almas pagãs para o inferno".[134] Essa celebração do genocídio não afetou sua carreira. Mais tarde ele se tornou presidente da Universidade Harvard, e a residência universitária à qual estou ligado atualmente recebeu seu nome (lema: Espírito de Increase Mather!).

Mather não foi nem o primeiro nem o último a agradecer a Deus por um genocídio. Como vimos no capítulo 1, Jeová ordenou às tribos hebraicas que realizassem dezenas deles, e no século IX AEC os moabitas retribuíram o favor massacrando os habitantes de várias cidades hebraicas em nome de *seu* deus, Ashtar-Chemosh.[135] Em uma passagem do Bhagavad-Gita (escrito em torno do ano 400), o deus hindu Krishna repreende o mortal Arjuna por relutar em chacinar uma facção inimiga que incluía seu sogro e tutor: "Não há melhor escolha para ti que combater pelos princípios religiosos; e portanto não há necessidade de hesitação [...]. A alma jamais pode ser retalhada por nenhuma lâmina ou queimada pelo fogo [...]. [Portanto] estás enlutado por algo que não merece pesar".[136] Inspirado pelas conquistas bíblicas de Josué, Oliver Cromwell massacrou todos os homens, mulheres e crianças de uma cidade durante a reconquista da Irlanda, e assim explicou suas ações ao Parlamento: "Deus quis abençoar nosso empenho em Drogheda. O inimigo tinha uma força de 3 mil homens na cidade. Acredito que passamos pela espada todos eles".[137] O Parlamento inglês votou uma moção unânime, "que a Câmara aprova a execução empreendida em Drogheda como um ato tanto de justiça para com eles como de misericórdia para com os outros, que assim podem ser advertidos".[138]

A chocante verdade é que até recentemente a maioria das pessoas não achava que houvesse algo de particularmente errado com o genocídio, desde que não ocorresse com elas. Uma exceção foi o padre espanhol do século XVI Antonio de Montesinos, que protestou contra o terrível tratamento dado aos nativos americanos pelos espanhóis no Caribe — e que era, em suas próprias palavras, "uma voz que clama no deserto".[139] Havia, é certo, códigos de honra militar, alguns datando da Idade Média, que tentavam em vão desautorizar a matança de civis durante as guerras, e ocasionais denúncias de pensadores de precoce modernidade, como Erasmo e Hugo Grotius. Mas apenas no final do século XIX, quando os cidadãos começaram a protestar contra a brutalização dos povos do oeste americano e no Império Britânico, as objeções ao genocídio se tornaram comuns.[140] Mesmo então deparamo-nos com Theodore Roosevelt, o futuro presidente "progressista" e Prêmio Nobel da Paz, escrevendo, em 1886: "Não vou tão longe a ponto de dizer que os únicos índios bons são os índios mortos, mas acredito que em nove de cada dez casos assim é, e gostaria de investigar muito detidamente o caso do décimo".[141] O crítico John Carey documenta que em pleno século XX a intelligentsia literária britânica desumanizava malevolamente as grandes massas, que considerava vulgares, desalmadas e carentes de uma vida que valesse ser vivida. As fantasias genocidas não eram raras. Em 1908, por exemplo, D. H. Lawrence escreveu:

> Se pudesse, eu construiria uma câmara letal tão grande como o palácio de Cristal, com uma banda militar tocando suavemente, um cinematógrafo trabalhando com brilho; e então sairia pelas ruelas e avenidas, recolhendo-os, todos os doentes, os coxos e os estropiados; iria conduzi-los gentilmente e eles sorririam para mim com fatigada gratidão; e a banda suavemente borbulharia o coro do "Aleluia".[142]

Durante a Segunda Guerra Mundial, quando as pesquisas de opinião indagavam aos estadunidenses o que devia ser feito com os japoneses após uma vitória americana, de 10% a 15% expressavam a solução do extermínio.[143]

O momento de inflexão veio depois da guerra. A língua inglesa nem sequer tinha uma palavra para o genocídio até 1944, quando o advogado polonês Raphael Lemkin cunhou-a em um relatório sobre o domínio nazista na Europa, que seria usado um ano depois para orientar a acusação durante os Julgamentos de Nuremberg.[144] Na sequência da destruição dos judeus pelo nazismo, o mundo se assombrou com a enormidade do total de mortos e as horrendas imagens dos campos libertados: câmaras de gás e crematórios perfilados, montanhas de sapatos e óculos, corpos empilhados como lenha. Em 1948, Lemkin obteve da ONU a aprovação de uma Convenção de Prevenção e Punição do Crime de Genocídio e, pela primeira vez na história, o genocídio tornou-se um crime, independentemente de quem fossem as vítimas. James Payne registra um perverso sinal de progresso. Os atuais contestadores do Holocausto pelo menos sentem-se compelidos a negar que ele ocorreu. Em outros séculos perpetradores e simpatizantes de genocídios jactavam-se deles.[145]

Um papel nada pequeno na nova tomada de consciência sobre os horrores do genocídio coube à disposição dos sobreviventes do Holocausto para contar suas histórias. Chalk e Jonassohn comentam que essas memórias são inusuais na história.[146] Os sobreviventes de genocídios anteriores tratavam-nos como humilhantes derrotas e sentiam que falar do assunto só faria agitar o severo veredicto da história. Com as novas sensibilidades humanitárias, os genocídios tornaram-se crimes contra a humanidade, e os sobreviventes, testemunhas da acusação. O diário de Anne Frank, reconstituindo sua vida em um esconderijo na Amsterdam ocupada pelos nazistas, antes de ser deportada para morrer em Bergen-Belsen, foi publicado por seu pai pouco depois da guerra. Memórias de deportações e campos de extermínio escritas por Elie Wiesel e Primo Levi foram publicadas nos anos 1960; hoje, o *Diário* de Anne e *A noite*, de Wiesel, estão entre os livros mais amplamente lidos do mundo. Nos anos que se seguiram, Alexander Soljenítsin, Anchee Min e Dith Pran partilharam suas atrozes lembranças dos pesadelos comunistas na União Soviética, China e Camboja. Logo outros sobreviventes — armênios, ucranianos, ciganos — começaram a acrescentar suas histórias, recentemente engrossadas por bósnios, tutsis e furis. Essas memórias fazem parte de uma reorientação de nossa concepção histórica. "Através da maior parte da história", observam Chalk e Jonassohn, "apenas os dirigentes eram notícia; no século XX, pela primeira vez, são os dirigidos que fazem a notícia."[147]

Qualquer pessoa que tenha crescido com sobreviventes do Holocausto sabe que eles precisam se superar para contar suas histórias. Durante décadas depois da guerra eles trataram suas experiências como segredos vergonhosos. O cúmulo da ignomínia da vitimização, a situação desesperadora a que tinham sido reduzidos podia eliminar os derradeiros traços de sua humanidade por vias que eles podem ser perdoados por desejar esquecer. Em uma reunião familiar na década de 1990, encontrei um parente de minha esposa que passara uma temporada em Auschwitz. Segundos depois de nos cumprimentarmos ele agarrou meu pulso e contou sua história. Um grupo de homens comia em silêncio quando um deles caiu morto. Os outros se atiraram sobre seu corpo, ainda coberto pela diarreia, e soltaram um pedaço de pão de seus dedos. Enquanto dividiam o pão, irrompeu uma feroz discussão quando alguns dos homens acharam que sua porção era algumas imperceptíveis migalhas menor do que as demais. Contar a história de tamanha degradação exige uma coragem extraordinária, amparada pela confiança de que o ouvinte a compreenderá como um retrato das circunstâncias e não do caráter dos personagens.

Ainda que a abundância de genocídios ao longo dos milênios desminta a reivindicação do século do genocídio, ainda nos interrogamos sobre a história do genocídio antes, durante e depois do século XX. Rummel foi o primeiro cientista político a tentar reunir alguns números. Em sua duologia *Death by Government* (1994) e *Statistics of Democide* (1997), ele analisou 141 regimes que cometeram democídios no século XX, até 1987, e um grupo de controle de 73 que não o fizeram. Coletou tantas estimativas independentes de mortes quantas pôde encontrar (incluindo as de fontes pró e contra os governos, cujas deformações, ele admite, fariam umas cancelarem as outras) e, com a ajuda de verificações da área da saúde, escolheu valores defensáveis próximos do centro da curva.[148] Sua definição de "democídio" corresponde aproximadamente à do UCDP, "violência unilateral", e a nosso corriqueiro conceito de "assassinato", porém tendo como perpetrador mais um governo que um indivíduo: as vítimas precisam estar desarmadas e a matança, ser deliberada. Os democídios, portanto, incluem genocídios, politicídios, expurgos, terrores, massacres de civis por esquadrões da morte (inclusive os cometidos por milícias privadas para os quais o governo fecha os olhos), fomes deliberadas derivadas de bloqueios e confisco de alimentos, mortes em campos de concentração e bombardeios deliberados de civis, como os de Dresden, Hamburgo, Hiroshima e Nagasaki.[149] Rummel excluiu o Grande Salto Adiante de suas análises, com base no entendimento de que se deveu mais à estupidez e insensibilidade que à malevolência.[150]

Em parte porque a expressão "morte pelo governo" figura na definição de Rummel para o democídio e serve de título a seu livro, sua conclusão de que quase 170 milhões de pessoas foram mortas por seus governos durante o século XX tornou-se um meme popular entre os anarquistas e libertários radicais. Mas, por várias razões, a lição correta a tirar dos dados de Rummel não é que "governos são a principal causa de mortes evitáveis". Sua definição de "governo" é frouxa, compreendendo milícias, paramilitares e senhores da guerra, todos eles podendo razoavelmente ser encarados como sinais de governo de menos e não demais. White examinou os dados primários de Rummel e calculou que o índice médio de um democídio, em sua lista de 24 cometidos por pseudogovernos, era de cerca de 100 mil mortos, ao passo que a média das mortes causadas por governos reconhecidos de Estados soberanos era de 33 mil. Assim, seria possível concluir, com argumentos mais fortes, que os governos em média causam três vezes *menos* mortes que as alternativas aos governos.[151] Além disso, em períodos mais recentes muitos governos não cometem democídio algum, e previnem um número de mortes muito maior do que aquelas que os democídios causam, quando promovem vacinações, saneamento, normas de trânsito e policiamento.[152]

Porém o principal problema com a interpretação anarquista é que não são os governos em geral que matam grandes quantidades de pessoas, e sim um punhado de governos de um tipo específico. Para ser exato, três quartos de todas as mortes de todos os 141 regimes democidas foram cometidos por apenas quatro governos, que Rummel chama de decamega-assassinos: a União Soviética, com 62 milhões; a República Popular da China, com 35 milhões; a Alemanha nazista, com 21 milhões; e a China nacionalista de 1928-1949, com 10 milhões.[153] Outros 11% do total foram mortos por mega-assassinos, inclusive o Japão imperial, com 6 milhões, o Camboja, com 2 milhões, e a Turquia otomana com 1,9 milhão. Os 13% remanescentes se distribuem por outros 126 regimes. Os genocídios não se encaixam exatamente em uma distribuição segundo a lei do poder, se não por outra razão, porque os massacres menores, que ficam na espinha do gráfico, tendem a não ser contabilizados como "genocídios". Porém a distribuição é enormemente desigual, em uma proporção de 80:4, ou seja: 80% das mortes foram causadas por 4% dos regimes.

As mortes em democídios também foram esmagadoramente causadas por governos *totalitários*: os regimes comunistas, nazistas, fascistas, militaristas ou islamistas que tentavam controlar todos os aspectos das sociedades que dominavam.

Regimes totalitários foram responsáveis por 138 milhões de mortes, 82% do total, das quais 110 milhões (65% do total) causadas por regimes comunistas.[154] Regimes autoritários, que são autocracias que toleram instituições sociais independentes como empresas e igrejas, vêm em segundo lugar, com 28 milhões de mortes. As democracias, conforme Rummel define os governos que são abertos, competitivos, eleitos e com poderes limitados, mataram 2 milhões (principalmente em seus impérios coloniais, ao lado de bloqueios de alimentos e bombardeios de civis durante as guerras mundiais). A assimetria na distribuição não reflete apenas o grande número de vítimas potenciais à disposição de mastodontes totalitários como a União Soviética e a China. Quando Rummel atentou mais para porcentagens que para números, concluiu que os governos totalitários do século XX acumularam um índice de mortes que chegava a 4% de suas populações. Governos autoritários mataram 1%. Democracias mataram 0,4%.[155]

Rummel foi um dos primeiros advogados da teoria da Paz Democrática, que ele defendeu com base mais nos democídios que nas guerras. "Nos extremos do poder", escreveu ele, "os governos totalitários comunistas massacraram seus povos às dezenas de *milhões*; em contraste, muitas democracias nem sequer conseguem chegar a executar sequer seus assassinos seriais."[156] Democracias cometem menos democídios porque sua forma de governo, por definição, está comprometida com meios inclusivos e não violentos para resolver conflitos. Mais importante, o poder de um governo democrático é restringido por um emaranhado de restrições institucionais, de modo que um líder não pode em um impulso simplesmente mobilizar exércitos e milícias através do país e iniciar uma matança massiva de cidadãos. Ao realizar uma série de regressões em seu registro dos regimes do século XX, Rummel mostrou que a ocorrência dos democídios coincide com a falta de democracia, mesmo mantendo-se constantes a diversidade étnica do país, a riqueza, o nível de desenvolvimento, a densidade populacional e a cultura (africana, asiática, latino-americana, muçulmana, anglo-saxã e assim por diante).[157] As lições, escreve ele, são claras: "O problema é o poder. A solução é a democracia. A via de ação é mais liberdade".[158]

O que dizer da trajetória histórica? Rummel tentou decompor seus democídios do século XX por ano, e reproduzi seus dados, em escala com a população mundial, na linha superior, cinzenta da figura 6.7. Tal como as mortes em guerras, as mortes em democídios estão concentradas em uma selvagem rajada, o Hemoclismo de meados do século.[159] Esse dilúvio de sangue compreendeu o Holocausto nazista, os expurgos de Stálin, a violação da China e da Coreia pelo Japão e os bombardeios durante a guerra de cidades europeias e japonesas. As oscilações à esquerda também incluem o genocídio armênio, durante a Primeira Guerra Mundial, e a campanha de coletivização soviética, que matou milhões de ucranianos e *kulaks*, os ditos camponeses ricos. A vertente da direita abarca a matança de milhões de alemães étnicos na Polônia, Tchecoslováquia e Romênia recém-comunizadas e as vítimas da coletivização forçada na China. É desconfortável dizer que há algo de bom nas tendências mostradas no gráfico, mas em um importante sentido há, sim. O mundo não viu mais nada parecido com a efusão de sangue dos anos 1940; nas quatro décadas que se seguiram, o índice (e o número) de mortes em democídios despencou abruptamente, cada vez mais. (As oscilações menores para cima representam as matanças pelas forças paquistanesas durante a Guerra de Independência de Bangladesh, em 1971, e pelo Khmer Vermelho no Camboja no fim da década de 1970.) Rummel atribui o afundamento do democídio desde a Segunda Guerra Mundial ao declínio do totalitarismo e à ascensão da democracia.[160]

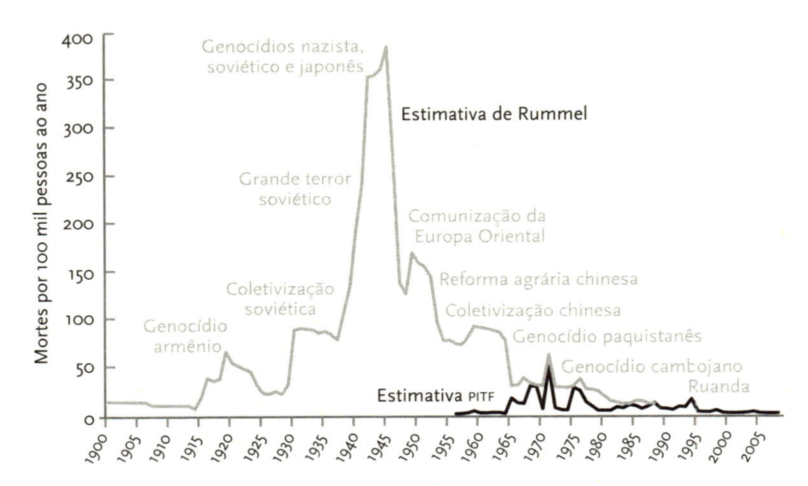

Figura 6.7. *Taxa de mortes em genocídios, 1900-2008.*

FONTES: Dados da linha cinza, 1900-1987, de Rummel, 1997. Dados da linha negra, 1955-2008, de Political Instability Task Force (PITF) State Failure Problem Set, 1955-2008, Marshall, Gurr e Harff, 2009; Center for Systemic Peace, 2010. As taxas de mortes destes últimos correspondem às faixas geométricas no gráfico 8.1 em Harff, 2005, distribuídos ao longo dos anos de acordo com um arquivo Exel. A população mundial figura em U. S. Census Bureau, 2010c. Os dados sobre população entre 1900 e 1949 foram tomados de McEvedy e Jones, 1978, e multiplicados por 1,01 para se tornarem compatíveis com os demais.

O banco de dados de Rummel acaba em 1987, justamente quando as coisas voltaram a ficar interessantes. Logo o comunismo caiu e as democracias proliferaram — e o mundo foi atingido pela desagradável surpresa dos genocídios na Bósnia e em Ruanda. Na impressão de muitos observadores, essas "novas guerras" mostram que ainda estamos vivendo, apesar de tudo que aprendemos, numa idade do genocídio.

As tendências históricas das estatísticas sobre genocídio têm sido desdobradas recentemente pela cientista política Barbara Harff. Durante o genocídio de Ruanda, cerca de 700 mil tutsis foram mortos em apenas quatro meses por cerca de 10 mil homens armados de machetes, muitos deles bêbados, viciados, trapeiros e membros de gangues apressadamente recrutados pela liderança hutu.[161] Muitos observadores acreditam que esse pequeno contingente de *génocidaires* podia facilmente ser detido por uma intervenção militar das grandes potências do mundo.[162] Bill Clinton, em particular, foi assombrado por seu próprio fracasso em agir, e em 1998 encarregou Barbara Harff de analisar os fatores de risco e advertir para sinais de genocídio.[163] Ela reuniu os dados de 41 genocídios e politicídios entre 1955 (pouco após a morte de Stálin e o início do processo de descolonização) e 2004. Seus critérios eram mais restritivos que os de Rummel e mais próximos daqueles da definição original de genocídio por Lemkin: episódios de violência em que um Estado ou uma autoridade armada procura destruir, no todo ou em parte, um grupo identificável. Apenas cinco dos episódios se revelaram "genocídios" no sentido em que as pessoas ordinariamente compreendem o termo, concretamente etnocídios, em que um grupo é condenado à destruição devido à sua composição étnica. A maioria era de politicídios, ou politicídios combinados com etnocídios, em que os membros de um grupo étnico eram considerados como alinhados com uma facção política.

Na figura 6.7 os dados de Harff e da PITF estão tabulados nos mesmos eixos dos de Rummel. Os contornos do gráfico da cientista política em geral são mais modestos, especialmente no fim da década de 1950, quando ela incluiu muito menos vítimas de execuções durante o Grande Salto Adiante. Porém a partir daí as curvas mostram tendências parecidas, abaixo de seu pico em 1971. Como os genocídios da segunda metade do século XX foram muito menos mortíferos que os do Hemoclismo, dei um zoom neles na figura 6.8. O gráfico mostra também as taxas de mortes de outra coleção, o Onse-Sided Violence Dataset [Banco de Dados da Violência Unilateral] do UCDP, que inclui qualquer instância de governo ou outra autoridade armada que mate pelo menos 25 civis em um ano; os perpetradores precisam ter a pretensão de destruir o grupo em si.[164]

O gráfico mostra que as duas décadas desde a Guerra Fria *não* assistiram a uma recrudescência do genocídio. Pelo contrário, os picos das matanças massivas (desconsiderando-se a China dos anos 1950) situam-se entre meados dos anos 1960 e fim dos anos 1970. Esses quinze anos presenciaram o politicídio contra comunistas na Indonésia (1965-66, "o ano em que vivemos perigosamente", com 700 mil mortes), a Revolução Cultural chinesa (1966-75, cerca de 600 mil), os tutsis contra os hutus no Burundi (1965-73, 500 mil), violência entre o norte e o sul no Sudão (1956-72, cerca de 500 mil), o regime de Idi Amin em Uganda (1972-79, cerca de 150 mil), a loucura cambojana (1975-79, 2,5 milhões) e a década de massacres no Vietnã, culminando com a expulsão do *boat people* (1965-75, cerca de meio milhão).[165] As duas décadas desde o fim da Guerra Fria foram marcadas pelos genocídios na Bósnia em 1992-95 (225 mil mortos), em Ruanda (700 mil) e Darfur (373 mil de 2003 a 2008). São números atrozes, porém, como mostra o

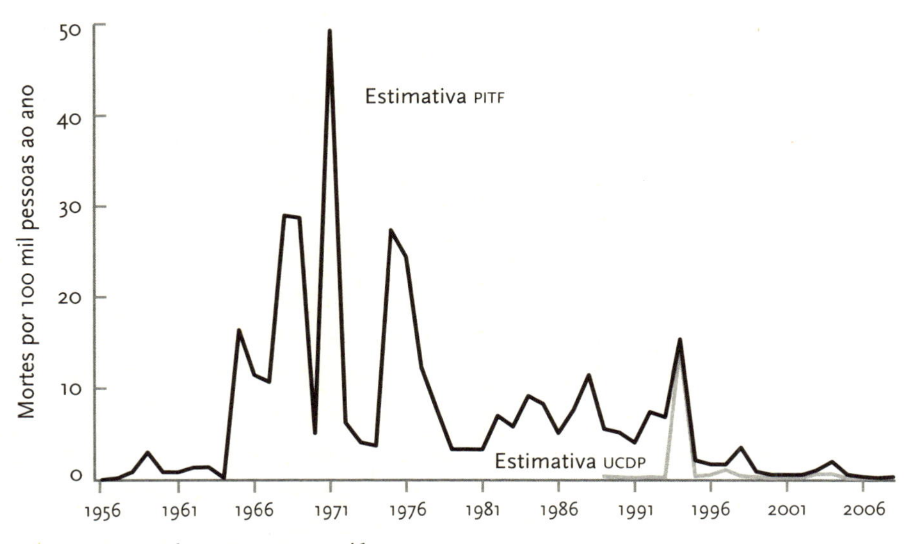

Figura 6.8. *Taxa de mortes em genocídios, 1956-2008.*
FONTES: Estimativas da PITF, 1955-2008, as mesmas da figura 6.7; UCDP, 1989-2007; estimativas de "alta mortalidade" de <www.pcr.uu.se/research/ucdp/datasets/> (Kreutz, 2008; Kristine e Hultman, 2007), divididas pela população mundial de U. S. Census Bureau, 2010c.

gráfico, consistem em oscilações em uma tendência que se dirige indubitavelmente para baixo. (Recentes estudos mostraram que mesmo algumas dessas cifras podem estar superestimadas, mas ficarei com os dados de conjunto.)[166] A primeira década do novo milênio é a mais livre de genocídio dos últimos cinquenta anos. Os números do UCDP são restritos a um período mais reduzido e, tal como todas as suas estimativas, mais conservadores, mas mostram um padrão semelhante: o genocídio de Ruanda em 1994 sobressai entre todos os episódios de matança unilateral, e o mundo não viu algo parecido desde então.

Barbara Harff foi encarregada não precisamente de resenhar genocídios, mas de identificar seus fatores de risco. A pesquisadora notou que virtualmente todos eles aconteceram na esteira de uma falência estatal, algo como uma guerra civil, revolução ou golpe. Assim, ela reuniu um grupo de controle com 93 casos de falência estatal que *não* tinham desembocado em genocídio, comparou-os tão de perto quanto possível aos que tinham, e fez uma análise de regressão logística para descobrir quais foram os aspectos da situação no ano anterior que fizeram a diferença.

Alguns fatores que alguém pode achar importantes demonstraram não ser. Medidas de diversidade étnica não influíram, refutando a crença convencional de que os genocídios representam a erupção de antigos ódios que inevitavelmente explodem quando grupos étnicos vivem lado a lado. Tampouco as medidas de desenvolvimento econômico importaram. Países pobres têm maior probabilidade de sofrer crises políticas, que são condição necessária para o genocídio ocorrer, mas entre os países que vivem essas crises os mais pobres não mostraram maior propensão para mergulhar num genocídio real.

Harff descobriu seis fatores de risco que distinguem a crise genocida da não genocida em três quartos dos casos.[167] Um é a história anterior de genocídio no país, presumivelmente porque os fatores de risco estavam presentes desde a primeira vez e não se desvaneceram de repente. O segundo fator de prevenção era a história imediata de instabilidade política no país — para ser exato, o número de crises de regime e étnicas, ou de guerras revolucionárias que o país sofrera nos quinze anos anteriores. Governos que se sentem ameaçados experimentam a tentação de eliminar ou se vingar de grupos que consideram subversivos ou contaminadores, e têm maior propensão a explorar o caos em curso para alcançar tais objetivos antes que a oposição possa se mobilizar.[168] Um terceiro era uma elite proveniente de uma minoria étnica, presumivelmente porque isso multiplica as preocupações dos líderes com a precariedade de seu domínio.

Os outros três fatores de prevenção são familiares à teoria da Paz Liberal. Harff sustenta a insistência de Rummel em que a democracia é um fator-chave na prevenção de genocídios. Entre 1955 e 2008, as autocracias tiveram três vezes e meia mais inclinação a cometer genocídios que as democracias plenas ou parciais, tudo o mais mantendo-se constante. Isso significa matar três coelhos para as democracias: estas são menos propensas a travar guerras interestatais, a viver guerras civis em grande escala e a cometer genocídios. Democracias parciais (anocracias) são mais suscetíveis que as democracias plenas a viver crises políticas violentas, como vimos nas análises de Fearon e Laitin sobre guerras civis, mas quando a crise acontece as democracias parciais são menos inclinadas que as autocracias a se tornar genocidas.

Outra tríade foi marcada pela abertura comercial. Países que dependem mais do comércio internacional, segundo Harff, são menos propensos a cometer genocídios, assim como são menos suscetíveis a travar guerras com outros países e dilacerar-se em guerras civis. Os efeitos do comércio enquanto vacina contra o genocídio não dependem, ao contrário dos casos de guerra interestatal, dos benefícios de soma positiva do comércio em si, só que o comércio de que falamos (importações e exportações) não consiste em trocas com o grupo político ou étnico vulnerável. De que forma então o comércio faz diferença? Uma possibilidade é que o país A pode mostrar um interesse comunal ou moral por um grupo que vive dentro das fronteiras do país B. Se B deseja comerciar com A, ele precisa resistir à tentação de exterminar o grupo em questão. Outra hipótese é que o desejo de comerciar requer determinadas atitudes pacíficas, inclusive a disposição de respeitar as normas internacionais e o estado de direito, e uma missão de elevar o bem-estar material de seus cidadãos em vez de implementar uma visão de pureza, glória ou justiça perfeita.

O último propiciador do genocídio é uma ideologia excludente. As elites dominantes que estão sob o encantamento de uma visão que identifica certo grupo como um obstáculo a uma sociedade ideal, colocando-o "fora do universo sancionado de obrigações", são muito mais propensas a cometer genocídios, em contraste com a elites dotadas de uma filosofia de governo mais pragmática ou eleitoral. Ideologias excludentes, na classificação de Harff, incluem o marxismo, o islamismo (em particular uma aplicação estrita da lei da charia), o anticomunismo militarista e as formas de nacionalismo que demonizam os rivais étnicos ou religiosos.

Harff resume os caminhos pelos quais esses fatores de risco deflagram o genocídio:

> Quase todos os genocídios e politicídios do último meio século eram ou ideológicos, a exemplo do caso cambojano, ou retaliatórios, como no Iraque (campanha de Saddam Hussein em 1988-91 contra os curdos iraquianos). O cenário que conduz ao *genocídio ideológico* começa quando uma nova elite chega ao poder, usualmente através de uma guerra civil ou revolução, com uma visão transformadora de uma nova sociedade purificada de elementos indesejáveis ou ameaçadores. O *genocídio retaliatório* ocorre durante uma guerra interna prolongada [...] quando uma parte, usualmente o governo, tenta destruir a base de apoio de seu oponente [ou] após um desafio de rebelião ter sido militarmente derrotado.[169]

O declínio do genocídio ao longo do último terço de século, portanto, pode ser atribuído à ascensão de alguns dos mesmos fatores que fizeram recuar as guerras interestatais e civis: governo estável, democracia, abertura comercial e filosofias dominantes humanistas que elevaram os interesses dos indivíduos acima das lutas entre grupos.

Por maior que seja o rigor que uma regressão logística oferece, ela é essencialmente um moedor de carne que reúne um conjunto de variáveis na entrada e produz uma probabilidade na saída. O que ela oculta é a vastamente desigual distribuição dos custos humanos de diferentes genocídios — o modo como um pequeno número de homens, sob a influência de um ainda menor número de ideologias, empreende ações em determinados momentos da história que causam enorme número de mortes. As mudanças no nível dos fatores de risco certamente giram em torno da probabilidade de genocídios que atingiram milhares, dezenas de milhares e até centenas de milhares de mortes. Porém os genocídios verdadeiramente monstruosos, com dezenas de milhões de vítimas, dependem não tanto do deslocamento gradual de forças políticas, mas de um novo contingente de ideias e eventos.

O surgimento da ideologia marxista em particular foi um tsunami histórico de tirar o fôlego por seu impacto humano de conjunto. Ele conduziu aos decamega-assassinos por parte dos regimes marxistas na União Soviética e na China, assim como, por vias mais indiretas, contribuiu para aquele cometido pelo regime nazista na Alemanha. Hitler leu Marx em 1913 e, embora detestasse o socialismo marxista, seu nacional-socialismo substituía as classes por raças em sua ideologia de luta dialética rumo à utopia, motivo pelo qual alguns historiadores consideram as duas ideologias como "gêmeos fraternos".[170] O marxismo também despertou reações que levaram a politicídios por parte de regimes anticomunistas militantes na Indonésia e na América Latina, e às devastadoras guerras civis das décadas de 1960, 1970 e 1980, alimentadas pelas superpotências da Guerra Fria. A questão não é que o marxismo pode ser moralmente responsabilizado por essas consequências involuntárias, tal como qualquer narrativa histórica precisa admitir as repercussões mais amplas de sua ideia original. Valentino observa que uma parte considerável do declínio do genocídio é o declínio do *comunismo*, e portanto "a mais importante causa isolada da mortandade em massa no século XX parece estar desaparecendo da história".[171] Tampouco é provável que ele retorne à moda. Durante seu apogeu, a violência dos regimes marxistas era justificada pela afirmação de que "você não pode fazer uma omelete sem quebrar os ovos".[172] O historiador Richard Pipes resumiu o veredicto da história: "Tirando o fato de que seres humanos não são ovos, o problema é que nenhuma omelete resultou da matança".[173] Valentino conclui que

> pode ser prematuro comemorar o "fim da história", mas, caso ideias radicais semelhantes não venham a obter a ampla aceitação e aplicação do comunismo, a humanidade pode ser capaz de olhar para adiante no século vindouro com matanças em massa consideravelmente menores que as experimentadas no anterior.[174]

No topo dessa ideologia singularmente destrutiva estiveram as catastróficas decisões de uns poucos homens que subiram à cena em momentos particulares do século XX. Já mencionei que muitos historiadores se uniram ao coro do "Sem Hitler, sem Holocausto".[175] Mas Hitler não foi o único tirano cuja obsessão matou dezenas de milhões. O historiador Robert Conquest, uma autoridade em politicídios de Stálin, concluiu que "a natureza de todo o expurgo dependeu em última análise das inclinações pessoais e políticas de Stálin".[176] Quanto à China, é inconcebível que a fome recorde do Grande Salto Adiante teria acontecido se não fossem os temerários esquemas de Mao, e o historiador Harry Harding comentou, sobre o politicídio subsequente no país, que "a principal responsabilidade pela Revolução Cultural — um movimento que afetou dezenas de milhões de chineses — recai sobre um homem. Sem Mao, poderia não ter existido uma Revolução Cultural".[177] Com um número tão reduzido de pontos de referência causando uma tão ampla parcela de devastação, jamais saberemos realmente como explicar os mais calamitosos eventos do século XX. As ideologias prepararam o terreno e atraíram homens, a ausência de democracia deu a estes a oportunidade, mas dezenas de milhões de mortes dependeram em última instância das decisões de apenas três indivíduos.

A TRAJETÓRIA DO TERRORISMO

O terrorismo é uma categoria peculiar de violência, pois tem um absurdo raio de medo de seus danos. Comparada com o número de mortes em homicídios, guerras e genocídios, a soma global do terrorismo é um mero ruído: menos de quatrocentas mortes por ano desde 1968 provocadas pelo terrorismo internacional (onde perpetradores de um país provocam danos em outro) e cerca de 2500 por ano desde 1998 no caso dos terrorismo doméstico.[178] Os números com que vínhamos lidando neste capítulo são maiores em pelo menos duas ordens de magnitude.

Porém, depois dos ataques de 11 de setembro de 2001 o terrorismo se tornou uma obsessão. Especialistas e políticos dispararam sua retórica, e a palavra "vital" (em geral seguindo-se a "ameaça" ou "crise") nunca esteve tanto em uso desde os tempos áureos de Sartre e Camus.* Experts proclamaram que o terrorismo tornou os Estados Unidos "vulneráveis" e "frágeis", que ele ameaça acabar com a "ascendência do Estado moderno", com "nosso estilo de vida" ou "a própria civilização".[179] Em um ensaio publicado em 2005 na *The Atlantic*, por exemplo, um ex-funcionário do serviço de contraterrorismo da Casa Branca profetizou confiantemente que no décimo aniversário dos ataques do Onze de Setembro a economia seria bloqueada por crônicas explosões de bombas em cassinos, metrôs

* O termo inglês usado por Pinker para "vital" é "existencial", o que explica a menção aos expoentes do existencialismo. (N. T.)

e shoppings, pela derrubada constante de voos comerciais por pequenos mísseis portáteis e atos de sabotagem cataclísmicos em indústrias químicas.[180] A vasta burocracia do Departamento de Segurança Interna dos Estados Unidos fora criada da noite para o dia visando reconfortar a nação com um teatro de segurança incluindo alertas de terrorismo com código de cores, advertências para se estocar folhas e fitas adesivas, obsessivas verificações de carteiras de identidade (embora as falsificações sejam tão abundantes que a própria filha de George W. Bush foi detida usando uma, para tomar um coquetel margarita), o confisco de cortadores de unha em aeroportos, o cerco de postos de correio rurais com barreiras de concreto e a escolha de 80 mil locais como "alvos terroristas potenciais", entre eles o Weeki Wachee Springs, uma armadilha para turistas na Flórida onde atraentes mulheres fantasiadas de sereias nadam por grandes tanques de vidro.

Tudo isso para responder a uma ameaça que matara um aterrorizante número de americanos. As cerca de 3 mil mortes dos ataques do Onze de Setembro ficaram literalmente fora de pauta — submergidas no rastro da distribuição da lei de potência em que os ataques terroristas redundaram.[181] Conforme o Global Terrorism Database [Banco de Dados do Terrorismo Global], do National Consortium for the Study of Terrorism and Responses to Terrorism [Consórcio Nacional de Estudo do Terrorismo e Respostas ao Terrorismo] (o maior banco de dados aberto ao público sobre ataques terroristas), entre 1970 e 2007 apenas um outro ataque terrorista em todo o mundo matara mais de quinhentas pessoas.[182] Nos Estados Unidos, a explosão de uma repartição do governo federal por Timothy McVeigh em Oklahoma City, em 1995, matou 165, um tiroteio de autoria de dois adolescentes na escola média de Columbine, em 1999, matou dezessete, e nenhum outro ataque matou mais de uma dúzia. Afora o Onze de Setembro, o número de pessoas mortas por terroristas em solo estadunidense durante esses 38 anos somou 340, e o número dos mortos após o Onze de Setembro — a data que inaugurou a assim chamada Era do Terror — foi onze. Enquanto alguns complôs adicionais foram frustrados pelo Departamento de Segurança Interna, muitas de suas proclamações mostraram ser como o célebre repelente de elefantes, cuja eficácia fica provada à medida que se sucedem os dias livres de elefantes.[183]

Compare o número de americanos mortos, com ou sem o Onze de Setembro, com outras causas evitáveis de mortes. Todos os anos, mais de 40 mil são mortos em acidentes de trânsito, 20 mil em quedas, 18 mil em homicídios, 3 mil em afogamentos (entre eles, trezentos em banheiras), 3 mil em incêndios, 24 mil por envenenamento acidental, 2500 por complicações em cirurgias, trezentos sufocados na cama, trezentos por inalação de conteúdo gástrico e 17 mil por "acidentes outros e não especificados, e suas sequelas, afora os de transporte".[184] Na verdade, a cada ano entre 1995 e 2001, mais americanos foram mortos por raios, cervos, alergia a amendoim, ferroadas de abelhas e "ignição ou derretimento de trajes de dormir" do que em ataques terroristas.[185] O número de mortes em ataques terroristas é tão reduzido que até medidas simples para evitá-los podem *aumentar* o risco de vida. O psicólogo cognitivo Gerd Gigerenzer calculou que, no ano após os ataques do Onze de Setembro, 1500 americanos morreram em acidentes automobilísticos porque optaram por ir de carro e não de avião a seus destinos, por medo de morrerem em um voo sequestrado ou sabotado, inconscientes de que o risco de morte em um voo de Boston a Los Angeles é o mesmo de uma viagem de carro de vinte quilômetros. Em outras palavras, o número de gente que morreu por deixar de voar foi seis vezes o número de gente que morreu nos aviões do Onze de Setembro.[186] E, claro, os ataques do Onze de Setembro conduziram os Estados Unidos a duas guerras que eliminaram mais vidas americanas e britânicas que os sequestradores de 2011, para não falar das vidas de afegãos e iraquianos.

A discrepância entre o pânico gerado pelo terrorismo e as mortes geradas pelo terrorismo não é acidental. O pânico é tudo que interessa no terrorismo, e a própria palavra deixa isso claro. Embora as definições variem (tal como no clichê "O terrorista de um é o combatente pela liberdade de outro"), o terrorismo em geral é compreendido como a violência premeditada por um ator não estatal contra não combatentes (civis ou soldados de folga) com um objetivo político, religioso ou social, destinado a coagir o governo ou intimidar ou transmitir uma mensagem a um público mais amplo. Os terroristas podem querer obrigar um governo a capitular perante uma exigência, erodir a confiança do povo na capacidade seu governo para protegê-los, ou provocar uma repressão maciça que erga o povo contra seu governo e provoque um caos violento em que a facção terrorista espere prevalecer. Terroristas são altruístas, no sentido de que são motivados mais por uma causa que pelo benefício pessoal. Agem de surpresa e em segredo; daí a onipresente qualificação de "covardia". E são comunicadores, buscando publicidade e atenção, que fabricam por meio do medo.

O terrorismo é uma forma de guerra assimétrica — uma tática dos fracos contra os fortes — que reforça a psicologia do medo para criar danos emocionais que são desproporcionais aos danos em vidas e propriedades. Psicólogos cognitivos como Tversky, Kahneman, Gigerenzer e Slovic demonstraram que o perigo percebido em uma situação depende de dois diabretes mentais.[187] O primeiro é seu "fator compreensão": é melhor lidar com um diabo conhecido que com um desconhecido. As pessoas ficam nervosas com riscos que são novos, impalpáveis, dilatados em seus efeitos e pouco conhecidos pela ciência existente. O segundo fator é o medo. As pessoas se afligem com o pior cenário possível, aquele que é incontrolável, catastrófico, involuntário e injusto (quem se expõe ao risco não é quem se beneficia da situação). Os psicólogos sugerem que as ilusões são um legado de antigos circuitos cerebrais que evoluíram para proteger-nos de riscos naturais como predadores, toxinas, inimigos e tempestades. Eles podem ter sido os melhores guias para alocar vigilância nas sociedades pré-numéricas que predominaram na vida humana, até a tabulação de dados estatísticos que data do século passado. Em uma era de ignorância científica, essas aparentes sutilezas na psicologia do perigo podem ter acarretado um benefício complementar: as pessoas exageram as ameaças de inimigos visando extorquir compensações daí, recrutar aliados contra eles ou justificar que sejam eliminados preventivamente (o homicídio supersticioso discutido no capítulo 4).[188]

Falácias na percepção do perigo são conhecidas por distorcerem políticas públicas. Recursos e leis têm sido direcionados para eliminar aditivos aos alimentos e resíduos no abastecimento de água que apresentam riscos sanitários infinitesimais, ao passo que medidas que comprovadamente salvam vidas, como fazer valer os limites de velocidade nas rodovias, encontram resistência.[189] Às vezes um episódio que adquire grande publicidade torna-se uma alegoria profética, um presságio sinistro de um perigo apocalíptico. O acidente de 1979 na usina nuclear de Three Mile Island não matou ninguém, e provavelmente não teve influência nos índices de câncer, mas deteve o desenvolvimento da energia nuclear nos Estados Unidos, e isso vai contribuir para o aquecimento global devido à queima de combustíveis fósseis durante o futuro previsível.

Os ataques do Onze de Setembro também tiveram um portentoso papel na consciência da nação. Complôs terroristas em grande escala eram novos, impalpáveis, catastróficos (em comparação com o que acontecera até então) e injustos, o que maximizou tanto o "fator compreensão" como o medo. A capacidade dos terroristas de auferir um vasto *payoff* (recompensa) psicológico a partir de um reduzido investimento em danos escapou ao Departamento de Segurança Interna, que se excedeu em alimentar o medo e a reverência, a começar por uma declaração de propósitos que advertia: "Hoje os terroristas podem atacar em qualquer lugar, a qualquer momento e com virtualmente qualquer tipo de arma". O *payoff* não escapou a Osama bin Laden, que se vangloriou de que "os Estados Unidos estão cheios de medo do norte até o sul, do oeste ao leste", e que os 500 mil dólares que ele dispendeu nos ataques do Onze de Setembro custaram ao país mais de meio trilhão de dólares em prejuízos econômicos imediatos.[190]

Líderes responsáveis ocasionalmente entendem a aritmética do terrorismo. Em um momento de descuido durante a campanha presidencial de 2004, John Kerry disse a um entrevistador do *New York Times*:

> Temos de retornar ao lugar onde estávamos, quando os terroristas não eram o foco de nossas vidas, mas um incômodo. Enquanto uma pessoa que esteve ligada à aplicação da lei, sei que jamais iremos acabar com a prostituição. Jamais iremos acabar com o jogo ilegal. Mas iremos reduzindo-os, reduzindo o crime organizado, até um nível em que ele não se levante. Ele não é algo que ameace a vida cotidiana das pessoas, é algo que você continua a combater, mas que não está ameaçando o essencial de sua vida.[191]

Confirmando a definição de gafe, em Washington, como "algo que um político diz e que é verdade", George Bush e Dick Cheney se lançaram contra o comentário, chamando Kerry de "inadequado para liderar", e ele rapidamente recuou.

Os altos e baixos do terrorismo, portanto, são uma parte crítica da história da violência não devido a seu montante de mortes, mas devido a seu impacto em uma sociedade através da psicologia do medo. De fato, o terrorismo pode alcançar no futuro um catastrófico total de mortes caso se torne realidade a hipotética possibilidade de um ataque com artefatos nucleares. Discutirei o terrorismo nuclear na próxima seção, mas por enquanto me limitarei às formas de violência que efetivamente foram usadas.

O terrorismo não é novo. Depois da conquista romana da Judeia, 2 mil anos atrás, um grupo de combatentes da resistência furtivamente apunhalava funcionários de Roma e judeus que colaboravam com eles, esperando forçar os invasores. No século XI os membros de uma seita de muçulmanos xiitas aperfeiçoaram uma forma precoce de terrorismo suicida, aproximando-se dos líderes que julgavam desviados da fé e esfaqueando-os em público, conscientes de que seriam imediatamente abatidos pela guarda do líder. Entre os séculos XVII e XIX, uma fraternidade na Índia estrangulou dezenas de milhares de viajantes como sacrifício à deusa Kali. Esses grupos não promoveram nenhuma mudança política, mas deixaram um legado com seus nomes: os zelotes, os assassinos e os thugs.*[192] E, caso você associe a palavra "anarquista" a um arremessador de bombas vestido de preto, está se referindo a um movimento da virada para o século XX que praticava a "propaganda pelo ato" lançando bombas em cafés, parlamentos, consulados e bancos e assassinando dezenas de líderes políticos, entre eles o czar Alexandre II da Rússia, o presidente francês Sadi Carnot, o rei Umberto I da Itália e o presidente americano William McKinley. A durabilidade desses epônimos e imagens é um sinal da capacidade do terrorismo para se alojar na consciência cultural.

Quem pensar que o terrorismo é um fenômeno do novo milênio é alguém de memória fraca. A violência política romântica dos anos 1960 e 1970 incluiu centenas de bombas, sequestros e tiros por parte de diferentes exércitos, ligas, coalizões, brigadas, facções e frentes.[193] Os Estados Unidos tiveram o Exército Negro de Libertação, a Liga de Defesa Judaica, o Weather Underground (Meteorologista Subterrâneo, que tomou seu nome da letra de Bob Dylan "Você não precisa de um meteorologista para saber de que lado o vento sopra"), a Faln (um grupo pela independência de Porto Rico) e, é claro, o Exército Simbionês de Libertação. Este último contribuiu com um dos mais surrealistas episódios dos anos 1970, quando sequestrou Patty Hearst, a herdeira de um império jornalístico, em 1974, e através de uma lavagem cerebral a convenceu a se unir ao grupo, no qual ela adotou o nome de guerra "Tanya", ajudando a assaltar um banco e posando para uma foto em trajes de combate, com uma boina e uma metralhadora diante da bandeira do grupo, que estampava uma cobra de sete cabeças, deixando-nos uma imagem-ícone da década (ao lado da saudação da vitória feita por Richard Nixon, no helicóptero que o levaria da Casa Branca pela última vez, e da cabeluda banda Bee Gees, em trajes de poliéster branco).

Durante essa era, a Europa teve o Exército Republicano Irlandês e os Combatentes pela Liberdade do Ulster, no Reino Unido; as Brigadas Vermelhas

* Na língua inglesa, *thug* tornou-se sinônimo de "bandido". (N. T.)

na Itália; o grupo Baader-Meinhof na Alemanha; e o grupo separatista basco ETA na Espanha; ao passo que o Japão tinha o Exército Vermelho Japonês e o Canadá, a Frente de Libertação do Quebec. O terrorismo estava tão entranhado no pano de fundo da vida europeia que foi tema de uma pilhéria no filme de amor de Luis Buñuel *Esse obscuro objeto do desejo*, de 1977, no qual carros e lojas explodem ao acaso enquanto os personagens mal o percebem.

Onde estão eles agora? Na maior parte do mundo desenvolvido, o terrorismo doméstico foi-se junto com as roupas de poliéster. É um fato pouco conhecido que a maioria dos grupos terroristas fracassou, e que todos morreram.[194] Caso seja difícil acreditar nisso, leitor, reflita sobre o mundo à sua volta. Israel continua a existir, a Irlanda do Norte ainda faz parte do Reino Unido e a Cachemira é uma parte da Índia. Não existem os Estados soberanos do Curdistão, da Palestina, de Quebec, Porto Rico, Tchetchênia, Córsega, Tâmeis Ealam ou do País Basco. As Filipinas, a Argélia, o Egito e o Uzbequistão não são teocracias islâmicas; nem o Japão, os Estados Unidos, a Europa ou a América Latina se tornaram utopias religiosas, anarquistas, marxistas ou *new-age*.

Os números confirmam a impressão. Em seu artigo "Why Terrorism Does Not Work" [Por que o terrorismo não funciona], de 2006, o cientista político Max Abrahms examinou 28 grupos que em 2001 o Departamento de Estado dos Estados Unidos considerava como organizações terroristas estrangeiras, a maioria delas ativa por várias décadas. Deixando de lado vitórias puramente táticas (como atrair a atenção da mídia, novos apoiadores, libertação de prisioneiros e resgates), ele concluiu que apenas três delas (7%) tinham alcançado seus objetivos: o Hezbollah, que expulsou as tropas de manutenção da paz e o Exército de Israel do sul do Líbano em 1984 e em 2000; e os Tigres Tâmeis, que obtiveram o controle da costa nordeste do Sri Lanka em 1990. Mesmo esta última vitória foi revertida com o desbaratamento dos Tigres em 2009, deixando o índice de sucesso terrorista na marca dos dois em 42, menos de 5%. O índice de sucesso é bem mais baixo que o de outras formas de pressão política, como sanções econômicas, que funcionam em um terço das ocasiões. Passando em revista essa história recente, Abrahms notou que o terrorismo ocasionalmente triunfa quando tem objetivos territoriais limitados, como expulsar uma potência estrangeira das terras que ela se cansou de ocupar, como no caso das potências europeias que nas décadas de 1950 e 1960 se retiraram em massa de suas colônias, com ou sem terrorismo.[195] Mas ele nunca atinge objetivos maximalistas como impor uma ideologia a um Estado ou aniquilá-lo. Abrahms também concluiu que os poucos êxitos vieram de campanhas em que os grupos atacaram mais forças militares que civis e portanto estavam mais próximos do perfil de guerrilhas que de puros terroristas. Campanhas que alvejam prioritariamente civis sempre fracassam.

Em seu livro *How Terrorism Ends* [Como o terrorismo termina], a cientista política Audrey Cronin examinou um banco de dados maior: 457 campanhas terroristas que atuaram desde 1968. Tal como Abrahms, ela concluiu que o terrorismo quase nunca funciona. Grupos terroristas morrem exponencialmente ao longo do tempo, durando em média entre cinco e nove anos. Audrey Cronin aponta que "Estados têm um grau de imortalidade no sistema internacional; grupos, não".[196]

Eles tampouco conseguem o que querem. Nenhuma pequena organização terrorista jamais venceu um Estado, e 94% delas fracassaram em realizar *qualquer um* de seus objetivos estratégicos.[197] As campanhas terroristas chegam ao fim quando seus líderes são mortos ou capturados, quando elas são erradicadas pelos Estados ou quando se transformam em guerrilhas ou movimentos políticos. Muitas se consomem em disputas internas, no fracasso de seus fundadores em achar quem os substitua ou na defecção de jovens incendiários que aderem aos prazeres da vida civil e familiar.

Os grupos terroristas se imolam de uma outra maneira. Quando ficam frustrados com sua falta de progresso e seu público começa a se aborrecer, eles radicalizam suas táticas. Começam a alvejar vítimas que são mais interessantes por serem mais famosas, mais respeitadas ou simplesmente mais numerosas. Isso certamente chama a atenção, mas não do modo que os terroristas pretendiam. Os simpatizantes se afastam devido à "violência insensível" e retiram seu dinheiro, seus abrigos e sua relutância em colaborar com a polícia. As Brigadas Vermelhas italianas, por exemplo, se autodestruíram em 1978, quando sequestraram o querido ex-primeiro ministro Aldo Moro, mantiveram-no em cativeiro por dois meses, deram-lhe onze tiros e deixaram seu corpo no porta-malas de um carro. Antes, a Frente de Libertação do Quebec extrapolara durante a crise de outubro de 1970, ao sequestrar Pierre Laporte, o ministro trabalhista do Quebec, e o estrangular com seu rosário, também deixando o corpo em um porta-malas. A matança de 165 pessoas (entre as quais dezenove crianças) por McVeigh em Oklahoma City, 1995, privou de substância o movimento miliciano antigovernamental de direita nos Estados Unidos. Como descreve Cronin, "a violência tem uma linguagem internacional, mas a decência também".[198]

Ataques a civis podem arruinar terroristas não propriamente por afastar simpatizantes potenciais, mas por galvanizar o público no apoio a um recrudescimento superlativo. Abrahms acompanhou as reações da opinião pública durante campanhas terroristas em Israel, na Rússia e nos Estados Unidos, depreendendo que depois de um grande ataque a civis as atitudes para com o grupo ficavam mais condenatórias. Qualquer disposição de compromisso com o grupo ou de reconhecimento da legitimidade de sua causa se evaporava. O público passava a acreditar que os terroristas eram uma ameaça vital e apoiavam medidas que os aniquilassem para sempre. A questão no que se refere a uma guerra assimétrica é que um lado, por definição, sempre é muito mais poderoso que o outro. E, como diz o ditado, a corrida pode não ser do veloz, nem a batalha do forte, mas é uma boa aposta.

Embora as campanhas terroristas tenham uma curva natural que tende ao fracasso, novas campanhas podem brotar tão depressa como as antigas decaem. O mundo contém um sem-número de reclamos, e, enquanto se sustenta a percepção de que o terrorismo funciona, o meme terrorista continua a infectar os reclamantes.

A trajetória histórica do terrorismo é esquiva. As estatísticas começam apenas por volta de 1970, quando umas poucas agências principiam a coletá-las, porém diferem em seus critérios de registro e cobertura. Pode ser difícil, mesmo no melhor dos tempos, distinguir entre ataques terroristas e acidentes, homicídios ou indivíduos descontentes que ficam histéricos, e em zonas de guerra a fronteira entre terrorismo e insurgência pode ficar difusa. As estatísticas também são pesadamente politizadas: vários levantamentos podem tentar fazer os números parecerem grandes, para atiçar o medo do terrorismo, ou pequenos, para alardear seu êxito no combate ao terrorismo. E, enquanto o mundo inteiro se ocupa do terrorismo internacional, os governos frequentemente tratam o terrorismo doméstico, que mata entre seis e sete vezes mais gente, como se não fosse da conta de ninguém. O banco de dados público mais abrangente é o Global Terrorism Database, um amálgama de muitos dos dados mais antigos. Embora não possamos interpretar cada zig ou zag do gráfico por seu valor de face, pois alguns podem representar costuras e sobreposições de dados de fontes com diferentes critérios de codificação, podemos tentar conseguir uma visão geral sobre se o terrorismo realmente cresceu na assim chamada Era do Terror.[199]

Os dados mais seguros são os dos ataques terroristas em solo americano, porque foram tão poucos que cada um deles pode ser apurado. A figura 6.9 mostra todos eles desde 1970, tabulados em escala logarítmica porque de outro modo seu perfil seria o de um pico muito alto no Onze de Setembro despontando de um tapete quase sem ondulações. Com as altitudes inferiores exageradas pela escala logarítmica, podemos distinguir os picos de Oklahoma City em 1995 e Columbine em 1999 (que é um duvidoso exemplo de "terrorismo", mas, com uma única exceção, indicada adiante, nunca depuro os dados ao tabular os gráficos). Afora esse trio de picos, a tendência desde 1970, se é que existe tendência, aponta mais para baixo que para cima.

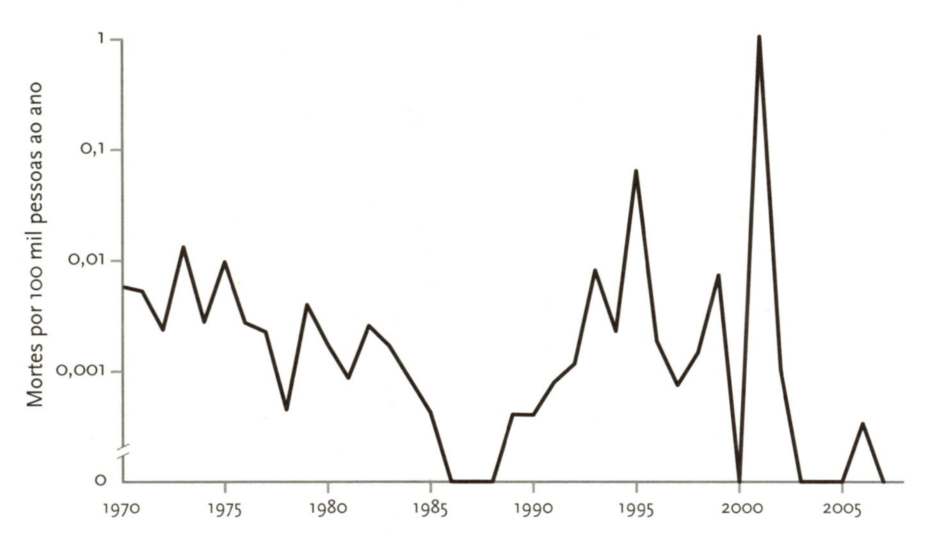

Figura 6.9. *Taxa de mortes por terrorismo nos Estados Unidos, 1970-2007.*
FONTE: Global Terrorism Database, Start (National Consortium for the Study of Terrorism and Responses to Terrorism, 2010, disponível em: <www.start.umd.edu/gtd/>, acesso em: 6 abr. 2010). O dado de 1993 foi tomado do apêndice do National Consortium for the Study of Terrorism and Responses to Terrorism, 2009. Como o logaritmo de zero é indefinido, os anos sem mortes foram tabulados em um valor arbitrário de 0,0001.

A trajetória do terrorismo na Europa Ocidental (figura 6.10) ilustra a tese de que a maioria das organizações terroristas fracassa e todas elas morrem. Mesmo o espasmo das bombas nos trens de Madri em 2004 não consegue ocultar o declínio em comparação com os gloriosos anos das Brigadas Vermelhas e do grupo Baader-Meinhof.

O que dizer sobre o mundo como um todo? Embora as estatísticas do governo Bush fornecidas em 2007 pareçam dar razão a suas advertências sobre um incremento global do terrorismo, a equipe do HSRP observou que esses dados incluem as mortes de civis nas guerras do Iraque e do Afeganistão, que seriam classificadas como baixas em guerras civis caso tivessem ocorrido em qualquer outra parte do mundo. O quadro se modifica quando se emprega critérios consistentes e se exclui essas mortes. A figura 6.11 mostra os índices de mortes por terrorismo (como de hábito, taxas por 100 mil habitantes), sem essas mortes. Os totais de mortes no mundo como um todo precisam ser interpretados com cautela, pois provêm de fontes híbridas e podem flutuar para cima ou para baixo na

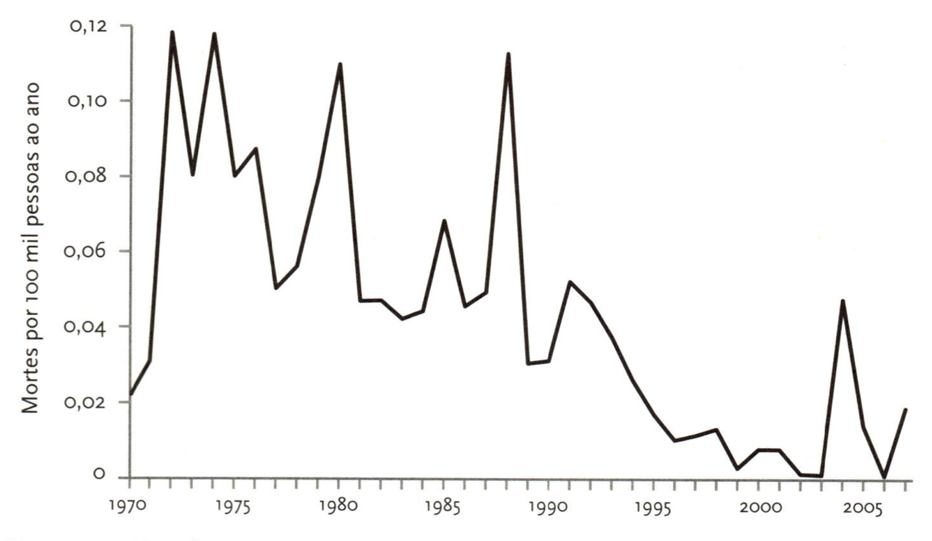

Figura 6.10. *Taxa de mortes por terrorismo na Europa Ocidental, 1970-2007.*
FONTE: Global Terrorism Database, Start (National Consortium for the Study of Terrorism and Responses to Terrorism, 2010, disponível em <www.start.umd.edu/gtd/>, acessado em: 6 abr. 2010) disponível em. O dado de 1993 foi interpolado. Os dados sobre população são de *World Population Prospects* (Nações Unidas, 2008), acessado em: 23 abr. 2010; os dados dos anos não terminados em zero e cinco foram interpolados.

dependência de quantas fontes foram consultadas em cada um dos bancos de dados contribuintes. Porém o perfil do gráfico se mantém o mesmo quando ele inclui apenas os maiores eventos terroristas (os que provocaram ao menos 25 mortes), que são tão relevantes que, ao que parece, foram incluídos em todos os bancos de dados contribuintes.

Tal como os gráficos que já vimos sobre guerras interestatais, guerras civis e genocídios, também este oferece uma surpresa. A primeira década do novo milênio — o alvorecer da Era do Terror — não mostra uma curva ascendente, ou um novo altiplano, mas um decréscimo ante os picos dos anos 1980 e início da década seguinte. O terrorismo global cresceu no fim dos anos 1970 e recuou na década de 1990 pelos mesmos motivos pelos quais as guerras civis e genocídios cresceram e recuaram nesses mesmos períodos. Os movimentos nacionalistas surgiram na sequência da descolonização, obtiveram o apoio das superpotências que travavam a Guerra Fria por procuração, e morreram com a queda do império soviético. A elevação no fim dos anos 1970 e início da década seguinte é obra principalmente de

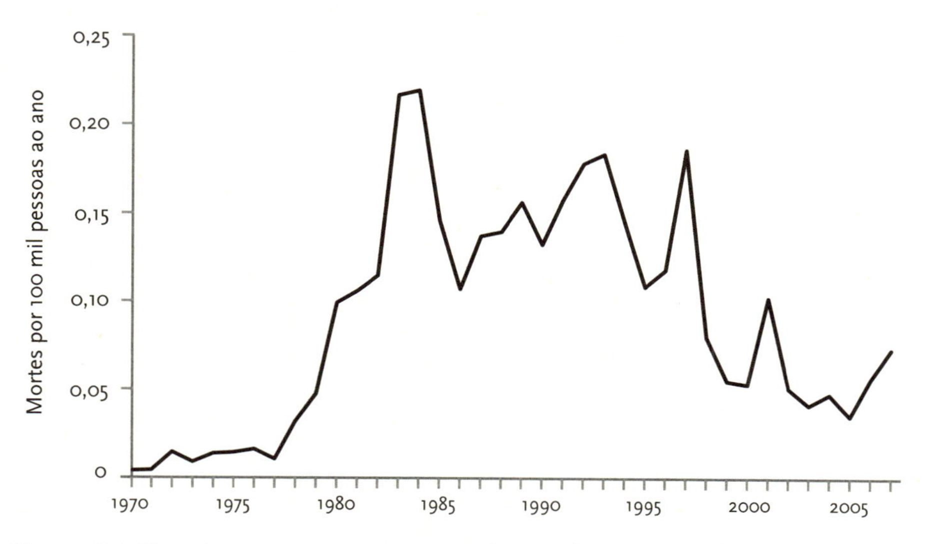

Figura 6.11. *Taxa de mortes por terrorismo em todo o mundo, exceto no Afeganistão após 2001 e no Iraque após 2003.*

FONTE: Global Terrorism Database, Start (National Consortium for the Study of Terrorism and Responses to Terrorism, 2010, disponível em: <www.start.umd.edu/gtd/>, acesso em: 6 abr. 2010). O dado de 1993 foi interpolado. Os números sobre população mundial são de U. S. Census Bureau, 2010c; a estimativa da população de 2007 foi extrapolada.

terroristas da América Latina (El Salvador, Nicarágua, Peru e Colômbia), que foram responsáveis por 61% das mortes por terrorismo entre 1977 e 1984 (muitos de seus alvos eram forças militares ou policiais, mas o Global Terrorism Database as inclui, já que os incidentes tencionavam mais chamar a atenção do público que infligir danos diretos).[200] A América Latina mantém sua contribuição na segunda elevação, de 1985 a 1992 (cerca de um terço das mortes), junto com os Tigres Tâmeis no Sri Lanka (15%) e grupos na Índia, nas Filipinas e em Moçambique. Embora uma parte da atividade terrorista na Índia e nas Filipinas venha de grupos muçulmanos, apenas uma pequena fração das mortes ocorreu em países muçulmanos: em torno de 2% delas no Líbano e 1% no Paquistão, principalmente durante um transbordamento da guerra no Afeganistão, ao longo da nebulosa fronteira entre os dois países.

Os números, portanto, mostram que não estamos vivendo em uma nova idade do terrorismo. Postas à parte as guerras no Iraque e Afeganistão, se é que estamos desfrutando algo, é o *declínio* do terrorismo, em relação às décadas em que ele era um tema menos importante em nossa consciência coletiva. Tampouco, até recentemente, o terrorismo era um fenômeno particularmente muçulmano.

Mas não o é hoje? Deveríamos esperar que os atentados suicidas da Al-Qaeda, do Hamas e do Hezbollah dessem uma folga? E o que estamos ocultando quando mantemos fora das contagens as mortes de civis no Iraque e no Afeganistão, muitos deles vítimas de homens-bomba? A resposta a essas questões vai exigir um exame mais de perto do terrorismo, e especialmente dos atentados suicidas, no mundo islâmico.

Mesmo que o Onze de Setembro não tenha inaugurado uma nova era do terror, poder-se-ia estabelecer que ele prenunciou uma era do terror suicida islâmico. Os sequestradores do atentado poderiam não ter realizado o ataque caso não estivessem prontos a morrer no processo, e desde então o índice de ataques suicidas disparou, de menos de cinco por ano na década de 1980, e dezesseis por ano na de 1990, para 180 por ano entre 2001 e 2005. Em sua maioria esses ataques foram obra de grupos islamistas cujos motivos declarados eram ao menos parcialmente religiosos.[201] Conforme os mais recentes dados do National Counterterrorism Center [Centro Nacional de Contraterrorismo], em 2008 extremistas islâmicos sunitas foram responsáveis por quase dois terços das mortes por terrorismo que puderam ser atribuídas a um determinado grupo.[202]

Como modo de matar civis, o terrorismo suicida é uma tática diabolicamente engenhosa. Ele combina a última palavra em direcionamento cirúrgico de um artefato — os precisos manipuladores e locomotores chamados mãos e pés, controlados pelos olhos e o cérebro humano — com a última palavra em atuação furtiva — uma pessoa de aparência exatamente igual à de milhões de outras. Em matéria de sofisticação tecnológica, nenhum robô de combate chega perto. As vantagens não são apenas teóricas. Embora o terrorismo suicida represente uma minoria dos ataques terroristas, ele responde pela maioria das baixas.[203] Esse custo-benefício pode ser irresistível para os líderes de um movimento terrorista. Conforme expressou um militante palestino, uma missão bem-sucedida requer "um jovem determinado [...] pregos, pólvora, um interruptor elétrico e um fio curto, mercúrio (facilmente obtido em termômetros), acetona [...]. O item mais caro é o transporte até uma cidade israelense".[204] A única verdadeira barreira tecnológica é a determinação do jovem. Em geral um ser humano não deseja morrer, um legado de meio bilhão de anos de seleção natural. Como os líderes terroristas superaram esse obstáculo?

Pessoas têm se exposto ao risco de vida em guerras desde que elas existem, mas a palavra-chave é *risco*. A seleção natural trabalha com médias, de modo que a disposição de correr um pequeno risco de morrer, como participante de uma coalizão agressiva que oferece uma grande probabilidade de substancial *payoff* — mais terras, mais mulheres ou mais segurança —, pode ser favorecida ao longo do curso da evolução.[205] O que não pode ser favorecido é a disposição para morrer com certeza, pois qualquer gene capaz de proporcioná-la seria eliminado junto com o cadáver. Não é surpreendente que as missões suicidas sejam raras na história da guerra. Bandos de coletores preferem a segurança das razias e emboscadas aos riscos das batalhas de posições, e mesmo os guerreiros não estão isentos de alegar sonhos e presságios para ficar convenientemente à margem dos arriscados confrontos planejados por seus camaradas.[206]

Exércitos modernos cultivam incentivos para que os soldados se arrisquem mais, tais como a estima e as condecorações por bravura, enquanto desestimulam quem se arrisca menos, humilhando ou punindo os covardes e executando sumariamente os desertores. Às vezes uma categoria especial de soldados, chamados *cerra-filas*, permanece na retaguarda de uma unidade com ordens de matar qualquer soldado que deixe de avançar. O conflito de interesses entre os chefes e os soldados da tropa leva à conhecida hipocrisia da retórica militar. Eis como um general britânico vangloriou-se de uma carnificina da Primeira Guerra Mundial: "Nem um homem esquivou-se ao atravessar o pesadíssimo fogo de barragem, ou enfrentar o fogo das metralhadoras e fuzis que por fim os aniquilou [...]. Eu nunca vira, por certo nem podia imaginar, uma tão magnífica exibição de bravura, disciplina e determinação". Um sargento fez outra descrição:

> Sabíamos que seria inútil, desde antes de chegarmos — atravessar um campo aberto como aquele. Mas a gente tinha de ir. A gente estava entre o demônio e o profundo mar azul. Se avançasse, era provável que levasse um tiro. Se recuasse, iria para a corte marcial e levaria um tiro. O que a gente poderia fazer?[207]

Guerreiros podem aceitar o risco da morte em combate por outra razão. O biólogo evolucionista J. B. S. Haldane, quando lhe indagaram se daria a vida por seu irmão, respondeu: "Não, mas por dois irmãos, ou oito primos, sim". Ele invocava o fenômeno que mais tarde ficaria conhecido como seleção de parentela, aptidão inclusiva e altruísmo nepotista. A seleção natural favorece quaisquer genes que inclinem um organismo a fazer um sacrifício que auxilie um parente de sangue, desde que o benefício ao parente, corrigido conforme o grau de parentesco, exceda o custo para o organismo. A razão é que os genes estariam ajudando *cópias deles próprios*, nos corpos dos parentes, e teriam uma vantagem a longo prazo sobre suas alternativas estritamente egoístas. Críticos determinados a desentender-se com essa teoria imaginam que isso exigiria que o organismo calculasse conscientemente sua superposição genética com a parentela e antecipasse o bem que adviria para seu DNA.[208] Na verdade ela exige apenas que os organismos se inclinem a perseguir objetivos que ajudem outros organismos estatisticamente passíveis de ser seus parentes genéticos. Em organismos complexos como os humanos, essa inclinação é implementada pela emoção do amor fraterno.

Os bandos de reduzidas dimensões em que os seres humanos passaram a maior parte de sua história evolutiva eram cimentados pelo parentesco, e as pessoas tendiam a ser parentes de seus vizinhos. Entre os ianomâmis, por exemplo, dois indivíduos escolhidos aleatoriamente em uma aldeia são aparentados tão intimamente como primos-irmãos, e pessoas que se consideram parentes são em média ainda mais aparentadas.[209] A superposição genética inclina a recompensa evolutiva no sentido de assumir maiores riscos de vida e de integridade, caso o ato arriscado possa beneficiar seus companheiros de combate. Uma das razões pelas quais os chimpanzés se dedicam a razias cooperativas, ao contrário de outros primatas, é porque as fêmeas, mais do que os machos, se desprendem do bando ao atingir a maturidade sexual, de modo que os machos de um bando tendem a ser parentes.[210]

Como em todos os aspectos de nossa psicologia que foram iluminados pela teoria evolutiva, o que importa não é a relação genética *real* (não é como se os caçadores-coletores, para não falar dos chimpanzés, enviassem amostras para um laboratório de genotipia), mas a *percepção* de parentesco, na medida em que esta se correlaciona com a realidade no decorrer de períodos longos o bastante.[211] Entre os impulsionadores da sensação de parentesco estão as experiências de ter crescido junto, ter visto a mãe cuidar de outra pessoa, refeições em comum, mitos de ancestralidade compartilhada, intuições essencialistas de carne e sangue partilhados, partilha de rituais e provações, semelhança física (frequentemente realçada por penteados, tatuagens, escarificações e mutilações) e metáforas como *fraternidade*, *confraria*, *família*, *terra materna*, *pátria* e *sangue*.[212] Líderes militares usam todos os truques do manual para fazer com que seus soldados se sintam como parentes genéticos e assumam os riscos biologicamente previsíveis. Shakespeare deixou isso claro no mais célebre discurso mobilizador da história literária da guerra, quando Henrique V se dirige a seus homens no dia de são Crispim:

A festa de são Crispim e Crispiano nunca chegará,
Deste dia ao fim do mundo,
Sem que se associe à nossa memória,
À lembrança de nosso pequeno exército,
De nosso bando de irmãos;
Porque aquele que verter hoje seu sangue comigo,
Por vil que seja, será meu irmão.

Também as Forças Armadas modernas cuidam de agrupar os soldados como bandos de irmãos — as equipes de combate, esquadrões e pelotões com de meia dúzia a várias dúzias de combatentes, que servem como cadinho para a emoção primeva que move os homens a lutar em exércitos, o amor fraterno. Estudos sobre psicologia militar descobriram que os soldados combatem acima de tudo por lealdade a seus companheiros de pelotão.[213] O escritor William Manchester rememora sua experiência como fuzileiro naval na Segunda Guerra Mundial:

> Aqueles homens da linha eram minha família, meu lar. Estavam mais próximos de mim do que posso expressar, mais do que qualquer amigo já fora ou jamais seria. Eles nunca tinham me decepcionado, nem eu poderia decepcioná-los [...]. Eu tinha que estar com eles, não deixar que morressem e eu vivesse com a consciência de que poderia tê-los salvo. Homens, hoje eu sei, não combatem por uma bandeira ou um país, pelo corpo dos fuzileiros navais ou pela glória ou por qualquer outra abstração. Eles combatem uns pelos outros.[214]

Duas décadas mais tarde, outro marine convertido em escritor, William Broyles, apresentou uma reflexão parecida sobre sua experiência no Vietnã:

> A emoção duradoura da guerra, quando tudo o mais se esfumou, é a camaradagem. Um camarada de combate é um homem a quem você confia tudo, pois confia sua vida [...]. A despeito de sua imagem de extrema direita, a guerra é a única experiência utópica que a maioria de nós já experimentou. As posses e vantagens individuais nada contam; o grupo é tudo. O que você tem é dividido com seus amigos. Não é um processo particularmente seletivo, mas um amor que dispensa razões, que transcende a raça, a personalidade e a educação — todas essas coisas que poderiam fazer diferença na paz.[215]

Embora um homem in extremis possa dar a vida para salvar um pelotão de irmãos virtuais, é mais raro que em nome destes ele calmamente planeje cometer suicídio em determinada data futura. A condução da guerra seria muito distinta se assim fosse. Para evitar o pânico e a debandada (ao menos na ausência de cerra-filas), os planos de batalha geralmente são arquitetados de modo que um soldado individual não saiba que foi enviado para a morte certa. Em uma base de bombardeios da Segunda Guerra Mundial, por exemplo, os estrategistas calculavam que os pilotos teriam maior probabilidade de sobrevivência caso uns poucos entre eles, que tiraram os números errados na loteria, voassem para a morte certa em missões de ida sem volta, em lugar de todos eles testarem a sorte em aviões com o tanque cheio para a ida e para a volta. Mas eles optavam por um risco maior de uma morte imprevisível, em lugar do risco menor de uma morte a ser precedida por um longo período de agonia.[216] Como os arquitetos do terrorismo suicida superam essa barreira?

Certamente uma ideologia da vida além-túmulo ajuda, a exemplo da Mansão

Playboy póstuma prometida aos sequestradores do Onze de Setembro (os pilotos camicases japoneses tinham de se contentar com a imagem menos vívida de uma absorção no grande reino do espírito). Mas o suicídio terrorista moderno foi aperfeiçoado pelos Tigres Tâmeis, e, embora seus membros tivessem raízes no hinduísmo, com sua promessa de reencarnação, a ideologia do grupo era secular: a usual mistura de nacionalismo, militarismo romântico, marxismo-leninismo e anti-imperialismo que animou os movimentos de libertação do Terceiro Mundo no século XX. E nas contas dos terroristas suicidas potenciais que os Tigres alistaram raramente figurou com destaque a antecipação de uma vida além-túmulo, com ou sem virgens. Assim, enquanto a expectativa de uma agradável vida após a morte pode influir na percepção da relação custo-benefício (o que torna mais difícil imaginar um suicida ateu), este não pode ser o único impulsionador psicológico.

Usando entrevistas com terroristas suicidas malsucedidos ou em perspectiva, o antropólogo Scott Atran refutou muitos lugares-comuns equivocados sobre eles. Longe de serem ignorantes, empobrecidos, niilistas ou doentes mentais, os terroristas suicidas tendem a ser bem-educados, de classe média, moralmente engajados e livres de psicopatologias evidentes. Atran concluiu que muitos dos seus motivos podem se encontrar no altruísmo nepotista.[217]

O caso dos Tigres Tâmeis é relativamente simples. Eles usam equivalentes terroristas dos cerra-filas, selecionando combatentes para missões suicidas e ameaçando matar suas famílias caso recuem.[218] Apenas um pouco mais sutis são os métodos do Hamas e outros grupos terroristas palestinos, que usam menos a força bruta e oferecem recompensas, sob a forma de generosos estipêndios mensais, pagamentos à vista e um enorme prestígio na comunidade.[219] Embora em geral não fossem de esperar comportamentos extremos para se promover um *payoff* de condicionamento biológico, os antropólogos Aaron Blackwell e Lawrence Sugiyama mostraram que pode não ser este o caso do terrorismo suicida palestino. Na Cisjordânia e em Gaza, muitos homens têm dificuldades para encontrar esposas porque suas famílias não podem arcar com o dote, ficando confinados ao casamento com primas, enquanto muitas mulheres são subtraídas do reservatório matrimonial por casamentos polígamos ou contraídos com os árabes mais prósperos de Israel. Blackwell e Sugiyama registraram que 99% dos terroristas suicidas palestinos são homens e 86% solteiros, enquanto 81% têm ao menos seis irmãos, um tamanho de família que excede a média palestina. Quando os antropólogos tabularam estes e outros números em um modelo demográfico simples, concluíram que quando um terrorista se faz explodir a recompensa financeira pode comprar noivas para seus irmãos a ponto de tornar o sacrifício compensador em termos reprodutivos.

Atran estabeleceu que terroristas suicidas também podem ser recrutados sem esses incentivos diretos. Provavelmente o mais eficaz apelo do martírio é a oportunidade de se unir a um alegre coletivo de irmãos. As células terroristas muitas vezes começam como gangues de rapazes subempregados e solteiros, que se reúnem em cafés, repúblicas, clubes de futebol, barbearias ou salas de bate-papo na internet, e subitamente acham um sentido para suas vidas no compromisso com um novo pelotão. Em todas as sociedades rapazes fazem loucuras para provar sua coragem e compromisso, especialmente em grupos, em que os indivíduos podem fazer algo que sabem ser tolo porque pensam que todos os outros no grupo acham que é legal (retornaremos a esse fenômeno no capítulo 8).[220] O comprometimento com o grupo é intensificado pela religião, não simplesmente uma promessa literal do Paraíso, mas o sentimento de relevância espiritual que provém do empenho em uma cruzada, uma vocação, um rito de passagem, ou uma jihad. A religião também pode transformar um compromisso com a causa em um valor sagrado — um bem que não pode ser trocado por coisa alguma, inclusive a própria vida.[221] O compromisso pode ser alimentado pela sede de vingança, que no caso do islamismo militante assume a forma de revanche pelos danos e humilhações sofridos por todos os muçulmanos em todas as partes do planeta e em todos os momentos da história, ou por afrontas históricas tais como a presença de soldados infiéis no solo sagrado do islã. Atran resumiu seus estudos em um depoimento perante uma subcomissão do Senado dos Estados Unidos:

> Quando você olha para jovens como os rapazes que cresceram para explodir os trens de Madri em 2004, realizar a carnificina no metrô de Londres em 2005, tentar explodir voos de carreira nos céus dos Estados Unidos em 2006 e 2009, e viajaram longamente para matar infiéis no Iraque, Afeganistão, Paquistão, Iêmen ou Somália; quando você olha quem eles idolatram, como se organizam, o que os impulsiona e os conduz; então você vê que o que inspira os mais mortíferos terroristas do mundo atual não é tanto o Corão ou os ensinamentos religiosos, mas uma apaixonante causa e um chamamento à ação que prometem a glória e estima aos olhos dos amigos, e, através dos amigos, o eterno respeito e memória no vasto mundo que eles

nunca viverão para gozar [...]. A jihad é um empregador igualitário, distribuidor de oportunidades [...] fraterna, ofensiva, palpitante, gloriosa e tranquila. Qualquer um é bem-vindo na empreitada de cortar a cabeça de Golias com um estilete.[222]

Os imames locais têm importância marginal em sua radicalização, já que rapazes que pretendem vencer o inferno raramente buscam a orientação dos mais velhos na comunidade. E a Al-Qaeda tornou-se mais uma marca global, inspirando uma rede social difusa, que uma organização centralizada de recrutamento.

A imagem dos terroristas suicidas vistos de perto inicialmente parece bastante deprimente, pois sugere que estamos combatendo uma hidra de muitas cabeças que não podem ser decapitadas pela morte de sua liderança ou pela invasão de sua base. Lembremos, porém, que todas as organizações terroristas descrevem um arco para o fracasso. Haverá algum sinal de que o terrorismo islamista está começando a se apagar?

A resposta é um claro sim. Em Israel, repetidos ataques a civis realizaram o que sempre realizam no mundo: suprimir qualquer compaixão pelo grupo, ao lado de qualquer disposição de compromisso com ele.[223] Depois que começou a Segunda Intifada, pouco depois de Yasser Arafat rejeitar os Acordos de Camp David em 2000, as perspectivas econômicas e políticas dos palestinos não cessaram de se degradar. A longo prazo, acrescenta Cronin, o terrorismo suicida é uma tática superlativamente idiota, pois torna a nação alvejada refratária a tolerar em seu seio membros da comunidade minoritária, por nunca saber se entre eles pode haver um homem-bomba. Embora Israel tenha enfrentado condenação mundial por construir uma barreira de segurança, outros países confrontados com o terrorismo suicida, segundo Cronin, tomaram medidas similares.[224] Mais recentemente, a liderança palestina na Cisjordânia rejeitou a violência e dirigiu suas energias para um governo competente, enquanto os grupos de ativistas palestinos se voltaram para boicotes, desobediência civil, protestos pacíficos e outras formas de resistência não violenta.[225] Eles até recrutaram Rajmohan Gandhi (neto de Mohandas) e Martin Luther King III em busca de apoio simbólico. É cedo demais para saber se isso é uma inflexão na tática palestina, porém um recuo do terrorismo não seria algo desprovido de precedentes históricos.

O maior problema, porém, é o destino da Al-Qaeda. Marc Sageman, um ex-funcionário da CIA que tem recolhido dados sobre o movimento, contabilizou dez conspirações graves contra alvos ocidentais em 2004 (muitos inspirados pela invasão do Iraque), mas apenas três em 2008.[226] Não apenas a base da Al-Qaeda no Afeganistão foi desbaratada e sua liderança, dizimada (inclusive o próprio Bin Laden, em 2011), mas seus simpatizantes no universo da opinião pública muçulmana vêm desde há muito naufragando, enquanto seus contestadores estão crescendo.[227] Nos últimos seis anos os muçulmanos se tornaram contrários ao que enxergam cada vez mais como uma selvageria niilista, dando razão à observação de Cronin de que a decência, e não apenas a violência, fala uma língua internacional. Os objetivos estratégicos do movimento — um califado pan-islâmico, a substituição dos regimes teocráticos e repressivos por outros ainda mais teocráticos e repressivos, a matança genocida de infiéis — começaram a perder seu apelo na medida em que as pessoas passaram a meditar sobre o que eles realmente significam. E a Al-Qaeda sucumbiu à tentação de todos os grupos terroristas: manter-se sob os holofotes montando ataques cada vez mais sangrentos contra alvos cada vez mais simpáticos, o que no caso da Al-Qaeda inclui dezenas de milhares de muçulmanos. Os ataques de meados da década em uma boate de Bali, numa festa de casamento jordaniana, numa estância turística egípcia, no metrô londrino e em cafés em Istambul e Casablanca massacraram muçulmanos e não muçulmanos sem qualquer propósito discernível. A franquia do movimento conhecida como Al-Qaeda no Iraque (AQI) provou ser ainda mais depravada, lançando bombas em mesquitas, mercados, hospitais, jogos de vôlei e funerais, brutalizando os oponentes com amputações e decapitações.

A jihad contra os jihadis está sendo combatida em muitos planos. Estados islâmicos como a Arábia Saudita e a Indonésia, que já foram indulgentes para com os extremistas islamistas, decidiram que agora basta e começaram a reprimir. Os próprios gurus do movimento também se rebelam. Em 2007 um dos mentores de Bin Laden, o clérigo saudita Salman al-Odah, escreveu uma carta aberta acusando-o de "encorajar uma cultura das bombas suicidas que provocou sangue e sofrimento, trazendo a ruína para todas as comunidades e famílias muçulmanas".[228] Ele não teve medo de ser pessoal:

> Meu irmão Osama, quanto sangue foi derramado? Quantos inocentes, crianças, velhos e mulheres foram mortos [...] em nome da Al-Qaeda? Você ficará contente

de comparecer perante Deus Todo-Poderoso carregando nas costas o peso dessas centenas de milhares ou milhões?[229]

Sua acusação tocou uma corda sensível: dois terços dos posicionamentos em sites de organizações islamistas e redes de televisão foram favoráveis, e ele falara para entusiásticas multidões de jovens muçulmanos britânicos.[230] O grão-mufti da Arábia Saudita, Abdulaziz al Ash-Sheikh, tornou isso oficial, emitindo uma *fatwa* em 2007 que proíbe os sauditas de se unirem a jihads estrangeiras e condenando Bin Laden e seus seguidores por "transformarem nossos jovens em bombas ambulantes para realizar seus próprios intentos políticos e militares".[231] Naquele mesmo ano, outro filósofo da Al-Qaeda, o acadêmico egípcio Sayyid Imam Al Sharif (também conhecido como Dr. Fadl), publicou um livro chamado *Racionalização da jihad*, porque, explicou, "a jihad [...] foi maculada por graves violações da charia durante os últimos anos [...]. Agora há aqueles que matam às centenas, inclusive mulheres e crianças, muçulmanos e não muçulmanos, em nome da jihad!".[232]

As ruas árabes concordam. Em 2008, num debate on-line em um site jihadista com Ayman al-Zawahiri, o líder operacional da Al-Qaeda, um participante questionou: "Desculpe-me, senhor Zawahiri, mas quem está matando, com as bênçãos de vossa excelência, os inocentes em Bagdá, Marrocos e Argélia?".[233] Pesquisas de opinião pública através do mundo islâmico captaram o ultraje. Entre 2005 e 2010, o número de entrevistados na Jordânia, Paquistão, Indonésia, Arábia Saudita e Bangladesh que apoiam os homens-bomba e outras violências contra civis caiu como uma pedra, frequentemente para cerca de 10%. Temendo que mesmo essa cifra pareça barbaramente elevada, o cientista político Fawaz Gerges (que contabilizou os dados) recorda-nos que nada menos que 24% dos americanos afirmam em pesquisas que "bombardeios e outros ataques intencionais contra civis são frequente ou eventualmente justificados".[234]

Mais importante é a opinião pública nas zonas de guerra onde os terroristas contam com o apoio da população.[235] Na província paquistanesa da fronteira noroeste, o apoio à Al-Qaeda despencou de 70% para 4% em apenas cinco meses, parcialmente numa reação ao assassinato da ex-primeira ministra Benazir Bhutto por um homem-bomba. Nas eleições daquele ano os islamistas tiveram 2% dos votos nacionais — cinco vezes menos que em 2002. Em uma pesquisa ABC/BBC no

Afeganistão, em 2007, o apoio aos militantes jihadistas despencou para 1%.[236] No Iraque, em 2006, uma grande maioria dos sunitas e uma esmagadora maioria dos curdos e xiitas rejeitaram a AQI, e em dezembro de 2007 a oposição a seus ataques contra civis alcançou perfeitos 100%.[237]

A opinião pública é uma coisa, mas isso se traduziu em redução da violência? Os terroristas dependem de apoio popular, portanto é muito provável que sim. Em 2007, o ponto de inflexão das atitudes para com o terrorismo no mundo islâmico foi também um ponto de inflexão nos ataques suicidas no Iraque. A organização Iraq Body Count documentou que os veículos explosivos e os ataques suicidas declinaram de 21 por dia em 2007 para menos de oito em 2010 — ainda muitos, mas um sinal de progresso.[238] As mudanças nas atitudes muçulmanas não merecem todo o crédito; o aumento dos efetivos estadunidenses na primeira metade de 2007 e outros ajustes militares também ajudaram. Porém alguns dos próprios desdobramentos militares dependeram de uma mudança de atitude. O Exército do Mahdi de Muqtada al-Sadr, uma milícia xiita, declarou um cessar-fogo em 2007, e, naquilo que tem sido chamado Despertar Sunita, dezenas de milhares de jovens desertaram de uma insurgência contra o governo apoiado pelos Estados Unidos e estão participando da supressão da Al-Qaeda no Iraque.[239]

O terrorismo é uma tática, não uma ideologia ou um regime, de modo que nunca venceremos a "Guerra ao Terror", e menos ainda realizaremos o objetivo mais amplo de George W. Bush (anunciado no mesmo discurso pós-Onze de Setembro) de "livrar o mundo do mal". Em uma época de mídia global, sempre haverá um ideólogo alimentando ressentimentos em algum lugar que seja tentado pelo espetacular retorno do investimento em terrorismo — uma enorme safra de medo a troco de um insignificante assomo de violência — e sempre haverá os bandos de irmãos desejando arriscar tudo por camaradagem, glória e promessas. Quando o terrorismo se torna uma tática em uma grande insurgência, pode causar enormes danos às pessoas e à vida civil, e a ameaça hipotética do terrorismo nuclear (à qual retornarei na seção final) fornece um novo significado à palavra "terror". Mas em todas as circunstâncias a história ensina, e os eventos recentes confirmam, que os movimentos terroristas carregam os germes de sua própria destruição.

A Nova Paz é o declínio quantitativo da guerra, do genocídio e do terrorismo que vem ocorrendo aos trancos e barrancos desde o fim da Guerra Fria, há mais de duas décadas. Ela não está em pauta há tanto tempo como a Longa Paz, não é tão revolucionária como a Revolução Humanitária e não varreu uma civilização à maneira do Processo Civilizador. Uma pergunta óbvia é se ela vai durar. Embora eu esteja razoavelmente confiante de que durante minha existência a França e a Alemanha não irão à guerra, de que a queima de gatos e a roda de quebrar gente não farão um retorno, e de que as pessoas à mesa de jantar não mais se apunhalarão rotineiramente com as facas de carne nem deceparão o nariz umas das outras, ninguém que seja prudente expressará a mesma confiança quando se trata de conflitos armados no mundo como um todo.

Algumas vezes interroguei-me: "Como você pode saber que amanhã não vai estourar uma guerra (ou genocídio, ou ato de terrorismo) que refutará o conjunto de sua tese?". A pergunta foge ao escopo deste livro. A questão não é se entramos em uma Era de Aquário em que até o último terráqueo foi pacificado para sempre. É que *aconteceram* substanciais reduções na violência, e é importante compreendê-las. Declínios na violência são causados por condições políticas, econômicas e ideológicas que se manifestam em culturas particulares e em momentos particulares. Caso as condições se revertam, a violência pode dar o troco.

Além disso, o mundo tem muita gente. As estatísticas sobre leis de potência e os eventos dos dois últimos séculos coincidem em dizer-nos que um pequeno número de perpetradores pode causar uma grande quantidade de danos. Caso exista em algum lugar, entre os 6 bilhões de pessoas do mundo, um zelote que ponha as mãos em uma bomba nuclear perdida, ele poderia, por conta própria, fazer as estatísticas subirem à estratosfera. Porém, ainda que o fizesse, ainda precisaríamos saber por que os índices de homicídio caíram cem vezes, por que os mercados de escravos e as prisões por dívidas se desvaneceram e por que soviéticos e americanos não foram à guerra por Cuba, para não falar de Canadá e Espanha por causa dos linguados.

O objetivo deste livro é explicar os fatos no passado e no presente, não fazer augúrios e hipóteses sobre o futuro. Ainda assim, poderá você perguntar, não é da natureza da ciência fazer predições refutáveis? Não deve toda pretensão de compreender o passado ser avaliada pela capacidade de extrapolá-lo no futuro? Ah, tudo bem. Prevejo que a chance de um grave episódio de violência irromper na próxima década — um conflito com 100 mil mortes anuais, ou 1 milhão de mortes no total — é de 9,7%. Como cheguei a esse número? Bem, ele é reduzido o bastante para captar a intuição de "provavelmente não", porém não tão pequeno que eu me mostre redondamente enganado caso tal evento ocorra. Minha posição, claro, é que o conceito de previsão científica não tem sentido quando se trata de um evento único — no caso, a irrupção da violência em massa na próxima década. Seria bem diferente se pudéssemos observar diversos mundos e tabular o número de mundos em que o evento ocorreu ou não, mas este é o único mundo que temos.

A verdade é que não sei o que vai acontecer através do mundo inteiro nas décadas que virão, nem ninguém sabe. Nem todos, porém, partilham minha reticência. Uma busca na internet com a expressão "a próxima guerra" retorna 2 milhões de entradas, com complementos como "com o islã", "com o Irã", "com a China", "com a Rússia", "no Paquistão", "entre Irã e Israel", "entre a Índia e o Paquistão", "contra a Arábia Saudita", "na Venezuela", "nos Estados Unidos", "no interior do Ocidente", "por recursos terrestres", "em torno do clima", "pela água" e "com o Japão" (a última datando de 1991, o que faria pensar que todos deviam ser um pouco mais humildes quanto a esse tipo de coisa). Livros com títulos como *O choque de civilizações*, *O mundo em chamas*, *World War IV* e (meu favorito) *We Are Doomed* [Estamos perdidos] transmitem uma confiança parecida.

Quem sabe? Talvez eles estejam certos. Meu intuito no que resta deste capítulo é sublinhar que talvez eles estejam errados. Não é a primeira vez que fomos advertidos da ruína certa. Os experts já predisseram o fim da civilização devido a ataques com gases, guerra global termonuclear, uma invasão soviética da Europa Ocidental, um crescimento chinês para meia humanidade, uma dúzia de potências nucleares, uma Alemanha revanchista, um sol nascente no Japão, cidades invadidas por adolescentes superpredadores, uma guerra mundial em torno do petróleo escasso, uma guerra nuclear entre Índia e Paquistão e ataques semanais na escala do Onze de Setembro.[240] Nesta seção tratarei de quatro ameaças à Nova Paz — um choque civilizacional com o islã, o terrorismo nuclear, um Irã nuclearizado e uma mudança climática — e em cada caso examinarei o "talvez sim, mas talvez não".

O mundo muçulmano, segundo todas as aparências, está assentado no declínio da violência. Mais de duas décadas de manchetes chocaram os ocidentais com atos de barbárie em nome do islã. Entre eles está a sentença de 1989 ameaçando Salman Rushdie por retratar Maomé em um romance, a condenação de uma nigeriana grávida à morte por apedrejamento em 2004, o assassinato a facadas do cineasta holandês Theo van Gogh por produzir um filme de Ayaan Hirsi Ali sobre o tratamento dispensado às mulheres em países islâmicos, os mortíferos motins de 2005 após um jornal dinamarquês imprimir uma charge editorial desrespeitosa para com o profeta, o encarceramento e a ameaça de flagelação de um professor secundário britânico no Sudão que permitiu que sua classe batizasse um urso de pelúcia de Maomé e, claro, os ataques terroristas do Onze de Setembro, nos quais dezenove muçulmanos mataram quase 3 mil civis.

A impressão de que o mundo muçulmano é tolerante para com modalidades de violência que o Ocidente superou não é um sinônimo de islamofobia ou orientalismo, mas algo comprovado pelos números. Embora cerca de um quinto da população mundial seja muçulmana, e um quarto dos países do planeta tenha maioria muçulmana, mais da metade dos conflitos armados em 2008 envolvia insurgências ou países muçulmanos.[241] Os países muçulmanos forçam uma parcela maior de seus cidadãos a servir em seus exércitos que os países não muçulmanos, mantidos constantes os demais fatores.[242] Grupos muçulmanos ocupam dois terços das vagas na lista de organizações terroristas do Departamento de Estado americano e (como mencionei) em 2008 terroristas sunitas mataram cerca de dois terços das vítimas mundiais de atos de terrorismo cujos perpetradores puderam ser identificados.[243]

Desafiando a maré montante da democracia, apenas cerca de um quarto dos países islâmicos elege seus governos, e muitos deles são apenas duvidosamente democráticos.[244] Seus líderes recebem porcentagens de votos farsescas e exercitam o poder de encarcerar adversários, proibir partidos de oposição, fechar o Parlamento e cancelar eleições.[245] Não é apenas porque os países islâmicos apresentem maiores fatores de risco de autocracia, por serem maiores, mais pobres ou com mais abundância de petróleo. Mesmo em uma análise de regressão que mantenha esses fatores constantes, países com maiores proporções de muçulmanos têm menos direitos políticos.[246] Direitos políticos são em grande medida uma questão de violência, claro, na medida em que dizem respeito à possibilidade de falar, escrever e reunir-se sem ir parar na cadeia.

As leis e práticas de muitos países muçulmanos parecem ter escapado à Revolução Humanitária. De acordo com a Anistia Internacional, quase três quartos dos países muçulmanos executam seus criminosos, em contraste com um terço de países não muçulmanos, e muitos usam castigos cruéis como apedrejar, ferretear, amputar a língua ou as mãos e até crucificar.[247] Todos os anos mais de 100 milhões de meninas de países muçulmanos têm suas genitálias mutiladas e quando crescem elas podem ser desfiguradas com ácido ou simplesmente mortas caso desagradem a seus pais, seus irmãos ou os maridos que lhes foram impostos.[248] Os países islâmicos foram os últimos a abolir a escravidão (apenas em 1962 no caso da Arábia Saudita e em 1980 no da Mauritânia), e a maior parte dos países onde pessoas continuam a ser traficadas é muçulmana.[249] Em muitos países muçulmanos, a bruxaria não consta apenas nos livros como crime, mas é normalmente perseguida. Em 2009, por exemplo, a Arábia Saudita condenou um homem por ter uma agenda telefônica escrita com os caracteres do alfabeto de sua Eritreia natal, que a polícia interpretou como símbolos ocultistas. Ele foi açoitado trezentas vezes e encarcerado por mais de três anos.[250]

A violência é sancionada no mundo islâmico não somente por superstição religiosa, mas por uma hipertrofiada cultura da honra. Os cientistas políticos Khaled Fattah e K. M. Fierke documentaram como um "discurso de humilhação" transpassa a ideologia das organizações islamistas.[251] Uma vasta litania de afrontas — as cruzadas, a história da colonização ocidental, a existência de Israel, a presença de tropas americanas em solo árabe, o subdesenvolvimento dos países islâmicos — é encarada como um insulto ao islã e usada para legitimar uma vingança indiscriminada contra os membros da civilização que eles consideram responsáveis, ao lado dos líderes muçulmanos de pureza ideológica insuficiente. A franja radical do islã arvora uma ideologia que é classicamente genocida: a história é vista como uma violenta luta que culminará com a gloriosa subjugação de uma categoria de gente irremediavelmente má. Porta-vozes da Al-Qaeda, do Hamas, do Hezbollah e do regime iraniano demonizam grupos inimigos (sionistas, infiéis, cruzados, politeístas), falam de um cataclismo milenarista que conduziria a uma utopia e justificam a matança de categorias humanas inteiras, como judeus, americanos e aqueles que eles acreditam insultar o islã.[252]

O historiador Bernard Lewis não foi o único a indagar: "O que deu errado?". Em 2002, uma comissão de intelectuais árabes publicou sob os auspícios das Nações Unidas o cândido *Relatório do desenvolvimento humano árabe*, apresentado como "escrito por árabes e para árabes".[253] Os autores documentavam que as nações árabes eram assoladas pela repressão política, pelo atraso econômico, pela opressão das mulheres, pela proliferação do analfabetismo e por um isolamento autoimposto em relação ao mundo das ideias. Na época do relatório, todo o mundo árabe exportava menos bens manufaturados que as Filipinas, tinha uma conexão com a internet mais pobre que a da África subsaariana, registrava 2% menos patentes por ano que a Coreia do Sul e traduzia para o árabe um quinto dos livros que a Grécia traduzia para o grego.[254]

Nem sempre foi assim. Durante a Idade Média, a civilização islâmica era inquestionavelmente mais refinada que a cristandade. Enquanto os europeus aplicavam seu engenho no desenho de instrumentos de tortura, os muçulmanos preservavam a cultura clássica grega, absorviam conhecimentos das civilizações da Índia e da China, impulsionavam a astronomia, a arquitetura, a cartografia, a medicina, a química, a física e a matemática. Entre os legados simbólicos dessa era estão os "algarismos arábicos" (adaptados da Índia) e palavras tomadas de empréstimo como "álcool", "álgebra", "alquimia", "álcalis", "azimute", "alambique" e "algoritmo". Assim como o Ocidente teve de acelerar para superar o islã nas ciências, também estava atrasado em direitos humanos. Lewis comenta:

> Na maioria dos testes de tolerância, tanto na teoria como na prática o islã está em desvantagem ante as democracias ocidentais tais como estas se desenvolveram nos dois ou três últimos séculos, mas em grande vantagem ante muitas outras sociedades e regimes cristãos e pós-cristãos. Não existe nada na história islâmica que se compare com o Ocidente na emancipação, aceitação e integração dos portadores de outras crenças ou de nenhuma crença; mas tampouco nada existe na história islâmica que se compare com a expulsão dos judeus e muçulmanos da Espanha, a Inquisição, os autos de fé, as guerras religiosas, para não falar dos recentes crimes por comissão e aquiescência.[255]

Por que o islã fracassou em sua liderança e falhou em criar uma Idade da Razão, um Iluminismo e uma Revolução Humanitária? Alguns historiadores apontam para passagens belicosas do Corão, mas comparadas com nossas genocidas escrituras elas não passam de algumas hábeis exegeses e normas em evolução.

Lewis destaca, contudo, a histórica ausência de separação entre mesquita e Estado. Maomé não era apenas um líder espiritual, mas também político e militar, e apenas recentemente alguns Estados islâmicos absorveram o conceito da distinção entre o secular e o sagrado. Com toda a contribuição intelectual potencial filtrada através de óculos religiosos, perderam-se as oportunidades de se absorver e combinar novas ideias. Lewis relata que, enquanto obras de filosofia e matemática eram traduzidas do grego clássico para o árabe, o mesmo não ocorria com as obras de poesia, teatro e história. E, enquanto os muçulmanos tinham um rico desenvolvimento histórico de sua própria civilização, mostravam pouca curiosidade por seus vizinhos asiáticos, africanos e europeus e por seus próprios antepassados pagãos. Os herdeiros otomanos da civilização clássica islâmica resistiram à adoção de relógios mecânicos, de pesos e medidas padronizados, da ciência experimental, da filosofia moderna, das traduções de poemas e obras de ficção, dos instrumentos financeiros do capitalismo e, talvez o mais importante, da imprensa (o árabe foi a linguagem em que o Corão foi escrito, de modo que a imprensa era considerada como um ato de profanação).[256] No capítulo 4, especulei que a Revolução Humanitária foi catalisada por um cosmopolitismo letrado, que expandiu o círculo de empatia das pessoas e estabeleceu um mercado de ideias do qual o humanismo liberal pôde emergir. Talvez a mão morta da religião tenha impedido o fluxo de novas ideias nos centros da civilização islâmica, fechando-os em um estágio de desenvolvimento relativamente iliberal. Como para provar a justeza da especulação, em 2010 o governo iraniano restringiu o número de estudantes universitários que podiam se matricular em cursos de humanidades, porque, conforme seu líder supremo, o aiatolá Ali Khomeini, o estudo de humanidades "promove o ceticismo e a dúvida nos princípios e crenças da religião".[257]

Quaisquer que sejam suas razões históricas, um largo fosso parece separar hoje as culturas ocidental e islâmica. De acordo com uma célebre teoria do cientista político Samuel Huntington, o fosso conduziu-nos a uma nova era na história do mundo: o choque de civilizações. "Na Eurásia", escreveu ele,

> a grande linha histórica de cisão entre as civilizações está novamente em chamas. Isso é particularmente verdadeiro ao longo das fronteiras do bloco islâmico de nações em forma de crescente, que vai do Chifre da África até a Ásia Central. A violência também ocorre entre muçulmanos, por um lado, e sérvios ortodoxos nos

Bálcãs, judeus em Israel, hinduístas na Índia, budistas na Birmânia e católicos nas Filipinas. O islã tem fronteiras ensanguentadas.[258]

Embora a dramática noção de choque de civilizações tenha se tornado popular entre os experts, poucos estudiosos de relações internacionais a levam a sério. Uma exagerada parcela do sangue derramado no mundo situa-se dentro dos países islâmicos ou entre eles (por exemplo, a guerra do Iraque com o Irã, nos anos 1980, e a invasão iraquiana do Kuwait em 1990), e uma exagerada parcela situa-se dentro de países não islâmicos ou entre eles, para que a linha histórica de cisão civilizacional seja um resumo acurado da violência no mundo atual. Além disso, como apontaram Nils Petter Gleditsch e Halvard Buhaug, mesmo que uma *parcela* crescente dos conflitos armados no mundo envolva insurgências e países islâmicos ao longo das duas últimas décadas (de 20% para 38%), não é porque esses conflitos tenham crescido *em número*. Como mostra a figura 6.12, os conflitos islâmicos mantiveram as mesmas taxas enquanto o resto do mundo ficou mais pacífico, no fenômeno que tenho chamado de Nova Paz.

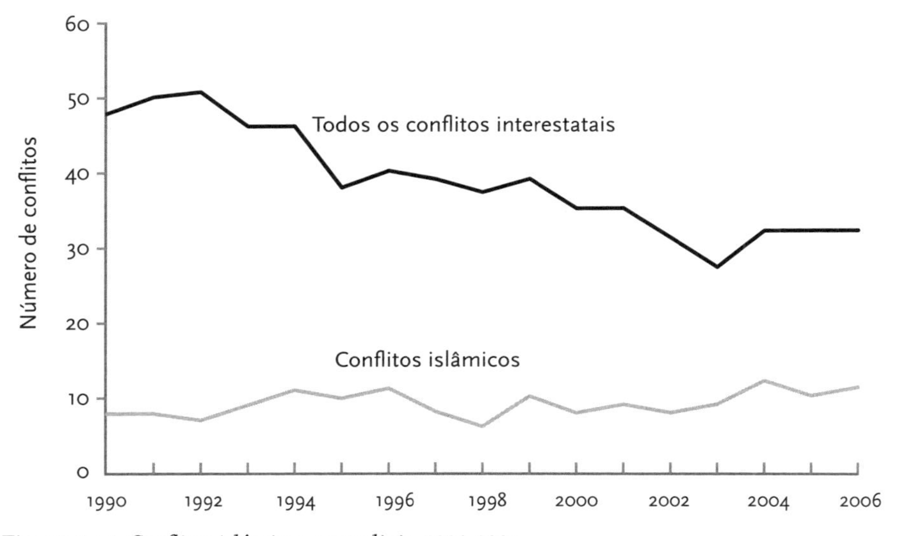

Figura 6.12. *Conflitos islâmicos e mundiais, 1990-2006.*
FONTE: Dados de Gleditsch, 2008. "Conflitos islâmicos" envolvem países muçulmanos ou movimentos oposicionistas islâmicos ou ambos. Dados reunidos por Halvard Buhaug, do banco de dados de conflitos do UCDP/Prio e de seu próprio acervo de conflitos islâmicos.

Mais importante, a totalidade do conceito de "civilização islâmica" presta um desserviço ao 1,3 bilhão de homens e mulheres que se autodenominam muçulmanos, vivendo em países tão diferentes como Mali, Nigéria, Marrocos, Turquia, Arábia Saudita, Bangladesh e Indonésia. E atravessando as divisões do mundo islâmico em continentes há uma outra fratura que é ainda mais crítica. Os ocidentais tendem a conhecer os muçulmanos através de dois exemplares dúbios: os fanáticos que cavam manchetes com suas *fatwas* e jihads, e de outro lado os autocratas amaldiçoados pelo petróleo, que os dominam. As crenças da maioria até agora silenciosa (e frequentemente reduzida ao silêncio) fornecem uma reduzida contribuição a nossos estereótipos. Pode 1,3 bilhão de muçulmanos realmente permanecer alheio à corrente liberalizante que varreu o resto do mundo nas últimas décadas?

Parte da resposta pode ser encontrada em uma vasta pesquisa Gallup conduzida entre 2001 e 2007 sobre as atitudes dos muçulmanos de 35 países, representando 90% da população islâmica do mundo.[259] Os resultados confirmam que muitos Estados islâmicos tão cedo não vão se transformar em democracias secular-liberais. Maiorias de muçulmanos no Egito, Paquistão, Jordânia e Bangladesh disseram aos pesquisadores que a charia, os princípios que sustentam a lei islâmica, deveria ser a única fonte legisladora desses países, e maiorias em grande parte dos países disseram que ela deveria ser pelo menos uma das fontes. Por outro lado, a maioria dos americanos acredita que a Bíblia deveria ser uma das fontes da legislação, e presumivelmente isso não significa que as pessoas que trabalham aos domingos devam ser apedrejadas até a morte. A religião se alimenta de alegorias, compromissos emocionais com textos que ninguém lê e outras formas de hipocrisia benigna. Como o compromisso dos estadunidenses com a Bíblia, também o compromisso de muitos muçulmanos com a charia é mais uma filiação simbólica a atitudes morais que eles associam ao melhor de sua cultura, e não um desejo ao pé da letra de ver adúlteras apedrejadas até a morte. Na prática, leituras criativas e oportunas da charia com fins liberais frequentemente prevaleceram sobre as leituras opressivas do fundamentalismo. (A mulher nigeriana, por exemplo, nunca foi executada.) Presume-se que é por isso que muitos muçulmanos não enxergam contradição entre a charia e a democracia. Ademais, a despeito da afeição professada pela charia, uma vasta maioria acredita que os líderes religiosos não deveriam ter um papel direto na redação da Constituição de seus países.

Embora a maioria dos muçulmanos desconfie dos Estados Unidos, isso pode não representar uma animosidade geral contra o Ocidente ou uma hostilidade aos princípios democráticos. Muitos muçulmanos sentem que os Estados Unidos *não querem* difundir a democracia no mundo islâmico, e marcam um tento: os Estados Unidos, afinal, apoiaram os regimes autocráticos no Egito, Jordânia, Kuwait e Arábia Saudita, rejeitaram a eleição do Hamas nos territórios palestinos e, em 1953, ajudaram a derrubar Mossadegh, democraticamente eleito no Irã. A França e a Alemanha têm imagem mais favorável, e de 20% a 40% dizem admirar "o sistema político equitativo, o respeito pelos valores humanos, pela liberdade e igualdade" na cultura ocidental. Mais de 90% garantiriam a liberdade de expressão na Constituição de seus países, e uma vasta parcela também apoia a liberdade de religião e de reunião. Em todos os maiores países muçulmanos, substanciais maiorias, em ambos os sexos, dizem que se deveria permitir que as mulheres votassem sem a influência dos homens, trabalhassem em qualquer profissão, desfrutassem dos mesmos direitos dos homens e ocupassem as mais altas esferas do governo. E, como vimos, esmagadoras maiorias no mundo muçulmano repudiam a violência da Al-Qaeda. Apenas 7% dos entrevistados pelo Gallup aprovaram os ataques do Onze de Setembro, e isso foi antes da popularidade da Al-Qaeda despencar em 2007.

O que dizer da mobilização em torno da violência política? Uma equipe da Universidade de Maryland examinou os objetivos de 102 organizações muçulmanas de base na África do Norte e no Oriente Médio, estabelecendo que entre 1985 e 2004 a proporção de organizações que endossam a violência tombou de 54% para 14%.[260] A parcela comprometida com protestos contra a violência triplicou, e aquela engajada na política eleitoral dobrou. Essas mudanças ajudaram a empurrar para baixo a curva das mortes por terrorismo mostrada na figura 6.11 e se refletem nas manchetes, com muito menos violência terrorista no Egito e na Argélia diante do que líamos alguns anos atrás.

A insularidade islâmica também está sendo socavada por uma bateria de forças liberalizantes: redes noticiosas independentes como a Al-Jazeera; campi de universidades americanas nos Estados do Golfo; a penetração da internet, inclusive os sites de relacionamento social; as tentações da economia global; e a pressão pelos direitos das mulheres provenientes da demanda interna represada, de organizações não governamentais e dos aliados no Ocidente. Talvez os ideólogos conservadores resistam a essas forças e mantenham suas sociedades na Idade Média para sempre. Mas talvez não.

No início de 2011, quando este livro ia para o prelo, um grande movimento de protesto depôs os líderes da Tunísia e do Egito e ameaçava os regimes na Jordânia, Bahrein, Líbia, Síria e Iêmen. O desfecho é imprevisível, mas os manifestantes têm sido quase inteiramente não violentos e não islamistas, e animados pelo desejo de democracia, governo eficaz e vitalidade econômica em vez da jihad global, da restauração do califado ou da morte aos infiéis. Mesmo com todos esses ventos de mudança, é concebível que um tirano islamista ou um grupo revolucionário radical possa arrastar as massas involuntariamente para uma guerra cataclísmica. Porém parece mais provável que a "guerra a caminho com o islã" jamais chegará. As nações islâmicas dificilmente se uniriam em um desafio ao Ocidente: elas são demasiadamente diversificadas, e não alimentam uma inimizade de proporções civilizacionais contra nós. Alguns países muçulmanos, como Turquia, Indonésia e Malásia, estão até a caminho de se tornar democracias positivamente liberais. Algumas outras continuarão a ser dominadas por filhos da puta, mas serão filhos da puta nossos. Algumas tentarão se confundir com o paradoxo de uma democracia da charia. Nenhuma parece inclinada a ser governada pela ideologia da Al-Qaeda. Isso deixa três perigos razoavelmente previsíveis para a Nova Paz: o terrorismo nuclear, o regime no Irã e uma mudança climática.

Embora o terrorismo convencional seja, como John Kerry inadvertidamente confessou, mais um incômodo a ser policiado do que algo que ameace o essencial de nossas vidas, o terrorismo com artefatos de destruição em massa poderia ser algo inteiramente distinto. A perspectiva de um ataque que mataria milhões de pessoas não é apenas teoricamente possível, mas coerente com as estatísticas do terrorismo. Os cientistas da computação Aaron Clauset e Maxwell Young e o cientista político Kristian Gleditsch tabularam os índices de mortes em 11 mil ataques terroristas em uma representação logarítmica e viram o gráfico tombar em uma nítida linha reta.[261] Os ataques terroristas obedecem a uma lei de potência, significando que são gerados por mecanismos que produzem eventos extremamente improváveis, mas não astronomicamente improváveis.

O trio de autores sugeriu um modelo simples que é um pouco parecido com o que Jean-Baptiste Michel e eu propusemos para as guerras, recorrendo a algo tão pouco sofisticado como uma combinação de exponenciais. Se os terroristas investem mais tempo em planejar seu ataque, o saldo de mortes pode crescer exponencialmente: um complô que leva o dobro de tempo para ser planejado pode matar, digamos, quatro vezes mais gente. Para ser concreto, um ataque cometido por um único homem-bomba, que ordinariamente produz mortes na escala de um único dígito, pode ser planejado em alguns dias ou semanas. As bombas nos trens de Madri em 2004, que mataram em torno de duzentas pessoas, consumiram seis meses de planejamento; e o Onze de Setembro, que matou 3 mil, exigiu dois anos.[262] Mas os terroristas vivem em um tempo emprestado: cada dia que a conspiração exige acarreta a possibilidade de que ele seja truncado, abortado ou executado prematuramente. Caso a probabilidade se mantenha constante, as durações do plano se distribuirão exponencialmente. (Cronin, lembremos, mostrou que as organizações terroristas caem como moscas ao longo do tempo, decaindo.) Combine um dano exponencialmente crescente com uma chance de êxito exponencialmente decrescente e você terá uma lei de potência, com sua cauda desconcertantemente grossa. Dada a presença de artefatos de destruição em massa no mundo real, e de fanáticos religiosos empenhados em provocar danos nunca vistos por uma causa maior, uma conspiração prolongada que produza uma pavorosa soma de mortes é algo que se encontra no reino das possibilidades concebíveis.

Um modelo estatístico, naturalmente, não é uma bola de cristal. Mesmo que pudéssemos extrapolar a linha dos dados existentes, ataques terroristas em massa dessa dimensão são extremamente (ainda que não astronomicamente) improváveis. Mais especificamente, *não podemos* extrapolar os dados. Na prática, quando você obtém a cauda de uma distribuição seguindo a lei de potência, os pontos começam a fugir ao controle, ora se espalhando em torno da linha, ora despencando para probabilidades extremamente reduzidas. O espectro estatístico do dano causado pelo terrorismo adverte-nos para não descartarmos os piores cenários, mas não nos informa qual é sua probabilidade.

Então, qual é a probabilidade? O que você acha das chances de que nos próximos cinco anos um dos seguintes cenários se apresentem? (1) Um dos chefes de Estado de um grande país em desenvolvimento ser assassinado. (2) Um artefato nuclear ser deflagrado em uma guerra ou ato terrorista. (3) Venezuela e Cuba somarem esforços para apoiar movimentos insurrecionais marxistas em um ou mais países latino-americanos. (4) O Irã fornecer armas nucleares a um grupo terrorista que as usará contra Israel ou os Estados Unidos. (5) A França desistir de seu arsenal atômico.

Apresentei quinze desses cenários para 177 internautas em uma mesma página da web e pedi-lhes que calculassem as possibilidades de cada um. A estimativa média de que uma bomba nuclear fosse deflagrada (cenário 2) foi de 0,20; a estimativa média de que uma bomba nuclear fosse usada contra os Estados Unidos ou Israel por um grupo terrorista que a obtivesse do Irã (cenário 4) foi de 0,25. Cerca da metade dos indagados respondeu que o último cenário era mais provável que o primeiro. E, ao fazê-lo, eles cometeram um erro elementar na matemática das probabilidades. A probabilidade de uma conjugação de eventos (ambos, A e B, ocorrerem) não pode ser maior que a probabilidade de um ou o outro ocorrerem. A probabilidade de você tirar um valete de copas no baralho tem de ser mais baixa que a probabilidade de tirar um valete, pois há valetes que podem ser tirados e não são de copas.

Contudo, Tversky e Kahneman demonstraram que em sua maioria as pessoas, inclusive estatísticos e pesquisadores médicos, ordinariamente cometem o erro.[263] Considere o caso de Bill, um homem de 34 anos, inteligente mas também pouco imaginativo, compulsivo e um tanto apático. Na escola, ele era bom em matemática, mas medíocre em artes e humanidades. Quais são as chances de Bill tocar jazz ao saxofone? Quais são as chances de ele ser o contador de alguém toca jazz ao saxofone? Muita gente atribuirá maiores chances à segunda possibilidade, porém a escolha não faz sentido, pois existem menos contadores de saxofonistas do que saxofonistas. Ao julgar probabilidades, as pessoas se apegam mais à vivacidade de sua imaginação em lugar de raciocinarem conforme as leis. Bill representa o estereótipo de um contador, mas não o de um saxofonista, e nossa intuição acompanha o estereótipo.

A falácia da conjunção, como os psicólogos a denominam, infecta muitos tipos de raciocínio. Um júri é mais propenso a acreditar que um homem com negócios nebulosos matou um empregado para evitar que este o denunciasse à polícia do que a acreditar que ele matou o empregado. (Advogados criminais viajam nessa falácia, acrescentando detalhes conjecturais ao cenário de modo que ele pareça mais palpável ao júri, mesmo quando cada detalhe adicional, falando matematicamente, torna a hipótese *menos* provável.) Analistas profissionais atribuem maior probabilidade a uma previsão implausível quando esta é associada a uma causa plausível (o preço do petróleo vai subir, levando o consumo de petróleo a diminuir) do que quando a mesma previsão é apresentada isoladamente (o consumo de petróleo vai diminuir).[264] E as pessoas se dispõem a pagar mais por um seguro de viagem aérea contra terrorismo do que por um seguro de viagem aérea contra outros riscos.[265]

Você pode deduzir aonde quero chegar. O cinema mental de um grupo terrorista islamista comprando uma bomba no mercado negro ou obtendo-a de um Estado fora da lei e explodindo-a em uma área populosa é fácil demais de ser exibido em nossa tela mental. Mesmo que não o fosse, a indústria do entretenimento já o exibiu para nós em filmes de terrorismo nuclear como *True Lies*, *A soma de todos os medos* e *24*. A narrativa é tão fascinante que somos capazes de atribuir-lhe uma maior probabilidade do que caso sopesássemos todos os passos que conduziriam à consumação do desastre, multiplicando sua probabilidade. Eis por que muitos dos participantes de minha pesquisa avaliaram que um ataque nuclear terrorista apoiado pelo Irã seria mais provável do que um ataque nuclear. A questão não é que o terrorismo nuclear seja impossível ou mesmo astronomicamente improvável. É apenas que a probabilidade atribuída a ele por uma pessoa qualquer tende a ser muito maior do que indicaria uma análise de riscos metódica.

O que quero dizer com "muito maior"? "Com certeza" e "o mais provável é que não" me parecem "muito maior". O físico Theodore Taylor declarou em 1974 que em 1990 seria tarde demais para evitar que terroristas empreendessem um ataque nuclear.[266] Em 1995 o mais mundialmente célebre ativista contra o risco de terrorismo nuclear, Graham Allison, escreveu que, nas circunstâncias prevalecentes, um ataque nuclear contra alvos americanos seria provável antes que terminasse a década.[267] Em 1998 o especialista em contraterrorismo Richard Falkenrath escreveu que "é certo que mais e mais atores não estatais se capacitarão a adquirir e usar artefatos nucleares, biológicos e químicos".[268] Em 2003 o embaixador dos Estados Unidos na ONU, John Negroponte, julgou que havia "alta probabilidade" de um ataque com uma arma de destruição em massa em um prazo de dois anos. E em 2007 o físico Richard Garwin calculou que a chance de um ataque nuclear terrorista era de 20% ao ano, ou cerca de 50% até 2010 e quase 90% em uma década.[269]

Tal como os apresentadores da previsão do tempo na TV, os experts, políticos e peritos em terrorismo têm todos os estímulos para enfatizar o pior dos cenários. Indubitavelmente é sábio atemorizar os governos para que tomem medidas suplementares que bloqueiem o acesso a armas e material físsil, enquanto monitoram e infiltram os grupos que podem ser tentados a adquiri-los. Nesse caso, superestimar o risco é mais seguro que subestimá-lo — embora só até certo ponto, como provou a custosa invasão do Iraque em busca de inexistentes artefatos de destruição em massa. A reputação profissional dos experts tem se provado imune a previsões de desastres que nunca acontecem, mas quase ninguém gostaria de correr o risco, dar o sinal de que o perigo passou e acabar com um ovo radioativo em sua face.[270]

Uns poucos destemidos analistas, como Mueller, John Parachini e Michael Levi, assumiram a responsabilidade de examinar os cenários de desastre componente por componente.[271] Para começar, entre os quatro chamados artefatos de destruição em massa existem três que são muito menos maciçamente destrutivos do que os bons, embora antiquados, explosivos.[272] Bombas radioativas ou "sujas", que são explosivos convencionais envoltos em material radioativo (obtido, por exemplo, de resíduos hospitalares), renderiam apenas elevações menores e efêmeros aumentos de radiação, comparáveis a viajar para uma cidade com altitude maior. As armas químicas, a menos que sejam detonadas em um espaço fechado, como um metrô (onde mesmo assim não causariam tanto dano como explosivos convencionais), se dissipam rapidamente, dissolvem-se no vento e se decompõem quando expostas à luz solar. (Lembremos que o gás venenoso foi responsável por uma pequena fração das baixas na Primeira Guerra Mundial.) As armas biológicas capazes de causar epidemias teriam um custo proibitivo para serem desenvolvidas e produzidas, além do perigo para os típicos laboratórios amadores e improvisados que as desenvolveriam. Não é de admirar que as armas biológicas e químicas, embora muito mais acessíveis que as nucleares, tenham sido usadas em apenas três ataques terroristas em trinta anos.[273] Em 1984, o culto religioso Rajneeshee contaminou a salada dos restaurantes de uma cidade do Oregon com salmonela, intoxicando 751 pessoas sem matar ninguém. Em 1990, os Tigres Tâmeis ficaram sem munição ao atacar um forte e abriram alguns cilindros de cloro que encontraram em uma fábrica de papel nas proximidades, ferindo sessenta sem matar ninguém, até que o gás flutuou na direção deles e os convenceu a nunca mais tentar aquilo. O culto religioso japonês Aum Shinrikyo fracassou em dez tentativas de usar armas biológicas antes de liberar gás sarin no metrô de Tóquio, matando doze. Um quarto ataque, as correspondências contaminadas com antraz em 2001, que mataram cinco americanos em escritórios da mídia e órgãos governamentais, terminou se revelando um assassinato em massa e não um ato de terrorismo.

Na verdade, são apenas as armas atômicas que merecem a designação de artefatos de destruição em massa. Mueller e Parachini verificaram os diversos relatórios indicando que terroristas estavam "a um passo" de obter uma bomba nuclear; concluíram que todos eram apócrifos. Informações sobre "interesse" em encomendar as armas no mercado negro foram inflados em relatos de negociações efetivas, esboços genéricos convertidos em planos detalhados e indícios frágeis (como os tubos de alumínio comprados pelo Iraque em 2001) foram abusivamente interpretados como sinais de um projeto em andamento.

Cada um dos caminhos para o terrorismo nuclear, quando examinado cuidadosamente, revela incontáveis implausibilidades. Pode ter existido uma janela de vulnerabilidade na guarda das armas nucleares na Rússia, porém atualmente a maioria dos experts concorda que ela foi fechada e que não há bombas atômicas perdidas sendo barganhadas em uma feira livre atômica. Stephen Younger, ex-diretor de pesquisa de armas nucleares do Los Alamos National Laboratory, disse: "Independentemente do que seja dito à imprensa, qualquer nação nuclear leva muito a sério a segurança de seus artefatos".[274] A Rússia tem um forte interesse em manter suas armas fora do alcance dos tchetchenos e outros grupos étnicos separatistas. E o Paquistão preocupa-se, com razão, com sua arqui-inimiga, a Al-Qaeda. Ao contrário dos rumores, os especialistas consideram essencialmente nula a possibilidade de o governo e as Forças Armadas do Paquistão caírem sob o controle de islamistas extremistas.[275] Armas nucleares têm fechaduras complexas destinadas a impedir um deslocamento não autorizado, e a maior parte delas se converte em "ferro-velho radioativo" caso não receba manutenção.[276] Por essas razões, a 47ª sessão da Cúpula de Segurança Nuclear, convocada por Barack Obama em 2010 para prevenir o terrorismo atômico, concentrou-se na segurança do material físsil, por exemplo o plutônio e o urânio altamente enriquecido, em vez da de armas prontas.

Os perigos de materiais físseis roubados são reais, e as medidas recomendadas na cúpula são obviamente sagazes, responsáveis e atrasadas. Contudo, não seria o caso de se deixar arrebatar pela visão de bombas atômicas de fundo de quintal, a ponto de achar que elas são inevitáveis ou mesmo extremamente prováveis. As salvaguardas que estão em vigor ou o estarão em breve tornarão o material físsil difícil de roubar ou transportar às escondidas, e caso haja uma perda desencadearia uma caçada humana internacional. Moldar uma arma nuclear que funcione requer engenharia de precisão e técnicas de fabrico bem acima da capacidade de amadores. A Comissão Gilmore, que assessora o presidente e o Congresso sobre terrorismo com armas de destruição em massa, chamou o desafio de "hercúleo", e Allison descreveu os artefatos como "grandes, incômodos, inseguros, indignos de confiança, imprevisíveis e ineficientes".[277] Além disso, a via para se chegar ao material, às instalações e aos especialistas requeridos está minada por riscos de detecção, traição, melindres, asneiras e azar. Em seu livro *On Nuclear Terrorism*, Levi assinala todas as coisas que teriam de dar certo para um ataque nuclear terrorista ter êxito, observando "a lei de Murphy do terrorismo nuclear: o que tem chances de dar errado pode dar errado".[278] Mueller enumera vinte obstáculos no caminho e comenta que, mesmo que um grupo terrorista tiver uma chance meio a meio de ultrapassar cada um deles, a soma das chances de êxito seria de uma em 1 milhão. Levi encara a sequência pela outra extremidade, estimando que, mesmo que o caminho contivesse apenas dez obstáculos e a probabilidade de removê-lo fosse de 80%, a soma das chances de êxito seria de uma em dez. Essas não são nossas chances de nos convertermos em vítimas. Ao pesar suas opções, mesmo partindo de aproximações enormemente otimistas, um grupo terrorista poderá muito bem concluir da sequência de obstáculos que ele faria melhor em aplicar seus recursos em projetos com uma maior chance de êxito. Nada disso, não custa repetir, significa que o terrorismo nuclear é impossível, apenas que não é tampouco, como muita gente insiste, iminente, inevitável ou altamente provável.

Caso os experts de costume mereçam crédito, no momento em que você ler estas palavras a Nova Paz já terá sido estilhaçada por uma grande guerra, talvez nuclear, com o Irã. No momento em que escrevo, estão em alta as tensões em torno do programa de energia nuclear daquele país. O Irã está atualmente enriquecendo urânio suficiente para fabricar um arsenal nuclear, e desafiou as solicitações internacionais de permissão para inspeções e de cumprimento de outras disposições do Tratado de Não Proliferação Nuclear. O presidente do Irã, Mahmoud Ahmadinejad, zomba dos líderes ocidentais, apoia grupos terroristas, acusa os Estados Unidos de terem orquestrado os ataques do Onze de Setembro, nega o Holocausto, pede que Israel seja "apagado do mapa" e ora pelo retorno do 12º imame, o salvador muçulmano que abriria uma era de paz e justiça. Em algumas interpretações do islã xiita, esse messias apareceria depois de uma erupção de guerra e caos de proporções mundiais.

Tudo isso é desconcertante, para dizer o mínimo, e muitos escritores concluíram que Ahmadinejad é um novo Hitler, que brevemente desenvolverá armas nucleares e as usará em Israel ou as fornecerá ao Hezbollah para que ele o faça. Mesmo nos cenários menos graves, ele chantagearia o Oriente Médio para que aceitasse uma hegemonia iraniana. A perspectiva pode não deixar a Israel ou aos Estados Unidos outra alternativa exceto bombardear preventivamente as instalações nucleares do Irã, mesmo que isso acarrete anos de guerra e terrorismo em resposta. Em 2009, um editorial do *Washington Times* especificou: "A guerra com o Irã já é inevitável. A única pergunta é: vai ocorrer mais cedo ou mais tarde?".[279]

O arrepiante cenário de um ataque nuclear por parte de fanáticos iranianos é certamente possível. Mas será *inevitável*, ou mesmo altamente provável? É preciso ser alguém tão arrogante como Ahmadinejad, e tão cínico quanto a seus motivos, para imaginar alternativas tão nefastas para o futuro do mundo. John Mueller, Thomas Schelling e muitos outros analistas de relações internacionais imaginaram essas alternativas para nós e concluíram que o programa nuclear iraniano não é o fim do mundo.[280]

O Irã é signatário do Tratado de Não Proliferação de Armas Nucleares, e Ahmadinejad tem declarado repetidamente que o programa nuclear iraniano destina-se unicamente a fins de energia e pesquisa médica. Em 2005, o líder supremo Khomeini (que concentra mais poder que Ahmadinejad) emitiu uma *fatwa* declarando que o islã proíbe armas nucleares.[281] Caso o governo siga adiante e desenvolva as armas de qualquer maneira, não será a primeira vez na história que líderes nacionais mentem descaradamente. Mas, como o Irã se posicionou assim, a possibilidade de perder toda credibilidade aos olhos do mundo (inclusive de potências fundamentais das quais depende, como a Rússia, a China, a Turquia e o Brasil) pode ao menos gerar uma hesitação.

As reflexões de Ahmadinejad sobre o advento do 12º imame não significam necessariamente que ele planeje apressá-lo com um holocausto nuclear. Dois dos prazos fatais que escritores previram peremptoriamente para ele desencadear o apocalipse, 2007 e 2009, já chegaram e se foram.[282] E, quanto ao que interessa, eis como ele explicou suas crenças em uma entrevista gravada em 2009 para a correspondente da NBC Ann Curry:

> *Ann Curry*: O senhor disse acreditar que sua chegada, o apocalipse, aconteceria durante sua vida. O que acredita que o senhor poderia fazer para apressar sua chegada?

> *Ahmadinejad*: Eu nunca disse tal coisa [...]. Eu estava falando sobre a paz [...]. O que está sendo dito sobre uma guerra apocalíptica — uma guerra global, coisas dessa natureza. Isso é do que os sionistas estão reclamando. O imame [...] virá com a lógica, com a cultura, com a ciência. Ele virá de modo que não haja mais guerra. Não mais a inimizade, o ódio. Não há mais conflito. Ele chamará todos a integrar um amor fraterno. Claro, ele retornará com Jesus Cristo. Os dois voltarão juntos. E, trabalhando juntos, encherão este mundo de amor. As histórias que foram disseminadas pelo mundo sobre guerra extensiva, guerras apocalípticas e assim por diante são falsas.[283]

Como ateu judeu, não posso dizer que considero essas declarações completamente reconfortantes. Porém, com as diferenças óbvias, elas não são muito distintas das feitas por devotos cristãos; são até mais brandas, já que muitos cristãos acreditam em uma guerra apocalíptica e já fantasiaram a respeito em best-sellers de ficção. Quanto ao discurso contendo a frase que foi traduzida como "apagar Israel do mapa", o escritor Ethan Bronner, do *New York Times*, consultou tradutores do persa e analistas da retórica do governo iraniano sobre o sentido da frase em seu contexto, e eles foram unânimes em dizer que Ahmadinejad sonhava acordado com uma mudança de regime a longo prazo, e não com um genocídio nos próximos dias.[284] O perigo de traduções bombásticas de outras línguas traz à mente a bazófia de Krushchóv, "vamos enterrar vocês", que afinal queria dizer "vamos sobreviver a" e não "vamos sepultar".

Existe uma alternativa parcimoniosa para o comportamento iraniano. Em 2002, George W. Bush identificou o Iraque, a Coreia do Norte e o Irã como o "eixo do mal", e em seguida invadiu o Iraque e depôs sua liderança. Os líderes norte-coreanos tomaram nota do recado e rapidamente desenvolveram sua capacidade nuclear, que (conforme eles sem dúvida anteciparam) pôs um fim a todos os devaneios sobre uma invasão também de seu país pelos Estados Unidos. Pouco tempo depois o Irã pôs seu programa nuclear para funcionar em alta velocidade, com a intenção de criar uma ambiguidade sobre se ele possuía armas nucleares, ou poderia fabricá-las rapidamente, o bastante para afastar qualquer ideia de invasão da mente do Grande Satã.

Caso o Irã se converta em uma potência nuclear confirmada ou suspeita, a história da era atômica sugere que a consequência mais provável será nenhuma. Como já vimos, armas nucleares mostraram não servir para coisa alguma exceto a dissuasão ante o risco de aniquilamento, motivo pelo qual potências nucleares têm sido repetidamente desafiadas por seus adversários não nucleares. O mais recente episódio de proliferação testemunha isso. Em 2004, era comum prever que a Coreia do Norte ia adquirir capacidade nuclear e então, em torno do fim da década, a partilharia com terroristas e iniciaria uma corrida armamentista atômica com a Coreia do Sul, o Japão e Taiwan.[285] Na realidade, a Coreia do Norte alcançou a capacidade nuclear, o fim da década chegou e se foi, sem que nada acontecesse. Também é improvável que qualquer nação forneça munição nuclear para os precários canhões de um bando terrorista, entregando assim o controle sobre como ela seria usada enquanto o doador teria de arcar com as consequências.[286]

No caso iraniano, antes de Teerã decidir bombardear Israel (ou autorizar o Hezbollah a fazê-lo em uma coincidência incriminatória), sem nenhuma vantagem concebível para si, seus líderes teriam de antecipar uma represália nuclear por parte de comandos israelenses, que podem concorrer com o Irã em matéria de cabeça quente, paralelamente a uma invasão por parte de uma coalizão de potências encolerizadas com a violação do tabu nuclear. Embora o regime seja detestável e em vários sentidos irracional, é duvidoso se seus cabeças sejam tão indiferentes à continuidade de seu domínio a ponto de escolher o autoaniquilamento na busca da perfeita justiça em uma Palestina radioativa, ou da chegada do 12º imame, com ou sem Jesus a seu lado. Como perguntou Thomas Schelling, em sua conferência de 2005 por motivo do Prêmio Nobel:

> O que pode o Irã alcançar com umas tantas ogivas nucleares, exceto possivelmente a destruição de seu próprio sistema? Armas nucleares devem ser preciosas demais para se dar de presente ou vender, preciosas demais para desperdiçar matando gente quando elas podem, mantidas como reserva, fazer com que os Estados Unidos, ou a Rússia, ou qualquer outro país hesite ao considerar uma ação militar.[287]

Embora possa parecer perigoso considerar alternativas para o pior dos cenários, os riscos existem nos dois sentidos. No outono de 2002, George W. Bush advertiu a nação: "Os Estados Unidos não devem ignorar a ameaça que se acumula contra nós. Diante de claros indícios do perigo, não podemos esperar pela prova final — inequívoca —, que pode vir sob a forma de um cogumelo atômico". Os "claros indícios" levaram a uma guerra que custou mais de uma centena de milhar de vidas e mais de 1 trilhão de dólares, e que não deixou o mundo mais seguro. Uma absoluta certeza de que o Irã usará armas nucleares, desafiando os 65 anos de história em que previsões autoritárias de inevitáveis catástrofes se mostraram repetidamente erradas, pode levar a aventuras com custos ainda maiores.

Em nossos dias outro cenário lúgubre está na mente das pessoas. A temperatura global está subindo, o que nas próximas décadas pode levar a uma elevação do nível dos mares, à desertificação, secas em algumas regiões e inundações e furacões em outras. A economia será perturbada, levando a uma competição por recursos, e as populações migrarão das regiões em dificuldade, conduzindo a atritos com seus inospitaleiros anfitriões. Em 2007 uma coluna de opinião no *New York Times* advertia:

> O estresse climático pode muito bem representar um desafio à segurança internacional tão perigoso — e mais refratário — quanto a corrida armamentista entre os Estados Unidos e a União Soviética durante a Guerra Fria ou a proliferação de armas nucleares em Estados fora da lei atualmente.[288]

No mesmo ano Al Gore e o Painel Intergovernamental sobre Mudanças Climáticas eram agraciados com o Prêmio Nobel da Paz por seu chamamento à ação contra o aquecimento global, pois, conforme a citação, a mudança climática é uma ameaça à segurança internacional. Um medo crescente se apodera de todos. Chamando o aquecimento global de "um multiplicador forçoso da instabilidade", um grupo de oficiais do Exército escreveu que "a mudança climática vai proporcionar condições que estenderão a guerra ao terror".[289]

Parece-me que, mais uma vez, a resposta apropriada é "pode ser, mas pode ser que não". Embora a mudança climática possa causar muita miséria e precise ser mitigada por esta única razão, ela não levará obrigatoriamente a conflitos armados. Os cientistas políticos que acompanham a guerra e a paz, como Halvard Buhaug, Idean Salehyan, Ole Theisen e Nils Gleditsch, são céticos em relação à ideia popular de que as pessoas guerreiam por recursos escassos.[290] A fome e a carência de recursos são tragicamente comuns em países subsaarianos como Maláui, Zâmbia e Tanzânia, mas guerras que os envolvam, não. Furacões, enchentes, secas e tsunamis (como o desastre no oceano Índico em 2004) geralmente não conduzem a conflitos armados. A tempestade de areia americana em 1930, para tomar outro exemplo, causou muitas privações, mas não guerra civil. E, embora a temperatura esteja subindo constantemente na África nos últimos quinze anos, as guerras civis e as mortes em guerras estão recuando. Pressões por acesso à terra e a fontes d'água podem por certo causar escaramuças locais, mas uma genuína guerra exige que as forças hostis estejam organizadas e armadas, e isso depende mais da influência de maus governos, economias fechadas e ideologias militantes do que da reduzida oferta de terra e água. Certamente qualquer conexão com o terrorismo encontra-se na cabeça dos guerreiros do terror: terroristas tendem a ser homens da classe média baixa, não agricultores de subsistência.[291] Quanto ao genocídio, o governo sudanês julga conveniente atribuir a violência em Darfur à desertificação, distraindo o mundo do papel de Cartum ao tolerar ou encorajar a limpeza étnica.

Em uma análise de regressão sobre os conflitos armados entre 1980 e 1992, Theisen concluiu que o conflito era mais provável quando o país era pobre, populoso, politicamente instável e abundante em petróleo, mas não se ele sofrera secas, estiagens ou degradação de terras. (A severa degradação de terras teve um pequeno efeito.) Revendo análises que examinavam um amplo número (N) de países em vez de escolher um ou dois, ele concluiu: "Aqueles que preveem desgraças, devido a uma relação entre escassez de recursos e conflito, têm pouquíssimo apoio na literatura sobre o amplo número (N)". Salehyan acrescenta que avanços relativamente inexpressivos nas práticas de uso da água e na agricultura podem redundar em maciços incrementos de produtividade, em uma parcela de terra constante e até decrescente, e que um governo melhor pode mitigar o custo humano do dano ambiental, tal como acontece em democracias desenvolvidas. Como o estado do meio ambiente é quando muito um ingrediente e uma mistura, que depende muito mais de organização política e social, as guerras por recursos estão longe de ser inevitáveis mesmo em um mundo de clima modificado.

Nenhuma pessoa razoável profetizaria que a Nova Paz está para se tornar uma longa paz, para não falar de uma paz perpétua. Nas décadas futuras sem dúvida acontecerão guerras e ataques terroristas, possivelmente grandes. No topo dos conhecidos desconhecidos — islamismo militante, terroristas nucleares, degradação ambiental —, existem com certeza muitos desconhecidos desconhecidos. Talvez os líderes da China venham a decidir engolir Taiwan de uma vez por todas, ou a Rússia abocanhe uma ou duas ex-repúblicas soviéticas, provocando uma resposta americana. Talvez um chavismo agressivo venha a transbordar da Venezuela e incite insurgências marxistas e brutais contrainsurgências através do mundo em desenvolvimento. Talvez neste preciso momento os terroristas de algum movimento de libertação de quem ninguém ouviu falar estejam planejando um ataque de poder destrutivo sem precedentes, ou uma ideologia escatológica esteja fermentando na mente de um astuto fanático que tomará as rédeas de um grande país e mergulhará o mundo de novo na guerra. Como a analista de notícias Roseanne Roseannadanna observou no programa humorístico de TV *Saturday Night Live*, "sempre há alguma coisa. Se não é uma, é outra".

Mas é igualmente insensato deixar nossa sinistra imaginação determinar nosso senso de probabilidade. Pode ser sempre alguma coisa, mas pode ser menos dessas coisas, e as coisas que acontecem podem não ser tão ruins. Os números dizem-nos que a guerra, o genocídio e o terrorismo recuaram ao longo das duas últimas guerras — não para zero, mas bastante. Um modelo mental em que o mundo é uma alocação de violência constante, de modo que todo cessar-fogo reencarna alhures como uma nova guerra, e todo intervalo de paz é apenas um hiato para as tensões militares se recomporem e buscarem escapar, está em desacordo com os fatos. Milhões de pessoas estão vivas hoje graças às guerras civis e genocídios que não aconteceram, mas teriam acontecido caso o mundo permanecesse tal como era nas décadas de 1960, 1970 e 1980. As condições que favoreceram esse feliz resultado — democracia, prosperidade, governos decentes, tropas de paz, economias abertas e o declínio das ideologias desumanas — não são com certeza algo garantido para todo o sempre. Mas tampouco vão se desvanecer em uma noite.

É verdade que vivemos em um mundo perigoso. Como enfatizei, uma apreciação estatística da história mostra-nos que catástrofes violentas podem ser improváveis, mas não são astronomicamente improváveis. Contudo, isso pode ser dito de um modo mais esperançoso. Catástrofes violentas podem não ser astronomicamente improváveis, mas são improváveis.

7. As Revoluções por Direitos

Eu tenho um sonho de que um dia esta nação vai se levantar e viver o verdadeiro significado de sua crença: "Consideramos essas verdades autoevidentes: que todos os homens são criados iguais".

Martin Luther King Jr.

Quando menino, eu não era particularmente forte, veloz ou ágil, e isso fez dos esportes organizados um corredor polonês de indignidades. O basquete significava fazer uma série de arremessos na direção genérica da cesta. Uma escalada com cordas deixava-me suspenso um palmo acima do chão, como um tufo de algas marinhas preso numa linha de pesca. O beisebol significava longos intervalos no campo abrasado pelo sol, rezando para que nenhuma bola viesse voando para o meu lado.

Mas um talento salvou-me da completa marginalização diante de meus pares: eu não tinha medo da dor. Desde que os golpes fossem trocados honestamente e sem humilhação pessoal, eu podia brigar com o melhor entre eles. E a cultura da garotada, que florescia em um universo paralelo ao dos professores e monitores escolares, oferecia muitas oportunidades para que eu me redimisse.

Havia os apanhamentos de bola do hóquei e os agarramentos do futebol americano (sem capacete nem ombreiras), em que eu podia empurrar e ser empurrado, ou mergulhar em busca da bola no meio de uma barafunda de corpos. Havia o *murderball*, no qual um garoto se agarrava a uma bola de vôlei e contava os segundos enquanto os outros o socavam até que desistisse. Havia o "cavalo" (estritamente proibido pelos educadores, com certeza por aconselhamento de advogados), em que um garoto gorducho (o "travesseiro") ficava de costas para uma árvore, um parceiro de equipe enlaçava sua cintura e o resto do time se enfileirava de costas, em frente a ele, também segurando-lhe a cintura. Então cada jogador do time adversário tomava impulso e saltava nas costas do "cavalo", até que ele caísse por terra, ou suportasse os atacantes por três segundos. E à noite havia o "soco inglês", jogo de cartas proscrito no qual o perdedor era golpeado com o baralho nos nós dos dedos, com o número de golpes "de lado" ou "de quina" determinado pela contagem de pontos e regido por um complexo conjunto de normas regulando recuos, pancadas e excessos de força. As mães inspecionavam regularmente nossos dedos em busca de feridas e luxações incriminatórias.

Nada que fosse promovido por gente grande poderia ser comparado a esses delirantes prazeres. O mais perto que eles se aproximavam era o jogo de queimada, com o arrebatador caos de se esconder entre jogadores agressivos, esquivar-se de boladas, atirar-se no chão e brincar com a morte até o derradeiro e mortal impacto da bola de borracha de encontro à pele. Era o único esporte, no currículo orwellianamente denominado "educação física", em que eu podia realmente esperar alguma coisa.

Agora, porém, a classe dos garotos perdeu mais uma batalha na guerra de gerações com o corpo dos professores, monitores, psicólogos, advogados e mães. Os distritos escolares, uns após outros, *baniram o jogo de queimada*. Uma determinação da National Association for Sport and Physical Education [Associação Nacional de Esporte e Educação Física] (Naspe), que só pode ter sido escrita por alguém que nunca foi menino, e possivelmente nunca se encontrou com um, explicou o motivo:

> A Naspe acredita que o jogo de queimada não é uma atividade apropriada para programas de educação física no ensino fundamental e médio. Algumas crianças — as mais ágeis, mais confiantes — podem gostar dele. Mas muitas não gostam!

Certamente não os estudantes que são pesadamente atingidos no estômago, na cabeça ou na virilha. Além do mais, não é adequado ensinar a nossas crianças que vence quem machuca os outros.

Sim, o destino do jogo de queimada é também um indício do declínio histórico da violência. A violência recreativa tem uma longa sequência de antepassados em nossa genealogia. Brigas de brincadeira são corriqueiras entre jovens primatas machos, e nos seres humanos a disposição para jogos de luta é uma das mais fortes diferenças sexuais.[1] A canalização desses impulsos para esportes radicais tem sido comum através das culturas e ao longo da história. Juntamente com os combates de gladiadores romanos e os torneios de justas medievais, a sangrenta história dos esportes inclui duelos com estacas aguçadas na Veneza renascentista (onde fidalgos e sacerdotes se somariam ao divertimento), o passatempo dos índios sioux em que garotos buscam agarrar o oponente pelo cabelo e pelo joelho, e a seguir no rosto, o estilo de luta irlandês com robustos bastões de carvalho chamados *shillelaghs*, o esporte do *shin-kicking* (chuta--canela), popular no sul dos Estados Unidos durante o século XIX, no qual os contendores se agarravam pelos ombros e trocavam pontapés nas tíbias até que um deles tombasse, e as muitas formas de luta com as mãos nuas, cujas principais táticas podem ser deduzidas das regras atuais do boxe (vedando os golpes na cabeça, abaixo da cintura e assim por diante).[2]

Mas no último meio século o movimento tem sido francamente contrário à garotada de todas as idades. Embora as pessoas nem de longe tenham perdido seu gosto pelo consumo de violência simulada e voluntária, arquitetaram a vida social de modo a pôr fora de alcance os gêneros mais tentadores de violência na vida real. Isso faz parte de uma tendência em que a cultura ocidental vem estendendo mais e mais sua repugnância pela violência. O repúdio do pós-guerra a formas de violência que matam aos milhões ou aos milhares, tais como a guerra e o genocídio, expandiu-se para as formas que matam às centenas, dezenas ou menos que isso, como no caso dos motins, linchamentos e crimes de ódio. Estendeu-se dos crimes de morte para outras modalidades tais como estupros, agressões, espancamentos e intimidações. Ampliou-se para as categorias de vítimas vulneráveis, que em outros tempos ficavam à margem do círculo de proteção, tais como minorias raciais, mulheres, crianças, homossexuais e animais. O banimento do jogo de queimada é um indicativo desses ventos de mudança.

Os esforços para estigmatizar, e em muitos casos criminalizar, impulsos para a violência têm fomentado uma enxurrada de campanhas por "direitos": direitos civis, direitos da mulher, direitos da criança, direitos dos gays e direitos dos animais. Tais movimentos se concentram densamente na segunda metade do século XX, e passarei a referir-me a eles como as Revoluções por Direitos. O contágio dos direitos nesta era pode ser visualizado na figura 7.1, que exibe a proporção de livros em língua inglesa contendo as expressões "direitos civis", "direitos da mulher", "direitos da criança", "direitos dos gays" e "direitos dos animais", entre 1948 (ano que inaugurou simbolicamente a era, com a adoção da Declaração Universal dos Direitos Humanos) e 2000.

No início do período, os termos "direitos civis" e "direitos da mulher" já figuravam, pois correspondiam a ideias presentes na consciência nacional desde o século XIX. Os *direitos civis* emergiram entre 1962 e 1969, a era das mais dramáticas

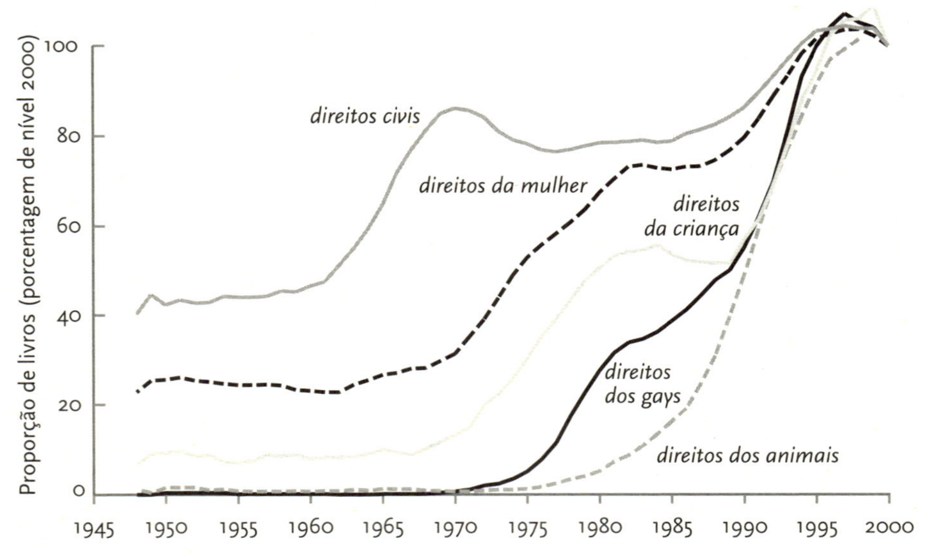

Figura 7.1. *Uso das expressões "direitos civis", "direitos da mulher", "direitos da criança", "direitos dos gays" e "direitos dos animais" nos livros de língua inglesa, 1948-2000.*

FONTES: Cinco milhões de livros digitalizados pelo Google Books, analisados pelo Bookworm Program, Michel et al., 2011. O Bookworm é uma versão mais poderosa do Google Ngram Viewer (<ngrams.googlelabs.com>), que pode analisar a proporção de livros, além da proporção do corpus linguístico em que uma frase de busca é encontrada. O gráfico considera a porcentagem de livros contendo cada um dos termos em 2000, descrevendo uma média móvel de cinco anos.

vitórias legais do movimento americano pelos direitos civis. Quando estes começaram a se estabilizar, os *direitos da mulher* iniciaram sua ascensão, logo secundados pelos *direitos da criança*; e então, nos anos 1970, começaram a surgir em cena os *direitos dos gays*, seguidos logo depois pelos *direitos dos animais*.

Essas ascensões escalonadas narram uma história. Cada um dos movimentos levou em conta o sucesso de seus antecessores e adotou algo de sua tática, retórica e, mais significativo, de sua moral racional. Durante a Revolução Humanitária, dois séculos antes, erigiu-se uma série de reformas em rápida sucessão, instigada pela reflexão intelectual sobre hábitos arraigados e conectada a um humanismo que elevava os frutos e padeceres das mentes individuais acima da cor, classe ou nacionalidade dos corpos que as abrigavam. Então, como agora, o conceito de direitos individuais não é um piso e sim um elevador. Se o direito de um ser pensante à vida, à liberdade e à busca da felicidade não pode ser comprometido devido à cor de sua pele, por que haveria de sê-lo por outros motivos irrelevantes como gênero, idade, preferência sexual ou mesmo espécie? Em determinadas épocas e lugares a inércia do hábito ou a força bruta podem ter impedido as pessoas de conduzir essa linha de argumentação a cada uma de suas conclusões lógicas, porém em uma sociedade aberta o movimento é irreprimível.

As Revoluções por Direitos redefiniram alguns dos temas da Revolução Humanitária, mas redefiniram igualmente uma característica do Processo Civilizador. Durante a transição para a modernidade, as pessoas não avaliavam plenamente que estavam empreendendo mudanças destinadas a reduzir a violência, e, uma vez que as mudanças se consolidavam, o processo era esquecido. Quando os europeus estavam se assenhoreando das normas do autodomínio, sentiam estar se tornando mais civilizados e corteses, não como participantes em uma campanha visando fazer recuar as estatísticas de homicídios. Hoje damos reduzida atenção à racionalidade subjacente aos costumes que essa mudança deixou para trás, como o repúdio a duelos de faca durante o jantar, que nos legou a condenação do hábito de ajeitar ervilhas no garfo com a faca. Igualmente a santidade da religião e dos "valores familiares" nos "estados vermelhos"* americanos já não é mais compreendida como uma tática para pacificar valentões em comunidades de vaqueiros e campos de garimpo.

* No original, *red states*: estados do sul e do meio-oeste dos Estados Unidos, propensos ao conservadorismo e ao voto no Partido Republicano, em oposição aos *blue states* (estados azuis), pró-democratas. (N. T.)

A proibição do jogo de queimada representa a exacerbação de outra campanha bem-sucedida contra a violência, o centenário movimento pela prevenção dos maus-tratos e do descaso para com as crianças. Recorda-nos como uma ofensiva civilizacional pode deixar uma cultura com sua herança de costumes intrigantes, pecadilhos e tabus. O código de etiqueta legado por esta e por outras das Revoluções por Direitos é difuso a tal ponto que passou a ter nome. Nós o chamamos de politicamente correto.

As Revoluções por Direitos têm outro legado curioso. Por terem sido impulsionadas por uma crescente sensibilidade a novas formas de dano, elas apagam suas próprias pegadas e fazem com que esqueçamos seus avanços. Como podemos constatar, as revoluções trouxeram-nos um declínio mensurável e substancial em muitas categorias de violência. Mas muita gente resiste a tomar consciência das vitórias, em parte por ignorar as estatísticas, em parte por um desdobramento da campanha que encoraja os ativistas a manterem a pressão, não passando recibo dos progressos que tenham ocorrido. A opressão racial que encorajou as primeiras gerações do movimento de direitos civis concretizava-se em linchamentos, ataques noturnos, pogroms contra os negros e intimidação física nas urnas eleitorais. Em uma típica batalha da atualidade, ela pode se expressar em uma maior frequência de afro-americanos que são multados nas rodovias. (Em 1991, na bem-sucedida porém controvertida audiência da Suprema Corte em que Clarence Thomas referiu-se a um "linchamento high-tech", tratou-se de uma síntese de mau gosto mas também de um sinal de quão longe chegamos.) Antigamente a opressão da mulher incluía leis que permitiam ao marido violentar, espancar e confinar sua esposa; hoje, aplica-se às universidades de elite cujos departamentos de engenharia não têm um corpo de professores dividido meio a meio entre homens e mulheres. A batalha pelos direitos dos gays progrediu do repúdio às leis que executavam, mutilavam ou encarceravam homossexuais para o repúdio a leis que definem o casamento como o contrato entre um homem e uma mulher. Nada disso quer dizer que deveríamos nos satisfazer com o status quo ou menosprezar os esforços para combater as discriminações e maus-tratos remanescentes. Trata-se apenas de recordar que o primeiro objetivo de qualquer movimento por direitos é proteger seus beneficiários de serem agredidos ou mortos. Essas vitórias, ainda que parciais, são algo que deveríamos reconhecer, saborear e tentar entender.

Quando a maioria das pessoas pensa no movimento americano por direitos civis, traz à mente uma trajetória de acontecimentos de duas décadas. Ela começa em 1948, quando Harry Truman pôs fim à segregação nas Forças Armadas dos Estados Unidos; acelera-se na década de 1950, quando a Suprema Corte proibiu as escolas segregadas, Rosa Parks foi presa por recusar-se a ceder a um homem branco seu assento num ônibus e Martin Luther King organizou um boicote em resposta; chegou ao auge no início dos anos 1960, quando 200 mil pessoas marcharam em Washington e ouviram Martin Luther King pronunciar talvez o maior discurso da história; e culminou com a aprovação da Lei do Direito de Voto, em 1965, e das Leis dos Direitos Civis, em 1964 e 1968.

Contudo, esses triunfos foram pressagiados por outros menos ruidosos, mas não menos importantes. Martin Luther King inicia sua fala de 1963 observando: "Cem anos atrás, um grande estadunidense, cuja sombra simbólica se projeta sobre nós, assinou a Proclamação de Emancipação [...] um grande farol de esperança para milhões de escravos negros". Contudo, "cem anos depois, o negro ainda não é livre". O motivo por que os afro-americanos não exerciam seus direitos no novo século residia em que eram intimidados pela ameaça da violência. Não apenas o governo empregava a força ao aplicar a segregação e as leis discriminatórias; os afro-americanos eram mantidos em seu lugar pelo gênero de violência denominada conflito intercomunitário, no qual um grupo de cidadãos — delimitado por sua raça, tribo, religião ou idioma — escolhe outro como alvo. Em muitas partes dos Estados Unidos, famílias afro-americanas eram aterrorizadas por bandidos organizados, como os da Ku Klux Klan. E em milhares de incidentes uma turba torturava e executava um indivíduo — num linchamento — ou promovia uma orgia de vandalismo e matança em uma comunidade — num pogrom racial, também chamado motim étnico mortal.

Em seu livro, uma obra definitiva sobre motins étnicos mortais, o cientista político Donald Horowitz estudou os relatórios de 150 episódios dessa forma de violência intercomunitária, abarcando cinquenta países, e expôs suas características comuns.[3] Um motim étnico combina aspectos do genocídio e do terrorismo com características que lhe são próprias. Ao contrário dessas outras duas formas de violência coletiva, ele não é planejado, não tem ideologia articulada nem é arquitetado por um líder ou implementado por um governo ou milícia, ainda que dependa de que o governo simpatize com os perpetradores e olhe para o lado. Suas raízes psicológicas, contudo, são as mesmas do genocídio. Um grupo reduz os membros de outro a uma essência que os julga sub-humanos, intrinsecamente maus, ou ambas as coisas. Forma-se uma turba que arremete contra seu alvo, seja preventivamente, respondendo ao temor hobbesiano de ser atacado primeiro, ou punitivamente, vingando um crime covarde. O crime ou ameaça que serve de incitamento é em geral propalado, ornamentado, ou inventado fora de qualquer cabimento. Os amotinados, possuídos por seu ódio, arremetem com furor demoníaco. Preferem incendiar e destruir prédios em vez de saqueá-los, e matam, estupram, torturam e mutilam ao acaso membros do grupo vilipendiado mais do que perseguem os supostos malfeitores. Usualmente atacam suas vítimas com armas brancas ou similares em lugar de armas de fogo. Os perpetradores (em geral jovens, naturalmente) cometem suas atrocidades em um estado de eufórico arrebatamento, não sentindo remorsos mais tarde pelo que consideram como a resposta justa a uma intolerável provocação. Um motim étnico não destrói o grupo tomado como alvo, mas mata em escala bem mais elevada que o terrorismo; o número de mortos gira, em média, em torno de uma dúzia, mas pode chegar a centenas, milhares, ou (como no caso do motim em escala nacional após a partição entre Índia e Paquistão, em 1947) centenas de milhares. Motins étnicos mortais podem ser um eficiente método de faxina étnica, arrancando de seus lares milhões de refugiados temerosos por suas vidas. E, tal qual o terrorismo, motins mortais podem ter um enorme custo em dinheiro e pavor, conduzindo a lei marcial, supressão da democracia, golpes de Estado e guerras de secessão.[4]

Os motins étnicos mortais estão longe de ser uma invenção do século XX. "Pogrom" é uma palavra russa que era aplicada aos frequentes motins antijudaicos do século XIX na Zona de Assentamento, os quais eram apenas a última onda de um milênio de matanças intercomunais de judeus na Europa. Nos séculos XVII e XVIII a Inglaterra foi varrida por centenas de mortíferos motins dirigidos contra católicos. Uma resposta a eles foi o dispositivo legal que um magistrado recitava para uma turba, ameaçando-a com a execução caso não se dispersasse imediatamente. Essa medida de controle de multidões é referida na expressão "ler para eles a lei de motim".[5]

Os Estados Unidos têm uma longa história de violência intercomunitária.

Nos séculos XVII, XVIII e XIX, praticamente todos os grupos religiosos foram alvejados em motins mortíferos, entre eles peregrinos, puritanos, quacres, católicos, mórmons e judeus, junto com comunidades de imigrantes como as de alemães, poloneses, italianos, irlandeses e chineses.[6] E, como vimos no capítulo 6, a violência intercomunal contra alguns povos nativos americanos foi tão completa que pode ser classificada na categoria de genocídio. Ainda que o governo federal não tenha perpetrado genocídios abertos, empreendeu várias faxinas étnicas. A expulsão à força das "cinco tribos civilizadas", através da "Trilha das Lágrimas", de seus territórios natais no sudeste para o atual estado de Oklahoma, resultou em dezenas de milhares de mortes devido a doenças, fome e abandono. Bem mais recentemente, na década de 1940, uma centena de milhar de nipo-americanos foi levada à força para campos de concentração porque pertencia à mesma raça da nação com que o país estava guerreando.

Mas as vítimas de uma mais prolongada violência intercomunitária com indulgência governamental foram os afro-americanos.[7] Embora tenhamos a tendência a encarar o linchamento como um fenômeno do sul dos Estados Unidos, dois dos mais atrozes episódios desse tipo tiveram lugar na cidade de Nova York: um tumulto na sequência de boatos sobre uma revolta de escravos em 1741, no qual muitos afro-americanos foram queimados vivos em fogueiras, e os motins do recrutamento em 1863 (retratados no filme *Gangues de Nova York*, de 2002), nos quais pelo menos cinquenta foram linchados. Em alguns anos do pós-guerra milhares de afro-americanos foram mortos no sul, e o início do século XX assistiu a motins em que eles foram mortos às dúzias, em mais de 25 cidades.[8]

Os motins de todos os tipos decresceram na Europa a partir de meados do século XIX. Nos Estados Unidos, motins mortais começaram a recuar no final daquele século e nos anos 1920 haviam entrado em um declínio terminal.[9] Empregando cifras do U. S. Census Bureau, James Payne tabulou o número de linchamentos a partir de 1882 e constatou que eles se reduziram fortemente entre 1890 e 1940 (figura 7.2).

Ao longo dessas décadas, horrendos linchamentos continuaram a ser noticiados, e fotografias chocantes de cadáveres enforcados ou queimados eram publicadas nos jornais e circulavam entre ativistas, especialmente os da National Association for the Advancement of Colored People [Associação Nacional para o Progresso de Pessoas de Cor]. Uma fotografia de 1930, de dois

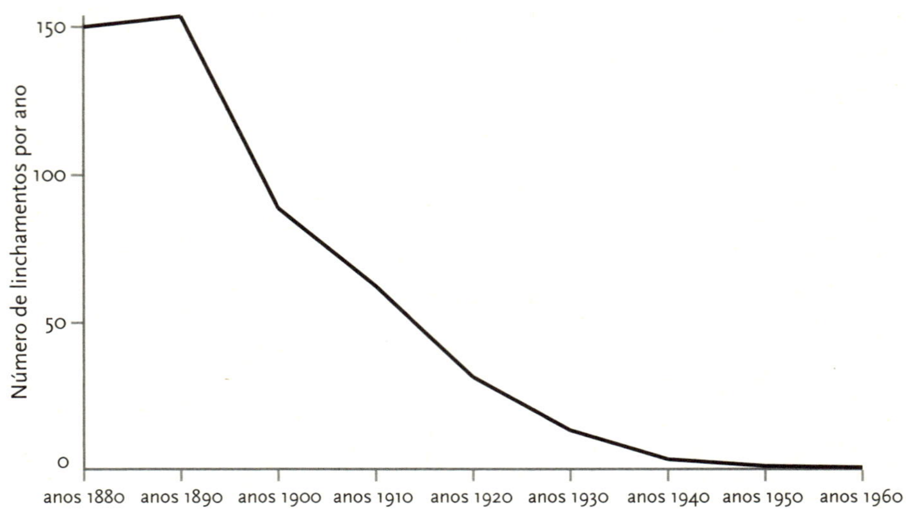

Figura 7.2. *Linchamentos nos Estados Unidos, 1882-1969.*
FONTE: Gráfico de Payne, 2004, p. 182.

homens enforcados em Indiana, inspirou um poema de protesto de um professor chamado Abel Meeropol:

As árvores sulistas geram estranhos frutos,
Sangue nas folhas e sangue na raiz,
Negros corpos bailando na brisa do sul,
Estranhos frutos pendentes dos álamos.

(Mais tarde Meeropol e sua mulher adotariam os filhos órfãos de Julius e Ethel Rosenberg, depois que o casal foi executado porque Julius passou segredos nucleares à União Soviética.) Quando Meeropol fez do poema uma música, ela se tornou a marca registrada de Billie Holiday, e em 1999 a revista *Time* classificou-a como a canção do século.[10] E, no entanto, em um desses paradoxos cronológicos com que nos deparamos, o notável protesto emergiu em uma fase em que o crime denunciado estava em declínio havia muito. O último caso célebre de linchamento veio a público em 1955, quando Emmett Till, de catorze anos, foi sequestrado, espancado, mutilado e assassinado no Mississippi, depois de supostamente ter assoviado para uma mulher branca.

Seus assassinos foram absolvidos por um júri integralmente branco, em um julgamento superficial.

Temores de uma volta dos linchamentos avultaram no fim da década de 1990, quando um crime pérfido chocou a nação. Em 1998, três racistas do Texas sequestraram um afro-americano, James Byrd Jr., bateram nele até ele desmaiar, acorrentaram-no pela cintura à sua picape e arrastaram-no pela estrada por cinco quilômetros, até que o corpo chocou-se com um bueiro e despedaçou-se. Embora o assassinato clandestino fosse muito diferente dos linchamentos de um século atrás, em que toda uma comunidade executava a vítima negra em um clima de carnaval, o termo "linchamento" aplicava-se amplamente ao crime. O homicídio ocorreu alguns anos depois que o FBI começara a coletar dados estatísticos sobre os chamados crimes de ódio, nomeadamente os atos de violência vitimando uma pessoa devido à sua raça, religião ou orientação sexual. Desde 1996 o FBI vem publicando essas estatísticas em relatórios anuais, permitindo-nos verificar se o assassinato de Byrd fazia parte de uma perturbadora nova tendência.[11] A figura 7.3 mostra o número de afro-americanos assassinados devido à sua raça durante os últimos doze anos. As cifras na coluna da esquerda não representam a taxa de homicídios por 100 mil habitantes; expressam *o número absoluto* de homicídios. Cinco afro-americanos foram mortos devido à sua raça em 1996, primeiro ano em que o levantamento foi publicado, e desde então o número reduziu-se até um por ano. Em um país com 17 mil homicídios anuais, os crimes de morte motivados pelo ódio reduziram-se a um ruído estatístico.

Evidentemente, permanecem muito mais frequentes as formas menos sérias de violência, tais como a agressão qualificada (na qual o agressor utiliza uma arma ou causa um dano), agressão simples e intimidação (em que a vítima é levada a sentir que sua segurança pessoal está ameaçada). Embora os números absolutos de episódios por motivos raciais sejam alarmantes — a cada ano várias centenas de agressões, várias centenas de agressões qualificadas e um milhar de atos de intimidação —, devem ser situados no contexto dos números dos crimes americanos durante a maior parte desse período, os quais incluem *1 milhão* de agressões qualificadas por ano. O índice de agressões qualificadas por motivo racial ficou em torno da metade de 1% da soma de todas as agressões qualificadas (322 por 100 mil habitantes/ano), e menos do que o índice de pessoas de qualquer raça assassinadas por qualquer motivo. Como mostra a figura 7.4, desde 1996 os três tipos de crimes de ódio têm declinado.

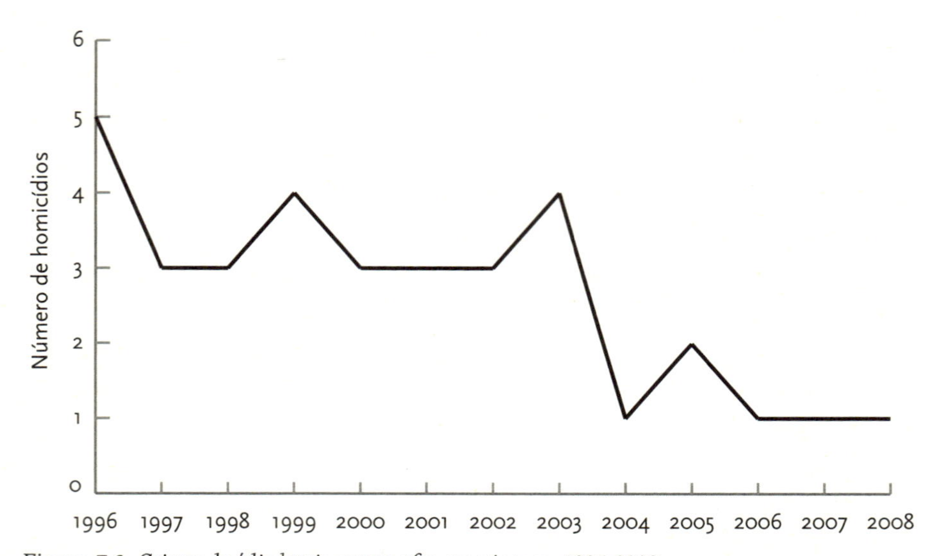

Figura 7.3. *Crimes de ódio letais contra afro-americanos, 1996-2008.*
FONTE: Dados dos relatórios anuais do FBI sobre Estatística dos Crimes de Ódio (<www.fbi.gov/hq/cid/civilrights/hate.htm>); ver U. S. Federal Bureau of Investigation, 2010a.

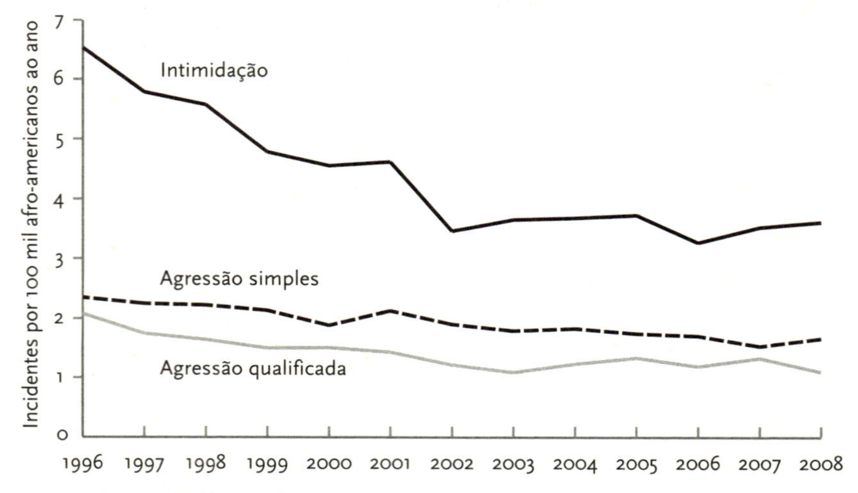

Figura 7.4. *Crimes de ódio não letais contra afro-americanos, 1996-2008.*
FONTE: Dados dos relatórios anuais do FBI sobre Estatística dos Crimes de Ódio (<www.fbi.gov/hq/cid/civilrights/hate.htm>); ver U. S. Federal Bureau of Investigation, 2010a. O número de incidentes foi dividido pela população abrangida pelas agências que forneceram os dados e multiplicado por 0,129, a proporção de afro-americanos na população do país, de acordo com o censo de 2000.

Assim como extinguiram-se os linchamentos, o mesmo sucedeu com os pogroms contra negros. Horowitz descobriu que na segunda metade do século XX os motins étnicos mortais deixaram de existir no Ocidente, objeto de seu estudo.[12] Os chamados motins raciais de meados dos anos 1960 em Los Angeles, Newark, Detroit e outras cidades estadunidenses representaram um fenômeno inteiramente distinto: os afro-americanos eram mais os amotinados que os alvos, os custos em vidas foram baixos (na maioria amotinados mortos pela polícia) e praticamente todos os alvos de ataques eram propriedades em vez de pessoas.[13] Desde 1950 os Estados Unidos não tiveram motins que se concentrassem em um grupo racial ou étnico; tampouco eles ocorreram em outras zonas de atrito do Ocidente, tais como Canadá, Bélgica, Córsega, Catalunha ou País Basco.[14]

Uma certa violência contra negros irrompeu no fim dos anos 1950 e início da década seguinte, porém assumiu outra forma. Esses ataques raramente foram chamados de "terrorismo", mas é exatamente o que eram: ações dirigidas contra civis, com reduzido número de baixas, alta publicidade, voltadas para intimidar, e perseguindo um objetivo político, concretamente deter a desagregação no sul. E, tal qual outras campanhas terroristas, o terror segregacionista decretou sua ruína ao cruzar a linha da depravação e direcionar toda a compaixão do público em favor de suas vítimas. Em episódios com elevada exposição, multidões aterradoras bradavam obscenidades e ameaças de morte contra crianças negras por tentarem se matricular em escolas apenas-para-brancos. Um evento que deixou forte impressão na memória cultural foi quando Ruby Nell Bridges, de seis anos de idade, teve de ser escoltada por funcionários do governo federal em seu primeiro dia de aula em New Orleans. John Steinbeck, ao dirigir um furgão através dos Estados Unidos para escrever suas memórias, *Travels with Charley* [Viagens com Charley], encontrava-se na cidade naquela ocasião:

> Quatro funcionários grandalhões desceram de cada um dos carros e de algum lugar nos automóveis extraíram a menor garotinha negra que já se viu, vestida de um branco engomado e cintilante, com sapatos brancos novos nos pés, tão pequenos que eram quase redondos. Seu rosto e as perninhas pareciam muito negras de encontro ao branco.
>
> Os funcionários grandalhões colocaram-na na calçada e uma barulhada de gritos

> zombeteiros ergueu-se por trás das barricadas. A garotinha não olhou para a multidão ululante, mas o branco de seus olhos parecia o de uma corça assustada. Os homens fizeram-na dar uma volta como uma boneca e então a estranha procissão moveu-se pelo amplo passeio, a caminho da escola, e a criança parecia ainda mais miúda em contraste com homens tão grandes. Então a menina deu um curioso pulinho, e creio que sei o que era. Penso que em toda a sua vida ela não dera dez passos sem saltitar, mas agora, no meio de seu primeiro passo, o peso puxou-a para baixo e seus pequeninos pés redondos deram passos comedidos e relutantes por entre seus altos guardas.[15]

O incidente também foi imortalizado em uma pintura publicada em 1964 na revista *Look*, sob o título *O problema com que todos vivemos*. Fora pintada por Norman Rockwell, artista cujo nome é sinônimo de imagens sentimentais de um país idealizado. Em outro episódio de conflito de consciência, quatro garotas negras que frequentavam a escola dominical foram assassinadas em 1963, quando uma bomba explodiu em uma igreja de Birmingham, recentemente usada para comícios em favor dos direitos civis. No mesmo dia o militante pelos direitos civis Medgar Evers foi assassinado por membros da Ku Klux Klan, assim como o seriam James Chaney, Andrew Goodman e Michael Schwerner, no ano seguinte. A nobre Rosa Parks e Martin Luther King foram atirados na prisão, e pacíficos manifestantes, atacados com mangueiras, cães, chicotes e cassetetes, tudo exibido ao país na televisão.

Após 1965, a oposição aos direitos civis estava moribunda, os motins contra os negros eram uma memória longínqua e o terrorismo contra os negros já não recebia apoio de nenhuma comunidade significativa. Na década de 1990, um relatório sobre uma sequência de ataques incendiários a igrejas negras no sul foi amplamente divulgado, mas revelou-se que era um texto apócrifo.[16] Portanto, com toda a publicidade que obtiveram, os crimes de ódio se transformaram em um fenômeno abençoadamente raro nos Estados Unidos de hoje.

Os linchamentos e motins raciais declinaram igualmente em outros grupos étnicos e outros países. Os ataques do Onze de Setembro e as bombas em Londres e Madri foram precisamente o tipo de provocação simbólica que décadas atrás poderia ter conduzido a motins antimuçulmanos ao longo do mundo ocidental.

Entretanto, não aconteceram motins, e uma investigação sobre violência contra muçulmanos, feita em 2008 por uma organização de direitos humanos, não pôde apontar um único caso de morte no Ocidente motivada pelo ódio ao islã.[17]

Horowitz identifica vários motivos para o desaparecimento dos motins étnicos mortais no Ocidente. Um deles é a governança. A despeito do ardor mostrado ao atacar suas vítimas, os amotinados preocupam-se com sua própria segurança e sabem quando é que a polícia fecha os olhos. A pronta aplicação da lei pode conter pela raiz motins e ciclos de vingança entre grupos, embora os procedimentos devam ser pensados antecipadamente. Como a polícia local amiúde provém do mesmo grupo étnico dos perpetradores e pode simpatizar com seus rancores, uma milícia nacional profissionalizada é mais efetiva que os policiais das vizinhanças. E, na medida em que a polícia antimotim pode causar mais mortes que preveni-las, precisa ser treinada para aplicar a mínima força necessária para dispersar uma turba.[18]

A outra causa do desaparecimento dos motins étnicos mortais é mais nebulosa: uma crescente repulsa à violência e até mesmo ao mais leve traço de uma mentalidade que possa conduzir a ela. Relembro que o principal fator de risco de genocídios e motins étnicos mortais é uma psicologia essencialista que classifica os participantes de um grupo como obstáculos tolos, parasitas repugnantes, ou como vilões avarentos, malignos ou heréticos. Tais atitudes podem ser formalizadas em políticas de governo do tipo que Daniel Goldhagen chama de eliminacionista e Barbara Harff chama de excludente. A política pode ser implementada por meio do apartheid, da assimilação forçada ou, em casos extremos, da deportação ou do genocídio. Ted Robert Gurr mostrou que mesmo as políticas discriminatórias, quando não atendem aos extremos, são um fator de risco de violentos conflitos étnicos, tais como guerras civis e motins mortais.[19]

Imagine agora políticas traçadas para serem diametralmente opostas às de exclusão. Elas não só suprimiriam qualquer lei que desse um tratamento desfavorável a determinada minoria étnica; passariam para o polo oposto e determinariam políticas *anti*excludentes, *a*-eliminacionistas, tais como a integração nas escolas, compensações, cotas raciais ou étnicas e preferência no governo, nos negócios e na educação. Essas políticas são genericamente chamadas de "discriminação positiva", embora nos Estados Unidos tenham tomado o nome de "ação afirmativa". Tenham elas merecido ou não o crédito pela prevenção de uma recaída de países desenvolvidos no genocídio e nos pogroms, é óbvio que são concebidas como negativo fotográfico das políticas excludentes, que no passado provocaram ou toleraram tanta violência. E elas têm provocado uma onda de popularidade através do mundo.

Em um relatório intitulado "The Decline of Ethnic Political Discrimination 1950-2003" [O declínio da discriminação étnico-política, 1950-2003], os cientistas políticos Victor Asal e Amy Pate examinaram um conjunto de dados registrando o estado de 337 minorias étnicas em 124 países a partir de 1950.[20] (Ele coincide com a base de dados de Harff sobre genocídio, que examinamos no capítulo 6.) Asal e Pate tabularam a porcentagem de países com políticas de discriminação contrárias a uma minoria étnica, ao lado daqueles com discriminação positiva. Em 1950, como mostra a figura 7.5, 44% dos governos mantinham políticas discriminatórias negativas; já em 2003 apenas 19% o faziam, sendo suplantados pelos governos que apresentavam políticas positivas.

Quando Asal e Pate desagregam os dados por região, constatam que os grupos minoritários estão particularmente bem nas Américas e na Europa, onde a discriminação oficial remanescente é reduzida. Grupos minoritários ainda experimentam discriminação legal na Ásia, África do Norte, África subsaariana e especialmente no Oriente Médio, embora em cada caso tenha havido melhoras

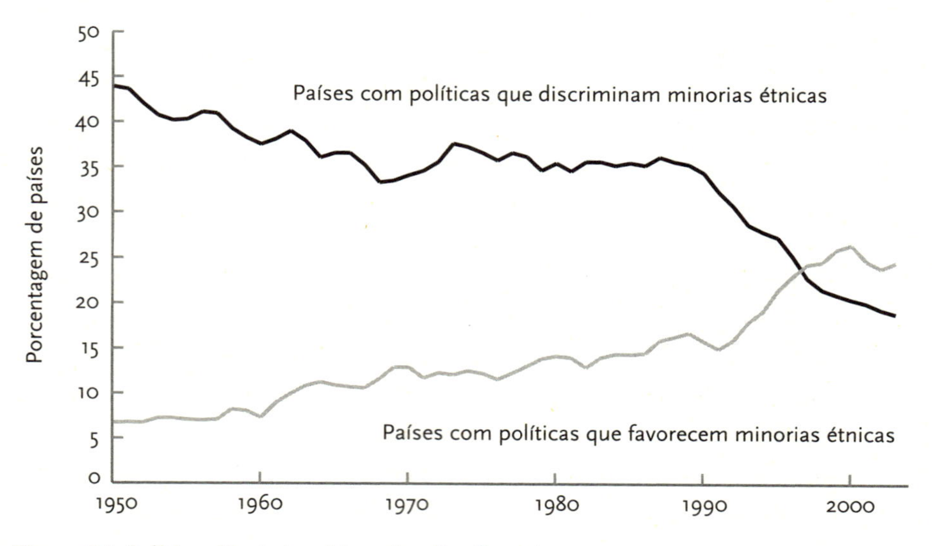

Figura 7.5. *Políticas discriminatórias e de ação afirmativa, 1950-2003.*
FONTE: Gráfico de Asal e Pate, 2005.

desde o fim da Guerra Fria.[21] O autores concluem que "em toda parte o peso da discriminação oficial reduziu-se. Se essa tendência começou nas democracias ocidentais, no fim da década de 1960, nos anos 1990 atingiu todas as partes do mundo".[22]

O declínio é não só da discriminação oficial por parte de governos, mas também da mentalidade desumanizadora e demonizante nas pessoas individualmente. Essa asserção pode parecer inacreditável para os muitos intelectuais que insistem que os Estados Unidos permanecem racistas até a medula. Porém, conforme observamos através deste livro, em cada avanço moral na história humana existiram observadores insistindo que as coisas nunca tinham estado tão ruins. Em 1968, o cientista político Andrew Hacker predisse que em breve os afro-americanos iriam se erguer e engajar-se em "dinamitar pontes e barragens, disparar contra edifícios, assassinar funcionários públicos e luminares privados. E naturalmente vai haver tumultos ocasionais".[23] Impassível ante a escassez de pontes dinamitadas e a raridade dos tumultos, ele prosseguiu em 1992 com *Two Nations: Black and White, Separate, Hostile, Unequal* [Duas nações: Negro e branco, separados, hostis, desiguais], cuja mensagem era: "Um enorme abismo racial permanece, e há poucos sinais de que o próximo século assistirá a seu fechamento".[24] Embora os anos 1990 fossem a década em que Oprah Winfrey, Michael Jordan e Colin Powell eram repetidamente citados em pesquisas entre os americanos mais admirados, declarações sombrias sobre as relações raciais dominavam a vida literária. O jurista Derrick Bell, por exemplo, escreveu em 1992, num livro com o subtítulo *The Permanence of Racism* [A permanência do racismo], que "o racismo é um componente integral, permanente e indestrutível desta sociedade".[25]

O sociólogo Lawrence Bobo e seus colegas decidiram verificar por si mesmos, examinando a história das atitudes dos brancos estadunidenses para com os afro-americanos.[26] Concluíram que, longe de ser indestrutível, o racismo aberto vem gradativamente se desintegrando. A figura 7.6 mostra que nos anos 1940 e no início da década seguinte a maioria das pessoas dizia-se contrária a crianças negras frequentando escolas brancas, e até o início dos anos 1960 quase metade afirmava que se mudaria caso uma família negra passasse a morar na casa ao lado. Na década de 1980 a porcentagem dessas opiniões não passava de um dígito.

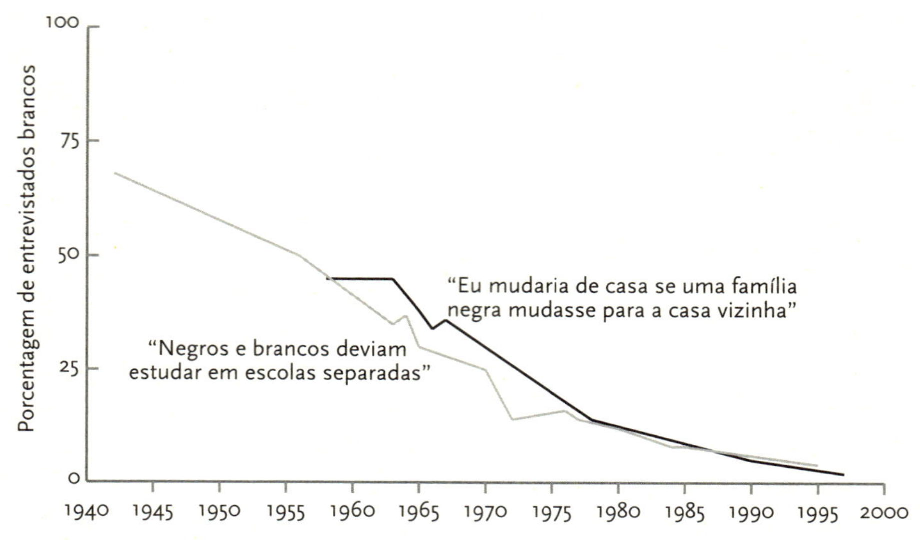

Figura 7.6. *Atitudes segregacionistas nos Estados Unidos, 1942-97.*
FONTES: "Escolas separadas": dados de Schuman, Steeh e Bobo, 1997, originalmente coletados pelo National Opinion Research Center, Universidade de Chicago. "Eu mudaria": dados de Schuman, Steeh e Bobo, 1997, originalmente coletados pelo instituto Gallup.

A figura 7.7 mostra que no fim da década de 1950 apenas 5% dos brancos americanos aprovavam os casamentos inter-raciais. Já no fim dos anos 1990 dois terços os aprovavam, e em 2008, quase 80%. No caso de algumas questões, como "Deveriam os negros ter acesso a qualquer emprego?", a porcentagem de respostas racistas havia declinado tanto no fim dos anos 1970 que os pesquisadores as eliminaram de seus questionários.[27]

Crenças desumanizadoras e demonizantes acham-se também em declínio. Entre os brancos dos Estados Unidos, tais crenças historicamente assumiram a forma do preconceito que considerava os afro-americanos mais preguiçosos e menos inteligentes que os brancos. Porém nas duas últimas décadas a proporção de americanos que professam essas convicções vem recuando, e atualmente é desprezível a proporção dos que veem a desigualdade como produto de uma habilidade reduzida (figura 7.8).

A intolerância religiosa vem sofrendo igualmente um constante declínio. Em 1924, 91% dos estudantes de uma escola média estadunidense de tipo padrão concordavam com a afirmação "O cristianismo é a única religião verdadeira e todos os povos deveriam converter-se a ele". Em 1980, apenas 38% concordavam.

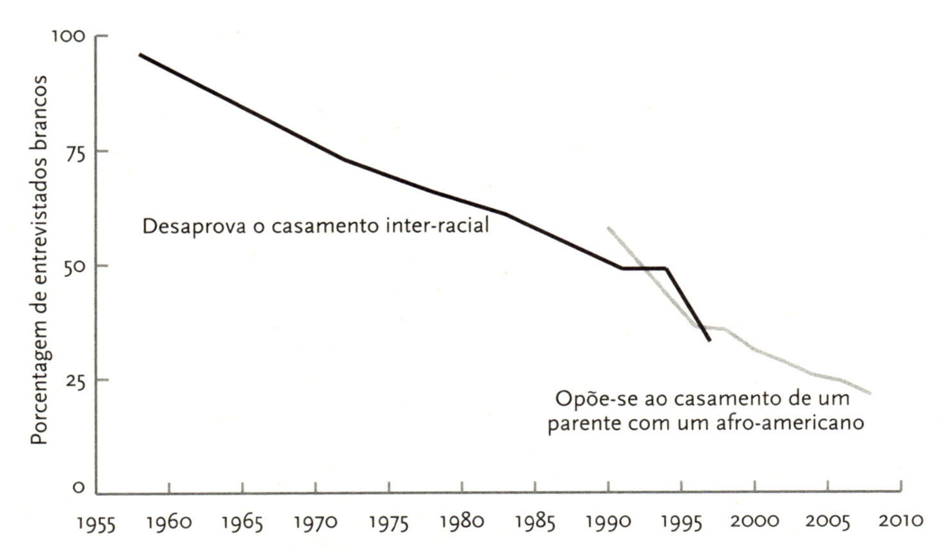

Figura 7.7. *Opinião dos brancos em relação a casamentos inter-raciais nos Estados Unidos, 1958-2008.*
FONTES: "Desaprova": dados de Schuman, Steeh e Bobo, 1997, originalmente coletados pelo instituto Gallup. "Opõe-se": dados da General Social Survey (<www.norc.org/GSS+Website>).

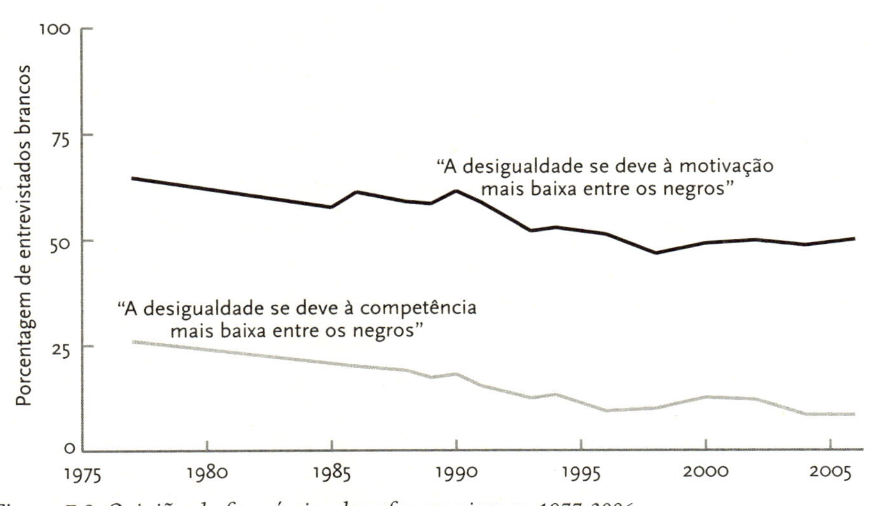

Figura 7.8. *Opiniões desfavoráveis sobre afro-americanos, 1977-2006.*
FONTE: Dados de Bobo e Dawson, 2009, baseados em dados da General Social Survey (<www.norc.org/GSS+Website>).

Em 1996, 62% dos protestantes e 74% dos católicos concordavam com a afirmação: "Todas as religiões são igualmente boas"— uma opinião que teria transtornado seus ascendentes de uma geração atrás, para não falar do século XVI.[28]

A estigmatização de qualquer atitude que cheire a desumanização e demonização de grupos minoritários estende-se para muito além dos números das pesquisas. Ela transformou a cultura ocidental, os governos, os esportes, a vida de todos os dias. Há mais de cinquenta anos os Estados Unidos vêm se depurando das imagens racistas que tinham se acumulado em sua cultura popular. As primeiras a desaparecer foram as humilhantes sátiras de afro-americanos do gênero das performances musicais *blackface*, em que um artista branco desempenhava um papel estereotipado de negro, shows como *Amos 'n' Andy* e *Little Rascals*, filmes como *A canção do sul*, de Walt Disney, e muitos desenhos do Pernalonga.[29] Caricaturas em logomarcas, anúncios publicitários e ornamentos de jardins extinguiram-se igualmente. O auge do movimento pelos direitos civis foi um ponto de virada, e o tabu expandiu-se rapidamente por outros grupos étnicos. Lembro-me, quando eu era criança, em 1964, do lançamento de uma linha de refresco em pó chamado Funny Face, que vinha em sabores chamados Goofy Grape, Loud Mouth Lime, Chinese Cherry e Injun' Orange, cada um ilustrado com uma grotesca caricatura racial. Erraram de época. Dentro de dois anos os dois últimos foram convertidos em Choo Choo Cherry e Jolly Olly Orange, ambos sem raça.[30] Ainda estamos assistindo à reciclagem de veneráveis times esportivos que se baseavam em estereótipos de nativos americanos, como, mais recentemente, os Fighting Sioux da Universidade de Dakota do Norte. Piadas raciais e étnicas depreciativas, termos ofensivos a grupos minoritários e ingênuas reflexões sobre diferenças raciais inatas tornaram-se um tabu nos principais fóruns e acabaram com a carreira de muitos políticos e figuras da mídia. É fato que o racismo perverso ainda pode ser achado em quantidade nos esgotos da internet e nas franjas da direita política, porém uma nítida linha o separa da cultura e da política dominantes. Em 2002, por exemplo, o líder republicano da minoria no Senado, Trent Lott, enalteceu a campanha presidencial feita em 1948 por Strom Thurmond, na época um segregacionista confesso. Depois de uma tempestade dentro de seu próprio partido, Lott foi forçado a renunciar a seu posto.

A campanha para extirpar qualquer preliminar de atitudes que possam levar à violência racial definiu os contornos do que pode ser pensado e dito. Preferências e rejeições raciais são difíceis de justificar com argumentos racionais, numa sociedade que proclama julgar as pessoas não pela cor da pele, mas pelo conteúdo de seu caráter. Contudo, ninguém em posição de responsabilidade desejaria eliminá-las, pois avalia-se que isso reduziria a proporção de afro-americanos em posições de destaque profissional e geraria o risco de uma polarização da sociedade. Assim, ainda que as preferências raciais sejam declaradas ilegais ou rejeitadas em plebiscitos, são reconstituídas por meio de eufemismos como "ação afirmativa" e "diversidade" e preservadas por meio de subterfúgios (tais como garantir matrícula na universidade para os melhores estudantes em cada escola média e não para os melhores em nível estadual).

A consciência de raça permanece após a matrícula no curso superior. Várias universidades arrebanham calouros em workshops de sensibilidade onde forçam-nos a confessar algum racismo inconsciente, e muitas mais têm códigos de linguagem (considerados inconstitucionais sempre que foram contestados na justiça) que criminalizam qualquer opinião que possa ofender um grupo minoritário.[31] Algumas das infrações por "assédio racial" extrapolam para paródias de si próprias, como no caso do estudante de uma universidade de Indiana, condenado por estar lendo um livro sobre a derrota da Ku Klux Klan porque ele mostrava na capa um seguidor da organização, ou de um professor da Brandeis, julgado culpado por mencionar o termo "wetbak" (costas molhadas), em uma preleção sobre o racismo contra hispânicos.[32] Incidentes triviais em torno da "insensibilidade" racial (como o episódio de 1993 em que um estudante da Universidade da Pensilvânia gritou para alguns farristas noturnos: "Silêncio, seu búfalo d'água!", expressão de gíria que significa desordeiro em seu hebraico materno, mas foi interpretada como um epíteto racial) levam as universidades a agônicos rituais comunitários de mortificação, expiação e faxina moral.[33] A única defesa para semelhante hipocrisia é que ela pode ser um preço que vale a pena pagar por índices de civilidade racial sem precedentes na história (embora seja da natureza da hipocrisia que isso não possa ser dito).

Em *Tábula rasa*, argumentei que um medo desproporcional da reintrodução de hostilidades raciais distorceu as ciências sociais, ao forçar a barra em favor do lado da criação, na relação natureza-criação, até para os aspectos da natureza humana que nada têm a ver com diferenças raciais, pois são universais em toda a espécie. O medo subjacente é que, se *alguma coisa* na natureza humana é inata, diferenças entre raças ou grupos étnicos podem ser inatas, ao passo que, se a mente é uma tábula rasa, ao nascer todas as mentes necessariamente principiam igualmente em branco. Uma ironia é que a negação política da natureza humana trai uma tácita aceitação de uma teoria da natureza humana particularmente sinistra: que os seres humanos estão perenemente prestes a tombar na hostilidade racial, de modo que todos os recursos da cultura precisam ser mobilizados contra esse risco.

DIREITOS DA MULHER E O DECLÍNIO DE ESTUPROS E ESPANCAMENTOS

Passar em revista a história da violência é experimentar repetidos acessos de descrença ao tomar conhecimento de como as categorias de violência que deploramos hoje eram percebidas no passado. A história do estupro proporciona um desses choques.

O estupro é uma das atrocidades primordiais no repertório humano. Combina dor, degradação, terror, trauma, a apropriação dos meios femininos para perpetuar a vida e uma intromissão na constituição da descendência. O antropólogo Donald Brown inclui o estupro na lista das universalidades humanas, e ele tem sido registrado em todas as épocas e lugares. A Bíblia hebraica fala de uma era em que os irmãos de uma mulher estuprada podiam vendê-la ao estuprador, soldados eram autorizados pela lei divina a arrebatar cativas púberes e reis adquiriam concubinas aos milhares. O estupro, já vimos, também era frequente na Amazônia tribal, na Grécia homérica, na Europa medieval e na Inglaterra durante a Guerra dos Cem Anos (conforme conta Shakespeare, Henrique V insta uma aldeia francesa à rendição, pois do contrário suas "puras donzelas [irão] cair nas garras de uma quente e forçada violação"). O estupro em massa é uma constante em genocídios e pogroms por todo o mundo, inclusive nos recentes tumultos na Bósnia, Ruanda e na República Democrática do Congo. Também é corriqueiro na sequência de invasões militares, seja pelos alemães, na Bélgica durante a Primeira Guerra Mundial, os japoneses na China e os russos na Europa Oriental, durante a Segunda Guerra Mundial, e os paquistaneses em Bangladesh durante a guerra de independência.[34]

Brown observa que, assim como o estupro é humanamente universal, também o são as proibições do estupro. Entretanto, é preciso procurar longa e detidamente ao longo da história e através das culturas para encontrar um reconhecimento do dano que ele causa *do ponto de vista da vítima*. "Não estuprarás" não é um dos Dez Mandamentos, embora o décimo revele a condição da mulher neste mundo; ela é enumerada em uma relação dos haveres de seu marido, depois de sua casa e antes dos servos e do gado. Também na Bíblia aprendemos que uma mulher casada vítima de estupro era considerada culpada de adultério e podia ser apedrejada até a morte, sentença que foi transportada à lei da charia. O estupro era visto como uma ofensa não contra a mulher, mas contra o homem — seu pai, seu marido ou, no caso de uma escrava, seu proprietário. Os sistemas morais e legais em todo o mundo codificam o estupro em termos semelhantes.[35] Ele consiste em roubar a virgindade da mulher, de seu pai, ou a fidelidade dela do esposo. Estupradores podem se redimir comprando sua vítima, tomando-a como esposa. As mulheres são responsabilizadas por terem sido violentadas. O estupro é uma prerrogativa do marido, do senhor, do proprietário de escravos ou do dono do harém. É visto como um legítimo espólio de guerra.

Quando os governos medievais europeus começaram a nacionalizar a justiça criminal, o estupro deslocou-se, de um malefício contra o marido ou pai, para um crime contra o Estado, que ostensivamente representava os interesses das mulheres e da sociedade, porém na prática inclinava bastante a balança para o lado do acusado. O fato de que uma falsa acusação de estupro é fácil de fazer e difícil de contestar era usado para se exigir um insuperável volume de provas da importunadora, como a vítima de estupro era definida em muitos códigos legais. Juízes e advogados às vezes proclamavam que uma mulher não pode ser forçada a fazer sexo contra sua vontade, pois "você não pode enfiar uma linha numa agulha em movimento".[36] A polícia frequentemente tratava o estupro como uma brincadeira, pressionando a vítima para obter detalhes pornográficos ou rechaçando-a com sarcasmos como "Quem desejaria estuprar você?" ou "Uma vítima de estupro é uma prostituta que não recebe pagamento".[37] No tribunal, a mulher e seu advogado frequentemente viam-se na necessidade de provar que ela não tinha seduzido, consentido ou encorajado seu estuprador. Em muitos Estados mulheres não podiam compor júris em casos de crimes sexuais, porque poderiam ficar "embaraçadas" pelo testemunho.[38]

A preponderância do estupro na história humana e a inviabilidade da vítima no tratamento legal do estupro são incompreensíveis do ponto de vista das sensibilidades morais contemporâneas. Porém são extremamente compreensíveis do ponto de vista dos interesses genéticos que formataram os desejos e sentimentos humanos ao longo da evolução, antes que nossas sensibilidades fossem conformadas pelo humanismo iluminista. Um estupro confronta três partes, cada qual com um conjunto distinto de interesses: o estuprador, o homem que assume interesses de proprietário em relação à mulher e por fim a própria mulher.[39]

Os psicólogos evolucionistas e muitas feministas radicais concordam que o estupro é governado pela economia da sexualidade humana. Conforme afirmou a escritora feminista Andrea Dworkin, "um homem quer aquilo que uma mulher tem — sexo. Ele pode roubá-lo (estupro), persuadi-la a entregá-lo (sedução), alugá-lo (prostituição), arrendá-lo a longo prazo (casamento nos Estados Unidos) ou adquiri-lo por completo (casamento na maioria dos países)".[40] O que a psicologia evolutiva agrega à análise é uma explicação do recurso que embaça essas transações. Em todas as espécies nas quais um dos sexos pode procriar em um ritmo mais rápido que o outro, a participação daquele que procria mais lentamente será um recurso escasso, em torno do qual o sexo que reproduz mais depressa compete.[41] Entre mamíferos e muitas aves, é a fêmea que procria mais lentamente, pois está comprometida com um prolongado período de gestação e, para os mamíferos, aleitamento. As fêmeas são o sexo mais seletivo, e os machos tratam as restrições a seu acesso a elas como um obstáculo a remover. Assédio, intimidação e cópula forçada verificam-se em muitas espécies, inclusive gorilas, orangotangos e chimpanzés.[42] Entre os seres humanos, o macho pode usar a coerção para obter sexo quando certos fatores de risco se alinham: quando ele é violento, insensível e irresponsável por temperamento; quando é um perdedor que não consegue atrair parceiras por outros meios; quando é um pária e tem pouco temor do opróbrio da comunidade; e quando ele sente que os riscos de punição são baixos, como ocorre durante conquistas e pogroms.[43] Cerca de 5% dos estupros resultam em gravidez, o que sugere que o estupro pode proporcionar uma vantagem evolutiva ao estuprador. Pouco importa se as inclinações que às vezes irrompem em um estupro não necessariamente foram selecionadas negativamente em nossa história evolutiva, ou que possam ter sido selecionadas favoravelmente.[44] Nada disso, é claro, implica que os homens sejam "nascidos para estuprar", que os estupradores "não conseguem evitar aquilo" ou que o estupro "é natural" no sentido de inevitável ou desculpável. Mas isso explica por que o estupro tem sido um flagelo em todas as sociedades humanas.

A segunda parte no estupro é a família da mulher, especialmente seu pai, os irmãos e o marido. O macho humano é um caso inusual entre os mamíferos, no sentido de que alimenta, protege e cuida de sua prole e da mãe desta. Porém esse investimento é geneticamente arriscado. Se a mulher de um homem tem uma relação secreta, ele pode estar investindo nos filhos de outro homem, o que é uma forma de suicídio evolutivo. Todos os genes que o inclinam a ser indiferente ao risco de infidelidade irão perder tempo evolutivo para genes que inclinam a ser vigilante. Como sempre, os genes não manejam os cordéis do comportamento diretamente; eles exercem sua influência ao conformar o repertório emocional do cérebro, no caso a emoção do ciúme sexual.[45] Homens se enraivecem com a ideia da infidelidade de suas parceiras, e tomam medidas para barrar essa possibilidade. Um passo é ameaçar a parceira e seus potenciais parceiros e, quando necessário, reforçar a ameaça para mantê-la digna de crédito. Outro é controlar os movimentos e a faculdade da parceira de emitir sinais sexuais em proveito próprio. Também os pais podem exibir um sentimento de propriedade sobre a sexualidade de suas filhas que se parece muito com o ciúme. Em sociedades tradicionais, filhas são vendidas por um dote, e, já que uma virgem comprovadamente não está gestando o filho de outro homem, a castidade é um trunfo na venda. Pais, e em certa medida irmãos e mães, podem tentar proteger esse valioso recurso mantendo sua garota casta. A geração mais velha de mulheres em uma sociedade também tem um incentivo para regular a competição sexual por parte da mais jovem.

É claro que as mulheres, assim como os homens, sentem ciúmes de seus parceiros, como um biólogo deduziria do fato de os homens investirem em sua prole. A infidelidade do homem traz o risco de que essa corrente de investimento seja apropriada por outra mulher, e pelos filhos que ele tenha com ela, e esse risco proporciona a seu parceiro um incentivo para não se afastar. Porém o custo da infidelidade de um parceiro é diferente para os dois sexos; em concordância com isso, os ciúmes do homem mostram-se mais implacáveis, violentos e inclinados para o aspecto sexual (mais que o emocional) da infidelidade.[46] Em nenhuma sociedade as mulheres e os sogros dão mostras de obsessão pela virgindade dos noivos.

Os motivos formatados por interesses evolutivos não se traduzem diretamente em práticas sociais, mas podem impelir as pessoas a advogar leis e costumes que protejam seus interesses. O resultado são as normas legais e culturais amplamente difundidas pelas quais os homens reconhecem uns aos outros o direito de controlar a sexualidade de suas esposas e filhas. A mente humana se desenvolve pela via da metáfora, e no caso da sexualidade feminina o paralelo recorrente é *propriedade*.[47] Propriedade é um conceito elástico, e em várias sociedades as leis reconheceram a propriedade de bens intangíveis, como o espaço aéreo, imagens, melodias, frases, bandas eletromagnéticas e até genes. Não é de surpreender, então, que o conceito de propriedade também tenha sido aplicado ao cúmulo da inapropriabilidade: o sentimento de seres humanos ante os interesses dos seus, tais como filhos, escravos e mulheres.

No artigo "The Man Who Mistook His Wife for a Chattel" [O homem que confundiu sua mulher com um bem móvel], Margo Wilson e Martin Daly documentaram que em todo o mundo as leis tradicionais tratam as mulheres como propriedade de seus pais e maridos. As leis sobre a propriedade autorizam seus possuidores a vendê-la, trocá-la e dispor dela sem embaraços, e a esperar que a comunidade reconheça seu direito de reparação caso a propriedade seja roubada ou danificada por outros. Com os interesses da mulher não representados nesse contrato social, o estupro converte-se numa ofensa contra o homem que a possui. O estupro era concebido como um dano a bens materiais ou como o roubo de uma propriedade de valor, como vemos na própria palavra inglesa "rape" [estupro], cognata de "ravage" [pilhagem], "rapacious" [rapaz] e "usurp" [usurpar]. Segue-se que uma mulher que não estivesse sob a proteção de um homem conceituado e de haveres não era coberta pelas leis do estupro, e que o estupro de uma esposa por seu marido era uma noção tão incoerente como alguém roubar sua própria propriedade.

Os homens também podiam proteger seu investimento associando estritamente a mulher ao perigo de qualquer roubo ou prejuízo de seu valor sexual. Condenar a vítima descartava qualquer possibilidade de se apresentar sexo consensual como se fosse estupro, e incentivava-o a evitar situações arriscadas e a resistir a estupradores qualquer que fosse o preço para sua liberdade e segurança.

Embora as mais malévolas caracterizações da metáfora da mulher-como-propriedade tenham sido desmanteladas no fim da Idade Média, o modelo persistiu nas leis, costumes e emoções até recentemente.[48] Mulheres, mas não homens, usam anel de noivado para assinalar que estão "comprometidas", e nas bodas muitas ainda são "entregues" por seus pais a seus maridos, mudando então seu sobrenome adequadamente. Ainda na década de 1970 o estupro marital não era crime em nenhum dos estados americanos, e o sistema legal subestimava os interesses da mulher em outros estupros. Juristas que estudaram os procedimentos de júri descobriram que os jurados precisavam ser dissuadidos da teoria popular de que as mulheres podem ser negligentemente responsabilizadas por seus próprios estupros — um conceito não admitido em qualquer código de leis contemporâneo nos Estados Unidos —, ou isso iria infiltrar-se em suas deliberações.[49] Já no domínio das emoções, maridos e namorados com frequência mostram-se cruelmente hostis a suas parceiras depois que estas foram estupradas, dizendo coisas como "Algo foi tirado de mim. Sinto-me fraudado. Antes ela era toda minha e agora já não é". Não é incomum que na sequência de um estupro o casamento se desfaça.[50]

E finalmente chegamos à terceira parte em um estupro: a vítima. O mesmo cálculo genético que prevê que homens podem às vezes tender a pressionar mulheres a fazer sexo, e que os parentes da vítima podem encarar a experiência de estupro como uma ofensa contra eles próprios, prevê igualmente que a mulher deve resistir e recusar seu próprio estupro.[51] É da natureza da reprodução sexual que uma fêmea se dedique a exercer controle sobre sua sexualidade. Ela deve escolher o momento, os termos e o parceiro para se assegurar de que sua descendência tenha o pai mais apto, generoso e protetor entre os disponíveis, e que a prole venha ao mundo no momento mais propício. Como sempre, essa escolha reprodutiva não é algo que a mulher calcule, consciente ou inconscientemente; nem é um chip em seu cérebro que controla seu comportamento como num robô. São simplesmente os antecedentes de como certas emoções evoluíram, nesse caso, a determinação de uma mulher de controlar sua sexualidade e a agonia da violação quando esta foi extorquida pela força.[52]

Na história do estupro, portanto, os interesses da mulher foram zerados nas negociações implícitas que conformaram os costumes, os códigos morais e as leis. E nossas sensibilidades contemporâneas, nas quais reconhecemos o estupro como um odiento crime contra a mulher, representam uma reavaliação desses interesses, ditada por uma mentalidade humanista que baseia a moralidade no sofrimento e no florescimento dos indivíduos conscientes, mais do que no poder, na tradição ou na prática religiosa. A mentalidade, ademais, foi conformada segundo o princípio da *autonomia*: de que as pessoas têm direitos absolutos sobre seus corpos, que não podem ser tratados como um recurso a ser negociado com as outras partes interessadas.[53] O entendimento moral de nossos dias não visa equilibrar o interesse de uma mulher de não ser estuprada, o interesse do homem que pode querer estuprá-la e o interesse do marido ou pai que desejam monopolizar sua sexualidade. Em uma subversão da valoração tradicional, o pertencimento do corpo à mulher vale para tudo e os interesses de todos os outros querelantes não valem nada. (O único compromisso que reconhecemos hoje é o interesse dos acusados em um procedimento criminal, pois também sua autonomia é reconhecida.) O princípio da autonomia, lembremos, também foi uma chave na abolição da escravidão, do despotismo, da escravidão por dívida e dos castigos cruéis durante o Iluminismo.

A ideia, hoje aparentemente lógica, de que o estupro é sempre uma atrocidade contra a vítima demorou a se impor. Na legislação inglesa ocorreram alguns contrapesos no sentido dos interesses das vítimas durante a Baixa Idade Média, porém apenas no século XVIII a lei adquiriu uma forma reconhecível hoje.[54] Não por coincidência, foi também durante essa era, a Idade da Razão, que os direitos das mulheres começaram a ser reconhecidos, via de regra pela primeira vez na história. Em um ensaio de 1700, Mary Astell tomou os argumentos que tinham sido erguidos contra o despotismo e a escravidão, estendendo-os para a opressão das mulheres:

> Se a monarquia absoluta não é necessária em um Estado, por que o seria em uma família? E, se em uma família, por que não em um Estado? Na medida em que nenhuma razão pode ser alegada para um sem que possa mais fortemente valer para o outro [...].
>
> Se *todos os homens nascem livres*, como será que todas as mulheres nascem escravas? Como podem elas enquanto seres se sujeitarem à vontade *inconstante*, *incerta*, *incógnita* e *arbitrária* do homem, sendo a *perfeita condição da escravidão*?[55]

Foram necessários mais 150 anos para que esse argumento se tornasse um movimento. A primeira onda do feminismo, acompanhada nos Estados Unidos pela Convenção de Seneca Falls, em 1848, e a ratificação da 19ª Emenda à Constituição, em 1920, deu às mulheres o direito de votar, servir como juradas, possuir propriedades no casamento, divorciar-se e receber educação. Mas coube à segunda onda do feminismo, nos anos 1970, revolucionar o tratamento do estupro.

Muito do crédito cabe a um best-seller de 1975, da acadêmica Susan Brownmiller, intitulado *Against Our Will* [Contra nossa vontade]. A autora lançou uma forte luz sobre a histórica tolerância ante o estupro na religião, na lei, na guerra, na escravidão, na ação policial e na cultura popular. Ela apresentou estatísticas contemporâneas sobre estupros e relatos na primeira pessoa sobre o que representa ser estuprada e apresentar uma queixa por estupro. E Susan Brownmiller mostrou como a inexistência de um ponto de vista feminino nas maiores instituições da sociedade criara uma atmosfera que tornava fácil estuprar (como na popular tirada: "Quando o estupro for inevitável, relaxe e aproveite"). Ela escreveu num período em que o processo de descivilização dos anos 1960 fizera da violência uma forma de rebelião romântica e a revolução sexual transformara a lascívia em símbolo de sofisticação cultural. As duas afetações são mais congênitas nos homens que nas mulheres, e combinadas tornavam o estupro quase chique. Susan Brownmiller reproduziu desconcertantes retratos heroicos de estupradores, seja nas camadas de cultura média, seja entre intelectuais, ao lado de comentários reverentes assumindo que o leitor simpatizaria com eles. O filme de Stanley Kubrick *Laranja mecânica*, de 1971, por exemplo, apresentava um canalha amante de Beethoven que se divertia espancando gente desmaiada e estuprando uma mulher diante dos olhos do marido. Um resenhista da *Newsweek* exclamou:

> Neste nível profundo, *Laranja mecânica* é uma odisseia da personalidade humana, uma declaração do que é ser verdadeiramente humano [...]. Enquanto figura de fantasia, Alex apela para algo obscuro e primevo em todos nós. Ele expõe nosso desejo de gratificação sexual instantânea, para o alívio de nossos ódios e instintos reprimidos de vingança, nossa necessidade de aventura e excitação.[56]

O resenhista parece esquecer, observou Susan Brownmiller, que havia dois sexos como espectadores do filme: "Estou segura de que nenhuma mulher acredita que o homem com nariz de Pinóquio e um par de tesouras expunha o desejo *dela*, de gratificação instantânea, vingança ou aventura". Mas o resenhista não pode ser acusado de tomar liberdades em relação às intenções do cineasta. O próprio Kubrick usou a primeira pessoa do plural para explicar seu apelo:

> Alex simboliza o homem em estado natural, o modo como ele seria caso a sociedade não lhe impusesse seu processo "civilizador". O que respondemos subconscientemente é o sentimento sem culpa de Alex, de liberdade de matar e estuprar, de sermos nossos próprios selvagens naturais, e é desse lampejo da verdadeira natureza do homem que deriva o poder da história.[57]

Against Our Will ajudou a colocar na agenda nacional a reforma da lei e das práticas judiciais sobre o estupro. Quando o livro foi publicado, o estupro marital não era crime em nenhum estado americano; hoje, foi proscrito em todos os cinquenta, e na maioria dos países da Europa Ocidental.[58] As casas-abrigo ajudaram a aliviar o trauma do testemunho e da recuperação após um estupro; nos campi atuais é difícil alguém olhar à sua volta e não ver um anúncio de seus serviços. A figura 7.9 reproduz um adesivo que está afixado em muitas cabines de sanitários em Harvard, oferecendo às estudantes nada menos que cinco organizações que elas podem procurar.

Atualmente, todos os escalões do sistema de justiça criminal foram instruídos a levar a sério os ataques sexuais. Um recente episódio transmite o sabor da mudança. Uma de minhas alunas de graduação estava andando por um subúrbio de Boston habitado pela classe trabalhadora e foi abordada numa calçada por três colegiais, um dos quais agarrou seus seios e, quando ela protestou, em tom de brincadeira ameaçou agredi-la. Quando ela relatou isso à polícia, eles designaram um agente disfarçado para conduzir uma investigação com ela, e os dois passaram três tardes em um insuspeito carro (um Cadillac Seville 1978, salmão), até que ela identificou o agressor. O promotor assistente do distrito entrevistou-a várias vezes e com seu consentimento indiciou por agressão em segundo grau o rapaz,

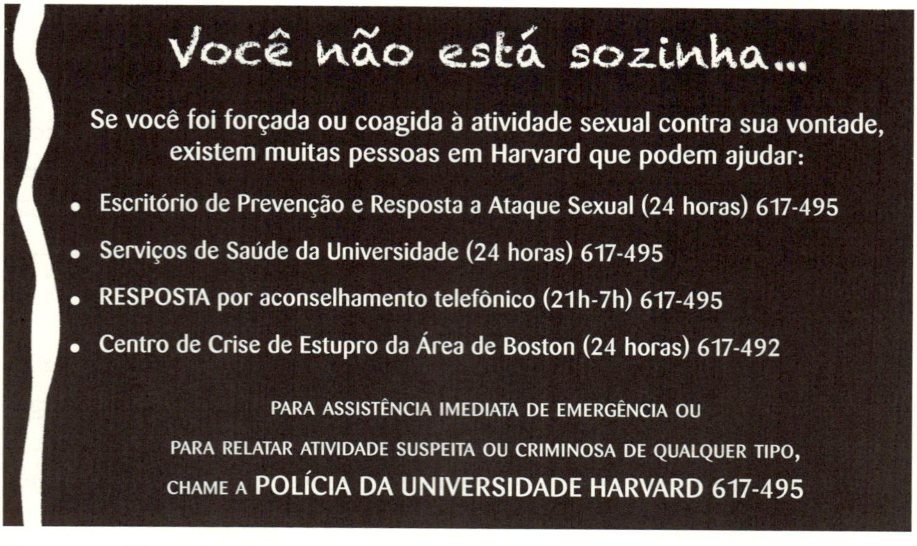

Você não está sozinha...

Se você foi forçada ou coagida à atividade sexual contra sua vontade, existem muitas pessoas em Harvard que podem ajudar:

- Escritório de Prevenção e Resposta a Ataque Sexual (24 horas) 617-495
- Serviços de Saúde da Universidade (24 horas) 617-495
- RESPOSTA por aconselhamento telefônico (21h-7h) 617-495
- Centro de Crise de Estupro da Área de Boston (24 horas) 617-492

PARA ASSISTÊNCIA IMEDIATA DE EMERGÊNCIA OU
PARA RELATAR ATIVIDADE SUSPEITA OU CRIMINOSA DE QUALQUER TIPO,
CHAME A POLÍCIA DA UNIVERSIDADE HARVARD 617-495

Figura 7.9. *Adesivo de prevenção e resposta.*

que se declarou culpado. Comparada com o tratamento superficial que se deu em décadas passadas até a estupros brutais, essa mobilização do sistema judicial por causa de uma ofensa relativamente menor é um sinal da mudança de política.

Também está modificado de modo irreconhecível o tratamento do estupro na cultura popular. Hoje, quando as indústrias do cinema e da televisão retratam um estupro, é para gerar compaixão pela vítima e repulsa pelo agressor. Séries de TV populares como *Law & Order: Special Victims Unit* levam aos lares a mensagem de que os agressores sexuais de todos os estratos sociais são uma ralé desprezível e de que as evidências de DNA inevitavelmente os conduzirão à justiça. A mais impactante de todas é a indústria dos videogames, pois esta é a mídia da próxima geração, rivalizando em faturamento com o cinema e com a gravação de músicas. O videogame é uma esparramada anarquia de conteúdos, na maioria desenvolvidos por e para garotos. Embora os jogos transbordem de violência e estereótipos de gênero, uma atividade prima pela ausência. O jurista Francis X. Shen desenvolveu uma análise do conteúdo de videogames remontando aos anos 1980 e desvendou um tabu que estava totalmente encoberto.

> Parece que o estupro é a única coisa que você não pode pôr em um videogame [...]. Matar quantidades de pessoas, com frequência brutalmente, ou até destruir cidades inteiras na vida real é claramente pior do que estuprar. Mas, em um videogame, permitir que alguém aperte a tecla X para estuprar outra pessoa é algo que excede os limites. A justificativa do "é apenas um jogo" parece cair por terra quando se trata do estupro [...]. Mesmo no mundo virtual dos jogos de simular um personagem, estuprar é um tabu.

Ele descobriu apenas um punhado de exceções em sua vastíssima pesquisa, e cada uma delas foi alvo de imediatos e veementes protestos.[59]

Mas alguma dessas mudanças reduziu a incidência de estupros? Os fatos nessa área são efusivos, pois os relatos de estupro são notoriamente subdimensionados e, ao mesmo tempo, frequentemente superdimensionados (tal como na amplamente divulgada mas por fim não provada acusação de 2006 contra três jogadores de *lacrosse* da Universidade Duke).[60] Estatísticas pouco sérias de grupos de defesa da causa são espalhadas e tornam-se de domínio público, tal como o incrível factoide de que uma em cada quatro estudantes universitárias já foi estuprada. (A assertiva baseava-se em uma cômoda definição de estupro que as próprias alegadas vítimas nunca aceitaram; incluía, por exemplo, qualquer episódio em que uma mulher consentisse em fazer sexo após ter bebido demais e mais tarde se arrependesse.)[61] Uma fonte de dados imperfeita mas útil é a National Crime Victimization Survey [Pesquisa Nacional de Crimes], do U. S. Bureau of Justice Statistics [Birô de Estatísticas de Justiça dos Estados Unidos], que desde 1973 vem entrevistando metodicamente uma ampla e estratificada amostragem da população para estimar índices criminais sem o fator de distorção de quantas vítimas relataram o crime à polícia.[62] A pesquisa tem várias características concebidas para restringir a sub-representação. Noventa por cento dos entrevistadores são mulheres, e, depois que a metodologia foi aperfeiçoada, em 1993, ajustes foram feitos retroativamente nas estimativas dos anos anteriores, de modo a tornar comensuráveis os dados de todos os anos. O estupro foi definido de modo amplo, mas não tão amplo; isso incluiu atos sexuais forçados por ameaças verbais, assim como pela força física, e incorporou tanto tentativas como estupros consumados, contra homens ou mulheres, homossexuais ou heterossexuais (na verdade, a maioria dos estupros é de homens-em-mulheres).

A figura 7.10 mapeia os índices anuais de estupros nas últimas quatro décadas. Ela mostra que em 35 anos o índice reduziu-se em assombrosos 80%, de 250 por 100 mil pessoas com mais de doze anos de idade, em 1973, para cinquenta por 100 mil em 2008. Na verdade, o declínio pode ser ainda maior, pois as mulheres certamente estiveram mais dispostas a relatar que foram estupradas em anos recentes, quando o estupro foi reconhecido como crime grave, do que em períodos mais distantes, quando ele frequentemente era ocultado e trivializado.

Verificamos no capítulo 3 que os anos 1990 assistiram a um decréscimo em todas as categorias de crimes, do homicídio ao roubo de carros. Alguém pode julgar que o declínio dos estupros é apenas um caso específico no declínio dos crimes, em vez de uma conquista do esforço feminista para banir esse tipo de violência. A figura 7.10 também mostra os índices de homicídio (dos FBI Uniform Crime Reports [Relatórios Uniformizados de Crimes do FBI]), alinhando as duas curvas no nível de 1973. O gráfico mostra que o declínio dos estupros é diferente daquele dos homicídios. Este último oscilou para cima e para baixo até 1992, caiu nos anos 1990 e estabilizou-se no novo milênio. O índice de estupros começou a declinar por volta de 1979, tombou mais bruscamente durante a década de 1990 e continuou a descer no novo milênio. Em 2008 a taxa de homicídios era 57% do nível de 1973, enquanto a estatística de estupros reduzira-se a 20%.

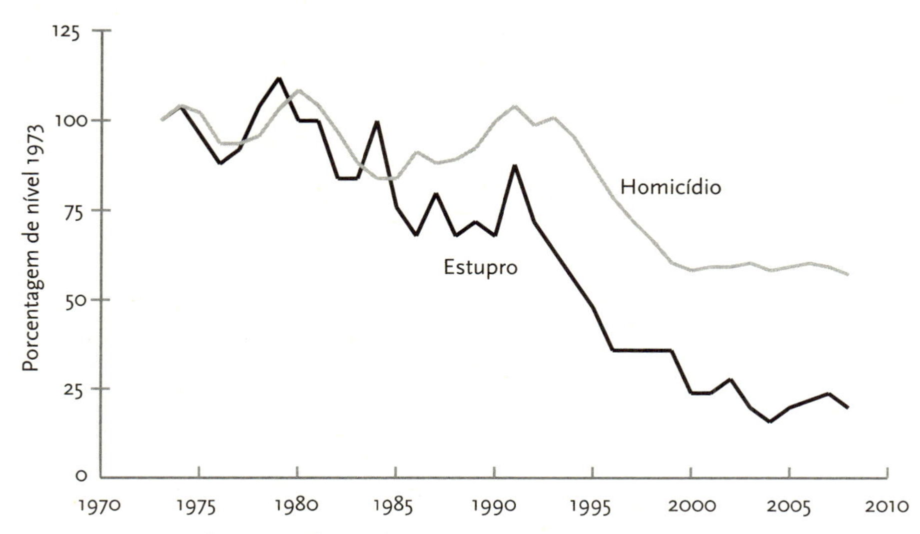

Figura 7.10. *Taxas de estupro e homicídio nos Estados Unidos, 1973-2008.*
FONTE: Dados de FBI Uniform Crime Reports e National Crime Victimization Survey; U. S. Bureau of Justice Statistics, 2009.

Caso a tendência mostrada nos dados estatísticos seja real, a queda nos estupros é mais um notável declínio na violência. Entretanto, passou virtualmente despercebida. Em vez de celebrar o êxito, as organizações antiestupro transmitem a impressão de que as mulheres correm mais perigo do que nunca (como nos adesivos dos sanitários da universidade). E, embora o declínio de trinta anos necessite de uma explicação distinta daquela do recuo de sete anos nos homicídios, políticos e criminologistas não pegaram a deixa. Não existe nenhuma teoria das Janelas Quebradas ou teoria freakonomics para tentar explicar as três décadas de queda.

Provavelmente diversas causas levaram à mesma direção. A porção do recuo ocorrida nos anos 1990 pode partilhar algumas causas com as do decréscimo do crime em geral, tais como um melhor policiamento e menos homens perigosos nas ruas. Antes, durante e após esse recuo, as sensibilidades feministas apontaram o estupro como merecedor de atenção especial por parte da polícia, justiça e agências de assistência social. Seu esforço foi aprimorado pela Lei da Violência Contra as Mulheres, de 1994, que incrementou os fundos federais e a vigilância visando a prevenção de estupros e referendou o uso de kits de estupro e testes de DNA, que puseram muitos estupradores iniciantes atrás das grades em vez de esperar por uma segunda ou terceira agressão. De fato, o declínio do crime em geral nos anos 1990 pode ter sido tanto um produto da campanha feminista antiestupro como vice-versa. Uma vez que a temporada criminal das décadas de 1960 e 1970 atingira um platô, foi a campanha feminista contra agressões a mulheres que ajudou a desromantizar a violência nas ruas, fazer da segurança pública um direito e estimular o processo recivilizador dos anos 1990.

Embora a agitação feminista mereça que se credite a ela as medidas que levaram ao declínio do estupro nos Estados Unidos, o país estava claramente preparado para elas. Não foi como se alguém argumentasse que as mulheres *tinham* de ser humilhadas nas delegacias de polícia e tribunais, que os maridos tinham o direito de estuprar suas esposas ou que os estupradores podiam caçar mulheres em escadas de edifícios e garagens. A vitória veio depressa, não exigiu boicotes ou mártires, não enfrentou cães policiais ou turbas enfurecidas. As feministas venceram a batalha contra o estupro particularmente porque havia mais mulheres em posições influentes, o legado das transformações tecnológicas afrouxara a secular divisão sexual de trabalho que relegara as mulheres à cozinha e aos filhos. Mas elas venceram a batalha também porque ambos os sexos se tornaram cada vez mais feministas.

Apesar das anedóticas alegações de que as mulheres não progrediram, devido a "reações" contra o feminismo, os dados mostram que as atitudes do país tornaram-se inexoravelmente mais progressistas. O psicólogo Jean Twenge tabulou mais de um quarto de século de respostas a um questionário estandardizado sobre atitudes para com as mulheres — inclusive itens como "É insultante para as mulheres a cláusula de 'obedecer' que permanece no sacramento do matrimônio", "As mulheres deviam se preocupar menos com seus direitos e mais em serem boas esposas e mães" e "Uma mulher não deveria ter a expectativa de ir exatamente aos mesmos lugares ou ter a mesma liberdade de ação de um homem".[63] A figura 7.11 mostra a média de 71 estudos que verificaram as atitudes de homens e mulheres na faixa etária do segundo ciclo, de 1970 a 1995. Sucessivas gerações de estudantes, mulheres e homens igualmente, têm opiniões crescentemente progressistas em relação às mulheres. Na realidade, os homens no início dos anos 1990 tinham posições que eram mais feministas que as das mulheres na década de 1970. Os estudantes sulistas eram ligeiramente menos feministas que os nortistas, mas as tendências ao longo do tempo eram similares, assim como as atitudes para com as mulheres recolhidas junto a outras camadas de americanos.

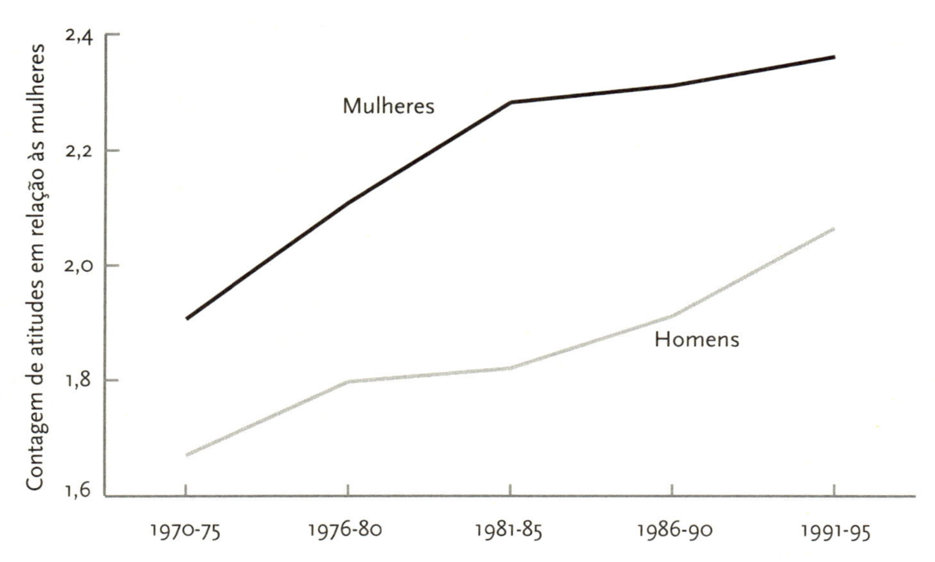

Figura 7.11. *Atitudes em relação às mulheres nos Estados Unidos, 1970-95.*
FONTE: Gráfico de Twenge, 1997.

Agora somos todos feministas. O ponto de vista padrão da cultura ocidental torna-se crescentemente unissex. A universalização do ponto de vista do cidadão genérico, impulsionado pela razão e pela analogia, foi um mecanismo do progresso moral durante a Revolução Humanitária do século XVIII, e retomou esse ímpeto ao longo das Revoluções por Direitos do século XX. Não é por uma coincidência que a expansão dos direitos das mulheres seguiu as pegadas da expansão dos direitos das minorias raciais, já que, se o verdadeiro sentido do credo fundador da nação é que todos os homens foram criados iguais, como não todas as mulheres também? No caso do gênero, um sintoma superficial dessa tendência universalizante é o esforço dos escritores para evitar pronomes masculinos como "ele" para se referir genericamente aos seres humanos. Um sinal mais profundo é a reorientação dos sistemas moral e legal de modo que possam se justificar de um ponto de vista que não seja especificamente masculino.

Os estupradores são homens, suas vítimas são usualmente mulheres. A campanha contra o estupro ganhou impulso não só porque as mulheres fortaleceram sua caminhada rumo ao poder e reequilibraram os instrumentos de governo para servir a seus interesses, mas também, suspeito, porque a presença da mulher mudou a compreensão dos homens no poder. Um ponto de vista moral determina mais do que quem se beneficia e quem paga; ele define, para começar, quais eventos são classificados como benefícios ou custos. E em nenhum aspecto essa diferença de avaliação é mais cheia de consequências que na construção da sexualidade por parte de homens e mulheres.

No livro *Warrior Lovers* [Amantes de guerreiros], a psicóloga Catherine Salmon e o antropólogo Donald Symons afirmam:

> Encontrar o erotismo desenhado para atrair o outro sexo é olhar para o abismo psicológico que separa os sexos [...]. Os contrastes entre romances de amor e vídeos pornô são tão numerosos e profundos que podem fazer alguém se maravilhar ao ver como homens e mulheres afinal sempre se juntam, para não mencionar quando permanecem unidos e criam filhos com êxito.[64]

Se a questão do erotismo é oferecer experiências sexuais ao consumidor sem ter de comprometê-lo com as demandas do sexo oposto, ela é uma janela entre os desejos de cada sexo em estado puro. A pornografia para homens é visual, anatômica, impulsiva, frondosamente promíscua e desprovida de contexto e caráter. O erotismo para as mulheres muito provavelmente tende ao verbal, ao psicológico, ao reflexivo, seriamente monogâmico, rico em contexto e caráter. Homens fantasiam a cópula com corpos; mulheres fantasiam fazer amor com pessoas.

O estupro não é exatamente uma parte normal da sexualidade masculina, mas é possibilitado pelo fato de que o desejo do macho pode ser indiscriminado em sua escolha de par sexual e indiferente à vida interior deste — na verdade, "objeto" pode ser um termo mais apropriado que "parceiro". A diferença entre as concepções feminina e masculina de sexo se traduz em uma distinção quanto a como cada um percebe o agravo de uma agressão sexual. Uma pesquisa feita pelo psicólogo David Buss mostra que os homens subestimam o quanto uma agressão sexual é perturbadora para uma vítima feminina, ao passo que as mulheres superestimam a agressão sexual a uma vítima masculina.[65] O abismo sexual permite uma exposição complementar sobre o tratamento insensível dispensado às vítimas de estupro nos códigos legais e morais tradicionais. Isso pode não derivar apenas do impiedoso exercício do poder sobre as fêmeas por parte dos machos; pode vir também de uma inabilidade tacanha para conceber uma mente diversa da masculina, uma mente que considera a perspectiva de fazer sexo abrupto e não solicitado com um estranho como repugnante em vez de atraente. Uma sociedade em que homens trabalham lado a lado com mulheres e são forçados a levar em conta interesses delas, enquanto têm de justificar os seus próprios, é uma sociedade na qual é menos provável que essa obtusa incuriosidade permaneça intacta.

O abismo sexual também ajuda a explicar a ideologia politicamente correta a respeito do estupro. Como vimos, campanhas bem-sucedidas contra a violência frequentemente deixam em sua esteira códigos de etiqueta, ideologias e tabus não examinados. No caso do estupro, a crença correta é a que ele nada tem a ver com sexo, mas apenas com poder. Como expõe Susan Brownmiller, "desde os tempos pré-históricos até o presente, acredito, o estupro desempenhou uma função crucial. Ele é nada mais, nada menos que um processo consciente de intimidação, pelo qual *todos* os homens mantêm *todas* as mulheres em estado de medo".[66] Estupradores, escreveu ela, são como mirmídones, os enxames de soldados mitológicos, descendentes de formigas, que combateram como mercenários nas hostes de Aquiles. "Os estupradores com ficha policial desempenham em um sentido muito real a função de mirmídones para todos os homens em nossa sociedade."[67] A teoria dos mirmídones evidentemente é absurda. Ela não apenas eleva os estupradores à categoria de combatentes altruístas por uma causa mais elevada, e rebaixam todos os homens à condição de beneficiários do estupro das mulheres que eles amam, mas presume que o sexo é a única coisa que homem algum jamais usará a violência para obter, e isso é contraditório com numerosos fatos acerca da distribuição estatística dos estupradores e suas vítimas.[68] A autora escreveu que adaptara a teoria das ideias de um velho professor comunista que tivera, e ela coincide com a concepção marxista de que todo comportamento humano deve ser explicado através da luta entre grupos pelo poder.[69] Porém, se é que posso permitir-me uma sugestão *ad feminam* [à mulher], a teoria de que o estupro nada tem a ver com sexo pode ser mais plausível para um gênero para quem um desejo de sexo impessoal com um estranho indesejado é tão bizarro de se conceber.

O bom senso nunca obstruiria a marcha de um costume sagrado que vem acompanhando o declínio da violência, e atualmente os centros que se ocupam do estupro unanimemente insistem que "o estupro ou agressão sexual não é um ato de sexo ou luxúria — e sim de agressão, poder e humilhação, usando o sexo como instrumento. O objetivo do estuprador é a dominação". (Ao que a jornalista Heather MacDonald replica: "Os caras que cavalgam mulheres em farras estão atrás de apenas uma coisa, e não é a restauração do patriarcado".)[70] Devido à crença sagrada, os conselheiros que se ocupam do estupro impingem a estudantes conselhos que nenhum pai responsável jamais daria a uma filha. Quando MacDonald indagou à diretora associada do Centro de Prevenção de Agressão Sexual de uma importante universidade se eles encorajariam as estudantes a exercitar o bom senso, com diretrizes como "Não fique bêbada, não vá para a cama com um cara, não tire a roupa nem deixe que a tirem", ela respondeu:

> Sinto-me desconfortável com a ideia. Ela indica que se [as estudantes] são estupradas poderia ser por culpa delas — nunca é por culpa delas —, e o modo como alguém se veste não estimula o estupro ou a violência [...]. Eu jamais permitiria que minha equipe ou eu própria transmitíssemos a mensagem de que a vítima é culpada, devido à sua roupa ou falta de decência, de forma alguma.

Felizmente, as estudantes que MacDonald entrevistou não deixaram sua correção sexual obstruir seu senso comum. A linha da burocracia antiestupro do campus, por interessante que possa ser como tópico da sociologia das crenças, é uma coadjuvante diante do desenvolvimento de maior significação histórica: que nas últimas décadas uma ampliação das atitudes sociais e das garantias legais no sentido de apoiar a perspectiva das mulheres fez recuar a incidência de uma importante categoria de violência.

A outra categoria relevante da violência contra as mulheres tem sido denominada espancamento conjugal, espancamento, maus-tratos maritais, violência entre parceiros íntimos e violência doméstica. O homem usa a força física para intimidar, agredir e, em casos extremos, matar a esposa ou namorada, atual ou ex. Usualmente a violência é motivada por ciúme sexual ou medo de que a mulher irá deixá-lo, embora ela também possa ser usada para estabelecer o domínio masculino na relação, punindo-a por atos de insubordinação como um desafio à autoridade marital, ou um fracasso no cumprimento de um dever doméstico.[71]

A violência doméstica é o substrato de uma série de táticas pelas quais os homens controlam a liberdade, especialmente a liberdade sexual, de suas parceiras. Ela pode ser relacionada com o fenômeno biológico da guarda do acasalamento.[72] Em muitos organismos em que os machos investem em sua descendência e as fêmeas têm a oportunidade de acasalar com outros machos, o macho circundará a fêmea, tentará mantê-la longe de machos rivais e, ao observar sinais de que pode ter falhado, copular com ela imediatamente. Práticas humanas como o uso de véus, a tutela, cintos de castidade, a clausura, a segregação por sexos e a mutilação genital parecem ser táticas socialmente admitidas de guarda do acasalamento. À guisa de camada protetora suplementar, os homens frequentemente acordam com outros homens (e eventualmente uma parente mais idosa) o reconhecimento de seu monopólio sobre suas parceiras como um direito legal. Nas civilizações do Crescente Fértil, Extremo Oriente, Américas, África e Europa Setentrional os códigos legais deduziam corolários praticamente idênticos da equação da mulher enquanto propriedade.[73] O adultério era um crime contra o marido por parte de seu rival romântico, autorizando o primeiro a ressarcir-se, divorciar-se (com a devolução do dote) ou vingar-se violentamente. O adultério era sempre definido pelo estado conjugal da mulher; o estado conjugal do homem e as preferências da mulher quanto à matéria eram irrelevantes. Até as primeiras décadas do século XX, o homem da casa estava autorizado por lei a "castigar" sua mulher.[74]

Nos países ocidentais a década de 1970 assistiu à revogação de muitas leis que tratavam as mulheres como possessão de seus maridos. As leis de divórcio tornaram-se mais simétricas. Um homem já não podia alegar legítima defesa ante a provocação quando matava sua mulher adúltera ou o amante desta. Um marido já não podia confinar pela força sua esposa ou proibi-la de deixar a casa. E os familiares ou amigos da esposa não mais eram culpados do crime de "homizio" caso dessem guarida a uma esposa em fuga.[75] A maior parte dos Estados Unidos tem hoje abrigos nos quais uma mulher pode escapar de seu parceiro violento, e o sistema legal reconheceu o direito da mulher à segurança ao criminalizar a violência doméstica. A polícia, que antes ficava fora da "esfera conjugal", agora é requisitada, na maioria dos estados americanos, para prender um cônjuge caso exista causa provável de maus-tratos. Em muitas jurisdições os promotores *são obrigados* a buscar medidas cautelares que mantenham um cônjuge potencialmente abusivo longe de seu lar e de seu parceiro, e então de processá-lo sem a opção de retirar a acusação, quer a vítima deseje o prosseguimento, quer não.[76] Originalmente destinada a resgatar mulheres que ficavam prisioneiras de um ciclo de maus-tratos, desculpas, perdão e novas violências, tal política tornou-se tão intrusiva que alguns juristas, como Jeannie Suk, argumentaram que ela atualmente trabalha contra os interesses das mulheres na medida em que negam sua autonomia.

As atitudes igualmente mudaram. Durante séculos o espancamento de esposas foi considerado parte do casamento, a partir da tirada dos dramaturgos do século XVII Beaumont e Fletcher, segundo a qual "caridade e espancamento começam em casa", até a ameaça do motorista de ônibus Ralph Kramden, da série de TV *The Honeymooners*, dos anos 1950: "Qualquer dia desses, Alice... PÁ, bem na boca!". Ainda em 1972, os entrevistados em uma pesquisa sobre a gravidade de diferentes crimes situavam a violência contra esposas em 91º lugar numa lista de 140. (As respostas à consulta também consideravam a venda de LSD como crime pior que o "estupro pela força de um estranho no parque".)[77] Os leitores que puserem em dúvida os dados da pesquisa podem se interessar por uma experiência conduzida em 1974 pelos psicólogos sociais Lance Shotland e Margaret Straw. Estudantes que estavam preenchendo um questionário ouviam uma briga verbal entre um homem e uma mulher (na verdade artistas contratados pelos pesquisadores). Deixarei que os autores descrevam o método experimental:

> Depois de aproximadamente quinze segundos de inflamada discussão, o homem atacava fisicamente a mulher, sacudindo-a violentamente enquanto ela lutava, resistindo e gritando. Os gritos eram altos e estridentes, intercalados com apelos de "Fique longe de mim". Junto com os brados, uma de duas alternativas era introduzida e repetia-se várias vezes. Na versão do estranho, a mulher gritava "Não conheço você", enquanto na do casal o grito era "Não sei como casei com você".[78]

A maior parte dos estudantes corria para fora da sala de teste para ver qual era o motivo da briga. Na alternativa em que os atores faziam o papel de estranhos, quase dois terços dos estudantes intervinham, usualmente aproximando-se aos poucos do casal na esperança de que este parasse. Mas na alternativa em que os atores representavam os papéis de marido e mulher, menos de um quinto dos estudantes intervinha. A maior parte nem sequer usava um telefone em frente a eles com um adesivo que informava o número de emergência da polícia do campus. Mais tarde, quando entrevistados, alegaram que "não era da conta deles". Em 1974, a mesma violência que era considerada inaceitável entre estranhos tornava-se aceitável dentro de um casamento.

A experiência quase certamente não poderia ser reproduzida hoje, devido às normas federais sobre a pesquisa usando pessoas, outro sinal de nossos tempos de aversão à violência. Mas outros estudos sugerem que as pessoas de hoje são menos inclinadas a pensar que um ataque violento de um homem contra sua esposa "não é da conta delas". Em uma pesquisa de 1995, mais de 80% dos consultados qualificaram a violência doméstica de "questão social e legal muito importante" (mais importante que a pobreza infantil e o estado do meio ambiente), 87% acreditavam que é necessário intervir quando um homem bate em sua mulher, mesmo que ela não se machuque, e 99% julgavam que a intervenção legal é necessária quando um homem machuca a esposa.[79] Pesquisas que fazem as mesmas perguntas em décadas diferentes mostram impressionantes mudanças. Em 1987, apenas metade dos americanos considerava que era sempre errado um homem bater na esposa com um cinto ou uma bengala; uma década mais tarde, 86% consideravam que seria sempre errado.[80] A figura 7.12 mostra os resultados estatisticamente ajustados de quatro pesquisas que perguntaram se as pessoas aprovam que um marido bata na esposa. Entre 1968 e 1994, o nível de aprovação caiu pela metade, de 20% para 10%. Embora os homens sejam mais inclinados a admitir a violência doméstica que as mulheres, a maré feminista arrastou-os igualmente, e os homens de 1994 eram menos indulgentes que as mulheres de 1968. O declínio foi sentido em todas as regiões do país e em amostragens de brancos, negros e hispânicos.

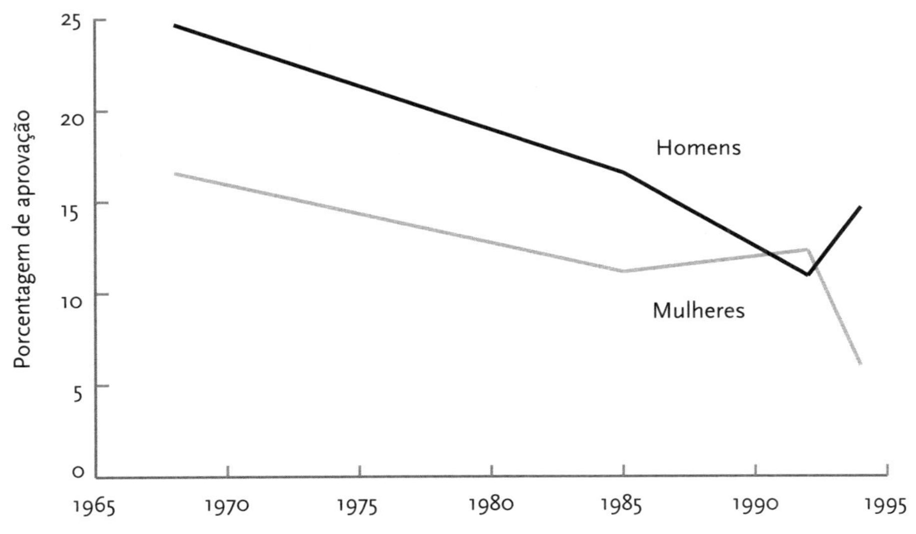

Figura 7.12. *Aprovação do marido que bate na esposa nos Estados Unidos, 1968-94.*
FONTE: Gráfico de Straus et al., 1997.

O que dizer da violência propriamente? Antes de olharmos as tendências, temos de considerar uma surpreendente arguição: de que os homens já não praticam mais violência doméstica que as mulheres. O sociólogo Murray Straus conduziu muitas sondagens confidenciais e anônimas indagando a pessoas que mantinham relacionamentos qual delas havia usado de violência contra seu parceiro, e não encontrou diferença entre os sexos.[81] Em 1978 ele escreveu: "Os velhos cartuns da mulher batendo no marido com um rolo de macarrão ou atirando louças e panelas estão mais próximas da realidade do que muitos pensam (especialmente aqueles com simpatias feministas)".[82] Alguns ativistas reivindicaram um maior reconhecimento do problema dos homens espancados e uma rede de abrigos em que os homens possam escapar de suas esposas e namoradas violentas. Isso seria distorcer um bocado as coisas. Se as mulheres nunca tivessem sido vítimas de uma categoria de violência de gênero chamada "espancamento da mulher", mas ambos os sexos tivessem sido sempre atingidos igualmente pelo "espancamento do cônjuge", seria ilusório indagar se a agressão marital declinou ao longo do tempo como parte da campanha pelo fim da violência contra a mulher.

Para dar sentido aos achados das pesquisas, é preciso ser cuidadoso quanto ao que se considera violência doméstica. Ocorre que realmente existe uma distinção entre brigas matrimoniais comuns que evoluem para a violência (as "conversações com pratos voadores", como Rodgers e Hart as chamaram) e a sistemática intimidação e coação de um parceiro pelo outro.[83] O sociólogo Michael Johnson analisou dados sobre as interações entre parceiros nas relações violentas e descobriu um agrupamento de táticas de controle que tendem a aparecer juntas. Em alguns casais, um parceiro ameaça o outro com o uso da força, controla as finanças familiares, restringe os movimentos do outro, redireciona a raiva e a violência contra os filhos ou animais de estimação, e estrategicamente recusa elogios e afeição. Entre casais com um controlador, os controladores que usavam de violência eram quase exclusivamente homens; as esposas que usavam de violência eram quase todas mulheres presumivelmente defendendo a si ou seus filhos. Quando nenhum dos parceiros era controlador, a violência irrompia apenas quando uma discussão fugia ao controle, e nesses casais os homens eram apenas ligeiramente mais propensos a usar a força que as mulheres. A distinção entre controladores e contendores, portanto, resolve o mistério da neutralidade de gênero das estatísticas da violência. Os números nas pesquisas sobre violência são dominados pelos choques entre parceiros fora de controle, em que as mulheres batem tanto quanto apanham. Porém os números de admissões em abrigos, registros de tribunais, emergências e estatísticas policiais são dominados por casais com um controlador, em geral o homem, intimidando a mulher, e ocasionalmente a mulher se defendendo. A assimetria é ainda maior entre ex-parceiros, nos quais são os homens que promovem a perseguição, as ameaças e agressões. Outros estudos confirmaram que intimidação crônica, violência grave e masculinidade tendem a vir juntas.[84]

Então, alguma coisa mudou através do tempo? Talvez não com as miudezas, trocas de tapas e empurrões.[85] Porém, no que toca à violência grave o bastante para contar como uma agressão, conforme os dados da National Crime Victimization Survey, os índices desabaram. Assim como as estimativas sobre estupros, as cifras do estudo não podem ser tratadas como medidas exatas das proporções da violência doméstica, mas são úteis enquanto indicadores das tendências ao longo do tempo, especialmente depois que uma nova preocupação com a violência doméstica teria tornado os entrevistados recentes mais dispostos a relatar maus-tratos. O Bureau of Justice fornece dados de 1993 a 2005, que estão expostos na figura 7.13. Os índices de violência contra as mulheres por parte de seus parceiros íntimos caíram em quase dois terços, e os índices contra homens recuaram para cerca da metade.

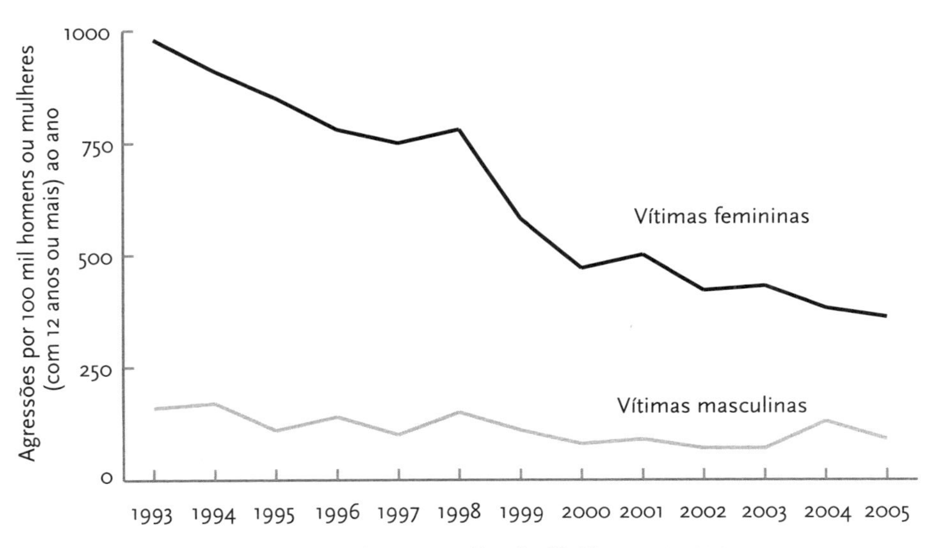

Figura 7.13. *Agressões por parceiros íntimos nos Estados Unidos, 1993-2005.*
FONTE: Dados de U. S. Bureau of Justice Statistics, 2010.

Quase com certeza o declínio começou mais cedo. Nas pesquisas de Straus, as mulheres em 1985 relatavam o dobro das agressões graves reportadas em 1992 — ano em que o levantamento federal teve início.[86]

O que dizer sobre a forma mais extremada de violência doméstica, o uxoricídio (assassinato da esposa pelo marido) e o mariticídio (do marido pela esposa)? Para um cientista social, a morte de um parceiro pelo outro tem a grande vantagem de não requerer regateios em torno de definições ou cuidados acerca de distorções nos relatos: morte é morte. A figura 7.14 mostra as taxas de homicídios por parceiros íntimos de 1976 a 2005, em ocorrências por 100 mil pessoas do mesmo sexo.

Mais uma vez vemos um substancial declínio, embora com uma interessante flexão: o feminismo foi muito bom para os homens. Nos anos posteriores à ascensão do movimento de mulheres, as chances de que um homem fosse morto pela esposa, ex-esposa ou namorada caíram para um sexto do que eram. Como não havia durante esse período uma campanha para acabar com a violência contra os homens, e sendo as mulheres em geral o sexo menos homicida, a explicação mais provável é que uma mulher era capaz de matar um marido ou namorado violento

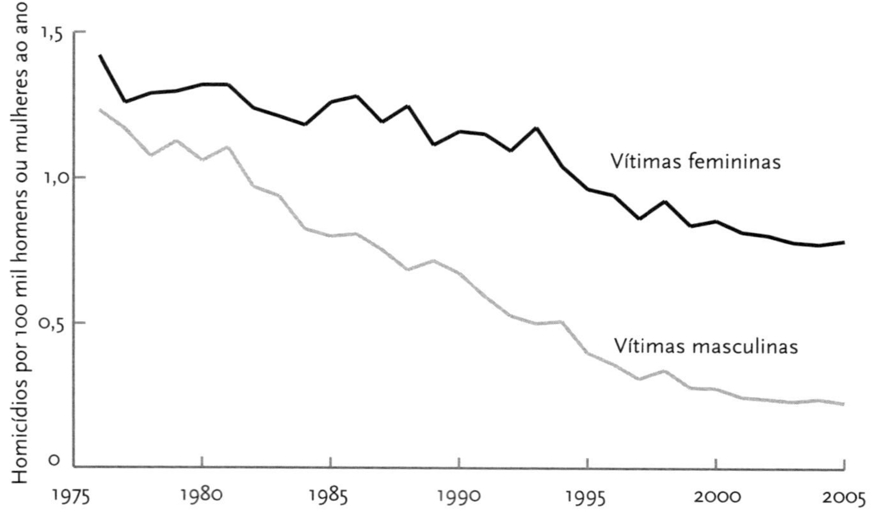

Figura 7.14. *Homicídios por parceiros íntimos nos Estados Unidos, 1976-2005.*
FONTE: Dados de U. S. Bureau of Justice Statistics, 2011, com ajustes pelo *Sourcebook of Criminal Justice Statistics Online* (<www.albany.edu/sourcebook/csv/t31312005.csv>). Os números sobre a população são do censo dos Estados Unidos.

quando este ameaçava agredi-la caso ela o deixasse. O aparecimento dos abrigos e das normas restritivas deu às mulheres um plano alternativo que era muito menos extremado.[87]

O que dizer do resto do mundo? Infelizmente, não é fácil dizer. Ao contrário do homicídio, o estupro e os maus-tratos maritais comportam todo tipo de definições, e os relatórios policiais são uma miscelânea, já que qualquer mudança nos índices de violência contra as mulheres pode ser escamoteada por mudanças na disposição das mulheres para relatar os maus-tratos à polícia. Incrementando a confusão, grupos de defesa da causa tendem a inflar as estatísticas sobre violências contra as mulheres, e a ocultar as estatísticas sobre tendências ao longo do tempo. O Ministério do Interior no Reino Unido administra uma pesquisa sobre crimes na Inglaterra e no País de Gales, mas esta não apresenta dados sobre estupro e violência doméstica.[88] Contudo, quando os dados de relatórios anuais distintos são agregados, como na figura 7.15, mostram um dramático decréscimo da violência doméstica, similar ao verificado nos Estados Unidos. Devido a diferenças nas

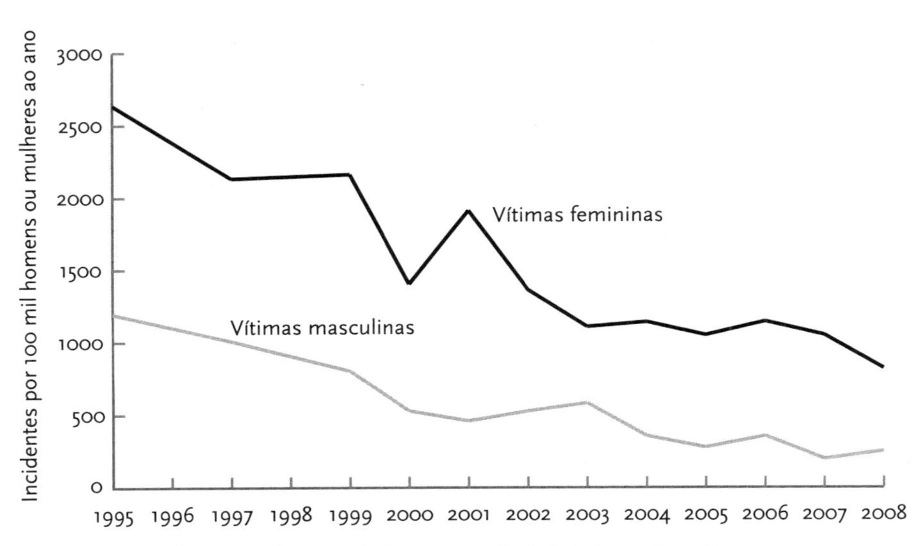

Figura 7.15. *Violência doméstica na Inglaterra e no País de Gales, 1995-2008.*
FONTE: Dados de British Crime Survey, Home Office, 2010. Dados agregados ano a ano por Dewar Research, 2009. Estimativas de população de U. K. Office for National Statistics, 2009.

definições de violência doméstica e na tabulação da população-base, os números desse gráfico não são comparáveis com os da figura 7.13, mas as tendências ao longo do tempo são praticamente as mesmas. Pode-se dizer com segurança que declínios assemelhados ocorreram em outras democracias ocidentais, pois a violência doméstica tem sido uma preocupação em todas elas.

Embora os Estados Unidos e outras nações do Ocidente sejam frequentemente acusadas de serem patriarcados misóginos, o resto do mundo é imensamente pior. Como mencionei, as pesquisas nos Estados Unidos que são amplas o bastante para abranger episódios menores de empurrões e tapas não mostram diferenças entre homens e mulheres; o mesmo é verdade para Canadá, Finlândia, Alemanha, Reino Unido, Irlanda, Israel e Polônia. Mas essa neutralidade de gênero é uma saída para o resto do mundo. O psicólogo John Archer examinou as relações de sexo em dezesseis países e constatou que nos não ocidentais — Índia, Jordânia, Japão, Coreia, Nigéria e Papua-Nova Guiné — os homens batem mais.[89]

A Organização Mundial da Saúde recentemente publicou um amontoado de índices de violência doméstica grave de 48 países.[90] Mundialmente, foi estimado que entre um quinto e metade de todas as mulheres já foram vítimas de violência doméstica, e os números são bem piores em países fora da Europa Ocidental e da Anglosfera.[91] Nos Estados Unidos, Canadá e Austrália, menos de 3% das mulheres reportam que seus parceiros as agrediram no ano anterior, porém os relatórios de outros países são de uma escala superior: 27% em uma amostragem nicaraguense, 38% em uma coreana, 52% em uma palestina. As atitudes para com a violência conjugal também mostram impressionantes diferenças. Cerca de 1% dos neozelandeses e 4% dos cingapurianos dizem que um marido tem o direito de bater em uma esposa que é respondona ou desobediente. Porém os números chegam a 78% nas zonas rurais do Egito, mais de 50% em Uttar Pradesh, na Índia, e 57% entre os palestinos.

As leis sobre violência contra mulheres também mostram um atraso ante as reformas legais nas democracias ocidentais.[92] Na Europa Ocidental, 84% dos países criminalizaram ou planejam criminalizar a violência doméstica e 72% assim agiram em relação ao estupro conjugal. Aqui estão as cifras para outras partes do mundo: Europa Oriental, 57% e 39%; Ásia e Pacífico, 51% e 19%; América Latina, 94% e 18%; África subsaariana, 35% e 12,5%; Estados Árabes, 25% e 0%. No topo dessas injustiças, a África subsaariana e o Sul-Sudoeste Asiático hospedam atrocidades sistemáticas contra mulheres, raras ou inéditas no século XXI ocidental, entre as quais infanticídio, mutilação genital, tráfico visando a prostituição infantil e a escravidão sexual, assassinatos de honra, agressões a mulheres desobedientes ou subdotadas com ácido e querosene inflamado, estupros em massa durante guerras, convulsões e genocídios.[93]

Seria a diferença entre o Ocidente e o resto do mundo, no que se refere à violência contra a mulher, um daqueles fatores de conjunto que são embrulhados num só pacote no efeito Mateus — democracia, prosperidade, liberdade econômica, educação, tecnologia, governo decente? Não inteiramente. A Coreia e o Japão são democracias afluentes, mas têm mais violência doméstica contra mulheres, enquanto países latino-americanos muito menos desenvolvidos parecem ter relações de sexo mais equilibradas e índices absolutos mais baixos. Isso deixa algum espaço de manobra para se considerar as diferenças através da sociedade que tornam a mulher mais segura, dado um índice constante de afluência. Archer verificou que os países onde as mulheres estão mais bem representadas nas esferas governamental e profissional, e onde recebem uma maior parcela da renda, são menos expostos a ter mulheres vitimadas por maus-tratos conjugais. Também culturas classificadas como mais individualistas, onde as pessoas sentem que são indivíduos com o direito de perseguir seus próprios objetivos, têm relativamente menos violência doméstica contra as mulheres do que as culturas classificadas como coletivistas, onde as pessoas sentem que fazem parte de uma comunidade cujos interesses têm precedência sobre elas próprias.[94] Essas correlações não provam um nexo de causa, mas são consistentes com a sugestão de que o declínio da violência contra mulheres no Ocidente foi estimulado por uma mentalidade humanista, que eleva os direitos das pessoas individualmente acima das tradições da comunidade e que abraça crescentemente o ponto de vista feminino.

Embora em outros pontos eu tenha sido cauteloso em matéria de fazer previsões, penso que é extremamente provável que nas próximas décadas a violência contra mulheres vai declinar através do mundo. A pressão virá tanto de cima para baixo como de baixo para cima. Em cima, formou-se um consenso no interior da comunidade internacional de que a violência contra mulheres é o mais urgente problema de direitos humanos que permanece no mundo.[95] Tem havido iniciativas simbólicas tais como o Dia Internacional de Combate à Violência contra a Mulher (25 de novembro) e numerosas proclamações de eminentes púlpitos como os das Nações Unidas e de seus Estados-membros. Embora as medidas careçam de eficácia, a história das denúncias da escravidão, caça às baleias, pirataria, guerra de corso, armas químicas, apartheid e testes nucleares atmosféricos mostra que campanhas internacionais de denúncia podem fazer diferença a longo prazo.[96] Como observou o secretariado do Fundo de Desenvolvimento das Nações Unidas para a mulher, "existem agora mais planos, políticas e leis nacionais em vigor do que nunca houve antes, e o movimento também está crescendo na arena intergovernamental".[97]

Entre os movimentos de base, as atitudes em escala global irão quase com certeza garantir que as mulheres obtenham uma maior representação política e econômica nos próximos anos. Uma pesquisa feita em 2010 pelo Pew Research Center Global Attitudes Project, em 22 países, observou que, na maioria deles, pelo menos 90% dos entrevistados de ambos os sexos acreditam que as mulheres devem ter direitos iguais — entre os quais Estados Unidos, China, Índia, Japão, Coreia do Sul, Turquia, Líbano e países da Europa e da América Latina. Mesmo no Egito, Jordânia, Indonésia, Paquistão e Quênia, mais de 60% favorecem direitos iguais; apenas na Nigéria a porcentagem ficou ligeiramente abaixo da metade.[98] Ainda maior é o apoio a que se permita que as mulheres trabalhem fora. E lembremos da pesquisa global Gallup mostrando que mesmo nos países muçulmanos a maioria das mulheres acredita que elas deviam poder votar como quisessem, trabalhar em qualquer profissão e servir no governo, e que na maior parte dos países uma maioria dos homens concorda.[99] Conforme essa demanda reprimida é satisfeita, é obrigatório que os interesses das mulheres adquiram maior consideração por parte das políticas e normas de seus países. O raciocínio de que as mulheres não devem ser agredidas pelos homens com quem vivem é irrefutável e, como observou Victor Hugo, "não há nada mais poderoso que uma ideia cuja hora chegou".

DIREITOS DA CRIANÇA E O RECUO DO INFANTICÍDIO, ESPANCAMENTOS, MAUS-TRATOS DE CRIANÇAS E *BULLYING*

O que têm em comum Moisés, Ismael, Rômulo e Remo, Édipo, Ciro, o Grande, Sargão, Gilgamesh e Hou Chi (fundador da dinastia Chou)? Eles foram expostos na infância — abandonados por seus pais, deixados à mercê dos elementos.[100] A imagem de um bebê indefeso, sozinho, morrendo de frio, fome e predação toca poderosamente o coração e, portanto, não é de surpreender que escaladas desde a infância desamparada até a grandeza dinástica sejam encontradas nas mitologias das civilizações judaica, muçulmana, romana, grega, persa, acádia, suméria e chinesa. Mas a ubiquidade do arquétipo do desamparo não é apenas uma lição sobre o que faz um bom arco de história. Ela também é um ensinamento sobre como o infanticídio era comum na história humana. Desde tempos imemoriais pais abandonaram, sufocaram, estrangularam, afogaram ou envenenaram muitos de seus recém-nascidos.[101]

Um levantamento das culturas feito pela antropóloga Laila Williamson revela que o infanticídio tem sido praticado em todos os continentes e tipos de sociedade, desde os bandos e aldeamentos primitivos (77% dos quais praticaram e aceitaram o infanticídio) até as civilizações avançadas.[102] Até recentemente, entre 10% e 15% dos bebês eram mortos pouco depois de nascerem, e em algumas sociedades o índice era de nada menos que 50%.[103] Nas palavras do historiador Lloyd deMause, "outrora todas as famílias praticavam infanticídio. Todos os Estados trazem em suas origens o sacrifício infantil. Todas as religiões principiaram com a mutilação e o assassinato de crianças".[104]

Embora o infanticídio seja a forma mais extremada de maus-tratos de crianças, nossa herança cultural fala de muitas outras, entre elas o sacrifício de crianças a deuses; a venda de crianças com fins de escravização, casamento e servidão religiosa; o uso de crianças para limpar chaminés e rastejar através de túneis em minas de carvão; e a sujeição de crianças a formas de castigo corporal que beiram ou ultrapassam os limites da tortura.[105] Percorremos um longo caminho para chegar a uma era em que prematuros pesando meio quilo são resgatados por meio de heroicas cirurgias, não se espera que filhos sejam economicamente produtivos antes de sua quarta década e a violência contra crianças foi proscrita até no jogo de queimada.

Que sentido podemos encontrar em algo que confronta de tal forma a continuidade da vida como matar um recém-nascido? No capítulo final de *Hardness of Heart/ Hardness of Life* [Coração duro/ Vida dura], seu magistral tratado sobre o infanticídio em todo o mundo, o médico Larry Milner faz uma confissão:

> Comecei este livro com um propósito em mente — compreender, conforme afirmei na Introdução, "como pode alguém pegar seu próprio filho e estrangulá-lo até a morte?". Quando levantei a questão pela primeira vez, muitos anos atrás, pensava

> que a conclusão sugeriria alguma rara alteração patológica no curso da natureza. Não parecia racional que a evolução fosse manter uma tendência hereditária a matar a própria prole, quando a sobrevivência ainda vivia um tão delicado equilíbrio. A seleção natural darwiniana de material genético significava que apenas a sobrevivência dos mais aptos estava garantida; uma tendência para o infanticídio certamente teria de ser um sinal de comportamento inapto, que não receberia a sanção desse razoável padrão. Mas a resposta que emergiu de minha pesquisa indica que uma das coisas mais "naturais" em um ser humano pode ser matar voluntariamente sua descendência, quando confrontado com uma variedade de situações de tensão.[106]

A resposta para a perplexidade de Milner reside na subdivisão da biologia evolutiva denominada teoria da história da vida.[107] A intuição de que uma mãe trata toda a sua prole como infinitamente preciosa, longe de ser uma implicação da teoria da seleção natural, é incompatível com ela. A seleção atua no sentido de maximizar a expectativa de vida reprodutiva de um organismo, e isso requer que se negocie um compromisso entre investir em uma nova geração e conservar os recursos para a reprodução no presente e no futuro. Os mamíferos são um caso extremo, entre os animais, na quantidade de tempo, energia e alimento que investem em suas crias, e os seres humanos são um caso extremo entre os mamíferos. A gravidez e o parto são apenas o primeiro capítulo na sequência de investimentos de uma mãe, e uma mãe mamífera defronta-se com o dispêndio de mais calorias ao aleitar a prole do que as consumidas na gestação.[108] A natureza em geral rejeita a falácia do investimento a fundo perdido, e portanto esperamos que as mães avaliem o descendente e as circunstâncias para decidir se devem se comprometer com o investimento adicional ou devem conservar sua energia para seus irmãos já nascidos ou por nascer.[109] Se um recém-nascido é enfermiço, ou se as condições para sua sobrevivência são pouco promissoras, elas não investirão mais e mais nele, mas conterão suas perdas e favorecerão o mais sadio da ninhada, ou esperarão que os tempos melhorem e elas possam tentar outra vez.

Para um biólogo, o infanticídio humano é um exemplo dessa triagem.[110] Até recentemente, as mulheres amamentavam seus filhos por dois a quatro anos antes de retornarem à plena fertilidade. Muitas crianças morriam, especialmente no perigoso primeiro ano. A maior parte das mulheres não via mais de dois ou três filhos chegarem à idade adulta, e muitas não viam um só sobreviver. Para vir a ser avó, no impiedoso ambiente de nossos avós evolutivos, uma mulher deve ter tido de fazer escolhas duras. A teoria da triagem prevê que uma mãe deixaria um recém-nascido morrer quando ele tinha poucas chances de chegar à idade adulta. A previsão podia ter por base maus prognósticos no descendente, tais como deformações ou apatia, ou maus prognósticos para uma maternidade bem-sucedida, como estar sobrecarregada com outros filhos, assolada pela guerra ou pela fome, ou não poder contar com parentes ou com o pai do bebê. Isso também dependeria de ela ser jovem o bastante para ter a oportunidade de tentar outra vez.

Martin Daly e Margo Wilson testaram a teoria da triagem examinando uma amostragem de sessenta sociedades não relacionadas entre si, a partir de um banco de dados de etnografias.[111] O infanticídio foi relatado na maioria delas, e em 112 casos os antropólogos registraram um motivo. Oitenta e sete por cento dos motivos se adequam à teoria da triagem: o bebê não fora gerado pelo marido da mulher, ou era deformado ou doente, ou havia obstáculos às chances de o bebê sobreviver até a maturidade, como ser gêmeo, ter um irmão de idade próxima, não contar com o pai por perto ou ter nascido em uma família que vivia tempos economicamente difíceis.

A ubiquidade da compreensão evolutiva do infanticídio sugere que, apesar de toda a sua aparente desumanidade, ele não é uma forma de assassinato arbitrário, mas situa-se em uma categoria especial de violência. Os antropólogos que entrevistaram essas mulheres (ou seus parentes, já que o episódio pode ser penoso demais para uma mulher falar sobre ele) frequentemente relatam que a mulher encarou a morte como uma tragédia inevitável e pranteou a perda do filho. Napoleon Chagnon, por exemplo, escreveu sobre a mulher de um cacique ianomâmi:

> Bahami estava grávida quando comecei meu trabalho de campo, mas aniquilou o bebê quando este nasceu — um menino, no caso —, explicando, chorosa, que ela não tinha escolha. O novo descendente teria competido com Ariwari, seu filho mais novo, que ainda estava mamando. Para não expor Ariwari aos perigos e incertezas de um desmame precoce, ela optou por dar fim ao recém-nascido.[112]

Embora os ianomâmis sejam o chamado povo feroz, o infanticídio não é necessariamente uma manifestação de excepcional ferocidade. Algumas tribos guerreiras, particularmente na África, raramente matam seus recém-nascidos, ao passo que outras relativamente pacíficas matam-nos regularmente.[113] O título da obra magna de Milner deriva de uma citação de um dos fundadores da antropologia no século XIX, Edward Tylor, que escreveu: "O infanticídio advém mais da dureza da vida que da dureza de coração".[114]

O ponto de inflexão crucial entre manter ou sacrificar um recém-nascido é definido tanto por emoções interiores como por normas culturais. Em uma cultura como a nossa, que reverencia o nascimento e toma todas as medidas para permitir que os bebês se criem, tendemos a acreditar que o vínculo prazeroso entre mãe e recém-nascido é quase um reflexo. Porém na verdade ele requer a superação de consideráveis obstáculos psicológicos. No século I, Plutarco apontou uma desconfortável verdade:

> Não há nada tão imperfeito, tão indefeso, tão nu, tão disforme, tão sujo quanto um homem observado ao nascer, para o qual, alguém poderia dizer, a natureza não deu nem sequer uma passagem limpa para a luz; manchado de sangue e coberto de sujeira, e mais parecendo um recém-morto que um recém-nascido, ele é um objeto que ninguém deseja tocar, abraçar ou beijar, exceto alguém que o ame com natural afeição.[115]

A "natural afeição" está longe de ser automática. Daly e Wilson, e mais tarde o antropólogo Edward Hagen, tinham proposto que a depressão pós-parto e sua versão atenuada, a síndrome do terceiro dia (*baby blues*), não constituem uma disfunção hormonal, mas a implementação emocional do período de decisão sobre manter ou não um filho.[116] Mulheres com depressão pós-parto com frequência sentem-se emocionalmente distanciadas de seus recém-nascidos e podem nutrir pensamentos intrusivos de molestá-los. Segundo apuraram os psicólogos, a depressão ligeira amiúde permite às pessoas uma avaliação mais acurada de suas perspectivas de vida do que a visão rósea que normalmente adotamos. A típica ruminação de uma nova mãe deprimida — como vou lidar com esse fardo? — foi uma questão legítima para as mães através da história, quando se defrontavam com a pesada escolha entre uma nítida tragédia no presente e a perspectiva de uma tragédia ainda maior no futuro. Quando a situação torna-se administrável e a depressão se dissipa, muitas mulheres relatam ter se apaixonado por seu bebê, passando a vê-lo como um indivíduo excepcionalmente maravilhoso.

Hagen examinou a literatura psiquiátrica da depressão pós-parto para testar cinco previsões da teoria de que existe um período de avaliação precedendo o investimento em um recém-nascido. Como se previa, a depressão pós-parto é mais comum em mulheres carentes de apoio social (mães solteiras, separadas, insatisfeitas com o casamento ou distantes de seus pais), que tiveram um parto difícil ou um filho não saudável e que estavam desempregadas ou cujos maridos estavam desempregados. Ele encontrou relatos de depressão pós-parto em várias populações não ocidentais, apresentando os mesmos fatores de risco (embora Hagen não tenha achado um número suficiente de estudos adequados referentes a sociedades gentílicas tradicionais). Por fim, a depressão pós-parto é apenas marginalmente associada a distúrbios hormonais mensuráveis, sugerindo que não se trata de uma disfunção, mas de uma característica inata.

Muitas tradições culturais atuam para distanciar as emoções daqueles que cercam um recém-nascido, até que a sobrevivência deste pareça provável. Pode-se proibir as pessoas de tocar, batizar ou conferir personalidade legal a um bebê até que a fase perigosa acabe, e a transição é frequentemente marcada por uma alegre cerimônia, como em nossos costumes de batismo e circuncisão.[117] Algumas tradições definem uma série de marcos, como o judaísmo tradicional, que só confere plena personalidade legal a um bebê quando ele sobreviveu a seu trigésimo dia.

Se tentei tornar o infanticídio um pouco mais compreensível, foi apenas para reduzir a distância entre a vasta porção da história em que ele foi aceito e nossas sensibilidades contemporâneas, que o repelem. Porém o abismo que separa ambas é profundo. Mesmo quando reconhecemos a dura lógica evolutiva que se aplica às árduas vidas dos povos pré-modernos, muitos dos infanticídios são difíceis de compreender e impossíveis de perdoar por nossos padrões. Os exemplos de Daly e Wilson incluem a eliminação de um recém-nascido concebido no adultério e a supressão de todos os filhos de um casamento anterior quando a mulher toma um novo esposo (ou é raptada por ele). E vêm então os 14% da lista das justificativas infanticidas que, como Daly e Wilson apontam, não se encaixam facilmente nas categorias que um biólogo evolutivo teria previsto de antemão. Elas incluem o sacrifício de crianças, um gesto de despeito de um avô para com o genro, filicídios cometidos para eliminar pretendentes ao trono ou evitar obrigações decorrentes de costumes familiares e, mais frequentemente, a matança de recém-nascidas pura e simplesmente por serem meninas.

O infanticídio feminino foi introduzido na agenda do mundo atual por dados censitários que revelam uma grande escassez de mulheres no mundo em desenvolvimento. "Faltando cem milhões" é a cifra usualmente citada para o déficit de filhas, a maior parte delas na China e na Índia.[118] Muitas famílias asiáticas têm uma preferência mórbida por filhos homens. Em alguns países uma mulher grávida pode ir a um laboratório de amniocentese ou ultrassonografia e, caso fique sabendo que está grávida de uma menina, dirigir-se à porta ao lado, de uma clínica de abortos. A eficiência tecnológica da comprovação do sexo de um feto pode dar a impressão de que a escassez de meninas seria um problema da modernidade, porém o infanticídio feminino vem sendo documentado na China e na Índia há mais de 2 mil anos.[119] Na China, as parteiras deixavam um balde d'água ao lado do leito de parto para afogar o bebê caso fosse menina. Na Índia havia vários métodos: "dar uma pílula de tabaco e *cannabis* para engolir, afogamento em leite, untar o seio da mãe com ópio ou com o sumo venenoso de estramônio, ou ainda cobrir os lábios da criança com um emplastro de esterco de vaca antes que ela respire". Então, como agora, mesmo que as filhas tivessem penado para sobreviver, não poderiam durar muito. Os pais destinam a maior parte do alimento disponível para os filhos homens e, conforme explica um médico chinês, "se um menino fica doente, os pais podem conduzi-lo imediatamente ao hospital, mas se uma menina adoece os pais podem comentar entre si: 'Bem, vamos ver como ela vai estar amanhã'".[120]

O infanticídio feminino, também chamado gendercídio, não ocorre apenas na Ásia.[121] Os ianomâmis são um dos muitos povos coletores que matam mais filhas que filhos recém-nascidos. Na Grécia e na Roma antigas, bebês eram "descartados em rios, monturos ou fossas, colocados em jarros para morrer ou expostos aos elementos e animais no relento".[122] O infanticídio foi igualmente comum na Idade Média e na Renascença europeias.[123] Em todos esses lugares, pereceram mais meninas que meninos. Comumente uma família matava todas as filhas que engendravam até que viesse um menino; só então permitia que as filhas subsequentes vivessem.

O infanticídio feminino é um mistério biológico. Toda criança tem uma mãe e um pai; portanto, se alguém se preocupa com a posteridade, seja a de seus genes ou de sua dinastia, eliminar as próprias filhas é uma forma de loucura. Um princípio básico da biologia evolutiva é que uma relação entre sexos de meio a meio na maturidade sexual permite o equilíbrio estável de uma população, pois caso os machos predominassem sempre haveria uma maior demanda de filhas e estas teriam uma vantagem para atrair parceiros e contribuir com filhos para a próxima geração. E o mesmo aconteceria com os machos caso as fêmeas viessem a prevalecer. Na medida em que os pais podem controlar a proporção entre sexos em sua prole sobrevivente, seja por natureza ou criação, a posteridade tenderia a puni-los caso favorecessem um excesso de meninos ou de meninas.[124]

Uma hipótese ingênua deriva da constatação de que é o número de fêmeas que determina a rapidez com que cresce uma população. Talvez tribos ou nações que se multiplicaram até o limite malthusiano do estoque de comida ou terra matassem suas filhas para obter um crescimento zero da população.[125] Contudo, um problema da teoria do crescimento zero é que muitas tribos e civilizações infanticidas não se acham sob tensão ambiental. Um problema mais sério é que ela tem o defeito fatal de todas as teorias ingênuas sobre o bem coletivo, nomeadamente que o mecanismo proposto por ela é autodestrutivo. Qualquer família que violasse a política e mantivesse as filhas vivas iria elevar sua população, estocando mais netos, enquanto o excedente de filhos homens solteiros entre seus altruístas vizinhos morreria sem descendência. As linhagens que fossem inclinadas a matar suas filhas recém-nascidas teriam perecido desde há muito e a persistência do infanticídio feminino em uma dada sociedade continuaria a ser um mistério.

Pode a psicologia evolutiva explicar esse viés de gênero? Os críticos de tal atitude podem dizer que ela é um mero exercício de criatividade, pois sempre se pode arquitetar uma explicação evolutiva engenhosa para qualquer fenômeno. Mas isso é uma ilusão, decorrente do fato de que muitas hipóteses evolutivas engenhosas terminaram comprovadas pelos fatos. Tal sucesso está longe de ser garantido. Uma hipótese proeminente que, por engenhosa que fosse, mostrou-se falsa foi a aplicação da teoria de Trivers-Willard sobre proporções entre os sexos ao infanticídio entre seres humanos.[126]

O biólogo Robert Trivers e o matemático Dan Willard argumentaram que, mesmo que se espere que filhos e filhas procriem um mesmo número médio de netos, o número *máximo* que cada sexo pode efetivar é diferente. Um filho homem especialmente apto pode vencer a competição com outros machos e fecundar qualquer quantidade de mulheres, tendo consequentemente qualquer número de filhos, ao passo que uma filha especialmente apta não pode ter mais que o limite que ela for capaz de gerar e alimentar durante sua fase reprodutiva. Por outro lado, uma filha é uma aposta mais segura: um filho inapto perderá a competição com outros homens e permanecerá sem descendência, ao passo que uma filha inepta quase nunca deixará de encontrar um parceiro sexual disponível. Não é que a aptidão seja irrelevante: uma filha saudável e desejável sempre terá uma prole maior do que outra enfermiça e indesejável; mas a diferença não é tão extrema como no caso dos filhos homens. Uma vez que os pais pudessem prever a aptidão de sua prole (monitorando sua saúde, nutrição ou território) e flexionar estrategicamente a proporção entre os sexos, eles favoreceriam os filhos homens quando estivessem em melhor forma que a concorrência, e favoreceriam as filhas quando estivessem em pior forma.

A teoria de Trivers-Willard tem sido confirmada em muitas espécies animais e mesmo, em alguma medida, no *Homo sapiens*. Em sociedades tradicionais, as pessoas mais ricas e eminentes tendem a viver mais e atrair mais e melhores parceiros, de modo que a teoria prevê que gente de status mais elevado favoreceria os filhos, enquanto os de status inferior favoreceriam as filhas. Em alguns tipos de favorecimento (como legados e testamentos) é exatamente isso que acontece.[127] Porém em um gênero extremamente importante de favorecimento — deixar um recém-nascido viver — a teoria não funciona tão bem. Os antropólogos evolutivos Sarah Hrdy e Kristen Hawkes mostraram que a teoria de Trivers-Willard só dá conta de metade da história. Na Índia é verdade que as castas superiores tendem a matar suas filhas. Desafortunadamente, não é verdade que as castas inferiores tendam a matar seus filhos homens. Na realidade é difícil achar uma sociedade, seja onde for, que mate os filhos homens.[128] As culturas infanticidas do mundo ou bem matam os dois sexos na mesma escala ou preferem matar as meninas — e, junto com elas, a explicação de Trivers-Willard para o infanticídio feminino entre seres humanos.

A extremada misoginia do infanticídio feminino pode sugerir uma análise feminista em que o sexismo de uma sociedade se estenderia ao próprio direito de vida: ser mulher seria um crime punido com a pena capital. Mas essa hipótese tampouco se sustenta. Por mais sexistas que essas sociedades fossem (ou sejam), elas não desejam um mundo *Frauenfrei* [livre de mulheres]. Os homens não vivem em casas na árvore só para meninos nas quais meninas não entram; eles dependem das mulheres para ter sexo, filhos, para a educação destes e para a coleta ou preparação da maior parte dos alimentos. Famílias que matam suas filhas desejam que haja mulheres na vizinhança; apenas, querem que sejam os outros que as criem. O infanticídio feminino é uma espécie de parasitismo social, um problema de beneficiar-se à custa alheia, uma tragédia dos comuns genealógica.[129]

Problemas de parasitismo surgem quando ninguém é o dono de um recurso comum, nesse caso o estoque de potenciais noivas. Em um livre mercado de casamentos no qual os pais tivessem direitos de propriedade, filhos e filhas seriam fungíveis e nenhum dos sexos seria excessivamente favorecido. Caso você realmente precisasse de um altivo guerreiro em casa, não importaria se iria criar um filho para o ofício ou se criaria uma filha que o brindaria com um genro. Famílias com mais filhos homens negociariam alguns deles com noras e vice-versa. Na realidade, os pais de seu genro poderiam preferir que este ficasse com eles, mas você poderia usar sua capacidade de barganha para forçar o jovem a mudar de casa, se é que ele queria ter uma esposa. Uma preferência por filhos homens só surgiria em um mercado com direitos de propriedade distorcidos, em que os pais, na prática, se apropriam dos filhos, mas não das filhas.

Hawkes observou que entre os povos coletores o infanticídio feminino é mais comum nas sociedades patrilocais (onde as noivas se mudam de casa para morar com os maridos e sogros), em contraste com as sociedades matrilocais (onde elas permanecem com seus pais e são os maridos que se mudam) ou sociedades em que o novo casal vai para onde quiser. A patrilocalidade é comum em tribos nas quais aldeias vizinhas estão constantemente em guerra, o que estimula os homens a permanecer e lutar juntos. Ela é menos comum quando os inimigos são de outras tribos, e os homens têm mais liberdade de movimento dentro do território tribal. Assim, as sociedades com guerras internas caem em um círculo vicioso, em que matam as meninas recém-nascidas para que suas esposas possam se apressar na criação de mais filhos guerreiros, os melhores nas incursões contra outras aldeias ou na defesa da aldeia natal ante incursões dos outros, para um estoque de mulheres que vem sendo dizimado por seus próprios infanticídios. As tribos rivais da Grécia homérica podem ter sido apanhadas em uma armadilha desse tipo.[130]

E o que dizer de sociedades com Estado, como a Índia e a China? Em sociedades com Estado que praticam o infanticídio, observou Hawkes, os pais também são proprietários de seus filhos, mas não de suas filhas, embora isso ocorra por razões econômicas e não militares.[131] Nas sociedades estratificadas cujas elites possuem riqueza indivisível, a herança amiúde vai para um filho homem. Na Índia o sistema de castas era um deformador adicional do mercado: as castas inferiores tinham de pagar pesados dotes para que suas filhas pudessem desposar genros das castas superiores. Na China, os pais obtinham uma garantia permanente com o apoio que seus filhos e suas noras lhes proporcionavam na velhice, mas isso não ocorria com suas filhas e genros (daí o tradicional adágio: "Uma filha é como água derramada").[132] A política chinesa do filho único, introduzida em 1978, tornou ainda mais aguda a necessidade de um filho homem para amparar os pais na velhice. Em todos esses casos os filhos homens são um ativo econômico e as filhas, um passivo; e os pais respondem aos estímulos opostos com as mais extremadas medidas. Hoje o infanticídio é ilegal em ambos os países. Na China, acredita-se que o infanticídio cedeu lugar a abortos seletivos quanto ao sexo, que são igualmente ilegais, porém amplamente praticados. Na Índia, acredita-se que a prática continua usual, a despeito da penetração das cadeias de clínicas de ultrassom/aborto.[133] A pressão para reduzir tais práticas vai quase com certeza crescer, nem que seja porque os governos finalmente fizeram as contas da aritmética demográfica e se deram conta de que o infanticídio feminino hoje representa solteiros ingovernáveis amanhã (um fenômeno que iremos revisitar).[134]

Quer tenham novas mães em situações desesperadoras, pais putativos questionando sua paternidade ou pais que preferem um filho a uma filha, as pessoas no Ocidente não podem mais matar seus recém-nascidos impunemente.[135] Nos Estados Unidos, em 2007, 221 bebês foram mortos para 4,3 milhões de nascimentos. Isso representa um índice de 0,00005, ou uma redução da média histórica da ordem de 2 mil ou 3 mil. Cerca de um quarto dos bebês foi morto no primeiro dia de vida, por suas mães, como no caso das "mamães da lata de lixo" que produziram manchetes no fim da década de 1990, ao ocultarem a gravidez, darem à luz em segredo (em um dos casos, durante um baile de formatura), sufocarem seus recém-nascidos e descartarem os corpos no lixo.[136] Essas mulheres encontravam-se em condições semelhantes às que estabeleceram a prática do infanticídio na pré-história: eram jovens, solteiras, conceberam sozinhas e sentiram que não poderiam contar com o amparo da família. Outros bebês foram mortos por agressão fatal, frequentemente por parte de um padrasto. Outros, ainda, pereceram nas mãos de uma mãe deprimida que cometeu suicídio e levou o bebê consigo, pois não podia imaginá-lo vivendo sem ela. Raramente uma mãe com depressão pós-parto ultrapassaria a linha da psicose pós-parto e mataria a criança sob o impulso de um delírio, como a infame Andrea Yates, que em 2001 afogou os cinco filhos em uma banheira.

O que empurrou para baixo, reduzindo em mais de três dígitos, os índices de infanticídio no Ocidente? O primeiro passo foi criminalizar a prática. O judaísmo bíblico proibia o filicídio, apesar de não ir até as últimas consequências: matar uma criança com menos de um mês não contava como homicídio, e brechas foram aproveitadas por Abraão, pelo rei Salomão e pelo próprio Jeová com a Décima Praga.[137] A proibição tornou-se mais clara no judaísmo talmúdico e no cristianismo, a partir do qual foi absorvida pelo Baixo Império Romano. A proibição veio de uma ideologia que sustentava que vidas são propriedade de Deus, concedidas e tiradas de acordo com sua vontade, de modo que a vida dos filhos não mais pertencia a seus pais. O resultado foi um tabu nos códigos morais e sistemas jurídicos ocidentais contra a eliminação de uma vida humana identificável: não se poderia deliberar sobre o valor da vida de um indivíduo no próprio meio. (Naturalmente, foram feitas exuberantes exceções aos hereges, infiéis, tribos não civilizadas, povos inimigos e transgressores de qualquer uma entre centenas de leis. E continuamos a deliberar sobre o valor de vidas *estatísticas*, em oposição a vidas identificáveis, toda vez que enviamos soldados ou policiais a situações de perigo, ou racionamos gastos com saúde e segurança.)

Pode parecer estranho chamar de "tabu" a proteção da vida humana identificável, já que esta parece evidente por si só. O próprio gesto de pôr o caráter sagrado da vida contra a luz para examiná-lo parece algo monstruoso. Mas essa reação é precisamente o que faz de um tabu um tabu, e questionar o tabu da vida humana identificável por motivos intelectuais e até morais é certamente possível. Em 1911 um médico inglês, Charles Mercier, apresentou argumentos defendendo que o infanticídio deve ser considerado um crime menos hediondo que o assassinato de uma criança mais velha ou de um adulto:

> A mente da vítima não está desenvolvida o bastante para habilitá-la a sofrer com a perspectiva da aproximação do sofrimento ou da morte. Ela é incapaz de sentir medo ou terror. Tampouco sua consciência desenvolveu-se a ponto de permitir que ela sofra a dor em grau apreciável. Sua perda não deixa nenhuma lacuna em qualquer círculo familiar, não priva nenhuma criança de seu arrimo ou de sua mãe, nenhum ser humano de um amigo, ajudante, ou companheiro.[138]

Hoje sabemos que os bebês sentem dor, mas a linha de raciocínio de Mercier tem sido retomada sob outros enfoques por vários filósofos contemporâneos — invariavelmente ridicularizados quando seus ensaios vêm à luz — que têm sondado as regiões sombrias de nossas intuições éticas quanto a casos de aborto, direitos dos animais, pesquisas com células-tronco e eutanásia.[139] E, se poucos admitem observações como as de Mercier, eles insinuam intuições que, na prática, distinguem a morte de um recém-nascido por sua mãe de outros tipos de homicídio. Muitos sistemas jurídicos europeus distinguem os dois, definindo um crime separado de infanticídio ou neonaticídio, garantindo à mãe uma presunção de insanidade temporária.[140] Mesmo nos Estados Unidos, onde não há tal distinção, quando uma mãe mata um recém-nascido, os procuradores muitas vezes não a processam, os júris raramente a condenam e as condenadas frequentemente escapam à prisão.[141] Às vezes, como aconteceu às "mamães da lata de lixo" de 1997, um espetáculo circense da mídia elimina qualquer possibilidade de indulgência, mas mesmo aquelas jovens mulheres obtiveram liberdade condicional depois de três anos de prisão.

Tal como o tabu nuclear, o tabu da vida humana é em geral uma coisa excelente. Considere essa lembrança de um homem cuja família estava migrando da Califórnia para o Oregon junto com um grupo de colonos em 1846. Durante sua jornada eles cruzaram com uma garota nativa americana de oito anos, que estava morrendo, nua e coberta de chagas.

> Um conselho dos homens reuniu-se para ver o que se podia fazer com ela. Meu pai queria levá-la conosco; outros preferiam matá-la e pôr fim a seu sofrimento. Papai disse que seria homicídio doloso. Foi feita uma votação e ficou decidido que não se faria nada, deixando a garotinha onde a encontramos. Minha mãe e minha tia não concordaram em abandoná-la. Elas ficaram para trás e fizeram o que puderam pela menina. Quando finalmente se juntaram a nós, tinham os olhos úmidos de lágrimas. Mamãe disse que se ajoelhara e rogara a Deus que cuidasse da indiazinha. Um dos rapazes que cuidavam dos cavalos sentiu-se tão mal com o abandono que retornou e disparou uma bala na cabeça dela para acabar com seu sofrimento.[142]

Hoje a história nos deixa em estado de choque. Porém, no universo moral dos colonos, permitir que a garota morresse e tomar a iniciativa de acabar com a vida dela eram opções razoáveis. Embora percorramos um raciocínio similar quando pomos fim ao sofrimento de um animal de estimação alquebrado ou um cavalo que fraturou a perna, colocamos os seres humanos em uma categoria sagrada. Suplantando todos os cálculos baseados na empatia ou na misericórdia existe um veto baseado na vida humana: o direito de um ser humano identificável viver não é negociável.

O tabu da vida humana foi cimentado por nossa reação ao Holocausto nazista, que procedeu por fases. Ele começou com a eutanásia de retardados mentais, homossexuais, eslavos inconvenientes, ciganos e judeus. Entre os mentores do Holocausto e os cidadãos que se acumpliciaram com ele, cada fase pode ter tornado a próxima mais admissível.[143] Hoje raciocinamos que uma linha nítida no topo da encosta escorregadia poderia ter impedido as pessoas de resvalarem na perversão. Desde o Holocausto, um tabu vedando manipulações humanas da vida e da morte tornou inadmissíveis discussões públicas sobre infanticídio, eugenia e eutanásia ativa. Porém, tal como todos os tabus, o da vida humana é incompatível com certos aspectos da realidade, e inflamados debates sobre bioética discutem hoje como reconciliá-lo com a imprecisão das fronteiras biológicas que delimitam a vida humana em processos de embriogênese, coma e morte não instantânea.[144]

Qualquer tabu que contrarie poderosas inclinações da natureza humana tem de ser reforçado por camadas de eufemismos e hipocrisia, e pode ter reduzidos efeitos práticos sobre a atividade proscrita. Foi o que aconteceu com o infanticídio durante a maior parte da história europeia. Talvez a afirmação menos controversa sobre a natureza humana é que os seres humanos são capazes de fazer sexo em uma gama de circunstâncias mais ampla do que aquela em que são capazes de dar à luz os bebês daí resultantes. Na falta da contracepção, do aborto ou de elaborados sistemas de bem-estar social, muitas crianças haverão de nascer sem quem cuide delas adequadamente até a idade adulta. Tabu ou não tabu, muitos desses recém-nascidos terminarão mortos.

Durante quase um milênio e meio a proibição judaico-cristã do infanticídio coexistiu com a prática de infanticídios em massa. Segundo um historiador, durante a Idade Média o abandono de bebês "era praticado em uma escala gigantesca, com absoluta impunidade, registrado por escritores com a mais fria indiferença".[145] Milner cita registros de nascimento apontando uma média de 5,1 nascimentos entre as famílias abastadas, 2,9 entre a classe média e 1,8 entre os pobres, acrescentando: "Não havia evidência de que o número de gestações seguia linhas similares".[146] Em 1527 um padre francês escreveu que "as cloacas ressoam com os gritos das crianças que nelas foram mergulhadas".[147]

Em vários momentos, na Baixa Idade Média e no início do período moderno, os sistemas de justiça criminal tentaram fazer alguma coisa a respeito do infanticídio. Os passos que adotaram eram uma dúbia melhoria. Em alguns países, os seios das criadas solteiras eram regularmente inspecionados em busca de sinais de leite, e, caso a mulher não apresentasse um bebê, seria torturada até se saber o que acontecera com ele.[148] Uma mulher que ocultasse o nascimento de um bebê que não sobreviveu era considerada culpada de infanticídio e sentenciada à morte, frequentemente costurada dentro de um saco junto com um par de gatos selvagens e atirada em um rio. Mesmo usando métodos de castigo menos pitorescos, a campanha para reduzir o infanticídio via execução de jovens mães, muitas delas criadas emprenhadas pelo homem da casa, começou a estimular a consciência das pessoas, que percebiam estar preservando a santidade da vida humana ao permitir que os homens dispusessem de suas amantes inconvenientes.

Várias folhas de parreira foram providenciadas. O fenômeno do "agasalhamento excessivo", em que uma mulher sufocaria acidentalmente um bebê ao enrolá-lo em cobertas para dormir, em certos períodos tornou-se uma epidemia. Mulheres eram estimuladas a deixar seus bebês indesejados em orfanatos, alguns deles equipados com plataformas giratórias e alçapões para garantir o anonimato. A taxa de mortalidade dos habitantes desses estabelecimentos variava de 50% a mais de 99%.[149] Mulheres entregavam seus filhos a amas de leite ou "cultivadores de bebês" conhecidos por alcançarem taxas de sucesso similares. Elixires à base de ópio, álcool e melaço estavam ao alcance das mães e amas de leite para prontamente acalmar uma criancinha chorona e, ministrados na dose certa, por certo podiam tranquilizá-la muito efetivamente. Muitas vezes uma criança que sobrevivera à primeira infância era enviada a um reformatório, "sem a inconveniência de comida em demasia ou roupas em demasia", como Dickens descreveu em *Oliver Twist*, onde

> perversamente ocorria, em oito casos e meio para cada dez, de adoecer de privações e frio, ou cair no fogo por negligência, ou ser semissufocado acidentalmente; em qualquer desses casos, a miserável criaturinha usualmente passava para um outro mundo, e ali se reunia aos pais que neste jamais conhecera.

Mesmo com esses ardis, pequenos cadáveres eram uma visão frequente em parques, debaixo de pontes e dentro de valas. Segundo um médico legista britânico, em 1862, "a polícia parecia não ligar mais para o achado de uma criança morta do que ligava para o achado de um gato morto ou um cachorro morto".[150]

A redução do infanticídio em vários milhares de vezes, de que o mundo ocidental desfruta hoje, é parcialmente um dom da prosperidade, que deixa menos mães em dificuldades desesperadoras, e parcialmente uma dádiva da tecnologia, sob a forma da contracepção segura e confiável, ou do aborto, que reduziu o número de recém-nascidos indesejados. Mas ela também reflete uma mudança no valor que se dá às crianças. Em vez de confiar-se a uma piedosa aspiração, a sociedade finalmente aderiu à doutrina de que a vida das crianças é sagrada — independentemente de quem as gerou, independentemente de quão disformes e imundas elas eram ao nascer, independentemente do quanto sua perda seria sentida em um círculo familiar, independentemente de quanto custaria alimentá-las e cuidar delas. No século XX, antes mesmo que o aborto estivesse amplamente acessível, tornou-se menos provável que uma garota que ficasse grávida desse à luz sozinha e em segredo matasse o recém-nascido, pois outras pessoas haviam criado alternativas, tais como abrigos para mães solteiras, orfanatos que já não eram campos de extermínio e agências que achavam pais adotivos para crianças sem mãe. Como os governos, instituições de caridade e religiosas começaram a investir dinheiro nesses salva-vidas? Fica a impressão de que as crianças passaram a ser mais valorizadas e que nosso círculo coletivo de interesse ampliou-se para incluir seus interesses, a começar pelo interesse em continuar vivo. Uma vista-d'olhos por outros aspectos do tratamento dado às crianças confirma que as mudanças recentes foram profundas.

Antes de passar ao quadro mais vasto da consideração pelas crianças no Ocidente, devo dizer mais algumas palavras sobre a visão mais preconceituosa em relação ao destino histórico do infanticídio. Conforme uma historiografia alternativa, a tendência mais a longo prazo no Ocidente foi que as pessoas deixaram de matar as crianças pouco depois do nascimento para passarem a matá-las logo após a concepção.

É verdade que em grande parte do mundo de hoje a proporção de gestações que terminam num aborto é semelhante à fração que séculos atrás terminava num infanticídio.[151] No Ocidente desenvolvido as mulheres abortam entre 12% e

25% de suas gestações; em alguns países ex-comunistas a proporção sobe a mais da metade. Em 2003, 1 milhão de fetos foi abortado nos Estados Unidos, cerca de 5 milhões foram abortados na Europa e no Ocidente em geral, com pelo menos outros 11 milhões abortados no restante do mundo. Caso o aborto conte como uma forma de violência, o Ocidente não fez progressos no modo de tratar as crianças. Na verdade, já que o aborto só se tornou amplamente acessível na década de 1970 (nos Estados Unidos, especificamente, em 1973, com a decisão da Suprema Corte no Caso Roe contra Wade), o status moral do Ocidente, longe de melhorar, desmoronou.

Este não é o lugar para se discutir a moralidade do aborto, mas o contexto mais amplo das tendências na esfera da violência pode fornecer algumas pistas quanto a como as pessoas *concebem* o aborto. Muitos adversários do aborto legalizado predisseram que a aceitação dessa prática iria privar a vida humana de valor e fazer com que a sociedade resvalasse para o infanticídio, a eutanásia dos portadores de deficiência, a desconsideração pela vida das crianças e consequentemente o alastramento dos assassinatos e genocídios. Hoje podemos dizer com confiança que isso não aconteceu. Embora o aborto esteja disponível há décadas na maior parte do hemisfério norte, nenhum país permitiu que o prazo para abortar durante a gravidez avançasse na direção do infanticídio legal, nem o acesso à interrupção das gestações preparou o caminho para a eutanásia de crianças deficientes. Entre a época da ampla disponibilidade do aborto e hoje, os índices de todas as categorias de violência reduziu-se e, como veremos, a valorização da vida das crianças incrementou-se.

Os adversários do aborto podem enxergar, no declínio de todas as formas de violência exceto a matança de fetos, um caso impressionante de hipocrisia moral. Mas há outra explicação para a discrepância. As sensibilidades modernas concebem cada vez mais os valores morais em termos de *consciência*, particularmente a capacidade de sofrer e desenvolver-se, e identificam consciência com a atividade do cérebro. A mudança é uma parte de um afastamento da religião e dos costumes, em direção à ciência e à filosofia secular como fontes de inspiração moral. Exatamente tal como a cessação da vida legalmente reconhecida é hoje definida pela cessação da atividade cerebral, e não pela cessação do batimento cardíaco, o início da vida passa a ser concebido a partir dos primeiros sinais de senciência no feto. A atual compreensão da base neural da senciência vincula-a à atividade neural reverberante entre o tálamo e o córtex cerebral, que começa em torno da 26ª semana de gestação.[152] Mais especificamente, as pessoas *concebem* o feto como não plenamente consciente: os psicólogos Heather Gray, Kurt Gray e Daniel Wegner mostraram que as pessoas encaram os fetos como mais capazes de percepção que robôs ou cadáveres, mas menos que animais, bebês, crianças e adultos.[153] A grande maioria dos abortos acontece bem antes do limite em que o cérebro entra em funcionamento, e portanto, de acordo com esse entendimento do valor da vida humana, é conceituado com segurança como algo fundamentalmente distinto do infanticídio e outras formas de violência.

Ao mesmo tempo, pode-se esperar que uma aversão geral à destruição de qualquer tipo de coisa viva afaste as pessoas do aborto mesmo quando este não equivalha ao assassinato. E isso de fato aconteceu. É um fato pouco conhecido que os índices de aborto estão caindo em todo o mundo. A figura 7.16 mostra as

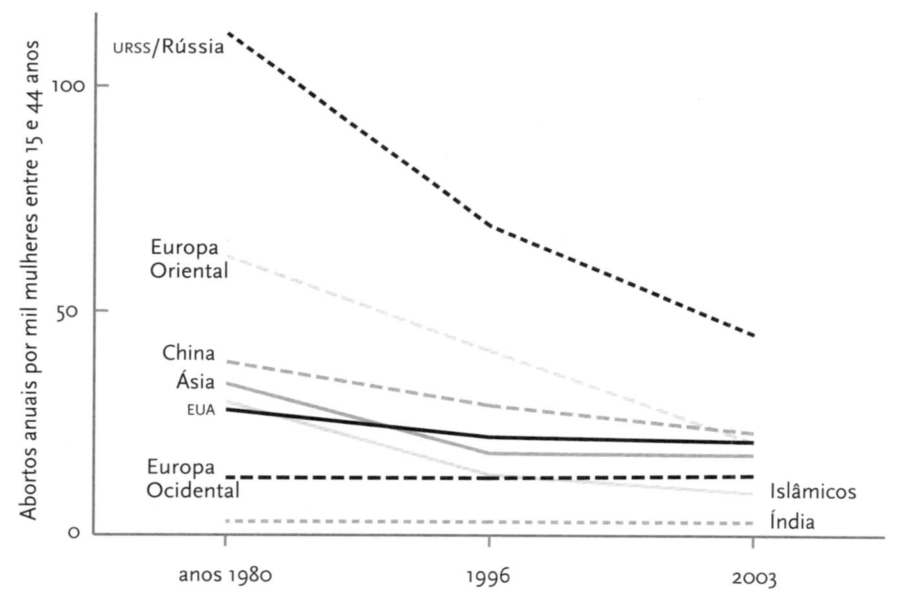

Figura 7.16. *Abortos no mundo, 1980-2003.*
FONTES: Anos 1980: Henshaw, 1990; 1996 e 2003: Sedgh et al., 2007. "Europa Oriental" inclui Bulgária, Tchecoslováquia/República Tcheca e Eslováquia, Hungria, Iugoslávia/Sérvia e Montenegro, Romênia. "Europa Ocidental" inclui Bélgica, Dinamarca, Inglaterra e País de Gales, Finlândia, Holanda, Noruega, Escócia, Suécia. "Ásia" inclui Cingapura, Japão, Coreia do Sul (2003 compatibilizado com 1996). "Islâmicos" inclui Tunísia e Turquia.

taxas de aborto nas principais regiões em que existem dados disponíveis (embora diferindo amplamente em qualidade) em 1980, 1996 e 2003.

O declínio foi mais acentuado nos países do antigo bloco soviético, onde se dizia haver uma "cultura do aborto". Durante a era comunista os abortos eram amplamente acessíveis, enquanto os contraceptivos, como qualquer outro bem de consumo, eram distribuídos por um comissariado central e não pela oferta e procura, de modo que sempre foram escassos. Mas o aborto também se tornou menos comum na China, nos Estados Unidos e nos países asiáticos e islâmicos onde ele é legal. Apenas na Índia e na Europa Ocidental os índices não mostraram declínio, e essas são as regiões em que eles eram mais baixos desde o início.

As causas de grande parte do declínio com certeza são práticas. A contracepção é mais barata e mais conveniente que o aborto; se ela está disponível, será a primeira escolha das pessoas com discernimento e autocontrole para usá-la. Mas presume-se que o aborto tem uma dimensão moral mesmo entre aqueles que se submetem a ele, e entre seus compatriotas que desejam mantê-lo como opção segura e legal. O aborto é visto como algo a ser evitado mesmo que não seja criminalizado. Assim, a tendência estatística do aborto oferece uma nesga de terreno comum no rancoroso debate entre as facções chamadas pró-vida e pró-escolha. Os países que admitem o aborto não permitiram que uma indiferença pela vida os deixasse resvalar para o infanticídio ou outras formas de violência. Cada vez mais esses mesmos países tratam o aborto como indesejável, e podem estar reduzindo sua incidência, como parte do movimento para proteger todas as coisas vivas.

Durante a longa e triste história da violência contra crianças, mesmo quando os bebês sobreviviam ao dia de seu nascimento, era apenas para suportar maus-tratos e castigos cruéis nos anos seguintes. Embora os povos caçadores-coletores tendam a usar as punições corporais com moderação, o método dominante de educação infantil em todas as outras sociedades vem direto de *Alice no país das maravilhas*: "Fale duro com seu garotinho e bata nele se espirrar".[154] A teoria imperante sobre o desenvolvimento infantil era que as crianças eram depravadas por natureza e só podiam ser socializadas pela força. A expressão "Poupe o cacete e estrague a criança" foi atribuída a um conselheiro do rei da Assíria no século VII AEC e pode ter sido a fonte da Bíblia em Provérbios 13,24: "O que não faz uso da vara odeia seu filho, mas o que o ama desde cedo o castiga".[155] Um verso medieval francês advertia: "Melhor bater em seu filho em pequeno que vê-lo enforcado em crescido". O ministro puritano Cotton Mather (filho de Increases Mather) estendeu a preocupação com o bem-estar da criança à vida eterna: "Melhor açoitado que danado".[156]

Como acontece com todos os castigos, a engenhosidade humana aceitou o desafio tecnológico de fornecer experiências tão desagradáveis quanto fosse possível. DeMause escreveu, sobre a Europa medieval:

> Que as crianças com o demônio no corpo devem ser surradas, nem é preciso dizer. Uma panóplia dos instrumentos de castigo existia para esse propósito, dos chicotes de nove tiras e açoites às férulas, bengalas, hastes de ferro, feixes de varas, a disciplina (uma chibata feita de pequenas correntes), o aguilhão (em forma de faca de sapateiro, usado para espetar a criança na cabeça ou nas mãos) e instrumentos especiais para as escolas, como a palmatória, com a parte final em forma de pera e um buraco redondo para provocar bolhas. Os espancamentos descritos nas fontes eram quase sempre severos, causando hematomas e sangramento, começavam na primeira infância, em geral tinham uma conotação erótica por serem infligidos em partes nuas do corpo, perto da genitália, e faziam parte regularmente da vida diária da criança.[157]

Castigos corporais severos foram comuns durante séculos. Uma pesquisa mostrou que, na segunda metade do século XVIII, a totalidade das crianças americanas era surrada com bastões, chicotes ou outros artefatos.[158] As crianças também estavam sujeitas a punições pelo sistema legal; uma biografia recente de Samuel Johnson menciona, de passagem, que uma menina de sete anos de idade foi enforcada no século XVIII na Inglaterra por roubar uma anágua.[159] Mesmo na virada do século XX, as crianças alemãs

> eram regularmente colocadas em um fogão de ferro em brasa, quando se mostravam teimosas, amarradas ao pé da cama durante dias, jogadas na água fria ou na neve, para "endurecer" [e] forçadas a ajoelhar-se durante horas todos os dias contra a parede, em um tronco, enquanto os pais comiam e liam.[160]

Muitas crianças eram atormentadas com clisteres durante o treinamento para usar o banheiro; na escola eram "surradas até que a pele fumegasse".

O tratamento ríspido não era peculiar à Europa. Há registro de espancamento de crianças no antigo Egito, Suméria, Babilônia, Pérsia, Grécia, Roma, China e México dos astecas, cujos castigos incluíam "espetar a criança com espinhos, mantendo suas mãos amarradas, e em seguida prendê-la com pontudas folhas de agave, chicoteá-la e até mantê-la sobre uma fogueira com pimenta *axi* seca, fazendo-a a inalar a fumaça acre".[161] DeMause registra que, até o século XX, as crianças japonesas eram submetidas a

> surras e queima de incenso na pele como punições rotineiras, clisteres constantes para um cruel adestramento dos intestinos, [...] levar pontapés, ser pendurado pelos pés, tomar banho frio, ser estrangulado, ter o corpo atravessado por uma agulha, ter uma articulação do dedo cortada.[162]

(Psicanalista e historiador, DeMause teria aí um farto material para explicar as atrocidades da Segunda Guerra Mundial.)

Crianças eram submetidas igualmente a tortura psicológica. Grande parte de seu entretenimento estava cheio de advertências de que elas poderiam ser abandonadas pelos pais, maltratadas por padrastos, mutiladas por ogros e animais selvagens. Os contos de fadas de Grimm contêm apenas algumas das ameaças que podem ser encontradas na literatura infantil, referindo-se às desgraças que podem acontecer a um menino descuidado ou desobediente. Bebês ingleses, por exemplo, eram postos para dormir com uma canção de ninar sobre Napoleão:

> *Neném, neném, se ele te escuta,*
> *Ao galopar por trás da casa*
> *Em pedaços irá te fazer,*
> *Justo como um gato rasga o rato,*
> *E vai te bater, te bater, te bater,*
> *Vai te bater até virar papa,*
> *E vai te comer, te comer, te comer,*
> *Cada pedaço, nham, nham, nham.*[163]

Um arquétipo recorrente nos versos infantis é o da criança que comete um deslize menor, ou é injustamente acusada de um, e a madrasta esquarteja-a e serve-a no jantar do inadvertido pai. Na versão iídiche, a vítima de tamanha injustiça canta postumamente à sua irmã:

Minha mãe me matou,
Meu pai me comeu,
E depois de tudo, Sheyndele,
Chuparam o tutano dos ossos
E jogaram pela janela.[164]

Por que iriam pais, fossem quem fossem, torturar, esfaimar, negligenciar e aterrorizar suas próprias crianças? Alguém pode pensar ingenuamente que pais deveriam ocupar-se de cuidar de seus filhos, sem surrá-los, uma vez que uma descendência viável é a razão de ser da seleção natural. Por sua vez, as crianças devem seguir sem resistência a orientação de seus pais, oferecida para seu próprio bem. A visão ingênua prediz a harmonia entre pais e filho, já que todos "querem" a mesma coisa — para que a criança cresça saudável e forte o bastante para vir a ter seus próprios filhos.

Foi Trivers quem primeiro observou que a teoria da seleção natural não prevê algo assim.[165] Algum grau de conflito entre pais e prole está enraizado na genética evolutiva da família. Os pais têm de distribuir seu investimento (em recursos, tempo e riscos) por todos os seus filhos, nascidos e por nascer. Todas as coisas sendo igualadas, cada membro da descendência é igualmente valioso, embora se beneficie mais do investimento dos pais enquanto é mais jovem do que quando passa a poder se defender. O filho vê as coisas de outro modo. Embora uma descendência tenha interesse no bem-estar dos irmãos, pois partilha a metade de seus genes com cada um, ele partilha *todos* os seus genes consigo próprio, tendo portanto um interesse desproporcional em *seu próprio* bem-estar. A tensão entre o que os pais querem (uma alocação equitativa do conjunto dos cuidados entre todas as crianças) e o que quer cada filho (um benefício incrementado para si em comparação com seus irmãos) chama-se conflito pais-filhos. Embora os marcos do conflito sejam o investimento na criança e em seus irmãos, esses irmãos não necessariamente já existem: um genitor também pode conservar sua força para futuros filhos e netos. Assim, o primeiro dilema da paternidade — como manter um recém-nascido — é apenas um caso específico de conflito pais-filhos.

A teoria do conflito pais-filhos nada diz sobre quanto investimento uma descendência desejaria ou um pai estaria preparado para dar. Ela diz apenas que, por mais que os pais queiram dar, a descendência quer um pouco mais. Crianças choram quando precisam de ajuda, e os pais não podem ignorar o choro. Porém espera-se que crianças chorem mais alto e mais longamente do que requerem suas necessidades objetivas. Os pais disciplinam os filhos para mantê-los fora de perigo e socializam-nos para que sejam membros efetivos de sua comunidade. Porém espera-se que pais disciplinem um pouco mais o filho, para sua própria conveniência, e o socializem para que seja um pouco mais amoldável a seus irmãos e parentes, em comparação com os níveis que poderiam ser de interesse da própria criança. Como sempre, os termos teleológicos na explanação — "querer", "interesse", "para" — não se referem a desejos literais nas mentes das pessoas, mas constituem uma linguagem taquigráfica para as pressões evolutivas que moldaram essas mentes.

O conflito pais-filhos explica por que criar um filho é sempre uma batalha de vontades. O que ele não explica é por que essa batalha deveria ser travada com porretes e varas em determinada era e com repreensões e a prática de pôr de castigo em outra. Olhando para trás, é difícil não lamentar os milênios em que crianças sofreram desnecessariamente nas mãos de seus responsáveis. Diferentemente da tragédia da guerra, na qual cada lado precisa ser tão aguerrido quanto o adversário, a violência dos maus-tratos de crianças é inteiramente unilateral. As crianças que eram chicoteadas e queimadas no passado não eram mais traquinas que as crianças de hoje, e não vieram a se comportar melhor como adultos. Pelo contrário, vimos que a taxa de violência impulsiva era mais elevada nos adultos de ontem do que é nos de hoje. O que levou os pais da nossa era à descoberta de que eles podiam socializar suas crianças com uma fração da força bruta que era usada com seus antepassados?

O primeiro impulsionador foi ideológico, e como muitas outras reformas humanitárias originou-se na Idade da Razão e no Iluminismo. As táticas das crianças no conflito pais-filhos levaram os pais de todas as eras a chamá-los de diabinhos. Durante a ascendência da cristandade, essa intuição era ratificada pela crença religiosa na depravação inata e no pecado original. Um pregador alemão, em sermão de 1520, por exemplo, sustentou que crianças têm propensão para "adultério, fornicação, desejos impuros, lascívia, idolatria, crença na magia, hostilidade, brigas, paixões, ira, discórdia, dissenção, facciosismo, ódio, assassinato, embriaguez, gula", e ele estava apenas começando.[166] A expressão "tirar o diabo do corpo dele" era mais do que uma figura de linguagem! Além do mais, o fatalismo acerca do desenrolar da vida fez do desenvolvimento infantil uma responsabilidade mais da vontade divina que dos pais e professores.

Uma mudança de paradigma veio de *Some Thoughts Concerning Education* [Alguns pensamentos sobre a educação], de John Locke, que foi publicado em 1693 e rapidamente tornou-se viral.[167] Locke sugeria que uma criança era "apenas um papel em branco, ou uma cera, a ser moldada e conformada como se queira" — doutrina também chamada de *tábula rasa* ou quadro em branco. Locke escreveu que a educação das crianças podia fazer "uma enorme diferença na humanidade", encorajando os professores a serem compreensivos com seus pupilos e tentar assumir seu ponto de vista. Os educadores deveriam observar cuidadosamente as "mudanças na têmpera" em seus alunos e ajudá-los a tomar gosto pelos estudos. E os professores não deveriam esperar que crianças mais jovens mostrassem o mesmo "comportamento, seriedade ou aplicação" que as mais velhas. Pelo contrário, "precisa-se permitir a elas [...] as ações cândidas e infantis adequadas a sua idade".[168]

A ideia de que o modo como se trata as crianças determina o tipo de adultos que elas se tornam é hoje algo consensual, mas naquela época era uma novidade. Muitos dos contemporâneos e sucessores de Locke recorreram à metáfora para falar dos anos de formação da vida. John Milton escreveu: "A infância apresenta o homem assim como a manhã apresenta o dia". Alexander Pope elevou a correlação à causalidade: "Assim como se dobra o broto, inclina-se a árvore". E William Wordsworth inverteu a própria metáfora da infância: "A criança é o pai do homem". O novo entendimento requeria que as pessoas repensassem as implicações morais e práticas do tratamento das crianças. Surrar uma criança já não era o exorcismo de forças maléficas que a possuíam, ou mesmo uma técnica de mudança de comportamento destinada a reduzir a frequência de más-criações no presente. Aquilo conformava o tipo de pessoa em que a criança se transformaria ao crescer, de modo que as consequências, previstas e imprevistas, iriam alterar a conformação da civilização no futuro.

Outro impulso gestáltico veio de Rousseau, que substituiu a noção cristã do pecado original pela noção romântica da inocência original. Em seu tratado *Emílio, ou Da Educação*, de 1762, ele escreveu: "Tudo é bom ao sair das mãos do Autor das coisas, tudo degenera entre as mãos dos homens". Prenunciando as teorias do psicólogo do século XX Jean Piaget, Rousseau dividiu a infância em uma sucessão de estágios centrados no Instinto, nas Sensações e nas Ideias. Ele argumentou que as crianças de colo ainda não atingiram a Idade das Ideias, portanto não se devia esperar que raciocinassem nos termos dos adultos. Em vez de inculcar nos mais jovens as regras do bem e do mal, os adultos deveriam deixar que as crianças interagissem com a natureza e aprendessem com suas experiências. Se, no decorrer da exploração, elas estragavam coisas, não era com a intenção de causar danos, mas devido à sua própria inocência. "Respeitem a infância", implorava ele, e "deixem a natureza atuar longamente antes de se envolverem em agir no lugar dela".[169] O movimento romântico do século XIX inspirado por Rousseau viu a infância como um período de sagacidade, pureza e criatividade, um estágio em que se deveria deixar a criança divertir-se mais do que ser disciplinada. Hoje a sensibilidade soa familiar, mas era algo radical naquele tempo.

Durante o Iluminismo, a opinião da elite começou a incorporar as doutrinas pró-crianças da folha em branco e da inocência original. Porém os historiadores da infância situam o ponto de virada no tratamento das crianças consideravelmente mais tarde, nas décadas em torno da passagem para o século XX.[170] A economista Viviana Zelizer sugeriu que a fase entre as décadas de 1870 e 1930 assistiu a uma "sacralização" da infância entre os pais das classes média e superior no Ocidente. Foi então que as crianças atingiram o status que hoje lhes concedemos: "economicamente sem valor, emocionalmente sem preço".[171] A era foi inaugurada na Inglaterra quando um escândalo de *baby-farming** levou à criação da Sociedade de Proteção da Infância, em 1870, e nas Leis de Proteção da Vida Infantil, em 1872 e 1897. Em torno da mesma época, a pasteurização e a esterilização das garrafas permitiram que menos bebês fossem repassados a amas de leite infanticidas. Embora a Revolução Industrial originalmente tenha deslocado crianças da estafante labuta agrícola para a estafante labuta nas fábricas, reformas legais restringiram cada vez mais o trabalho infantil. Ao mesmo tempo, a prosperidade que fluiu da Revolução Industrial amadurecida fez com que os índices de mortalidade infantil recuassem, reduziu a demanda de trabalho infantil e proporcionou uma massa de impostos capaz de sustentar serviços sociais. Mais crianças iam à escola, que logo se tornou obrigatória e gratuita. Para lidar com os bandos de meninos de rua, pivetes, maltrapilhos e batedores de carteira que vagavam

* *Baby-farming*: escravidão infantil na Inglaterra vitoriana. (N. T.)

pelas ruas das cidades, organizações sociais voltadas para as crianças fundaram jardins de infância, orfanatos, reformatórios, colônias de férias e clubes para meninos e meninas.[172] Histórias para crianças eram escritas para dar-lhes prazer em vez de aterrorizá-las ou doutriná-las. O movimento Child Study [Estudo Infantil] dedicou-se a uma atitude científica ante o desenvolvimento humano e começou a substituir as superstições e a conversa fiada das velhas viúvas pelas superstições e a conversa fiada dos especialistas em educação infantil.

Vimos que, durante os períodos de reforma humanitária, o reconhecimento dos direitos de um grupo pode conduzir ao reconhecimento de outros por analogia, tal como o despotismo dos reis compatibilizava-se com o despotismo dos maridos, e, dois séculos depois, o movimento pelos direitos civis inspirou o movimento pelos direitos da mulher. A proteção às crianças também beneficiou-se de uma analogia — no caso, acredite ou não, com os animais.

Em Manhattan, em 1874, os vizinhos de Mary Ellen McCormack, uma órfã de dez anos criada por uma mãe adotiva e seu segundo marido, notaram cortes e queimaduras suspeitas no corpo da menina.[173] Eles levaram-na ao Departamento de Caridade Pública e Correção, que administrava as prisões, asilos de pobres, orfanatos e manicômios da cidade. Como não existiam leis que protegessem especificamente as crianças, o assistente social fez contato com a Sociedade Americana de Proteção dos Animais. O fundador da entidade viu uma convergência entre a condição da menina e a dos cavalos resgatados de proprietários violentos de estábulos. Ele contratou um advogado que apresentou uma criativa interpretação do habeas corpus à Suprema Corte do estado de Nova York, requerendo que a garota fosse removida de seu lar. Esta testemunhou calmamente:

> Mamãe criou o hábito de me chicotear e me bater quase todos os dias. Ela costumava me surrar com um chicote de couro cru retorcido. Tenho agora em minha cabeça duas marcas pretas e azuis que mamãe fez com o chicote, e um corte no lado esquerdo da testa que foi feito por um par de tesouras na mão da mamãe [...]. Nunca me atrevi a falar com ninguém porque se eu falasse seria chicoteada.

O *New York Times* reproduziu o testemunho em um artigo intitulado "Tratamento desumano de uma pequena pária", a menina foi removida de casa e no final adotada por seu assistente social. O advogado fundou a Sociedade de Prevenção da Crueldade com Crianças de Nova York, a primeira organização de proteção de crianças criada no mundo. Junto com outras organizações fundadas em seguida, ela criou abrigos para crianças espancadas e trabalhou por leis que punissem pais violentos. Da mesma forma, na Inglaterra o primeiro processo legal para proteger uma criança de agressões paternas foi assumido pela Sociedade Real de Prevenção da Crueldade com Animais, e à margem dela nasceu a Sociedade Nacional de Prevenção da Crueldade com Crianças.

Embora a virada do século XIX tenha assistido a uma aceleração da valorização das crianças no Ocidente, não foi uma transição abrupta nem um avanço em um único salto. Expressões de amor às crianças, de luto por sua perda e consternação pelos maus-tratos podem ser encontradas em todos os períodos da história europeia e em todas as culturas.[174] Mesmo muitos dos pais que tratavam cruelmente seus filhos com frequência eram influenciados por superstições que os levavam a crer que estavam agindo em benefício dos interesses da criança. Como em muitos casos de declínio da violência, é difícil desemaranhar todas as mudanças que foram acontecendo ao mesmo tempo — ideias esclarecidas, prosperidade crescente, leis reformadas, normas em mutação.

Porém, fossem quais fossem as causas, elas não se detiveram nos anos 1930. O perene best-seller *Meu filho, meu tesouro*, de Benjamin Spock, foi considerado radical em 1946 porque encorajava as mães a não espancar suas crianças, regatear afeição ou enrijecer rotinas. Embora a indulgência dos pais do pós-guerra pudesse ser novidade em sua época (ampla e espuriamente responsabilizada pelos excessos dos filhos do *baby boom*), ela não foi de forma alguma um ponto culminante. Quando os filhos do *baby boom* se tornaram pais, foram ainda mais solícitos para com seus filhos. Locke, Rousseau e os reformadores do século XIX puseram em movimento uma escalada da gentileza no tratamento das crianças e nas últimas décadas o ritmo da ascensão se acelerou.

Desde 1950, as pessoas tornaram-se crescentemente relutantes em permitir que as crianças se tornem vítimas de qualquer tipo de violência. As pessoas violentas, naturalmente, podem controlar mais facilmente a violência que elas próprias infligem, especificamente ao espancar, estapear, socar, vergastar, surrar e outras formas de castigo corporal. A opinião da elite sobre punições físicas mudou dramaticamente durante o século XX. Afora grupos cristãos fundamentalistas, hoje é difícil ouvir dizer que poupar a vara de marmelo estraga a criança. Cenas de pais com cintos, mães com escovas de cabelo e crianças em lágrimas amarrando uma almofada ao traseiro surrado já não são comuns na educação familiar.

Pelo menos a partir do dr. Spock, os gurus em cuidados infantis opinaram cada vez mais contra os espancamentos.[175] Atualmente todas as associações de pediatria e psicologia se opõem a essa prática, embora nem sempre em linguagem tão clara como o título de um recente artigo de Murray Straus: "Children Should Never, Ever, Be Spanked No Matter What the Circumstances" [Crianças nunca, jamais deveriam ser espancadas em circunstância alguma].[176] A opinião dos especialistas contraindica o espancamento por três razões. Uma é que espancar produz efeitos danosos ulteriores, inclusive agressividade, delinquência, déficit de empatia e depressão. A teoria da causa-e-efeito, segundo a qual o espancamento ensina às crianças que a violência é um modo de resolver problemas, é passível de debate. Explicações igualmente plausíveis para a correlação entre espancamento e violência são que pais inatamente violentos geram filhos inatamente violentos, e que culturas e entornos que toleram espancamentos toleram igualmente outros tipos de violência.[177] A segunda razão para não se espancar uma criança é que o espancamento não é particularmente eficaz na redução de maus comportamentos, comparada com explicar a infração à criança e usar medidas não violentas como repreensões e a prática de pôr de castigo. A dor e a humilhação desviam as crianças da meditação sobre o que elas fizeram de errado e, se o único motivo que que elas têm para se comportar é evitar tais penalidades, assim que mamãe e papai voltam as costas elas podem ser tão travessas quanto quiserem. Mas talvez o motivo mais convincente para se evitar o espancamento seja simbólico. Eis a terceira razão de Straus para nunca, jamais se espancar crianças: "O espancamento contraria o ideal da não violência na família e na sociedade".

Terão os pais dado ouvidos aos especialistas ou quem sabe chegaram por conta própria às mesmas conclusões? As pesquisas de opinião pública regularmente perguntam se as pessoas concordam com afirmações como "Às vezes é necessário disciplinar uma criança com uma boa e pesada surra" ou "Há certas circunstâncias em que é certo bater numa criança". O nível de concordância depende da formulação da pergunta, porém em toda pesquisa em que a mesma pergunta foi feita com alguns anos de intervalo a tendência é declinante. A figura 7.17 mostra as curvas de três levantamentos americanos, desde 1954, ao lado de pesquisas da Suécia e da Nova Zelândia. Antes da década de 1980, cerca de 90% dos entrevistados nos países de língua inglesa aprovavam o espancamento. Em menos de uma geração, a porcentagem recuou em algumas pesquisas para pouco mais da metade. Os níveis de aprovação variam conforme o país ou região. Os suecos aprovam muito menos o espancamento que os americanos e neozelandeses, e os próprios americanos divergem entre si, como seria de esperar devido ao culto sulista da honra.[178] Em uma pesquisa de 2005, os níveis de aprovação do espancamento variaram de cerca de 55% nos "estados azuis" do norte (aqueles que tendem a votar nos democratas), como Massachusetts e Vermont, e mais de 85% nos "estados vermelhos" do sul (aqueles que tendem a votar nos republicanos), como Alabama e Arkansas.[179] A taxa de aprovação do espancamento acompanha o índice de homicídio ao longo dos cinquenta estados (as duas cifras mostram uma correlação da ordem de 0,52 em uma escala de –1 a 1), o que poderia significar que crianças espancadas crescem para ser homicidas, porém mais provavelmente que culturas que encorajam o espancamento de crianças estimulam também a defesa da honra pela violência entre os adultos.[180] Mas todas as regiões mostraram um declínio, de modo que a rejeição ao espancamento nos estados

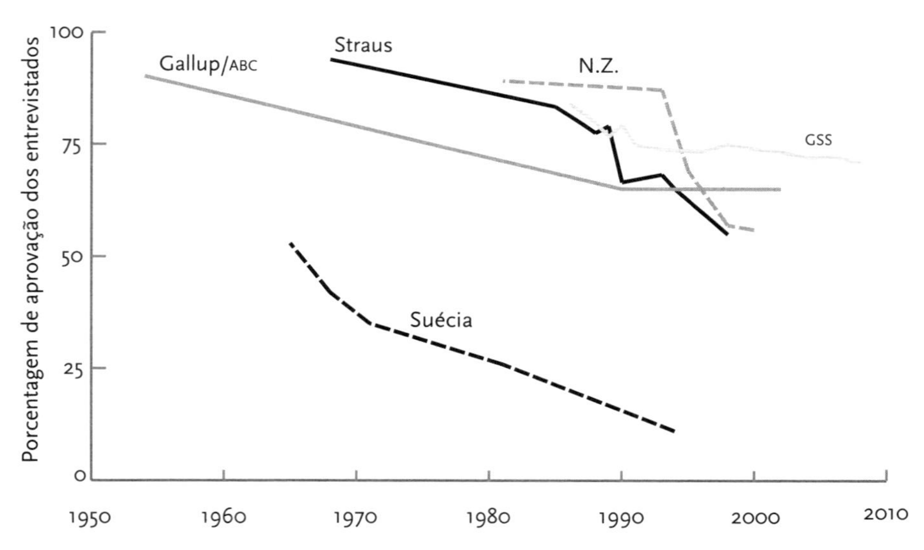

Figura 7.17. *Aprovação do espancamento nos Estados Unidos, na Suécia e na Nova Zelândia, 1954-2008.*

FONTES: Gallup/ABC: Gallup, 1999; ABC News 2002. Straus: Straus, 2001, p. 206. General Social Survey: <www.norc.org/GSS+Website/>, dados ponderados. Nova Zelândia: Carswell, 2001. Suécia: Straus, 2009.

sulistas, em 2006, mostra a mesma proporção da dos estados do Médio Atlântico e meio-oeste em 1986.[181]

O que dizer do comportamento atual? Muitos pais ainda darão uma palmada na mão de uma criancinha que apanha um objeto proibido, mas na segunda metade do século XX todos os demais tipos de castigo corporal declinaram. Na década de 1930 os pais americanos espancavam seus filhos mais de três vezes por mês, ou mais de trinta vezes por ano. Em 1975 essa frequência recuara para dez vezes por ano e em 1985 para em torno de sete.[182] O mesmo declínio gradativo observou-se na Europa.[183] Nos anos 1950, 94% dos suecos espancavam suas crianças, e 33% o faziam todos os dias; em 1995 os índices haviam caído para 33% e 4%. Em 1992 os pais alemães tinham percorrido um longo caminho ante o comportamento de seus avós, que colocavam seus pais em fogões aquecidos e os acorrentavam ao pé da cama. Porém 81% ainda estapeavam os filhos na face, 41% os açoitavam com uma vara e 31% os surravam a ponto de provocar equimoses. Em 2002 essas taxas tinham desabado para 14%, 5% e 3%.

Hoje ainda perdura uma série de diferenças entre países. Entre colegiais de Israel, Hungria, Holanda, Bélgica e Suécia, não mais de 5% afirmaram que foram surrados, porém mais de um quarto dos colegiais da Tanzânia e da África do Sul o fez.[184] Em geral, países mais ricos espancam menos suas crianças, com exceção das nações desenvolvidas da Ásia, como Taiwan, Cingapura e Hong Kong. O contraste internacional é reproduzido entre os grupos étnicos dos Estados Unidos, onde afro-americanos e asiáticos espancam mais que os brancos.[185] Porém a taxa de aprovação do espancamento declinou em todos os três grupos.[186]

Em 1979 o governo da Suécia criminalizou os espancamentos em seu conjunto.[187] Os outros países escandinavos logo acompanharam o exemplo, seguidos por vários países da Europa Ocidental. As Nações Unidas e a União Europeia conclamaram *todos* os Estados-membros a abolir o espancamento. Muitos países lançaram campanhas públicas de advertência contra a prática e 24 deles já a tornaram ilegal.

A proibição do espancamento representa uma espantosa mudança em relação aos milênios em que os pais se consideravam proprietários de seus filhos, e o modo como os tratavam era visto como problema deles e de mais ninguém. Porém é coerente com outras intromissões do Estado na vida familiar, tais como a escolaridade compulsória, a vacina obrigatória, a retirada das crianças de lares onde sofrem maus-tratos, a imposição de cuidados médicos a despeito das objeções de pais religiosos e a proibição da mutilação genital feminina por parte de comunidades de imigrantes muçulmanos em países europeus. De um certo ponto de vista, esse procedimento é uma imposição totalitária do poder do Estado imiscuindo-se na esfera íntima da família. Sob outro prisma, porém, faz parte da tendência histórica no sentido do reconhecimento da autonomia dos indivíduos. Crianças são gente e, tal como os adultos, têm o direito à vida e à saúde (e à genitália) assegurado pelo contrato social que concede os poderes do Estado. O fato de outros indivíduos — os pais — pretenderem ser seus proprietários não pode revogar tal direito.

Os sentimentos dos estadunidenses tendem a situar a família acima do governo, e até hoje nenhum dos estados americanos proíbe o castigo corporal de crianças por parte de seus pais. Mas, quando se trata do castigo corporal de crianças *pelo governo*, nomeadamente em escolas, os Estados Unidos têm se afastado de semelhante forma de violência. Mesmo nos "estados vermelhos", onde três quartos da população aprovam o espancamento pelos pais, apenas 30% aceitam o castigo físico em escolas; nos "estados azuis" a taxa de aprovação fica em menos da metade.[188] E desde os anos 1950 o índice de aceitação dos castigos físicos nas escolas vem declinando (figura 7.18). A desaprovação crescente expressou-se na legislação. A figura 7.19 mostra o declínio da proporção de estados americanos que ainda permitem punições corporais em escolas.

A tendência é ainda mais marcante na esfera internacional, em que os castigos corporais em escolas são encarados hoje como violações dos direitos humanos, tal como outras formas de violência oficial extrajudicial. Eles foram condenados pelo Comitê dos Direitos da Criança, o Comitê dos Direitos Humanos e o Comitê Contra a Tortura da ONU, e proibidos por 106 países, mais da metade do total mundial.[189]

Embora os americanos em sua maioria ainda endossem o castigo corporal pelos pais, traçam uma linha cada vez mais nítida separando a violência branda, que consideram disciplinar, do gênero de surras e palmadas, de violência intensa, que consideram abusiva, tal como socos, chutes, chicotadas, espancamentos e uso do pavor (por exemplo, ameaçar uma criança com uma faca ou arma de fogo, ou balançá-la sobre um abismo). Em sua investigação sobre violência doméstica, Straus entregou aos entrevistados uma listagem que incluía castigos

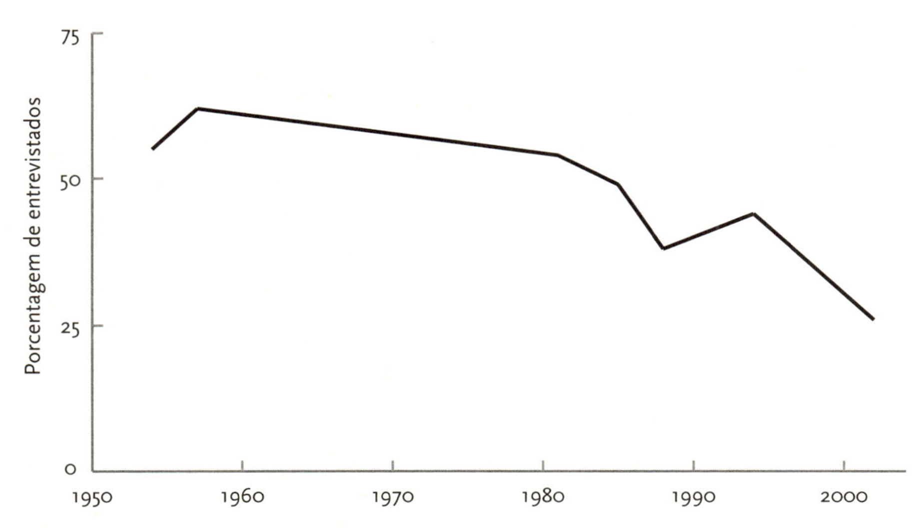

Figura 7.18. *Aprovação de castigos corporais em escolas americanas, 1954-2002.*
FONTES: Dados de 1954 a 1994 do Gallup, 1999; dados de 2002 de ABC News, 2002.

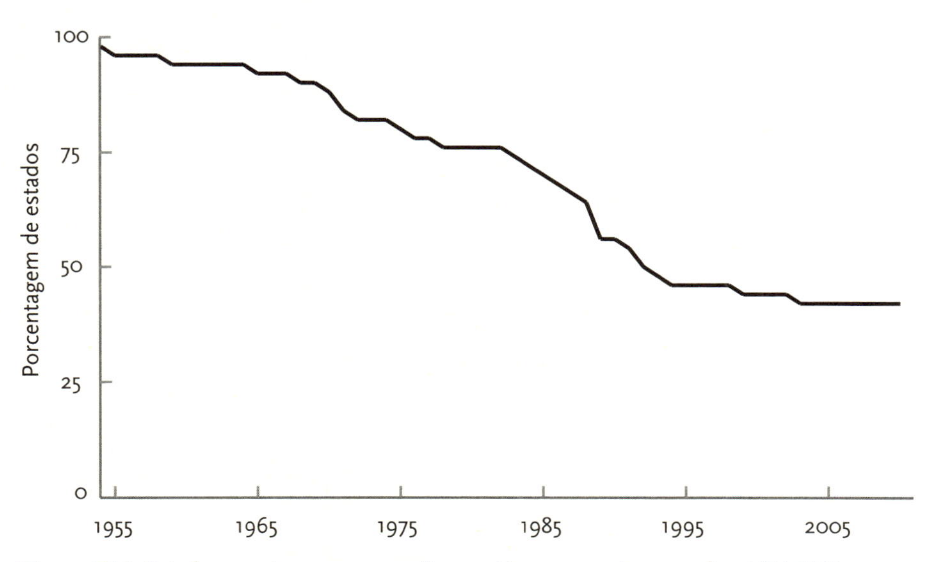

Figura 7.19. *Estados americanos que permitem castigos corporais em escolas, 1954-2010.*
FONTE: Dados de Leiter, 2007.

atualmente considerados abusivos. Ele constatou que o número de países que os admitiam caiu quase pela metade entre 1975 e 1992, de 20% das mães para pouco mais de 10%.[190]

Um problema da violência relatada pelos perpetradores (em oposição àquela relatada pelas vítimas) é que a resposta positiva é a confissão de um malfeito. O aparente declínio do número de pais que surram os filhos pode ser na realidade um recuo do número de pais que o admitem. Houve um tempo em que uma mãe que deixava marcas nos filhos podia ser considerada dentro dos limites da violência aceitável. A partir da década de 1980, porém, um crescente número de formadores de opinião, celebridades e roteiristas de TV começaram a chamar a atenção para os maus-tratos contra crianças, frequentemente retratando pais que os cometiam como ogros repulsivos ou crianças como permanentemente amedrontadas. Na esteira dessa corrente, alguém que batesse numa criança birrenta devia manter a boca fechada diante do assistente social. Sabemos que nesse intervalo os maus-tratos contra crianças tornaram-se mais que um estigma. Em 1976, quando se perguntava às pessoas: "Os maus-tratos contra crianças são um problema sério em seu país?", 10% respondiam que sim; quando a mesma indagação foi feita em 1985 e 1999, 90% disseram sim.[191] Straus argumentou que a tendência em sua investigação sobre a violência apontou tanto um declínio na aceitação dos maus-tratos como um recuo nos maus-tratos em si; ainda que grande parte da queda se referisse à aceitação, acrescentou, seria motivo para comemoração. Uma tolerância decrescente aos maus-tratos contra crianças levou à expansão do número de disque-denúncias e assistentes sociais de proteção da infância, e a um mandato expandido para que polícia, assistentes sociais, conselheiros escolares e voluntários buscassem sinais de maus-tratos e adotassem providências para que os perpetradores fossem punidos ou aconselhados e as crianças, retiradas de seus lares nos piores casos.

Terão as mudanças nas normas e instituições produzido algum benefício? O National Child Abuse and Neglect Data System [Sistema de Dados Nacional sobre Maus-Tratos e Negligência contra Crianças] foi criado para fornecer dados sobre casos consubstanciados de maus-tratos infantis, fornecidos por instituições de proteção à infância em todo o país. A psicóloga Lisa Jones e o sociólogo David Finkelhor tabularam seus dados ao longo do tempo, demonstrando que entre 1990 e 2007 o índice de maus-tratos físicos contra crianças caiu pela metade (figura 7.20).

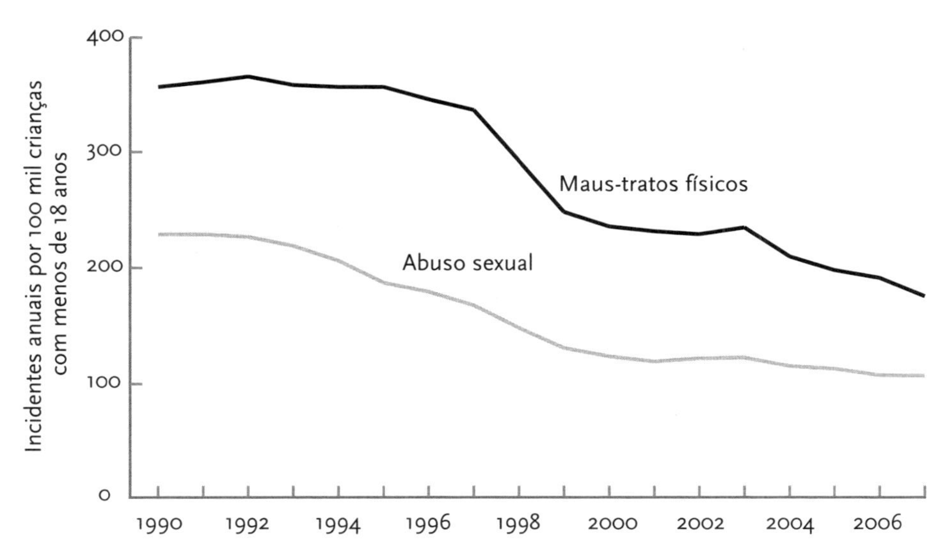

Figura 7.20. *Maus-tratos contra crianças nos Estados Unidos, 1990-2007.*
FONTES: Dados de Jones e Finkelhor, 2007; ver igualmente Jones e Finkelhor, 2006.

Jones e Finkelhor também mostraram que durante esse intervalo a taxa de abusos sexuais e a incidência de crimes violentos contra crianças, tais como assaltos, roubos e estupros, também recuaram entre um terço e dois terços. Eles corroboraram as tendências declinantes verificando dados da área da saúde, como pesquisas criminais, levantamentos sobre homicídios, confissões de agressores e índices de doenças sexualmente transmissíveis, todos apresentando declínio. Na verdade, durante as duas últimas décadas a vida das crianças e dos adolescentes melhorou simplesmente em todos os parâmetros que possamos medir. Eles também se tornaram menos propensos a fugir, engravidar, ter problemas com a lei e cometer suicídio. A Inglaterra e o País de Gales também desfrutaram de uma queda na violência contra crianças: um recente relatório mostrou que desde os anos 1970 os índices de morte violenta de crianças caiu em quase 40%.[192]

O declínio dos casos de maus-tratos infantis durante a década de 1990 coincidiu em parte com o decréscimo do homicídio adulto, e suas causas são igualmente difíceis de detectar. Jones e Finkelhor examinaram os suspeitos de sempre. A demografia, a pena capital, o crack, a cocaína, as armas, o aborto e os encarceramentos não conseguem explicar o declínio. A prosperidade dos anos 1990 pode explicar um pouco, porém não dá conta de fundamentar o recuo dos abusos sexuais, nem um segundo decréscimo dos maus-tratos físicos na década de 2000, quando a economia estava mal. A contratação de mais policiais e assistentes sociais provavelmente ajudou, e Jones e Finkelhor especulam que um outro fator exógeno pode ter tido influência: o início dos anos 1990 foi a era da Nação Prozac e da Corrida para a Ritalina. A enorme expansão das prescrições de medicamentos antidepressivos e a atenção para com os distúrbios de déficit de atenção podem ter conduzido muitos pais para fora da depressão e ajudado muitas crianças a controlar seus impulsos. Jones e Finkelhor também apontaram mudanças nebulosas porém potencialmente possantes nas normas culturais. A década de 1990, conforme mostramos no capítulo 3, assistiu a uma ofensiva civilizacional que reverteu algumas das licenciosidades dos anos 1960 e tornou cada vez mais repugnantes todas as formas de violência. E a "oprahnifização" dos Estados Unidos transformou a violência doméstica em estigma de primeira grandeza, desestigmatizando — e até santificando — as vítimas que trouxe à luz.

Outro tipo de violência que atormenta muitas crianças é a violência perpetrada por outras crianças. O *bullying* provavelmente está em cena desde que as crianças estão em cena, pois crianças, tais como muitos jovens primatas, competem por posições de domínio em seu círculo social mediante exibições de energia e força. Muitas memórias da infância incluem relatos de crueldade por parte de outras crianças, e o tormento do soca-arrasta faz parte da cultura popular. A galeria dos atormentadores inclui Butch e Woim na série de curtas-metragens *Our Gang*, Biff Tannen na trilogia *De volta para o futuro*, Nelson Muntz em *Os Simpsons* e Moe em *Calvin e Haroldo* (figura 7.21).

Figura 7.21. *Uma outra forma de violência contra crianças.*

Até recentemente, os adultos escreviam sobre o *bullying* como uma das provações da infância. "Garotos são garotos", diziam, julgando que certa habilidade para lidar com a intimidação na infância era um treinamento essencial para adquirir a capacidade de fazer o mesmo na idade adulta. As vítimas, por sua vez, não tinham para onde se voltar, pois queixar-se para um professor ou para os pais faria delas delatoras choramingonas, tornando suas vidas ainda mais infernais.

Mas em outra dessas viradas gestálticas, em que uma categoria de violência passa de inevitável a intolerável, o *bullying* foi condenado à eliminação. O movimento emergiu da confusão que circundou o massacre de Columbine High School, com a mídia amplificando os rumores sobre as causas da tragédia — cultura da brutalidade, brincadeiras pesadas, antidepressivos, videogames, uso da internet, filmes violentos, o roqueiro Marilyn Manson —, e uma delas era o *bullying*. Conforme se viu, os dois assassinos não eram, como a mídia repetiu incansavelmente, brutalhões fascinados por brincadeiras pesadas.[193] Mas a consciência popular se apoderou da ideia de que o massacre tinha sido um gesto de vingança, e os profissionais da área infantil fizeram da nova lenda urbana uma campanha contra o *bullying*. Felizmente, a teoria — de que a vítima de *bullying* hoje é o atirador da cafeteria de amanhã — coexistiu com raciocínios mais dignos de respeito, como o de que as vítimas de *bullying* sofrem de depressão, deficiências de desempenho escolar e elevado risco de suicídio.[194] Atualmente, quatro estados americanos contam com leis que proíbem o *bullying* nas escolas, e muitos têm dispositivos obrigatórios que repudiam sua prática, encorajam a empatia e instruem as crianças sobre como resolver seus conflitos de maneira construtiva.[195] Organizações de pediatras e psicólogos infantis fizeram declarações reclamando esforços preventivos, enquanto revistas, programas televisivos, o império Oprah Winfrey e até o presidente da República fizeram críticas ao *bullying*.[196] Daqui a mais uma década, o tratamento zombeteiro do *bullying* na tira de *Calvin e Haroldo* pode se tornar tão ofensivo quanto é hoje o anúncio de café dos anos 1950 que mostra uma mulher apanhando.

Mesmo pondo-se à parte as consequências psicológicas, o referendo moral contra o *bullying* é férreo. Como disse Calvin, depois que você cresce não pode sair batendo nas pessoas sem motivo. Nós, adultos, protegemo-nos com as leis, a polícia, os dispositivos trabalhistas, as normas sociais, e não se concebe qualquer razão para que as crianças sejam deixadas em situação mais vulnerável, exceto a frouxidão ou o embrutecimento na hora de conceber como é a vida do ponto de vista delas. A crescente valorização da infância e a universalização das concepções morais às quais ela pertence tornaram inevitável a campanha para proteger as crianças da violência por parte de seus pares. Daí igualmente o esforço para salvaguardá-las de novos ataques. Faz tempo que crianças e adolescentes vêm sendo vítimas de crimes infantis, como o roubo do dinheiro da merenda, a vandalização de seus pertences e o apalpamento sexual, que se localizam nos interstícios entre os regulamentos escolares e a legislação criminal. Também aqui os interesses dos seres humanos mais jovens vêm sendo cada vez mais reconhecidos.

Terá isso feito diferença? Começou a fazer. Em 2004, os Departamentos de Justiça e de Educação dos Estados Unidos apresentaram um dossiê sobre *Indicators of School Crime and Safety* [Indicadores de crimes e segurança escolares], empregando pesquisas criminais assim como estatísticas escolares e policiais para documentar as tendências no que diz respeito à violência contra estudantes entre 1992 e 2003.[197] O levantamento indagava sobre casos de *bullying* apenas nos três últimos anos, porém acompanhou outros tipos de violência ao longo de todo o período, detectando que brigas, medo da escola e crimes como roubos, agressão sexual e assaltos tenderam ao decréscimo, como mostra a figura 7.22.

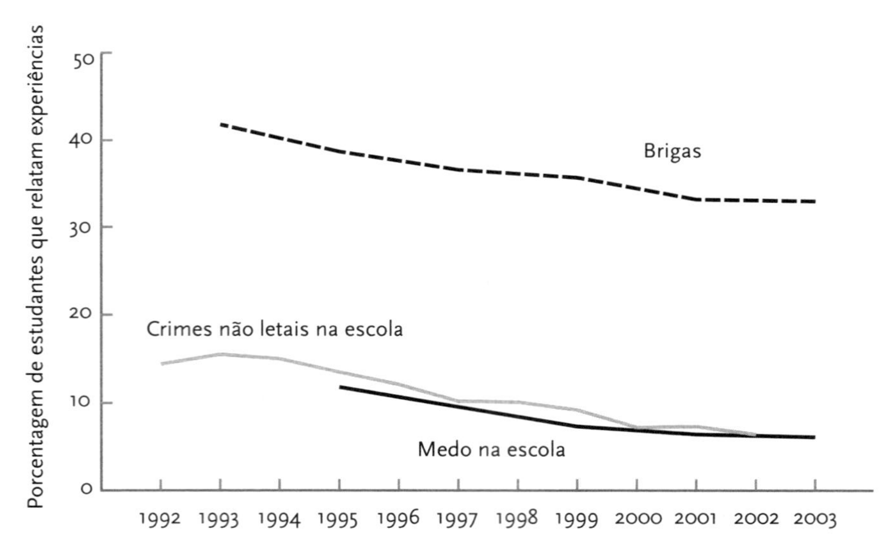

Figura 7.22. *Violência contra jovens nos Estados Unidos, 1992-2003.*
FONTE: Dados de DeVoe et al., 2004.

Ao contrário do que indicaria outro motivo de temor, recentemente guindado ao topo das atenções pela mídia com base em vídeos do YouTube que circularam largamente, de mulheres adolescentes trocando socos entre si, as garotas dos Estados Unidos não se tornaram selvagens. Os índices de assassinatos e assaltos cometidos por garotas estão em seu nível mais baixo em quarenta anos, enquanto as taxas de posse de armas, brigas, agressões e ataques violentos por parte de garotas ou contra elas estão declinando há uma década.[198] Dada a popularidade do YouTube, podemos esperar nos próximos anos mais desses assomos de pânico provocados por vídeos (meninas sádicas, mãos ensanguentadas, prontas para matar?) nos anos que virão.

Seria prematuro dizer que tudo vai bem com a garotada de hoje, mas certamente ela está bem melhor do que muitos de nós estiveram. Por certo, em muitos sentidos o esforço para proteger crianças da violência começou a transbordar de seu alvo e a entrar no reino das coisas sacrossantas e tabus.

Um desses tabus é o que a psicóloga Judith Harris denomina pressuposto da nutrição.[199] Locke e Rousseau ajudaram a deflagrar uma revolução no modo de conceituar a criação de filhos quando reescreveram o papel dos responsáveis, de castigadores dos maus comportamentos das crianças em conformadores do tipo de gente que elas serão ao crescer. No fim do século XX, a ideia de que pais podem machucar seus filhos, por maus-tratos ou negligência (o que é uma verdade), evoluiu para a ideia de que pais podem moldar em seus filhos a inteligência, a personalidade, a habilidade social e os transtornos mentais (o que não é verdade). Por que não? Considere-se o fato de que os filhos de imigrantes acabam por adotar o sotaque, os valores e as normas de seus novos vizinhos, não os de seus pais. Isso nos mostra que crianças são socializadas mais em seu grupo que em suas famílias: é preciso uma aldeia para criar uma criança. E estudos sobre crianças adotadas detectaram que elas crescem com personalidades e QIS (Quocientes de Inteligência) correspondentes aos de seus pais biológicos, mas sem relação com os de seus pais adotivos. Isso nos mostra que a personalidade e a inteligência dos adultos são conformadas pelos genes, e também pelo acaso (já que as correlações estão muito longe de serem perfeitas, mesmo entre gêmeos idênticos), mas não são moldadas pelos pais, ao menos não por algo que eles façam com todos os seus filhos. A despeito dessas refutações, o pressuposto da nutrição desenvolveu um estrangulamento na opinião pública, e as mães foram aconselhadas a se converter em máquinas de criar filhos em tempo integral, encarregadas de estimular, socializar e desenvolver o caráter das pequenas páginas em branco sob seus cuidados.

Outro sacramento é a campanha para isolar as crianças do menor fragmento de resquício de evocação da violência. Em Chicago, em 2009, depois que 25 estudantes de onze a quinze anos de idade participaram do antiquíssimo esporte de uma batalha de comida num refeitório, foram cercados pela polícia, algemados, conduzidos de camburão, fotografados para fichas policiais e acusados de conduta imprudente.[200] A política de tolerância zero quanto a armas em dependências escolares levou a uma ameaça de expulsão de um escoteiro de seis anos que carregava na lancheira um utensílio de mil e uma utilidades para camping, à expulsão de uma garota de doze que tinha usado um estilete para cortar janelas em uma casa de papel durante um trabalho de classe e à suspensão de um escoteiro que, para seguir o lema "Sempre alerta", mantinha no carro um saco de dormir, água potável, mantimentos de emergência e um canivete com lâmina de cinco centímetros.[201] Muitas escolas contrataram "treinadores de recreio" visando orientar as crianças em jogos construtivos e organizados, pois deixadas soltas elas iriam brigar entre si por bolas e cordas de pular, ou monopolizar espaços do playground.[202]

Os adultos têm tentado, cada vez mais, manter as representações de violência fora da cultura infantil. Em uma sequência marcante do filme *E. T.*, de 1982, Elliott se esgueira driblando uma barreira policial com o ET na cesta de sua bicicleta. Quando o filme foi relançado na versão de seu vigésimo aniversário, em 2002, Steven Spielberg desarmara digitalmente os policiais, usando imagens geradas por computador para substituir seus rifles por walkie-talkies.[203] Quanto ao Halloween, os pais agora são instruídos a fantasiar seus filhos com "vestimentas positivas", tais como figuras históricas ou alimentos — cenouras, abóboras —, no lugar de mortos-vivos, vampiros ou personagens de filmes de terror B.[204] Um memorando de uma escola de Los Angeles continha a seguinte advertência quanto às fantasias:

> Elas não devem retratar gangues e personagens de terror, nem ser assustadoras. Máscaras serão permitidas somente durante o desfile.
> As fantasias não podem discriminar qualquer raça, religião, nacionalidade, condição de deficiência ou gênero.

São vedadas as unhas postiças.
São vedadas as armas, mesmo imitações.

Em outro lugar da Califórnia, uma mãe, julgando que as sepulturas e os monstros do Halloween na vizinhança poderiam amedrontar seus filhos, chamou a polícia para denunciar a prática como crime de ódio.[205]

O incremento histórico da valorização das crianças entrou em decadência. Agora que elas estão a salvo de ser sufocadas no dia em que nascem, privadas de comida em orfanatos, envenenadas por babás, espancadas até a morte pelos pais, cozidas em tortas por madrastas, obrigadas a trabalhar até a morte em minas e fábricas, abatidas por doenças infecciosas e espancadas por valentões, os especialistas quebram a cabeça buscando formas de ganhar incrementos infinitesimais de segurança, visando diminuir ou mesmo impedir retrocessos. Proíbe-se as crianças de ficar na rua no meio do dia (risco de câncer de pele), brincar na grama (carrapatos), comprar limonada em quiosques (bactérias da casca do limão) ou lamber lâminas de batedeira de bolo (salmonela de ovo cru). Playgrounds questionados por advogados tiveram sua superfície recoberta com borracha, escorregadores e trepa-trepas foram rebaixados para reduzir o peso e gangorras, sumariamente removidas (para que o garoto que está embaixo não pule fora para ver o garoto de cima cair no chão — a parte mais divertida quando se brinca de gangorra). Quando os produtores de *Vila Sésamo* lançaram um conjunto de DVDs contendo episódios clássicos desde os primeiros anos da série (1969-74), incluíram uma advertência na embalagem dizendo que os programas não eram adequados para crianças![206] Os episódios mostravam crianças em atividades perigosas, como escalar trepa-trepas, pilotar triciclos sem capacete, rastejar através de tubos ou aceitar leite e biscoitos de desconhecidos gentis. Também o quadro "Monsterpiece Theater" foi censurado, pois no fim de cada episódio o engravatado anfitrião em seu smoking, Alistair Cookie ("interpretado" pelo Monstrinho Come-Come), engolia seu cachimbo, glamorizando o uso de produtos de tabaco e correndo o risco de sufocar.

Mas nada transformou tanto a infância como o risco de sequestro perpetrado por estranhos, um caso clássico na psicologia do medo.[207] Desde 1979, quando Etan Patz, de seis anos, desapareceu a caminho do ponto do ônibus escolar em Manhattan, crianças sequestradas têm atraído as atenções da nação, graças a três grupos de interesse que se empenharam em disseminar o pânico entre os pais americanos. Os enlutados pais de crianças assassinadas compreensivelmente desejam que algo de bom advenha de suas tragédias, e muitos têm dedicado suas vidas a elevar a consciência das pessoas no que se refere aos sequestros de crianças. (Um deles, John Walsh, fez campanha para que fotos de crianças perdidas fossem mostradas em embalagens de leite e apresentava um programa sensacionalista de televisão, *America's Most Wanted* [O mais procurado dos Estados Unidos], especializado nos mais horripilantes casos de sequestro e homicídio.) Políticos, chefes de polícia e publicitários conseguem farejar uma campanha fadada ao sucesso a um quilômetro de distância — quem poderia ser contra proteger crianças de pervertidos? — e promoveram solenidades espalhafatosas para anunciar medidas de segurança após cada criança desaparecer (Código Adam, Alerta Amber, Lei Megan, Dia Nacional das Crianças Desaparecidas). A mídia também pode reconhecer de longe um multiplicador de audiência, e alavancou os temores com vigílias 24 horas por dia, documentários constantemente renovados ("É o pesadelo de todos os pais...") e uma franquia da série de TV *Law and Order* dedicada exclusivamente a crimes sexuais.

Nunca mais a infância foi a mesma. Os pais americanos não mais deixariam seus filhos fora de vista. As crianças passaram a ser conduzidas de carro, acompanhadas e tuteladas por telefones celulares, o que, longe de reduzir a ansiedade dos pais, apenas os deixa histéricos se o filho não atende ao primeiro sinal. As amizades feitas em playgrounds desembocaram em encontros para brincar marcados pelas mães, uma expressão que não existia antes da década de 1980.[208] Quarenta anos atrás, dois terços das crianças iam para a escola a pé ou de bicicleta; hoje, são 10%. Uma geração atrás, 70% das crianças brincavam na rua; atualmente o índice está abaixo de 30%.[209] Em 2008, o filho de nove anos da jornalista Lenore Skenazy, de Nova York, pediu-lhe que ela o deixasse ir sozinho para casa de metrô. Ela concordou e ele chegou sem incidentes. Quando Lenore escreveu a respeito numa coluna do *New York Sun*, viu-se no epicentro de um frenesi midiático que a tachava de "Pior Mãe dos Estados Unidos" (Exemplo de título: "Mãe deixa filho de nove anos ir sozinho para casa de metrô: colunista abre polêmica com experimento sobre independência infantil".) Em resposta, ela iniciou um movimento — Crianças Soltas — e propôs um Dia Nacional de Levar Nossos Filhos ao Parque e Deixá-los Lá, visando fazer com que as crianças aprendessem a brincar sem a supervisão constante de adultos.[210]

Lenore Skenazy na verdade não é a pior mãe dos Estados Unidos. Ela simplesmente fez aquilo que nenhum político, policial, pai ou produtor fizera: encarou os fatos. Em sua esmagadora maioria, as crianças mostradas nas embalagens de leite não foram enfiadas em vans por pervertidos sexuais, traficantes de menores ou artistas do resgate, mas eram adolescentes que fugiram de casa, ou crianças apanhadas por um pai divorciado insatisfeito devido a um sistema de guarda que o desfavorecia. O índice anual de crianças sequestradas por estranhos reduziu-se de duzentas a trezentas, nos anos 1990, para cerca de cem atualmente, das quais cerca da metade são assassinadas. Como há 50 milhões de crianças nos Estados Unidos, isso projeta uma taxa de homicídios de um por 1 milhão (0,001 por 100 mil, para usar a fórmula usual). Isso representa mais ou menos um vigésimo do risco de afogamento e um quadragésimo do perigo de um acidente automobilístico fatal. O escritor Warwick Cairns calculou que, caso você *quisesse* que seu filho fosse sequestrado por um estranho na calada da noite, teria de deixar a criança sozinha na rua por cerca de 750 mil anos.[211]

Alguém pode replicar que a segurança de um filho é algo tão precioso que, mesmo que tais precauções salvassem umas poucas vidas por ano, justificariam a ansiedade e as despesas. Porém o raciocínio é espúrio. As pessoas inevitavelmente trocam segurança por outras coisas boas da vida, por exemplo quando poupam dinheiro para a faculdade dos filhos em vez de instalar sistemas de alarme em suas casas, ou quando viajam de carro com as crianças durante as férias em vez de deixá-las o verão inteiro na segurança de seu quarto, jogando videogames. A campanha por uma perfeita segurança antissequestros ignora custos tais como restringir a experiência infantil, incrementar a obesidade infantil, incutir uma ansiedade crônica entre as mulheres trabalhadoras e afastar jovens adultos do projeto de ter filhos.

E *mesmo que* minimizar os riscos fosse o único bem na vida, as inúmeras medidas de segurança não resolveriam. Muitas medidas, como os avisos de procurados em embalagens de leite, são exemplos daquilo que os criminologistas chamam de teatro do controle do crime: os avisos advertem que algo está sendo feito sem que nada seja feito realmente.[212] Quando 300 milhões de pessoas mudam suas vidas para reduzir um risco para cinquenta pessoas, provavelmente fazem mais mal do que bem, devido às consequências inesperadas de seus ajustes sobre muito *mais* do que cinquenta pessoas afetadas pelas mudanças. Para dar apenas dois exemplos, mais que o dobro das crianças são atropeladas por carros dirigidos por pais que levam seus filhos à escola, na comparação com outros tipos de tráfego, de modo que, quando os pais conduzem os filhos à escola para impedir que estes sejam assassinados por sequestradores, mais filhos são mortos.[213] E uma forma de teatro do controle do crime, os avisos eletrônicos em autoestradas que expõem aos viajantes os nomes de crianças desaparecidas, pode causar congestionamentos, distrair os motoristas e acarretar os inevitáveis acidentes.[214]

O movimento ao longo dos dois últimos séculos visando valorizar a vida das crianças é um dos grandes avanços morais da história. Porém o movimento ao longo das duas últimas décadas, para incrementar a valorização ao infinito, só pode conduzir a absurdos.

DIREITOS DOS GAYS, DECLÍNIO DOS ESPANCAMENTOS E DESCRIMINALIZAÇÃO DA HOMOSSEXUALIDADE

Seria um exagero dizer que o matemático britânico Alan Turing expôs a natureza do raciocínio lógico e matemático, inventou o computador digital, resolveu o problema mente-corpo e salvou a civilização ocidental. Mas não seria um grande exagero.[215]

Em um memorável escrito acadêmico de 1936, Turing estabeleceu um conjunto de operações mecânicas simples que seria suficiente para computar qualquer fórmula matemática ou lógica entre todas as computáveis.[216] Essas operações podiam ser facilmente implementadas por uma máquina — um computador digital —, e uma década mais tarde Turing desenhou uma versão prática que serviu como protótipo dos computadores que usamos hoje. Nesse ínterim, ele trabalhou para a unidade de decodificação britânica durante a Segunda Guerra Mundial e ajudou a quebrar o código usado pelos nazistas na comunicação com seus U-boats, o que contribuiu para derrotar o bloqueio naval alemão e reverter o rumo da guerra. Quando a guerra acabou, Turing escreveu um artigo (ainda hoje muito lido) que equiparou o pensamento à computação, oferecendo desse modo uma explicação para como a inteligência poderia ser executada por um sistema físico.[217] Em boa medida, ele procurou resolver um dos mais difíceis problemas da ciência — como a estrutura de um organismo pode emergir de um amálgama de substâncias químicas durante o desenvolvimento embrionário —, propondo para ela uma engenhosa solução.

Como a civilização ocidental agradeceu a um dos maiores gênios jamais produzidos? Em 1952 o governo britânico o deteve, cancelou sua habilitação para acesso a informações secretas, ameaçou-o com o cárcere e castrou-o por via química, levando-o ao suicídio, aos 42 anos.

O que fez Turing para receber esse impressionante testemunho de ingratidão? Fez sexo com um homem. Na época, atos homossexuais eram ilegais no Reino Unido e Turing foi acusado de grave atentado ao pudor, o mesmo delito que no século anterior quebrantara outro gênio, Oscar Wilde. A perseguição a Turing foi motivada pelo temor de que homossexuais fossem vulneráveis a ser ludibriados por agentes soviéticos. O temor tornou-se ridículo oito anos mais tarde, quando o ministro da Guerra britânico, John Profumo, foi forçado a renunciar por ter tido um caso com a amante de um espião soviético.

Pelo menos desde que o Levítico 20,13 prescreveu a pena de morte para um homem que se deitar com outro homem como se se deitasse com uma mulher, muitos governos usaram seu monopólio da violência para aprisionar, torturar, mutilar e matar homossexuais.[218] Um gay que escapasse à violência do governo, na forma de leis contra a indecência, a sodomia, a perversão, atos não naturais ou crimes contra a natureza, permanecia vulnerável à violência de seus concidadãos sob a forma de agressões, violência homofóbica e crimes de ódio antigay.

A violência homofóbica, seja ela patrocinada pelo Estado ou difusa, é uma entrada misteriosa no catálogo das violências humanas, já que nada proporciona ao agressor. Nenhum recurso contestado está em jogo e, uma vez que a homossexualidade é um crime sem vítimas, não se obtém nenhuma paz ao impedi-lo. Seria de esperar até que os homens heterossexuais reagissem aos gays pensando: "Ótimo! Mais mulheres para mim!". Conforme a mesma lógica, o lesbianismo poderia ser o mais hediondo crime imaginável, pois retira mulheres do âmbito do acasalamento, e duas de uma só vez. Mas a homofobia tem sido mais recorrente na história que a lesbofobia.[219] Enquanto muitos sistemas legais singularizam a homossexualidade masculina para criminalizá-la, nenhum sistema legal singulariza o lesbianismo, e os crimes de ódio contra homens gays superam aqueles contra mulheres gays em uma proporção de quase cinco para um.[220]

A homofobia é um enigma evolutivo, tal como a própria homossexualidade.[221] Não que haja algo misterioso sobre o *comportamento* homossexual. Os seres humanos são uma espécie polimorficamente perversa, e de vez em quando buscam gratificação sexual junto a todo tipo de seres vivos e não vivos que não contribuem para seu desempenho reprodutivo. Homens em ambientes exclusivamente masculinos, como navios, prisões e colégios internos, frequentemente se contentam com o objeto disponível na vizinhança que mais se assemelhe a um corpo feminino. A pederastia, que oferece um objeto mais suave e dócil, tem sido institucionalizada em numerosas sociedades, inclusive, celebremente, na elite da Grécia antiga. Quando o comportamento homossexual é institucionalizado, não é de espantar que exista pouca homofobia tal como a conhecemos. As mulheres, por seu turno, são menos ardentes porém mais flexíveis em sua sexualidade, e muitas passam por fases em suas vidas em que são alegremente celibatárias, promíscuas, monógamas ou homossexuais; daí o fenômeno das LUG (Lesbian until Graduation [lésbicas até a formatura]) em faculdades femininas americanas.[222]

O verdadeiro enigma é a *orientação* homossexual — por que haveria homens e mulheres que sistematicamente preferem o acasalamento homossexual às oportunidades heterossexuais, ou que evitam por completo o acasalamento com o sexo oposto. Pelo menos entre os homens, a orientação homossexual parece ser congênita. Homens gays em geral relatam que suas atrações sexuais começaram tão logo eles começaram a sentir impulsos sexuais, pouco antes da adolescência. E a homossexualidade é mais coincidente em gêmeos idênticos que nos bivitelinos, sugerindo que os genes partilhados desempenham algum papel. Aliás, a homossexualidade é um dos poucos exemplos de debate natureza-criação em que a posição politicamente correta é "natureza". Se a homossexualidade é inata, conforme o entendimento geral, então a pessoa não escolhe ser gay e, portanto, não pode ser criticada por seu estilo de vida; nem se poderia converter as crianças em suas salas de aula ou grupos de escoteiros, mesmo querendo.

O mistério evolutivo reside em como uma determinada tendência a evitar o sexo heterossexual consegue perdurar longamente em uma população, já que destinaria a pessoa a deixar pouca ou nenhuma descendência. Talvez os "genes gays" tenham uma vantagem compensatória, tal como estimular a fertilidade quando carregados pela mulher, particularmente se estiverem nos cromossomos X, dos quais ela tem duas cópias — a vantagem para as mulheres precisaria ser apenas um pouco maior do que a metade da desvantagem para os homens difundirem os genes.[223] Talvez os supostos genes levem à homossexualidade apenas em certos ambientes, não existentes quando nossos genes foram selecionados. Uma pesquisa etnográfica concluiu que em quase 60% das sociedades iletradas a homossexualidade era desconhecida ou extremamente rara.[224] Ou talvez os genes atuassem indiretamente, tornando um feto suscetível a flutuações de hormônios ou anticorpos que afetassem seu desenvolvimento cerebral.

Qualquer que seja a explicação, pessoas com orientação homossexual que crescem em uma sociedade que não cultiva o comportamento homossexual podem se considerar alvos de hostilidade generalizada. Entre as sociedades tradicionais que fazem caso da homossexualidade em seu meio, os que a desaprovam são o dobro dos que a toleram.[225] E tanto em sociedades tradicionais como nas modernas a intolerância pode irromper em violência. Provocadores e valentões podem ver aí um alvo fácil contra o qual provar seu machismo, para uma audiência ou uns para os outros. E legisladores podem ter convicções moralistas sobre homossexualidade que eles traduzem em normas e estatutos. Essas crenças podem ser produto daquele cruzamento de repugnância e moralidade que conduz as pessoas a confundir uma repulsa visceral com a noção objetiva do que é pecaminoso.[226] Esse curto-circuito pode converter o impulso para rejeitar parceiros homossexuais num impulso para condenar a homossexualidade. Pelo menos desde os tempos bíblicos os sentimentos homofóbicos têm se traduzido em leis que punem os homossexuais com a morte ou a mutilação, especialmente em reinos cristãos e muçulmanos e suas antigas colônias.[227] Um horripilante exemplo do século XX foi a escolha de homossexuais como alvos das medidas de eliminação do Holocausto.

Durante o Iluminismo, o questionamento de todo e qualquer preceito moral que se baseasse num impulso visceral ou num dogma religioso conduziu a uma nova visão sobre a homossexualidade.[228] Montesquieu e Voltaire argumentaram que a homossexualidade devia ser descriminalizada, embora não fossem tão longe a ponto de dizer que ela era moralmente aceitável. Em 1785, Jeremy Bentham deu o passo seguinte. Usando um raciocínio utilitário, que equipara a moralidade àquilo que proporciona o maior bem ao maior número de pessoas, Bentham sustentou que não há nada de imoral nos atos homossexuais, já que eles não tornam ninguém pior. A homossexualidade foi legalizada na França após a Revolução, e em um punhado de outros países ao longo das décadas subsequentes, como mostra a figura 7.23. A corrente retomada em meados do século XX e que nas décadas de 1970 a 1990 desaguou no movimento dos direitos dos gays teve como combustível o ideal dos direitos humanos.

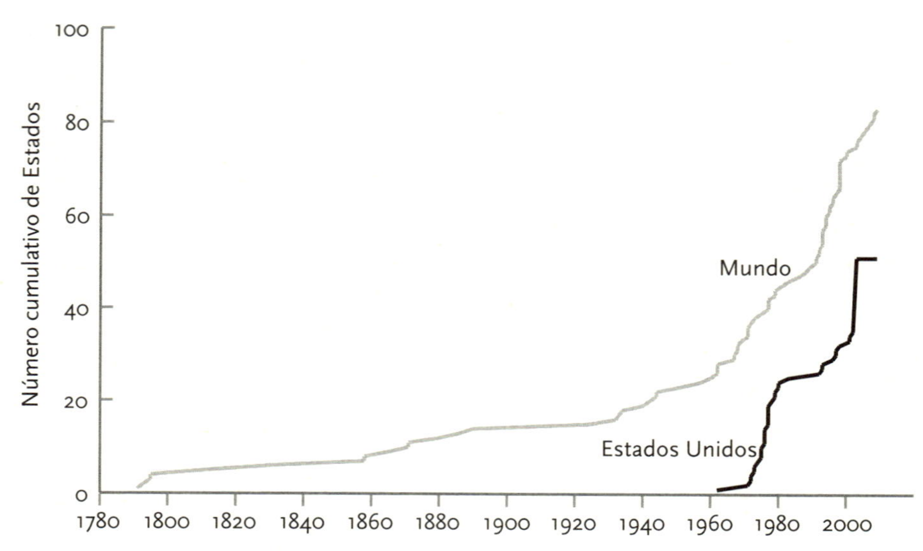

Figura 7.23. *Linha do tempo da descriminalização da homossexualidade, nos Estados Unidos e no mundo.*

FONTES: Ottosson, 2006, 2009. Os dados de sete países adicionais (Timor Leste, Suriname, Chade, Belarus, Fiji, Nepal e Nicarágua) foram obtidos em "LBGT Rights by Country or Territory", <en.wikipedia.org/wiki/LGBT_rights>. Dados de outros 36 países que atualmente admitem a homossexualidade não se encontram listados em nenhuma fonte.

Atualmente a homossexualidade está legalizada em cerca de 120 países. No entanto, leis contra ela continuam vigentes em outros oitenta, a maioria deles na África, Caribe, Oceania e no mundo islâmico.[229] Pior ainda, a homossexualidade é punida com a morte na Mauritânia, na Arábia Saudita, no Sudão, no Iêmen, em partes da Nigéria, partes da Somália e em todo o Irã (a despeito de, conforme Mahmoud Ahmadinejad, inexistir naquele país). Porém a pressão existe. Qualquer organização de direitos humanos considera a criminalização da homossexualidade como uma violação dos direitos humanos, e em 2008, na Assembleia Geral da ONU, 66 países endossaram uma declaração proclamando que tais leis devem ser rejeitadas. Em um pronunciamento de apoio à declaração, Navanethem Pillay, o alto comissário de Direitos Humanos da ONU, escreveu: "O princípio da universalidade não admite exceção. Os direitos humanos são verdadeiramente direitos natos de todos os seres humanos".[230]

O mesmo gráfico mostra que a descriminalização da homossexualidade começou tardiamente nos Estados Unidos. Até nada menos que 1969, a homossexualidade era ilegal em todos os estados, exceto Illinois, e a polícia municipal frequentemente aliviava o tédio de uma noite tranquila invadindo um ponto de encontro gay, dispersando ou detendo os fregueses, às vezes com o auxílio de cassetetes. Mas em 1969 uma incursão contra o Stonewall Inn, um bar gay em Greenwich Village, Nova York, deflagrou três dias de rebeliões em protesto e galvanizou as comunidades gays ao longo do país numa ação para repudiar leis que criminalizavam a homossexualidade ou discriminavam homossexuais. Em uma dúzia de anos, quase metade dos estados americanos descriminalizou a homossexualidade. Em 2003, na sequência de outra leva de descriminalizações, a Suprema Corte derrubou um estatuto contra a sodomia no Texas, determinando que todas essas leis eram inconstitucionais. Expressando a opinião da maioria, o juiz Anthony Kennedy invocou o princípio da autonomia pessoal e a indefensabilidade do uso do poder governamental para coagir crenças religiosas ou costumes tradicionais:

> A liberdade pressupõe uma autonomia do indivíduo que inclui a liberdade de pensamento, crença, expressão e de certa conduta íntima [...]. Deve-se reconhecer, naturalmente, que ao longo de séculos poderosas vozes têm condenado a conduta homossexual como imoral. A condenação foi moldada por crenças religiosas, concepções sobre o comportamento justo e aceitável e pelo respeito à família tradicional [...]. Essas considerações, contudo, não respondem à pergunta que está diante de nós. A questão é se a maioria pode usar o poder do Estado para impor tais pontos de vista a toda a sociedade através do uso da legislação penal.[231]

Entre a primeira leva de legalizações, nos anos 1970, e o colapso das leis remanescentes uma década e meia mais tarde, as atitudes dos americanos no que se refere à homossexualidade sofreram uma mudança radical. O crescimento da aids, nos anos 1980, mobilizou grupos de ativistas gays e fez com que muitas celebridades saíssem do armário, enquanto outras foram tiradas do armário postumamente. A lista incluía os atores John Gielgud e Rock Hudson, os músicos Elton John e George Michael, os estilistas Perry Ellis, Roy Halston e Yves Saint Laurent, os atletas Billie Jean King e Greg Louganis e as humoristas Ellen DeGeneres e Rosie O'Donnell. Artistas populares como k.d. lang, Freddie Mercury e Boy George exibiram personas gays, e dramaturgos como Harvey Fierstein e Tony Kushner escreveram sobre a aids e outros temas gays em peças e filmes de sucesso. Personagens gays cativantes começaram a aparecer em comédias românticas e séries de TV como *Will and Grace* e *Ellen*, e a aceitação da homossexualidade por heterossexuais tornou-se cada vez mais a regra. Como insistiram Jerry Seinfeld e George Costanza, *"Nós não somos gays!...* Não que haja algum mal nisso". Já que a homossexualidade deixara de ser um estigma, fora domesticada e até nobilitada, cada vez menos gays sentiram a necessidade de ocultar sua orientação sexual. Em 1990, meu orientador de pós-graduação, um eminente psicolinguista e psicólogo social nascido em 1925, publicou um ensaio autobiográfico que começava assim: "Quando Roger Brown sai do armário, o tempo da coragem já passou".[232]

Os americanos sentiam cada vez mais que os gays faziam parte de suas comunidades reais e virtuais, e que ia ficando difícil mantê-los fora de seus círculos de relações. A mudança pode ser vista nas atitudes que revelaram a pesquisadores. A figura 7.24 mostra as opiniões de americanos sobre se a homossexualidade é moralmente errada (extraídas de dois institutos de pesquisa), se ela deve ser legal e se gays devem ter oportunidades de emprego iguais. Tabulei os "Sim" quanto às duas últimas questões em formato invertido, de modo que, para todas as quatro perguntas, os valores menores representam as respostas mais tolerantes.

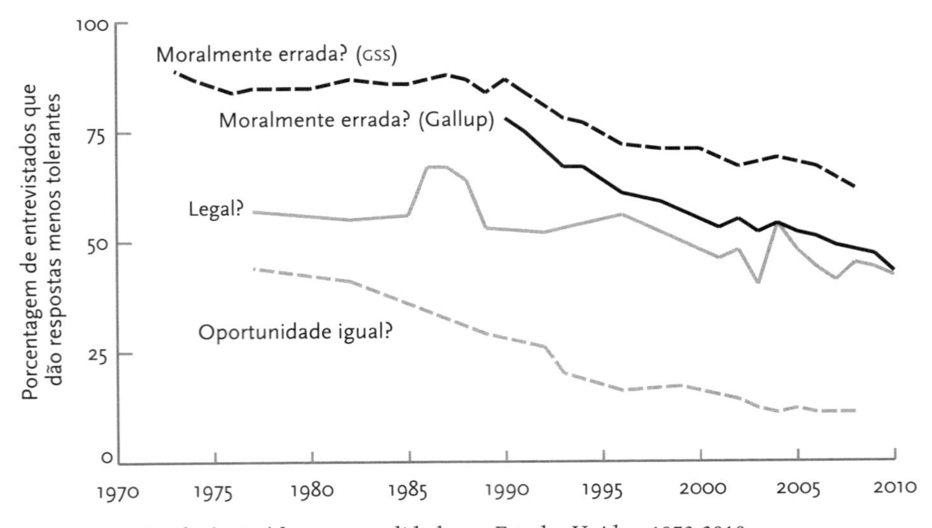

Figura 7.24. *Intolerância à homossexualidade nos Estados Unidos, 1973-2010.*
FONTES: Moralmente errada: General Social Survey (GSS), <www.norc.org/GSS+Website>. Todas as outras perguntas: Gallup, 2001, 2008, 2010. Todos os índices se referem às respostas "Sim"; os índices sobre "oportunidades iguais" e "legal" foram subtraídos de 100.

A opinião mais amistosa para com os gays, e a primeira a declinar, é sobre a igualdade de oportunidades. Depois do movimento pelos direitos civis, um comprometimento com a justiça se tornara questão de mera cortesia, e os estadunidenses não se dispunham a aceitar discriminações contra gays, mesmo que não aprovassem o estilo de vida destes. Por volta do novo milênio, a resistência à igualdade de oportunidades reduzira-se à dimensão de opinião excêntrica. A partir do fim dos anos 1980, os julgamentos morais começaram a se aproximar mais e mais do sentimento de justiça. Os americanos desejavam dizer: "Não que haja algum mal nisso". O título de um press release de 2008 do instituto Gallup resume o ambiente nacional hoje: "Americanos uniformemente divididos sobre a moralidade da homossexualidade; mas a maioria apoia a legalidade e a aceitação das relações gays".[233]

Liberais aceitam mais a homossexualidade que conservadores, brancos mais que negros, laicos são mais tolerantes que religiosos. Porém em todos os setores a tendência ao longo do tempo foi para maior tolerância. A familiaridade pessoal é algo que importa: uma pesquisa Gallup de 2009 mostrou que os seis em cada dez americanos que têm um amigo, conhecido ou colega de trabalho abertamente gay são mais favoráveis a relações homossexuais legalizadas e ao casamento gay, mais que os quatro em dez que não têm. Mas agora a tolerância difundiu-se: mesmo entre americanos que nunca conheceram um gay, 62% dizem que se sentiriam confortáveis em contato com um.[234]

E no mais significativo de todos os setores a mudança foi dramática. Muita gente me informou que os americanos mais jovens se tornaram mais homofóbicos, com base na observação "Isso é tão gay!" que eles usam em sentido depreciativo. Mas os números dizem outra coisa: quanto mais jovens são os entrevistados, mais aceitam a homossexualidade.[235] Mais ainda, sua aceitação é moralmente mais profunda. Os entrevistados mais idosos sublinham crescentemente o lado "natureza" do debate sobre as causas da homossexualidade, e os adeptos da natureza são mais tolerantes que os da criação, pois sentem que uma pessoa não pode ser condenada por um traço que ela nunca escolheu. Mas os adolescentes e os que estão na casa dos vinte são mais simpáticos à explicação derivada da criação e *são* mais tolerantes com a homossexualidade. A combinação sugere que os jovens simplesmente não veem nada de errado na homossexualidade, em primeiro lugar, e portanto é irrelevante se gays podem "fomentá-la". A atitude é: "Gay? Quem se importa, cara?". Gente jovem, é certo, tende a ser mais liberal que os mais velhos, e é possível que ao dobrar o marco demográfico eles venham a perder sua aceitação da homossexualidade. Mas eu duvido. A aceitação parece-me uma verdadeira diferenciação geracional, algo que os jovens levarão consigo até a fase geriátrica. Se for assim, o país se tornará crescentemente tolerante à medida que seus homofóbicos idosos forem morrendo.

Uma população que aceita a homossexualidade provavelmente não o faz apenas para tirar da polícia e dos tribunais o poder de usar a força contra gays, mas para criar um poder que previna outros cidadãos de fazer esse uso. A maioria dos estados americanos e mais de vinte outros países têm leis contra crimes de ódio que agravam a punição da violência por motivo de orientação sexual, raça, religião ou gênero. Desde a década de 1990 o governo federal estadunidense juntou-se a eles. O passo mais recente veio com a Lei de Prevenção de Crimes de Ódio Matthew Shepard e James Byrd Jr., em 2009, depois que, em 1998, um estudante de Wyoming foi espancado, torturado e amarrado a uma cerca para morrer durante a noite (o outro a emprestar seu nome à lei foi um afro-americano assassinado no mesmo ano, arrastado por um caminhão).

Assim, a tolerância para com a homossexualidade subiu, e a tolerância para com a violência antigay baixou. Mas terão as novas atitudes e leis causado uma retração da violência homofóbica? O mero fato de que os gays tenham se tornado tão mais visíveis, ao menos em comunidades urbanas, litorâneas e universitárias, sugere que eles se sentem menos ameaçados por uma ameaça implícita de violência. Mas não é tão fácil mostrar que os índices de violência efetiva mudaram. Estatísticas só estão disponíveis para os anos posteriores a 1996, quando o FBI começou a divulgar dados sobre crimes de ódio desmembrados quanto ao motivo, a vítima e a natureza do crime.[236] Mesmo esses números são precários, pois dependem da disposição das vítimas para relatar o crime e da polícia local para caracterizá-lo como um crime de ódio, reportando-o ao FBI.[237] Isso não é um problema no que se refere a homicídios, mas, desafortunadamente para os cientistas sociais (e afortunadamente para a humanidade), não há tantas pessoas que são mortas por serem gays. Desde 1996 o FBI registrou menos de três homicídios antigay a cada ano, entre os 17 mil e tantos que foram cometidos por todas as outras razões. E, na medida em que o podemos dizer, outros crimes de ódio antigay são igualmente pouco comuns. Em 2008, a chance de que alguém fosse vítima de agressão qualificada com agravantes devido à sua orientação sexual era de três por 100 mil gays, enquanto a chance de ser vitimado por ser um ser humano era mais de cem vezes maior.[238]

Não sabemos se essas ocorrências foram se reduzindo ao longo do tempo. Desde 1996 não houve mudança significativa na incidência de três dos quatro tipos de crime de ódio contra gays: agressão qualificada, agressão, agressão simples ou homicídio (ainda que os homicídios sejam tão raros que de qualquer forma a tendência não seria significativa).[239] Na figura 7.25, tabulei a incidência da categoria remanescente, que declinou, a intimidação (quando uma pessoa é levada a se sentir em perigo quanto à sua segurança pessoal), ao lado do índice de agressão qualificada, para efeito de comparação.

Portanto, ainda que não possamos dizer com certeza que os gays americanos ficaram mais a salvo de agressões, sabemos que estão mais a salvo de intimidações, da discriminação e da condenação moral e, talvez o mais importante, completamente a salvo de violências por parte de seu próprio governo. Pela primeira vez em

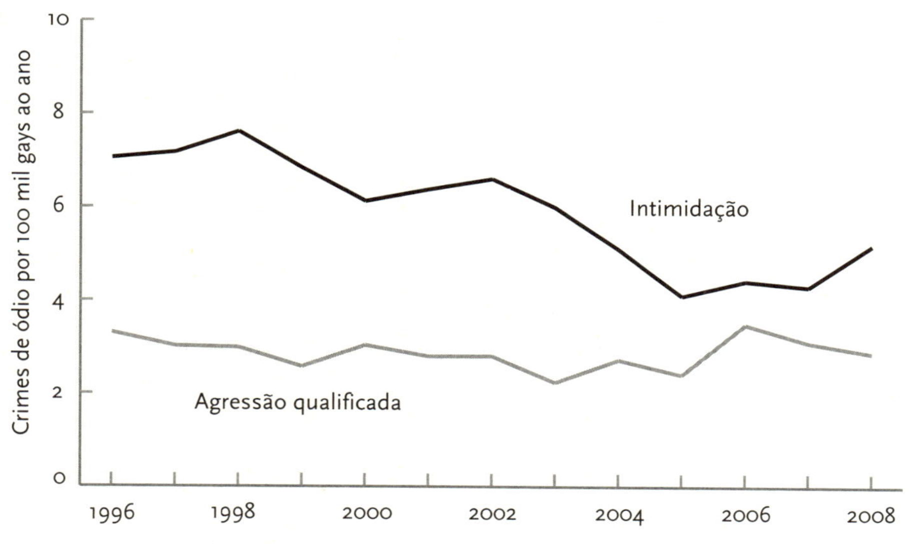

Figura 7.25. *Crimes de ódio antigay nos Estados Unidos, 1996-2008.*
FONTE: Dados dos relatórios anuais do FBI sobre Estatística dos Crimes de Ódio (<www.fbi.gov/hq/cid/civilrights/hate.htm>). O número de incidentes é dividido pela população abrangida pelas agências que relataram as estatísticas, multiplicado por 0,03, uma estimativa usual de incidência de homossexualidade na população adulta.

milênios, os cidadãos de mais da metade dos países do mundo podem desfrutar de semelhante segurança — não é o bastante, mas uma medida do progresso em relação a um tempo em que nem mesmo ajudar a salvar seu país da derrota na guerra era suficiente para manter os brutamontes do governo à distância.

DIREITOS DOS ANIMAIS E DECLÍNIO DA CRUELDADE COM ANIMAIS

Deixe-me contar qual foi a pior coisa que já fiz. Em 1975, na qualidade de estudante universitário de 21 anos, arrumei um emprego de férias como assistente de pesquisa em um laboratório de comportamento animal. Uma tarde o professor me deu uma diretiva. Entre os ratos no laboratório, havia um, raquítico, que não podia ser usado nos estudos em andamento, de modo que ele desejava empregá-lo em um novo experimento. O primeiro passo era treinar o rato naquilo que era chamado de procedimento de condicionamento de evitação temporal. O chão de uma caixa de Skinner estava conectado a um gerador de choques e um temporizador, que produziriam um choque no animal a cada seis segundos, a não ser que ele pressionasse uma alavanca, o que lhe proporcionaria um adiamento de dez segundos. Os ratos captavam a coisa rapidamente e pressionavam a alavanca a cada oito ou nove segundos, adiando indefinidamente o choque. Tudo que eu tinha a fazer era pôr o rato na caixa, acionar o temporizador e ir para a casa. Quando voltasse ao laboratório, na manhã seguinte bem cedo, encontraria um roedor completamente condicionado.

Porém não era isso que me esperava quando abri a caixa naquela manhã. O rato apresentava um inchaço absurdo na coluna e estava tremendo incontrolavelmente. Poucos segundos depois, deu um salto. E nem estava próximo da alavanca. Compreendi que ele não aprendera a apertar a alavanca e passara a noite levando um choque a cada seis segundos. Quando o peguei para resgatá-lo, estava frio ao toque. Corri para o veterinário, dois andares abaixo, mas era tarde demais e o rato morreu uma hora depois. Eu torturara um animal até a morte.

Quando o experimento me fora explicado, eu já sentira que estava errado. Mesmo que o procedimento funcionasse perfeitamente, o rato iria passar doze horas em constante ansiedade, e eu tinha experiência suficiente para saber que procedimentos de laboratório nem sempre funcionam à perfeição. Meu professor era um behaviorista radical, para quem a questão "Como é ser rato?" era simplesmente incoerente. Mas eu não era, e em minha mente não havia dúvida de que um rato pode sentir dor. O professor queria ter-me no laboratório; eu sabia que, caso me recusasse, nada de mau iria ocorrer. Mas eu realizara o procedimento mesmo assim, tranquilizado pelo princípio eticamente espúrio mas psicologicamente reconfortante de que aquilo era uma prática usual.

A associação com determinados episódios da história do século XX é próxima demais para reconfortar, e no próximo capítulo irei expor o ensinamento psicológico que aprendi naquele dia. A razão por que expus essa mancha em minha consciência é mostrar como *era* a rotina padronizada de tratamento de animais na época. Para estimular os animais a buscar comida, nós os deixávamos esfomeados até 80% de seu peso quando livremente alimentados, o que em um animal pequeno significa um estado de fome cruciante. No laboratório ao lado, pombos recebiam choques através de correntes atadas à base de suas asas; vi que as correntes eram aplicadas diretamente através da pele, expondo os músculos embaixo. Em outro laboratório, ratos levavam choques através de alfinetes de segurança que atravessavam a pele de seu tórax. Em um experimento com endorfinas, animais recebiam choques elétricos não evitáveis, descritos no estudo como "extremamente intensos, quase tetânicos" — ou seja, próximo do ponto em que os músculos do animal seriam reduzidos a um estado de tétano. A insensibilidade estendia-se para além das experimentações. Um pesquisador era conhecido por exprimir sua ira agarrando o rato mais próximo e atirando-o na parede. Outro compartilhou uma pilhéria comigo: a fotografia, impressa em uma publicação científica, de um rato que aprendera a evitar choques sentando-se sobre as patas traseiras enquanto acionava a alavanca do alimento com a dianteira. A legenda: "Café na cama".

Sinto alívio ao dizer que, apenas cinco anos mais tarde, a indiferença dos cientistas para com o bem-estar dos animais tornara-se algo inimaginável, e ilegal. A partir dos anos 1980, o uso de um animal com fins de pesquisa ou aprendizado deve ser aprovado por um Institutional Animal Care and Use Committee [Comitê Institucional de Uso e Cuidados com Animais], e qualquer cientista irá confirmar que esses comitês não são só para constar. A dimensão das gaiolas, a quantidade e a qualidade do alimento e dos cuidados veterinários, assim como as oportunidades de exercício e contato social são estritamente reguladas. Os pesquisadores e seus assistentes precisam frequentar um curso de ética das experiências com animais, ouvir uma série de painéis de debate e passar por um exame. Qualquer experimento que sujeite um animal a desconforto e sofrimento é colocado numa categoria submetida a normas especiais e precisa ser justificado por sua probabilidade de proporcionar "um benefício maior à ciência e ao bem-estar humano".

Qualquer cientista também confirmará que o comportamento de seus próprios colegas mudou. Recentes pesquisas demonstraram que cientistas que empregam cobaias, quase sem exceção, acreditam que animais de laboratório sentem dor.[240] Atualmente, um cientista indiferente ao bem-estar dos animais de laboratório seria desprezado por seus pares.

A mudança no tratamento dos animais de laboratório faz parte de uma revolução por direitos: a crescente convicção de que animais não devem ser sujeitados injustificadamente à dor, ao sofrimento e à morte. A revolução nos direitos dos animais é uma categoria emblematicamente ímpar do declínio da violência, e é conveniente que eu termine com ela minha inspeção desse decréscimo. Isso porque a mudança foi conduzida unicamente pelo princípio ético de que não se deve infligir sofrimento a um ser capaz de senti-lo. Ao contrário de outras Revoluções por Direitos, o movimento pelos direitos dos animais não foi impulsionado pela parte interessada: ratos e pombos dificilmente teriam condições de pressionar por sua causa. Tampouco ele foi subproduto de algum comércio, envolveu reciprocidade ou qualquer negociação de soma positiva; animais nada têm a ofertar em troca de os tratarmos mais humanamente. E, em contraste com a revolução nos direitos das crianças, não contém a promessa de uma melhoria de seus beneficiários. O reconhecimento dos interesses animais foi impulsionado por defensores humanos de tal comportamento, movidos pela empatia, pela razão e pela inspiração de outras Revoluções por Direitos. O progresso foi desigual e com certeza os próprios animais, caso pudessem ser consultados, ainda não nos parabenizariam com tanto ardor. Porém a tendência é real, e está mexendo com todos os aspectos de nossa relação com nossos companheiros do reino animal.

Quando pensamos na indiferença para com o bem-estar animal, tendemos a formar a imagem de laboratórios científicos ou granjas de criação intensiva. Mas a insensibilidade para com os animais nada tem de moderno. No curso da história humana, ela foi a regra.[241]

Matar animais para comer sua carne faz parte da condição humana. Nossos ancestrais caçavam, matavam e provavelmente cozinhavam carne há pelo menos

2 milhões de anos, e nossas bocas, dentes e aparelhos digestivos se especializaram em uma dieta que inclui carne.[242] Os ácidos graxos e proteínas completas da carne permitiram a evolução de nossos cérebros metabolicamente dispendiosos, e a disponibilidade de carne contribuiu para a evolução da sociabilidade humana.[243] A sorte grande de ter um animal carneado deu a nossos antepassados algo de valor para partilhar ou comerciar, estabelecendo o estágio da reciprocidade e cooperação, pois um caçador afortunado, com mais carne do que poderia consumir imediatamente, tinha um motivo para partilhá-la, na expectativa de que viria a ser o beneficiário quando seu fado se invertesse. E as contribuições complementares da carne caçada por homens e das plantas coletadas por mulheres criaram a sinergia que vinculou homens e mulheres por razões outras que as evidentes. A carne também dotou os homens de um modo eficaz de investir em sua prole, fortalecendo os laços de família.

A importância ecológica da carne ao longo do tempo evolutivo deixou sua marca na importância psicológica da carne nas vidas humanas. Carne tem gosto bom, e comê-la alegra as pessoas. Muitas culturas tradicionais possuem uma palavra para a fome de carne, e a chegada de um caçador com uma carcaça era uma ocasião de regozijo de toda a aldeia. Caçadores de sucesso são estimados e têm uma vida sexual melhor, às vezes pelo poder de seu prestígio, em outras por meio de trocas explícitas do carnal pelo carnal. Em muitas culturas, uma refeição não conta como uma festa a não ser que se sirva carne.[244]

Tendo a carne tamanha importância na vida humana, não é de surpreender que o bem-estar dos seres cujos corpos proviam tal iguaria ocupava uma baixa posição na escala das prioridades humanas. Os sinais que usualmente mitigam a violência entre os seres humanos na maioria estão ausentes nos animais: estes não são parentes próximos, não podem trocar favores conosco, e na maior parte das espécies não têm faces ou fisionomias que tragam à tona nossa compaixão. Frequentemente os conservacionistas se exasperam porque as pessoas só se importam com os mamíferos carismáticos que são afortunados o bastante por terem um aspecto ao qual os seres humanos são sensíveis, tais como golfinhos risonhos, pandas de olhar tristonho e jovens focas que lembram crianças. As espécies feias ficam à própria sorte.[245]

A reverência para com a natureza, comumente atribuída aos povos coletores nas histórias infantis, não os impediu de caçar grandes animais até extingui-los, ou de tratar cruelmente animais em cativeiro. As crianças hopis, do nordeste do

Arizona, por exemplo, eram estimuladas a capturar pássaros e brincar de quebrar suas pernas ou arrancar suas asas.[246] Um site de culinária nativa americana na internet inclui a seguinte receita:

> TARTARUGA ASSADA
> *Ingredientes:*
> Uma tartaruga
> Uma fogueira
> *Instruções:*
> Ponha a tartaruga de costas sobre a fogueira.
> Quando ouvir o casco rachar, o prato está pronto.[247]

O hábito de cortar ou cozinhar animais vivos está longe de ser uma raridade entre os povos tradicionais. Os massais, da África Oriental, costumam sangrar seu gado e misturam o sangue com leite em uma deliciosa bebida; nômades asiáticos cortam nacos de gordura da cauda de ovelhas vivas, que criam especialmente com esse propósito.[248] Animais de estimação também são tratados com crueldade: uma recente pesquisa em diferentes povos apontou que metade das culturas tradicionais que criam cães como pets também os matam, usualmente para comer, e mais da metade os maltratam. Entre os mbutis, da África, por exemplo, "os cães de caça, por mais valiosos que sejam, são implacavelmente chutados desde o dia em que nascem até o dia em que morrem".[249] Quando indaguei a uma amiga antropóloga sobre o tratamento dispensado aos animais pelos povos coletores-caçadores com quem ela trabalhara, ela respondeu:

> Esta talvez seja a parte mais difícil de ser antropólogo. Eles percebiam minha fraqueza e me vendiam todo tipo de filhote de animais, com a descrição do que fariam caso eu não comprasse. Eu costumava levá-los bem longe no interior do deserto e soltá-los, mas logo os apanhavam e traziam de volta para que eu os comprasse de novo!

As civilizações antigas que dependiam de animais domésticos frequentemente tinham elaborados códigos morais sobre o tratamento destes, porém os benefícios para os animais eram quando muito mesclados. O princípio essencial era que os animais existem para o benefício dos seres humanos. Na Bíblia hebraica, as primeiras palavras de Deus a Adão e Eva são: "Crescei e multiplicai-vos, enchei e dominai a terra. Dominai sobre os peixes do mar, sobre as aves dos céus e sobre todos os animais que se movem na terra". Embora Adão e Eva fossem frugívoros, depois do dilúvio a dieta humana incorporou a carne. Deus disse a Noé em Gênesis 9,2-3:

> Sereis temidos e respeitados por todos os animais da terra, por todas as aves do céu, por tudo quanto rasteja sobre a terra e por todos os peixes do mar; ponho-os à vossa disposição. Tudo o que se move e tem vida servir-vos-á de alimento; dou-vos tudo isso como já vos tinha dado as plantas verdes.

Até a destruição do segundo templo pelos romanos, no ano 70, uma vasta quantidade de animais foi sacrificada pelos sacerdotes hebreus, não para nutrir o povo, mas para saciar a superstição de que Deus devia ser periodicamente aplacado com um bom bife. (O cheiro de carne grelhada, conforme a Bíblia, é "um calmante aroma" e "de odor agradável ao Senhor".)

A Grécia e Roma antigas tinham uma visão similar sobre o lugar dos animais na ordem das coisas. Aristóteles escreveu que "as plantas foram criadas para o benefício dos animais e os animais para o benefício do homem".[250] Os cientistas gregos punham em prática essa atitude quando dissecavam mamíferos vivos, inclusive, ocasionalmente, *Homo sapiens*. (Conforme o médico e escritor romano Celso, os físicos, na Alexandria helenística, "obtinham criminosos fora da prisão com permissão real, e dissecando-os vivos contemplavam, enquanto eles ainda respiravam, as partes em que a natureza primeiro se ocultava".)[251] O anatomista romano Galeno escreveu que preferia trabalhar com porcos e não com macacos devido à "desagradável expressão" na face dos símios quando ele os cortava.[252] Seus compatriotas, naturalmente, deliciavam-se com a tortura e a matança de animais no Coliseu, mais uma vez sem excluírem um certo bípede primata. Na cristandade, Santo Agostinho e Tomás de Aquino combinavam enfoques bíblicos e gregos para ratificar o tratamento amoral dos animais. Tomás de Aquino escreveu: "Pela divina providência, [os animais] foram projetados para o uso do homem [...]. Por conseguinte, não é errado que o homem deles faça uso, seja matando-os ou de qualquer outra maneira".[253]

No que se refere ao tratamento dos animais, a filosofia moderna teve um mau começo. Descartes escreveu que os animais eram mecanismos, de modo que não havia maneira de sentirem dor ou prazer. O que soa para nós como gritos de desespero era meramente a descarga de um ruído, como uma campainha de advertência em uma máquina. Descartes sabia que os sistemas nervosos dos animais e dos seres humanos eram semelhantes, de forma que, de nossa perspectiva, é estranho que ele pudesse atribuir senciência aos seres humanos enquanto negava-a aos bichos. Porém Descartes estava comprometido com a existência da alma, concedida aos seres humanos por Deus, e a alma era onde residia a senciência. Quando refletia sobre sua própria consciência, escreveu, ele não conseguia

> distinguir em mim quaisquer partes, mas conheço e concebo muito claramente que sou uma coisa absolutamente una e inteira [...]. As faculdades de querer, sentir, conceber etc. não podem tampouco ser tomadas propriamente como partes: pois é o mesmo espírito que se empenha por inteiro em querer, e por inteiro em sentir, em conceber.[254]

A linguagem igualmente é uma faculdade dessa coisa indivisível que chamamos de espírito ou alma. Como os animais carecem de linguagem, têm de carecer de alma; portanto, necessariamente são privados da capacidade de sentir. Um ser humano é dotado de um mecanismo, corpo e cérebro, tal como um animal, mas também de uma alma, que interage com o cérebro através de uma estrutura específica, a glândula pineal.

Do ponto de vista da neurociência moderna, o argumento é idiota. Hoje sabemos que a senciência depende, até o mais ínfimo vislumbre, da atividade fisiológica do cérebro. Sabemos também que a linguagem pode ser dissociada do restante da senciência, o mais obviamente em pacientes de acidente vascular cerebral que perderam a habilidade de falar, mas não se converteram em robôs insensatos. Porém a afasia não seria documentada até 1861 (por Paul Broca, compatriota de Descartes) e na época a teoria soava suficientemente plausível. Durante séculos, animais vivos seriam dissecados em laboratórios médicos, com o encorajamento da desaprovação da Igreja à dissecação de cadáveres humanos. Cientistas cortavam membros de animais vivos para ver se estes se regenerariam, arrancavam seus intestinos, retiravam sua pele e removiam órgãos, inclusive os olhos.[255]

A agropecuária não era mais humana. Práticas como castrar, marcar a ferro, perfurar e entalhar orelhas e caudas são coisas banais nas fazendas há séculos. E os cruéis procedimentos para engordar animais ou tornar tenra sua carne (hoje familiares a nós devido aos protestos contra o foie gras e a carne de vitela) estão longe de ser uma invenção recente. Uma história da culinária britânica descreve alguns dos métodos para se obter carne macia no século XVII:

> Para voltar a ganhar peso após o longo percurso desde as granjas, as aves eram cevadas pelos intestinos [...]; perus eram alimentados até a morte, pendurados de cabeça para baixo com uma pequena incisão numa veia do bico; gansos eram acorrentados ao chão; salmões e carpas eram retalhados em postas enquanto vivos para que a carne ficasse mais firme; enguias eram esfoladas em vida, enroladas em torno de espetos e fixadas através dos olhos para que não pudessem se mover [...]. Acreditava-se que a carne do touro ficava indigesta e produzia enfermidades caso o animal fosse morto sem ser atormentado [...]. Novilhos e porcos eram espancados até a morte com cordas cheias de nós, para tornar a carne mais macia, no lugar de nossa moderna prática de bater a carne morta. "Tome um galo vermelho que não seja excessivamente velho e bata nele até matar" — era como principiava uma... receita.[256]

A pecuária intensiva também não é um fenômeno do século XX:

> O método elisabetano para "robustecer" ou engordar porcos consistia em "mantê-los em um compartimento tão estreito que eles não possam se virar [...] de modo que sejam forçados a permanecer sempre sobre seus ventres". "Eles são alimentados na dor", dizia um contemporâneo, "jazem na dor e dormem na dor." Aves domésticas e de caça frequentemente eram engordadas em confinamento e no escuro, sendo às vezes também cegadas [...]. Gansos eram postos para ganhar peso com os pés presos ao chão por anéis, e algumas donas de casa do século XVII tinham o costume de cortar os pés de aves vivas na crença de que isso amaciava a carne. Em 1686 Sir Robert Southwell anunciou uma nova invenção de "um estábulo, onde o gado deve comer e beber na mesma manjedoura e não se mover até estar pronto para o açougue". Os cordeiros de Dorset eram especialmente requisitados para as mesas de Natal da pequena nobreza pois eram aprisionados no escuro em pequenas cabines.[257]

Muitas outras práticas milenares são completamente insensíveis ao sofrimento animal. Anzóis e arpões retrocedem à Idade da Pedra, e mesmo redes pesqueiras matam por sufocação lenta. Freios, chicotes, esporas, cangalhas e pesadas cargas tornam miserável a vida das bestas de carga, especialmente aquelas que passam seus dias no escuro empurrando eixos que acionam moinhos e unidades de bombeamento. Qualquer leitor de *Moby Dick* conhece as remotas crueldades da caça de baleias. E havia ainda os esportes sangrentos que vimos nos capítulos 3 e 4, tais como bater na cabeça de um gato acorrentado a um poste, espancar um porco, um urso, ou assistir a um gato morrer na fogueira.

No decurso dessa longa história de exploração e crueldade, sempre existiram forças que faziam pressão por restrições no tratamento de animais. Porém o motivo que as inspirava raramente era uma preocupação pela vida interior dos bichos advinda da empatia. O vegetarianismo, a oposição às dissecações e outros movimentos de proteção dos animais sempre tiveram uma ampla gama de razões.[258] Consideremos algumas delas.

Já mencionei em várias ocasiões a tendência da mente a moralizar a respeito do continuum repulsa-pureza. A equação se atém aos dois extremos da escala: em um polo, equiparamos a imoralidade com a imundície, a carnalidade, o hedonismo e a dissolução; no outro, relacionamos a virtude com a pureza, a castidade, o ascetismo e a temperança.[259] Essa linha cruzada afeta nossas emoções quanto a alimentos. O consumo de carne é desleixado e prazeroso, portanto mau; o vegetarianismo é limpo e abstinente, portanto bom.

Como a mente humana tem uma tendência ao essencialismo, também podemos interpretar um tanto literalmente o clichê "Você é aquilo que come". Incorporar carne morta ao corpo de alguém pode parecer uma espécie de contaminação, e ingerir um concentrado de animalidade pode ameaçar o comensal com a transmissão de características bestiais. Mesmo estudantes universitários da Ivy League* são vulneráveis à ilusão. O psicólogo Paul Rozin mostrou que estudantes são propensos a acreditar que uma tribo que caça tartarugas por sua carne e javalis por suas cerdas provavelmente tem bons nadadores, ao passo que uma tribo que caça javalis por sua carne e tartarugas por seus cascos provavelmente é composta por irredutíveis combatentes.[260]

Certas pessoas também podem se voltar contra a carne devido a ideologias românticas. Crenças ligadas a uma inocência edênica, pagãs e de "sangue e solo"

* Grupo das oito universidades privadas de elite e de maior prestígio científico do nordeste dos Estados Unidos. (N. T.)

podem retratar o elaborado processo de obtenção e preparo de animais como um artifício decadente, e o vegetarianismo como uma vida saudável.[261] Por motivos semelhantes, uma preocupação com o uso de animais em pesquisas pode alimentar uma antipatia para com a ciência e o intelecto em geral, tal como Wordsworth escreveu em "Mesas viradas":

Doce é o saber que a natureza traz;
Nosso intrometido intelecto
Desfigura as belas formas das coisas —
Matamos para dissecar.

Por fim, como diferentes subculturas tratam os animais de diferentes maneiras, uma preocupação moralista com o modo como o sujeito ao lado trata seus bichos (enquanto se ignora o jeito que nós o fazemos) pode ser uma forma de competitividade. Os esportes sangrentos, em especial, oferecem satisfatórias oportunidades para campanhas de classe — tais como quando os lobbies da classe média buscam criminalizar as brigas de galo, apreciadas pelas classes baixas, e a caça à raposa, preferida pelas altas.[262] A observação de Thomas Macaulay — de que "o puritano odiava a farra do urso não porque ela causasse dor ao urso, mas porque causava prazer ao público" — pode significar que campanhas contra a violência tendem a se concentrar mais contra a mentalidade cruel do que propriamente contra o dano causado às vítimas. Mas ela também capta a percepção de que a zoofilia pode resvalar em misantropia.

As leis alimentares do judaísmo são um exemplo antigo dos confusos motivos que estão por trás dos tabus quanto à carne. O Levítico e o Deuteronômio apresentam as leis como ditames sem adornos, como se Deus não tivesse a obrigação de justificar suas diretivas para os meros mortais. Porém, de acordo com interpretações rabínicas posteriores, as leis apresentam preocupação com o bem-estar dos animais, nem que seja apenas ao forçarem os judeus a parar e pensar no fato de que a fonte de sua carne é um ser vivo, pertencente em última instância a Deus.[263] Os animais devem ser abatidos por um açougueiro profissional que corte sua artéria carótida, a traqueia e o esôfago, com um golpe rápido de uma faca sem dentes. Essa por certo podia ter sido a tecnologia mais humana da época, e com certeza era melhor do que retalhar pedaços de um animal vivo, ou assá-lo vivo. Mas está longe de ser uma morte indolor, e algumas sociedades humanitárias buscam banir a prática. O mandamento de não "cozer um filho no leite de sua mãe", base da proibição de misturar carne com laticínios, também tem sido interpretado como sinal de compaixão para com os animais. Mas quando você pensa a respeito, expressa na verdade a sensibilidade do observador. Para um filho que está sendo convertido em carne cozida, os ingredientes do molho são a última das preocupações.

Culturas que percorreram todo o caminho rumo ao vegetarianismo também se orientam por um complexo de motivos.[264] No século VI AEC, Pitágoras iniciou um culto que fez mais do que medir os lados dos triângulos: ele e seus seguidores abstinham-se de carne, em grande medida por acreditarem na transmigração das almas de um corpo para outro, inclusive os de animais. Antes que se cunhasse a palavra "vegetariano", na década de 1840, a abstinência de carne era chamada "dieta pitagórica". Os hindus também baseiam seu vegetarianismo na doutrina da reencarnação, embora antropólogos céticos como Marvin Harris tenham oferecido uma explicação mais prosaica: o gado era mais precioso na Índia para fornecer animais de tração, leite e estrume (usado como combustível e fertilizante) do que teria sido como ingrediente principal de um bife ao curry.[265] A racionalização espiritual do vegetarianismo hinduísta foi transportada para o budismo e o jainismo, embora com maiores preocupações para com os animais, tendo por raiz uma filosofia de não violência. Os monges jainistas varrem o chão diante de si para não pisar em insetos; alguns portam máscaras visando evitar que matem micróbios ao inalá-los.

Mas qualquer intuição de que vegetarianismo e humanismo caminham juntos foi aniquilada no século XX pelo tratamento dado aos animais sob o nazismo.[266] Hitler e muitos de seus homens de confiança eram vegetarianos, não tanto por compaixão pelos animais, mas por obsessão com a pureza, pelo desejo pagão de reintegrar-se com a terra e em reação ao antropocentrismo e aos rituais da carne praticados pelo judaísmo. Em uma insuperável exibição da capacidade humana de compartimentalização moral, os nazistas, a despeito de seus indizíveis experimentos com seres humanos, instituíram as mais enérgicas leis de proteção dos animais que a Europa jamais vira. Tais leis determinavam igualmente o tratamento compassivo em fazendas, estúdios cinematográficos e nos restaurantes, onde, antes de serem cozidos, os peixes deviam ser anestesiados e as lagostas, mortas rapidamente. Depois desse bizarro capítulo da história dos direitos dos animais, os advogados do vegetarianismo tiveram de recuar de um de seus mais antigos argumentos — de que comer carne faz as pessoas ficarem agressivas, e que abster-se dela torna-as pacíficas.

Algumas das primeiras expressões de genuína preocupação ética com os animais tiveram lugar durante a Renascença. Os europeus tinham ficado curiosos sobre o vegetarianismo, quando lhes chegou da Índia o relato de nações inteiras que viviam sem comer carne. Muitos escritores, entre os quais Erasmo e Montaigne, condenaram os maus-tratos de animais em caçadas e matanças, e um deles, Leonardo da Vinci, tornou-se ele próprio vegetariano.

Mas foi nos séculos XVIII e XIX que os argumentos em favor dos direitos dos animais começaram a se generalizar. Parte do ímpeto era científico. O dualismo de substância de Descartes, que considerava a consciência uma entidade incorpórea, que trabalha separadamente do cérebro, cedeu lugar às teorias do monismo e do dualismo de propriedades que equiparavam, ou ao menos conectavam intimamente, a senciência com a atividade cerebral. Esse pensamento neurobiológico primevo tinha implicações para o bem-estar animal. Como escreveu Voltaire:

> Os bárbaros tomam este cão, que supera tão prodigiosamente o homem em amizade, acorrentam-no sobre uma mesa e o dissecam em vida, para mostrar-te suas veias mesaraicas. Descobres nele todos os mesmos órgãos de sentimentos de que te gabas. Responde-me, maquinista, teria a natureza entrosado nesse animal todos os órgãos do sentimento para que ele nada sinta? Terá nervos para ser insensível?[267]

E foi a análise penetrante de Jeremy Bentham sobre a moralidade, conforme vimos no capítulo 4, que o conduziu a especificar a consequência que deveria nos reger no tratamento dos animais: não se eles podem raciocinar ou falar, mas se eles podem sofrer. Por volta do início do século XIX, a Revolução Humanitária se estendera dos seres humanos para outros seres sensíveis, focando em primeiro lugar a mais visível forma de sadismo para com os animais, os esportes sangrentos, seguidos pelos maus-tratos contra bestas de carga, o gado nas fazendas e os animais de laboratório. Em 1821, quando o Parlamento britânico examinou a primeira dessas medidas — uma proibição dos maus-tratos contra cavalos —, provocou acessos de riso em parlamentares e comentários de que ela conduziria à proteção de cães e até de gatos. Dentro de duas décadas foi exatamente o que aconteceu.[268] Ao longo do século XIX britânico, uma mistura de humanitarismo e romantismo desembocou em organizações contra a dissecação, movimentos vegetarianos e sociedades pela prevenção da crueldade contra animais.[269] A aceitação da teoria da evolução por parte dos biólogos, após a publicação de *A origem das espécies* em 1859, tornou impossível sustentar que a senciência era um atributo unicamente humano, e no fim do século os britânicos tinham obtido leis que proibiam a dissecação.

A campanha pela proteção dos animais perdeu ímpeto em meados do século XX. A escassez das duas guerras mundiais criara uma fome de carne, e as massas estavam tão gratas pelo fluxo de carne barata vindo da criação intensiva que pouco ligavam para a origem dela. Além disso, a partir da década de 1910, o behaviorismo assumiu o controle da psicologia e da filosofia, decretando que a própria ideia de experiência com animais era uma forma de ingenuidade anticientífica: o pecado mortal do antropomorfismo. Por volta da mesma época, o movimento de proteção dos animais, tal como os movimentos pacifistas no século XIX, desenvolvera um problema de imagem, sendo associado com obras beneficentes e loucos por alimentação saudável. Mesmo uma das maiores vozes morais do século XX, George Orwell, desdenhava os vegetarianos:

> Às vezes se tem a impressão de que as meras palavras "socialismo" e "comunismo" arrastarão atrás de si com força magnética todo consumidor de suco de frutas, nudista, adepto das sandálias, sexomaníaco, quacre, curandeiro da "medicina natural", pacifista e feminista da Inglaterra [...]. O maníaco por alimentos é por definição uma pessoa que deseja se apartar da sociedade humana, na esperança de adicionar cinco anos à vida de sua carcaça; quer dizer, uma pessoa fora de sintonia com a humanidade normal.[270]

Tudo isso mudou nos anos 1970.[271] Os apuros da criação intensiva em granjas foram trazidos à luz na Grã-Bretanha num livro de 1964 chamado *Animal Machines*, de Ruth Harisson. Outras figuras públicas logo abraçaram a causa. Credita-se a Brigid Brophy o termo "direitos dos animais", cunhado em uma deliberada analogia: ela queria associar

> o caso dos animais não humanos com esse punhado de ideias igualitárias ou libertárias que esporadicamente, mas muitas vezes com impressionantes resultados políticos reais, buscam o resgate de outras classes oprimidas, tais como escravos, homossexuais ou mulheres.[272]

O verdadeiro momento de virada foi o livro *Libertação animal*, do filósofo Peter Singer, de 1975, chamado de bíblia do movimento pelos direitos dos animais.[273] O epíteto é duplamente irônico, pois Singer é secularista e utilitarista, e os utilitaristas têm sido céticos a respeito de direitos naturais desde que Jeremy Bentham chamou-os de "absurdo com pernas de pau". Porém, acompanhando Bentham, Singer apresentou um argumento afiado como uma navalha em favor de uma plena consideração pelos *interesses* dos animais, ainda que não lhes garantindo necessariamente "direitos". O argumento começa pela noção de que é a senciência, mais que a inteligência ou o fato de pertencer a uma espécie, que torna um ser merecedor de consideração moral. Deriva daí que não devemos infligir aos animais nenhuma dor evitável que não infligiríamos a crianças de colo ou incapacitados mentais. O corolário é que deveríamos ser todos vegetarianos. Os seres humanos podem prosperar com uma moderna dieta vegetariana; e os interesses animais, em uma vida livre da dor e da morte prematura, certamente sobrepujam o acréscimo marginal de prazer que obtemos ao comer a carne deles. O fato de que os seres humanos comem carne "naturalmente", seja por tradição cultural, evolução biológica ou ambas, é moralmente irrelevante.

Assim como Brigid Brophy, Singer empreendeu todos os esforços para fazer uma analogia entre o movimento pelo bem-estar dos animais e as outras Revoluções por Direitos das décadas de 1960 e 1970. A analogia começava pelo título, aludindo à libertação colonial, à libertação feminina e à libertação gay, e prosseguia com a popularização do termo "especismo", um aparentado do "racismo" e do "sexismo". Singer citou um crítico setecentista da escritora feminista Mary Wollstonecraft, o qual argumentava que, se ela tinha razão sobre as mulheres, deveríamos ter de garantir direitos aos "brutos". O crítico tentara fazer um *reductio ad absurdum*, mas Singer alegava que era uma dedução pertinente. Para o filósofo, essas analogias são bem mais que recursos de retórica. Em outro livro, *The Expanding Circle*, ele desenvolve uma teoria de progresso moral, segundo a qual os seres humanos foram dotados pela seleção natural de um cerne de empatia para com seus próximos e aliados, e gradualmente o estenderam a círculos cada vez mais amplos de seres vivos, da família e da aldeia ao clã, à tribo, à nação, à espécie e a toda a vida sensível.[274] O livro que você está lendo deve muito a essa percepção.

Os argumentos morais de Singer não foram as únicas forças que fizeram as pessoas simpatizar com os animais. Nos anos 1970, era uma coisa *boa* ser socialista, consumidor de suco de frutas, nudista, adepto das sandálias, sexomaníaco, quacre, curador da medicina natural, pacifista e feminista, às vezes tudo ao mesmo tempo. O argumento em favor do vegetarianismo com base no argumento da compaixão logo foi fortalecido com outros: que carne engordava, era tóxica e causava espessamento das artérias; que as crescentes safras visando alimentar animais em lugar de pessoas eram um desperdício de terra e comida; e que as emanações dos rebanhos eram um grande poluente, particularmente com metano, o gás do efeito estufa que uma vaca produz por ambas as extremidades.

Quer você prefira chamá-lo de libertação animal, direitos dos animais, bem-estar animal ou movimento animal, o fato é que na cultura ocidental as décadas a partir de 1975 assistiram a uma crescente intolerância às violências contra os bichos. As mudanças são visíveis em pelo menos meia dúzia de sentidos.

Já mencionei o primeiro: a proteção dos animais em laboratórios. Não só animais vivos estão agora protegidos de serem machucados, estressados ou mortos em nome da ciência; nos laboratórios de biologia dos colégios, o venerável hábito de dissecar sapos teve o mesmo destino dos tinteiros e das réguas de calcular. (Em algumas escolas ele foi substituído pelo V-Sapo, um programa de dissecação de realidade virtual.)[275] E, nos laboratórios comerciais, a rotina de usar animais para testar cosméticos e produtos domésticos está sob ataque. Desde a década de 1940, após relatos de mulheres sendo cegadas pelo uso de rímel contendo alcatrão, a segurança de muitos produtos domésticos vinha sendo testada por meio do infame procedimento Draize, que consiste em aplicar o produto nos olhos de coelhos e procurar sinais de dano. Até os anos 1980, pouca gente ouvira falar do teste Draize, e ainda na década seguinte poucos teriam reconhecido o termo "sem crueldade", designando os produtos que o evitam. Hoje o dístico é exibido em milhares de bens de consumo e se tornou tão familiar que o selo "preservativos sem crueldade" não provoca sequer um franzir de cenho. O uso de testes com animais em laboratórios de bens de consumo continua, mas cada vez mais regulado e reduzido.

Outra mudança evidente é a proibição legal dos esportes sangrentos. Já mencionei que desde 2005 a aristocracia britânica teve de recolher suas trompas e cães de caça; e em 2008 a Louisiana tornou-se o último estado americano a banir as brigas de galo, esporte que durante séculos fora popular através do mundo. Como muitos vícios proibidos, a prática continua, particularmente entre imigrantes da América Latina e Sudeste Asiático, mas viveu um longo declínio nos Estados Unidos e foi proibida igualmente em muitos outros países.[276]

Mesmo a arrogante tourada tem sido ameaçada. Em 2004 a cidade de Barcelona colocou fora da lei as disputas entre o matador e o animal, e em 2010 a proibição estendeu-se a toda a região da Catalunha. A rede estatal de televisão da Espanha também encerrou a exibição ao vivo de touradas, por serem consideradas violentas demais para crianças.[277] O Parlamento Europeu também examinou uma proibição continental. Tal como o duelo formal e outros costumes violentos sacramentados com pompa e circunstância, a tourada pode finalmente ser banida, não porque a compaixão a condene ou o governo a proíba, mas por ter se tornado malvista. No livro *Death in the Afternoon* [Morte à tarde], de 1932, Ernest Hemingway explicou o apelo primordial da tourada:

> [O matador] deve fruir de um gozo espiritual no momento da morte. Matar limpamente e de um modo que produza prazer estético e soberba sempre foi um dos maiores prazeres de uma parte da raça humana. Uma vez que você aceita o mandamento da morte, "Não matarás" é um preceito fácil e naturalmente obedecido. Mas, quando um homem ainda está em rebelião contra a morte, sente prazer em tomar para si um dos atributos divinos. Este é um dos mais profundos sentimentos naqueles homens que gostam de matar. Tais coisas são feitas de soberba, e a soberba, claro, é um pecado cristão e uma virtude pagã. Porém é a soberba que faz a tourada e o genuíno prazer de matar que produz um grande matador.

Trinta anos mais tarde, Tom Lehrer descreveu de modo um tanto distinto sua experiência em uma tourada. "Com certeza não existe nada mais belo neste mundo", exclamou ele, "do que a visão de um homem solitário confrontando sem ajuda meia tonelada de carne assada na raiva." Nos versos culminantes de sua canção ele diz:

> *Aplaudi a exibição dos bandarilheiros*
> *Quando aguilhoam o touro a seu esperto modo,*
> *Pois não me divertia tanto desde o dia em que*
> *Atropelaram Rover, o cão de meu irmão.*

"Rover foi morto por um Pontiac", acrescentou Lehrer, "e isso foi feito com tamanha graça e maestria que as testemunhas agraciaram o motorista com as orelhas e a cauda." A reação dos jovens espanhóis da atualidade é mais próxima da de Lehrer que da de Hemingway. Seus heróis não são os matadores, mas músicos e jogadores de futebol que ficam famosos sem a soberba espiritual e estética de levar a morte a coisa alguma. Embora a tourada conserve um público fiel na Espanha, as plateias são de meia-idade para mais velhas.

A caça é outro passatempo que vem declinando. Seja por piedade por Bambi ou por uma associação com Hortelino Troca-Letras, atualmente menos americanos atiram em animais por diversão. A figura 7.26 mostra o declínio da proporção de estadunidenses que nas últimas três décadas declararam à General Social Survey que eles ou seus cônjuges caçavam. Outra estatística mostra que a idade média dos caçadores está aumentando constantemente.[278]

Não é simplesmente que os americanos estejam passando mais tempo atrás de telas de vídeo e menos ao ar livre. Conforme o U. S. Fish and Wildlife Service [Serviço de Pesca e Vida Selvagem dos Estados Unidos], entre 1996 e 2006, enquanto o número de caçadores, dias de caça e dólares dispendidos em caçadas declinava entre 10% e 15%, o número de observadores da vida selvagem, dias de

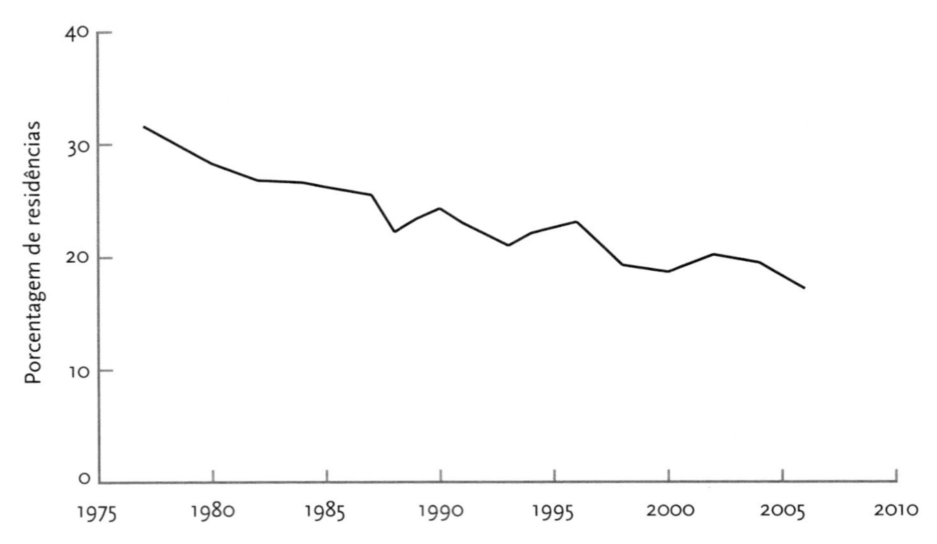

Figura 7.26. *Porcentagem de residências americanas onde há caçadores, 1977-2006.*
FONTE: General Social Survey, <http://www.norc.org/GSS+Website/>.

observação e dólares gastos na observação da vida selvagem *aumentou* entre 10% e 20%.[279] As pessoas ainda gostam de conviver com animais; elas apenas preferem olhá-los a atirar neles. Resta verificar se o declínio será revertido pela mania do movimento *locavore*, em que jovens profissionais urbanos passaram a caçar para reduzir a milhagem do transporte de alimentos e abater sua própria carne, grátis, orgânica, sustentável e morta humanamente.[280]

É difícil imaginar que a pesca possa ser humanizada enquanto esporte, mas pescadores estão fazendo o que podem. Alguns deram um passo adiante na prática do pesque-e-solte, em que o peixe é libertado antes mesmo de chegar à superfície, pois a exposição ao ar o estressaria. Melhor ainda é a isca de pesca sem anzol; o pescador aprecia a truta morder a isca, sente um leve beliscão na linha e acabou-se. Um deles descreve a experiência:

> Penetrei no mundo das trutas e permaneci entre elas de um modo muito mais natural que antes. Não interrompi seus ritmos alimentares. Elas morderam a isca constantemente, e eu ainda tive aquele gostinho prazeroso que a gente sente quando um peixe morde a isca. Nunca mais quero perseguir ou machucar uma truta, e agora existe uma maneira para eu agir assim e ainda continuar pescando.[281]

E você reconhece estas frases?

> Nenhuma árvore foi danificada no desenvolvimento deste blog.
> Nenhum hamster foi danificado na produção do anúncio deste livro.
> Nenhum urso polar foi danificado na gravação deste comercial.
> Nenhuma cabra foi danificada na edição desta revista.
> Nenhuma lata de Diet Coke foi danificada na confecção deste produto.
> Nenhum adepto do Tea Party foi danificado no protesto contra esta lei de reforma do sistema de saúde.

A origem delas está no certificado reconhecido da American Humane Association (AHA), de que nenhum animal sofreu danos na produção de um filme, exibido nos créditos, depois dos nomes dos técnicos e maquinistas.[282] Em resposta a cineastas que filmavam cavalos saltando em abismos, filmando de fato cavalos que saltavam em abismos, a AHA criou uma unidade de cinema e televisão para desenvolver parâmetros de tratamento dos animais em filmagens. Conforme explica a entidade,

> os espectadores atuais, cada vez mais esclarecidos quanto à questão do bem-estar animal, forjaram uma parceria com a American Humane para reclamar uma maior responsabilidade e prestação de contas por parte das empresas de entretenimento que usam animais como atores

— um termo em que eles insistem, pois, como argumentam, "animais não são acessórios". A página 131 do *Guidelines for the Safe Use of Animals in Filmed Media* [Guia de uso seguro de animais em mídia visual], publicado pela primeira vez em 1988, começa com a definição de "animal" ("qualquer criatura sensível, inclusive aves, peixes, répteis e insetos") e não deixa nenhuma espécie ou contingência sem regulação.[283] Eis uma página escolhida ao acaso:

> EFEITOS AQUÁTICOS (VER TAMBÉM SEGURANÇA AQUÁTICA, NO CAPÍTULO 5)
>
> 6.2. Nenhum animal será sujeitado a simulações de chuva extremas e forçadas. A pressão da água e a velocidade de quaisquer ventiladores usados com este fim devem ser sempre monitoradas.
> 6.3. Objetos de borracha e outros materiais e superfícies aderentes devem ser proporcionados quando se simula a chuva. Quando o efeito inclui lama, a profundidade da lama deve ser aprovada pela American Humane antes da filmagem. Quando necessário, uma superfície aderente deve ser disposta por baixo da lama.

A AHA proclama que "desde a introdução do guia, os casos de animais acidentados, doentes e mortos reduziram-se bruscamente". Ela acompanha a afirmação com números e, como gosto de contar minha história com gráficos, a figura 7.27 mostra o índice de filmes considerados "inaceitáveis" a cada ano devido aos maus-tratos de atores animais.

Caso isso ainda não seja suficiente para convencê-lo de que os direitos dos animais passaram a ser vistos em um novo patamar, considere os acontecimentos de 16 de junho de 2009, tal como foram relatados em um artigo do *New York Times* intitulado "O que é branco, tem 132 aposentos e moscas?". A resposta para a

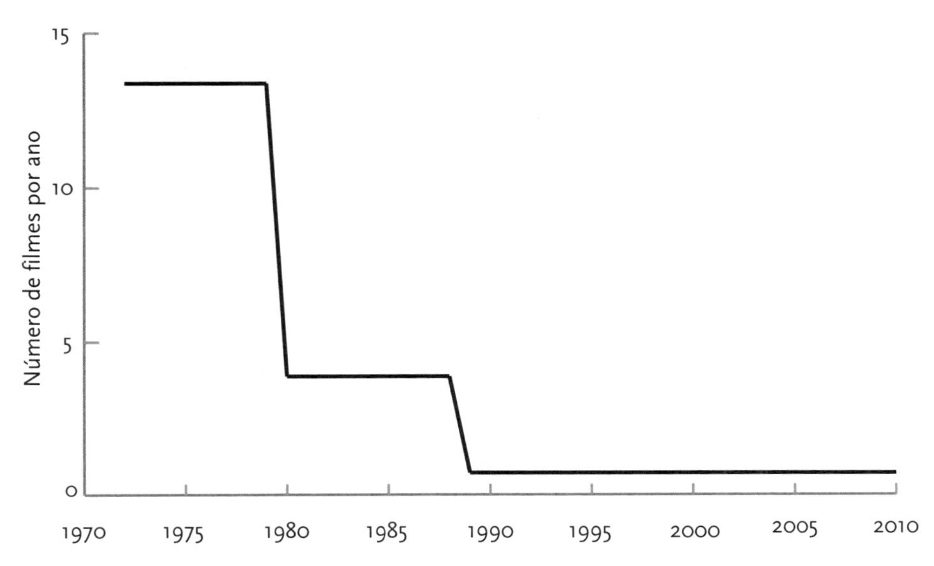

Figura 7.27. *Número de filmes por ano em que animais foram maltratados, 1972-2010.*
FONTE: American Humane Association Film and Television Unit, 2010.

charada é a Casa Branca, que recentemente ficou infestada pelos insetos. Durante uma entrevista de televisão, uma grande mosca girava em torno da cabeça do presidente Barack Obama. Quando o Serviço Secreto mostrou-se impotente para derrubá-la no chão, o presidente tomou a questão nas próprias mãos, usando uma delas para esmagar a mosca de encontro à outra. "Apanhei a miserável", exclamou o exterminador em chefe. A sequência tornou-se uma sensação no YouTube, mas provocou uma queixa da organização People for the Ethical Treatment of Animals. Eles comentaram em seu blog: "Não se pode dizer que o presidente Obama é incapaz de fazer mal a uma mosca"; e enviou um de seus "caçadores de mosca humanos", não mortais, "para o caso de futuros incidentes com insetos".[284]

E finalmente voltamos à carne. Se alguém fosse contar todos os bichos que viveram na Terra nos últimos cinquenta anos, e os atos prejudiciais que sofreram, concluiria que não houve nenhum progresso no tratamento dos animais. O motivo é que a Revolução dos Direitos dos Animais foi parcialmente cancelada por outra novidade, a Revolução do Frango Assado.[285] O slogan de campanha "Um Frango em Cada Panela", de1928, recorda-nos que houve um tempo em que os galináceos eram tidos como um luxo. O mercado reagiu selecionando frangos com mais carne e criando-os de maneira mais eficiente, e menos humana: frangos de granja têm pés de palito, vivem em gaiolas apertadas, respiram ar fétido e são manipulados com brutalidade para o transporte e o abate. Nos anos 1970, os consumidores se convenceram de que a carne branca era mais saudável que a vermelha (tendência aproveitada pela Associação dos Criadores de Porcos, que produziu o slogan "A Outra Carne Branca"). E, como os frangos são criaturas de cérebro diminuto de uma outra classe biológica, muita gente tem a vaga sensação de que eles são menos plenamente sensíveis que os mamíferos. O resultado foi um enorme incremento da procura de frango, ultrapassando a de carne de vaca no início da década de 1990.[286] A consequência involuntária foi que outros bilhões de vidas infelizes tiveram de ser trazidas à existência para atender à demanda, pois são necessários duzentos frangos para fornecer a mesma quantidade de carne de um único boi.[287] Ocorre que a criação intensiva e o tratamento cruel das aves e do gado remontam a séculos, de modo que a maléfica tendência não representou um retrocesso nas sensibilidades morais ou um aumento da insensibilidade. Houve um furtivo incremento dos números, conduzido por mudanças maiores na economia e nos hábitos de consumo, que permaneceu encoberto porque a maioria das pessoas sempre mostrou reduzida curiosidade pela vida dos frangos. O mesmo é verdade, em menor extensão, para os animais que nos fornecem outros tipos de carne branca.

Mas a maré começou a virar. Um sinal é o crescimento do vegetarianismo. Estou certo de que não fui o único anfitrião dos anos 1990 a escutar um de meus convidados anunciar, ao se sentar à mesa: "Ah, esqueci de avisar, eu não como animais mortos". Desde aquela época, a pergunta "Você tem alguma restrição alimentar?" tornou-se parte da etiqueta de um convite para jantar, e os participantes de jantares de trabalho podem agora assinalar um retângulo para substituir um prato de frango borrachudo por outro de berinjela cozida. A tendência foi registrada em 2002, quando a revista *Time* publicou uma reportagem de capa intitulada: "Você seria um vegetariano? Milhões de americanos estão abandonando a carne".

A indústria de alimentos reagiu com uma quantidade de produtos vegetarianos e veganos. A seção de carnes vegetais de meu supermercado local oferece Soyburgers, Gardenburgers, Seitanburgers, Veggie Burger Meatless Patties, Tofu Pups, Not Dogs, Smart Dogs, Fakin Bacon, Jerquee, Tofurky, Soy Sausage, Soyrizo, Chik Patties, Meatless Buffalo Wings, Celebration Roast, Tempeh

Strips, Terkettes, Veggie Protein Slices, Vege-Scallops e Tuno. A engenhosidade tecnológica e verbal testemunha tanto a popularidade do novo vegetarianismo como a persistência da ancestral fome de carne. Aqueles que apreciam um desjejum saudável podem se servir de tiras de bacon vegetariano com tofu mexido, talvez em uma omelete vegetariana com muçarela ou parmesão de soja. E para a sobremesa há Ice Bean, Rice Dream e Tofutti, talvez guarnecido com Hip Whip e encimado por uma cereja. O derradeiro substituto da carne seria o tecido animal cultivado em culturas, às vezes chamado de carne sem patas. A sempre otimista organização People for the Ethical Treatment of Animals ofereceu um prêmio de 1 milhão de dólares ao primeiro cientista que abastecer o mercado com carne de frango cultivada.[288]

Apesar de toda a visibilidade do vegetarianismo, os vegetarianos puros ainda somam apenas alguns pontos percentuais da população. Não é fácil ser verde. Os

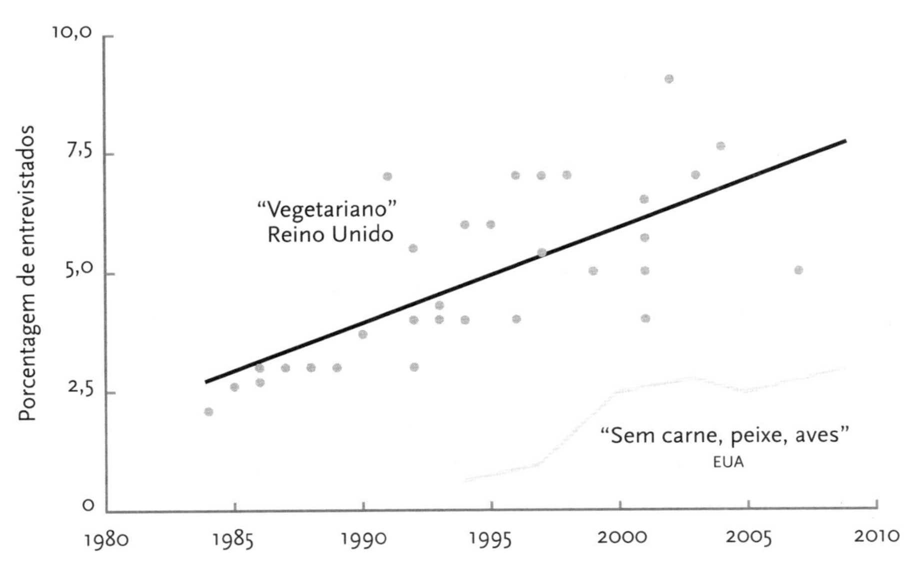

Figura 7.28. *Vegetarianismo nos Estados Unidos e no Reino Unido, 1984-2009.*
FONTES: Para o Reino Unido: Vegetarian Society, <www.vegsoc.org/info/>; exclui pesquisas restritas a residências, a estudantes ou a vegetarianos "estritos". Estados Unidos: Vegetarian Resource Group, *Vegetarian Journal*. 2009: <www.vrg.org/press/2009poll.htm>. 2005 e 2003: <www.vrg.org/journal/vj2006issue4/vj2006issue4poll.htm>. 2000: <www.vrg.org/nutshell/poll2000.htm>. 1997: <www.vrg.org/journal/vj97sep/979poll.htm>. 1994: <www.vrg.org/nutshell/poll.htm>.

vegetarianos vivem cercados por animais mortos e pelos carnívoros que os apreciam, e a fome de carne não foi extirpada deles. Não é de surpreender que muitos abandonem o trajeto: em um dado momento, há sempre três vezes mais vegetarianos relapsos que observantes.[289] Muitos daqueles que continuam a se considerar vegetarianos convenceram a si próprios de que peixes são vegetais, pois consomem peixes, frutos do mar e às vezes até frango.[290] Outros examinam suas restrições alimentares como judeus ortodoxos em um restaurante chinês, permitindo-se exceções no caso de categorias estritamente definidas ou de alimentos consumidos fora de casa. O segmento demográfico com a maior taxa de vegetarianos é o das adolescentes femininas, e seu principal motivo pode não ser a compaixão pelos animais. O vegetarianismo entre garotas adolescentes está altamente associado a distúrbios alimentares.[291]

Mas o vegetarianismo ao menos tende ao crescimento? Até onde podemos dizer, sim. No Reino Unido, a Sociedade Vegetariana reúne os dados de todas as pesquisas de opinião que consegue achar, fichando os resultados. Na figura 7.28, tabulei os resultados de todos os questionários que indagam a uma amostragem nacional de entrevistados se eles são vegetarianos. A linha reta da mediana dos resultados sugere que ao longo das duas décadas o vegetarianismo mais que triplicou, de cerca de 2% da população para em torno de 7%. Nos Estados Unidos, o Vegetarian Resource Group contratou institutos de pesquisa para fazer aos cidadãos a pergunta mais crucial, ou seja, se eles comiam carne, peixe ou aves, excluindo os "flexitarianos" e aqueles com interpretações criativas da taxonomia de Lineu. Os números são mais baixos, porém a tendência é semelhante, mais que triplicando em quinze anos.

Com todos esses sinais de uma crescente preocupação com o bem-estar animal, pode parecer surpreendente que a porcentagem de vegetarianos, mesmo estando em crescimento, ainda seja tão pequena. Mas realmente não poderia ser de outro modo. Ser vegetariano e preocupar-se com o bem-estar animal não são a mesma coisa. Além de os vegetarianos terem outros motivos que não o bem-estar animal — saúde, paladar, ecologia, religião, deixar suas mães malucas —, as pessoas que se inquietam com o bem-estar dos animais podem se perguntar se a afirmação simbólica do vegetarianismo é a melhor maneira de reduzir o sofrimento animal. Podem sentir que os hambúrgueres que altruisticamente esqueceriam dificilmente seriam notados, em meio ao alarido da vasta demanda nacional de carne, ou mesmo se levariam a poupar a vida de algumas vacas. E, mesmo se assim fosse, a vida das vacas remanescentes não se tornaria mais agradável. Mudar as práticas da indústria alimentar é um dilema coletivo, do qual os indivíduos são tentados a fugir por meio de sacrifícios privados que têm efeito marginal sobre a soma de bem-estar.

O incremento do vegetarianismo, contudo, é um indicador simbólico de uma maior preocupação com os animais que pode ser verificada de outras formas. Gente que não se abstém de carne enquanto uma questão de princípios pode, entretanto, consumi-la em menor quantidade (o consumo americano de carne de mamíferos declinou desde 1980).[292] Restaurantes e supermercados cada vez mais amiúde informam sua clientela sobre o que comiam os animais empregados, ou como se movimentavam quando ainda estavam de pé. Dois dos maiores processadores de carne de frango dos Estados Unidos anunciaram em 2010 que estavam aderindo a métodos de abate mais humanos, em que as aves são levadas à inconsciência por meio de monóxido de carbono antes de serem penduradas pelos pés e terem o pescoço cortado. Os marqueteiros trabalham aqui sobre o fio da navalha. Clientes de restaurantes podem se alegrar ao saber que seu antepasto foi tratado de maneira humanitária até seu último suspiro, mas podem preferir ignorar os detalhes sobre como exatamente o antepasto chegou a seu fim. E mesmo a mais compassiva das técnicas tem um problema de imagem. Conforme disse um executivo, "não quero que o público diga que nós asfixiamos nossos frangos".[293]

Mais significativamente, a maioria das pessoas apoia medidas legais que resolveriam o problema de ação coletiva, com a aprovação de leis que forcem criadores e processadores de carne a tratar os animais mais humanamente. Em uma pesquisa de 2000, 80% dos britânicos responderam que "gostariam de ver melhores condições de bem-estar nas criações de animais do país".[294] Mesmo os americanos, com seu temperamento mais libertário, se dispõem a dar poderes ao governo para reforçar tais condições. Em uma pesquisa Gallup de 2003, notáveis 96% deles declararam que os animais merecem ao menos alguma proteção contra maus-tratos e exploração, e apenas 3% responderam que eles não precisam de proteção "pois são apenas animais".[295] Embora os americanos se oponham à proibição da caça ou do uso de animais em pesquisa médica e produção de testes, 62% sustentam "leis rigorosas referentes ao tratamento de animais de fazendas e granjas". E, quando têm oportunidade, traduzem suas opiniões em votos. Os direitos do gado converteram-se em leis no Arizona, Colorado, Flórida, Maine, Michigan, Ohio e Oregon, enquanto, em 2008, 63% dos eleitores da Califórnia aprovaram a Lei de Prevenção da Crueldade na Criação de Animais, que proíbe baias para gado, gaiolas de aves e baias de gestação que impedem o animal de se movimentar.[296] E existe um clichê na política americana: para onde vai a Califórnia, vai também o país.

E talvez para onde vai a Europa, vai também a Califórnia. A União Europeia tem elaboradas normas de cuidados com os bichos,

> que começam com o reconhecimento de que os animais são seres sencientes. A intenção geral é assegurar que eles não precisem suportar dores ou sofrimentos evitáveis e obrigar o proprietário/tratador de animais a respeitar um mínimo de pressupostos de bem-estar.[297]

Nem todos os países foram tão longe como a Suíça, que aprovou 150 páginas de regulamentos, forçando os donos de cães a garantir quatro horas de corrida "em teoria" e legislando sobre como os proprietários devem abrigar, alimentar, passear, divertir e dispor de seus pets (foi-se o tempo em que se jogava peixes de aquário vivos na privada). Mas mesmo os suíços refugaram em um referendo de 2010, que teria tornado nacional a política de Zurique que paga um "defensor dos animais" para levar infratores às barras dos tribunais, inclusive um pescador que se vangloriou para um jornal local de ter levado dez minutos para fisgar um grande lúcio (o pescador foi absolvido; o lúcio foi comido).[298] Tudo isso soa como o pior pesadelo dos conservadores americanos, mas também estes estão desejosos de permitir que o governo normatize o bem-estar animal. Na pesquisa de 2003, a maioria dos republicanos respondeu favoravelmente à aprovação de "leis rigorosas" sobre o tratamento dos animais criados em confinamento.[299]

Onde isso irá parar? As pessoas frequentemente me perguntam se acho que o impulso moral que nos conduziu da abolição da escravidão e da tortura aos direitos civis, da mulher e dos gays irão culminar na abolição da cozinha carnívora, da caça e das experiências com animais. Ficarão nossos descendentes do século XXII tão horrorizados por comermos carne como nós ficamos com nossos ancestrais que tinham escravos?

Talvez sim, mas talvez não. A analogia entre gente oprimida e animais oprimidos tem sido retoricamente possante, e tendo em vista que somos todos seres sencientes, ela contém em grande medida um mandato intelectual. Porém a analogia não é exata — afro-americanos, mulheres, crianças e gays não são frangos de corte —, e duvido que a trajetória dos direitos dos animais será uma cópia retardatária daquela dos direitos humanos. Em seu livro *Some We Love, Some We Hate, Some We Eat* [Alguns amamos, alguns odiamos, alguns devoramos], o psicólogo Hal Herzog expõe as várias razões pelas quais é tão difícil para nós convergir para uma filosofia moral coerente que governe nossas relações com animais. Menciono a seguir algumas que me impactaram.

Um impedimento é o costume de comer carne e os prazeres sociais que acompanham seu consumo. Embora hindus, budistas e jainistas tradicionais provem que uma sociedade sem carne é possível, os 3% da fatia vegetariana do mercado de dietas dos Estados Unidos mostram que estamos muito distantes de um ponto de inflexão. Enquanto recolhia dados para este capítulo, fiquei empolgado ao tropeçar em uma pesquisa de 2004 do Pew Research na qual 13% dos entrevistados diziam-se vegetarianos. Ao ler o relatório completo, descobri que se tratava de uma pesquisa entre partidários da candidatura de Howard Dean, o governador de esquerda de Vermont. Isso significa que, mesmo entre os mais renitentes adeptos da granola na terra do sorvete Ben-and-Jerry, 87% ainda comem carne.[300]

Mas os impedimentos são mais profundos que a fome de carne. Muitas interações entre seres humanos e animais sempre terão soma zero. Animais devoram nossas casas, nossas plantações e ocasionalmente nossos filhos. Fazem-nos coçar e sangrar. São vetores de doenças que nos atormentam e matam. Matam-se uns aos outros, inclusive espécies ameaçadas que gostaríamos de preservar. Sem sua participação em experimentos, a medicina ficaria congelada em seu estágio presente, e bilhões de pessoas vivas ou ainda não nascidas sofreriam e morreriam pela salvação de alguns camundongos. Um cálculo ético que atribua peso igual a qualquer dano causado a qualquer ser sensível, vetando o chauvinismo entre nossas espécies, iria impedir-nos de trocar o bem-estar de animais por um bem-estar equivalente de seres humanos — por exemplo, abater um cão selvagem para salvar uma garotinha. Por segurança, os interesses humanos podem merecer alguns pontos extras em virtude de nossas peculiaridades zoológicas, como a de que nossos cérebros grandes nos permitem saborear nossa vida, refletir sobre nosso passado e futuro, temer a morte e conectar nosso bem-estar com o de outros, em densas redes sociais. Porém o tabu da vida humana, que entre outras coisas protege a vida de gente mentalmente incompetente apenas por ser gente, teria de desaparecer. O próprio Singer resolutamente aceita essa implicação de uma moralidade cega para as espécies.[301] Contudo, isso não vencerá tão cedo a moralidade ocidental.

Em última análise, o deslocamento no sentido dos direitos dos animais irá se defrontar com alguns dos mais intrigantes enigmas do espaço do pensamento humano, um lugar onde a intuição moral começa a falhar. Um deles é o árduo problema da senciência: especificamente, como as sensações decorrem do processamento da informação neural?[302] Descartes com certeza estava errado em relação aos mamíferos, e estou bastante seguro de que também estava errado quanto aos peixes. Mas estaria errado sobre as ostras? As lesmas? Cupins? Minhocas? Caso desejemos adquirir certeza ética em nossa culinária, jardinagem, manutenção doméstica e recreação, precisaremos de nada menos que uma solução para esse enigma filosófico. Outro paradoxo é que os seres humanos são ao mesmo tempo agentes racionais-morais e organismos que fazem parte da natureza de carne e osso. Algo em mim faz objeção à imagem de um caçador abatendo um alce. Mas por que não me perturbo com a cena de um urso cinzento que deixa o alce igualmente morto? Por que não julgo que seja um imperativo moral tentar dissuadir o urso por meio de bolinhos de soja integral sem carne de alce? Deveríamos providenciar a gradativa extinção das espécies carnívoras, ou até transmudá-las geneticamente em herbívoras?[303] Rejeitaríamos tão engenhosos experimentos porque, com ou sem razão, atribuímos um determinado peso ético àquilo que sentimos ser "natural". Mas, se a carnivoridade natural das outras espécies vale alguma coisa, por que não a carnivoridade do *Homo sapiens* — particularmente se empregarmos nossas faculdades cognitivas e morais para minimizar o sofrimento dos animais?

Esses elementos imponderáveis impedem, suspeito, que o movimento dos direitos dos animais reproduza exatamente a trajetória das outras Revoluções por Direitos. Mas por enquanto ele não atingiu a linha final. Restam muitas oportunidades que permitem diminuir enormes sofrimentos de animais, com reduzido custo para os seres humanos. Dadas as recentes mudanças de sensibilidade, é certo que a vida dos animais vai continuar melhorando.

Quando iniciei minha pesquisa para este capítulo, sabia que as décadas da Longa Paz e da Nova Paz tinham sido também décadas de progresso de minorias raciais, mulheres, crianças, gays e animais. Porém eu não fazia ideia de que em cada um desses casos todas as medidas quantificáveis de violência — crimes de ódio e estupros, atos de violência contra mulheres e maus-tratos contra crianças, ou até o número de filmes em que animais eram maltratados — apontariam uma redução. Como podemos interpretar todos os movimentos no sentido da não violência dos últimos cinquenta anos?

As tendências têm um certo número de coisas em comum. Em cada caso elas tiveram de nadar contra poderosas correntes da natureza humana. Estas incluem a desumanização e a demonização dos de fora do grupo; a rapacidade sexual dos homens e seus sentimentos para com as mulheres; manifestações do conflito pais-filhos tais como o infanticídio e os castigos físicos; a moralização do repúdio sexual na homofobia; e nossa fome de carne, nosso espírito de caçador e os limites da empatia baseada na semelhança, na reciprocidade e no carisma.

Como se a biologia não tivesse tornado as coisas suficientemente ruins, as religiões abraâmicas ratificaram alguns de nossos piores instintos por meio de leis e crenças que encorajaram a violência durante milênios: a demonização de infiéis, a propriedade sobre mulheres, a pecaminosidade de crianças, a abominação da homossexualidade, o poder absoluto sobre animais e a negação de que estes tenham alma. As culturas asiáticas também têm muito do que se envergonhar, em particular da rejeição maciça das filhas que encorajou um holocausto de recém-nascidas. Ocorre então o entrincheiramento das normas: esposas espancadas, crianças esbofeteadas, gado em confinamento e choques em ratos eram aceitáveis porque todos sempre os tinham tratado como tal.

Na medida em que a violência é imoral, as Revoluções por Direitos mostram que um modo de vida moral com frequência requer uma decisiva rejeição do instinto, da cultura, da religião e da prática usuais. Em seu lugar, está uma ética que se inspira na empatia e na razão e se embasa na linguagem dos direitos. Forçamo-nos a nos colocar no lugar de outros seres capazes de sentir, a considerar seus interesses, a partir do interesse em não ser machucado ou morto, e a ignorar superficialidades que podem atrair nossa atenção, como raça, etnia, gênero, idade, orientação sexual e, até certo ponto, espécie.

Essa conclusão é, naturalmente, a visão moral do Iluminismo, e dos componentes do humanismo e do liberalismo que cresceram fora dele. As Revoluções por Direitos são revoluções liberais. Cada uma delas foi associada a movimentos liberais e cada uma delas distribui-se ao longo de uma gradação que vai, mais ou menos, da Europa Ocidental para os "estados azuis" dos Estados Unidos, os "estados vermelhos", as democracias da América Latina e Ásia e daí para os países mais autoritários, com a África e a maior parte do mundo islâmico ficando na retaguarda. Em todos os casos, os movimentos deixaram nas culturas ocidentais excessos de decoro e tabus que são merecidamente ridicularizados como politicamente corretos. Mas os números mostram que os movimentos restringiram muitas causas de morte e sofrimento, enquanto tornavam a cultura cada vez mais intolerante com todas as formas de violência.

A se dar ouvidos ao sábio discurso liberal, seria possível pensar que os Estados Unidos se precipitaram para a direita há mais de quarenta anos, de Nixon para Reagan, para Newt Gingrich, para os Bush e agora os raivosos homens brancos do movimento Tea Party. E, no entanto, em cada questão tocada pelas Revoluções por Direitos — o casamento inter-racial, a conquista de poder pelas mulheres, a tolerância para com a homossexualidade, a punição de crianças e o tratamento dado aos animais —, as atitudes dos conservadores seguiram a trajetória dos liberais, resultando daí que os conservadores de hoje são mais liberais que os liberais de ontem. Conforme observa o historiador conservador George Nash, "na prática, se não plenamente na teoria, o conservadorismo americano de hoje situa-se bem à esquerda de onde estava em 1980".[304] (Talvez seja por isso que os homens andam tão irados.)

O que causou as Revoluções por Direitos? Se foi difícil estabelecer as causas da Longa Paz, da Nova Paz e do declínio do crime nos anos 1990, mais complexo ainda é apontar um fator exógeno capaz de explicar por que as Revoluções por Direitos congregaram-se desse modo. Porém podemos passar em revista os candidatos de sempre.

Os anos do pós-guerra assistiram a uma expansão da prosperidade, mas a influência da prosperidade sobre uma sociedade é tão difusa que oferece pouco esclarecimento sobre os estopins imediatos das revoluções. O dinheiro pode comprar educação, polícia, ciência social, serviços sociais, penetração midiática, uma força de trabalho com mais mulheres e cuidados melhores para com crianças e animais. É difícil dizer qual desses elementos fez diferença, e, mesmo que o conseguíssemos, permaneceria de pé a questão de por que a sociedade optou por distribuir seu saldo positivo entre esses determinados bens, de modo a reduzir o dano infligido às populações vulneráveis. E, embora eu não conheça nenhuma análise estatística rigorosa, tampouco consigo discernir correlações entre o ritmo das várias ascensões na consideração, entre as décadas de 1960 e 2000, e os auges e recessões da economia no mesmo período.

Governos democráticos obviamente tiveram seu papel. As Revoluções por Direitos ocorreram em democracias, que são constituídas como contratos sociais entre indivíduos, com o desígnio de reduzir a violência entre eles; enquanto tal, contêm os germes da expansão para grupos que originalmente não tinham sido levados em conta. Porém a cronologia permanece um quebra-cabeça, porque a democracia não é uma variável inteiramente exógena. Era o mecanismo da própria democracia que estava em questão durante o movimento pelos direitos civis nos Estados Unidos, quando a privação de direitos dos negros foi remediada. Também nas outras revoluções, novos grupos foram convidados a debater sua caminhada rumo à plena participação no contrato social. Apenas então pôde o governo dispor de poderes para policiar a violência (ou cessar sua própria violência) contra membros dos grupos afetados.

Durante as Revoluções por Direitos, redes de reciprocidade e intercâmbio se expandiram com a mudança de uma economia baseada em bens para outra baseada na informação. As mulheres tornaram-se menos escravizadas pelas tarefas domésticas e as instituições passaram a procurar talentos em um leque mais amplo de capital humano, e não apenas no suprimento local do velho clube dos de sempre. Na medida em que mulheres e membros de grupos minoritários eram integrados aos movimentos e negociações do governo e do intercâmbio, garantiam que seus interesses fossem levados em conta no andamento das coisas. Já vimos algumas evidências desse mecanismo: países com mais mulheres no governo e nas profissões têm menos violência doméstica contra mulheres; e pessoas que conhecem gays pessoalmente têm menor probabilidade de reprovar a homossexualidade. Mas, com relação à democracia, o caráter inclusivo das instituições não é um processo completamente exógeno. A mão invisível de uma economia da informação pode ter tornado as instituições mais abertas a mulheres, minorias e gays, mas ainda foi preciso o músculo do governo, sob a forma de leis antidiscriminatórias, para integrá-los plenamente. E, no caso de crianças e animais, não existe qualquer espaço para trocas recíprocas: o benefício foi em uma única direção.

Caso eu fosse apostar em uma única causa exógena das Revoluções por Direitos como sendo a mais importante, esta residiria nas tecnologias que dotaram as ideias e as pessoas de uma crescente mobilidade. As décadas das Revoluções por Direitos foram o período das revoluções eletrônicas: a televisão, o rádio transistor, o cabo, o satélite, os telefonemas de longa distância, as fotocopiadoras, o fax, a internet, os celulares, os torpedos, os webvídeos. Essas foram as décadas das vias expressas interestaduais, dos trens de alta velocidade, dos aviões a jato. Foram as décadas de um crescimento sem precedentes na educação superior e nas infindáveis fronteiras da pesquisa científica. Menos conhecido é que elas foram igualmente as décadas de um boom na publicação de livros. Entre 1960 e 2000, o número anual de livros publicados nos Estados Unidos cresceu quase cinco vezes.[305]

Já mencionei anteriormente essa conexão. A Revolução Humanitária partiu da República das Letras, enquanto tanto a Longa Paz como a Nova Paz foram filhas da Aldeia Global. E revisitem o que deu errado no mundo islâmico: pode ter sido a rejeição à imprensa escrita e a resistência à importação de livros e ideias neles contidas.

Por que a difusão de ideias e pessoas resulta em reformas que reduzem a violência? Existem vários caminhos. O mais óbvio é o desmascaramento da ignorância e da superstição. Massas conectadas e instruídas, pelo menos por efeito de acumulação e a longo prazo, ficam propensas a se desiludir de crenças venenosas como a de que membros de outras raças ou etnias são por natureza avarentos ou pérfidos; que infortúnios econômicos ou militares são causados pelos ardis de minorias étnicas; que mulheres não se importam de ser estupradas; que crianças devem ser surradas para se socializar; que as pessoas optam por serem homossexuais como parte de um estilo de vida moralmente degenerado; que animais são incapazes de sentir dor. Os recentes desmascaramentos das crenças que estimulam ou toleram a violência trazem à mente o dito de Voltaire de que aqueles que conseguem fazer você acreditar em absurdos podem fazer você cometer atrocidades.

Outro caminho causal é um incremento dos convites à adoção dos pontos de vista de gente diferente de você. A Revolução Humanitária teve suas *Clarissa*,

Pamela e *Julie*, sua *Cabana do Pai Tomás* e seu *Oliver Twist*, suas reportagens de testemunhas oculares de gente sendo despedaçada, queimada ou açoitada. Durante a era eletrônica, essas tecnologias da empatia tornaram-se ainda mais penetrantes e mobilizadoras. Afro-americanos e gays apareciam como apresentadores de programas de variedades na TV, como personagens simpáticos em comédias ou dramas. Suas lutas eram retratadas em tempo real, com imagens de jatos d'água e cães policiais, e apareciam em livros e peças que se tornavam best-sellers, como *Travels with Charley*, *O sol tornará a brilhar* e *O sol é para todos*. Feministas telegênicas levaram suas demandas aos *talk shows*, e seus pontos de vista apareceram na boca de personagens de musicais e minisséries.

Como veremos no capítulo 9, o que expande a empatia e a preocupação com o outro não é simplesmente a experiência virtual de enxergar o mundo através dos olhos de uma outra pessoa. É também uma agilidade intelectual — literalmente, um tipo de inteligência — que encoraja a pessoa a escapar dos constrangimentos paroquiais de berço e status, a cogitar mundos hipotéticos e a refleti-los de volta sobre os hábitos, impulsos e instituições que regem suas crenças e valores. Essa mentalidade reflexiva pode ser fruto de uma educação aprimorada, e pode ser também produto da mídia eletrônica. Como maravilhou-se Paul Simon:

> *These are the days of miracle and wonder,*
> *This is the long distance call,*
> *The way the camera follows us in slo-mo*
> *The way we look to us all.**

Existe um terceiro caminho pelo qual a informação pode fecundar o progresso moral. Acadêmicos que se intrigaram a respeito do progresso material em diferentes partes do mundo, como o economista Thomas Sowell em sua trilogia *Culture* e o fisiologista Jared Diamond em *Armas, germes e aço: Os destinos das sociedades humanas*, concluíram que a chave do sucesso material tem se localizado em um vasto reservatório de inovações.[306] Ninguém é inteligente o bastante para inventar isoladamente algo que outro alguém quereria usar. Inovadores bem-sucedidos não apenas sobem sobre os ombros de gigantes;

* "Estes são dias de milagre e maravilha, / Esta é a ligação de longa distância, / O modo como a câmera nos segue em câmera lenta / O modo como nós mesmos nos olhamos." (N. T.)

eles se engajam em uma maciça pirataria de propriedade intelectual, tomando de empréstimo ideias de uma vasta gama de vertentes tributárias que correm em sua direção. As civilizações da Europa e da Ásia Ocidental conquistaram o mundo porque suas migrações e rotas navais permitiram que comerciantes e conquistadores amealhassem invenções que tinham se originado por toda parte na vasta massa territorial eurasiana: o cultivo de cereais e a escrita alfabética do Oriente Médio, a pólvora e o papel da China, cavalos domesticados da Ucrânia, a navegação oceânica de Portugal e muito mais. Existe um motivo para o significado literal de cosmopolita ser "cidadão do mundo" e o significado literal de insular ser "em uma ilha". Sociedades que ficam refugiadas em ilhas ou em montanhas intransitáveis tendem a ser tecnologicamente atrasadas. E moralmente atrasadas também. Já vimos que culturas da honra, cuja ética primordial é a lealdade tribal e a vingança de sangue, podem subsistir em regiões montanhosas até muito depois de seus vizinhos das terras baixas terem empreendido um processo civilizador.

O que é verdadeiro para o progresso tecnológico pode ser igualmente válido para o progresso moral. Indivíduos ou civilizações que se encontram situados em um grande reservatório *informacional* podem compilar um know-how moral mais sustentável e expansível que o do mais justo profeta produziria no isolamento. Permitam-me exemplificar esse ponto com uma história compacta das Revoluções por Direitos.

Em seu ensaio de "Pilgrimage to Nonviolence" [Peregrinação pela não violência], de 1963, Martin Luther King reconstituiu os elementos intelectuais com os quais teceu sua filosofia política.[307] Graduado em teologia no fim da década de 1940 e início da seguinte, ele naturalmente estava familiarizado com a Bíblia e com a teologia ortodoxa. Mas também leu teólogos renegados como Walter Rauschenbusch, que criticava a exatidão histórica da Bíblia e o dogma de que Jesus morreu pelos pecados das pessoas.

Luther King embarcou então em

> um sério estudo das teorias sociais e éticas dos grandes filósofos, de Platão e Aristóteles a Rousseau, Hobbes, Bentham, Mill e Locke. Todos esses mestres estimularam meu pensamento — tal como era — e, mesmo encontrando coisas a questionar em cada um deles, ainda assim aprendi enormemente com seu estudo.

Ele leu cuidadosamente (e rejeitou) Nietzsche e Marx, inoculando-se contra as ideologias autocráticas e comunistas que seriam tão sedutoras para outros movimentos libertários. Também rejeitou "o antirracionalismo do teólogo continental Karl Barth", embora admirasse a "extraordinária percepção" de Reinhold Niebuhr "sobre a natureza humana, especialmente o comportamento das nações e grupos sociais [...]". Tais elementos de Niebuhr ajudaram-no a reconhecer a "ilusão de um otimismo superficial no que concerne à natureza humana e os perigos de um falso idealismo".

O pensamento de Martin Luther King transformou-se para sempre certo dia, quando ele viajava para Filadélfia para ouvir uma palestra de Mordecai Johnson, reitor da Universidade Howard. Este retornara recentemente de uma estadia na Índia e falou sobre Mohandas Gandhi, cuja influência acabara de culminar na independência nacional. "Sua mensagem era tão profunda e eletrizante", escreveu o pastor americano, "que saí da reunião e comprei meia dúzia de livros sobre a vida e obra de Gandhi."

Martin Luther King imediatamente compreendeu que a teoria de Gandhi sobre a resistência não violenta não era uma afirmação moralista de amor, tal como o fora a não violência nos ensinamentos de Jesus. Longe disso, era o estabelecimento de táticas atiladas para prevalecer sobre o adversário mais por passar-lhe a perna do que por tentar aniquilá-lo. Um tabu sobre a violência, deduziu o pastor, previne um movimento de ser corrompido por valentões e esquentados atraídos pela aventura e pelo tumulto. Ele preserva o moral e o foco dos seguidores quando o movimento sofre derrotas temporárias. Ao retirar do inimigo qualquer pretexto para retaliações legítimas, mantém o movimento do lado positivo da contabilidade moral aos olhos de terceiros, enquanto atrai o inimigo para o lado negativo. Pelo mesmo motivo, divide o inimigo, distanciando simpatizantes que se sentem cada vez mais desconfortáveis por se identificarem com uma violência unilateral. Sempre consegue impor sua agenda, fazendo de si um tormento por meio de concentrações, greves, demonstrações. A tática obviamente não funciona com todos os inimigos, mas pode funcionar com alguns.

O histórico discurso de Luther King na Marcha sobre Washington em 1963 foi uma engenhosa recomposição dos elementos intelectuais que ele coletara durante sua peregrinação peripatética: imaginação e linguagem dos profetas hebreus, valorização do sofrimento provinda da cristandade, o ideal dos direitos individuais tomado do Iluminismo europeu, cadências e passagens retóricas da

Igreja afro-americana e um plano estratégico de um indiano que mergulhara no jainismo, no hinduísmo e na cultura britânica.

Não será um excesso de indolência dizer que o resto é história. O artifício moral recolhido por Martin Luther King foi atirado de volta ao reservatório de ideias, agora para ser adaptado pelos empreendedores de outros movimentos por direitos. Estes se apropriaram conscienciosamente de seu nome, seu raciocínio moral e, o que é significativo, de muitas de suas táticas.

Segundo os padrões da história, uma notável característica das Revoluções por Direitos de fins do século XX é a reduzida violência que elas empregaram ou mesmo provocaram. O próprio Martin Luther King foi um mártir do movimento pelos direitos civis, assim como o foi um punhado de vítimas do terrorismo segregacionista. Mas os motins urbanos que associamos aos anos 1960 não faziam parte do movimento dos direitos civis, e irromperam depois que a maior parte de suas pedras fundamentais estavam assentadas. As demais revoluções mal chegaram a viver qualquer violência: houve a incruenta Rebelião de Stonewall, algum terrorismo partindo das franjas do movimento de direitos dos animais, e foi só. Seus protagonistas escreveram livros, fizeram palestras, lideraram marchas, pressionaram parlamentares e recolheram assinaturas para referendos. Tiveram apenas de estimular uma massa que se tornara receptiva a uma ética baseada nos direitos dos indivíduos e repudiava crescentemente a violência sob qualquer forma. Compare-se esse registro com os movimentos anteriores, que só puseram fim ao despotismo, à escravidão e aos impérios coloniais depois de banhos de sangue que mataram às centenas, aos milhares ou aos milhões.

DA HISTÓRIA PARA A PSICOLOGIA

Chegamos ao fim de seis capítulos que documentaram o declínio histórico da violência. Neles observamos gráfico após gráfico, situando a primeira década do novo milênio como o ponto mais baixo da curva que representa o uso da força através dos tempos. Por maior que seja a violência remanescente no mundo, estamos vivendo em uma época extraordinária. Talvez seja um momento numa progressão rumo a uma paz ainda maior. Talvez seja um ponto mais baixo no sentido de uma nova normalidade, com as reduções fáceis todas já conquistadas e as adicionais cada vez mais duras de obter. Talvez seja uma feliz confluência de bons fados que em breve irão se desembaraçar. Porém, independentemente de como as tendências extrapolem para o futuro, algo notável nos trouxe ao presente.

Uma das mais famosas passagens de Martin Luther King foi adaptada de um ensaio do abolicionista e ministro unitarista Theodore Parker:

> Não pretendo compreender o universo moral; o arco é vasto, meu olho não alcança mais que um pouco; não consigo calcular a curva e completar a figura pela experiência da visão; posso predizê-la pela consciência. E pelo que vejo estou seguro de que ela se inclina para a justiça.[308]

Um século e meio mais tarde, nossos olhos podem ver que o arco se inclinou para a justiça por vias que Parker não podia ter imaginado. Tampouco pretendo compreender o universo moral; nem sequer posso predizê-lo pela consciência. Mas vejamos, nos próximos dois capítulos, o quanto dele podemos detectar com a ciência.

8. Demônios interiores

Mas o homem, o orgulhoso homem,
Vestido de uma autoridade de um momento,
Mais ignorante daquilo de que está mais certo,
Sua essência frágil como vidro, qual símio em fúria
Usa tão fantásticos truques perante o céu
Que faz chorar os anjos.

William Shakespeare, *Medida por medida*

Dois aspectos do declínio da violência têm implicações profundas para nosso entendimento da natureza humana: 1) a violência; 2) o declínio. Os últimos seis capítulos mostraram que a história humana é uma cavalgada de banhos de sangue. Vimos incursões tribais e feudais matando a maioria dos homens, a eliminação de recém-nascidos liquidando a maioria das mulheres, o recurso à tortura por vingança e prazer, matanças de tipos de vítimas que dariam para encher um dicionário de rimas: homicídio, democídio, genocídio, etnocídio, politicídio, regicídio, infanticídio, neonaticídio, filicídio, feminicídio, uxoricídio, mariticídio, e o terrorismo pelo suicídio. A violência se encontra ao longo da história e da pré-história de nossa espécie, sem dar sinais de ter sido inventada em determinado lugar, difundindo-se para os outros.

Ao mesmo tempo, esses capítulos contêm cinco dúzias de gráficos tabulando a violência ao longo do tempo e exibindo uma linha que ondula da extremidade superior esquerda para a inferior direita. Nem uma só categoria de violência ateve-se a um nível fixo ao longo do curso da história. Seja o que for que causa a violência, não é um impulso perene como a fome, o sexo ou a necessidade de sono.

O declínio da violência, assim, permite-nos resolver uma dicotomia que durante milênios permaneceu no caminho do entendimento das raízes da violência: se a humanidade é basicamente má ou basicamente boa, um símio ou um anjo, um falcão ou uma pomba, o sórdido bruto do livro-texto de Hobbes ou o bom selvagem do livro-texto de Rousseau. Entregues a si próprios, os seres humanos não cairão em um estado de cooperação pacífica, mas eles tampouco têm uma sede de sangue que precisa ser periodicamente saciada. Deve haver pelo menos um grão de verdade nas concepções sobre a mente humana que a garanta por mais de uma vez — teorias como a psicologia das faculdades, as inteligências múltiplas, os órgãos mentais, a modularidade, a especificidade de domínio e a metáfora da mente como um canivete suíço. A natureza humana abriga motivos que nos impelem para a violência, como a predação, a dominação e a vingança, mas também outros que — nas circunstâncias corretas — nos impulsionam para a paz, como a compaixão, a equidade, o autocontrole e a razão. Este capítulo e o seguinte irão explorar esses motivos e as circunstâncias que os envolvem.

O LADO SOMBRIO

Antes de explorar nossos demônios interiores, preciso estabelecer que eles existem, pois há uma resistência na vida intelectual moderna diante da ideia de que a natureza humana compreende quaisquer motivos que nos inclinem para a violência.[1] Embora os fatos da antropologia tenham refutado as noções de que evoluímos de chimpanzés hippies e que os povos primitivos não tinham o conceito de violência, às vezes ainda se pode ler que a violência é perpetrada por umas poucas maçãs estragadas que provocam todo o dano e que todos os demais no fundo são pacíficos.

Sem dúvida é verdade que a vida da maior parte das pessoas na maioria das sociedades não termina em violência. Os números dos eixos verticais, nos gráficos dos capítulos precedentes, foram graduados em um único dígito, dezenas, centenas ou no máximo centenas de mortes por 100 mil pessoas/ano; apenas raramente, como em um conflito armado tribal ou um genocídio em curso, os números são de milhares. Também é verdade que, na maioria dos confrontos hostis, os antagonistas, sejam eles seres humanos ou outros animais, normalmente recuam antes que um deles possa infligir sérios danos ao outro. Mesmo em tempos de guerra, muitos soldados não disparam suas armas, e quando o fazem são atormentados pelo transtorno de estresse pós-traumático. Alguns escritores concluem que, em sua vasta maioria, os seres humanos são constitucionalmente avessos à violência e que as cifras elevadas na contagem de cadáveres apenas mostram quanto mal uns poucos psicopatas podem infligir.

Portanto, permita-me começar por convencê-lo de que a maioria de nós — inclusive você, querido leitor — está ligada à violência, ainda que com toda probabilidade jamais venhamos a ter a ocasião de usá-la. Podemos começar por nossos eus mais jovens. O psicólogo Richard Tremblay mediu os índices de violência ao longo da vida e mostrou que o estágio mais violento não é a adolescência ou mesmo a juventude, mas aquela que é apropriadamente chamada de "os terríveis dois anos".[2] Um típico representante dessa fase ao menos de vez em quando chuta, morde, bate e se mete em brigas; então o índice de agressividade física passa a se reduzir constantemente ao longo da infância. Tremblay comenta que "os bebês não se matam entre si porque não lhes damos acesso a facas e armas de fogo. A questão [...] que temos tentado responder nos últimos trinta anos é como as crianças aprendem a agredir. [Mas] essa é a pergunta errada. A correta é: como elas aprendem a não agredir?".[3]

Agora voltemo-nos para nossa personalidade interior. Alguma vez você fantasiou matar alguém de quem não gosta? Em investigações separadas, os psicólogos Douglas Kenrick e David Buss fizeram essa indagação em um nicho demográfico que é conhecido por seus índices de violência excepcionalmente baixos — os estudantes universitários — e se assombraram com o resultado.[4] Entre 70% e 90% dos homens e entre 50% e 80% das mulheres admitiram ter tido pelo menos uma fantasia homicida no ano anterior. Quando descrevi esses estudos numa palestra, um estudante gritou da plateia: "Isso! E os outros estão mentindo!". No mínimo, no mínimo, eles devem simpatizar com Clarence Darrow quando este dizia: "Eu nunca matei um homem, mas já li muitos obituários com grande prazer".

As motivações de homicídios imaginários coincidem com as dos prontuários policiais: uma briga de namorados, a resposta a uma ameaça, a vingança de uma humilhação ou traição, um conflito familiar, proporcionalmente mais com pais adotivos que com pais biológicos. Frequentemente os devaneios aparecem aos olhos da mente com tétricas minúcias, tal como na fantasia de vingança ciumenta alimentada por Rex Harrison enquanto rege uma orquestra sinfônica em *Odeio-te, meu amor*. Na pesquisa de Buss, um rapaz avaliava ter percorrido "80% do caminho" para matar um ex-amigo que mentira para a noiva do entrevistado, inventando uma infidelidade, e depois se insinuara ele próprio para a jovem.

> Primeiro eu quebraria cada osso de seu corpo, começando pelos dedos das mãos e dos pés, passando lentamente para os maiores. Então perfuraria seus pulmões e talvez alguns outros órgãos. Basicamente, provocaria tanta dor quanto fosse possível antes de matá-lo.[5]

Uma mulher disse que percorrera 60% do caminho para matar um ex-namorado que queria voltar com ela e ameaçara enviar a seu novo namorado e colega de estudo um vídeo dos dois fazendo sexo:

> Eu efetivamente fiz isso. Convidei-o para jantar. E quando ele estava na cozinha, parecendo um idiota enquanto descascava as cenouras para a salada, aproximei-me rindo, gentilmente, de modo que ele não suspeitasse de nada. Pensei em agarrar rapidamente uma faca e apunhalá-lo no peito, várias vezes, até a morte. Na verdade eu fiz a primeira coisa, mas ele percebeu minhas intenções e fugiu.

Muitos homicídios reais são precedidos de uma lenta ruminação exatamente como essa. O pequeno número de assassínios premeditados que são de fato cometidos pode ser a ponta de um colossal iceberg de desejos homicidas submersos em um mar de inibições. Conforme o psiquiatra forense Robert Simon expressou no título de um livro (parafraseando Freud parafraseando Platão), *Homens maus fazem o que homens bons sonham*.

Mesmo gente que não tem fantasias de matar extrai intenso prazer de experiências substitutivas de fazê-lo ou assisti-lo. As pessoas investem grande parte de seu tempo e dinheiro em algum dos inúmeros gêneros de realidade virtual sanguinária: passagens bíblicas, sagas homéricas, martirológios, descrições do inferno, mitos heroicos, *Gilgamesh*, tragédias gregas, *Beowulf*, a tapeçaria de Bayeux, os dramas shakespearianos, os contos infantis de Grimm, Punch and Judy, óperas, mistérios de assassinato, livros baratos de histórias de terror, revistas de histórias de detetives, romances-folhetins sensacionalistas, grand-guignol, baladas de homicídio, filmes noir e westerns, quadrinhos de horror e de super-heróis, *Os três patetas*, *Tom e Jerry*, *Papa-Léguas e Willy Coiote*, videogames e filmes estrelados por um certo ex-governador da Califórnia. Em *Savage Pastimes: A Cultural History of Violent Entertainment* [Passado selvagem: Uma história cultural do entretenimento violento], o acadêmico literário Harold Schechter mostra que os atuais filmes de terror que esguicham sangue são água com açúcar comparados às torturas e mutilações simuladas que durante séculos deleitaram suas plateias. Muito antes das imagens geradas por computador, diretores de teatro aplicavam sua engenhosidade em efeitos especiais macabros, como "cabeças falsas que podem ser decapitadas de manequins e empaladas por lanças; pele falsa que pode ser arrancada do torso do ator; bexigas ocultas cheias de sangue animal que, quando perfuradas, podem produzir um satisfatório jorro sangrento".[6]

O enorme descompasso entre o número de atos de violência que passa pela imaginação das pessoas e aquele que elas põem em prática no mundo informa-nos algo sobre o design da mente. As estatísticas sobre o tema subestimam a importância da violência na condição humana. O cérebro humano segue o adágio latino "Se queres a paz, prepara-te para a guerra". Mesmo em sociedades pacíficas, as pessoas sentem fascínio pela lógica dos blefes e ameaças, pela psicologia das alianças e traições, pela vulnerabilidade do corpo humano e como esta pode ser explorada ou blindada. O prazer universal que a recreação violenta produz, sempre a despeito das censuras e denúncias moralistas, sugere que a mente anseia por informação sobre a prática da violência.[7] Uma explicação plausível é que, na história evolutiva, a violência não era tão improvável que as pessoas pudessem se permitir não entender como ela funciona.[8]

O antropólogo Donald Symons observou uma disparidade similar em outro conteúdo primordial de impenitentes divagações e entretenimentos, o sexo.[9] As pessoas criam fantasias e produzem arte sobre sexo ilícito muito mais frequentemente do que o praticam. Assim como o adultério, a violência pode ser improvável, mas, quando a oportunidade se apresenta, as consequências potenciais para a aptidão darwiniana são gigantescas. Symons sugere que a própria consciência mais elevada é projetada tendo em vista eventos de baixa frequência e alto impacto. Nós refletimos pouco demais sobre necessidades corriqueiras como apanhar coisas, andar ou falar, para não dizer pagar contas, para querer vê-las dramatizadas. O que atrai nosso holofote mental é o sexo ilícito, a morte violenta e as peripécias de Walter Mitty.

Passemos agora em nosso cérebro. O cérebro humano é uma versão inchada e deformada dos cérebros de outros mamíferos. Todos os seus componentes principais podem ser encontrados em nossos primos peludos, nos quais fazem praticamente as mesmas coisas, tais como processar as informações dos sentidos, controlar músculos e glândulas, armazenar e recuperar memórias. Entre esses componentes está uma rede de regiões que tem sido chamada de circuito da raiva. O neurocientista Jaak Panksepp descreve o que aconteceu quando ele passou uma corrente elétrica através de parte do circuito da raiva de um gato:

> Desde os primeiros poucos segundos de estímulo elétrico no cérebro, o pacífico animal transformou-se emocionalmente. Ele saltou com violência em minha direção com as garras à mostra, os dentes arreganhados, guinchando e cuspindo. Ele poderia ter se lançado em muitas outras direções, mas arremeteu diretamente para minha cabeça. Felizmente, uma parede de acrílico me separava do animal enraivecido. Uma fração de minuto depois do término do estímulo, o gato estava novamente relaxado e pacífico, e pôde ser acariciado sem maior reação.[10]

O circuito da raiva no cérebro do gato tem sua contraparte no cérebro humano, e também pode ser estimulado por uma corrente elétrica — não em uma experiência, evidentemente, mas em uma neurocirurgia. Um cirurgião descreve o que acontece:

> O efeito mais significativo (e o mais dramático) do estímulo tem sido o encadeamento de uma gama de reações agressivas, indo de respostas verbais coerentes, apropriadamente dirigidas (dizer ao cirurgião: "Sinto que poderia me levantar e mordê-lo") a xingamentos descontrolados e comportamento destrutivo [...]. Em uma ocasião o paciente foi perguntado, trinta segundos depois da cessação do estímulo, se se sentia irritado. Ele concordou que sentira raiva, mas que ela passara, e parecia muito surpreso.[11]

Gatos guincham; seres humanos xingam. O fato de que o circuito da raiva pode ativar a voz sugere que ele não é um vestígio inerte, mas tem conexões funcionais com o resto do cérebro humano.[12] O circuito da raiva é um dos muitos circuitos que controlam a agressividade em mamíferos não humanos e, como veremos, também nos humanos ajudam a dar sentido às variedades de agressão.

Se a violência está estampada em nossa infância, nossas fantasias, nossa arte e nosso cérebro, então como é possível que soldados relutem em disparar suas armas durante o combate, quando é isso que eles estão ali para fazer? Um célebre estudo com veteranos da Segunda Guerra Mundial afirmou que não mais de 15% a 25% deles foram capazes de disparar suas armas durante a batalha; outros estudos concluíram que a maioria das balas disparadas erram seus alvos.[13] Ocorre que a primeira afirmativa baseia-se em um estudo duvidoso; e a segunda é um engodo — a maior parte dos tiros disparados em uma guerra não visa abater soldados individualmente, mas impedir que qualquer um deles avance.[14] Tampouco é surpreendente que, quando um soldado alveja um inimigo em condições de combate, não seja fácil contabilizar o resultado direto. Mas vamos admitir que a ansiedade do campo de batalha seja grande e que muitos soldados fiquem paralisados quando chega a hora de apertar o gatilho.

O nervosismo em relação ao uso de forças letais também pode ser visto em brigas de rua e de bar. A maior parte das confrontações entre machos valentões nada tem de semelhante às estupendas trocas de murros dos westerns de Hollywood, que tanto impressionaram Humbert, de Nabokov, com "o doce choque do punho contra o queixo, o chute na barriga, o combate voador". O sociólogo Randall Collins passou em revista fotografias, videoteipes e relatos de testemunhas de lutas reais, concluindo que estas eram mais próximas de uma disputa de pênalti de dois minutos em um aborrecido jogo de hóquei que de uma briga repleta de ação em Roaring Gulch.[15] Dois homens trocam olhares furiosos, palavras sujas, se agitam e se esquivam, se engalfinham, às vezes caem no chão. Ocasionalmente um punho emergirá do abraço dos dois e aplicará um par de golpes, porém com mais frequência os homens se distanciarão, trocarão uns insultos irados e um palavrório para salvar as aparências, antes de se afastarem, com seus egos mais machucados que seus corpos.

É verdade, portanto, que, quando homens se deparam em um conflito face a face, com frequência exercitam o comedimento. Mas essa reticência não é um sinal de que os seres humanos sejam gentis e compassivos. Pelo contrário, é exatamente o que se esperaria da análise da violência feita por Hobbes e Darwin. Lembremos, como vimos no capítulo 2, que qualquer tendência violenta necessariamente tem lugar em um mundo onde todos os demais desenvolvem a mesma tendência. (Como disse Richard Dawkins, um ser vivo difere de uma pedra ou um rio porque tende a revidar.) Isso significa que o primeiro movimento no sentido de alvejar um ser humano compreende simultaneamente duas coisas:

1. Aumenta a chance de que o alvo sofra dano;
2. Dá ao alvo um objetivo primordial: atingir você antes de ser atingido.

Mesmo que você leve a melhor e o mate, terá dado à parentela do alvo o objetivo de matar você como vingança. Salta aos olhos que iniciar uma agressão séria em um conflito simétrico é algo sobre o que uma criatura darwiniana deve refletir com muito, muito cuidado — uma reticência experimentada sob a forma de ansiedade ou paralisia. A cautela é a melhor parte do valor; o que nada tem a ver com compaixão.

Quando se apresenta a oportunidade para eliminar um oponente odiado com pequeno risco de revide, uma criatura darwiniana irá aproveitá-la. Vemos coisas assim em uma incursão de chimpanzés. Caso um grupo de machos que patrulha um território encontre um macho de outra comunidade que ficou isolado de seus companheiros, eles irão tirar vantagem da força do número e destroçá-lo membro por membro. Povos pré-Estado também não dizimam seus inimigos em batalhas campais, mas em emboscadas e incursões furtivas. Grande parte da violência humana é violência covarde: golpes de surpresa, lutas desonestas, ataques preventivos, incursões noturnas, execuções mafiosas, tiros disparados de veículos.

Collins também documenta uma síndrome recorrente que ele chama "pânico agressivo", embora um termo mais familiar fosse "tumulto". Quando uma coalizão agressiva persegue ou enfrenta um oponente que está em um estado prolongado de apreensão e medo, apanhando o adversário num momento de vulnerabilidade, o medo se converte em raiva, e os homens explodirão em um frenesi selvagem. Uma fúria aparentemente sem controle leva-os a abater implacavelmente o inimigo, torturar e mutilar os homens, estuprar as mulheres e destruir suas posses. O pânico agressivo é a violência no que ela tem de mais feio. É o estado de espírito que produz genocídios, massacres, revoltas étnicas mortíferas e batalhas em que não se faz prisioneiros. Ele também se encontra por trás de episódios de brutalidade policial, tais como o selvagem espancamento de Rodney King em 1991, depois que ele foi preso em uma perseguição motorizada a alta velocidade e resistiu violentamente à prisão. Quando o massacre ganha impulso, a raiva pode dar lugar ao êxtase e os agressores podem gargalhar e berrar em uma orgia de barbárie.[16]

Ninguém precisa ser treinado para promover um tumulto, e quando eles irrompem em unidades do Exército e da polícia os comandantes amiúde são tomados de surpresa e têm de tomar medidas para detê-los, já que excessos sanguinários e atrocidades não servem a propósitos militares ou policiais. Um tumulto pode ser uma adaptação primitiva visando aproveitar uma oportunidade fugaz de destroçar decisivamente um inimigo perigoso, antes que este possa se recompor e retaliar. A semelhança com a incursão mortífera entre os chimpanzés é perturbadora, inclusive o detonador comum: um membro isolado do inimigo que é suplantado em número por um grupo de três ou quatro aliados.[17] O instinto por trás dos tumultos sugere que o repertório comportamental humano inclui roteiros de violência que permanecem em repouso e podem ser acionados por circunstâncias propícias, em vez de se formarem ao longo do tempo, como a fome ou a sede.

A BRECHA DA MORALIZAÇÃO E O MITO DO MAL PURO

Em *Tábula rasa*, argumentei que a negação moderna do lado sombrio da natureza humana — a doutrina do bom selvagem — era uma reação contra o militarismo romântico, as teorias hidráulicas da agressividade e a glorificação da luta e do conflito que tinham sido populares no fim do século XIX e no início do século XX. Cientistas e acadêmicos que questionam a moderna doutrina foram acusados de *justificar* a violência, submetidos a difamação, libelos de sangue e agressão física.[18] O mito do bom selvagem parece ser uma outra instância de um movimento antiviolência a deixar um legado cultural de decoro e tabu.

Mas hoje estou convencido de que a negativa da capacidade humana de fazer o mal tem raízes ainda mais profundas, e pode ser ela própria uma característica da natureza humana, graças à brilhante análise feita pelo psicólogo Roy Baumeister em seu livro *Evil* [Mal].[19] Baumeister foi levado a estudar a compreensão do mal ditada pelo senso comum quando notou que as pessoas que perpetravam atos de destruição, de pecadilhos corriqueiros a assassinatos em série e genocídios, nunca pensam que estão fazendo algo ruim. Como pode haver tanto mal no mundo se há tão pouca gente que o pratica?

Quando psicólogos se deparam com um mistério imemorial, promovem um experimento. Baumeister e suas colaboradoras Arlene Stillwell e Sara Wotman não poderiam conseguir pessoas para cometer atrocidades no laboratório, mas raciocinaram que a vida cotidiana tem sua parte de pequenas malvadezas que eles podiam colocar sob o microscópio.[20] Eles pediram que as pessoas descrevessem um incidente em que alguém tinha se zangado com elas, e um incidente em que elas tinham se zangado com outros. A ordem das perguntas era mudada aleatoriamente de um participante para outro, e entre as duas havia a execução de uma tarefa, de modo que as respostas não fossem feitas em sucessão rápida. A maior parte das pessoas se zangava ao menos uma vez por semana, e quase todas ao menos uma vez por mês, de modo que não havia escassez de material de estudo.[21] Tanto perpetradores como vítimas relataram montes de mentiras, promessas quebradas, normas e obrigações violadas, segredos traídos, atos desonestos e conflitos por dinheiro.

Mas isso era tudo em que perpetradores e vítimas concordavam. Os psicólogos se debruçaram sobre as narrativas e algumas características codificadas, tais como o intervalo de tempo dos eventos, a culpabilidade de cada parte, os motivos do perpetrador e as consequências do dano. Se alguém fosse fazer narrações compostas daquilo que os sujeitos do experimento disseram, elas poderiam soar assim:

> *Narração do perpetrador*: A história começa com o ato danoso. Eu tinha bons motivos para fazer o que fiz. Talvez estivesse reagindo a uma provocação imediata. Ou talvez simplesmente reagi à situação, do modo que qualquer pessoa razoável faria. Eu tinha todo o direito de agir assim e é injusto culpar-me por isso. O dano foi pequeno, e facilmente reparável, e pedi desculpas. Já é tempo de superar tudo isso, deixar para trás, o que passou, passou.
>
> *Narração da vítima*: A história começa muito antes do ato danoso, que foi apenas o último incidente em uma longa história de maus-tratos. As ações do perpetrador

foram incoerentes, insensíveis, incompreensíveis. Ou então ele era um sádico anormal, motivado apenas pelo desejo de me fazer sofrer, embora eu fosse completamente inocente. O dano que ele causou é grave e irreparável, com efeitos que vão durar para sempre. Nenhum de nós deve jamais esquecer.

Eles não podem estar ambos certos — ou, mais precisamente, nenhum deles pode estar certo o tempo inteiro, já que alguns dos participantes apresentaram uma história em que eram a vítima e uma história em que eram o perpetrador. Algo na psicologia humana distorce nossa interpretação e nossa memória de eventos danosos.

Isso levanta uma pergunta óbvia. Será que nosso perpetrador interno embeleza nossos crimes em uma campanha para nos isentar? Ou é nossa vítima interior que alimenta nossas queixas em uma campanha para atrair a compaixão do mundo? Como os psicólogos não eram moscas na parede por ocasião dos episódios concretos, eles não tinham como saber qual dos relatos retrospectivos mereceria confiança.

Em uma engenhosa sequência, Stillwell e Baumeister *controlaram* o episódio, escrevendo uma história ambígua em que um colega de faculdade se oferece para ajudar outro com algumas aulas, mas volta atrás por uma série de razões, o que leva o estudante a receber uma nota ruim no curso, ter de mudar sua cadeira de maior interesse e se transferir para outra universidade.[22] Os participantes (eles próprios estudantes) tinham simplesmente de ler a história e então reproduzi-la tão acuradamente quanto possível, na primeira pessoa, metade deles assumindo a perspectiva do perpetrador e metade a da vítima. Um terceiro grupo foi solicitado a recontar a história na terceira pessoa; os detalhes que eles forneceram ou omitiram serviram como linha de base para as distorções usuais na memória das pessoas quando não afetadas por um viés pessoal. Os psicólogos classificaram as narrações por meio de detalhes suprimidos ou embelezados que melhorassem a imagem tanto da vítima como do perpetrador.

A resposta à pergunta "Em quem deveríamos acreditar?" mais uma vez foi: em ninguém. Na comparação com a referência da própria história original, e com a reconstituição dos narradores desinteressados que usaram a terceira pessoa, tanto vítimas como perpetradores distorceram a história, na mesma medida mas em direções opostas, cada qual omitindo ou embelezando os detalhes de tal modo que seus atos ou seu caráter parecessem mais razoáveis e os do outro, menos razoáveis. O notável é que nada estava em jogo no exercício. Não só os participantes não tinham vivido os eventos como não foram chamados a simpatizar com o caráter ou justificar o comportamento de quem quer que fosse, apenas a ler e recordar a história de uma perspectiva na primeira pessoa. Isso foi o que bastou para recrutar seu processo cognitivo para a causa da autopropaganda.

As narrativas divergentes de um episódio danoso, aos olhos do agressor, da vítima e de uma terceira parte neutra, são uma sobreposição psicológica do triângulo da figura 2.1. Chamemos a isso de "brecha da moralização".

A brecha da moralização faz parte de um fenômeno mais amplo, chamado "viés do interesse próprio". As pessoas tentam parecer boas. "Bom" pode significar eficiente, potente, desejável e competente, ou pode querer dizer virtuoso, honesto, generoso e altruísta. O impulso para apresentar a si mesmo sob uma luz positiva foi um dos maiores achados da psicologia social do século XX. Uma exposição inicial foi *A representação do eu na vida cotidiana*, do sociólogo Erving Goffman, enquanto escritos recentes incluem *Mistakes Were Made (but Not by Me)* [Erros foram cometidos (mas não por mim)], de Carol Tavris e Elliot Aronson, *Deceit and Self-Deception* [Fraude e autoengano], de Robert Trivers, e *Why Everyone (Else) Is a Hypocrite* [Por que todos (os outros) são uns hipócritas], de Robert Kurzban.[23] Entre os fenômenos típicos está a dissonância cognitiva, em que as pessoas mudam sua avaliação de algo que foram levadas a fazer, desejando preservar a impressão de que controlavam suas ações, e o efeito Lake Wobegon (batizado com o nome da cidadezinha fictícia de Garrison Keillor, em que todas as crianças estão acima da média), no qual a maioria das pessoas situa a si própria acima da média em todas as características ou talentos desejáveis.[24]

O viés do interesse próprio faz parte do preço evolutivo que pagamos por sermos animais sociais. As pessoas se reúnem em grupos não porque sejam robôs magneticamente atraídos uns pelos outros, mas porque têm emoções sociais e morais. Elas sentem cordialidade e simpatia, gratidão e confiança, solidão e culpa, ciúme e raiva. As emoções são reguladores internos que garantem que os indivíduos colham os benefícios da vida social — troca recíproca e ação cooperativa — sem sofrer os custos, nomeadamente a exploração por parte de fraudadores e parasitas sociais.[25] Sentimos simpatia, confiança e gratidão por aqueles que se predispõem a colaborar conosco, retribuindo-lhes com nossa própria cooperação. E temos raiva ou condenamos ao ostracismo aqueles que se predispõem a fraudar, negando a cooperação ou aplicando-lhes punição. O nível de virtude de uma pessoa é um equilíbrio entre a estima proveniente do cultivo de uma reputação como cooperador e os ganhos ilícitos adquiridos pela fraude. Um grupo social é uma feira de cooperadores com diferentes graus de generosidade e confiabilidade, e as pessoas enxergam a si mesmas como sendo tão generosas e confiáveis quanto podem escapar impunemente, o que pode ser um pouco mais generosas e confiáveis do que elas são.

A brecha da moralização consiste em táticas complementares de barganha na negociação de recompensas entre uma vítima e um perpetrador. Tal como acusação e defesa em um tribunal que julga um delito, o queixoso social irá enfatizar a premeditação, ou pelo menos a perversa indiferença da ação do acusado, assim como a dor e o sofrimento que o queixoso suporta. O acusado social sublinhará o caráter razoável ou inevitável da ação, enquanto minimiza a dor e o sofrimento do queixoso. Os enquadramentos rivais moldam a negociação de reparações, e também jogam para a plateia, competindo pela simpatia desta e pela reputação de retribuir com responsabilidade.[26]

Trivers, o primeiro a sugerir que as emoções morais são adaptações à cooperação, também identificou uma tendência importante. O problema de se tentar transmitir uma excessiva impressão de bondade e aptidões é que as outras pessoas tendem a desenvolver a habilidade de enxergar através disso, deflagrando uma corrida armamentista psicológica entre mentirosos e detectores de mentiras. Mentiras podem ser detectadas através de contradições internas (como diz o provérbio iídiche, "um mentiroso tem de ter boa memória") ou através de indícios como hesitações, contrações musculares, rubores e suores. Trivers especulou que a seleção natural pode ter favorecido certo grau de autoengano, de modo a eliminar esses indícios na fonte. Mentimos para nós mesmos de maneira que somos mais verossímeis quando mentimos aos outros.[27] Ao mesmo tempo, uma parte inconsciente da mente registra a verdade acerca de nossas habilidades de modo que não nos distanciemos em excesso da realidade. Trivers atribui a George Orwell a mais antiga formulação da ideia: "O segredo da dominância é combinar a crença na própria infalibilidade com o poder de aprender com os erros passados".[28]

O autoengano é uma teoria exótica, pois faz a afirmação paradoxal de que algo, chamado "o eu", pode ser ao mesmo tempo enganador e enganado. É bastante fácil mostrar que as pessoas são suscetíveis a uma *propensão* em proveito próprio, como a balança de um açougue descalibrada em favor de seu dono. Mas não é tão fácil mostrar que as pessoas são suscetíveis ao auto*engano*, o equivalente psicológico do caixa dois mantido por negociantes de reputação duvidosa, em que uma contabilidade é mantida publicamente, à disposição dos intrometidos, e outra, com a informação correta, é usada para tocar o negócio.[29]

Dois psicólogos sociais, Piercarlo Valdesolo e David DeSteno, desenvolveram um engenhoso experimento para flagrar pessoas na prática de autoengano real com caixa dois.[30] Eles solicitaram a colaboração dos participantes no planejamento e na avaliação de um estudo em que metade do grupo iria ter uma tarefa agradável e fácil, concretamente olhar para fotografias durante dez minutos, e a outra metade faria um trabalho tedioso e difícil, nomeadamente resolver problemas de matemática durante 45 minutos. Os psicólogos disseram aos participantes que a atuação seria em duplas, mas que ainda não estava estabelecida a melhor forma de decidir quem faria o quê. Assim, permitiriam que cada participante escolhesse entre dois métodos para deliberar quem ficaria com a tarefa agradável e quem ficaria com a desagradável: os participantes podiam simplesmente escolher a tarefa fácil para si; ou podiam usar um gerador de números aleatórios que decidiria por eles. Sendo o egoísmo humano aquilo que é, quase todos tomaram para si a tarefa agradável. Mais tarde, foi-lhes entregue um questionário anônimo para que avaliassem o experimento, com uma pergunta discretamente introduzida sobre se o participante achava que sua escolha fora justa. Sendo a hipocrisia humana o que é, a maioria respondeu que sim. Então os aplicadores do experimento descreveram a escolha egoísta para outro grupo de participantes e perguntaram sobre a justeza da escolha egoísta. Evidentemente, eles responderam que ela não fora nada justa. A diferença entre o julgamento que se faz do comportamento de outras pessoas e de si próprio é um exemplo clássico de viés em proveito próprio.

Agora, porém, surge a verdadeira questão. Os que agiram em proveito próprio *realmente*, no fundo, acreditavam que estavam agindo com justeza? Ou será que apenas o doutor em engano consciente em seus cérebros disse que sim, enquanto o verificador da realidade inconsciente registrava a tramoia? Para descobri-lo, os psicólogos *amarraram* a mente consciente, ao obrigarem um grupo de participantes a manter na memória um número de sete dígitos enquanto avaliava o experimento, inclusive julgando se eles (ou os demais) tinham sido justos. Com a mente consciente distraída, a terrível verdade veio à tona: os participantes julgaram a si próprios tão severamente quanto aos demais. Isso dá razão à teoria de Trivers de que a verdade estava ali o tempo inteiro.

Alegrei-me ao descobrir o resultado, não simplesmente porque a teoria do autoengano seja tão elegante que mereça ser verdadeira, mas porque ela oferece um vislumbre de esperança à humanidade. Embora reconhecer uma verdade comprometedora sobre nós mesmos esteja entre nossas mais dolorosas experiências — Freud falava em uma panóplia de mecanismos de defesa para adiar esse dia terrível, entre eles a negação, a repressão, a projeção e a formação reativa —, é, ao menos em princípio, possível. Pode custar situações de ridículo, pode custar discussões, pode custar tempo, pode custar um momento de distração, mas as pessoas têm os meios para reconhecer que nem sempre estão com a razão. Entretanto, não devemos nos iludir quanto ao autoengano. Na ausência dessas brechas, a tendência esmagadora é a pessoa errar no julgamento dos atos danosos que tenha cometido ou experimentado.

Uma vez que você toma consciência dessa fatídica particularidade de nossa psicologia, a vida social começa a parecer diferente, e assim como ela a história e os acontecimentos atuais. Não é apenas que existem dois lados em toda disputa. É que cada lado acredita *sinceramente* em sua versão da história — concretamente, que ele é vítima inocente de um longo sofrimento, e o outro lado, um sádico perverso e traiçoeiro. E cada lado amealhou uma narrativa histórica e um elenco de fatos consistente com sua sincera convicção.[31] Por exemplo:

• As cruzadas foram um afloramento de idealismo religioso que foi marcado por alguns excessos, mas legou ao mundo os frutos do intercâmbio cultural. As cruzadas foram uma série de perversos pogroms contra as comunidades judaicas que fazem parte da longa história do antissemitismo europeu. As cruzadas foram uma invasão brutal de terras muçulmanas e o início de uma longa história de humilhação do islã pela cristandade.

• A Guerra Civil Americana foi necessária para abolir a perversa instituição da escravatura e preservar uma nação concebida na liberdade e na igualdade. A Guerra Civil Americana foi a tomada do poder por uma tirania centralizada visando destruir o estilo de vida do sul tradicional.

• A ocupação soviética do Leste Europeu foi o ato de um império do mal que baixou uma cortina de ferro ao longo do continente. O Pacto de Varsóvia foi uma aliança defensiva para proteger a União Soviética e seus aliados da repetição das horrendas perdas que tinham sofrido em duas invasões alemãs.

• A Guerra dos Seis Dias foi uma luta pela sobrevivência nacional. Começou quando o Egito expulsou as forças de paz da ONU e bloqueou o estreito de Tiran, primeiro passo de seu plano para atirar os judeus no mar, e acabou quando Israel reunificou uma cidade dividida e assegurou fronteiras seguras. A Guerra dos Seis Dias foi uma campanha de agressão e conquista. Começou quando Israel invadiu seus vizinhos e acabou quando expropriou seus territórios e instituiu um regime de apartheid.

Os adversários permanecem divididos tanto por seus competitivos doutores em engano quanto pelos calendários com os quais medem a história e pela importância que atribuem à memória. As vítimas de um conflito são assíduas historiadoras e cultivadoras da memória. Os perpetradores são pragmatistas, firmemente aferrados ao presente. Em geral, tendemos a pensar na memória histórica como uma coisa boa, mas quando os eventos rememorados são feridas remanescentes que clamam por reparação ela pode ser um chamamento à violência. Os slogans "Lembrem-se de Alamo!", "Lembrem-se do *Maine*!", "Lembrem-se do *Lusitania*!", "Lembrem-se de Pearl Harbor!" e "Lembrem-se do Onze de Setembro!" não foram alertas por um aperfeiçoamento de nossa história, mas gritos de batalha que levaram os Estados Unidos a se engajar em guerras. Diz-se com frequência que os Bálcãs são uma região amaldiçoada por um excesso de história por quilômetro quadrado. Os sérvios, que nos anos 1990 perpetraram limpezas étnicas na Croácia, na Bósnia e em Kosovo, estão também entre os povos mais agredidos do mundo.[32] Foram inflamados pela memória das depredações cometidas pelo regime croata fantoche dos nazistas, durante a Segunda Guerra Mundial, pelo Império Austro-Húngaro, na Primeira Guerra Mundial, e pelos turcos otomanos, remontando à batalha de Kosovo, em 1389. No sexto centenário dessa batalha, o presidente Slobodan Milošević pronunciou um belicoso discurso que pressagiou as Guerras Balcânicas dos anos 1990.

No fim da década de 1970, o recém-eleito governo separatista de Québec redescobriu os apelos do nacionalismo do século XIX e, entre outros adornos do patriotismo quebequense, substituiu o lema *"La Belle Provence"* ("A bela província") por *"Je Me Souviens"* ("Eu me recordo"). Nunca ficou exatamente claro o que estava sendo recordado, mas a maioria das pessoas interpretou a frase como uma nostalgia da Nova França, que foi vencida pela Grã-Bretanha na Guerra dos Sete Anos, em 1763. Toda essa rememoração deixou os quebequenses anglófonos um tanto nervosos e provocou um êxodo de minha geração para Toronto. Felizmente, o pacifismo europeu do fim do século XX prevaleceu sobre o nacionalismo galês do século XIX, e Québec é hoje uma parte do mundo excepcionalmente cosmopolita e pacata.

A contrapartida do excesso de memória por parte de vítimas é a carência de memória por parte de perpetradores. Em uma visita ao Japão em 1992, comprei um guia turístico que incluía uma útil linha do tempo da história japonesa. Havia uma remissão para a democracia Taishō, de 1912 a 1926, e a seguir outra para a Feira Mundial de Osaka, em 1970. Acho que nada interessante aconteceu no Japão nos anos entre uma data e outra.

É desconcertante constatar que todos os lados de um conflito, desde colegas de quarto discutindo por causa de um trabalho de fim de semestre até nações engajadas em guerras mundiais, estão convencidos de que têm razão e podem fazer remontar suas convicções por meio de um registro histórico. Este pode incluir algumas lorotas, mas pode simplesmente ser comprometido pela omissão de fatos que consideramos insignificantes e pela sacralização de outros que julgamos história antiga. A constatação é desconcertante porque sugere que, em um determinado desacordo, o outro lado pode ter alguma razão, nós podemos não ser tão puros como pensamos; os dois lados se confrontam, cada um deles convencido de que está no seu direito, e ninguém pensará melhor no caso pois o autoengano de todos é invisível para eles.

Por exemplo: poucos americanos de hoje questionariam a participação da "maior geração" no desfecho de uma guerra justa, a Segunda Guerra Mundial. Entretanto, é inquietante reler o histórico discurso de Franklin Roosevelt que se seguiu ao ataque japonês a Pearl Harbor e ver que se trata de um caso exemplar de narração de vítima. Todas as categorias-código do experimento de Baumeister podem ser encontradas ali: a fetichização da memória ("Uma data que viverá na infâmia"), a inocência da vítima ("Os Estados Unidos estavam em paz com aquela nação"), a insensatez e a perversidade da agressão ("Este ataque não provocado e covarde"), a magnitude do dano ("O ataque de ontem nas ilhas havaianas causou sérios danos às forças militares e navais estadunidenses. Muitas vidas americanas foram perdidas") e a justeza da retaliação ("O povo americano em seu justo poder há de vencer"). Os historiadores atuais assinalam que cada uma dessas sonoras assertivas era, no máximo, verossímil. Os Estados Unidos tinham imposto ao Japão um embargo hostil de petróleo e maquinaria, tinham antecipado possíveis ataques, tinham sofrido danos militares relativamente modestos, e no final sacrificaram 100 mil vidas americanas em resposta às 2500 vidas perdidas no ataque, inocentes cidadãos nipo-americanos foram forçados a permanecer em campos de concentração e a vitória foi obtida por meio de bombardeios incendiários e nucleares contra civis japoneses, que podiam ser considerados entre os maiores crimes de guerra da história.[33]

Mesmo nas questões em que uma terceira força razoável pode questionar quem está certo e quem está errado, devemos nos preparar, ao pôr óculos psicológicos, para ver que malfeitores sempre pensam que estão agindo moralmente. Os óculos são um recurso penoso.[34] Basta você monitorar sua pressão sanguínea enquanto lê a frase "Tente enxergar as coisas do ponto de vista de Hitler (ou de Osama bin Laden, ou de Kim Jong-il)". Mas Hitler, como todos os seres sencientes, *tinha* um ponto de vista, e os historiadores relatam que era extremamente moralista. Ele experimentara a súbita e inesperada derrota da Alemanha na Primeira Guerra Mundial e concluíra que esta só podia ser explicada pela perfídia de um inimigo interno. Sentia-se ofendido com o mortífero bloqueio alimentar dos Aliados no pós-guerra e com a vingança das reparações. Ele viveu o caos econômico e a violência nas ruas durante os anos 1920. E Hitler era idealista: tinha uma visão moral segundo a qual sacrifícios heroicos iriam trazer cerca de mil anos de utopia.[35]

Na escala mais reduzida da violência pessoal, o mais brutal dos assassinos em série minimiza e até justifica seus crimes de um modo que seria cômico se seus atos não fossem tão horrendos. Em 1994, a polícia citou uma passagem do autor de uma orgia de sangue que dizia: "Afora os dois que nós matamos, os dois que ferimos, a mulher em que demos a coronhada e as lâmpadas que enfiamos na boca das pessoas, nós na verdade não machucamos ninguém".[36] Um estuprador e assassino em série entrevistado pela psicóloga Diana Scully asseverou que era "amável e gentil" com as mulheres que capturava de arma em punho e que elas gostavam da experiência de serem estupradas. Como prova suplementar dessa amabilidade, ele comentou que quando esfaqueava suas vítimas "a morte era sempre súbita, de modo que elas não sabiam o que estava por vir".[37] John Wayne Gacy, que sequestrou, estuprou e assassinou 33 garotos, dizia: "Eu me vejo mais como vítima que como perpetrador". E acrescentava, sem ironia: "Eu era enganado na infância". Sua vitimização prosseguiu na idade adulta, quando a mídia inexplicavelmente tentou fazer dele "um imbecil e um bode expiatório".[38]

Criminosos de menor alcance racionalizam com a mesma facilidade. Qualquer um que tenha trabalhado com presos sabe que para eles as penitenciárias de hoje estão cheias de vítimas inocentes — não apenas os encarcerados devido ao trabalho malfeito da polícia, mas também aqueles cuja violência era uma forma de autoajuda para fazer justiça. Lembremos a teoria de Donald Black sobre o crime enquanto controle social (capítulo 3), que procura explicar por que a maioria dos crimes violentos não traz um benefício tangível a quem o pratica.[39] O ofensor é genuinamente provocado por uma afronta ou traição; a retaliação que consideramos excessiva — espancar uma esposa de língua afiada durante uma discussão, matar um desconhecido arrogante em um estacionamento —, do ponto de vista dele, é uma resposta natural a uma provocação e a aplicação de uma certa justiça.

O mal-estar com que lemos sobre essas racionalizações nos diz algo sobre o próprio ato de usar óculos psicológicos. Baumeister observa que, na tentativa de compreender o perpetrador, o cientista ou acadêmico faz seu ponto de vista coincidir com o dele.[40] Ambos assumem uma postura distanciada e amoral em relação ao ato danoso. Ambos são contextualizadores, sempre atentos às complexidades da situação e como elas contribuíram para o dano. E ambos acreditam que em última análise ele é explicável. O ponto de vista do moralista, em contraste, é o da vítima. Nele o dano é tratado com reverência e terror. Ele continua a evocar consternação e cólera mesmo muito depois de perpetrado. E, a despeito de todo o raciocínio que nós, simples mortais, possamos lhe aplicar, continua a ser um mistério cósmico, uma manifestação da irredutível e inexplicável existência do mal no universo. Muitos cronistas do Holocausto consideram imoral até a tentativa de explicá-lo.[41]

Ainda usando óculos psicológicos, Baumeister chama isso de mito do mal puro. A mentalidade que adotamos quando usamos óculos morais é a da mentalidade da vítima. O mal é o recurso intencional e gratuito ao dano em proveito próprio, perpetrado por um vilão perverso até a medula, contra uma vítima que é inocente e boa. A razão por que isso é um mito (quando visto com óculos psicológicos) é que o mal é geralmente perpetrado por gente comum, que respondeu a suas circunstâncias, inclusive provocações por parte da vítima, e por caminhos que sentiu serem razoáveis e justos.

O mito do mal puro dá origem a um arquétipo que é comum em religiões, filmes de terror, literatura infantil, mitologias nacionalistas e coberturas jornalísticas sensacionalistas. Em muitas religiões o mal é personificado pelo Demônio — Hades, Satã, Belzebu, Lúcifer, Mefistófeles — ou como a antítese de um Deus bondoso em uma luta bilateral maniqueísta. Na ficção popular o mal assume a forma do estripador, do assassino em série, do bicho-papão, do ogro, do Coringa, o vilão de James Bond, ou, dependendo da década cinematográfica, do oficial nazista, do espião soviético, do gângster italiano, do terrorista árabe, do predador urbano, do narcotraficante mexicano, do imperador galáctico ou do executivo empresarial. O malfeitor pode desfrutar de dinheiro e poder, mas seus motivos são vagos e disformes; o que ele realmente almeja é infligir caos e sofrimento a vítimas inocentes. O malfeitor é um adversário — o inimigo de Deus —, e o malfeitor é frequentemente estrangeiro. Os vilões hollywoodianos, mesmo quando não têm nacionalidade, falam com um sotaque estrangeiro genérico.

O mito do mal puro frustra nossa tentativa de compreender o mal real. Porque o prisma de visão do cientista se assemelha ao do perpetrador, ao passo que o do moralizador se parece com o da vítima, o cientista inclina-se a ser visto como "encontrando desculpas" ou "culpando a vítima", ou ainda tentando reivindicar a doutrina moral de "tudo compreender e tudo perdoar". (Lembremos a réplica de Lewis Richardson de que condenar muito é compreender pouco.) A acusação sobre relativizar o mal é particularmente provável quando o motivo que o analista imputa ao perpetrador parece ser venial, como ciúme, status ou retaliação, para não dizer grandioso, como a permanência do sofrimento no mundo, ou a perpetuação da opressão de raça, de classe, de gênero. Também é provável caso o analista atribua o motivo a qualquer ser humano em lugar de a uns poucos psicopatas ou agentes de um sistema político maligno (daí a popularidade da doutrina do bom selvagem). A acadêmica Hannah Arendt, em seus textos sobre o julgamento de Adolf Eichmann por seu papel na organização e logística do Holocausto, cunhou a expressão "banalidade do mal" para captar o que viu como um homem ordinário com motivos ordinários.[42] Tivesse razão ou não a respeito de Eichmann (e historiadores mostraram que ele tinha mais de antissemita ideológico do que Hannah Arendt admitiu), ela foi profética ao desconstruir o mito do mal puro.[43] Como veremos, quatro décadas de pesquisas em psicologia social — algumas delas inspiradas na própria Hannah Arendt — desvendaram a banalidade da maioria dos motivos que conduzem a consequências danosas.[44]

No restante deste capítulo delinearei os sistemas cerebrais e os motivos que nos inclinam para a violência, enquanto tento identificar os inputs que os elevam ou rebaixam, oferecendo, portanto, elementos para a percepção do declínio histórico da violência. Parecer assumir a perspectiva do perpetrador é apenas um dos perigos que ameaçam esse esforço. Outro é a suposição de que a natureza organizou o cérebro conforme sistemas moralmente significativos para nós, como os que conduzem ao mal e os que conduzem ao bem. Como veremos, algumas das linhas divisórias entre os demônios interiores deste capítulo e os anjos bons do próximo foram traçadas mais por conveniência da exposição do que por sua realidade neurobiológica, pois certos sistemas cerebrais podem causar tanto o que há de melhor como o que existe de pior no comportamento humano.

ÓRGÃOS DE VIOLÊNCIA

Um dos sintomas do mito do mal puro é identificar a violência com um impulso animalesco, como se vê em palavras como "bestialmente, "bestial", "brutalmente", "desumano" e "selvagem", assim como nas descrições do diabo com chifres e cauda. Porém, ainda que a violência seja com certeza comum no reino animal, pensar nela como decorrência de um impulso único é enxergar o mundo com os olhos da vítima. Considere todas as ações destrutivas que membros de nossa espécie empreendem contra as formigas. Nós as comemos, envenenamos, pisamos nelas acidentalmente e as esmagamos intencionalmente. Cada tipo de formicida tem um motivo completamente distinto. Mas, se você fosse uma formiga, talvez não desse atenção a essas sutis diferenças. Nós *somos* humanos, por isso tendemos a pensar que as coisas terríveis que os seres humanos fazem a outros seres humanos provêm de um motivo único e animalesco. Mas faz muito tempo que os biólogos observaram que o cérebro dos mamíferos tem múltiplos circuitos subjacentes a tipos de agressão muito diferentes.

A forma mais óbvia de agressão no reino animal é a predação. Caçadores como falcões, águias, lobos, leões, tigres e ursos adornam uniformes de atletas e brasões das nações, e muitos escritores puseram a culpa da violência humana, como William James, no "carnívoro interior". Biologicamente falando, porém, a predação por alimento não pode ser mais diferente da agressão a rivais e ameaças. Quem tem gatos conhece bem a distinção. Quando seu animal de estimação põe os olhos em um besouro nas tábuas do assoalho, ele fica agachado, silencioso e intensamente concentrado. Mas quando um gato de rua enfrenta outro, ele se estica, com a pele arrepiada, sibilando e guinchando. Sabemos como os neurocientistas conseguem implantar um eletrodo no circuito da raiva de um gato, apertar um botão e colocar o animal em modo de ataque. Com o eletrodo implantado em um circuito diferente, eles podem configurá-lo no modo de caça, e observar como o gato espreita silenciosamente um camundongo alucinatório.[45]

Tal como muitos sistemas do cérebro, os circuitos que controlam a agressividade são organizados em uma hierarquia. Sub-rotinas que controlam os músculos em ações básicas estão encapsuladas no rombencéfalo, que se situa no topo da medula espinhal. Mas os estados emocionais que as acionam, tais como o circuito da raiva, estão distribuídos mais acima, no mesencéfalo e no prosencéfalo. Em gatos, por exemplo, estimular o rombencéfalo pode ativar aquilo que os neurocientistas chamam de falsa raiva: o felino sibila, guincha e mostra os dentes, mas permite que o acariciem sem atacar o acariciador. Em contraste, quando estimulam o circuito da raiva mais acima, o estado emocional resultante não é falso: o gato enlouquece e investe contra a cabeça do pesquisador.[46] A evolução tira partido dessa compartimentação em módulos. Mamíferos diferentes usam diferentes partes do corpo como armas ofensivas, entre elas garras, dentes, galhadas e, no caso dos primatas, as mãos. Enquanto os circuitos do rombencéfalo que dirigem esses periféricos podem ser reprogramados ou substituídos conforme a linhagem evolui, os programas centrais que controlam seus estados emocionais são excepcionalmente conservados.[47] Isso inclui a linhagem que conduz aos seres humanos, como descobriram os neurocirurgiões quando depararam com uma versão do circuito da raiva no cérebro de seus pacientes.

A figura 8.1 é um modelo gerado por computador do cérebro de um rato, voltado para a esquerda. O rato é um animalzinho farejador, que depende de seu sentido de olfato, e por isso tem enormes bulbos olfativos, que foram amputados do lado esquerdo do modelo para deixar espaço na imagem para o restante do cérebro. E, tal como todos os quadrúpedes, o rato é uma criatura horizontal, de modo que aquilo que concebemos como os níveis "mais alto" e "mais baixo" do sistema nervoso está na realidade localizado de trás para a frente, com a cognição de alto nível do rato situada na extremidade frontal (esquerda) do modelo e o controle do corpo atrás (direita), estendendo-se para a medula espinhal, que, caso fosse mostrada, ficaria para além da margem direita da imagem.

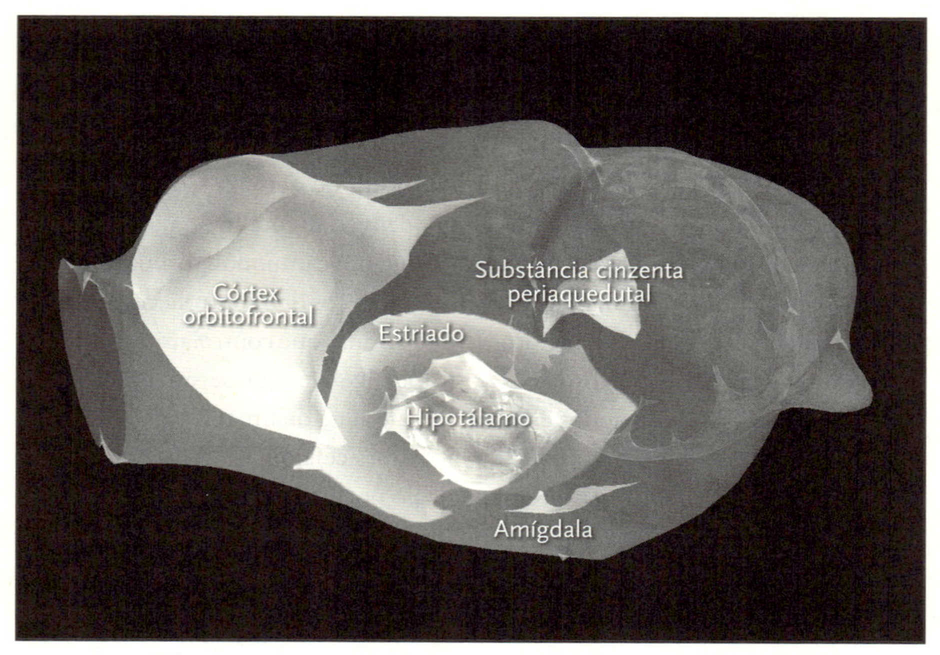

Figura 8.1. *Cérebro de rato, mostrando as principais estruturas envolvidas na agressão.*
FONTE: Imagem derivada do Allen Mouse Brain Atlas, <mouse.brain-map.org>.

O circuito da raiva é uma via que conecta três estruturas principais nas partes inferiores do cérebro.[48] No mesencéfalo há um colar de tecido chamado substância cinzenta periaquedutal — "cinzenta" porque é constituída de substância cinzenta (um emaranhado de neurônios sem os invólucros brancos que isolam as fibras de saída), "periaquedutal" porque circunda o aqueduto cerebral, um canal repleto de líquido que conduz o fluido do sistema nervoso central da medula espinhal para amplas cavidades no cérebro. A substância cinzenta periaquedutal contém circuitos que controlam os componentes sensório-motores da raiva. Eles recebem informações das partes do cérebro que registram a dor, o equilíbrio, a fome, a pressão sanguínea, o batimento cardíaco, a temperatura e a audição (particularmente os guinchos de outro rato), que em conjunto podem tornar o animal irritado, frustrado ou enraivecido. As saídas alimentam os programas motores que fazem o rato investir, espernear e morder.[49] Uma das mais antigas descobertas da biologia sobre a violência é o vínculo entre dor ou frustração e agressão. Quando um animal recebe um choque, ou tem vedado o acesso à comida, ele irá atacar o animal mais próximo, ou morder um objeto inanimado caso nenhum alvo vivo esteja disponível.[50]

A substância cinzenta periaquedutal encontra-se parcialmente sob controle do hipotálamo, um conjunto de núcleos que regula o estado emocional, motivacional e psicológico do animal, inclusive a fome, a sede e a sexualidade. O hipotálamo monitora a temperatura, a pressão e a química da corrente sanguínea e situa-se em cima da glândula pituitária, que bombeia hormônios no sangue controlando, entre outras coisas, a liberação de adrenalina pelas glândulas suprarrenais, e a de testosterona e de estrogênio pelas gônadas. Dois desses núcleos, o medial e o ventrolateral, fazem parte do circuito da raiva. "Ventral" refere-se ao lado do ventre do animal, em oposição ao lado "dorsal", posterior. Os termos foram mantidos no cérebro humano quando este evoluiu para sua posição empoleirada no topo de um corpo vertical, de modo que, no cérebro humano, o "ventral" aponta para os pés e o "dorsal", para o topo do crânio.

Modulando o hipotálamo encontra-se a amígdala cerebelar, nome que vem de "amêndoa" em grego, devido à feição que assume no cérebro humano. A amígdala é um pequeno órgão multipartido, conectado aos sistemas cerebrais para a memória e a motivação. Ela responde pelo colorido emocional de nossos pensamentos e memórias, particularmente o medo. Quando um animal foi treinado para esperar um choque após um certo som, a amígdala ajuda a armazenar as conexões que dão ao som sua aura de ansiedade e pavor. Ela também se acende ao sinal de um predador perigoso ou de uma exibição ameaçadora vinda de um membro da mesma espécie. No caso dos seres humanos, por exemplo, a amígdala responde por uma face raivosa.

Situado no topo de todo o circuito da raiva está o córtex cerebral — a fina camada de substância cinzenta na superfície externa dos hemisférios cerebrais em que se efetuam os processamentos por trás da percepção, pensamento, planejamento e deliberação. Cada hemisfério cerebral é dividido em lobos, e o que fica na fronte, o lobo frontal, processa as decisões relevantes sobre como se comportar. Uma das principais áreas dos lobos frontais situa-se acima das cavidades do crânio onde ficam os olhos, também conhecidas como órbitas, sendo por isso chamada córtex orbitofrontal, ou simplesmente córtex orbital.[51] Este está densamente conectado com a amígdala e outros circuitos emocionais, e ajuda a integrar emoções e memórias em decisões sobre o que fazer a seguir. Quando o animal modula sua disposição de atacar em resposta às circunstâncias, inclusive seu estado emocional e todas as lições que aprendeu no passado, essa parte do cérebro, por trás das órbitas, é a responsável. A propósito, embora eu tenha descrito o controle da raiva como uma cadeia de comando de cima para baixo — do córtex orbital para a amígdala, para o hipotálamo, para a substância cinzenta periaquedutal, para os programas motores —, todas as conexões são de mão dupla: há uma considerável interação e linhas cruzadas entre esses componentes e deles com outras partes do cérebro.

Como já mencionei, predação e raiva se comportam muito distintamente no repertório comportamental de um mamífero carnívoro e são acionadas pelo estímulo elétrico de partes diferentes do cérebro. A predação envolve um circuito que faz parte do que Jaak Panksepp chama de sistema de busca.[52] A maior parte do sistema de busca é conduzida por uma parte do mesencéfalo (não mostrada na figura 8.1) através de um feixe de fibras no centro do cérebro (o fascículo prosencefálico medial), até o hipotálamo lateral, e daí para o estriado, que forma a maior parte do chamado cérebro reptiliano. O estriado é composto por muitos sulcos paralelos (dando-lhe uma aparência estriada), está profundamente enterrado nos hemisférios cerebrais e é densamente conectado com os lobos frontais.

O sistema de busca foi descoberto quando os psicólogos James Olds e Peter Milner implantaram um eletrodo no centro do cérebro de um rato, ataram-no a uma alavanca em uma caixa de Skinner e descobriram que o rato apertava a alavanca para estimular o próprio cérebro até cair de exaustão.[53] Inicialmente eles acharam que tinham encontrado o centro do prazer no cérebro, mas atualmente os neurocientistas acreditam que o sistema está mais ligado à vontade e ao desejo do que propriamente ao prazer. (A maior realização da maturidade, a consciência de que você deve ser cauteloso em relação ao que deseja, pois quando o obtém pode não apreciá-lo, tem base na anatomia do cérebro.) O sistema de busca é reunido não simplesmente por fios, mas pela química. Seus neurônios emitem sinais uns para os outros através do neurotransmissor chamado dopamina. Drogas que tornam a dopamina mais abundante, como a cocaína e as anfetaminas, aumentam a vivacidade animal, ao passo que as drogas que a reduzem, como medicamentos antipsicóticos, deixam o animal apático. (O estriado também contém circuitos que respondem a uma família diferente de neurotransmissores, as endorfinas, ou opiáceos endógenos. Esses circuitos estão mais intimamente relacionados com o desfrute de uma recompensa quando ela é alcançada do que com a ansiedade de sua antecipação.)

O sistema de busca identifica objetivos para o animal perseguir, como o acesso a uma alavanca que vai lhe proporcionar alimento. Em circunstâncias mais naturais, o sistema de busca motiva o animal carnívoro a caçar. O animal rasteja em direção a sua presa no que podemos imaginar como sendo um estado de antecipação do prazer. Caso tenha êxito, ele abate a presa com um golpe tranquilo que é completamente distinto de um guinchante ataque de raiva.

Animais podem atacar ofensiva ou defensivamente.[54] O mais simples detonador de um ataque ofensivo é uma súbita dor ou frustração, a última enviada como um sinal pelo sistema de busca. O reflexo pode ser visto em algumas das respostas primitivas de um ser humano. Bebês reagem com raiva quando seus braços são repentinamente atados ao corpo, e adultos podem ter um ataque, xingando e quebrando coisas, quando acertam uma martelada no polegar ou são surpreendidos ao não obter o que esperam (tal como na técnica de reparo de computadores denominada manutenção percussiva). Ataques defensivos, que no rato consistem em atirar-se à cabeça de um adversário em vez de chutar e morder seu flanco, são deflagrados por um outro sistema cerebral, que tem por base o medo. O sistema do medo, como o da raiva, é dirigido a partir da substância cinzenta periaquedutal, para o hipotálamo e a amígdala. Os circuitos da raiva e do medo são diferentes, conectando núcleos distintos em cada um desses órgãos, mas sua proximidade física reflete a facilidade com que interagem.[55] Um medo moderado pode provocar paralisia ou fuga, mas um medo extremo, combinado com outros estímulos, pode deflagrar um raivoso ataque defensivo. O pânico agressivo, ou tumulto, entre seres humanos pode envolver uma transferência proveniente tanto do sistema do medo como do sistema da raiva.

Panksepp identifica um quarto sistema motivador no cérebro dos mamíferos que pode desencadear violência; ele o denomina agressão intermachos, ou sistema de dominação.[56] Tal como o medo e a raiva, ele parte da substância cinzenta periaquedutal, através do hipotálamo, até a amígdala, porém conectando outro trio de núcleos em seu percurso. Cada um desses núcleos tem receptores de testosterona. Como observa Panksepp,

> em virtualmente todos os mamíferos, a sexualidade do macho reclama uma atitude assertiva, de modo que a sexualidade masculina e a agressividade normalmente caminham juntas. Realmente, essas tendências se entremeiam através do neuroeixo e, até onde vai nosso limitado conhecimento, o circuito desse tipo de agressão está

localizado perto dos — e provavelmente interage fortemente com os — circuitos da raiva e da busca.[57]

Para psicologizar a anatomia, o sistema de busca conduz um macho, de bom grado, até ansiosamente, a procurar um duelo agressivo com outro macho, mas quando a luta se dá e um deles corre perigo de derrota ou morte, o combate concentrado pode dar lugar à raiva cega. Panksepp comenta que os dois tipos de agressão, embora interajam entre si, são neurobiologicamente distintos. Quando certas partes do hipotálamo medial ou do estriado são danificadas, é mais provável que o animal ataque uma presa ou um pesquisador incauto, mas menos provável que ataque outro macho. E, como veremos, dar testosterona a um animal (ou homem) não provoca uma irritação generalizada. Pelo contrário, faz com que ele se sinta ótimo, aumentando sua confiança quando confrontado com um macho rival.[58]

Basta lançar os olhos num cérebro humano e você sabe que está lidando com um mamífero muito inusitado. A figura 8.2, com seu córtex transparente, mostra que todas as partes do cérebro do rato foram transportadas para o cérebro humano, inclusive os órgãos que hospedam os circuitos da raiva, do medo e da dominação: a amígdala, o hipotálamo e a substância cinzenta periaquedutal (que é encontrada dentro do mesencéfalo, com o canal cerebroespinhal passando por ela). O estriado, movido a dopamina, cuja parte ventral ajuda a definir objetivos para o conjunto do cérebro, também é proeminente.

Mas, enquanto essas estruturas ocupam uma grande parcela do cérebro do rato, no caso do ser humano elas estão envolvidas por um cérebro que inchou. Como mostra a figura 8.3, o córtex cerebral tamanho supergrande foi enrugado como um jornal velho para conseguir caber no crânio. Uma ampla parte do telencéfalo é tomada pelo lobo frontal, que nesta visão do cérebro estende-se para trás até perto de três quartos do conjunto. A neuroanatomia sugere que no *Homo sapiens* primitivo os impulsos da raiva, do medo e do desejo podiam competir com os limitadores cerebrais da prudência, da moralização e do autocontrole — embora, como em todas as tentativas de se domar a natureza selvagem, nem sempre fica claro quem leva a melhor.

Dentro dos lobos frontais, é possível ver imediatamente como o córtex

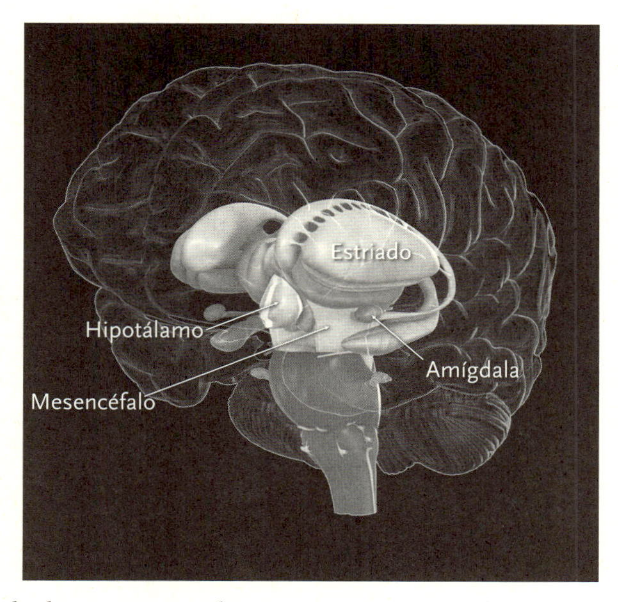

Figura 8.2. *Cérebro humano, mostrando as principais estruturas subcorticais envolvidas na agressão.*
FONTE: Ilustração de cérebro em 3D do AXS Biomedical Animation Studio, criada para o Dolan DNA Learning Center.

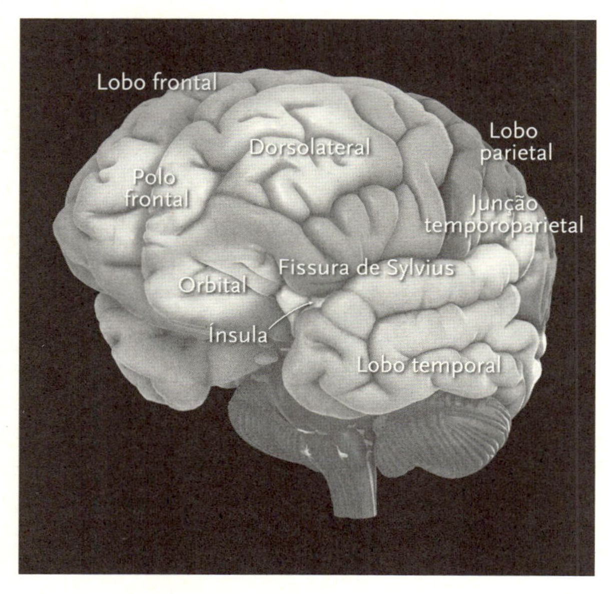

Figura 8.3. *Cérebro humano, mostrando as principais estruturas corticais envolvidas na agressão.*
FONTE: Ilustração de cérebro em 3D do AXS Biomedical Animation Studio, criada para o Dolan DNA Learning Center.

orbital ganhou seu nome: ele é uma grande depressão que acomoda o soquete ósseo do olho. Os cientistas sabem que o córtex orbital está relacionado com a regulação das emoções desde 1848, quando um maquinista ferroviário chamado Phineas Gage compactou uma carga explosiva de pólvora em um buraco numa rocha e provocou uma explosão que arremessou o tampão de ferro para cima, através de sua face, até o topo do crânio.[59] Uma reconstituição computadorizada do século XX, baseada nos orifícios em seu crânio, sugere que o ferro cortou fora seu córtex orbital esquerdo, junto com o córtex ventromedial na parede interna do telencéfalo. (Este é visível no corte medial do cérebro apresentado na figura 8.4.) O córtex orbital e o ventromedial são contíguos, envolvendo a extremidade inferior do lobo frontal, e os neurocientistas frequentemente usam um dos nomes para se referir ao conjunto dos dois.

Embora os sentidos, memórias e movimentos de Gage estivessem intactos, logo ficou claro que as partes danificadas de seu cérebro vinham fazendo algo importante. Eis como seu médico descreve a mudança:

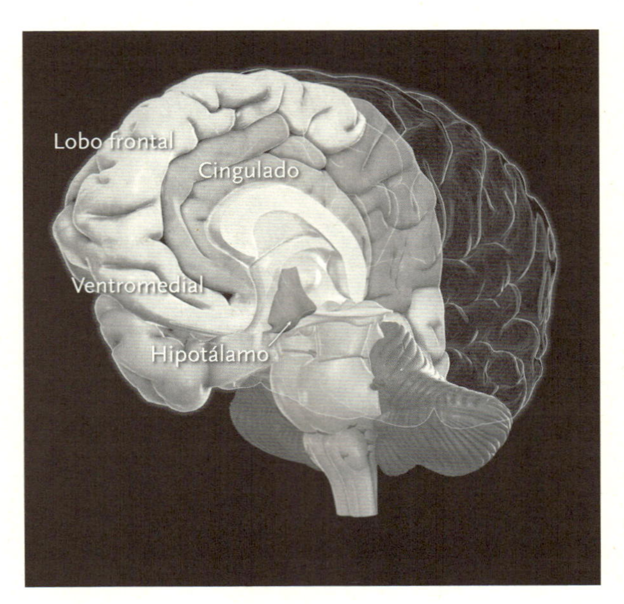

Figura 8.4. *Corte medial do cérebro humano.*
FONTE: Ilustração de cérebro em 3D do AXS Biomedical Animation Studio, criada para o Dolan DNA Learning Center.

> O equilíbrio, ou harmonia, por assim dizer, entre suas capacidades intelectuais e suas propensões animais parece ter sido destruído. Ele está agitado, irreverente, permitindo-se às vezes o mais baixo calão (o que previamente não era seu costume), manifestando pouca deferência para com os companheiros, avesso à contenção e aos conselhos que conflitam com seus desejos, às vezes tenazmente obstinado, ou caprichoso e oscilante, arquitetando muitos planos de futuras operações que nem bem são iniciadas quando são substituídas por outras aparentemente mais factíveis. Uma criança em suas capacidades intelectuais e manifestações, ele tem as paixões animais de um homem forte. Antes de seu ferimento ele, embora sem adestramento escolar, era uma mente equilibrada, visto por aqueles que o conheciam como um homem de negócios astuto e sagaz, muito enérgico e persistente na execução de todos os seus planos. Sob esse prisma sua mente mudou radicalmente, tão drasticamente que seus amigos e conhecidos dizem que ele "não era mais Gage".[60]

Embora Gage por fim tenha recuperado grande parte do equilíbrio, e a história tenha sido embelezada e às vezes falsificada por gerações de relatos para alunos de introdução à psicologia, nosso entendimento atual da função do córtex orbital coincide amplamente com a descrição do médico.

O córtex orbital está fortemente conectado com a amígdala, o hipotálamo e as demais partes do cérebro relacionadas com a emoção.[61] Ele é repleto de neurônios que usam a dopamina como seu neurotransmissor e que estão ligados com o sistema de busca no estriado. Fica adjacente a uma ilha do córtex denominada ínsula, cuja parte frontal apenas aflora de dentro da fissura de Sylvius, na figura 8.3; o resto da ínsula estende-se pelo interior dessa fissura, obscurecido por dobras pendentes dos lobos frontal e temporal. A ínsula registra nossas sensações físicas intestinais, entre as quais a sensação de barriga cheia, e outros estados internos como náusea, calor, bexiga cheia e um coração palpitante. O cérebro leva ao pé da letra metáforas como "Isso faz meu sangue ferver" ou "Esse comportamento me dá engulhos". O neurocientista cognitivo Jonathan Cohen e sua equipe descobriram que, quando alguém sente que está sendo passado para trás por outra pessoa com quem divide um benefício, a ínsula se acende. Quando a distribuição injusta é tida como proveniente de um computador, de modo que não há ninguém de quem ter raiva, a ínsula permanece apagada.[62]

O córtex orbital, que fica sobre as cavidades oculares (figura 8.3), e o córtex ventromedial, voltado para dentro (figura 8.4), são, como mencionei, adjacentes, e não é fácil distinguir o que cada um deles faz, motivo pelo qual os neurocientistas frequentemente os misturam. O córtex orbital parece estar mais envolvido com a função de determinar se uma experiência é agradável ou desagradável (condizente com sua posição perto da ínsula, com sua entrada vinda das vísceras), enquanto o córtex ventromedial ocupa-se mais de determinar se você está obtendo o que quer e evitando o que não quer (o que condiz com sua posição alinhada com o centro do cérebro, onde se estende o circuito de busca).[63] A distinção pode levar a uma diferenciação no reino moral, entre uma reação emocional a um dano e um julgamento ou reflexão a respeito. Mas a linha divisória é difusa, e continuarei a usar "orbital" para falar das duas partes do cérebro.

As entradas para o córtex orbital — sensações intestinais, objetos de desejo e impulsos emocionais, junto com sensações e memórias de outras partes do córtex — permitem que este funcione como regulador da vida emocional. Sentimentos viscerais de raiva, calor, medo e repugnância se combinam com os objetivos pessoais, e sinais moduladores são registrados e enviados de volta às estruturas emocionais onde se originaram. Também são enviados sinais para cima, para as regiões do córtex que regem a deliberação ponderada e o controle executivo.

Esse mapa de fluxos sugerido pela neuroanatomia corresponde bastante bem ao que os psicólogos veem na clínica e no laboratório. Descontando-se as diferenças entre a linguagem floreada dos relatórios médicos do século XIX e o jargão clínico do século XXI, as descrições contemporâneas de pacientes com o córtex orbital danificado poderiam ser aplicadas a Phineas Gage: "Desinibido, socialmente inadequado, suscetível a interpretar mal o humor dos outros, impulsivo, incoerente com os efeitos de suas ações, irresponsável na vida cotidiana, carente de percepção da seriedade de sua condição e pouco propenso à iniciativa".[64]

Os psicólogos Angela Scarpa e Adrian Raine oferecem uma lista assemelhada, porém com um sintoma adicional no fim que é significativo para nossa discussão: "discutidor, despreocupação com as consequências de seu comportamento, perda de civilidade social, impulsividade, distração, superficialidade, volubilidade, violência".[65] O substantivo extra vem dos estudos do próprio Raine, que, em vez de selecionar pacientes com lesão cerebral e então examinar suas personalidades, selecionou pessoas propensas à violência e então examinou seus cérebros. Ele se concentrou em pessoas com transtorno de personalidade antissocial, definida pela American Psychiatric Association [Associação

Americana de Psiquiatria] como "um padrão difuso de desprezo pelos, e violação dos, direitos dos outros", incluindo desobediência à lei, falsidade, agressividade, imprudência e ausência de remorsos. Pessoas com transtorno de personalidade antissocial formam uma grande parte dos criminosos violentos e de um subconjunto deles que apresenta loquacidade, narcisismo, mania de grandeza e um charme superficial — os chamados psicopatas (ou, às vezes, sociopatas). Raine escaneou os cérebros de gente propensa à violência com transtorno de personalidade antissocial, e verificou que as regiões orbitais eram retraídas e menos ativas metabolicamente do que outras partes do cérebro emocional, inclusive a amígdala.[66] Em um experimento, Raine comparou os cérebros de prisioneiros que tinham cometido homicídio por impulso com os de outros que tinham matado com premeditação. Apenas os assassinos por impulso mostraram uma disfunção no córtex orbital, sugerindo que o autocontrole implementado por essa parte do cérebro é um poderoso inibidor da violência.

Mas outra parte da descrição de Raine pode igualmente ser trazida à baila. Macacos com lesões no córtex orbital têm dificuldades de localização em hierarquias de domínio, e entram em mais brigas.[67] Não por coincidência, seres humanos com lesão orbital são insensíveis a inconveniências sociais. Quando ouvem a história de uma mulher que inadvertidamente menosprezou o presente recebido de um amigo, ou divulgou por acidente que o amigo fora excluído da lista de convidados de uma festa, esses pacientes não conseguem identificar que alguém tenha dito algo errado, nem compreendem que o amigo possa estar magoado.[68] Raine constatou que pessoas com transtorno de personalidade antissocial mostravam que seu sistema nervoso não reagia quando chamadas a redigir e proferir um discurso sobre suas próprias falhas, o que para gente comum é uma provação estressante, acompanhada de constrangimento, vergonha e culpa.[69]

Portanto, o córtex orbital (junto com seu vizinho ventromedial) está envolvido em várias dessas faculdades pacificadoras da mente humana, entre elas o autocontrole, a compaixão pelos outros e a sensibilidade a normas e convenções. Por tudo isso, o córtex orbital é uma parte bastante primitiva do cérebro. Vimos o mesmo no humilde rato, cujos impulsos são literal e figuradamente ditados pelas vísceras. Os moduladores de violência mais intelectuais e deliberados residem em outras partes do cérebro.

Considere o processo de decisão sobre punir alguém que tenha causado um dano. Nosso senso de justiça afirma-nos que a culpabilidade do perpetrador depende não unicamente do dano que ele causou, mas de seu estado mental — a *mens rea*, mente culpada, que em muitos sistemas legais no direito anglo-saxão é necessária para que um ato seja considerado crime. Suponha-se que uma mulher mata o marido pondo veneno de rato em seu chá. Nossa decisão de enviá-la ou não para a cadeira elétrica dependerá em grande medida de saber se na embalagem do produto que ela pôs no chá estava escrito "açúcar" ou, corretamente, "veneno para ratos" — ou seja, se ela sabia que estava envenenando o marido e quis matá-lo ou se tudo não passou de um trágico acidente. Um reflexo emocional feroz diante do *actus reus*, a malfeitoria ("Ela matou o marido! Vergonha!"), poderia desencadear uma ânsia de retaliação independentemente de sua intenção. O papel crucial desempenhado pelo estado mental do perpetrador em nosso processo de estabelecimento de culpa é o que torna possível a brecha moralizadora. Vítimas insistem que os perpetradores deliberada e conscientemente queriam fazer-lhe mal, enquanto perpetradores insistem que o dano foi involuntário.

As psicólogas Liane Young e Rebecca Saxe puseram pessoas em um aparelho de ressonância magnética funcional e fizeram com que ouvissem histórias envolvendo danos deliberados e acidentais.[70] Elas concluíram que a capacidade de desculpar os causadores do dano à luz de seu estado mental depende da parte do cérebro na junção entre os lobos temporal e parietal, que está assinalada na figura 8.3 (embora na verdade a região localizada no estudo seja a homóloga desta, no hemisfério direito). A junção temporoparietal fica em uma encruzilhada de diferentes tipos de informação, entre os quais a percepção da posição do corpo da pessoa, assim como dos corpos e ações de outras pessoas. Rebecca Saxe havia mostrado previamente que a região é necessária à faculdade mental que já foi chamada mentalização, psicologia intuitiva e teoria da mente, mais especificamente a habilidade de compreender as crenças e de desejos de outra pessoa.[71]

Há um outro tipo de deliberação moral que vai além das vísceras: sopesar as consequências de diferentes cursos de ação. Considere o antigo carvalho da filosofia moral: uma família se esconde dos nazistas em um porão; deve a mãe sufocar seu bebê para impedir que ele chore e revele seu esconderijo, o que resultaria na morte da família inteira, inclusive do bebê? E o que dizer de atirar um homem gordo diante de um vagão descontrolado, para que seu corpo detenha o vagão antes que ele atropele cinco trabalhadores que estão nos trilhos? Um cálculo utilitário diria que ambos os homicídios são permissíveis, pois sacrificariam uma vida para salvar cinco. Contudo, muita gente se recusaria a sufocar o bebê ou empurrar o gordo, presumivelmente por terem uma rejeição visceral a fazer mal com as próprias mãos a uma pessoa inocente. Em um dilema equivalente por sua lógica, um espectador do vagão desgovernado poderia salvar os cinco operários desviando o vagão para uma linha lateral, onde ele causaria apenas uma morte. Nessa variante, qualquer um concorda que é permissível acionar a chave do desvio e salvar cinco vidas ao custo de uma, presumivelmente porque você *não sente* como se estivesse realmente matando alguém, mas apenas fracassando da tentativa de impedir que o vagão o faça.[72]

O filósofo Joshua Greene, trabalhando com Cohen e outros, evidenciou que a reação de repulsa visceral a sufocar o bebê ou atirar o homem diante do trem provém da amígdala e do córtex orbital, enquanto o raciocínio utilitário de que isso salvaria um maior número de vidas é processado em uma parte do lobo frontal chamada córtex pré-frontal dorsolateral, também assinalado na figura 8.3.[73] Essa é a parte do cérebro que mais se envolve na solução de problemas por via intelectual e abstrata — acende-se, por exemplo, na hora de resolver problemas em um teste de QI.[74] Quando alguém examina o caso do bebê chorando no porão, acendem-se tanto o córtex orbital (que reage com horror ao sufocamento da criança) como o córtex dorsolateral (que calcula as vidas salvas e perdidas), juntamente com uma terceira parte do cérebro, que lida com impulsos conflitantes, o córtex cingulado anterior, na parede mediana do cérebro, como mostra a figura 8.4. As pessoas que deduzem que é correto sufocar o bebê mostram grande ativação do córtex dorsolateral.

A junção temporoparietal e o córtex pré-frontal dorsolateral, que cresceram tremendamente ao longo do curso da evolução, fornecem-nos os recursos para efetuar cálculos ponderados que consideram certos tipos de violência justificáveis. Nossa ambivalência acerca dos resultados desses cálculos — se sufocar o bebê deveria ser encarado como um ato de violência ou de prevenção da violência — mostra que as partes quintessencialmente cerebrais do cérebro não são nem demônios interiores nem anjos bons. São ferramentas cognitivas que podem tanto estimular como inibir a violência, e, conforme veremos, ambos os poderes são exuberantemente exercitados nas formas de violência especificamente humanas.

Minha breve turnê pela neurobiologia da violência dificilmente faz justiça à nossa compreensão científica, e nossa compreensão científica dificilmente faz justiça aos fenômenos propriamente ditos. Mas espero que ela tenha persuadido o leitor de que a violência não tem uma raiz psicológica única, mas várias, trabalhando a partir de diferentes princípios. Para compreendê-las precisamos olhar não apenas para o hardware do cérebro, mas também para seu software — ou seja, para as *razões* por que as pessoas recorrem à violência. Essas razões estão implementadas sob a forma de intrincados padrões nos microcircuitos do tecido cerebral; não podemos lê-las diretamente nos neurônios, assim como não podemos entender um filme colocando o DVD em um microscópio. Portanto, o restante do capítulo se deslocará para uma visão geral da psicologia, conectando fenômenos psicológicos com neuroanatomia.

Existem muitas taxonomias da violência, e elas tendem a fazer distinções semelhantes. Adaptarei um esquema de quatro partes de Baumeister, dividindo uma de suas categorias em duas.[75]

A primeira categoria da violência pode ser chamada de prática, instrumental, utilitária ou predatória. É o tipo mais simples de violência: o uso da força como meio para atingir um fim. A violência é empregada na perseguição de um objetivo, como ganância, luxúria ou ambição, o que é definido pelo sistema de busca, e dirigido pela totalidade da inteligência da pessoa, que tem no córtex pré-frontal dorsolateral um conveniente símbolo.

A segunda raiz é a violência da dominação — o impulso de suplantar um rival (Baumeister chama-o "egotismo"). Essa propensão pode se vincular ao sistema de agressão intermachos, alimentado pela testosterona, embora de modo algum se limite aos homens, ou mesmo a pessoas individualmente. Como veremos, grupos também competem por dominação.

A terceira raiz da violência é a vingança — o impulso para retaliar um dano na mesma moeda. Seu mecanismo imediato é o sistema da raiva, mas ela pode igualmente recrutar o sistema de busca.

A quarta raiz é o sadismo, a alegria de causar dano. Esse motivo, tão intrigante quanto apavorante, pode ser subproduto de muitos subterfúgios de nossa psicologia, particularmente o sistema de busca.

A quinta causa da violência, e a mais cheia de consequências, é a ideologia, em que os verdadeiros crentes tecem uma coleção de motivos em um credo e recrutam mais gente para perseguir suas metas destrutivas. Uma ideologia não pode ser identificada com uma parte do cérebro, ou mesmo com o cérebro inteiro, pois distribui-se pelos cérebros de muitas pessoas.

PREDAÇÃO

A primeira categoria da violência na verdade nem mesmo uma categoria é, pois seus perpetradores não têm um motivo destrutivo como o ódio ou a raiva. Eles simplesmente usam a via mais curta para algo que desejam, e ocorre de um ser vivo estar no meio de seu caminho. A rigor, é uma categoria por exclusão: a ausência de qualquer fator de inibição como a simpatia e a consideração. Quando Immanuel Kant estabeleceu a segunda formulação de seu imperativo categórico — que um ato é moral quando trata a pessoa como um fim em si e não como um meio —, ele estava com efeito definindo a moralidade como a negação desse tipo de violência.

A predação também pode ser denominada violência utilitária, instrumental ou prática.[76] Ela coincide com a primeira causa de disputa de Hobbes: invadir para ganhar. É a máquina de sobrevivência de Dawkins, tratando outra máquina de sobrevivência como parte de seu meio ambiente, como uma rocha, ou um rio, ou um bocado de comida. É o equivalente interpessoal do dito de Clausewitz de que a guerra é apenas a continuação da política por outros meios. É a resposta de Willie Sutton quando indagado por que roubava bancos: "Porque é onde está o dinheiro". Orienta o conselho de um agricultor de incrementar a eficiência de um cavalo castrando-o com dois tijolos; indagado se isso "não dói", o lavrador responde: "Não se você deixar seus dedos fora do caminho".[77]

Como a violência predatória é simplesmente um meio para alcançar um fim, ela aparece em muitas variantes, assim como há muitos fins humanos. O caso paradigmático é a predação literal — caçar por comida ou por esporte —, pois não envolve animosidade em relação à vítima. Longe de odiar sua caça, os caçadores a valorizam e totemizam, desde as pinturas de caverna do Paleolítico até os troféus acima das lareiras dos clubes de cavalheiros. Caçadores podem até simpatizar com suas presas — uma prova de que a empatia, sozinha, não é um obstáculo à violência. O ecologista Louis Liebenberg estudou a notável habilidade dos boxímanes para deduzir o paradeiro e as condições físicas de suas presas a partir de umas poucas e tênues pegadas enquanto as perseguiam através do deserto do

Kalahari.[78] Eles fazem isso com empatia — colocando-se na pele do animal e imaginando o que ele está sentindo enquanto tenta fugir. Pode haver até um elemento de amor. Uma noite, após a nona entrada de um jogo de beisebol, eu estava exausto demais para levantar do sofá ou mesmo mudar de canal e passivamente assisti ao programa seguinte no canal esportivo da TV a cabo. Era um programa sobre pesca, e consistia inteiramente em imagens de um homem de meia-idade em um barco de alumínio, em um trecho não descrito de um curso d'água, pescando um grande peixe após outro. Em cada captura ele trazia o peixe para perto da face e o acariciava, fazendo sons de beijo e murmurando: "Oh, você não é uma beleza?! Você é lindo! Sim, é mesmo!".

O abismo entre a perspectiva do predador — amoral, pragmática, frívola até — e a da vítima nunca é tão grande como em nossa predação de animais. Pode-se dizer com certeza que o peixe, se lhe dessem a chance, não corresponderia à afeição do pescador, e a maioria das pessoas não gostaria de saber a opinião de um frango de corte ou de uma lagosta viva, sobre se o doce prazer que temos comendo sua carne, em lugar de um prato de berinjela, justifica o sacrifício que eles farão. A mesma ausência de curiosidade possibilita a violência predatória a sangue-frio contra seres humanos.

Aqui estão alguns exemplos: os romanos ao esmagar rebeliões provinciais; os mongóis ao arrasar as cidades que resistiam a sua conquista; os corpos livres de soldados desmobilizados ao saquear e violentar; os pioneiros coloniais ao expulsar ou massacrar povos indígenas; os gângsteres ao trucidar um rival, um delator ou um policial pouco cooperativo; governantes ao assassinar um adversário político, ou vice-versa; governos ao encarcerar ou executar dissidentes; nações em guerra ao bombardear cidades inimigas; valentões ao espancar uma vítima que resiste a um assalto ou sequestro; criminosos ao matar uma testemunha de seu crime; mães ao asfixiar um recém-nascido que elas sentem que não podem criar. A violência defensiva e preventiva — faça com eles antes que eles façam com você — também é uma forma instrumental.

A violência predatória pode ser o mais extraordinário e desconcertante fenômeno da paisagem moral humana precisamente por ser tão prosaica e explicável. Lemos sobre uma atrocidade — digamos, soldados rebeldes acampados em cima de um telhado em Uganda, que passavam o tempo raptando mulheres, levando-as para cima, estuprando-as e jogando-as para a morte —, balançamos a cabeça e perguntamos: "Como as pessoas podem fazer coisas assim?".[79] Recusamos as respostas óbvias, como tédio, lascívia ou esporte, pois o sofrimento das vítimas é tão obscenamente desproporcional ao benefício do predador. Assumimos o ponto de vista das vítimas e nos reportamos a uma concepção de mal puro. Entretanto, para compreender esses ultrajes, faríamos melhor questionando não por que eles acontecem, mas por que não são mais frequentes.

Com a possível exceção dos monges jainistas, todos nós praticamos violência predatória, nem que seja só contra insetos. Na maioria dos casos, a tentação de tomar seres humanos como presa é inibida por constrangimentos emocionais e cognitivos, porém em uma minoria de indivíduos esses constrangimentos estão ausentes. Os psicopatas somam de 1% a 3% da população masculina, dependendo de usarmos a definição ampla de transtorno de personalidade antissocial, que inclui muitos tipos de encrenqueiros impiedosos, ou a definição mais restrita, que seleciona os manipuladores mais astutos.[80] Psicopatas são mentirosos e atormentadores desde crianças, não mostram capacidade de compaixão ou remorso, compõem de 20% a 30% dos criminosos violentos e cometem metade dos crimes graves.[81] Também cometem crimes não violentos, como privar casais idosos das economias de toda uma vida e gerir negócios com um desprezo cruel pela mão de obra ou pelos acionistas. Como vimos, as regiões do cérebro que manejam as emoções sociais, sobretudo a amígdala e o córtex orbital, são relativamente atrofiadas ou inativas nos psicopatas, embora eles possam não apresentar outros sinais de patologia.[82] Em alguns indivíduos, os sinais de psicopatia se desenvolvem após uma lesão dessas regiões por doença ou acidente, mas a condição também é parcialmente hereditária. A psicopatia pode ter evoluído enquanto estratégia de uma minoria que explora a vasta população de confiantes colaboradores.[83] Embora nenhuma sociedade consiga recrutar suas milícias e exércitos exclusivamente entre psicopatas, estes tendem a ser desproporcionalmente atraídos por tais aventuras, com suas perspectivas de saque e estupro. Como vimos no capítulo 6, genocídios e guerras civis com frequência desenvolvem uma divisão de trabalho entre as ideologias dos senhores da guerra que os comandam e as tropas de choque, inclusive certo número de psicopatas que se alegram em executá-las.[84]

A psicologia da violência predatória consiste na capacidade humana de raciocinar conforme o binômio meios-fins e no fato de que nossas faculdades de constrangimento moral não entram em ação automaticamente nas relações com qualquer ser vivo. Porém existem duas torções psicológicas na maneira como a violência predatória ocorre.

Embora a violência predatória seja puramente prática, a mente humana não se atém a ela por muito tempo. Ela tende a reincidir em categorias já evolutivamente preparadas e emocionalmente carregadas.[85] Assim que os alvos da predação tomam medidas protetoras em resposta, as emoções parecem disparar. A presa humana pode se esconder, se reagrupar, ou pode reagir lutando, talvez até ameaçar destruir preventivamente o predador, um tipo de violência instrumental de sua parte que faz surgir um dilema de segurança, ou armadilha hobbesiana. Em tais circunstâncias, o estado mental do predador pode resvalar do desapaixonado cálculo meios-fins para a repulsa, o ódio e a fúria.[86] Como vimos, perpetradores comumente igualam suas vítimas a vermes e tratam-nas com moralizada aversão. Ou então podem enxergá-las como ameaças externas e tratá-las com ódio, emoção que, como observou Aristóteles, consiste no desejo não de punir um adversário e sim de pôr fim à sua existência. Quando a exterminação não é factível e os perpetradores têm de continuar a conviver com suas vítimas, seja diretamente ou com o concurso de outras partes, eles podem ameaçá-las com a raiva. Os predadores podem responder às incursões defensivas de sua presa *como se* fossem eles que estivessem sob ataque, experimentando uma cólera moralizada e sede de vingança. Graças à brecha moralizadora, eles irão minimizar sua primeira investida como necessária e trivial, enquanto magnificam o revide como não provocado e devastador. Cada parte contará os erros à sua maneira — o perpetrador registrando um número par de embates e a vítima um número ímpar — e a diferença aritmética pode atiçar uma espiral de vingança, uma dinâmica que exploraremos na próxima seção.

Existe um outro tipo de viés em proveito próprio que pode transformar uma pequena chama de violência predatória em um inferno. As pessoas exageram não exatamente sua retidão moral, mas seu poder e perspectivas, um subtipo de viés em proveito próprio chamado ilusão positiva.[87] Centenas de estudos já mostraram que as pessoas exageram sua saúde, liderança, habilidade, inteligência, competência profissional, destreza nos esportes e virtudes gerenciais. Também alimentam a crença insensata de que têm uma sorte inata. A maioria das pessoas julga ter mais chance que a média de conseguir um bom primeiro emprego, gerar filhos talentosos e viver até uma idade provecta. Também julga ter *menos* chance que a média de ser vítima de um acidente, um crime, uma doença, depressão, gravidez indesejada ou terremoto.

Por que as pessoas se iludem assim? As ilusões positivas tornam os seres humanos mais confiantes e mentalmente sãos, mas isso não pode ser a explicação de sua existência, pois apenas levanta a questão de *por que* nosso cérebro foi projetado de modo que apenas avaliações irrealistas nos tornam alegres e confiantes, em lugar de calibrarmos nosso contentamento em confronto com a realidade. A explicação mais plausível é que as ilusões positivas sejam uma tática de barganha, um blefe plausível. Ao recrutar um aliado para uma aventura arriscada, regatear um acordo mais favorável ou intimidar um adversário para que ele recue, você sai ganhando se exagerar, de modo plausível, seus pontos fortes. Acreditar em nosso exagero é melhor do que mentir cinicamente a respeito, pois a corrida armamentista entre a mentira e a detecção da mentira muniu nossa plateia de meios para ver através de mentiras deslavadas.[88] Desde que nossos exageros não sejam ridículos, a audiência não pode se arriscar a ignorar em bloco nossa autoavaliação, pois você tem mais informação sobre si próprio do que qualquer outra pessoa, e conta com um estímulo interno para não distorcer *demais* sua avaliação, sob pena de tropeçar constantemente em desastres. Para a espécie seria melhor que ninguém exagerasse, mas os cérebros não foram selecionados para beneficiar a espécie, e nenhum indivíduo pode se dar ao luxo de ser o único honesto em uma comunidade de autoengambelação.[89]

O excesso de confiança torna ainda pior a tragédia da predação. Se as pessoas fossem completamente racionais, elas só se lançariam numa agressão predatória se o êxito fosse provável e apenas se o butim em caso de êxito ultrapassasse as perdas durante o confronto. Pelo mesmo prisma, o lado mais fraco deveria ceder assim que o resultado fosse inevitável. Um mundo de atores racionais poderia ser repleto de exploração, mas não assistiria a muitas guerras e lutas. A violência só irromperia caso as duas partes estivessem tão emparelhadas que o confronto seria o único meio de determinar a mais forte.

Mas, em um mundo de ilusões positivas, um agressor pode ser encorajado a atacar, e um defensor, encorajado a resistir, em considerável desproporção com suas possibilidades de sucesso. Conforme o comentário de Winston Churchill, "lembre-se sempre, por mais seguro que você esteja de que pode vencer facilmente, de que não haveria uma guerra se o outro sujeito não pensasse que também tem uma chance".[90] O resultado pode ser a ocorrência de guerras de atrito (em ambos os sentidos, o militar e o da teoria dos jogos), que, como vimos no capítulo 5, estão entre os mais destrutivos acontecimentos da história, ultrapassando as guerras de grande magnitude na distribuição dos conflitos sangrentos conforme a lei de potência.

Os historiadores militares há muito observaram que na guerra os líderes tomam decisões irresponsáveis no limite da ilusão.[91] As invasões da Rússia por Napoleão e, mais de um século mais tarde, por Hitler são exemplos infames. Ao longo dos últimos cinco séculos, países que iniciaram guerras terminaram por perdê-las entre um quarto e metade do tempo, e quando venceram foram frequentemente vitórias de Pirro.[92] Richard Wrangham, inspirado em *A marcha da insensatez: De Troia ao Vietnã*, de Barbara Tuchman, e na teoria de Robert Trivers sobre o autoengano, sugeriu que a incompetência militar é amiúde uma questão não de informação insuficiente ou de equívocos de estratégia, mas de excesso de confiança.[93] Os líderes superestimam suas possibilidades de vencer. Suas fanfarronices podem estimular as tropas e intimidar adversários mais fracos, mas também podem colocá-los em rota de colisão com um inimigo que não seja tão débil quanto eles pensam, e que também pode estar sob encanto do excesso de confiança.

O cientista político Dominic Johnson, trabalhando com Wrangham e outros, conduziu um experimento para testar a ideia de que o excesso de confiança dos dois lados pode conduzir à guerra.[94] O experimento compunha-se de um jogo de guerra moderadamente complexo, em que pares de participantes pretendiam ser líderes nacionais que tinham a possibilidade de negociar, ameaçar ou atacar com alto custo uns aos outros, em uma competição pelos diamantes de uma região fronteiriça em disputa. Os jogadores interagiam entre si por computadores e não podiam ver uns aos outros, de modo que homens não podiam saber se estavam jogando com outros homens ou com mulheres, e vice-versa. Antes do início, os participantes eram chamados a prever como se sairiam em relação a todos os outros jogadores. Os condutores da experiência obtiveram um belo efeito Lake Wobegon: a maioria pensava que ia se sair melhor que a média. No entanto, em qualquer efeito Lake Wobegon sempre é possível que muitas pessoas não padeçam *efetivamente* de autoengano. Suponhamos que 70% delas digam que são melhores que a média. Como metade de qualquer população realmente está acima da média, talvez apenas 20% superestimem a si mesmos. Isso não estava em questão no jogo de guerra. Quanto mais confiante um jogador se declarava, *pior* ele se saía. Jogadores confiantes lançavam mais ataques não provocados, especialmente quando defrontavam-se entre si, o que desencadeava retaliações mutuamente destrutivas nas rodadas subsequentes. Não será uma surpresa para as mulheres que os pares de jogadores com maior excesso de confiança e mais destrutivos eram quase exclusivamente masculinos.

Para avaliar a teoria do excesso de confiança no mundo real, não basta verificar retrospectivamente que certos líderes militares provaram estar equivocados. Seria preciso provar que no momento de tomar a decisão fatídica o líder tinha acesso a informações que teriam convencido uma parte desinteressada do provável fracasso da aventura.

Em *Overconfidence and War: The Havoc and Glory of Positive Illusions* [Excesso de confiança e guerra: O caos e a glória das ilusões positivas], Johnson dá razão à hipótese de Wrangham, examinando as previsões feitas por líderes na véspera de guerras e mostrando que elas eram de um otimismo irrealista e contraditórias com as informações disponíveis no momento. Nas semanas que precederam a Primeira Guerra Mundial, por exemplo, os líderes de Inglaterra, França e Rússia, por um lado, e Alemanha, Áustria-Hungria e Império Otomano, por outro, todos previram que a guerra seria um passeio e que suas tropas, vitoriosas, estariam de volta para o Natal. Dos dois lados, multidões de jovens em êxtase deixaram seus lares para se alistar, não porque fossem altruístas dispostos a morrer por seu país, mas porque não pensavam que iriam morrer. Eles não podiam estar todos certos, e não estavam. No Vietnã, três governos americanos promoveram a escalada da guerra a despeito do farto material de inteligência dizendo que a vitória a um custo aceitável era improvável.

Guerras de atrito destrutivas, observa Johnson, não requerem que ambos os lados estejam certos ou mesmo altamente confiantes de que prevalecerão. Basta apenas que a soma das probabilidades subjetivas dos contendores seja maior que um. Em conflitos modernos, comenta ele, em que a névoa da guerra é particularmente espessa e a liderança, distante do terreno da ação, o excesso de confiança pode sobreviver mais tempo do que ocorreria em conflitos em pequena escala envolvendo ilusões positivas. Outro perigo moderno é que a liderança das nações tende a ir para as mãos de pessoas que estejam em uma faixa da distribuição de confiança que se aproxima da região de excesso de confiança.

Johnson esperava que as guerras alimentadas pelo excesso de confiança fossem menos frequentes em democracias, nas quais é mais provável que o fluxo de informações exponha as ilusões dos líderes aos banhos de água fria da realidade. Mas ele concluiu que era o fluxo de informação propriamente dito, mais que a existência de um sistema democrático, que fazia a diferença. Johnson publicou seu livro em 2004, e a escolha de uma imagem para a capa foi óbvia: a famosa fotografia de 2003 de George W. Bush em traje de piloto de caça, no convés de um porta-aviões engalanado com os dizeres "Missão Cumprida". O excesso de confiança não minou a conduta na Guerra do Iraque em si (exceto a de Saddam Hussein, claro), mas ele foi fatal ao objetivo de pós-guerra de levar uma democracia estável ao Iraque, que o governo Bush fracassou catastroficamente em planejar. O cientista político Karen Alter produziu uma análise *antes* que a guerra estourasse, mostrando que o governo Bush era excepcionalmente fechado em seu processo de decisão.[95] Em uma ilustração clássica do fenômeno do pensamento de grupo, a equipe política que preparou a guerra acreditava em sua infalibilidade e virtude, excluía avaliações contraditórias, forçava o consenso e autocensurava dúvidas individuais.[96]

Logo antes da Guerra do Iraque, o secretário da Defesa Donald Rumsfeld observou:

> Há conhecimentos conhecidos; há coisas que sabemos que sabemos. Também sabemos que há desconhecimentos conhecidos: isso quer dizer que há certas coisas que nós não conhecemos. Mas existem ainda os desconhecimentos desconhecidos — aqueles que não sabemos que não sabemos.

Johnson, acompanhando uma observação do filósofo Slavoj Žižek, aponta que Rumsfeld omitiu uma quarta e crucial categoria, os conhecimentos desconhecidos — coisas que são conhecidas, ou pelo menos poderiam ser, mas são ignoradas ou suprimidas. Foram os conhecimentos desconhecidos que permitiram que um volume moderado de violência instrumental (umas poucas semanas de choque e pavor) desencadeasse uma troca infindável de todos os demais tipos de violência.

DOMINAÇÃO

As vibrantes expressões idiomáticas "cantar de galo", "cara de quem comeu e não gostou", "chamar para o pau" e "bater boca" designam uma ação que em si é insignificante, mas provoca uma disputa por dominação. Trata-se de um sinal de que estamos tratando de uma categoria que é muito diferente da violência predatória, prática ou instrumental. Ainda que nada de tangível esteja em jogo em disputas por dominação, elas estão entre as mais mortíferas formas de confrontação humana. Em uma extremidade da escala de magnitude, vimos que muitas guerras das eras de dinastias, soberania e nacionalismo, inclusive a Primeira Guerra Mundial, foram travadas em nome de nebulosas reivindicações de proeminência nacional. No extremo oposto da escala, a maior motivação isolada de homicídios são as "altercações de origem relativamente trivial, insultos, xingamentos, empurrões etc.".

Em seu livro sobre o homicídio, Martin Daly e Margo Wilson advertem que

> os participantes dessas "altercações triviais" em grande medida comportam-se como se o motivo da disputa fosse muito mais do que uma pequena mudança ou o acesso a uma mesa de sinuca, e suas avaliações sobre o que está em jogo merecem nossa respeitosa consideração.[97]

Disputas por dominação não são tão ridículas quanto parecem. Em qualquer zona de anarquia, um ator só pode defender seus interesses cultivando uma reputação de força de vontade e capacidade de defender-se contra depredações. Embora essa têmpera possa ser demonstrada por uma retaliação após o fato, é melhor exibi-la de forma proativa, antes que qualquer dano seja causado. Para se provar que as ameaças implícitas não são bazófias, pode ser necessário buscar teatros em que a resolução e a capacidade retaliatória da pessoa possam ser ostentadas: um modo de transmitir a mensagem: "Não se meta comigo". Todos têm interesse em conhecer as habilidades combativas de cada um dos atores em seu meio, pois todas as partes têm interesse em prevenir qualquer luta cujo resultado seja inevitável e que caso ocorresse apenas ensanguentaria inutilmente ambos os combatentes.[98] Quando as proezas de cada um dos membros de uma comunidade são estáveis e amplamente conhecidas, podemos dizer que há uma hierarquia de dominação. Esta se baseia em algo mais que a força bruta. Uma vez que nem mesmo o mais malvado dos primatas pode vencer uma luta de um contra três, a dominação depende da habilidade de recrutar aliados — que, por seu turno, não escolhem seus companheiros aleatoriamente, mas se unem aos mais fortes e sagazes.[99]

A mercadoria que está em jogo primariamente em uma disputa por dominação é a informação, e essa característica diferencia a dominação da predação em muitos sentidos. Um deles é que, embora as disputas por dominação possam evoluir para confrontos letais, especialmente quando os contendores estão emparelhados e intoxicados por ilusões positivas, na maior parte dos casos (entre seres humanos e igualmente entre animais) elas são resolvidas por meio de exibições. Os antagonistas ostentam sua força, brandem suas armas e se entregam a jogos de atrevimento; a contenda termina quando um lado recua.[100] Na predação, em contraste, a única meta é conquistar um objeto de desejo.

Outra implicação do elemento informacional em disputas por dominação é que a violência se entrelaça com trocas de dados. A reputação é uma construção social construída a partir do que os lógicos chamam conhecimento comum. Para evitar um confronto, um par de rivais precisa não só saber quem é mais forte, mas cada um deles precisa saber que o outro sabe que ele sabe, e assim por diante.[101] O conhecimento comum pode ser solapado por uma opinião contrária, e assim as contestações de dominação são combatidas em arenas de informação pública. Elas podem ser deflagradas por um insulto, particularmente nas culturas de honra, e naquelas que admitem o duelo formal. O insulto é tratado como uma agressão ou espoliação física, provocando um anseio de vingança violenta (que pode fazer com que a psicologia da dominação se mescle com a psicologia da vingança, discutida na próxima seção). Estudos sobre a violência de rua nos Estados Unidos concluíram que os jovens do sexo masculino que adotam um código de honra são os mais propensos a cometer um ato de violência grave no ano subsequente.[102] Estabeleceram também que a presença de uma plateia dobra a probabilidade de que uma discussão entre dois homens evolua para a violência.[103]

Quando a dominação é contabilizada dentro de um grupo fechado, é um jogo de soma zero: se alguém sobe de cotação, alguém tem que baixar. A dominação tende a explodir em violência dentro de pequenos grupos tais como gangues e locais de trabalho isolados, em que o posto de uma pessoa dentro do coletivo determina a integridade de seu valor social. Caso as pessoas pertençam a vários grupos e possam entrar ou sair deles, é mais fácil que encontrem um no qual sejam estimadas, e um insulto ou desfeita têm menos consequências.[104]

Já que a única mercadoria em jogo nas disputas por dominação é a informação, uma vez que ficou estabelecido quem é o chefe, a violência pode se concluir sem a deflagração de rodadas de vendeta. O primatólogo Frans de Waal descobriu que, em muitas espécies de primatas, depois que dois animais se combatem há uma reconciliação.[105] Eles podem tocar as mãos um do outro, beijar-se, abraçar-se e, no caso dos bonobos, fazer sexo. Isso nos faz perguntar por que eles se deram ao trabalho de combater, antes, se iriam se entender depois, e por que se entenderam depois se tinham tido razões para lutar. A razão é que a reconciliação só ocorre entre os primatas que têm uma identidade de interesses a longo prazo. Os laços que os ligam podem ser parentesco genético, defesa coletiva ante predadores, coligações estabelecidas contra um terceiro partido ou, em um experimento, o fato de só receberem alimento quando colaboram entre si.[106] A coincidência de interesses não é perfeita, de modo que ainda restam motivos para lutas por dominação ou retaliações, mas também não é nula, de modo que eles não podem se dar ao luxo de espancar-se indefinidamente uns aos outros, ou mesmo matar-se. Entre os primatas cujos interesses não têm nenhum desses laços, as hostilidades são implacáveis e tende a haver uma escalada da violência. Os chimpanzés, por exemplo, se reconciliam após uma luta dentro de uma dada comunidade, mas nunca depois de uma batalha ou incursão contra membros de uma comunidade diferente.[107] Como veremos no próximo capítulo, a reconciliação entre os seres humanos também é governada pela percepção de interesses em comum.

A metáfora do concurso de mijo à distância sugere que o gênero com o equipamento mais adequado a competir é o que mais frequentemente participa de disputas por dominação. Embora em muitas espécies de primatas, inclusive os seres humanos, ambos os sexos travem disputas por dominação, em geral contra membros de seu próprio sexo, isso parece aflorar mais amplamente nas mentes masculinas que nas femininas, assumindo um status simbólico enquanto mercadoria inestimável que vale quase qualquer sacrifício. Pesquisas sobre valores pessoais em homens e mulheres apuraram que os homens atribuem um valor diferenciado ao status profissional em comparação com todos os demais prazeres da vida.[108] Eles assumem riscos maiores, mostram mais confiança e mais excesso de confiança.[109] Muitos economistas do trabalho consideram essas diferenças como um fator que contribui para a desigualdade de gênero na renda e no sucesso profissional.[110]

E os homens são, evidentemente, de longe o sexo mais violento. Embora o coeficiente exato varie, em todas as sociedades são os machos, mais que as fêmeas, que combatem, intimidam, lutam por bens, portam armas, apreciam entretenimento violento, alimentam fantasias sobre o ato de matar, matam por propriedade, matam por bens, estupram, iniciam guerras e nelas combatem.[111] Não apenas o sentido da diferença de sexo é universal, mas o primeiro dominó é quase com certeza biológico. A diferença é encontrada na maioria dos outros primatas, manifesta-se desde a primeira infância e pode ser encontrada em meninos que, devido a uma genitália anômala, foram criados como meninas.[112]

Já vimos como a diferença de sexo evoluiu: mamíferos machos podem se reproduzir mais rápido que as fêmeas, por isso competem por oportunidades sexuais, enquanto as fêmeas dirigem suas prioridades no sentido de assegurar a própria sobrevivência e a da prole. Homens têm mais a ganhar na competição violenta, e menos a perder, pois crianças sem pai têm maior probabilidade de sobreviver que aquelas sem mãe. Isso não significa que as mulheres se abstenham por completo da violência — Chuck Berry especulou que a Vênus de Milo perdeu os braços em uma rasgada disputa por um belo moreno —, mas ela as atrai menos. As táticas competitivas femininas consistem em agressões retaliatórias fisicamente menos perigosas, como a maledicência e o ostracismo.[113]

Na teoria, a competição violenta por parceiros e a competição violenta por dominação não precisam caminhar juntas. Não é preciso invocar a dominação para explicar por que Gêngis Khan fecundou tantas mulheres que seu cromossomo Y é comum na Ásia Central contemporânea; basta observar que ele matava os pais e maridos das mulheres. Porém, dado que os primatas sociais regulam a violência submetendo-se a indivíduos dominantes, na prática a dominação e o sucesso no acasalamento caminham de mãos dadas durante a maior parte da história de nossa espécie. Em sociedades sem Estado, os homens dominantes têm mais esposas, mais namoradas e mais casos com mulheres de outros homens.[114] Nos seis impérios mais antigos, a correlação entre status e acasalamento pode ser quantificada com precisão. Laura Betzig apurou que imperadores frequentemente tinham milhares de esposas e concubinas, os príncipes centenas, os nobres dúzias, os homens da classe superior mais de uma dúzia e os da classe média, três ou quatro.[115] (Deduz-se matematicamente que muitos homens da classe baixa não tinham nenhuma — o que era um forte incentivo a lutar para sair da classe baixa.) Ultimamente, com o advento dos meios de contracepção e a transição demográfica, a correlação enfraqueceu-se. Mas a riqueza, o poder e o sucesso profissional ainda incrementam o sex appeal de um homem, e o indício mais visível de dominação física — a altura — ainda fornece um trunfo na competição econômica, política e romântica.[116]

Enquanto a violência instrumental aciona as partes do cérebro voltadas à busca e ao cálculo, a dominação aciona o sistema que Panksepp chama de agressão intermachos. Deveria denominar-se competição intersexual, porque ele é encontrado também nas mulheres, e o hábito humano do investimento parental significa que tanto mulheres quanto homens têm um incentivo evolutivo para competir por cônjuges. Entretanto, pelo menos uma parte do sistema, um núcleo no interior da porção pré-óptica do hipotálamo, é duas vezes maior nos homens.[117] E todo o sistema está repleto de receptores de testosterona, que é cinco vezes mais abundante na corrente sanguínea dos homens. O hipotálamo, lembremos, controla a glândula pituitária, que pode segregar um hormônio que solicita aos testículos ou às glândulas adrenais a produção de mais testosterona.

Embora na imaginação popular a testosterona frequentemente seja associada à combatividade masculina — "a substância que conduz os machos a se comportarem com quintessencial masculinidade, empurrar, bradar, arrotar, socar e tocar *air-guitar*", como descreveu a jornalista Natalie Angier —, os biólogos têm tido escrúpulos em responsabilizá-la pela agressividade masculina propriamente.[118] O aumento da testosterona sem dúvida torna a maior parte das aves e dos mamíferos mais turbulenta, e sua redução tem o efeito inverso, como sabe o dono de qualquer cão ou gato castrado. Mas em seres humanos os efeitos são menos facilmente mensuráveis, por vários aborrecidos motivos bioquímicos; e eles são menos diretamente levados à agressão por uma interessante razão psicológica.

A testosterona, conforme a mais provável hipótese científica, não torna os homens mais agressivos de modo generalizado, mas prepara-os para uma disputa de dominação.[119] Em chimpanzés, a testosterona aumenta na presença de uma fêmea sexualmente receptiva, e está relacionada com a hierarquia de dominação dos machos, que por seu turno vincula-se à agressividade. Em homens, o nível de testosterona sobe na presença de uma mulher atraente e na expectativa de uma competição com outros homens, tal como nos esportes. Uma vez que uma disputa teve início, a testosterona sobe ainda mais, e quando o embate acaba ela continua a subir no vencedor, mas não no perdedor. Homens com maiores taxas de testosterona jogam mais agressivamente, exibem expressões faciais mais agressivas durante a competição, sorriem com menos frequência e dão apertos de mão mais firmes. Em experimentos, eles são mais propensos a trancar suas feições em uma cara de raiva, e a perceber como colérica uma fisionomia neutra. Não são apenas os divertimentos e esportes que bombeiam o hormônio: lembremos que os sulistas insultados, no experimento de Richard Nisbett sobre a psicologia da honra, reagiram com um aumento da testosterona, e pareciam mais raivosos, apertavam mãos mais firmemente e se retiravam do laboratório com mais arrogância. E, no ápice do espectro da beligerância, apurou-se que prisioneiros com maior índice de testosterona cometem mais atos de violência.

A testosterona sobe na adolescência e no início da idade adulta, e declina na meia-idade. Também declina quando os homens se casam, procriam e passam tempo com os filhos. Portanto, o hormônio é um regulador interno do intercâmbio fundamental entre o esforço parental e o esforço do acasalamento, em que este último compreende tanto seduzir o sexo oposto como rechaçar rivais do mesmo sexo.[120] A testosterona pode ser o botão que transforma os homens ora em papais, ora em brutalhões.

A ascensão e a queda da testosterona ao longo da vida acompanham, mais ou menos, a ascensão e a queda da combatividade masculina. Aliás, a primeira lei da violência — uma coisa de homens jovens — é mais fácil de documentar do que de explicar. Embora esteja claro por que os homens evoluíram no sentido de serem mais violentos que as mulheres, não está igualmente claro por que homens jovens seriam mais violentos que os velhos. Afinal, aqueles têm mais anos diante de si, de modo que quando enfrentam um desafio de violência estão colocando em jogo uma proporção maior de suas vidas. Por critérios matemáticos, seria de esperar o oposto: que, como os dias de um homem estão contados, ele tenderia a ficar cada vez mais imprudente, e um homem realmente idoso poderia se entregar a uma última orgia de estupros e assassinatos antes que uma unidade da Swat o subjugasse.[121] Uma razão por que isso não ocorre é que homens têm sempre a opção de investir em seus filhos, netos, sobrinhos, de modo que os mais velhos, que são fisicamente mais fracos mas social e economicamente mais fortes, têm mais proveito em prover e proteger suas famílias do que em gerar mais descendentes.[122] O outro motivo é que a dominação entre seres humanos é uma questão de reputação, que pode se autossustentar e render dividendos prolongados. Todo mundo gosta de um vencedor, e nada faz tanto sucesso quanto o sucesso. Assim, é nos primeiros rounds da competição que a competição atinge seu auge.

A testosterona, então, prepara os homens (e em menor medida as mulheres) para as disputas de dominação. Ela não causa diretamente a violência, porque muitos tipos de violência nada têm a ver com a dominação, e porque muitas contendas por dominação são resolvidas por meio de exibições e manobras em lugar da violência propriamente dita. Porém, na medida em que a violência é um problema dos homens jovens, solteiros e indisciplinados competindo por dominação, seja diretamente ou em benefício de um líder, então a violência é efetivamente um problema dos que têm excesso de testosterona neste mundo.

A natureza socialmente construída da dominação pode ajudar a explicar quais indivíduos estão mais inclinados a correr riscos para defendê-la. Talvez a mais extraordinária ilusão sobre violência no último quarto de século seja aquela causada pela baixa autoestima. Essa teoria foi endossada por dezenas de especialistas renomados, e no fim da década de 1980 levou o Legislativo da Califórnia a criar uma força-tarefa para promover a autoestima. Entretanto, Baumeister mostrou que a teoria não podia ser mais espetacular, ridícula e lastimavelmente equivocada. A violência é um problema não de carência e sim de excesso de autoestima, particularmente de autoestima imerecida.[123] A autoestima pode ser medida, e pesquisas mostram que são os psicopatas, desordeiros de rua, valentões, maridos espancadores, estupradores em série e perpetradores de crimes de ódio que a têm em mais alto grau. Diana Scully entrevistou diversos estupradores em suas celas de prisão que se jactaram para ela de serem "supervencedores multitalentosos".[124] Psicopatas e outros indivíduos violentos são narcisistas: pensam bem de si mesmos, não na proporção de suas realizações, mas por um sentimento congênito. Quando a realidade se intromete, como inevitavelmente ocorre, eles encaram as más notícias como um insulto pessoal, e o portador delas, que está prejudicando sua precária reputação, como um perverso caluniador.

Os traços da personalidade inclinada à violência tornam-se ainda mais pretensiosos quando contaminam dirigentes políticos, pois as obsessões destes podem afetar centenas de milhões de pessoas e não apenas os poucos infelizes que vivem com eles ou cruzam seu caminho. Um grau de sofrimento inimaginável foi causado por tiranos que insensivelmente imperaram sobre a miséria de seus povos ou deflagraram guerras de conquista destrutivas. Nos capítulos 5 e 6, vimos que as enormes guerras e os decamega-assassinatos do século XX podem em parte ser atribuídos à personalidade de apenas três homens. Tiranos de categoria inferior como Saddam Hussein, Mobutu Sese Seko, Muamar Kadafi, Robert Mugabe, Idi Amin, Jean-Bédel Bokassa e Kim Jong-il infelicitaram seus povos em uma escala que é menor mas ainda trágica.

O estudo da psicologia dos líderes políticos tem, é verdade, uma merecida má fama. É impossível testar diretamente o objeto da investigação, e também muito tentador patologizar pessoas que são moralmente repulsivas. A psico-história conta igualmente com um legado de fantasiosas especulações psicanalíticas sobre o que fez de Hitler Hitler: que ele tinha um avô judeu, tinha apenas um testículo, era um homossexual reprimido, era assexuado, era um fetichista sexual. Como escreveu o jornalista Ron Rosenbaum em *Para entender Hitler*,

> a busca por Hitler apreendeu não uma imagem consensual e coerente de Hitler, mas antes muitos Hitlers, Hitlers rivais, encarnações conflitantes de visões conflitantes. Hitlers que poderiam não se reconhecer o bastante para se saudarem com um *Heil* caso se defrontassem no inferno.[125]

Por tudo isso, o campo mais modesto da classificação de personalidades, que mais organiza do que explica as pessoas, tem algo a dizer sobre a psicologia dos tiranos modernos. O *Diagnostic and Statistical Manual of Mental Disorders* (*DSM*) [Manual diagnóstico e estatístico dos transtornos mentais], da American Psychiatric Association, define o transtorno de personalidade narcisista como um "padrão difuso de grandeza, necessidade de admiração e falta de empatia".[126] Como todos os diagnósticos psiquiátricos, o narcisismo é uma categoria imprecisa, e sobrepõe-se à psicopatia ("um padrão difuso de desprezo pelos, e violação dos, direitos dos outros") e ao transtorno de personalidade limítrofe ("instabilidade emocional; raciocínio 'preto ou branco'; relações interpessoais, autoimagem, identidade e comportamento caóticos e instáveis"). Mas o trio de sintomas do núcleo narcisista — grandeza, necessidade de admiração e falta de empatia — encaixa-se nos Tiranos com T maiúsculo.[127] Isso fica mais óbvio em seus monumentos de vanglória, iconografia hagiográfica e obsequiosas manifestações de massas. Com exércitos e forças policiais a seu dispor, governantes narcisistas deixam sua marca não apenas na estatuária; eles podem autorizar vastos dispêndios de violência. Tal como na variante ordinária dos atormentadores e valentões, a autoestima imerecida dos tiranos é eternamente vulnerável a um desmentido, de modo que qualquer oposição a seu império é tratada não como uma crítica, mas como crime hediondo. Ao mesmo tempo, sua falta de empatia não impõe freios às punições com que punem oponentes reais ou imaginários. Nem permite qualquer consideração pelos custos humanos de outro de seus sintomas listados no

DSM, suas "fantasias de sucesso ilimitado, poder, brilho, beleza ou amor ideal", que podem ser realizadas em conquistas rapaces, projetos de obras faraônicas ou planos utópicos. E já vimos o quanto o excesso de confiança pode fazer na condução da guerra.

Todos os líderes, sem dúvida, precisam ter uma generosa dose de confiança para terem se tornado líderes, e em nossa era da psicologia os especialistas frequentemente diagnosticam os líderes que não lhes agradam como portadores de transtorno de personalidade narcisista. Porém, é importante não banalizar a distinção entre um político com dentes afiados e os psicopatas que conduzem seus países à ruína e arrastam com eles vastas partes do mundo. Entre as características pacificadoras das democracias está seu procedimento de seleção de liderança, que pune uma absoluta falta de empatia, e seus freios e contrapesos, que limitam o dano que um líder grandioso pode causar. Mesmo dentro de autocracias, a personalidade de um líder — como Gorbatchóv em oposição a Stálin — tem enorme impacto sobre as estatísticas da violência.

O dano causado pela tendência à dominação pode ser multiplicado de uma segunda maneira. Esse multiplicador depende de um traço da mentalidade social que pode ser apresentado por meio de uma anedota benigna. Todo mês de dezembro meu coração se comove com uma tradição local: a província da Nova Escócia envia um pinheiro colossal à cidade de Boston, como árvore de Natal, em agradecimento pela ajuda humanitária que as organizações de Boston deram aos moradores de Halifax, após a horrenda explosão de um navio carregado de munição no porto da cidade, em 1917. Como canadense expatriado na Nova Inglaterra, sinto-me bem duplamente: tanto em gratidão pela generosa ajuda que foi prestada a meus conterrâneos como ao apreciar o significativo presente que chega a minha confraria bostoniana. E no entanto o ritual inteiro é, se pensarmos bem, bizarro. Não fui objeto de nenhum ato de generosidade, e portanto não deveria nem precisaria exprimir gratidão. A gente que achou, abateu e enviou a árvore nunca se encontrou com as vítimas ou os salvadores originais; nem tampouco as pessoas que erguem e decoram a árvore em Boston. Até onde sei, nem uma só pessoa atingida pela tragédia continua viva. Entretanto, todos nós sentimos as emoções que seriam apropriadas a uma transação que envolve solidariedade e gratidão entre dois seres humanos individuais. A mente de todos contém uma representação chamada "Nova Escócia" e outra chamada "Boston", às quais se confere um conjunto de emoções e valorizações morais, e homens e mulheres individuais desempenham os papéis que lhes cabem no comportamento social.

Uma parte da identidade pessoal dos indivíduos está soldada à identidade dos grupos em que eles se filiam.[128] Cada grupo ocupa um nicho na mente dos indivíduos, que é muito semelhante ao nicho ocupado por uma pessoa individual, completa, com suas crenças, desejos, traços louváveis ou condenáveis. Essa identidade social parece ser uma adaptação à realidade dos grupos no bem-estar dos indivíduos. Nossas capacidades não dependem exclusivamente de nossa fortuna, mas também daquela do bando, aldeia e tribo em que nos encontramos, à qual estamos ligados por parentescos reais ou fictícios, redes de reciprocidade e compromissos com o bem público, inclusive a defesa do grupo. Dentro do grupo, alguns ajudam a policiar a provisão de bens, punindo algum parasita que não queira colaborar para uma justa partilha, e os fiscalizadores são recompensados com a estima do grupo. Essa e outras contribuições para o bem-estar do grupo são psicologicamente implementadas por um esvanecimento parcial das fronteiras entre o grupo e a individualidade. Em benefício de nosso grupo, podemos nos sentir solidários, gratos, raivosos, culpados, confiantes ou desconfiados em relação a algum outro grupo, e podemos difundir essas emoções entre os membros de nosso grupo, independentemente do que eles façam enquanto indivíduos para merecê-lo.

A lealdade para com grupos em competição, como nos esportes de equipe ou partidos políticos, encoraja-nos a manifestar nosso instinto de dominação através dos outros. Jerry Seinfeld certa vez observou que os atletas atuais pulam de uma equipe esportiva para outra tão rapidamente que um torcedor já não pode apoiar um grupo de jogadores. Ele fica reduzido a torcer pelo emblema e pelo uniforme de seu time: "Você fica de pé, aplaudindo e dando vivas às suas roupas, para que vençam as roupas de uma outra equipe". Mas ficamos de pé e aplaudimos: o humor de um torcedor dispara e despenca conforme o destino de seu time.[129] A perda de fronteiras pode ser literalmente testada no laboratório bioquímico. O nível de testosterona dos homens sobe quando seu time derrota um rival em um jogo, assim como sobe quando eles vencem pessoalmente um rival em um combate de luta livre ou uma partida de tênis.[130] Sobe ou desce também se seu candidato político vence ou perde uma eleição.[131]

O lado sombrio de nossos sentimentos coletivos é o desejo de que nosso grupo domine o outro, não importando o que sentimos por seus membros enquanto indivíduos. Em uma célebre bateria de experimentos, o psicólogo Henri Tajfel disse aos participantes que eles pertenciam a um de dois grupos definidos por alguma diferença trivial, como a preferência por pinturas de Paul Klee ou Wassily Kandinsky.[132] Então deu a eles a oportunidade de distribuir dinheiro entre um membro de seu grupo e um membro do outro grupo; os membros eram identificados por números e os participantes não tinham nada a ganhar ou perder com sua escolha. Eles não só destinaram mais dinheiro a seu grupo como preferiram punir um membro do outro grupo (por exemplo, sete *cents* para o fã de Klee e um para o de Kandinsky) a beneficiar os dois às expensas do patrocinador do experimento (digamos, dezenove *cents* para o fã de Klee e 25 para o fã de Kandinky). A preferência por um grupo começa cedo na vida e parece ser algo que deve ser não aprendido. Psicólogos do desenvolvimento mostraram que alunos da pré-escola professam atitudes racistas que assustariam seus pais liberais, e que mesmo bebês preferem interagir com pessoas da mesma raça e sotaque.[133]

Os psicólogos Jim Sidanius e Felicia Pratto propuseram que as pessoas, em variados graus, abrigam uma motivação que eles chamam de dominação social, embora uma denominação mais intuitiva fosse tribalismo: o desejo de que grupos sociais se organizem em uma hierarquia, geralmente com um grupo dominando os outros.[134] Uma orientação de dominação social, mostram os autores, inclina as pessoas a um conjunto de opiniões e valores, entre eles patriotismo, racismo, destino, carma, casta, destino nacional, militarismo, intransigência com o crime e resistência a defender os sistemas existentes de autoridade e desigualdade. Uma orientação distante da dominação social, em contraste, inclina as pessoas ao humanismo, socialismo, feminismo, direitos universais, políticas progressistas e temas igualitários e pacifistas da Bíblia cristã.

A teoria da dominação social implica que a raça, foco de tantas discussões e preconceitos, é psicologicamente pouco importante. Como mostraram os ensinamentos de Tajfel, as pessoas podem dividir o mundo em endogrupos e exogrupos baseados em qualquer similaridade atribuída, inclusive o gosto quanto a pintores expressionistas. Os psicólogos Robert Kurzban, John Tooby e Leda Cosmides apontam que na história evolutiva humana componentes de diferentes raças estavam separados por oceanos, desertos e cordilheiras (que é como as diferenças raciais evoluíram em primeiro lugar) e raramente se encontravam face a face. Os adversários eram as aldeias, clãs e tribos da mesma raça. O que se agiganta na mente das pessoas não é a raça, mas a *coalizão*; ocorre apenas que atualmente muitas coalizões (vizinhanças, gangues, países) coincidem com raças. Qualquer tratamento individual que as pessoas exibam em relação a outras raças pode facilmente ser provocado apenas por membros de outras coalizões.[135] Experimentos realizados pelos psicólogos G. Richard Tucker, Wallace Lambert e, mais tarde, Katherine Kinzler mostraram que um dos mais vívidos delineadores do preconceito é a linguagem: as pessoas desconfiam de gente que fala com uma pronúncia não familiar.[136] O efeito retroage até a encantadora origem da palavra Chibolete em Juízes 12,5-6:

> Porque tomaram os gileaditas aos efraimitas os vaus do Jordão; e sucedeu que, quando algum dos fugitivos de Efraim dizia: "Deixai-me passar"; então os gileaditas perguntavam: "És tu efraimita?". E dizendo ele: "Não", então lhe diziam: "Dize, pois, Chibolete"; porém ele dizia: "Sibolete", porque não o podia pronunciar bem, então pegavam dele, e o degolavam nos vaus do Jordão; e caíram de Efraim naquele tempo 42 mil.

O fenômeno do *nacionalismo* pode ser compreendido como uma interação entre psicologia e história. Ele consiste na fusão de três coisas: o impulso emocional por trás do tribalismo; uma concepção cognitiva do "grupo" enquanto um povo que partilha uma linguagem, um território e uma ancestralidade; e o aparato político do governo.

O nacionalismo, dizia Einstein, é "o sarampo da raça humana". Isso nem sempre é verdade — às vezes ele é apenas um resfriado —, mas o nacionalismo pode se tornar virulento quando apresenta enfermidades associadas do equivalente grupal do narcisismo no sentido psiquiátrico, nomeadamente um ego grande mas frágil com uma reivindicação imerecida de proeminência. Lembremos que o narcisismo pode desencadear a violência quando o narcisista se enraivece com um sinal insolente da realidade. Combine narcisismo com nacionalismo e você obterá um fenômeno mortal que os cientistas políticos chamam "ressentiment" ("ressentimento" em francês): a convicção de que uma nação ou civilização tem um direito histórico de grandeza, apesar de seu status modesto, o que só pode ser explicado pela perversidade de um inimigo interno ou externo.[137]

O ressentimento estimula as emoções de uma dominação frustrada — a humilhação, a inveja e a raiva —, às quais os narcisistas são propensos. Historiadores como Liah Greenfield e Daniel Chirot atribuíram as maiores guerras e genocídios das primeiras guerras do século XX ao ressentimento na Alemanha e na Rússia. Ambas as nações sentiam que estavam realizando seus justos reclamos de proeminência, que inimigos pérfidos haviam negado.[138] Não escapou aos observadores da cena contemporânea que a Rússia e o mundo islâmico alimentam, ambos, ressentimentos acerca de sua imerecida falta de grandeza, e que tais emoções são não ameaças à paz negligenciáveis.[139]

Liderando o direcionamento oposto estão países europeus como Holanda, Suécia e Dinamarca, que pararam de jogar o jogo da proeminência no século XVIII e vincularam sua autoestima a realizações mais tangíveis, embora menos palpitantes, como fazer dinheiro e dar a seus cidadãos um agradável estilo de vida.[140] Juntamente com países que nunca se importaram em ser grandiosos em primeiro lugar, como Canadá, Cingapura e Nova Zelândia, seu orgulho nacional, embora considerável, é compatível com suas realizações, e na arena das relações interestatais eles não criam problemas.

As ambições grupais também determinam o destino de vizinhos étnicos. Os especialistas em etnias desmentem o lugar-comum de que antigos ódios inevitavelmente levam povos vizinhos a se engalfinharem entre si.[141] Apesar de tudo, existem umas 6 mil línguas faladas no planeta, e ao menos seiscentas têm um substancial número de falantes.[142] Em qualquer contagem, o número de conflitos étnicos que efetivamente irrompem é uma fração diminuta do número que poderia irromper. Em 1996, James Fearon e David Laitin realizaram um levantamento desse tipo. Eles se concentraram em duas partes do mundo, ambas hospedando misturas inflamáveis de grupos étnicos: as repúblicas da recém-dissolvida União Soviética no início dos anos 1990, que tinham 45 deles, e a África recentemente descolonizada entre 1960 e 1979, com pelo menos 160, provavelmente muito mais. Fearon e Laitin contaram o número de guerras civis e episódios de violência intercomunitária (tais como tumultos sangrentos), em comparação com o número de pares de grupos étnicos vizinhos. Concluíram que na ex-União Soviética a violência aflorou em 4,4% das oportunidades e na África em menos de 1%. Os países desenvolvidos com misturas de grupos étnicos, tais como Nova Zelândia, Malásia, Canadá, Bélgica e ultimamente Estados Unidos, têm um registro ainda melhor de não violência étnica.[143] Os grupos podem dar nos nervos uns dos outros, mas não se matam. E isso nem seria de surpreender. Mesmo que os grupos étnicos sejam como as pessoas e constantemente rivalizem por status, lembremos que na maior parte do tempo as pessoas também não ficam se espancando.

Várias coisas determinam que grupos étnicos consigam coexistir sem se ensanguentar. Como sublinham Fearon e Laitin, um importante emoliente é o modo como um grupo trata um estouvado que ataca o membro de outro grupo.[144] Caso o malfeitor seja recolhido e castigado por sua própria comunidade, o grupo-vítima pode classificar o incidente como um crime isolado em lugar do primeiro passo em uma guerra de grupo contra grupo. (Lembremos que um dos motivos pelos quais forças de paz internacionais são eficazes é que elas podem castigar malfeitores de um lado para a satisfação do outro.) O cientista político Stephen van Evera sugere que um fator ainda maior é a ideologia. As coisas ficam feias quando grupos étnicos em regiões mescladas anseiam por ter seus próprios Estados, esperam unir-se com as diásporas em outros países, alimentam a memória de antigos danos causados pelos ancestrais de seus vizinhos, mostram-se impenitentes quanto aos danos que eles mesmos causaram e vivem sob maus governos que mitificam a gloriosa história de um grupo enquanto excluem outros do contrato social.

Muitos países pacíficos hoje estão em processo de redefinir o Estado-nação, purgando-o da psicologia tribalista. O governo não define mais a si mesmo como a cristalização do anseio d'alma de um grupo étnico particular, mas como um conjunto que abarca todas as pessoas e grupos que calham de se encontrar em um pedaço de terra contígua. A máquina governamental frequentemente é rubegoldbergiana,* com complexos arranjos de compensação, status especial, partilha de poder e ação afirmativa, e a geringonça se mantém unida por meio de uns tantos símbolos nacionais, como um time de rúgbi.[145] As pessoas se comprometem com um uniforme em vez de com sangue e solo. É uma desordem apropriada à desordem de povos divididos, com identidades coexistentes enquanto indivíduos e enquanto membros de grupos que se superpõem.[146]

* Referência ao cartunista americano Rube Goldberg (1883-1970), que desenhava máquinas complicadas para realizar tarefas simples. (N. T.)

Dominação social é coisa de macho. Não é de surpreender que os homens, o gênero mais obcecado pela dominação, tenham sentimentos tribalistas mais fortes que as mulheres, incluindo racismo, militarismo e satisfação com a desigualdade.[147] Mas os homens também são mais propensos a estar também na extremidade oposta, que é receptáculo do racismo. Contrariamente à acepção corrente de que racismo e sexismo são preconceitos gêmeos que sustentam uma estrutura de poder branco-macho, com as mulheres afro-americanas sofrendo dupla opressão, Sidanius e Pratto concluíram que as mulheres de minorias tendem a aparecer *menos* que os homens como alvos de tratamento racista. As atitudes masculinas para com as mulheres podem ser paternalistas ou exploradoras, mas não são combativas como tendem a ser no que se refere a outros homens. Sidanius e Pratto explicam a diferença com referência à evolução das atitudes desses indivíduos. O sexismo em última instância vem do incentivo genético para que os homens controlem o comportamento, especialmente sexual, das mulheres. O tribalismo advém do incentivo a grupos de homens para que concorram com outros grupos por acesso a recursos e parceiras.

A brecha de gênero em matéria de confiança excessiva, violência pessoal e hostilidade de grupo contra grupo levanta uma questão frequente: seria o mundo mais pacífico se as mulheres estivessem no comando? A pergunta permanece igualmente interessante quando se muda o tempo do verbo: ficou o mundo mais pacífico porque as mulheres participam mais do comando? E ficará ele mais pacífico quando elas comandarem ainda mais?

A resposta às três questões é, segundo penso, um "Sim" com reservas. Com reservas porque o vínculo entre sexo e violência é mais complexo que um simples "homens são de Marte". Em *War and Gender* [Guerra e gênero], o cientista político Joshua Goldstein revisitou a interseção dessas duas categorias e descobriu que através da história e em todas as sociedades os homens esmagadoramente compuseram e comandaram os exércitos.[148] (O arquétipo das amazonas e outras mulheres guerreiras deve-se mais ao entusiasmo masculino com a imagem de jovens saradas em trajes de combate, como Lara Croft e Xena, que à realidade histórica.) Mesmo no feminista século XXI, 97% dos soldados do mundo, e 99,9% dos soldados *de combate*, são homens. (Em Israel, célebre por arregimentar ambos os sexos, as guerreiras passam a maior parte de seu tempo em clínicas ou atrás de mesas de trabalho.) Os homens também podem se jactar de ocupar todos os primeiros lugares na lista histórica de maníacos conquistadores, tiranos sanguinários e assassinos genocidas.

Mas as mulheres não têm sido objetoras de consciência ao longo de toda essa carnificina. Em várias ocasiões elas lideraram Forças Armadas ou serviram em combate e instigaram seus homens ao combate ou proporcionaram-lhes apoio logístico, seja acompanhando-os nos acampamentos, em séculos mais remotos, seja substituindo-os na indústria, no século XX. Muitas rainhas e imperatrizes, entre elas Isabel, da Espanha, Maria I e Isabel I, na Inglaterra, e Catarina, a Grande, na Rússia, tiveram bom desempenho, tanto na opressão interna como na conquista externa, e muitas governantes do século XX, como Margaret Thatcher, Golda Meir, Indira Gandhi e Chandrika Kumaratunga, conduziram seus países em guerras.[149]

Não há paradoxo na discrepância entre o que as mulheres são capazes de fazer na guerra e o que elas normalmente fazem. Em sociedades tradicionais as mulheres têm de se preocupar com sequestros, estupros e infanticídios por parte do inimigo, de modo que não é surpreendente que elas desejem ver seus homens no lado que venceu a guerra. Em sociedades com exércitos permanentes, as diferenças entre os sexos (entre elas a maior força corporal, a disposição de devastar e matar, ou a capacidade de parir e criar filhos), combinada com os incômodos de um Exército que misture sexos (tais como as intrigas românticas intersexuais e as disputas por dominação), sempre militaram a favor de uma divisão de trabalho entre os sexos, com os homens proporcionando a carne de canhão. Quanto à liderança, mulheres de todos os tempos que se encontram em posições de poder obviamente se desincumbem das responsabilidades de seus postos, que em muitos períodos têm incluído a condução da guerra. Em uma época de dinastias e impérios rivais, uma rainha dificilmente poderia arcar com o fardo de ser a única pacifista, mesmo que fosse essa sua propensão. E naturalmente as características dos dois sexos coincidem em grande medida, mesmo aquelas em que a média pode diferir, de modo que em qualquer aspecto relevante para a liderança militar muitas mulheres serão mais capazes que muitos homens.

Mas no decorrer da longa trajetória histórica as mulheres têm sido, e serão, uma força pacificadora. A guerra tradicional é uma ocupação de homens: as mulheres tribais nunca se reúnem em bandos e investem sobre as aldeias da vizinhança para raptar noivos.[150] Essa diferença entre os sexos proporciona o cenário para *Lisístrata*, de Aristófanes, em que as mulheres da Grécia fazem uma greve de sexo pressionando seus homens para que acabem com a Guerra do Peloponeso. No século XIX, o feminismo muitas vezes se sobrepôs ao pacifismo e a movimentos antiviolência como o abolicionismo e os direitos dos animais.[151] No século XX, grupos de mulheres atuaram de forma intermitente e eficaz em protestos contra os testes nucleares, a Guerra do Vietnã e em conflitos violentos na Argentina, na Irlanda do Norte e nas antigas União Soviética e Iugoslávia. Em uma compilação de quase trezentas pesquisas de opinião pública nos Estados Unidos entre as décadas de 1930 e 1980, os homens apoiavam a "opção mais violenta ou enérgica" em 87% das perguntas, e se dividiam nas restantes.[152] Por exemplo, eles eram mais favoráveis à confrontação militar com a Alemanha em 1939, com o Japão em 1940, com a Rússia em 1960 e com o Vietnã em 1968. Em cada eleição presidencial americana desde 1980, mulheres votam mais que homens no candidato democrata, e em 2000 e 2004 elas inverteram a preferência dos homens e votaram contra George W. Bush.[153]

Embora as mulheres sejam ligeiramente mais amantes da paz que seus companheiros masculinos, em uma determinada sociedade homens e mulheres têm opiniões correlatas.[154] Em 1961, uma pesquisa nos Estados Unidos perguntou se o país deveria "travar uma guerra por todos os meios não nucleares para não viver sob um regime comunista"; 87% dos homens concordaram, enquanto "apenas" 75% das mulheres foram dessa opinião — prova de que mulheres só são pacifistas em comparação com os homens da mesma época e sociedade. A brecha de gênero fica maior quando uma questão divide a sociedade (como os Estados Unidos na Guerra do Vietnã), reduz-se quando existe uma grande concordância (como na Segunda Guerra Mundial) e desaparece quando a questão contagia a sociedade inteira (como as atitudes entre israelenses e árabes diante de uma solução para o conflito árabe-israelense).

Mas a posição das mulheres na sociedade pode afetar seu desapego à guerra mesmo que elas próprias não se oponham a um conflito militar. O reconhecimento dos direitos das mulheres e a oposição à guerra caminham juntos. Nos países do Oriente Médio, os entrevistados mais favoráveis à igualdade de gênero também eram mais favoráveis a soluções não violentas para o conflito árabe-israelense.[155] Muitas pesquisas etnológicas sobre culturas tradicionais verificaram que quanto mais uma sociedade trata bem suas mulheres, menos ela recorre à guerra.[156] O mesmo vale para países modernos, onde a gradação vai da Europa Ocidental para os "estados azuis" americanos, os "estados vermelhos", até países islâmicos como o Afeganistão e o Paquistão.[157] Como veremos no capítulo 10, as sociedades que conferem poder a suas mulheres são menos propensas a acabar com vastas legiões de jovens homens excluídos, com sua inclinação tumultuosa.[158] E naturalmente as décadas da Longa Paz e da Nova Paz foram o período da revolução nos direitos femininos. Não sabemos o que causa o quê; mas a biologia e a história sugerem que, tudo o mais sendo igual, um mundo em que as mulheres tenham mais influência será um mundo com menos guerras.

A dominação é uma adaptação da anarquia, e não serve a qualquer propósito em uma sociedade que empreendeu um processo civilizador, ou em um sistema internacional regulado por acordos e normas. Qualquer coisa que contrarie o conceito de dominação tende a reduzir a frequência das lutas entre indivíduos e guerras entre grupos. Isso não significa que as emoções por trás da dominação desaparecerão — elas são em grande medida uma parte de nossa biologia, especialmente em determinado gênero —, mas que podem ser marginalizadas.

A época que vai de meados para o fim do século XX assistiu à desconstrução do conceito de dominação e de virtudes correlatas como virilidade, honra, prestígio e glória. Parte da deflação proveio do processo de informalização, como na sátira do jingoismo no filme *O diabo a quatro*, dos Irmãos Marx. Parte veio da inserção das mulheres na vida profissional. Mulheres têm distanciamento psicológico para enxergar as disputas por dominação como uma algazarra de garotos, de modo que, conforme elas se tornaram mais influentes, a dominação perdeu algo de sua aura. (Qualquer pessoa que tenha estado em um ambiente de trabalho com ambos os sexos conhece a imagem de uma mulher menosprezando a postura destrutiva de seus colegas homens como "um típico comportamento masculino".) Parte foi fruto do cosmopolitismo, que nos mostra as exageradas culturas da honra em outros países e assim nos proporciona uma perspectiva de nós mesmos. A palavra "macho", recentemente tomada de empréstimo do espanhol, tem um sentido desdenhoso, remetendo mais a uma arrogância autoindulgente do que a um heroísmo viril. As extravagâncias de "Macho Man", da banda Village People, e outras peças da iconografia homoerótica solaparam ulteriormente o lustro da dominação masculina.

Outra força deflacionária, penso eu, é o progresso das ciências biológicas e sua influência na cultura letrada. As pessoas compreendem cada vez mais que a tendência à dominação é um vestígio do processo evolutivo. Uma análise quantitativa do Google Books mostrou um boom recente na popularidade do jargão dos biólogos sobre a dominação, incluindo "testosterona" a partir dos anos 1940, "pecking order" [ordem da bicada] e "hierarquia de dominação" a partir da década de 1960 e "macho alfa" nos anos 1990.[159] Nos anos 1980, agregou-se a eles o jocoso termo pseudomédico "envenenamento por testosterona". Cada uma dessas expressões apequena os termos da disputa por dominação. Elas implicam que a glória que os homens perseguem pode ser uma simulação de suas imaginações de primatas — o sintoma de uma substância química em sua corrente sanguínea, a ação de instintos que nos provocam risos quando os vemos em hamsters ou babuínos. Comparemos o poder de distanciamento desses termos biológicos com palavras mais antigas como "glorioso" e "honorável", que têm por objeto a vitória em uma disputa de dominação, pressupondo que certas realizações só *são* gloriosas ou honrosas na própria natureza das coisas. A frequência de ambos os termos vem decrescendo constantemente há um século e meio nos livros em inglês.[160] Uma aptidão para expor nossos instintos à luz, em vez de aceitar ingenuamente seus produtos em nossa consciência como se fossem a verdade imutável das coisas, é o primeiro passo para discuti-los quando eles conduzem a desfechos danosos.

VINGANÇA

A determinação de prejudicar alguém que nos prejudicou é, há muito, exaltada em prosa e verso. A Bíblia hebraica tem a obsessão da vingança, ofertando-nos piedosas expressões como "Quem derramar sangue terá seu sangue derramado", "Olho por olho", e "A vingança é minha". Aquiles, de Homero, descreve-a como mais doce que um eflúvio de mel jorrando como fumo dos peitos dos homens. Shylock, de Shakespeare, cita-a como o clímax de sua lista de coisas universais no ser humano, e, quando indagado para que lhe serviria sua libra de carne, replica: "Para isca de peixe. Se não servir para alimentar coisa alguma, servirá para alimentar minha vingança".

Povos de outras culturas também se excedem em poesia acerca de ajustes de contas. Milovan Djilas, nascido em um clã feudal montenegrino e mais tarde vice-presidente da Iugoslávia comunista, chamou a vingança de "o brilho de nossos olhos, a chama de nossas faces, o palpitar de nossas têmporas, a palavra que se petrificou em nossa garganta quando ouvimos que nosso sangue foi derramado".[161] Um homem da Nova Guiné, ao ficar sabendo que o assassino de seu tio ficara paralítico ao ser flechado, disse: "Sinto-me como se estivesse criando asas, sinto-me como se estivesse a ponto de voar, estou muito feliz".[162] O chefe apache Gerônimo, saboreando o massacre de quatro companhias mexicanas, escreveu:

> Ainda coberto com o sangue de meus inimigos, ainda empunhando minha arma vencedora, ainda inflamado pela alegria da batalha, da vitória e da vingança, fui rodeado pelos bravos apaches e feito chefe de todos os apaches. Então dei a ordem para se escalpelar os mortos.
>
> Eu não podia chamar de volta meus entes queridos, não podia fazer retornar os apaches mortos, mas podia me regozijar nessa vingança.

Daly e Wilson comentam: "Regozijo? Gerônimo escreveu essas palavras em uma cela de prisão, com sua nação apache alquebrada e quase extinta. A ânsia de vingança parece tão fútil: não adianta chorar sobre o leite derramado, e o sangue derramado é igualmente irrevogável".[163]

Mas, apesar de toda a sua inutilidade, a ânsia de vingança é uma causa primordial de violência. A vingança de sangue é explicitamente endossada por 95% das culturas do mundo, e um dos grandes motivos onde quer que se travem guerras tribais.[164] A vingança é o motivo de 10% a 20% dos homicídios em todo o mundo e de uma ampla porcentagem de tiroteios em escolas e de bombas privadas.[165] Quando se dirige contra grupos e não indivíduos, é uma causa importante de tumultos urbanos, ataques terroristas, retaliações contra ataques terroristas e guerras.[166] Os historiadores que analisam as decisões que conduziram à guerra na sequência de um ataque observam que elas frequentemente vêm envoltas em uma rubra névoa de cólera.[167] Depois de Pearl Harbor, por exemplo, o povo americano, segundo se diz, reagiu "com uma assombrosa mistura de surpresa, espanto, perplexidade, pesar, humilhação e, acima de tudo, fúria cataclísmica".[168] Nenhuma alternativa à guerra (como uma operação de contenção ou incursão) foi sequer considerada; a simples suposição teria equivalido a uma traição. As reações ao ataque do Onze de Setembro foram semelhantes: a invasão do Afeganistão no mês seguinte foi motivada tanto pelo sentimento de que algo precisava ser feito como pela decisão de que aquela era a medida mais efetiva a longo prazo contra o terrorismo.[169] As 3 mil mortes do Onze de Setembro tinham sido elas próprias motivadas pela vingança, como expôs Osama bin Laden em sua "Carta à América":

> Alá, o Todo-Poderoso, fez as leis que dão a permissão e a opção para a vingança. Assim, se nós formos atacados, então temos o direito de atacar de volta. Se alguém destruir nossas aldeias e cidades, então temos o direito de destruir as aldeias e cidades dele. Se alguém roubar nossas riquezas, então temos o direito de destruir a economia dele. Se alguém matar nossos civis, então temos o direito de matar os civis deles.[170]

A vingança não está restrita aos estouvados políticos e tribais, sendo facilmente acionada no cérebro de qualquer um. As fantasias homicidas que uma grande maioria dos estudantes universitários confessam ter são quase integralmente fantasias *de vingança*.[171] E em estudos de laboratório estudantes podem ser facilmente induzidos a se vingar de uma humilhação. Os estudantes escrevem um ensaio e lhes é entregue uma avaliação insultuosa feita por um colega (que é inteiramente fictício ou trabalha com os aplicadores do experimento). Nesse ponto, Alá sorri: o estudante é chamado a participar de um estudo que por acaso lhe oferece a oportunidade de punir seu crítico, aplicar-lhe choques, ensurdecê-lo com uma buzina de ar comprimido ou (em experimentos mais recentes, vetados pelos comitês de prevenção da violência) forçá-lo a beber molho de pimenta em um falso teste de gostos. Funciona como por magia.[172]

A vingança é, literalmente, uma ânsia. Em um desses experimentos, justo quando o estudante está para aplicar o choque da retaliação, o aparelho quebra (graças a um subterfúgio dos aplicadores), de forma que ele não consegue consumar a vingança. Então todos participam de um suposto estudo sobre degustação de vinhos. Aqueles que não tiveram a oportunidade de dar o choque em seus ofensores consomem muito mais vinho, como se estivessem afogando suas mágoas.[173]

A neurobiologia da vingança começa com o circuito da raiva, no trajeto mesencéfalo-hipotálamo-amígdala, que inclina o animal que foi prejudicado ou frustrado a atacar o possível perpetrador mais próximo.[174] Nos seres humanos o sistema é alimentado por informações originadas de qualquer parte do cérebro, inclusive a junção temporoparietal, que aponta se um dano foi premeditado ou acidental. O circuito da raiva então aciona o córtex insular, que origina sensações de dor, repulsa e raiva. (Lembremos que a ínsula se acende quando o indivíduo sente que foi ludibriado por outra pessoa.)[175] Nada disso é agradável, e sabemos que os animais tratarão de desligar o estímulo elétrico ao sistema da raiva.

Mas então o cérebro pode resvalar para um outro modo de processamento de informação. Provérbios como "A vingança é doce", "Não fique louco, fique frio" e "A vingança é um prato que se come frio" são hipóteses na neurociência afetiva. Elas predizem que os padrões da atividade cerebral podem passar de uma cólera hostil a uma fria e prazerosa procura, do tipo proporcionado pela busca de um alimento delicioso. E, como tantas vezes acontece, os neurocientistas estão corretos. Dominique de Quervain e seus colaboradores proporcionaram a uma amostragem de homens uma oportunidade de confiar uma soma de dinheiro a outro participante que a investiria lucrativamente, e então ou partilharia o total com o investidor ou o conservaria consigo.[176] (O cenário é às vezes chamado de jogo de confiança.) Aos participantes que foram privados de seu dinheiro era dada a chance de cobrar uma multa punitiva dos aplicadores desonestos, embora às vezes devessem pagar pelo privilégio. Enquanto eles ponderavam sobre as alternativas, seu cérebro era escaneado, e os cientistas verificaram que uma parte do estriado (o núcleo do sistema de busca) se acendia — a mesma região que se acende quando uma pessoa consome nicotina, cocaína ou chocolate. A vingança é realmente doce. Quanto mais o estriado da pessoa se acendia, mais ela estava disposta a pagar para punir o aplicador traiçoeiro, mostrando que a ativação refletia um desejo genuíno, algo que a pessoa pagaria para consumir. Quando o participante optava por pagar, acendia-se seu córtex orbital e ventromedial — a parte do cérebro que mede o prazer e a dor de diferentes linhas de ação, nesse caso, presumivelmente, o custo da vingança e a satisfação que ela proporcionaria.

A vingança requer a desativação da empatia, e também isso pode ser verificado no cérebro. Tania Singer e seus colaboradores desenvolveram um experimento semelhante, em que homens e mulheres tinham sua confiança honrada ou traída por outro participante.[177] Então eles ou experimentavam um leve choque nos dedos, ou observavam um parceiro de confiança levar o choque, ou ainda observavam seu traidor levar o choque. Quando um parceiro digno de confiança levava um choque, os participantes literalmente sentiam sua dor: a mesma parte da ínsula que se acendia quando *eles* levavam o choque se acendia ao verem um bom companheiro (ou companheira) levar o choque. Quando a corrente elétrica punia o traidor, as mulheres não conseguiam desligar sua empatia; sua ínsula ainda se acendia, em sinal de compaixão. Mas os homens tinham o coração endurecido:

sua ínsula permanecia inerte, enquanto o estriado e o córtex orbital se acendiam, em um sinal de que o objetivo buscado se realizara. Naturalmente, os circuitos se acendiam na proporção do desejo de vingança verificado. Os resultados coincidem com a diferença reivindicada por feministas como Carol Gilligan, de que os homens se inclinam para a justiça retaliatória e as mulheres, para a piedade.[178] Os autores do estudo, entretanto, advertem que as mulheres podem ter rejeitado a natureza física da punição e talvez fossem igualmente retaliatórias caso ela assumisse a forma de uma multa, crítica ou ostracismo.[179]

Não há como refutar o frio e doce prazer da vingança. Um vilão que recebe seu castigo é um arquétipo recorrente na ficção, e não é apenas Dirty Harry Callahan que ganha o dia quando um malvado se depara com uma justiça violenta. Uma das minhas passagens mais apreciadas como cinéfilo é uma cena do premiado *A testemunha*, de Peter Weir. Harrison Ford interpreta um policial infiltrado que vai viver com uma família *amish* na Pensilvânia rural. Um dia, todo vestido no estilo *amish*, ele acompanha-os à cidade em sua carroça puxada por um cavalo, quando são detidos e atormentados por alguns meliantes locais. Devido a seu pacifismo, a família oferece a outra face, mesmo quando um dos desordeiros insulta e maltrata o digno pai. Cada vez mais irritado sob seu chapéu de palha, Ford volta-se para o agressor e, para o assombro da gangue e deleite da plateia, o nocauteia.

O que é essa loucura chamada vingança? Embora nossa cultura psicoterapêutica pinte-a como uma doença e o perdão como a cura, a inclinação para a vingança tem uma função plenamente compreensível: a dissuasão.[180] Como explicam Daly e Wilson,

> a dissuasão efetiva é uma questão de você convencer seus rivais de que qualquer tentativa de impor os interesses deles às suas custas acarretará penalidades tão severas que o gambito competitivo terminará em perda líquida e portanto nunca deve ser empreendido.[181]

A necessidade da punição vingativa enquanto meio dissuasório não é uma história qualquer, tendo sido demonstrada repetidamente em modelos matemáticos e informáticos de evolução da cooperação.[182]

Algumas formas de cooperação são simples de explicar: duas pessoas são conhecidas, ou casadas, ou colegas, ou bons amigos com os mesmos interesses, de modo que o que é bom para um é bom para o outro, e um tipo de cooperação simbiótica surge naturalmente. Mais difícil de explicar é a cooperação em que os interesses das pessoas divergem pelo menos parcialmente, e cada uma fica tentada a se aproveitar da disposição da outra para cooperar. A maneira mais simples de modelar essa encruzilhada é um jogo de soma positiva chamado dilema do prisioneiro. Imagine um episódio de *Law & Order* em que dois parceiros no crime são colocados em celas separadas e as evidências contra eles sejam marginais, de modo que o assistente da promotoria oferece um acordo a cada um: se testemunhar contra o parceiro ("desertar") enquanto este permanecer leal ("colaborar" com ele), ele sairá livre, ao passo que o parceiro pegará dez anos de pena. Caso os dois desertem e testemunhem um contra o outro, ambos irão para a prisão, mas suas sentenças serão reduzidas para seis anos. Se os dois permanecerem leais um ao outro, o assistente da promotoria só poderá condená-los por um crime menor, e ambos estarão livres em seis meses. A figura 8.5 mostra a matriz de *payoff* (compensação) do dilema dos dois; as escolhas e *payoffs* para o primeiro prisioneiro (Lefty) estão impressas em preto; as de seu parceiro (Brutus) estão em cinza.

Sua tragédia é que ambos deveriam colaborar entre si e obter a recompensa de uma sentença de seis meses, o que daria ao jogo uma soma positiva. Mas cada um desertará, imaginando que é sua melhor opção: se o parceiro cooperar, sairá livre; se o parceiro desertar, pegará apenas seis anos em vez dos dez que pegaria se

		Escolhas de Brutus	
		Colaborar	Desertar
Escolhas de Lefty	Colaborar	6 meses (recompensa) 6 meses (recompensa)	10 anos (*payoff* do enganado) Sair livre (tentação)
	Desertar	Sair livre (tentação) 10 anos (*payoff* do enganado)	6 anos (pena) 6 anos (pena)

Figura 8.5. *O dilema do prisioneiro.*

colaborasse. Assim, ele deserta; seu parceiro, seguindo o mesmo raciocínio, deserta também; e os dois terminam cumprindo seis anos em vez dos seis meses que poderiam ter cumprido se houvessem apenas atuado altruisticamente, e não egoisticamente.

O dilema do prisioneiro já foi considerado uma das maiores ideias do século XX, pois através de uma fórmula assim sintética ele resume a tragédia da vida social.[183] O dilema surge em qualquer situação em que a melhor compensação individual é desertar enquanto o parceiro coopera, o pior *payoff* individual é cooperar enquanto o outro deserta, o mais alto resultado total é quando ambos cooperam, e o mais baixo resultado total é quando ambos desertam. Muitos dos dilemas da vida têm essa estrutura, sem excetuar a violência predatória, em que você ser o agressor contra um pacifista oferece-lhe todos os benefícios da exploração, mas ser um agressor contra um companheiro de agressividade ensanguenta os dois; então vocês deveriam ser os dois pacifistas, e seriam, se não fosse o medo de que o outro será um agressor. Já visitamos tragédias relacionadas, tais como a guerra de atrito, o jogo dos bens públicos e o jogo da confiança, em que o egoísmo individual é tentador, mas o egoísmo mútuo é ruinoso.

Embora um dilema do prisioneiro em um só ato seja trágico, um dilema do prisioneiro com *iteração*, em que os mesmos jogadores interagem repetidamente e acumulam seu *payoff* ao longo de várias rodadas, é mais verdadeiro na vida real. Pode até ser um bom modelo de evolução da cooperação, caso os *payoffs* sejam medidos não em anos de prisão, nem em dólares e *cents*, mas em número de descendentes. Organismos virtuais jogam rodadas do dilema do prisioneiro, que podem ser interpretadas como oportunidades de um ajudar o outro, digamos, pela via da catação de piolhos, ou abster-se de ajudar; o benefício em saúde e o custo em tempo se traduzem no número de descendentes vivos. Repetidas rodadas do jogo são como gerações de organismos evoluindo por meio da seleção natural, e um observador pode indagar qual das diversas estratégias vai no final dominar a população com seus descendentes. As possibilidades combinativas são numerosas demais para permitir uma comprovação matemática, mas as estratégias podem ser escritas em pequenas aplicações que competem em torneios de todos contra todos, e os teóricos podem ver como eles se saem na luta evolutiva virtual.

No primeiro desses torneios, organizado pelo cientista político Robert Axelrod, o vencedor foi uma estratégia de olho por olho: cooperar no primeiro movimento, e então continuar a cooperar se o parceiro coopera, mas desertar se ele deserta.[184] Como a colaboração é recompensada e a deserção punida, os desertores irão passar a cooperar, e a longo prazo todos vencem. A ideia é igual à teoria de Robert Trivers sobre a evolução do altruísmo recíproco, que ele propusera anos antes sem a parafernália matemática.[185] A recompensa da soma positiva advém dos ganhos do intercâmbio (cada qual pode obter um benefício maior do outro com pequeno custo para si) e a tentação reside em explorar o outro, auferindo o benefício sem pagar o custo. A teoria de Trivers, de que as emoções morais são adaptações à cooperação, podem ser traduzidas diretamente no algoritmo do olho por olho. A compaixão coopera no primeiro movimento. A gratidão coopera com o cooperador. E a raiva deserta diante de outro desertor — em outras palavras, punindo-o com uma vingança. A punição pode consistir numa recusa em ajudar, mas também consiste em causar dano. Vingança não é doença: é necessária à cooperação, evitando que um bom sujeito seja explorado.

Centenas de torneios iterados do dilema do prisioneiro foram estudados desde então, e umas tantas lições emergiram daí.[186] Uma delas é que o olho por olho, por simples que possa ser, pode ser diferenciado em características que contribuem para seu sucesso e permitem a recombinação em outras estratégias. Tais características foram batizadas a partir de traços de personalidade, e as camadas podem ser mais que mnemônica; a dinâmica da cooperação permite explicar como evoluem esses traços. A primeira característica por trás do sucesso do olho por olho é que é *agradável*: ela colabora na primeira jogada, abrindo assim oportunidades para a cooperação mutuamente benéfica, e não deserta a menos que sofra deserção. A segunda é *clara*: se as normas estratégicas de engajamento são tão complicadas que os outros jogadores não conseguem distinguir como ela está reagindo ao que eles fazem, então os movimentos deles são efetivamente arbitrários, e se são arbitrários a melhor estratégia é desertar sempre. O olho por olho facilita a harmonização entre as estratégias e estas podem ajustar suas escolhas em resposta. A terceira face do olho por olho é *retaliatória*: ela responde à deserção com deserção, a forma mais simples de vingança. E é *clemente*: deixa a porta do arrependimento aberta, de modo que, caso o adversário passe à cooperação após um histórico de deserção, o olho por olho imediatamente coopera em retribuição.[187]

A última característica, da clemência, acaba por ser mais importante que todas as previamente apreciadas. Uma debilidade do olho por olho é que ele é vulnerável ao erro e ao mal-entendido. Suponhamos que um dos jogadores pretende colaborar, mas deserta por engano. Ou que ele confunde a cooperação de um outro jogador com deserção, e deserta em retaliação. Então seu oponente também deserta em retaliação, o que o força igualmente a retaliar, e assim por diante, condenando os jogadores a um círculo infindável de deserções — o equivalente, no torneio, a uma vendeta. Em um mundo atribulado onde são possíveis mal-entendidos e erros, o olho por olho é suplantado por uma estratégia ainda mais indulgente, denominada *generosa*. De vez em quando o olho por olho generoso sistemática e aleatoriamente concede perdão a um desertor e retoma a cooperação. O gesto de clemência incondicional pode conduzir uma dupla que foi arrastada a um ciclo de deserção mútua de volta ao leito da cooperação.

Contudo, um problema para as estratégias excessivamente clementes é que elas podem ser anuladas caso a população contenha uns poucos psicopatas que jogam sempre na deserção e uns poucos tolos que sempre jogam na cooperação. Os psicopatas proliferam pela exploração dos tolos e então se tornam numerosos o bastante para explorar todos os demais. Uma contenção eficaz em tal circunstância é o olho por olho *contrito*, que é mais seletivo em sua clemência. Ele recorda *seu próprio* comportamento e, caso uma rodada de deserções mútuas tenha sido culpa sua, devido a um erro aleatório ou mal-entendido, ele concede ao oponente uma deserção grátis e passa à cooperação. Mas se a deserção foi desencadeada pelo oponente ele não mostra clemência e retalia. Caso o oponente também seja um contrito, então irá desculpar a retaliação motivada, e o par voltará à cooperação. Portanto, não só a vingança mas também a clemência e a contrição são necessárias para que os organismos sociais se beneficiem da cooperação.

O desenvolvimento da colaboração depende criticamente da possibilidade de encontros repetidos. Ela não pode evoluir em um dilema do prisioneiro de um só ato, e entra em colapso mesmo em um jogo iterado caso os jogadores saibam que estão realizando um número limitado de rodadas, pois, conforme o fim do jogo se aproxima, surge a tentação de desertar sem medo de uma retaliação. Por motivos semelhantes, subconjuntos de jogadores que são forçados a jogar entre si — digamos que por serem vizinhos que não podem se mudar — tendem a ser mais clementes do que outros que podem fazer a incursão e escolher outra vizinhança onde possam achar parceiros. Panelinhas, organizações e outras redes sociais são vizinhanças virtuais porque forçam grupos de pessoas a interagir repetidamente, e também inclinam as pessoas à clemência, pois a deserção em cadeia seria ruinosa para todos.

A cooperação humana tem outra contorção. Porque somos dotados de linguagem, não precisamos tratar diretamente com as pessoas para saber se elas são cooperativas ou desertoras. Podemos sair perguntando e ficar sabendo, através do que se conta, como cada pessoa se comportou no passado. Essa reciprocidade indireta, como os teóricos do jogo a denominam, fornece um trunfo tangível à reputação e à boataria.[188]

Cooperadores potenciais têm de sopesar o egoísmo ante o benefício mútuo não só ao se relacionarem uns com os outros, em pares, mas também quando agem coletivamente, em grupos. Os teóricos do jogo investigaram uma versão do dilema do prisioneiro com múltiplos jogadores, chamada jogo dos bens públicos.[189] Cada jogador pode contribuir com dinheiro para um fundo comum, que depois é duplicado e distribuído por igual entre os jogadores. (Pode-se imaginar um grupo de pescadores fazendo uma coleta para melhorias no porto, como um farol, ou comerciantes de um quarteirão coletando contribuições para contratar um guarda.) O melhor resultado para o grupo é que todos contribuam com a quantia máxima. Mas o melhor resultado para um *indivíduo* é escapar de sua própria contribuição e ser um beneficiário não pagante do dinheiro de todos os demais. A tragédia é que então as contribuições se reduzirão a zero e todos terminarão prejudicados. (O biólogo Garrett Hardin propôs um cenário idêntico, chamado tragédia dos comuns. Cada agricultor não resiste a colocar sua própria vaca para pastar no terreno baldio da cidade, mas isso aniquila o pasto e todos saem perdendo. A poluição, a pesca excessiva e as emissões de carbono são exemplos equivalentes na vida real.)[190] Porém, caso os jogadores tenham a oportunidade de punir os beneficiários não pagantes, tal como na vingança pela exploração do grupo, então os jogadores têm um estímulo para contribuir e todos se beneficiam.

A modelagem do desenvolvimento da cooperação vem se tornando cada vez mais bizantina, pois permite simular incontáveis mundos de forma barata. Mas no mais plausível desses mundos vemos a evolução dos tão humanos fenômenos de exploração, vingança, clemência, contrição, reputação, boatos, panelinhas e vizinhanças.

Portanto a vingança compensa no mundo real? A ameaça verossímil de punição induz o temor no coração dos potenciais exploradores e os dissuade da exploração? A resposta dos laboratórios é sim.[191] Na verdade, quando as pessoas testam jogos do dilema do prisioneiro em experimentos, elas tendem para estratégias de olho por olho e terminam por desfrutar dos frutos da cooperação. Quando elas jogam o jogo da verdade (outra versão do dilema do prisioneiro, usada em experimentos de neuroimagem sobre a vingança), o poder de um investidor para punir um aplicador desonesto gera suficiente temor no aplicador para que este retorne a uma justa partilha do investimento e seus dividendos. Em jogos do bem público, quando se dá às pessoas a oportunidade de punir os beneficiários não pagantes, as pessoas não usam mais esse recurso. E você se lembra dos estudos em que os participantes eram insultados e tinham a oportunidade de aplicar um vingativo choque em seu crítico? Caso eles soubessem que então o crítico iria dar o troco e aplicar-lhes choques — para se vingar da vingança —, recuariam na intensidade de seus choques.[192]

A vingança só pode funcionar como uma contenção caso o vingador tenha uma *reputação* de ser decidido na vingança e determinado a empreendê-la mesmo a um alto custo. Isso ajuda a explicar por que a ânsia de vingança pode ser tão implacável, consumidora e, em alguns casos, autodestrutiva (como ocorre com os adeptos de fazer justiça com as próprias mãos que matam uma esposa infiel ou um forasteiro insultuoso).[193] Mais ainda, ela é mais efetiva quando o alvo sabe que a punição veio do vingador, de modo que pode redirecionar seu comportamento em relação ao vingador no futuro.[194] Isso explica por que uma ânsia de vingança só se consuma quando o alvo fica sabendo que foi escolhido para sofrer a punição.[195] Esses impulsos implementam aquilo que os teóricos do direito chamam de dissuasão específica: uma punição que é direcionada a um determinado malfeitor de modo a impedi-lo de reincidir em um crime.

A psicologia da vingança também implementa o que os teóricos do direito chamam de dissuasão geral: uma punição publicamente decretada que é concebida para afugentar terceiros da tentação do crime. O equivalente psicológico da dissuasão geral é o cultivo de uma reputação de ser o tipo de pessoa que não leva desaforo para casa. (Você não puxa a capa do Super-Homem; você não cospe contra o vento; você não arranca a máscara do velho Zorro; então, não se meta com Jim.) Experimentos demonstraram que as pessoas castigam mais severamente, mesmo em um grau superior ao dano que sofreram, quando julgam que uma plateia as observa.[196] E, como vimos, os homens têm o dobro de possibilidade de fazer uma discussão degenerar em briga caso tenham espectadores à sua volta.[197]

A eficácia dissuasiva da vingança pode explicar ações que de outro modo seriam enigmáticas. A teoria do ator racional, popular entre economistas e cientistas políticos, foi há muito adotada pelo comportamento humano em mais um jogo, o jogo do ultimato.[198] Um participante, o propositor, pega uma soma de dinheiro para dividir com outro participante, o aceitante, que pode ficar ou não com sua parte. Se ele não fica, ninguém recebe nada. Um propositor racional faria a divisão de modo a ficar com a parte do leão; um aceitante racional aceitaria as migalhas remanescentes, por poucas que fossem, pois uma parte pequena é melhor que nada. Em experimentos concretos o proponente tende a oferecer quase a metade do prêmio, e o aceitante, a não se contentar com muito menos da metade, mesmo que recusar uma parcela menor seja um ato de despeito que prejudica ambos os participantes. Por que os participantes desse experimento se comportam tão irracionalmente? A teoria do ator racional negligenciou a psicologia da vingança. Quando uma proposta é muito avarenta, o entrevistado se enraivece — naturalmente, o estudo de neuroimagem que mencionei acima, em que a ínsula se acende no caso de raiva, usou o jogo do ultimato para comprovar.[199] A raiva impele o entrevistado a punir o propositor como vingança. Muitos dos propositores antecipam a raiva, de forma que fazem uma proposta que seja generosa apenas na medida para ser aceita. Quando eles não precisam se preocupar com vinganças, pois as regras do jogo foram mudadas e o aceitante tem de aceitar a fatia, qualquer que seja ela (uma variante chamada jogo do ditador), a oferta é mais minguada.

Ainda temos um quebra-cabeça. Se a vingança evoluiu como dissuasor, por que ela é tão frequentemente usada no mundo real? Por que ela não funciona como os arsenais nucleares durante a Guerra Fria, criando um equilíbrio do terror que mantém todos na linha? Por que ocorreriam sempre ciclos de vendeta, com a vingança pedindo vingança?

Uma razão fundamental é a brecha da moralização. As pessoas consideram os danos que infligiram como perdoáveis, e os danos que sofreram como gratuitos e graves. Essa contabilidade coloca as duas partes em uma escalada do conflito, em que os números são contados distintamente e a gravidade do dano também.[200] Como colocou o psicólogo Daniel Gilbert, os dois combatentes em uma guerra de longa duração frequentemente prefeririam ser um par de garotos no banco traseiro de um carro, respondendo a uma admoestação dos pais: "Ele me bateu primeiro!", "Ele bateu mais forte!".[201]

Uma simples analogia com a forma com que um mal-entendido pode levar à escalada pode ser encontrada em um experimento feito por Sukhwinder Shergill, Paul Bays, Chris Frith e Daniel Wolpert, em que os participantes punham um dedo sob uma barra que podia pressioná-lo para baixo com uma determinada força.[202] A instrução que lhes foi dada era pressionar o dedo de um segundo participante por três segundos, com a mesma força que estavam sentindo. Então o segundo participante recebia as mesmas instruções. Os dois se revezavam, cada um aplicando o montante de força que acabara de receber. Depois de oito rodadas, o segundo participante estava exercendo uma pressão em torno de *dezoito vezes* maior do que aquela que usara na rodada inicial. A razão da espiral é que as pessoas subestimam a força que aplicam na comparação com a que sentem, de modo que os participantes aumentavam a pressão em cerca de 40% em cada rodada. Em disputas no mundo real o mal-entendido deriva não de uma ilusão do sentido do tato, mas de uma ilusão do senso moral, mas em ambos os casos o resultado é a espiral de uma dolorosa escalada.

Em muitas partes deste livro citei o Leviatã — um governo com o monopólio do uso legítimo da força — como um redutor primordial de violência. Conflito e anarquia caminham juntos. Podemos agora apreciar a psicologia por trás da eficácia do Leviatã. A lei pode ser um saco, mas é um saco desinteressado, e ele pode recorrer a armas sem as distorções do perpetrador ou da vítima. Embora seja garantido que um dos lados irá discordar de qualquer decisão, o monopólio da força pelo governo impede que o perdedor faça algo a respeito, e fornece-lhe menos razões para *querer* fazer algo, pois o perdedor não está mostrando fraqueza diante de seu adversário e tem menos incentivo para prosseguir a luta restaurando sua honra. Os acessórios que acompanham Iustitia, a deusa romana da justiça, expressam essa lógica sucintamente: 1) balança; 2) cegueira; 3) espada.

Um Leviatã que implemente a justiça ao ponto do uso da espada ainda está usando uma espada. Já vimos que a própria vingança governamental pode cometer excessos, como nos castigos cruéis e pródigas execuções antes da Revolução Humanitária e os excessivos encarceramentos nos Estados Unidos hoje. A punição criminal é amiúde mais severa do que seria necessário enquanto incentivo finamente calibrado, projetado para reduzir a soma de danos sociais. Parte disso é design. A justificativa da punição criminal não está apenas na dissuasão específica, dissuasão geral e incapacitação. Ela também abarca o castigo justo, que é basicamente o impulso vingativo dos cidadãos.[203] Mesmo que estivéssemos seguros de que o perpetrador de um crime horrendo jamais iria atacar outra vez, nem serviria de exemplo para ninguém mais, muita gente sentiria que "a justiça tem de ser feita" e que ele deveria sofrer algum dano para compensar o dano que causou. O impulso psicológico por trás do castigo justo é completamente inteligível. Como Daly e Wilson observam:

> Da perspectiva de uma psicologia evolutiva, esse tipo de imperativo moral quase místico e aparentemente irredutível é o produto de um mecanismo mental com uma função adaptativa muito simples: ministrar a justiça e administrar a punição, por um cálculo que assegure que os perpetradores não tirem vantagem de seus malfeitos. O enorme volume de chicanas místico-religiosas sobre expiação, penitência e justiça divina, e como esta é atribuição de uma autoridade mais elevada e distanciada, na verdade é uma questão mundana e pragmática: desencorajar atos competitivos em proveito próprio através da redução de sua rentabilidade a zero.[204]

Mas, na medida em que ele *é* um imperativo irredutível, cuja lógica é invisível para nós quando nos debatemos com ele, a justiça que as pessoas impõem na prática só pode se relacionar remotamente com a estrutura de incentivo.

Os psicólogos Kevin Carlsmith, John Darley e Paul Robinson conceberam casos hipotéticos destinados a diferenciar a dissuasão do castigo justo.[205] Este é sensível ao valor moral dos motivos do perpetrador. Por exemplo, um corrupto que usou seus ganhos ilícitos para sustentar uma vida de luxo pareceria merecer um castigo mais severo que um que redirecionasse o dinheiro para trabalhadores mal remunerados no mundo em desenvolvimento. A dissuasão, em contraste, é sensível à estrutura de incentivos do regime de punições. Assumindo-se que malfeitores calculam a utilidade de um crime e a probabilidade de serem apanhados multiplicada pela pena em que incorreriam nesse caso, então um crime de difícil detecção deveria merecer uma punição mais severa que outro fácil de detectar. Pelas mesmas razões, um crime amplamente divulgado deveria ser punido mais severamente que outro sem divulgação, pois o primeiro aumentaria o valor de dissuasão geral do castigo. Quando as pessoas são chamadas a escolher sentenças para criminosos fictícios em tais cenários, suas decisões são afetadas unicamente pelo castigo justo, não pela dissuasão. Motivações perversas levam a sentenças mais severas, mas infrações de difícil detecção ou não divulgadas, não.

As reformas defendidas pelo economista utilitarista Cesare Beccaria durante a

Revolução Humanitária, que levaram ao abandono dos castigos cruéis, destinavam-se a orientar a justiça criminal para longe do impulso primitivo de fazer os maus sofrerem e em direção ao objetivo prático da dissuasão. O experimento de Carlsmith sugere que as pessoas de hoje não fizeram todo o percurso no sentido de pensar a justiça criminal em termos puramente utilitaristas. Mas em *Tábula rasa* argumentei que mesmo os elementos de nossa prática judicial que parecem motivados apenas pelo castigo justo podem em última instância ter uma função dissuasória, pois, se um sistema incorre em excesso de utilitarismo estrito, os malfeitores aprenderão a jogar com ele. O castigo justo pode fechar essa opção.[206]

Mesmo o melhor sistema de justiça criminal não consegue monitorar seus cidadãos estejam eles onde estiverem e 24 horas por dia. Ele precisa confiar que os cidadãos interiorizem normas de justiça e aplaquem sua vingança antes que esta sofra uma escalada. No capítulo 3, vimos como os rancheiros e agricultores do condado de Shasta resolveram suas querelas, sem mexericos para a polícia, graças a reciprocidade, boatos, atos de vandalismos ocasionais e, para danos menores, "aguentando".[207] Por que as pessoas de algumas sociedades aguentam, enquanto outras experimentam um brilho nos olhos, uma chama nas faces e um palpitar nas têmporas? A teoria de Norbert Elias sobre o Processo Civilizador sugere que a justiça ministrada por governos pode ter efeitos em cadeia que levam seus cidadãos a interiorizar normas de autocontenção e sofrear seus impulsos de retaliação em vez de concretizá-los. Nos capítulos 2 e 3, vimos muitos exemplos de como a pacificação efetuada por um governo tem enorme efeito sobre a vingança mortal, e no próximo capítulo examinaremos experimentos mostrando que o autocontrole em um contexto pode se difundir para outros.

O capítulo 3 também introduziu a constatação de que a mera presença do governo reduziu os índices de violência, somente até agora, da casa das centenas de homicídios por 100 mil pessoas/ano para algumas dezenas. Uma queda ulterior, para números de um dígito, pode depender de algo mais nebuloso, como a aceitação, pelas pessoas, da legitimidade do governo e do contrato social. Um experimento recente pode ter apreendido no laboratório uma amostra desse fenômeno. Os economistas Benedikt Herrmann, Christian Thöni e Simon Gächter fizeram estudantes universitários de dezesseis países jogarem jogos do bem público (o jogo em que os participantes contribuem com dinheiro para um fundo que é dobrado e repartido entre eles), com e sem a possibilidade de punição entre eles.[208] Os pesquisadores descobriram, para seu horror, que em alguns países muitos jogadores puniam mais os contribuintes *generosos* para o bem comum do que aqueles mesquinhos. Tais gestos de rancor tinham efeitos previsíveis e terríveis sobre o bem-estar do grupo, pois só faziam reforçar os piores instintos de pegar carona nas contribuições dos outros. Logo as contribuições estancavam e todos perdiam. Os castigadores antissociais parecem ter sido motivados por uma vingança excessiva. Quando eles próprios tinham sido punidos por sua baixa contribuição, em vez de se corrigirem e aumentarem a contribuição na rodada seguinte (que é o que tinham feito os participantes do experimento original, conduzido nos Estados Unidos e na Europa Ocidental), eles castigavam seus castigadores, que tendiam a ser os contribuintes altruístas.

O que distingue os países em que os alvos de punição se arrependem, como Estados Unidos, Austrália, China e europeus orientais, daqueles em que os jogadores retaliam acintosamente, como Rússia, Ucrânia, Grécia, Arábia Saudita e Omã? Os pesquisadores fizeram um conjunto de regressões múltiplas usando uma dúzia de características dos diferentes países, tomadas de estatísticas econômicas e dos resultados de pesquisas internacionais. As normas cívicas revelaram-se um elemento primordial para a vingança excessiva: uma medida do grau em que as pessoas acham que é certo sonegar o imposto de renda, solicitar benefícios governamentais aos quais não têm direito e andar de metrô sem pagar passagem. (Os cientistas sociais acreditam que as normas cívicas compõem uma ampla parcela do *capital social* de um país, que é mais importante para sua prosperidade do que os recursos físicos.) E de onde podem provir as próprias normas sociais? O Banco Mundial atribui aos países uma pontuação chamada estado de direito, refletindo a que ponto os contratos privados podem ser validados nos tribunais, se o sistema legal é encarado como justo, a importância do mercado negro e do crime organizado, a qualidade da polícia e as taxas de crime e violência. No experimento, o estado de direito de um país prenunciava significativamente se os cidadãos admitiam uma vingança antissocial: em países com um estado de direito duvidoso as pessoas eram destrutivamente vingativas. Dado o usual espaguete de variáveis, fica impossível ter certeza sobre o que causa o quê; mas os resultados foram consistentes com a ideia de que a justiça desinteressada de um Leviatã decente induz os cidadãos a conter seu impulso de vingança antes que ele evolua para um ciclo destrutivo.

* * *

Por toda a sua tendência à escalada, a vingança devia vir com um dimmer. Caso contrário, a brecha da moralização inflaria cada afronta em uma escalada de conflitos, tal como no experimento em que os atores pressionavam os dedos dos colegas mais fortemente a cada rodada. Não só a vingança nem sempre vive escaladas, especialmente em sociedades com estado de direito, como não deveríamos esperar por isso. Os modelos de desenvolvimento da cooperação mostraram que os mais bem-sucedidos agentes atuavam no olho por olho com contrição e clemência, quando confinados no mesmo barco com outros agentes.

Em *Beyond Revenge: The Evolution of the Forgiveness Instinct* [Além da vingança: A evolução do instinto de perdão], o psicólogo Michael McCullough mostra que precisamos desse dimmer para a vingança.[209] Como vimos, muitas espécies de primatas são capazes de se beijar e fazer as pazes depois de uma luta, pelo menos quando seus interesses estão ligados por laços de parentesco, objetivos ou inimigos conjuntos.[210] McCullough mostra que o instinto humano do perdão é ativado em circunstâncias similares.

O desejo de vingança é mais facilmente graduado quando o perpetrador inclui-se em nosso círculo natural de empatia. Somos capazes de relevar nossa parentela e amigos íntimos por transgressões que em outros seriam imperdoáveis. E, quando nosso círculo de empatia se expande (um processo que examinaremos no próximo capítulo), o círculo de disposição para a clemência cresce junto com ele.

Uma segunda circunstância que puxa a vingança para baixo é uma relação com o perpetrador que seja valiosa demais para cortar. Podemos não gostar deles, mas estamos presos a eles, de modo que é melhor aprender a conviver com eles. Durante as primárias de uma eleição presidencial americana, os rivais pela indicação do partido podem passar meses duelando entre si com lama ou coisa pior, e sua linguagem corporal durante os debates televisivos deixa claro que eles não se suportam. Porém, quando o candidato é escolhido, eles mordem os lábios, engolem o orgulho e se unem contra seu adversário comum do outro partido. Em muitos casos o vencedor até convida o perdedor para sua chapa ou seu gabinete. O poder de um objetivo compartilhado de reconciliar inimigos de outrora foi dramaticamente demonstrado em um famoso experimento de 1950, em que meninos de um acampamento de férias chamado Robbers Cave foram divididos em equipes e por sua própria iniciativa guerrearam entre si durante semanas, com incursões, retaliações e o uso de armas perigosas como pedras e tacos.[211] Mas quando os psicólogos providenciaram alguns "acidentes" que não deixaram aos meninos outra escolha exceto trabalharem juntos para restabelecer o abastecimento de água do acampamento e tirar da lama um ônibus atolado, eles estabeleceram uma trégua, superaram a inimizade e até surgiram algumas amizades cruzando as linhas das equipes.

O terceiro moderador da vingança entra em ação quando estamos certos de que o perpetrador se tornou inofensivo. Com todo o calor e imprecisão do sentimento de clemência, você não pode se dar ao luxo de se desarmar se a pessoa que lhe causou dano provavelmente o fará novamente. Assim, se um perpetrador deseja evitar sua ira e voltar às boas com você, precisa persuadi-lo de que não tem mais qualquer motivo para prejudicá-lo. Ele pode começar por alegar que o dano causado foi o produto infeliz de um conjunto excepcional de circunstâncias que jamais se repetirá — ou seja, que a ação era não intencional ou inevitável ou que o dano foi involuntário. Não por coincidência, essas são as desculpas que os provocadores de danos acreditam estar acima de qualquer dano que tenham provocado, o que representa um dos lados da brecha da moralização. Se isso não funcionar, o perpetrador pode aceitar seu lado da história, admitindo que fez algo errado, compreendendo seu sofrimento, cancelando o dano com uma reparação e empenhando a própria credibilidade em uma garantia de que não repetirá o que fez. Em outras palavras, ele pode se desculpar. Todas essas táticas, conforme mostram os estudos, podem aplacar uma vítima irritada.

Naturalmente, o problema de um pedido de desculpas é que ele pode ser um subterfúgio. Um pedido de desculpas insincero pode causar mais raiva que desculpa nenhuma, pois agrava o primeiro dano com um segundo, no caso uma cínica astúcia para escapar da vingança. A parte ofendida precisa penetrar na alma do perpetrador e constatar que qualquer intenção de prejudicar novamente foi exorcizada. Os recursos para se implementar tal inofensividade rediviva são as emoções autoconscientes de vergonha, culpa e embaraço.[212] O problema para o perpetrador é como tornar essas emoções visíveis. Como todos os problemas de sinalização, o caminho para tornar um sinal digno de crédito é fazer com que seja custoso. Quando um primata subordinado deseja apaziguar um dominante, ele se fará pequeno, evitará o olhar do outro e exporá partes vulneráveis do corpo. Nos seres humanos, os gestos equivalentes são chamados de fazer mesuras, rastejar, ou curvar-se e arranhar-se. Também podemos perder o controle de partes conspícuas de nosso corpo ou sistema nervoso, o circuito involuntário que controla a circulação sanguínea, o tônus muscular e a atividade das glândulas. Um pedido de desculpas certificado por enrubescimento, gagueira e lágrimas é mais digno de crédito do que um que seja frio, calmo e comedido. Chorar e ruborizar são particularmente eficazes porque são sentidos no íntimo e ao mesmo tempo exibidos no exterior, gerando portanto um conhecimento partilhado. O emocionado sabe que os espectadores conhecem seu estado emocional, estes sabem que ele sabe e assim por diante. O conhecimento partilhado suprime o autoengano: a parte culpada já não pode mais negar a incômoda verdade.[213]

McCullough observa que nossos graduadores de vingança oferecem um caminho para a redução do conflito público, a qual pode suplementar o sistema de justiça criminal. A vantagem potencial pode ser enorme, pois o sistema judicial é caro, ineficiente, insensível às necessidades da vítima, além de ser intrinsecamente violento, pois forçosamente encarcera o perpetrador culpado. Hoje em dia muitas comunidades têm programas de *justiça restaurativa*, às vezes suplementando um julgamento criminal, às vezes substituindo-o. O perpetrador e a vítima, às vezes acompanhados por familiares e amigos, sentam-se junto com um facilitador, que dá à vítima a oportunidade de relatar-lhe seu sofrimento e cólera, e ao perpetrador a ocasião de expressar remorso sincero, junto com uma compensação pelo dano. Soa como um programa vespertino de TV, mas consegue trazer ao menos alguns perpetradores para o bom caminho, enquanto satisfaz suas vítimas e mantém toda a disputa fora das lentas engrenagens do sistema de justiça criminal.

Na cena internacional, as duas últimas décadas assistiram a uma explosão de pedidos de desculpas de líderes políticos por crimes que seus governos cometeram. O cientista político Graham Dodds elaborou uma "listagem cronológica abrangente dos maiores pedidos de desculpas" através dos séculos. Sua lista começa no ano 1077, quando "o imperador Henrique IV, do Sacro Império Romano, pediu desculpas ao papa Gregório VII por conflitos Igreja-Estado, permanecendo três dias descalço na neve".[214] A história teria de esperar mais de seiscentos anos pelo próximo caso, quando o estado de Massachusetts pediu desculpas, em 1711, às famílias das vítimas dos processos das feiticeiras de Salem. O primeiro pedido de desculpas do século XX, a admissão, pela Alemanha, de ter iniciado a Primeira Guerra Mundial, no Tratado de Versalhes, de 1919, talvez não seja o melhor exemplo e uma proclamação do gênero. Mas a enxurrada de desculpas nas últimas duas décadas evidencia uma nova era na autorrepresentação dos Estados. Pela primeira vez na história, os líderes das nações elevaram os ideais da verdade histórica e da reconciliação internacional acima das interessadas reivindicações de infalibilidade e retidão nacionais. Em 1984, o Japão de certa forma desculpou-se por ter ocupado a Coreia quando o imperador Hiroito disse ao presidente sul-coreano, que o visitava: "É lamentável que tenha existido um período tão desafortunado em nosso século". Porém as décadas subsequentes assistiram a uma sequência ainda mais amiudada de desculpas da parte de outros líderes japoneses. No mesmo período os alemães pediram desculpas pelo Holocausto, os Estados Unidos pelo internamento de nipo-americanos em campos de concentração, a União Soviética pela matança de prisioneiros poloneses durante a Segunda Guerra Mundial, a Grã-Bretanha desculpou-se com os irlandeses, indianos e maoris e o Vaticano, por seu papel nas guerras religiosas, pela perseguição dos judeus, o tráfico de escravos e a opressão das mulheres. A figura 8.6 mostra como os pedidos de desculpas políticos são um sinal de nossos tempos.

Terão as desculpas e outros gestos conciliatórios do repertório social humano efetivamente evitado ciclos de vingança? Os cientistas políticos William Long e Peter Brecke enfrentaram a questão em seu livro *War and Reconciliation: Reason and Emotion in Conflict Resolution* [Guerra e reconciliação: Razão e emoção na solução de conflitos], de 2003. Brecke é o acadêmico que organizou o Catálogo de Conflitos que citei no capítulo 5, e ele e Long abordaram a questão com números. Eles selecionaram 114 pares de países que travaram guerras interestatais entre 1888 e 1991, assim como 430 guerras civis. Buscaram então eventos reconciliatórios — cerimônias ou rituais reunindo os líderes das facções que tinham guerreado — e compararam o número de disputas militarizadas (episódios de exibição de força ou combates) ao longo de várias décadas antes e depois desses eventos, para saber se tinham feito alguma diferença. Geraram hipóteses e interpretaram seus dados usando tanto a teoria do ator racional como a psicologia evolutiva.

Quando se trata de disputas internacionais, os gestos emocionais fizeram pouca diferença. Long e Brecke identificaram 21 eventos de reconciliação internacional e compararam aqueles que claramente acalmaram os beligerantes com os que os deixaram tão belicosos como sempre. Os êxitos dependem não de gestos

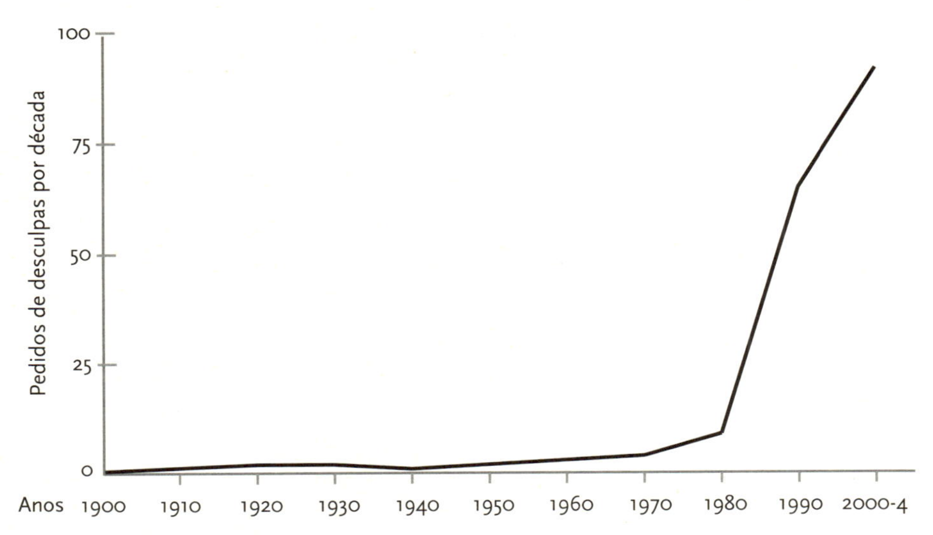

Figura 8.6. *Pedidos de desculpas por líderes políticos e religiosos, 1900-2004.*
FONTES: Dados de Dodds, 2003b, e Dodds, 2005.

simbólicos, mas de uma sinalização com custo. O líder de um dos países, ou os de ambos, fez um movimento novo, voluntário, arriscado, vulnerável e irrevogável no sentido da paz que assegurou seus adversários de que era improvável a retomada das hostilidades. O discurso de Anuar Sadat em 1977 ao Parlamento israelense é o protótipo. O gesto foi impactante, e inconfundivelmente caro, custando mais tarde a vida de Sadat. Mas levou a um tratado de paz que se mantém até hoje. Ocorreram poucos rituais de exibição sentimental e atualmente os dois países, se não se dão bem, estão em paz. Long e Brecke observam que às vezes pares de países que durante séculos lançaram olhares furiosos um para o outro podem se tornar bons camaradas — Inglaterra e França, Inglaterra e Estados Unidos, Alemanha e Polônia, Alemanha e França —, mas a amizade surge mais após décadas de convivência que como resultado imediato de gestos conciliatórios.

A psicologia do perdão, lembremos, funciona melhor quando o perpetrador e a vítima já são propensos devido a parentesco, amizade, aliança ou dependência mútua. Não é de surpreender, portanto, que gestos conciliatórios sejam mais eficazes ao fim das guerras civis e não das internacionais. Em uma guerra civil os adversários estão, no mínimo, presos uns aos outros no interior das fronteiras nacionais, e têm uma bandeira e um time de futebol que os situam em uma suposta coalizão.

Frequentemente os vínculos vão mais fundo. Eles podem partilhar uma língua ou religião, podem trabalhar juntos e podem estar unidos por laços de casamento. Em muitas rebeliões e conflitos de senhores da guerra, os contendores podem ser literalmente filhos, sobrinhos e meninos da vizinhança, e as comunidades podem precisar receber bem os perpetradores de atrocidades horríveis, se desejarem se manter como comunidades. Esses e outros vínculos podem preparar a via para gestos de desculpas e reconciliação. Tais atos são mais efetivos que os mecanismos que conduzem à paz *entre* Estados, nomeadamente a custosa sinalização de boas intenções, pois em conflitos civis os dois lados não são entidades nitidamente separadas, e portanto não conseguem falar com uma única voz, trocar mensagens com segurança e retornar ao status quo se uma iniciativa falhar.

Long e Brecke estudaram onze eventos de reconciliação desde 1957 que encerraram simbolicamente um conflito civil. Em sete deles (64%) não houve retorno à violência. É uma cifra impressionante: entre os conflitos que *não* tiveram um evento de reconciliação, apenas 9% assistiram à cessação da violência. O denominador comum das histórias de sucesso, concluíram os pesquisadores, foi um conjunto de rituais conciliatórios que implementaram uma justiça simbólica e incompleta, não a justiça perfeita mas tampouco justiça nenhuma. Exatamente como um simples microfone ao lado de um alto-falante pode amplificar seu alcance e criar um brado ensurdecedor, a justiça retributiva que impõe novo dano aos perpetradores pode atiçar o desejo de retaliação em uma espiral de vitimização competitiva. Por outro lado, assim como a potência de um microfone pode ser moderada se o som é reduzido, ciclos de violência comunal podem ser reprimidos se a severidade da justiça retributiva é graduada. Um amortecimento do desejo de justiça é particularmente indispensável após conflitos civis, nos quais instituições da justiça como os sistemas policial e prisional não só estão fragilizados como podem estar eles próprios entre os maiores perpetradores de danos.

O protótipo da reconciliação após um conflito civil é a África do Sul. Invocando o conceito xhosa de "ubuntu", ou fraternidade, Nelson Mandela e Desmond Tutu instituíram um sistema de justiça restaurativo mais que retributivo para sanear o país depois de décadas de violenta repressão e rebelião sob o regime de apartheid. Tal como nas táticas das Revoluções por Direitos, a justiça restaurativa de Mandela e Tutu brotou do reservatório de ideias pela solução não violenta de conflitos, e ao mesmo tempo contribuiu para ele. Long e Brecke descobriram que sistemas parecidos cimentaram a paz civil em Moçambique, Argentina, Chile, Uruguai e El Salvador. Eles identificam quatro ingredientes do bem-sucedido elixir.

O primeiro é uma rodada de apresentação sem compromisso da verdade e do reconhecimento do dano. Ele pode assumir a forma de comissões da verdade e reconciliação, nas quais os perpetradores publicamente confessam os danos que produziram, ou de comitês nacionais de apuração dos fatos, cujos relatórios são amplamente divulgados e oficialmente endossados. Esses mecanismos se referenciam diretamente na psicologia do proveito próprio que a brecha da moralização estimula. Ainda que dizer a verdade não derrame sangue, exige um penoso sacrifício emocional por parte daqueles que a confessam, sob a forma de vergonha, culpa e desarmamento unilateral de sua principal arma moral, a alegação de inocência. Há uma vasta diferença moral entre um crime que todos conhecem em privado mas nem todos reconhecem e um outro que "está lá fora" e é de conhecimento público. Assim como rubores e lágrimas tornam um pedido de desculpas mais eficaz, o reconhecimento público de um erro pode reescrever as regras da relação entre grupos.

Um segundo tema em reconciliações bem-sucedidas é uma reelaboração explícita das identidades sociais das pessoas. As pessoas redefinem os grupos com os quais se identificam. As eternas vítimas de uma sociedade podem assumir a responsabilidade de governá-la. Rebeldes transformam-se em políticos, burocratas ou homens de negócios. Militares renunciam a sua pretensão de encarnar a nação e se contentam em ser guardiões de sua segurança.

O terceiro tema parece ser o mais importante: a justiça incompleta. Mais que ajustar todas as contas, a sociedade precisa traçar uma linha divisória entre as violações do passado e garantir uma anistia ampla, enquanto leva a julgamento apenas os chefes mais ostensivos e alguns dos soldados rasos mais depravados. Mesmo aí as punições assumem a forma de abalos em sua reputação, prestígio e privilégios, em vez de lavar sangue com sangue. Podem, adicionalmente, ocorrer reparações, mas seu valor restaurador é mais emocional que financeiro. Long e Brecke comentam:

> Em todos os casos bem-sucedidos de reconciliação, exceto Moçambique, a justiça foi ministrada, mas nunca plenamente. Esse fato pode ser lamentável, trágico até, sob certa perspectiva legal e moral, mas ainda assim é consistente com os requisitos da restauração da ordem social, postulados pela hipótese do perdão. Em todos os casos bem-sucedidos de reconciliação, a justiça retributiva não pôde ser nem ignorada

> nem plenamente aplicada [...]. Por mais perturbador que isso possa ser, as pessoas parecem capazes de suportar uma substancial quantidade de injustiça, trazida pela anistia, em nome da paz social.[215]

Em outras palavras, retire o adesivo que diz "Se você quer paz, trabalhe pela justiça". Substitua-o por outro, recomendado por Joshua Goldstein: "Se você quer paz, trabalhe pela paz".[216]

Por fim, as partes beligerantes têm de sublinhar seu compromisso com uma nova relação por meio de uma estrondosa sucessão de gestos verbais e não verbais. Conforme Long e Brecke observam,

> parlamentos votaram resoluções solenes, acordos de paz foram assinados e abraços trocados por chefes de grupos antes rivais, estátuas e monumentos à tragédia foram erigidos, livros didáticos foram escritos, e mil outras ações, grandes e pequenas, foram empreendidas para sublinhar a noção de que o passado foi diferente e o futuro era mais esperançoso.[217]

O conflito entre israelenses e palestinos permanece na mente de muitas pessoas como o pior dos atuais ciclos de vingança mortífera. Nem mesmo Poliana haveria de dizer que tem a chave para solucioná-lo. Mas a psicologia aplicada da reconciliação confirma a visão do romancista israelense Amós Oz, sobre como deverá ser uma solução:

> Tragédias só podem ser resolvidas de duas formas: existe a solução shakespeariana e a tchekhoviana. Ao fim de uma tragédia shakespeariana, o palco está repleto de cadáveres e talvez haja alguma justiça flutuando bem no alto. Uma tragédia de Tchékhov, por outro lado, termina com todos desiludidos, amargurados, de coração partido, desapontados, absolutamente espatifados, mas ainda vivos. E eu quero uma solução tchekhoviana, e não shakespeariana, para a tragédia israelo-palestina.[218]

SADISMO

É difícil apontar a forma mais hedionda de depravação humana — há tantas para escolher —, mas, se o genocídio é a pior em quantidade, o sadismo pode ser a pior em qualidade. Infligir a dor deliberadamente, sem outro propósito a não ser desfrutar do sofrimento de uma pessoa, não é apenas moralmente monstruoso, mas intelectualmente desconcertante, pois o torturador não obtém benefício pessoal ou evolutivo aparente em troca da agonia da vítima. E, ao contrário de muitos outros pecados, o sadismo puro não é um prazer culpado a que muita gente se entrega em suas fantasias; poucos de nós têm o sonho de ver um gato ser queimado vivo. No entanto, a tortura é uma desfiguração recorrente na história humana e nos eventos em curso, aparecendo em pelo menos cinco circunstâncias.

O sadismo pode brotar da violência instrumental. A ameaça de tortura pode aterrorizar adversários políticos, e precisa ao menos ocasionalmente se efetivar para que a ameaça seja real. A tortura também pode ser usada para extrair informações de um suspeito de crime ou inimigo político. Muitas polícias e forças de segurança nacionais se entregam à tortura leve sob eufemismos como "o terceiro grau", "pressão física moderada" e "interrogatório reforçado", e às vezes essas táticas podem ser eficazes.[219] Como apontaram filósofos morais a partir de Jeremy Bentham, em teoria a tortura pode até se justificar, como no cenário célebre da bomba-relógio, em que um criminoso conhece a localização de uma carga explosiva que irá matar e ferir muitas pessoas inocentes, e apenas a tortura pode forçá-lo a falar.[220]

No entanto, entre os muitos argumentos contra o uso da tortura está o de que ela raramente mantém por muito tempo sua eficácia. Os torturadores se deixam arrebatar. Causam tanto sofrimento às suas vítimas que estas dirão qualquer coisa para deter o suplício, ou delirarão tanto com a agonia que ficarão incapazes de responder.[221] Muitas vezes a vítima morre, o que torna inócua a extração de informações. E em casos como os maus-tratos de prisioneiros iraquianos por soldados americanos em Abu Ghraib, o uso da tortura, longe de servir a um propósito útil, foi uma catástrofe estratégica para o país que permitiu que isso acontecesse, inflamando inimigos e afastando amigos.

A segunda ocasião para a tortura é a punição criminal e religiosa. Aqui, novamente, há um grão de motivação instrumental, ou seja, deter malfeitores com a perspectiva de uma dor que anularia seu ganho. No entanto, como salientaram reformadores iluministas como Beccaria e outros, qualquer cálculo de dissuasão pode alcançar os mesmos objetivos com punições menos severas e mais confiáveis. E sem dúvida a pena de morte, se aplicada, é um inibidor suficiente para crimes capitais, sem necessidade da prática outrora costumeira de precedê-la de horríveis e prolongadas torturas. Na prática, o castigo corporal e a pena de morte atroz transbordam para orgias de crueldade gratuita.

O próprio entretenimento pode ser um motivo para a tortura, como no Coliseu romano e em esportes sangrentos, tais como o acossamento de ursos e a incineração de gatos. Tuchman observa que cidades da França medieval às vezes compravam um criminoso condenado em outra localidade para entreter seus cidadãos com a execução pública.[222]

Torturas horrendas e mutilações podem acompanhar motins de soldados ou milicianos, especialmente quando estes se liberam da apreensão e do medo, no fenômeno que Randall Collins chama de pânico agressivo. São desse tipo as atrocidades que acompanham pogroms, genocídios, exibições de brutalidade policial e tumultos militares, inclusive em guerras tribais.

Por fim, há os assassinos seriais, os psicopatas que podem assediar, sequestrar, torturar, mutilar e matar suas vítimas por satisfação sexual. *Serial killers* como Ted Bundy, John Wayne Gacy e Jeffrey Dahmer não são a mesma coisa que criminosos em massa ordinários.[223] Criminosos em massa incluem homens que agem fora de controle, como os trabalhadores dos correios enraivecidos que vingam uma humilhação e provam seu poder levando com eles tantas pessoas quanto possam em uma explosão final suicida. Incluem também *spree killers* [assassinos-relâmpago], como o atirador de Washington D. C. John Muhammad, que prolongou por várias semanas seu gesto de vingança e dominação. Com os assassinos em série, em contraste, o motivo é o sadismo. Eles são excitados pela perspectiva de atormentar, desfigurar, desmembrar, eviscerar e lentamente drenar a vida das vítimas com as próprias mãos. Mesmo o mais embotado consumidor de atrocidades humanas há de encontrar motivos para chocar-se no autorizado compêndio *The Serial Killer Files* [Arquivos do serial killer], de Harold Schechter.

Apesar de toda a sua notoriedade em músicas de rock, filmes de TV e sucessos hollywoodianos, o assassinato em série é um fenômeno raro. Os criminologistas James Alan Fox e Jack Levin comentam que "na verdade deve haver mais acadêmicos estudando o assassinato em série do que criminosos cometendo-o".[224] E mesmo esse número reduzido (como todas as demais tabulações da violência que examinamos neste livro) está em declínio. Nos anos 1980, quando os *serial killers* eram uma sensação pop, havia no total duzentos perpetradores conhecidos e estes mataram cerca de setenta vítimas por ano. Na década de 1990 eles foram 141 e na de 2000, apenas 61.[225] Essas cifras podem estar subestimadas (pois muitos assassinos em série atacam fugitivos, prostitutas, sem-teto e outras pessoas cujo desaparecimento pode não ter sido registrado como assassinato), mas em qualquer contabilidade não mais de duas ou três dúzias de *serial killers* estiveram em ação nos Estados Unidos em um dado momento, e eles são coletivamente responsáveis por uma reduzida fração dos 17 mil homicídios que ocorrem anualmente no país.[226]

O assassinato em série nada tem de novo. Schechter mostra que, ao contrário do lugar-comum de que seriam produto de nossa sociedade doentia, eles pontilham as páginas da história há milênios. Calígula, Nero, Barba-Azul (provavelmente baseado no cavaleiro do século XV Gilles de Rais), Vlad, o Empalador, e Jack, o Estripador, são exemplos célebres, e os estudiosos têm especulado se as lendas sobre lobisomens, noivos ladrões e barbeiros demoníacos podem ter se baseado em relatos sobre assassinos em série reais. Tudo que há de novo quanto às mortes por sadismo é o nome para o motivo, que nos chega por cortesia do mais célebre dos torturadores em série, Donatien Alphonse François, também conhecido como o marquês de Sade. Em séculos anteriores, *serial killers* eram denominados demônios assassinos, monstros sanguinários, diabos em forma humana ou moralmente insanos.

Embora o sadismo exuberante dos assassinos em série seja historicamente raro, o sadismo de inquisidores, desordeiros, espectadores de execuções públicas, fãs de esportes sanguinários e plateias do Coliseu não o são. E mesmo assassinos em série não acabam nessa diversão devido a algum gene, lesão cerebral ou experiência de infância que possamos identificar.[227] (Eles tendem a ser vítimas de abuso sexual e físico durante a infância, mas outros milhões de pessoas também o são e não se tornam *serial killers*.) Portanto, é concebível que lançar luz sobre a via que conduz ao assassinato em série pode lançar luz também sobre o percurso que leva pessoas comuns igualmente ao sadismo. Como podemos dar sentido a essa insensata espécie de violência?

O desenvolvimento do sadismo requer duas coisas: motivos para ter prazer no sofrimento dos outros; e uma remoção das inibições que normalmente impedem as pessoas de agir assim.

Embora seja penoso admitir, a natureza humana vem equipada com pelo menos quatro motivos para extrair satisfação da dor alheia. Um é o fascínio mórbido pela vulnerabilidade de seres vivos, fenômeno talvez mais bem captado pela palavra "macabro". É isso que leva garotos a arrancar as pernas de gafanhotos e queimar formigas com lentes de aumento. É o que leva adultos a olhar para o lado para ver a cena de um acidente automobilístico — um vício que pode criar quilômetros de congestionamento do trânsito — e por gastar sua renda disponível para ler e assistir a entretenimentos sangrentos. Em última instância, o motivo pode ser o domínio sobre o mundo dos vivos, inclusive nossa própria segurança. A lição implícita no voyeurismo macabro pode ser: "Por uma questão de um movimento de volante ou uma porta da frente destrancada, isso podia ter acontecido comigo".[228]

Outro atrativo da dor sofrida por alguém é a dominação. Pode ser prazeroso assistir à queda dos poderosos, especialmente se eles estiveram entre nossos atormentadores. E quando se está olhando para baixo em vez de para cima, é reconfortante saber que se pode exercer o poder de dominar os outros caso haja necessidade. A mais extrema forma de poder sobre alguém é o poder de causar dor à vontade.[229]

Os neurocientistas de hoje passariam as pessoas por um ímã apenas para olhar qualquer experiência humana. Embora, que eu saiba, ninguém tenha estudado o sadismo no scanner, um experimento recente debruçou-se sobre a versão diluída, a *schadenfreude*,[230] a alegria com a infelicidade alheia. Estudantes homens japoneses ficavam em uma máquina de ressonância magnética e pedia-se a eles que se colocassem no lugar de um incompetente que anseia por um emprego numa multinacional da tecnologia de informação mas obtém notas medíocres, estraga a entrevista profissional, fica na reserva em seu time de basebol, termina num emprego mal pago em uma loja, vive em um apartamento mínimo e não tem namorada. Em uma reunião de sua faculdade ele encontra um colega que trabalha numa multinacional, mora num condomínio luxuoso, tem um belo carro, come em restaurantes franceses e coleciona relógios, passa os fins de semana com o jet set e "tem muitas oportunidades de encontrar-se com garotas depois do trabalho". O participante também se imagina encontrando duas outras colegas, uma bem-sucedida, outra não, que os pesquisadores japoneses imaginaram — corretamente, conforme se viu — que não provocariam inveja no participante por serem mulheres. O participante, ainda imaginando ser o fracassado, lê então uma sequência de desgraças que atinge seu invejado colega: este é falsamente acusado de colar num exame, torna-se vítima de boatos ofensivos, sua namorada o engana, sua empresa tem problemas financeiros, sua renda diminui, seu carro quebra, seus relógios são roubados, seu prédio fica todo pintado de grafites, ele consome comida estragada no restaurante francês e suas férias são canceladas devido a um tufão. Os pesquisadores puderam literalmente ler o deleite no cérebro dos participantes. Conforme estes liam os infortúnios de seu vencedor (embora não os das mulheres, que não os ameaçava), seu estriado, a parte do circuito da busca que vincula o querer e o gostar, acendia-se como uma avenida de Tóquio. Os resultados foram os mesmos quando mulheres contemplavam a queda de uma invejada rival.

A terceira ocasião de sadismo é a vingança, ou a terceira via saneada que chamamos de justiça. Tudo que importa na punição moral é que o malfeitor sofra por seus pecados, e já vimos que uma vingança pode ser doce. A vingança literalmente desliga a resposta de empatia no cérebro (pelo menos entre homens) e só se consuma quando o vingador sabe que seu alvo sabe que está sofrendo em consequência de seus delitos.[231] Que melhor maneira de se certificar desse conhecimento afora ele próprio infligir o sofrimento?

Por fim, existe o sadismo sexual. O sadismo no sentido estrito não é uma perversão comum — entre as pessoas que se entregam ao S&M (sadomasoquismo), a grande maioria está no M e não no S —, mas formas atenuadas de dominação e degradação não são raras na pornografia, e podem ser um subproduto do fato de que os homens são o gênero mais ardoroso e as mulheres, o mais perspicaz.[232] Os circuitos da sexualidade e da agressividade estão entrelaçados no sistema límbico, e ambos respondem à testosterona.[233]

A agressividade masculina tem um componente sexual. Em entrevistas, muitos soldados descrevem os eventos do campo de batalha em termos explicitamente eróticos. Um veterano do Vietnã disse: "Para algumas pessoas, carregar uma arma era como ter uma ereção permanente. Era uma pura viagem sexual toda vez que você puxava o gatilho".[234] Outro concordou: "Existe [...] justamente essa incrível sensação de poder ao matar cinco pessoas [...]. A única coisa com que posso comparar isso é a ejaculação. Simplesmente uma incrível sensação de alívio, sabe, que eu fizesse isso".[235] A tortura institucionalizada também é frequentemente sexuada. As mulheres dos mártires cristãos eram descritas como sexualmente mutiladas, e quando as coisas se inverteram, na cristandade medieval, os instrumentos de tortura com frequência se voltavam para as zonas erógenas femininas.[236] Tal como nos martirológicos, outros gêneros de entretenimento macabro, como a *pulp fiction*, o grand-guignol e os tabloides de "crime-verdade", com frequência põem protagonistas femininas em perigo de tortura e mutilação sexual.[237] E torturadores a serviço de Estados policiais muitas vezes foram descritos como sexualmente excitados com suas atrocidades. Lloyd deMause relata o testemunho de um sobrevivente do Holocausto:

> O comandante SS do campo estava perto do poste durante todo o açoitamento [...]. Todo o seu rosto estava vermelho de lasciva excitação. Suas mãos estavam profundamente enfiadas nos bolsos da calça e ficava muito claro que ele estava se masturbando [...]. Em mais de trinta ocasiões eu próprio testemunhei comandantes SS do campo masturbando-se durante açoitamentos.[238]

Se assassinos seriais representam o gosto pelo sexo violento levado ao extremo, a diferença de gênero entre os *serial killers*, que provêm de ambos os sexos, é instrutiva. Schechter é cético acerca de autointitulados *profilers* e "caçadores de mentes", como o personagem de Jack Crawford em *O silêncio dos inocentes*, mas permite-se um tipo de dedução a partir do modus operandi de um assassino em série para um traço característico: "Quando a polícia descobre um corpo com a garganta cortada, o torso aberto, as entranhas removidas e a genitália extirpada, tem razão em fazer uma suposição básica: o perpetrador é homem".[239] Não é que as garotas jamais cheguem ao nível de *serial killers*; Schechter relata a história de várias viúvas negras e anjos da morte. Mas elas se dedicam a seu passatempo de modo diferente. Schechter explica:

> Existem paralelos inconfundíveis entre o tipo de violência [dos *serial killers* masculinos] — fálico-agressiva, perfurante, rapace e (na medida em que usualmente ele se satisfaz com os corpos de estranhos) indiscriminada — e o padrão típico do comportamento sexual masculino. Por essas razões, é possível enxergar o assassinato com mutilação como uma grotesca deformação [...] da sexualidade masculina normal [...].
>
> Mulheres psicopatas não são menos depravadas que seus equivalentes masculinos. Em geral, contudo, não é a penetração brutal que as instiga. Sua excitação provém não de violar os corpos de estranhos com objetos fálicos, mas de uma paródia grotesca e sádica da intimidade e do amor: ao ministrar colheradas de medicamento

envenenado na boca de um paciente confiante, por exemplo, ou sufocar uma criança adormecida em seu leito. Numa palavra, ao brandamente transformar um amigo, um familiar ou um dependente em um cadáver — acalentando-os até a morte.[240]

Com tantas fontes de sadismo, por que há tão poucos sádicos? É óbvio que a mente deve estar equipada com travas de segurança contra maltratar os outros, e o sadismo irrompe quando estas são desativadas.

O primeiro fator que vem à mente é a empatia. Se uma pessoa sente a dor da outra, maltratar alguém será sentido como maltratar a si mesmo. Eis por que o sadismo é mais concebível quando as vítimas são seres demonizados ou desumanizados que ficam fora do círculo de empatia. Mas, como já mencionei (e iremos explorar no próximo capítulo), para a empatia servir como freio à agressão ela precisa ser algo mais que o hábito de se colocar no lugar de outra pessoa. Afinal, os sádicos frequentemente exercitam uma perversa engenhosidade em intuir como atormentarão melhor suas vítimas. Uma resposta empática pode incluir especificamente uma sintonia da satisfação de alguém com a de outro ser, faculdade que seria melhor chamar não de empatia, mas de simpatia ou compaixão. Baumeister aponta que uma emoção adicional precisa contribuir com a simpatia para inibir o comportamento: a culpa. A culpa, comenta ele, não opera apenas depois do evento. Grande parte de nossa culpa é antecipatória — abstemo-nos de ações que, caso efetuadas, fariam com que nos sentíssemos mal.[241]

Outro freio do sadismo é um tabu cultural: a convicção de que infligir dor deliberadamente não é uma opção concebível, independentemente de que a vítima desperte ou não inibições devido à simpatia. Atualmente a tortura acha-se explicitamente condenada pela Declaração Universal dos Direitos Humanos e pelas Convenções de Genebra de 1949.[242] Diferentemente dos tempos medievais e do início da modernidade, em que a tortura era uma forma de entretenimento popular, hoje o uso da tortura por governos é quase inteiramente clandestino, mostrando que o tabu é amplamente reconhecido — ainda que, como muitos tabus, seja às vezes hipocritamente escarnecido. Em 2001, o acadêmico de direito Alan Dershowitz abordou essa hipocrisia quando propôs um mecanismo legal concebido para eliminar a tortura por debaixo do pano em democracias.[243] Em um cenário do tipo bomba-relógio, a polícia teria de obter uma autorização de um juiz desinteressado antes de arrancar do suspeito a informação salvadora; todas as demais formas de interrogatório coercitivo seriam sumariamente proibidas. A resposta mais comum foi a indignação. Pelo simples fato de examinar o tabu da tortura, Dershowitz o violara, e foi amplamente mal interpretado, como se *advogasse* a tortura em vez de pretender *constrangê-la*.[244] Alguns dos críticos mais comedidos argumentaram que o tabu desempenha na prática uma função útil. Melhor, arguiram, lidar com um cenário do tipo bomba-relógio, caso ocorra, em uma base ad hoc, e talvez até admitir alguma tortura clandestina, do que colocar a tortura em pauta enquanto opção possível, pois esta poderia agigantar-se das bombas-relógio para outras ameaças reais ou imaginárias.[245]

Mas a mais poderosa inibição do sadismo talvez seja mais elementar: uma repulsa visceral a molestar outra pessoa. Muitos primatas sentem aversão aos gritos de dor de outro animal, e se absterão de comer ao som e à imagem de outro primata submetido a choques.[246] O desconforto expressa não os escrúpulos morais do macaco, mas seu temor de que o outro animal se enfureça. (Ele pode ser também uma resposta a qualquer ameaça externa que fizesse outro animal lançar um brado de alarme.)[247] Os participantes do célebre experimento de Stanley Milgram, que receberam instruções para ministrar choques em um falso colega de experiência, ficavam visivelmente perturbados quando ouviam os gritos derivados da dor que estavam causando.[248] Mesmo em cenários hipotéticos de filósofos morais, como o dilema do vagão, os entrevistados em pesquisas recusam a ideia de atirar o homem gordo diante do vagão, embora saibam que isso salvaria cinco vidas inocentes.[249]

O testemunho sobre a execução da violência na vida real é consistente com os resultados de estudos em laboratório. Como vimos, seres humanos não estão prontos a consumar duelos de murros, e soldados no campo de combate podem se petrificar no instante de puxar o gatilho.[250] As entrevistas do historiador Christopher Browning com nazistas da reserva, que tinham recebido ordens para atirar em judeus à queima-roupa, mostram que sua primeira reação era de repugnância física ao que iriam fazer.[251] Os reservistas não recordavam o trauma de seus primeiros assassinatos no formato moralmente colorido que poderíamos esperar — nem com culpa pelo que tinham feito, nem com desculpas retroativas que mitigassem sua responsabilidade. Em vez disso, lembravam o quanto tinham se perturbado fisicamente com os gritos, o sangue e a crueza da sensação de matar gente à queima-roupa. Como diz Baumeister ao resumir os testemunhos, "o primeiro dia de assassinato em massa não lhes proporcionou tantos estímulos para uma busca espiritual de suas almas, mas sobretudo uma literal ânsia de vômito".[252]

Existem, portanto, barreiras ao sadismo, mas deve haver também procedimentos alternativos, ou o sadismo não existiria. A mais crua das alternativas fica evidente durante incursões, quando se abre uma oportunidade de submeter o inimigo e está suspensa toda repulsa a maltratar com as próprias mãos. A alternativa mais sofisticada pode ser a suspensão voluntária da descrença que nos permite mergulhar em obras de ficção. Uma parte do cérebro permite que nos percamos no enredo e talvez condescendamos com um toque de sadismo virtual. A outra parte nos lembra de que tudo é faz de conta, de modo que nossas inibições não estraguem o prazer.[253]

A psicopatia é uma desativação definitiva das inibições contra o sadismo. Os psicopatas têm uma resposta embotada de sua amígdala e seu córtex orbital a sinais de sofrimento, junto com uma acentuada ausência de simpatia pelos interesses de outras pessoas.[254] Todos os assassinos em série são psicopatas, e sobreviventes de interrogatórios e punições brutais por parte de governos comumente relatam que alguns dos guardas se destacavam dos demais por seu sadismo — presumivelmente os psicopatas.[255] Entretanto, muitos psicopatas não são *serial killers* e nem sequer sádicos, havendo uma indulgência quase generalizada para com o sadismo em certos ambientes, como os espetáculos públicos de crueldade na Europa medieval. Isso significa que precisamos identificar o caminho que conduz as pessoas, algumas mais facilmente que outras, a infligir dor por prazer.

O sadismo é literalmente uma propensão adquirida.[256] Torturadores governamentais, como interrogadores da polícia e guardas de prisão, têm uma trajetória profissional contrária à intuição. Não são os novatos que apresentam uma exuberância excessiva e os veteranos que graduam a dor para extrair o máximo de informações úteis. Ao contrário, são os veteranos que torturam prisioneiros além de qualquer propósito imaginável. Eles pegam gosto pelo ofício. Outras formas de sadismo também precisam ser cultivadas. A maior parte dos sádicos sexuais começa por empregar chicotes e algemas como um favor prestado aos mais numerosos masoquistas; apenas gradativamente começam a gostar do que fazem. Também assassinos em série cometem seu primeiro homicídio com medo, repulsa e, ao fim dele, desapontamento: a experiência não foi tão excitante como o imaginado. Mas, à medida que o tempo passa e seu apetite é reestimulado, eles julgam o episódio seguinte mais fácil e gratificante, promovendo então uma escalada da crueldade para alimentar o que se transforma em dependência. Pode-se imaginar que, quando as torturas e execuções eram públicas e corriqueiras, como na Idade Média europeia, o processo de aclimatação podia habituar uma população inteira.

Afirma-se muitas vezes que as pessoas podem se tornar insensíveis à violência, mas não é o que acontece quando elas adquirem um gosto pela tortura. Elas não se tornam indiferentes ao sofrimento dos demais do mesmo modo que os vizinhos de uma fábrica de processamento de pescado deixam de sentir o cheiro enjoativo. Os sádicos passam a ter prazer com o sofrimento das vítimas, ou, no caso dos *serial killers*, anseiam por ele.[257]

Baumeister explica a aquisição do sadismo com ajuda de uma teoria da motivação proposta pelo psicólogo Richard Solomon, baseada em uma analogia com a visão das cores.[258] As emoções se apresentam aos pares, sugere Solomon, tal como as cores complementares. O mundo visto através de óculos cor-de-rosa no fim retorna à sua aparência neutra, mas quando os óculos são removidos ele fica por certo tempo parecendo esverdeado. Eis por que nossa noção de branco ou cinza neutros reflete o estado precedente do cabo de guerra entre os circuitos da cor vermelha (mais precisamente, comprimentos de onda mais longos) e os da cor verde (comprimentos de onda médios). Quando os neurônios sensíveis ao vermelho são superativados prolongadamente, eles se habituam, relaxam seu esforço e o tom rosado se esvanece em nossa consciência. Então, quando os óculos são retirados, os neurônios sensíveis ao vermelho e ao verde são estimulados ao mesmo tempo, mas os vermelhos perderam sensibilidade enquanto os verdes estão a postos e descansados. Assim, o verde predomina no cabo de guerra e o que experimentamos é verdor.

Solomon sugere que nosso estado emocional, tal como nossa percepção das cores do mundo, mantém seu equilíbrio através de um balanceamento de circuitos opostos. O medo equilibra-se com a confiança, a euforia com a depressão, a fome com a saciedade. A principal diferença entre as emoções opostas e as cores complementares reside em como elas mudam com a experiência. Com as emoções, a reação inicial de uma pessoa enfraquece ao longo do tempo, e o impulso que a equilibra se fortalece. Conforme uma experiência é repetida, a repercussão emocional é mais fortemente sentida que a emoção em si. O primeiro salto no esporte radical do *bungee jump* é aterrorizante, e a súbita alegria da desaceleração é emocionante, seguida de um interlúdio de tranquila euforia. Mas com a repetição dos saltos o componente da confiança ganha força, o que faz o temor amainar mais depressa e o prazer chegar mais cedo. Se o momento de prazer mais concentrado é a súbita metamorfose do pânico em confiança, o enfraquecimento da resposta do pânico ao longo do tempo pode exigir que o esportista procure saltos cada vez mais perigosos para obter o mesmo grau de regozijo. A dinâmica de ação-reação pode ser verificada igualmente em experiências positivas iniciais. A primeira ação da heroína é eufórica, e a ressaca, suave. Mas quando a pessoa se torna dependente, o prazer diminui e os sintomas da ressaca chegam mais cedo e são mais desagradáveis, até que a compulsão passa a ser menos para atingir a euforia que para evitar a ressaca.

Conforme Baumeister, o sadismo segue uma trajetória semelhante.[259] Um agressor experimenta repulsa ao maltratar sua vítima, mas o desconforto não pode durar para sempre e no final uma tranquilizadora e energética contraemoção restabelece seu equilíbrio no ponto neutro. Com a repetição dos ataques de brutalidade, o processo energético fica mais forte e suplanta mais cedo a repulsa. Por fim, ele predomina e inclina todo o processo no sentido do gozo, regozijo e a seguir desejo. Como observa Baumeister, o prazer está no resultado.

Em si, a teoria do processo oposto é um tanto crua, prevendo, por exemplo, que as pessoas se maltratariam umas às outras porque se sentem bem depois. É claro que nem todas as experiências são regidas pela mesma tensão entre reação e contrarreação, nem pelo mesmo gradual debilitamento da primeira e fortalecimento da segunda. Deve haver um subconjunto de experiências repulsivas que se prestam especialmente à superação. O psicólogo Paul Rozin identificou uma síndrome de propensões adquiridas que denominou masoquismo benigno.[260] Esses prazeres paradoxais incluem o consumo de pimenta, queijos fortes e vinho seco, assim como a participação em experiências extremas como saunas, paraquedismo, corridas automobilísticas e alpinismo. Todas são preferências adultas nas quais um novato precisa superar uma reação inicial de dor, repugnância ou medo no processo para se tornar um entusiasta. E todas são adquiridas pela via de controlar a exposição ao fator estressante em doses gradativamente maiores. O que elas têm em comum é uma conjunção de elevados ganhos potenciais (nutrição, efeitos medicinais, velocidade, conhecer novos ambientes) com perigos potenciais (intoxicação, exposição, acidentes). O prazer em adquirir um desses gostos é o deleite de quem tenta superar limites: testar, passo a passo, quão alto, quente, rápido ou longe se pode ir sem provocar um desastre. A vantagem derradeira é desbravar regiões benéficas no espaço das experiências locais, que são fechadas por padrão, devido a temores e cautelas interiores. O masoquismo benigno é uma ultrapassagem desse momento de contenção, e, como observam Solomon e Baumeister, o processo de repulsa-superação pode ser excedido em tal medida que resulta em compulsão e dependência. No caso do sadismo, os benefícios potenciais são a dominação, a vingança e o acesso ao sexo, ao passo que os perigos potenciais são as retaliações por parte da vítima ou seus aliados. Os sádicos tornam-se entusiastas — os instrumentos de tortura da Europa medieval, os centros de interrogatório da polícia e os refúgios de assassinos em série podem ser de uma cruel sofisticação — e às vezes podem se tornar dependentes.

O fato de que o sadismo é uma propensão adquirida provoca medo e ao mesmo tempo esperança. Enquanto trajeto preparado pelos sistemas motivadores do cérebro, o sadismo é um perigo sempre à espreita dos indivíduos, sistemas de segurança ou subculturas que deram o primeiro passo e podem empreender uma maior depravação em segredo. Entretanto, ele precisa ser adquirido e, caso esses primeiros passos sejam bloqueados e o restante da trajetória fique exposto à luz do sol, o caminho pode ser barrado.

IDEOLOGIA

Não faltam motivos egoístas para a violência dos indivíduos. Mas as contagens de cadáveres realmente grandes na história se empilham quando um grande número de pessoas assume um motivo que transcende cada um deles: uma ideologia. Como a violência predatória ou instrumental, a violência ideológica é um meio e um fim. Mas em uma ideologia o fim é idealista: a concepção de um bem maior.[261]

Entretanto, com todo esse idealismo, foi a ideologia que levou a muitas das piores coisas que as pessoas já fizeram umas às outras. Isso inclui as cruzadas, as guerras religiosas europeias, as guerras da França revolucionária e napoleônicas, as guerras civis russa e chinesa, a Guerra do Vietnã, o Holocausto e os genocídios de Stálin, Mao e Pol Pot. E uma ideologia pode ser perigosa por diferentes razões. O infinito bem que ela promete previne seus verdadeiros crentes de abandonar um compromisso. Ela permite que qualquer número de ovos seja quebrado para fazer a omelete utópica. E ela torna seus oponentes infinitamente maus, merecedores portanto de um infinito castigo.

Já vimos os ingredientes psicológicos de uma ideologia assassina. O pré-requisito cognitivo é nossa habilidade de pensar através de longas sequências de raciocínios meios-fins, o que nos encoraja a assumir meios desagradáveis como via para atingir fins desejáveis. Afinal, em algumas esferas de nossa vida os fins realmente justificam os meios, tal como os remédios amargos e tratamentos dolorosos a que nos submetemos como parte de um tratamento médico. O raciocínio meios-fins torna-se perigoso quando o significado de um fim glorioso inclui dano a seres humanos. O design da mente pode encorajar o trem da teorização a tomar essa direção devido às nossas propensões à dominação e à vingança, nosso hábito de essencializar outros grupos, particularmente como demônios ou gentalha, nosso elástico círculo de simpatia e o viés do interesse próprio que exagera nossa sabedoria e virtude. Uma ideologia pode proporcionar uma narrativa satisfatória para explicar eventos caóticos e infortúnios coletivos de um modo que lisonjeia a virtude e a competência dos crentes, enquanto permanece vaga ou conspirativa o bastante para evitar um escrutínio cético.[262] Deixe esses ingredientes germinarem na mente de um narcisista a quem falta empatia, necessitado de admiração, com fantasias de sucesso, poder, brilhantismo e bondade ilimitados, e o resultado pode ser um movimento para implantar um sistema de crenças que resulte na morte de milhões.

Mas o enigma para se compreender a violência ideológica é menos psicológico que epidemiológico: como uma ideologia tóxica pode se difundir de um pequeno número de zelotes narcisistas para toda uma população desejosa de realizar seus desígnios. Muitas crenças ideológicas, além de más, são patentemente ridículas — ideias que uma pessoa sã jamais toleraria por conta própria. Os exemplos incluem a queima de bruxas porque elas afundavam navios e transformavam homens em gatos, o extermínio dos judeus da Europa até o último porque seu sangue poluiria a raça ariana e a execução de cambojanos que usassem óculos, pois isso provava que eram intelectuais e portanto inimigos de classe. Como podemos explicar as ilusões extraordinariamente populares e o enlouquecimento das multidões?

Grupos podem produzir uma série de patologias do pensamento. Uma delas é a polarização. Jogue um punhado de pessoas com opiniões mais ou menos semelhantes em um grupo para misturá-las e elas se tornarão mais similares entre si, e também mais extremadas.[263] Os grupos liberais tornam-se mais liberais; os conservadores, mais conservadores. Outra patologia de grupo é a obtusidade, uma dinâmica que o psicólogo Irving Janis chamou de pensamento grupal.[264] Grupos são capazes de dizer a seus líderes o que eles desejam escutar, suprimir dissidentes, censurar dúvidas privadas, filtrar e excluir evidências que contradigam um consenso emergente. Uma terceira é a animosidade intergrupos.[265] Imagine-se, leitor, trancado durante algumas horas com alguém cujas opiniões lhe desagradem — digamos que você é liberal e ele é conservador, ou vice-versa, ou que você simpatize com Israel e o outro com os palestinos ou vice-versa. As chances são de que a conversa entre vocês dois será polida, talvez até cordial. Mas agora imagine que há seis do seu lado e seis do outro. Provavelmente haverá uma quantidade de gritos, faces avermelhadas e talvez um pequeno conflito. O problema predominante é que grupos assumem uma identidade própria na mente das pessoas, e os indivíduos desejam ser aceitos dentro do grupo, promovê-lo em relação aos outros, e isso pode sobrepujar seu melhor julgamento.

Mesmo quando as pessoas não se identificam com um grupo bem definido, são enormemente influenciadas pelas pessoas a seu redor. Uma das grandes lições do experimento de Stanley Milgram, amplamente valorizadas pelos psicólogos, é o grau em que o comportamento dos participantes depende de seu meio social imediato.[266] Antes de fazer o experimento, Milgram entrevistou seus colegas, estudantes e uma amostragem de psiquiatras sobre até onde eles julgavam que os participantes iriam quando um aplicador da experiência os instruísse a aplicar choques em outro participante. Os entrevistados previram por unanimidade que alguns ultrapassariam 150 volts (o nível em que a vítima pede para ser libertada), que apenas 4% chegariam aos trezentos volts (o estágio que mostra a advertência "Perigo, choque severo") e que apenas um punhado de psicopatas chegaria ao choque mais forte que a máquina podia aplicar (o nível rotulado como "450 volts — xxx"). Na realidade, *65%* dos participantes fizeram todo o percurso até o choque mais forte, bem além do ponto em que os protestos agonizantes da vítima se convertiam em um sinistro silêncio. E eles poderiam ter continuado a aplicar choques no participante presumivelmente comatoso (ou seu cadáver) se o aplicador do experimento não acionasse os procedimentos para uma pausa. A porcentagem praticamente não se alterou com o sexo, a idade ou a ocupação dos participantes, variando apenas em pequena medida com suas personalidades. O que fazia diferença era a proximidade física de outras pessoas e como estas se comportavam. Quando o aplicador do experimento estava ausente e suas instruções eram transmitidas por telefone ou mensagem gravada, a obediência caía. Quando a vítima estava na mesma sala, e não em uma cabine adjacente, a obediência caía. E quando o participante tinha de atuar em conjunto com outro (na verdade um cúmplice dos aplicadores) e este se recusava a cumprir a ordem, o participante também se recusava. Mas quando o suposto segundo participante obedecia, mais de 90% dos participantes também o faziam.

As pessoas tomam dos demais as deixas sobre como se comportar. Essa é uma conclusão crucial da idade de ouro da psicologia, quando os experimentos eram uma espécie de guerrilha teatral destinada a elevar a consciência sobre os perigos de uma conformidade estúpida. Na sequência de uma notícia jornalística de 1964 — quase integralmente apócrifa — de que dezenas de nova-iorquinos tinham assistido impassivelmente a uma mulher chamada Kitty Genovese ser estuprada e morta a facadas no terraço de seu apartamento, os psicólogos John Darley e Bibb Latané conduziram uma bateria de engenhosos estudos sobre a suposta apatia do observador.[267] Os psicólogos suspeitavam que grupos podiam deixar de reagir a uma emergência que levasse uma pessoa isolada à ação, pois em um grupo todos supõem que, se ninguém mais está fazendo nada, a situação não podia ser tão calamitosa. Em um experimento, enquanto um participante preenchia um questionário, ele ouvia um forte estrondo e uma voz chamando detrás de uma divisória: "Oh... meu pé... eu... não posso movê-lo... Meu tornozelo... não consigo tirar esta coisa de cima de mim". Acredite ou não, se o participante estava sentado ao lado de um colaborador do experimento, e se este continuava a preencher o questionário e nada mais acontecia, em 80% das vezes o participante também não fazia nada. Quando os participantes estavam sozinhos, apenas 30% deixavam de reagir.

As pessoas nem sequer precisam de presença de terceiros comportando-se insensivelmente para agir de forma estranhamente empedernida. Basta colocá-las em um grupo fictício que seja definido como dominando outro. Em outro clássico experimento-psicológico-mais-peça-moralizante (conduzido em 1971, antes que os comitês de proteção de cobaias humanas pusessem fim ao gênero), Philip Zimbardo instituiu uma prisão fictícia no porão do Departamento de Psicologia de Stanford, dividiu aleatoriamente os participantes em "prisioneiros" e "guardas" e até conseguiu que a polícia de Palo Alto detivesse os prisioneiros e os encarcerasse na cadeia do campus.[268] Atuando como o superintendente da prisão, Zimbardo sugeriu aos guardas que podiam exibir seu poder e meter medo nos presos, e reforçou o clima de dominação de grupo equipando os guardas com uniformes, cassetetes e óculos escuros espelhados, enquanto vestia os detentos com humilhantes batas e gorros de meia. Dentro de dois dias, alguns dos carcereiros tomaram seus papéis demasiado a sério e começaram a brutalizar os presos, forçando-os a se despir, limpar os banheiros com as mãos nuas e fazer flexões com os guardas às suas costas, em uma simulação de sodomia. Depois de seis dias Zimbardo teve de suspender o experimento para a segurança dos prisioneiros. Décadas mais tarde, escreveu um livro fazendo uma analogia entre sua falsa prisão e os maus-tratos não planejados da prisão de Abu Ghraib, no Iraque, argumentando que a situação em que um grupo recebe autoridade sobre outro pode trazer à tona comportamentos selvagens dos indivíduos, que em outras circunstâncias podem não aflorar jamais.

Muitos historiadores do genocídio, como Christopher Browning e Benjamin Valentino, invocaram os experimentos de Milgram, Darley, Zimbardo e outros psicólogos sociais para emprestar um sentido à intrigante participação, ou pelo menos aquiescência, de gente comum em atrocidades indizíveis. Espectadores muitas vezes são capturados pelo desvario à sua volta e tomam parte em ações de saque, estupros em massa e massacres. Durante o Holocausto, soldados e policiais reuniam civis desarmados, alinhavam-nos diante de fossas e executavam-nos com um tiro, não por animosidade contra as vítimas ou compromisso com a ideologia nazista, mas porque não desejavam negligenciar suas responsabilidades ou desapontar seus camaradas de armas. Na maioria eles não estavam sendo sequer coagidos por uma ameaça de castigo por insubordinação. (Minha própria experiência ao seguir instruções e aplicar choques a um rato de laboratório, contra meu melhor julgamento, torna essa perturbadora conclusão totalmente plausível para mim.) Historiadores encontraram poucos casos, se é que encontraram, em que um policial ou guarda alemão sofreu uma punição por se recusar a obedecer às ordens nazistas.[269] E, como veremos no próximo capítulo, as pessoas chegam a *moralizar* a conformidade e a obediência. Um componente do senso moral humano, amplificado em muitas culturas, é a elevação da conformidade e da obediência a virtudes louváveis.

Milgram desenvolveu seus experimentos nos anos 1960 e início da década seguinte e, como vimos, muitas atitudes mudaram desde então. É natural perguntarmo-nos se os ocidentais de hoje ainda iriam obedecer às instruções de uma figura investida de autoridade para brutalizar um estranho. O experimento da prisão de Stanford é bizarro demais para ser reproduzido com exatidão em nossos dias, porém 33 anos depois do último dos estudos de obediência o psicólogo social Jerry Burger imaginou uma via para levar a cabo um outro que forneceria uma amostra ética do mundo de 2008.[270] Ele notou que, nos estudos originais de Milgram, o choque de 150 volts, quando a vítima grita de dor e protesta pela primeira vez, era um ponto sem retorno. Caso o participante não desobedecesse ao aplicador até ali, em 80% dos casos ele continuaria até o choque de voltagem máxima. Assim, Burger repetiu o procedimento de Milgram, mas fazendo a experiência parar na marca dos 150 volts, imediatamente explicando o estudo aos participantes e antecipando-se à terrível progressão em que tantas pessoas torturavam um estranho a despeito de suas próprias dúvidas. A pergunta é: depois de quatro décadas de rebeliões da moda, adesivos de carros que aconselham a questionar a autoridade e uma crescente consciência do ridículo da desculpa "Eu estava apenas seguindo ordens", as pessoas ainda seguem as ordens de uma autoridade que impliquem infligir dor em um estranho? A resposta é sim. Setenta por cento dos participantes acompanharam todo o percurso até os 150 volts, e portanto temos motivos para acreditar que teriam continuado até níveis fatais caso o aplicador do experimento permitisse. Do lado das boas notícias, as pessoas que desobedeceram ao aplicador na década de 2000 foram quase o dobro das que o fizeram nos anos 1960 (30% comparados a 17,5%), e o número poderia ser maior caso a diversidade demográfica do estudo recente tivesse sido substituída pela homogeneidade branca de seu antecessor.[271] Mas a maioria das pessoas ainda maltrataria um estranho, contra suas inclinações, caso visse isso como parte de um projeto legítimo em sua sociedade.

Por que as pessoas agem tão frequentemente como ovelhas sem personalidade? Não é porque essa conformidade seja inerentemente irracional.[272] Muitas cabeças pensam melhor do que uma, e em geral é mais sábio confiar na sabedoria duramente conquistada por milhões de pessoas de uma dada cultura, em vez de pensar que se é um gênio capaz de descobrir tudo em um estalar de dedos. A conformidade também pode ser uma virtude naquilo que os teóricos de jogos chamam jogos de coordenação, em que os indivíduos não têm motivos para escolher uma opção específica exceto o fato de que todos os demais a escolheram. Dirigir pelo lado direito ou esquerdo da rua é um exemplo clássico: eis aí um caso em que você realmente não há de querer seguir outro padrão. O papel-moeda, os protocolos da internet e a língua falada em uma comunidade são outros exemplos.

Mas às vezes a vantagem da conformidade para cada indivíduo pode levar a patologias no grupo como um todo. Um exemplo clássico é o modo com que um paradigma tecnológico antigo pode obter um ponto de sustentação em uma massa crítica de usuários, que o adotam porque muitas outras pessoas o usam, e portanto bloqueiam competidores mais avançados. Conforme algumas teorias, essas "exterioridades em rede" explicam o sucesso da ortografia inglesa, do teclado QWERTY, dos videocassetes VHS e dos softwares da Microsoft (embora haja questionadores em cada um desses casos). Outro exemplo é o imprevisível fado dos best-sellers, modas, top-40 de músicas e sucessos de bilheteria de Hollywood. O matemático Duncan Watts criou duas versões de um site na internet em que os usuários podiam baixar músicas de bandas de rock de garagem.[273] Em uma versão, os internautas não podiam ver quantas vezes uma música fora baixada. As diferenças na popularidade das músicas eram leves e tendiam a permanecer estáveis de uma seção do estudo para a outra. Porém na segunda versão as pessoas podiam ver qual era a popularidade de uma música. E elas tendiam a baixar as músicas populares, tornando-as mais populares ainda, em um círculo virtuoso em espiral. A amplificação de pequenas diferenças conduziu a grandes abismos entre uns poucos grandes sucessos e muitos fiascos — sendo que sucessos e fiascos muitas vezes trocavam de lugar quando se fazia uma nova edição do estudo.

Quer chamemos isso de comportamento de manada, câmara de eco cultural, ricos tornam-se mais ricos ou efeito Mateus, nossa tendência a acompanhar a multidão pode levar a um resultado que é coletivamente indesejável. Mas os produtos culturais citados nesses exemplos são bastante inócuos — softwares com bugs, romances medíocres, moda dos anos 1970. Pode a propagação da conformidade através das redes sociais levar as pessoas, na realidade, a endossar ideologias que elas não acham atraentes e realizar atos que julgam absolutamente incorretos? Desde a ascensão de Hitler, estabeleceu-se um debate entre duas posições que parecem igualmente inaceitáveis: que Hitler enganou sozinho uma nação inocente; e que os alemães teriam feito o Holocausto mesmo sem ele. Cuidadosas análises da dinâmica social mostram que nenhuma dessas explicações é rigorosamente correta, mas que é mais fácil uma ideologia fanática dominar uma população do que o senso comum costuma admitir.

Existe um fenômeno enlouquecedor da dinâmica social, denominado de várias formas: ignorância pluralista, espiral do silêncio ou paradoxo de Abilene, conforme a anedota em que uma família texana faz uma desagradável viagem a Abilene, em uma tarde de calor, porque cada um de seus membros julga que todos os outros querem ir.[274] As pessoas podem endossar uma opinião que lhes desagrade, por acreditarem erroneamente que todos os demais são a favor. Um exemplo clássico é a avaliação que estudantes do ensino médio dão ao costume de sair para beber "até vomitar". Muitas pesquisas revelam que todo estudante, entrevistado privadamente, acha a bebedeira uma ideia horrorosa, mas todos estão convencidos de que seus pares acham legal. Outras pesquisas sugeriram que o espancamento de gays por jovens durões, a segregação racial no sul dos Estados Unidos, os assassinatos de honra de mulheres infiéis em sociedades islâmicas e a tolerância para com o grupo terrorista ETA entre os cidadãos bascos da França e da Espanha podem dever sua longevidade a espirais de silêncio.[275] Os apoiadores de cada uma dessas formas de violência grupal acreditam não que se trate de uma boa ideia, mas que todos os demais pensam que é.

Pode a ignorância pluralista explicar como as ideologias extremistas criam raízes entre pessoas que deveriam conhecê-las melhor? Os psicólogos sociais sabem há muito o que pode acontecer com simples julgamentos de fatos. Em outro experimento celebrizado, Solomon Asch propôs aos participantes um dilema do tipo do filme *À meia-luz*.[276] Sentados em torno de uma mesa junto com sete outros participantes (como de hábito, coadjuvantes), eles eram chamados a indicar qual, entre três linhas muito diferentes, tinha a mesma extensão de uma linha-alvo, uma pergunta fácil. Os seis coadjuvantes, que respondiam antes do participante, davam uma resposta obviamente errada. Ao chegar sua vez, três quartos dos participantes verdadeiros não confiavam em seus próprios olhos e acompanhavam os outros.

Contudo, é preciso mais que o endosso de uma falsidade privada para desencadear a loucura das multidões. A ignorância pluralista é um castelo de cartas. Tal como fica claro no conto de fadas "A roupa nova do rei", basta um garotinho para quebrar a espiral do silêncio e o falso consenso cairá por terra. Depois que a nudez do rei se torna de conhecimento de todos, a ignorância pluralista deixa de ser possível. O sociólogo Michael Macy propõe que, para resistir a garotinhos e outros obstinados pela verdade, uma ignorância pluralista precisa de um componente adicional, a coação.[277] As pessoas não apenas proclamam uma crença absurda que acreditam ser partilhada por todos os demais; elas punem aqueles que não a endossam, em grande parte devido à suposição — também falsa — de que todos os demais desejam reforçá-la. Macy e seus colegas especulam que uma falsa conformidade e uma falsa coação podem se reforçar uma à outra, criando um círculo vicioso que pode aprisionar uma população numa ideologia que poucos aceitam individualmente.

Por que as pessoas puniriam um herético que repudia uma crença que elas próprias rejeitam? Macy e seus colegas especulam que seja para provar sua sinceridade — para mostrar a outros que impõem a ideologia que elas não estão apoiando uma diretriz partidária inconveniente mas secretamente acreditam nela. Isso as protege contra punições de seus companheiros — que podem, paradoxalmente, punir heréticos por medo de serem punidos se não o fizerem.

A sugestão de que ideologias insuportáveis podem levitar por obra de círculos viciosos de punição daqueles que deixam de punir tem uma história atrás de si. Durante caças às bruxas e expurgos, as pessoas se veem levadas por ciclos de denúncia preventiva. Cada um trata de apontar um herege oculto, antes que o herege o aponte. Sinais de convicção sincera tornam-se uma mercadoria preciosa. Soljenítsin relata uma conferência partidária em Moscou que terminou com uma homenagem a Stálin. Todos se puseram de pé e aplaudiram por três minutos, e quatro, e cinco... e então ninguém ousava ser o primeiro a parar. Depois de onze minutos de palmas crescentes, um diretor de fábrica na mesa do evento finalmente se sentou, acompanhado pelo resto da agradecida assembleia. Ele foi preso naquela noite e enviado ao gulag, onde ficou por dez anos.[278] Em regimes totalitários as pessoas têm de cultivar um cuidadoso controle mental para não deixar que seus verdadeiros sentimentos as traiam. Jung Chang, uma ex-guarda vermelha e mais tarde historiadora e memorialista da vida sob Mao, escreveu que, ao ver um cartaz que elogiava a mãe de Mao por dar dinheiro aos pobres, ela surpreendeu-se sufocando o pensamento herético de que os pais do grande líder tinham sido camponeses ricos, um tipo de gente então denunciado como inimigo de classe. Anos mais tarde, ao ouvir o anúncio público de que Mao morrera, ela teve de reunir todas as suas aptidões teatrais para fingir que chorava.[279]

Para provar que uma espiral de coação insincera pode abrigar uma crença impopular, Macy e seus colaboradores Damon Centola e Robb Willer primeiro tiveram de mostrar que a teoria era não apenas plausível, mas também matematicamente sólida. É fácil provar que a ignorância pluralista, uma vez instalada, é um equilíbrio estável, pois ninguém se sente estimulado a ser o único desviado em uma população de concordantes. O complicado é mostrar como uma sociedade pode partir daqui e chegar lá. Hans Christian Andersen obteve a suspensão da descrença de seus leitores com sua extravagante premissa de que um rei podia estar sendo engambelado quando desfilava nu pelas ruas; Asch contratou coadjuvantes para mentir. Mas como pode um falso consenso cavar uma trincheira em um mundo mais real?

Os três sociólogos simularam no computador uma pequena sociedade com dois tipos de atores.[280] Havia os verdadeiros crentes, que sempre cumpriam as regras e denunciavam os vizinhos desobedientes caso estes se tornassem muito numerosos. E havia os céticos em privado, porém pusilânimes, que cumpriam as normas caso alguns de seus vizinhos as reforçassem, e as reforçavam eles próprios se muitos vizinhos o fizessem. Caso tais céticos não fossem intimidados à conformidade, eles podiam seguir o caminho oposto e reforçar o ceticismo entre seus vizinhos conformistas. Macy e seus colaboradores constataram que normas impopulares podem se entrincheirar em alguns, mas não em todos os padrões de conexão social. Caso os verdadeiros crentes estejam espalhados pela população e todos possam interagir com todos, a população fica imune ao triunfo de uma crença impopular. Mas, caso os verdadeiros crentes estejam agrupados em uma vizinhança, eles podem reforçar as normas entre seus vizinhos mais céticos, que, superestimando o índice de obediência à sua volta e desejosos de provar que não merecem punição, reforçam as normas agindo uns contra os outros e contra seus vizinhos. Isso pode produzir um efeito em cascata de falsa obediência e falso reforço até saturar toda a sociedade.

A analogia com sociedades reais não é um exagero. James Payne documentou uma sequência de eventos partilhada na tomada do poder por ideologias fascistas na Alemanha, Itália e Japão, no século XX. Em cada um dos casos, um pequeno grupo de fanáticos abraçou uma "ideologia ingênua e vigorosa, que justifica medidas extremas, inclusive violentas", recrutou gangues de capangas desejosos de praticar atos violentos e intimidou segmentos crescentes do resto da população no sentido de que aquiescessem.[281]

Macy e seus colaboradores trabalharam com outro fenômeno primeiramente descoberto por Milgram: o fato de que cada membro de uma grande população está ligado a todos os demais por uma pequena sequência de relações mútuas — seis graus de separação, segundo o conhecido meme.[282] Eles ligaram sua sociedade virtual com algumas conexões aleatórias de longa distância, que permitem aos atores estar em contato com outros atores com menos graus de separação. Os atores poderiam, portanto, testar a obediência de atores de outras vizinhanças, desvincular-se de um falso consenso e resistir à pressão para cumpri-lo ou reforçá-lo. A abertura das vizinhanças para as conexões de longa distância dissipou o reforço por parte dos fanáticos e impediu-os de intimidar conformistas em número suficiente para criar uma onda capaz de inundar a sociedade. Fica-se tentado a adotar a conclusão moral de que sociedades com liberdade de expressão, de movimento e canais de comunicação bem desenvolvidos são menos propensas a cair no domínio de ideologias ilusórias.

Macy, Willer e Ko Kuwabara quiseram então mostrar o efeito do falso consenso em pessoas reais — quer dizer, verificar se as pessoas podiam ser intimidadas a criticar terceiros com os quais na realidade concordavam, por temor de que todos os demais as olhassem com desprezo caso expressassem suas verdadeiras crenças.[283] Maliciosamente, os sociólogos escolheram dois domínios em que suspeitavam que as opiniões são moldadas mais pelo pavor de parecer simplório do que por padrões de mérito objetivo: a degustação de vinhos e a cultura acadêmica.

No estudo sobre degustação de vinhos, Macy e seus colegas primeiramente capturaram seus participantes atiçando sua autoestima, dizendo-lhes que eles eram um grupo que fora selecionado por sua sofisticada apreciação das belas-artes. O grupo agora participaria da "centenária tradição" (na verdade inventada pelos realizadores do experimento) denominada Dutch Round [Rodada Holandesa]. Um círculo de enófilos entusiastas primeiro avaliaria um conjunto de vinhos e então avaliaria as aptidões de julgamento de cada um. Cada participante recebia três taças de vinho e era chamado a classificá-los por seu buquê, aroma, retrogosto, robustez e qualidade de conjunto. Na verdade, as três taças vinham da mesma garrafa, mas e uma delas estava misturada com vinagre. Assim como no experimento de Asch, os participantes, antes de darem sua opinião, ouviam as de quatro coadjuvantes do experimento, que situavam a amostra avinagrada acima de uma das não adulteradas, indicando a terceira delas como a melhor. Sem surpreender, cerca de metade dos participantes desafiou suas próprias papilas gustativas e acompanhou o consenso.

Então um sexto participante, também um coadjuvante, avaliava os vinhos corretamente. Era a hora de os participantes aquilatarem uns aos outros, o que alguns fizeram reservadamente e outros em público. Os participantes que fizeram a avaliação em privado respeitaram a precisão do coadjuvante honesto e deram-lhe notas elevadas, mesmo quando eles próprios tinham se deixado intimidar pela conformidade. Mas os que tinham de declarar publicamente suas avaliações acobertaram sua hipocrisia rebaixando o provador honesto.

O experimento sobre escritos acadêmicos era parecido, mas com um adendo no final. Os participantes, todos alunos de graduação, eram informados de que tinham sido selecionados como parte de um grupo de elite de universitários promissores. Estavam reunidos para participar de uma venerável tradição denominada Bloomsbury Literary Roundtable [Mesa-Redonda Literária de Bloomsbury], na qual leitores avaliavam publicamente um texto e então cada um avaliava a avaliação dos demais. Eles recebiam uma curta passagem do ph.D. Robert Nelson, que recebera o "prêmio dos gênios" da Fundação MacArthur, e Albert W. Newcombe, professor de filosofia da Universidade Harvard (um professor e uma cadeira inexistentes). A passagem, intitulada "Topologia diferencial e homologia", fora extraída do ensaio "Transgressing the Boundaries: Towards a Transformative Hermeneutics of Quantum Gravity" [Transgredindo as fronteiras: Rumo a uma hermenêutica transformadora da gravitação quântica], de Alan Sokal. O texto era na verdade a peça central do famoso embuste de Sokal, em que o físico escrevera um amontoado de absurdos pomposos e, confirmando suas piores suspeitas sobre os padrões acadêmicos das humanidades pós-modernas, este fora publicado na prestigiosa revista *Social Text*.[284]

Os participantes — diga-se em seu favor — não se deixaram impressionar pelo ensaio quando o avaliaram em privado. Mas quando o apreciaram em público, depois de ouvir as inflamadas valorizações de quatro coadjuvantes, fizeram também avaliações elogiosas. E na hora de classificar seus colegas, inclusive o sexto, honesto — que conferira ao ensaio a nota mais baixa entre as disponíveis —, deram a este notas altas em privado, mas notas baixas em público. Mais uma vez os sociólogos haviam demonstrado que as pessoas não só subscrevem posições que na verdade não sustentam, mas que pensam equivocadamente que todos os demais o fazem, como chegam a condenar falsamente um terceiro que se nega a ratificar a opinião em pauta. O passo suplementar do experimento foi que Macy e seus colegas reuniram novos participantes para aquilatar se, no primeiro grupo, todos tinham acreditado sinceramente que o ensaio disparatado era bom. Os novos examinadores julgaram que os que condenaram o ator honesto eram mais sinceros em sua crença errônea do que os que não o condenaram. Isso confirma a suspeita de Macy de que o reforço de uma crença é percebido como um sinal de sinceridade, o que, por seu turno, sustenta a ideia de que as pessoas reforçam crenças que não são suas pessoalmente para dar a impressão de que são sinceras. E isso, em outro ricochete, fornece base ao modelo da ignorância pluralista, em que uma sociedade pode ser mantida por um sistema de crenças que a maioria de seus membros não tem individualmente.

Uma coisa é dizer que um vinho azedo tem excelente buquê ou que um despropósito acadêmico é logicamente coerente. Outra muito diferente é confiscar o último bocado de farinha de um camponês ucraniano faminto ou alinhar judeus na beira de uma fossa e atirar neles. Como puderam pessoas comuns, mesmo que concordassem com o que pensavam ser uma ideologia popular, suplantar suas próprias consciências e cometer tais atrocidades?

A resposta remete de volta à brecha da moralização. Os perpetradores sempre têm um conjunto de estratagemas de autoindulgência à sua disposição, e podem usá-los para redefinir suas ações como provocadas, justificadas, involuntárias ou sem consequências. Nos exemplos que mencionei ao introduzir a brecha da moralização, os perpetradores racionalizam o dano que provocaram excluindo o interesse próprio (o não cumprimento de uma promessa, a captura ou estupro de uma vítima). Mas as pessoas também racionalizam o dano que foram pressionadas a provocar a serviço dos motivos *de outros*. Esse processo é chamado de redução de dissonância cognitiva, e é uma tática primordial do autoengano.[285] Psicólogos sociais como Milgram, Zimbardo, Baumeister, Leon Festinger, Albert Bandura e Herbert Kelman documentaram que as pessoas têm muitas maneiras de reduzir a dissonância entre as coisas lamentáveis que às vezes fazem e seu ideal sobre elas mesmas enquanto atores morais.[286]

Um desses recursos é o eufemismo — a redefinição do dano em palavras que de alguma forma o tornam menos imoral. Em seu ensaio "A política e a língua inglesa", de 1946, George Orwell expôs em um texto célebre o modo com que os governos podiam encobrir atrocidades com o burocratês:

> Em nosso tempo, o discurso e a escrita política são, em grande medida, a defesa do indefensável. Podem-se defender coisas como a continuação do domínio britânico na Índia, os expurgos e as deportações russas, as bombas atômicas jogadas sobre o Japão, mas somente com argumentos que são brutais demais para a maioria das pessoas e que não estão de acordo com os objetivos declarados dos partidos políticos. Desse modo, a linguagem política precisa consistir, em larga medida, em eufemismos, argumentos circulares e pura imprecisão nebulosa. Aldeias indefesas são bombardeadas por aviões, os habitantes são expulsos para o campo, o gado é metralhado, as cabanas incendiadas por bombas incendiárias: isso se chama *pacificação*. Milhões de camponeses têm suas fazendas roubadas e são mandados para a estrada com não mais do que aquilo que podem carregar consigo: isso se chama *transferência da população* ou *retificação de fronteiras*. Pessoas ficam presas durante anos, sem julgamento, ou são fuziladas na nuca, ou são mandadas para morrer de escorbuto em acampamentos de lenhadores no Ártico: isso se chama *eliminação de elementos não confiáveis*. Essa fraseologia é necessária se quisermos nomear coisas sem evocar imagens mentais delas.[287]

Orwell estava errado em um ponto: que o eufemismo político fosse um fenômeno de seu tempo. Um século e meio antes dele, Edmund Burke queixava-se dos eufemismos que emanavam da França revolucionária:

> Toda a circunferência da linguagem é percorrida para encontrar sinônimos e circunlóquios para massacres e assassinatos. As coisas nunca são chamadas por seus nomes comuns. Um massacre é às vezes chamado de "agitação", às vezes de "efervescência", às vezes de "excesso", as vezes de "prolongamento em demasia do exercício do poder revolucionário".[288]

As décadas mais recentes assistiram, para tomarmos apenas uns poucos exemplos, aos *danos colaterais*, na década de 1970, à *limpeza étnica*, na de 1990, e às *transferências extraordinárias*, na de 2000.

Eufemismos podem ser eficazes por várias razões. Duas palavras que são sinônimos literais podem contrastar quanto a seu colorido emocional, como é o caso de "esguio" e "magro", "gordo" e "rubicundo", ou um termo "obsceno" e seu equivalente polido. Em Do que é feito o pensamento, argumentei que muitos eufemismos agem insidiosamente: não porque desencadeiem reações às palavras em si, mas por envolverem diferentes interpretações conceituais sobre o estado do mundo.[289] Por exemplo, um eufemismo pode permitir que se negue com verossimilhança algo que é essencialmente uma mentira. Um ouvinte não familiarizado com os fatos poderia entender "transferência de população" como algo implicando caminhões de mudança ou bilhetes ferroviários. Uma escolha de palavras pode também implicar motivos distintos e portanto diferentes avaliações éticas. "Danos colaterais" significa que o mal foi um subproduto involuntário em vez de um fim desejado, o que representa uma legítima diferença moral. Alguém poderia quase usar "danos colaterais", com desfaçatez, para descrever o desafortunado trabalhador na linha lateral que seria sacrificado para impedir que o vagão desgovernado matasse cinco operários na linha principal. Todos esses fenômenos — conotação emocional, negação verossímil e atribuição de motivos — podem ser explorados para se alterar o modo como se interpreta uma ação.

Um segundo mecanismo de desengajamento moral é o gradualismo. As pessoas podem resvalar para barbaridades passo a passo e cometer o que elas jamais fariam de um só golpe, porque em nenhum ponto elas sentem que estão fazendo algo terrivelmente distinto da norma corrente.[290] Um exemplo histórico infame é a eutanásia nazista de deficientes e retardados mentais e a expropriação, maus-tratos, guetificação e deportação dos judeus, que culminou com os eventos designados por um derradeiro eufemismo, *a Solução Final*. Outro exemplo é a escalada das decisões na condução da guerra. A ajuda material a um aliado pode se metamorfosear em envio de conselheiros militares e então em um número crescente de soldados, particularmente em uma guerra de atrito. O bombardeio de fábricas pode resvalar para o de outras fábricas perto de bairros residenciais, que pode resvalar para o bombardeio de bairros residenciais. É improvável que qualquer dos participantes no experimento de Milgram fulminasse sua vítima com um choque de 450 volts desde a primeira tentativa; eles foram levados a esse nível por uma escalada que se iniciou com uma vibração suave. O experimento de Milgram foi o que os teóricos de jogos chamam um jogo de escalada, que se assemelha a uma guerra de atrito.[291] Se o participante se retira do experimento assim que os choques ficam mais severos, ele frustra qualquer satisfação que pudesse advir do cumprimento de suas responsabilidades e do avanço da causa da ciência; portanto, nada teria a mostrar em troca da ansiedade que sofreu e da dor que infligiu à vítima. A cada incremento, ele parece sempre pagar para postergar o julgamento enquanto espera que o responsável anuncie a conclusão do experimento.

Um terceiro mecanismo de desengajamento é a transferência ou turvação da responsabilidade. O condutor do experimento de Milgram sempre insistia em dizer que assumia plena responsabilidade por tudo que acontecesse. Quando o roteiro foi reescrito e foi dito que o participante era responsável, a aquiescência despencou. Já vimos que um segundo participante voluntário estimula o primeiro; Bandura mostrou que a turvação da responsabilidade é um fator crítico.[292] Quando um participante em um experimento do tipo do de Milgram pensa que a voltagem que ele escolher vai ser convertida na média com dois outros participantes, ele opta por choques mais fortes. Os paralelos históricos são óbvios. "Eu estava apenas cumprindo ordens" — é a defesa-padrão dos acusados de crimes de guerra. E líderes homicidas deliberadamente organizam exércitos, esquadrões da morte e burocracias atrás de si, de modo que nenhuma pessoa isolada possa sentir sua ação como razão necessária ou suficiente para a matança ocorrer.[293]

Uma quarta via de inabilitação dos mecanismos de julgamento moral é o distanciamento. Vimos que, exceto se as pessoas estão em um tumulto ou mergulharam no sadismo, elas não pensam em maltratar gente inocente diretamente.[294] Nos estudos de Milgram, trazer a vítima para a mesma sala do participante reduzia em um terço a proporção de participantes que aplicavam a carga máxima de choques. E, ao se solicitar que o participante forçasse a mão da vítima em uma chapa eletrificada, a redução caía pela metade. É seguro dizer que o piloto do *Enola Gay* que despejou a bomba atômica sobre Hiroshima não teria concordado em imolar 100 mil vidas com um lança-chamas, uma de cada vez. E, como vimos no capítulo 5, Paul Slovic confirmou a observação atribuída a Stálin de que uma morte é uma tragédia, mas 1 milhão de mortes é uma estatística.[295] As pessoas não conseguem abarcar na mente um grande (ou mesmo um pequeno) número de pessoas em perigo, mas se mobilizarão prontamente para salvar a vida de uma única pessoa com um nome e um rosto.

Um quinto meio de paralisar o senso moral é aviltar a vítima. Já vimos que a demonização e a desumanização de um grupo podem abrir caminho para a agressão de seus membros. Bandura confirmou essa sequência quando permitiu que um grupo de participantes ouvisse o condutor do experimento fazer, de passagem, um comentário depreciativo sobre a etnia de um grupo que (segundo pensavam) estava participando do estudo.[296] Os participantes que escutaram a observação aumentaram a voltagem dos choques que aplicaram no outro grupo. O indicador causal pode também apontar em outra direção. Caso as pessoas sejam manipuladas no sentido de maltratar alguém, podem endurecer retroativamente sua opinião sobre os maltratados. Bandura apurou que cerca de metade dos participantes que tinham aplicado choques em suas vítimas justificou explicitamente seu ato. Muitos o fizeram culpando a vítima (um fenômeno que Milgram registrou igualmente), escrevendo coisas como: "O mau desempenho é um indicativo de indolência e desejo de testar o supervisor".

Os psicólogos sociais identificaram outros estratagemas de desengajamento moral, e os participantes de Bandura descobriram muitos deles. Estes incluem a minimização do dano ("Ele não foi tão maltratado assim"), a relativização do dano ("Todos os dias todo mundo é castigado por algo") e a insistência quanto aos requisitos de sua tarefa ("Se fazer meu trabalho de supervisor significa que tenho de ser um filho da puta, eu o serei"). O único que eles parecem ter deixado escapar é a tática denominada comparação vantajosa: "Outras pessoas fazem coisas piores".[297]

Não existe cura para a ideologia, pois esta emerge de muitas das faculdades cognitivas que nos tornam inteligentes. Imaginamos longas cadeias abstratas de causalidade. Adquirimos conhecimentos sobre outras pessoas. Coordenamos nosso comportamento com elas, às vezes aderindo a normas conjuntas. Trabalhamos em equipe, realizamos feitos que não realizaríamos sozinhos. Empreendemos abstrações, sem perder tempo com cada detalhe concreto. Construímos uma ação de várias maneiras, diferenciadas em seus meios e fins, objetivos e subprodutos.

As ideologias perigosas irrompem quando essas faculdades redundam em combinações tóxicas. Alguém teoriza que o bem infinito pode ser alcançado eliminando-se um grupo demonizado ou desumanizado. Um núcleo de crentes com mentalidade similar difunde a ideia punindo os incréus. Agrupamentos humanos são persuadidos ou intimidados a aderir. Os céticos são silenciados ou isolados. Racionalizações em proveito próprio permitem que as pessoas ponham em prática o esquema contra o que seria seu melhor julgamento.

Embora nada possa garantir que ideologias virulentas não irão infectar um país, uma vacina é uma sociedade aberta, onde pessoas e ideias se movimentam livremente e ninguém é punido por sustentar pontos de vista dissidentes, inclusive aqueles que parecem heréticos ao consenso bem pensante. A relativa imunidade das modernas democracias cosmopolitas ao genocídio e à guerra civil ideológica é um ponto de apoio para essa suposição. O recrudescimento da censura e a insularidade em regimes propensos à violência em larga escala é o outro lado da moeda.

MAL PURO, DEMÔNIOS INTERIORES E O DECLÍNIO DA VIOLÊNCIA

No início deste capítulo introduzi a teoria de Baumeister sobre o mito do mal puro. Quando as pessoas moralizam, elas incorporam a perspectiva da vítima e presumem que todos os perpetradores de dano são sádicos e psicopatas. Os moralizadores inclinam-se, portanto, a ver o declínio da violência como o triunfo de uma heroica luta por justiça sobre o mal. A geração mais grandiosa derrotou os fascistas; o movimento pelos direitos civis derrotou os racistas; o armazenamento de armas por Ronald Reagan nos anos 1980 forçou o colapso do comunismo. Agora, certamente há gente malvada no mundo — sádicos psicopatas e déspotas narcisistas qualificam-se obviamente — e certamente há heróis. Contudo, muito do declínio da violência parece ter vindo de mudanças nos tempos. Déspotas morreram e não foram sucedidos por outros déspotas; regimes opressores findaram sua existência sem resistir a seu amargo fim.

A alternativa para o mito do mal puro é que a maior parte do dano que as pessoas infligem umas às outras provém de causas que são encontradas em qualquer indivíduo normal. E a consequência é que grande parte do declínio da violência vem de as pessoas exercitarem essas causas menos frequentemente, menos plenamente ou em menos circunstâncias. Os anjos bons que subjugam esses demônios são o tema do próximo capítulo. Contudo, o mero processo de identificar nossos demônios interiores pode ser um primeiro passo para mantê-los sob controle.

A segunda metade do século XX foi uma idade da psicologia. A pesquisa acadêmica tornou-se em escala crescente uma parte do saber convencional, incluindo-se aí as hierarquias da dominação, os experimentos de Milgram e Asch e a teoria da dissonância cognitiva. Porém não foi apenas a psicologia científica que se infiltrou na consciência pública; foi o hábito generalizado de enxergar os temas humanos com lentes psicológicas. Esse meio século assistiu ao crescimento de uma autoconsciência na escala da espécie, encorajada pela literatura, pela mobilidade e pela tecnologia: o modo como a câmera nos acompanha em *slow motion*, o modo como olhamos para todos nós. Cada vez mais enxergamos nossos assuntos sob dois pontos de vista: de dentro de nosso crânio, onde as coisas que experimentamos simplesmente *são*, e com um olhar de cientista, em que as coisas que experimentamos consistem em padrões de atividade em um cérebro evoluído, com todas as suas ilusões e falácias.

Nem a psicologia acadêmica nem a sabedoria convencional estão perto de um completo entendimento de como funcionamos. Mas um pouco de psicologia pode ir bastante longe. Parece-me que um pequeno número de particularidades em nossa configuração cognitiva e emocional deu origem a uma substancial proporção da miséria humana evitável.[298] Parece-me também que um conhecimento partilhado dessas particularidades fez algumas mossas no tributo da violência e tem potencial para reduzi-lo muito mais. Cada um de nossos cinco demônios interiores surge com uma marca de origem que começamos a perceber e que seria sábio conhecer mais.

As pessoas, especialmente os homens, alimentam um excesso de confiança no sucesso de seus projetos; quando combatem entre si, o resultado costuma ser mais sangrento do que qualquer um deles pensou. As pessoas, especialmente os homens, lutam por dominação para si e seus grupos; quando disputas de dominação se chocam, é improvável que a escolha seja feita por mérito e é provável que haja perdas para todos. As pessoas perseguem a vingança a partir de uma contabilidade que exagera sua inocência e a perversidade do adversário; quando os dois lados buscam a justiça perfeita, condenam ao conflito a si próprios e seus herdeiros. As pessoas podem não só superar sua repulsa à violência direta como até adquirir gosto por ela; podem admiti-la em privado, ou nos círculos de seus pares, podem se tornar sádicas. E as pessoas são capazes de proclamar uma crença que não têm por pensarem que todos os demais a professam; tais crenças podem desembocar em uma sociedade fechada e mantê-la sob o encanto de uma ilusão coletiva.

9. Anjos bons

É inquestionável que existe alguma benevolência, ainda que pequena, infundida em nosso peito; alguma centelha de amizade pela espécie humana; alguma partícula da pomba misturada em nossa estrutura, junto com elementos do lobo e da serpente. Deixemos que se suponha que esses sentimentos generosos são tão fracos; que são insuficientes para mover sequer uma mão ou mesmo um dedo de nosso corpo: eles ainda podem dirigir as determinações de nossa mente e, onde tudo o mais seja igual, produzir uma tranquila preferência por aquilo que seja útil e aproveitável para a humanidade, acima do que seja pernicioso e perigoso.

David Hume, *Investigação sobre os princípios da moral*

Em qualquer era, o modo como as pessoas criam seus filhos é uma janela para sua concepção sobre a natureza humana. Quando pais acreditam na depravação inata das crianças, batem nelas por um espirro; quando creem em sua inocência congênita, vetam o jogo de queimada. Outro dia eu estava andando de bicicleta e lembrei-me da última moda em matéria de natureza humana, quando passei por uma mãe com os dois filhos em idade pré-escolar, passeando à beira da estrada. Um criava caso e chorava enquanto a mãe admoestava o outro. Quando passei pelo trio, ouvi a severa mãe enunciar uma palavra: "EMPATIA".

Vivemos uma era da empatia. Assim anuncia um manifesto do eminente primatólogo Frans de Waal, um de uma enxurrada de livros que enalteceram essa aptidão humana no fim da primeira década do novo milênio.[1] Aqui vai uma amostra dos títulos e subtítulos que apareceram somente nos últimos dois anos: *A idade da empatia*, *Por que a empatia importa*, *A neurociência social da empatia*, *A ciência da empatia*, *A brecha da empatia*, *Por que a empatia é essencial* (*e está ameaçada*), *Empatia no mundo global* e *Como as empresas prosperam quando criam ampla empatia*. Em outro livro, *The Empathic Civilization*, o ativista Jeremy Rifkin expõe a visão:

> Biólogos e neurocientistas cognitivos estão descobrindo neurônios espelho — os chamados neurônios da empatia — que permitem aos seres humanos e outras espécies sentir e experimentar a situação de um outro como se fosse a sua própria. Somos, ao que parece, os mais sociais dos animais, e buscamos participação íntima e companheirismo com nossos semelhantes.
>
> Os cientistas sociais, por seu turno, estão começando a reexaminar a história humana com lentes empáticas e descobrindo, no processo, vertentes antes ocultas da narrativa humana, que sugerem que a evolução humana é medida não só por uma expansão do poder sobre a natureza, mas também pela intensificação e expansão da empatia a outros eus mais diversos, ao longo das fronteiras dos domínios temporais e espaciais. A crescente evidência científica de que somos uma espécie fundamentalmente empática acarreta consequências profundas e de longo alcance para a sociedade, e pode muito bem determinar nosso destino enquanto espécie.
>
> O que é preciso agora é nada menos que um salto para a consciência empática global, e que em menos de uma geração façamos renascer a economia global e revitalizemos a biosfera. A questão passa a ser esta: qual é o mecanismo que permite à sensibilidade empática amadurecer e conscientemente expandir-se através da história?[2]

Assim, pode ter sido a busca de expansão da consciência empática global, e não apenas um expediente para fazer um pirralho parar de mexer com sua irmã, que levou a mamãe da beira da estrada a instilar em seu filhinho o conceito de empatia. Talvez ela estivesse influenciada por livros como *Ensinando empatia*, *Ensinando empatia a crianças* e *Raízes da empatia: Mudando o mundo criança por criança*, cujo autor, conforme uma certificação do pediatra T. Berry Brazelton, "empenha-se em pôr em prática nada menos que a paz mundial e a proteção do futuro de nosso planeta, começando pelas escolas e salas de aula, em qualquer parte, uma criança, um pai/mãe, um professor de cada vez".[3]

Ora, nada tenho contra a empatia. Acho que ela é — em geral, embora nem sempre — uma coisa boa, e apelei para ela um sem-número de vezes neste livro. Uma expansão da empatia pode ajudar a explicar por que as pessoas atualmente repelem os castigos cruéis e pensam mais a respeito dos custos humanos da guerra. Mas a empatia está se tornando hoje o que o amor foi nos anos 1960 — um ideário sentimental, enaltecido em frases de efeito (o que faz o mundo girar, o que o mundo precisa agora, o que você precisa), mas superestimado enquanto redutor da violência. Quando americanos e soviéticos pararam de brandir sabres nucleares e travar guerras por procuração, não creio que o amor teve muito a ver, nem tampouco a empatia. E, embora goste de pensar que tenho tanta empatia quanto a pessoa ao lado, não posso dizer que seja a empatia que me impede de desrespeitar meus críticos, meter-me em brigas de socos por vagas num estacionamento, ameaçar minha mulher quando ela aponta uma tolice minha ou pressionar para que meu país vá à guerra com a China para impedi-la de ultrapassar-nos na produção econômica. Minha mente não se detém e pondera o que haveria de ser das vítimas desses tipos de violência, recuando depois de sentir a dor delas. Em primeiro lugar, minha mente nunca se inclina nessas direções: elas são absurdas, ridículas, impensáveis. Entretanto, opções como essas não eram tão impensáveis para as gerações passadas. O declínio da violência deve dever algo a uma expansão da empatia, mas também deve muito a faculdades mais sólidas como prudência, razão, senso de justiça, autocontrole, normas e tabus, assim como concepções sobre direitos humanos.

Este capítulo fala sobre os anjos bons de nossa natureza: as faculdades psicológicas que nos afastam da violência, e cuja força crescente ao longo do tempo pode receber o crédito pelo declínio da violência. A empatia é uma dessas faculdades, mas não a única. Como observou Hume, mais de 250 anos atrás, a existência dessas faculdades não pode ser questionada. Embora ainda se possa ler de vez em quando que a evolução da benevolência é um paradoxo à luz da teoria da seleção natural, o paradoxo foi resolvido décadas atrás. Perduram controvérsias sobre os detalhes, mas hoje nenhum biólogo duvida que elementos dinâmicos evolutivos como mutualismo, parentesco e variadas formas de reciprocidade podem selecionar faculdades psicológicas que, nas circunstâncias adequadas, são passíveis de levar as pessoas a coexistir pacificamente.[4] O que Hume escreveu em 1751 sem dúvida é verdade hoje:

> Nem irão esses arrazoadores, que com tanto ardor sustentam a predominância do egoísmo na raça humana, de forma alguma se escandalizar em sua sapiência ao ouvir sobre os fracos sentimentos de virtude implantados em nossa natureza. Pelo contrário, eles estão prontos a manter tanto um princípio como o outro; e seu espírito de sátira (pois tal parece ser, mais que de corrupção) naturalmente dá espaço a ambas as opiniões; que têm, com efeito, grande e quase indissolúvel conexão entre si.[5]

Se o espírito da sátira inclina-me a mostrar que a empatia foi superestimada, não é para negar a importância de tais sentimentos de virtude, nem uma indissolúvel conexão com a natureza humana.

Depois de ler oito capítulos sobre as coisas horrendas que as pessoas têm feito umas às outras e as partes mais sinistras da natureza humana que as impulsionaram, você tem o direito de olhar adiante, para um pouco de elevação, em um capítulo sobre nossos anjos bons. Mas resistirei ao impulso de satisfazer à multidão com um final feliz *demais*. As partes do cérebro que refreiam nossos impulsos mais sombrios também faziam parte do equipamento-padrão de nossos antepassados que tinham escravos, queimavam bruxas e espancavam crianças, portanto elas claramente não tornam as pessoas boas como norma. E dificilmente seria satisfatório, para explicar a redução da violência, dizer que a natureza humana tem partes más que nos levam a fazer coisas más e partes boas que nos levam a fazer coisas boas. (Guerra eu venço, paz você perde.) A investigação sobre nossos anjos bons deve mostrar não só como eles nos afastam da violência, mas como eles com tanta frequência não conseguem fazê-lo; não só como eles estão cada vez mais empenhados nisso, mas por que a história teve de esperar tanto tempo para empenhá-los plenamente.

EMPATIA

A palavra "empatia" mal completou um século. Ela é frequentemente atribuída ao psicólogo americano Edward Titchener, que a usou em uma palestra em 1909, embora o *Oxford English Dictionary* registre seu uso em 1904 pelo escritor britânico Vernon Lee.[6] Ambos derivaram o termo do alemão "Einfühlung" (sentir dentro) e o usaram para designar um tipo de apreciação estética: um "sentimento de agir sobre os músculos da mente", como quando olhamos para um arranha-céu e nos imaginamos de pé e espigados. A popularidade da palavra nos livros em inglês estourou em meados dos anos 1940, e ela logo ultrapassou virtudes vitorianas como "força de vontade" (em 1961) e "autocontrole" (em meados da década de 1980).[7]

A meteórica ascensão da *empatia* coincidiu com a atribuição de um novo significado à palavra, mais próximo de "simpatia" e "compaixão". A mescla de sentidos encarna uma teoria da psicologia popular: que a benevolência para com os outros depende de fazermos de conta que somos eles, sentindo o que sentem, pondo-nos no lugar deles, assumindo seu ponto de vista ou enxergando o mundo com os seus olhos.[8] Essa teoria não é uma verdade autoevidente. Em seu ensaio "On a Certain Blindness in Human Beings" [Sobre uma certa cegueira nos seres humanos], William James refletiu sobre o vínculo entre o homem e o melhor amigo do homem:

> Tomemos nossos cães e nós mesmos, conectados como estamos por um laço mais íntimo que a maioria dos laços deste mundo; e entretanto, fora desse vínculo de carinho amistoso, como somos insensíveis, cada um de nós, a tudo que torna a vida significativa para o outro! — nós e o arroubo de um osso sob a sebe, ou o farejar árvores e postes, eles e a delícia da literatura e da arte. Enquanto você se senta e lê o romance mais emocionante que já lhe caiu nas mãos, que espécie de juízo faz seu fox terrier de seu comportamento? Com toda a boa vontade que ele tenha, foge-lhe absolutamente à compreensão a natureza da conduta que você exibe. Sentar-se ali como uma estátua insensível, quando poderia levá-lo para caminhar ou atirar paus para ele apanhar! Que estranha doença é essa que acomete você todo dia, de segurar coisas e olhar para elas assim por horas a fio, paralisado e vazio de toda vida consciente?[9]

Portanto, o sentido de "empatia" que hoje é valorizado — uma preocupação altruísta com os outros — não pode ser igualado à habilidade de pensar o que os outros estão pensando ou sentir o que estão sentindo. Há que se distinguir vários significados para a palavra, que passou a ser aplicada a tantos estados mentais.[10]

A acepção original e mais mecânica de empatia é "projeção" — a capacidade de alguém se colocar na posição de outra pessoa, animal ou objeto, e imaginar a sensação de estar em tal situação. O exemplo do arranha-céu mostra que nesse sentido o objeto da empatia de alguém não precisa sequer *ter* sentimentos, menos ainda sentimentos que importem ao ator empático.

Intimamente relacionada é a habilidade de *assumir a perspectiva*, isto é, visualizar como o mundo se apresenta do ponto de vista do outro. Jean Piaget mostrou que crianças com menos de seis anos não conseguem visualizar a disposição de três montes de brinquedos sobre uma mesa do ponto de vista de uma pessoa sentada em frente a ela, um tipo de imaturidade que ele tornou famoso sob o nome de egocentrismo. Para ser justo com as crianças, tampouco os adultos assimilam facilmente essa habilidade. Entender mapas, decifrar sinais de "você está aqui" e girar mentalmente objetos tridimensionais pode exigir o melhor de nós, mas isso não deve fazer com que se questione nossa compaixão. Mais amplamente, assumir a perspectiva pode abarcar percepções sobre o que outra pessoa está pensando ou sentindo, assim como o que ela está vendo, o que nos conduz a mais um significado da palavra "empatia".

Leitura da mente, *teoria da mente*, *mentalização* ou *acuidade empática* é a aptidão de imaginar o que alguém está pensando ou sentindo a partir de sua expressão, comportamento ou circunstâncias. Ela nos permite inferir, por exemplo, que uma pessoa que acaba de perder um trem provavelmente está contrariada e tentando imaginar como chegar a tempo a seu destino.[11] A leitura da mente não requer que nós mesmos vivamos as experiências do outro, nem que nos importemos com elas, apenas que imaginemos quais são. Na verdade ela pode compreender duas habilidades, a leitura de pensamentos (prejudicada no autismo) e a leitura de emoções (prejudicada na psicopatia).[12] Alguns psicopatas inteligentes aprendem a ler os estados emocionais dos outros, para melhor manipulá-los, mas mesmo assim fracassam na percepção da verdadeira textura emocional desses estados. Um exemplo é o do estuprador que disse de suas vítimas: "Elas estão amedrontadas, certo? Mas, veja, eu não entendo isso. Eu próprio me amedrontei, e não era desagradável".[13] E, compreendam ou não os verdadeiros estados emocionais das pessoas, eles não se importam. O sadismo, a *schadenfreude* e a indiferença com o bem-estar dos animais são outros casos em que uma pessoa pode estar plenamente cônscia do estado mental de outras criaturas, mas é incapaz de se condoer delas.

Entretanto, as pessoas frequentemente sentem *incômodo* ao testemunhar o sofrimento alheio.[14] É essa a reação que impede alguém de machucar o rival em uma briga, que fez com que os participantes do experimento de Milgram se mostrassem ansiosos com os choques que estavam aplicando e que os reservistas nazistas tivessem náuseas quando começaram a matar judeus à queima-roupa. Como esses exemplos evidenciam claramente, o incômodo com o sentimento do outro não é o mesmo que a preocupação compassiva com seu bem-estar. Pode ser, em vez disso, uma reação indesejada que a pessoa trata de suprimir, ou uma contrariedade da qual procura escapar. Muitos de nós ficam sumamente incomodados com um bebê que chora dentro de um avião, mas nossa simpatia costuma dirigir-se aos pais e não à criança, e nosso desejo mais forte pode ser encontrar outro assento. Durante muitos anos uma instituição de caridade chamada Save the Children estampou anúncios em revistas com a confrangedora fotografia de uma criança desamparada e a legenda "Você pode salvar Juan Ramos com cinco *cents* por dia. Ou pode virar a página". A maioria virava a página.

As emoções podem ser *contagiosas*. Quando você está rindo, o mundo inteiro ri junto; eis por que as *sitcoms* trazem a gravação de risadas, e os maus comediantes sublinham suas tiradas com um efeito sonoro que simula um ataque de riso em staccato.[15] Outros exemplos de contágio emocional são as lágrimas em um casamento ou funeral, a vontade de dançar em festas, o pânico durante um alerta de explosivos e o enjoo em um barco sacolejante. Uma versão mais fraca de contágio emocional consiste em respostas vicárias, como quando estremecemos em solidariedade a um atleta contundido, ou recuamos quando James Bond é amarrado a uma cadeira e espancado. Outra é o mimetismo motor, como quando abrimos a boca enquanto tentamos dar a compota de maçã a um bebê.

Muitos fãs da empatia escrevem como se o contágio emocional fosse a base do sentimento de "empatia", que é mais relacionada com o bem-estar humano. Entretanto, o sentimento de empatia que mais valorizamos é uma reação distinta, que pode ser chamada de preocupação simpática, ou simplesmente simpatia. A simpatia consiste em afinar o bem-estar de outro ser com o de si próprio, baseando-se no conhecimento de seus prazeres e dores. Embora seja fácil igualar simpatia a contágio, é fácil ver por que eles não são a mesma coisa.[16] Se uma criança amedrontou-se com os latidos de um cão e está gritando de pavor, minha resposta simpática não é gritar de pavor, mas consolá-la e protegê-la. Inversamente, posso sentir simpatia por uma pessoa cujo sofrimento não consigo experimentar vicariamente, como uma mulher durante um parto, uma mulher que tenha sido estuprada ou alguém que sofre de câncer. E nossas reações emocionais, longe de reproduzir automaticamente as dos outros, podem dar uma guinada de 180 graus dependendo de nosso sentimento estar em aliança ou em competição com os deles. Quando um torcedor acompanha um jogo no campo de seu time, ele se alegra quando a torcida se alegra e se desalenta quando ela se desalenta. Quando o jogo acontece no campo do adversário, ele se desalenta quando a torcida se alegra e se alegra quando esta se desalenta. Com muita frequência, a simpatia determina o contágio e não o contrário.

A atual fixação pela empatia foi provocada por uma mistura de vários significados da palavra "empatia". A confusão cristalizou-se no meme que emprega "neurônios espelho" como sinônimo de "simpatia" no sentido de compaixão. Rifkin escreve sobre os "neurônios espelho que permitem aos seres humanos e outras espécies sentir e experimentar a situação de um outro como se fosse a sua própria"; e conclui que "somos uma espécie fundamentalmente empática", que busca "íntima participação e companheirismo com nossos semelhantes". A teoria do neurônio espelho pressupõe que a simpatia (que ela confunde com contágio) está impressa como um circuito em nosso cérebro, como uma herança de nossa natureza primata, e só precisa ser exercitada, ou pelo menos não reprimida, para que uma nova era amanheça. Desafortunadamente, a promessa de Rifkin, de "um salto para a consciência empática global" em "menos de uma geração", baseia-se em uma interpretação duvidosa da neurociência.

Em 1992 o neurocientista Giacomo Rizzolatti e seus colegas descobriram neurônios no cérebro de um macaco que disparavam tanto quando o macaco apanhava uma uva como quando ele via uma pessoa apanhar a uva.[17] Outros neurônios reagiam a outras ações, fossem elas executadas ou observadas, como tocar e dilacerar. Embora os neurocientistas ordinariamente não possam empalar cobaias humanas com eletrodos, temos razões para acreditar que também as pessoas têm neurônios espelho: experimentos com neuroimagem localizaram áreas no lobo parietal e no lobo inferior frontal que se acendem quando a pessoa se movimenta e também quando vê outra se movimentar.[18] A descoberta dos neurônios espelho é importante, ainda que não de todo inesperada: dificilmente poderíamos usar um verbo na primeira e na terceira pessoa a não ser que nosso cérebro fosse capaz de representar da mesma maneira uma ação, independentemente de quem a executa. Mas a descoberta logo foi inflada até virar uma extraordinária bolha propagandística.[19] Um neurocientista proclamou que os neurônios espelho iriam fazer pela neurociência o que o DNA fizera para a biologia.[20] Outros, com a cumplicidade de jornalistas científicos, promoveram os neurônios espelho à base biológica da linguagem, da intencionalidade, da imitação, do aprendizado cultural, dos caprichos e modas, do gosto pelos esportes, das preces intercessoras e, naturalmente, da empatia.

Um probleminha para a teoria dos neurônios espelho é que os animais em que eles foram descobertos, os macacos rhesus, são uma desagradável pequena espécie sem traços discerníveis de empatia (nem de imitação, para não falar da linguagem).[21] Outro problema, como veremos, é que os neurônios espelho são mais encontrados em regiões do cérebro que, conforme estudos de neuroimagem, pouco têm a ver com a empatia no sentido de uma preocupação simpática.[22] Muitos neurocientistas cognitivos suspeitam que os neurônios espelho podem ter um papel na representação mental do conceito de ação, embora mesmo isso esteja em discussão. Muitos rejeitam a assertiva extravagante de que eles podem explicar habilidades unicamente humanas, e hoje em dia virtualmente ninguém equipara sua atividade com a emoção da simpatia.[23]

Há com certeza partes do cérebro, particularmente a ínsula, que se ativam metabolicamente, seja quando temos uma experiência desagradável, seja quando respondemos à observação de alguém vivendo uma experiência desagradável.[24] O problema é que essa superposição é um *efeito* em vez de uma *causa* de simpatia para com o bem-estar alheio. Lembremos o experimento em que a ínsula se acendia quando um participante recebia um choque e também quando ele via uma pessoa inocente levar um choque. O mesmo experimento revelou que, quando a vítima do choque havia furtado dinheiro de participantes homens, as ínsulas destes permaneciam inertes, enquanto o estriado e o córtex cerebral se acendiam em doce vingança.[25]

No sentido moralmente relevante de preocupação simpática, a empatia não é um reflexo automático de nossos neurônios espelho. Ela pode ser ligada, desligada e até revertida em contraempatia, concretamente fazendo alguém sentir-se bem quando o outro se sente mal e vice-versa. A vingança é um deflagrador de contraempatia, e a resposta alternada dos torcedores esportivos mostra que a competição também pode deflagrá-la. Os psicólogos John Lanzetta e Basil Englis colaram eletrodos na face e nos dedos de participantes e então fizeram que disputassem um jogo de investimentos com outro (falso) participante.[26] Os dois eram informados de que estavam atuando em conjunto, ou que estavam competindo (embora os resultados na verdade não dependessem do que o outro participante fazia). Os ganhos no jogo eram assinalados por uma elevação no painel; as perdas, por um choque moderado. Quando os participantes julgavam estar cooperando, seus eletrodos indicavam uma calma visceral e uma insinuação de sorriso cada vez que seu homólogo ganhava dinheiro, em contraste com um afluxo de suor e o início de um franzir de cenho quando ele levava um choque. Quando pensavam que estavam competindo entre si, invertiam-se os sinais: eles relaxavam e sorriam quando o outro sofria, enquanto ficavam tensos e fechavam a cara quando ele se saía bem.

O problema de se construir um mundo melhor através da empatia, no sentido de contágio, mimetismo, emoções vicárias ou neurônios espelho, é que não há garantia de se desencadear o tipo de empatia que queremos, mais especificamente a preocupação com o bem-estar dos outros. A simpatia é endógena, e mais um efeito do que uma causa de como as pessoas se relacionam entre si. Dependendo de como os atores concebem uma relação, sua resposta à dor de outra pessoa pode ser empática, neutra ou até contraempática.

No capítulo anterior, exploramos os circuitos do cérebro que estão por trás de nossas tendências violentas; vejamos agora as partes que sustentam nossos anjos bons. A procura da empatia no cérebro humano confirmou que os sentimentos vicários são amortecidos ou amplificados pelo restante das crenças da pessoa. Claus Lamm, Daniel Batson e Jean Decety fizeram participantes assumir a perspectiva de um paciente (fictício), zumbindo em seus ouvidos enquanto ele era "tratado" conforme uma terapêutica experimental que consistia em explosões de ruído através de fones, o que fazia o paciente encolher-se visivelmente.[27] O padrão da atividade no cérebro dos participantes enquanto eles empatizavam com o paciente coincidia com o padrão que exibiam quando eles próprios ouviam o ruído. Uma das áreas ativas era uma parte da ínsula, a ilha do córtex que, como vimos, representa as sensações viscerais, tanto literais como metafóricas (ver figura 8.3). Outra era a amígdala, o órgão em formato de amêndoa que responde aos estímulos de medo e angústia (ver figura 8.2). Uma terceira era o córtex cingulado anterior (ver figura 8.4), uma faixa do córtex na parede interna do hemisfério cerebral que se envolve no aspecto motivacional da dor — não a ferroada propriamente, mas o forte desejo de fazê-la cessar. (Estudos sobre a dor vicária geralmente não mostram ativação das partes do cérebro que registram a sensação corporal efetiva; isso estaria mais próximo da alucinação que da empatia.) Os participantes nunca eram colocados em uma situação que evocasse a contraempatia, como a competição ou a vingança, mas suas reações eram ditadas pela percepção cognitiva da situação. Quando se dizia a eles que o tratamento funcionava, de modo que as dores do paciente tinham sido produtivas, as respostas vicárias e angustiadas se reduziam.

O panorama de conjunto que emergiu dos estudos do cérebro compassivo é que não existe um centro da empatia, com neurônios empáticos, mas um complexo de padrões de ativação e graduação que dependem da interpretação do ator a respeito das dificuldades da outra pessoa e da natureza da relação com ela. O atlas geral da empatia pode ser mais ou menos assim:[28] a junção temporoparietal e os sulcos (ranhuras) próximos no lobo superior temporal dão acesso ao estado físico e mental de outra pessoa. O córtex dorsolateral pré-frontal e seu vizinho, o polo frontal (a ponta do lobo frontal), contabilizam as especificidades da situação e o objetivo de conjunto diante dela. O córtex orbital e o ventromedial integram os resultados desses registros e regulam as respostas das partes do cérebro mais emocionais e mais antigas em termos evolutivos. A amígdala responde a estímulos de medo e angústia, em conjunção com interpretações das redondezas do polo temporal (a ponta do lobo temporal). A ínsula registra a repulsa, a raiva e a dor vicária. O córtex cingulado ajuda a alternar o controle entre os sistemas cerebrais em resposta a sinais urgentes, tais como aqueles enviados por circuitos que estão tratando de respostas incompatíveis, ou daqueles que registram dor física ou emocional. E, para a infelicidade da teoria dos neurônios espelho, as regiões do cérebro mais ricas nesses neurônios, como as partes do lobo frontal que planejam os movimentos motores (as partes mais próximas da fissura de Sylvius) e as partes do lobo parietal que registram os sentidos do corpo, em sua maioria, não se envolvem, excetuando-se as partes dos lobos parietais que guardam a noção de onde o corpo está.

De fato, o tecido cerebral que está mais próximo da empatia no sentido de compaixão não é nem uma parte do córtex nem um órgão subcortical, mas sim um sistema de canalização hormonal. A oxitocina é uma pequena molécula produzida pelo hipotálamo que atua nos sistemas emocionais do cérebro, inclusive a amígdala e o estriado, e que é segregada pela glândula pituitária (hipófise) na corrente sanguínea, de onde pode afetar o resto do corpo.[29] Sua função evolutiva original era acionar os componentes da maternidade, incluindo o parto, o cuidado e o aleitamento dos recém-nascidos. Mas a capacidade do hormônio para reduzir o medo da proximidade de outras criaturas fez com que este se prestasse também, ao longo da história evolutiva, a ser cooptado para dar apoio a outras formas de associação. Estas incluem a excitação sexual, o vínculo heterossexual em espécies monogâmicas, o amor conjugal e a camaradagem, a simpatia e a confiança entre não aparentados. Por essas razões, a oxitocina é às vezes chamada de hormônio do carinho. A reutilização do hormônio em tantas formas de intimidade humana fornece sustentação à hipótese de Batson de que o carinho materno é o precursor evolutivo das demais formas de simpatia humana.[30]

Em um dos mais curiosos experimentos no campo da economia comportamental, Ernst Fehr e seus colaboradores fizeram com que pessoas jogassem um jogo da confiança, em que elas entregavam dinheiro a um depositário, que o multiplicava e então devolvia aos parceiros a quantia que ele sentia que gostaria.[31] Metade dos participantes inalou um spray nasal contendo oxitocina, que pode penetrar no cérebro a partir do nariz, enquanto a outra metade inalou um placebo. Aqueles que tomaram oxitocina repassaram mais dinheiro aos desconhecidos, e a mídia fez a festa com fantasias sobre revendedoras de carros difundindo o hormônio através dos sistemas de ventilação de seus showrooms, para ludibriar compradores inocentes. (Até agora ninguém propôs sua pulverização por meio de aviões agrícolas para acelerar a consciência empática global.) Outros experimentos mostraram que aspirar oxitocina torna as pessoas mais generosas em um jogo do ultimato (no qual uma soma é dividida antecipando a resposta de um receptor, que pode vetar o acordo de modo que nenhum dos dois receba), mas não em um jogo do ditador (em que o receptor deve aceitar ou sair, e o propositor não precisa levar em conta a reação do receptor). Parece provável que a rede da oxitocina seja um deflagrador crucial da resposta simpática aos desejos e crenças de terceiros.

No capítulo 4, referi-me à hipótese de Peter Singer de um círculo expandido de empatia, na realidade um círculo da simpatia. Seu núcleo mais íntimo é o carinho que sentimos por nossos filhos, e o detonador mais confiável dessa ternura é a geometria de uma face jovem — o fenômeno de percepção que denominamos graciosidade. Em 1950 o etólogo Konrad Lorenz observou que entidades com dimensões típicas de animais imaturos despertam sentimentos de ternura em quem as vê. As feições incluem cabeça, crânio, fronte e olhos grandes, e nariz, mandíbula, corpo e membros pequenos.[32] O reflexo da graciosidade foi originalmente uma adaptação nas mães para que cuidassem da prole, mas as feições que o deflagram podem ter se acentuado nos próprios descendentes (na medida em que isso é compatível com sua própria saúde) para estimular a propensão materna no sentido dos cuidados e de evitar o infanticídio.[33] Espécies que tiveram a sorte de possuir a geometria de bebês podem provocar a resposta *cuti-cuti* de observadores humanos e tirar proveito de seus cuidados simpáticos. Consideramos camundongos e coelhos mais adoráveis que ratazanas e gambás, as pombas mais simpáticas que corvos, as focas bebês mais merecedoras de atenção que raposas e outros fornecedores de peles. Os cartunistas aproveitam esse reflexo para que seus personagens sejam mais atraentes, o mesmo valendo para desenhos animados e ursinhos de pelúcia. Em um famoso ensaio sobre a evolução de Mickey Mouse, Stephen Jay Gould registrou um aumento do tamanho dos olhos e do crânio do roedor ao longo das décadas em que sua personalidade foi mudando, de um fedelho mimado para um ícone ficha limpa.[34] Gould não viveu para ver a repaginada de 2009, em que os Estúdios Disney, atentos à preferência das crianças de hoje por personagens mais "radicais" e "perigosos", apresentaram um videogame no qual as feições de Mickey involuiram para uma anatomia mais parecida com a de um rato.[35]

Como vimos no capítulo 8, a graciosidade é um complicador para os biólogos conservacionistas, pois atrai uma atenção desproporcional para uns poucos mamíferos carismáticos. Uma organização imaginou que podia fazer bom uso da inclinação e usou em sua marca o urso panda. O mesmo truque é empregado por organizações humanitárias que encontram crianças fotogênicas para suas campanhas. A psicóloga Leslie Zebrowitz mostrou que os júris tratam com mais simpatia os acusados com feições mais juvenis, uma distorção da justiça que podemos atribuir ao funcionamento de nosso senso de compaixão.[36] A beleza física é mais uma injustiça induzida pela simpatia. Crianças menos atraentes são punidas com maior severidade por pais e professores, e mais vulneráveis a sofrer maus-tratos.[37] Adultos não atraentes são considerados menos honestos, menos gentis, menos confiáveis, menos sensíveis e até menos inteligentes.[38]

Naturalmente, tratamos de simpatizar com nossos amigos e conhecidos adultos, inclusive os feios. Mas mesmo aí nossa simpatia não se distribui indiscriminadamente e sim no interior de um círculo delimitado em que aplicamos um conjunto de emoções morais. A simpatia precisa funcionar em harmonia com essas outras emoções porque a vida social não pode ser uma irradiação de sentimentos calorosos e imprecisos em todas as direções. O atrito é inevitável na vida social: calos são pisados, narizes são torcidos, santos não batem. Junto com a simpatia sentimos culpa e clemência, e essas emoções tendem a atuar dentro de um mesmo círculo — as pessoas com quem simpatizamos, que são aquelas que nos sentimos culpados ao prejudicar e que temos mais facilidade em perdoar quando nos prejudicam.[39] Roy Baumeister, Arlene Stillwell e Todd Heatherton revisitaram a literatura sociopsicológica sobre a culpa e concluíram que esta anda de mãos dadas com a empatia. Quanto mais empática uma pessoa é, mais inclinada à culpa (particularmente as mulheres, que se esmeram em ambas as emoções), e são os alvos de nossa empatia que merecem também nossa culpa. O efeito é enorme: quando as pessoas são instadas a relatar incidentes que as levaram a se sentir culpadas, 93% envolvem familiares, amigos e namorados; apenas 7% dizem respeito a conhecidos e estranhos. As proporções são similares quando se trata de memórias de culpabilização: culpamos nossos amigos e parentes, não os meros conhecidos e estranhos.

Baumeister e seus colaboradores explicam o padrão fazendo uma distinção à qual retornaremos no trecho sobre moralidade. Simpatia e culpa, observam eles, operam no interior de um círculo de relações *comunais*.[40] Elas são menos provavelmente encontradas em relações de *intercâmbio* ou de troca entre iguais, do tipo que estabelecemos com vizinhos, conhecidos, colegas, associados, clientes e prestadores de serviços. As relações de intercâmbio são reguladas por normas de boa conduta e vêm acompanhadas de emoções ligadas mais à cordialidade que à simpatia genuína. Quando os prejudicamos ou eles nos prejudicam, podemos negociar explicitamente as penalidades, reparações e outras formas de compensação que equilibrem o prejuízo. Caso isso não seja possível, reduzimos nosso desconforto afastando-nos deles ou depreciando-os. As negociações compensatórias pragmáticas que podem reabilitar uma relação de intercâmbio em geral são, como veremos, um tabu em nossas relações comunais, e a opção de se romper uma relação comunal tem um alto custo.[41] Assim, fazemos a manutenção de nossas relações comunais com a cola emocional desleixada mas duradoura da simpatia, da culpa e da clemência.

Então, quais são as perspectivas de podermos expandir o ciclo de simpatia para além de bebês, animais engraçadinhos e pessoas vinculadas às nossas relações comunais, para abarcar um círculo cada vez mais amplo de estranhos? Uma série de previsões provém da teoria do altruísmo recíproco e sua implementação no olho por olho e em outras estratégias que são "agradáveis" no sentido técnico de que cooperam no primeiro movimento e não desertam antes de sofrer um deserção. Caso as pessoas sejam "agradáveis", nesse sentido, elas devem ter alguma tendência para ser simpáticas com estranhos, com o objetivo último (ou seja, evolutivo) de testar a possibilidade de uma relação mutuamente benéfica.[42] A simpatia deveria entrar em ação muito particularmente quando se apresenta a oportunidade de proporcionar um grande benefício a alguém com um custo relativamente diminuto para si, ou seja, quando cruzamos com uma pessoa necessitada. Ela também se incrementaria ali onde existem interesses comuns que azeitam o encaminhamento de uma relação mutuamente benéfica, como a partilha de valores semelhantes e o pertencimento a uma mesma coalizão.

A necessidade, como a graciosidade, é um difusor geral de simpatia. Mesmo as criancinhas mudam de comportamento para ajudar alguém em dificuldade ou confortar alguém angustiado.[43] Em seu estudo sobre empatia, Batson descobriu que quando os estudantes se confrontam com alguém necessitado, como um paciente que convalesce de uma cirurgia na perna, eles respondem com simpatia mesmo que a pessoa esteja fora de seu círculo social costumeiro. A simpatia é despertada, quer o paciente seja um colega de estudos, um estranho de mais idade, uma criança ou até um cachorrinho.[44] Outro dia deparei-me na praia com um caranguejo-ferradura virado para o ar, com sua dúzia de pernas se agitando inutilmente no ar. Quando o endireitei e ele deslizou entre as ondas, senti um assomo de alegria.

Com indivíduos menos fáceis de prestar ajuda, a percepção de valores compartilhados ou outros tipos de similaridade faz uma grande diferença.[45] Em um experimento seminal, o psicólogo Dennis Krebs fez estudantes-participantes observarem um segundo participante (falso) jogar um perverso jogo de roleta, em que ele era pago sempre que a esfera parava em um número par e recebia um choque quando o número era ímpar.[46] O jogador era apresentado ora como um colega do mesmo campo e com personalidade parecida, ora como um não estudante com personalidade dessemelhante. Quando os participantes julgavam que o jogador se assemelhava a eles, suavam e tinham uma aceleração cardíaca ao antecipar o choque, dispondo-se mais a sofrer eles próprios os choques para poupar o outro de uma dor adicional.

Krebs explicou o sacrifício de seus participantes em benefício do jogador com uma ideia que chamou de hipótese da empatia-altruísmo: a empatia encoraja o altruísmo.[47] A palavra "empatia", como vimos, é ambígua, e dessa forma tratamos aqui de duas hipóteses. Uma, baseada no senso de "simpatia", é que nosso repertório emocional inclui um estado em que o bem-estar de outra pessoa nos interessa — alegramo-nos quando a pessoa está contente e perturbamo-nos quando não está —, e que esse estado nos estimula a ajudar o outro sem nenhum motivo oculto. Caso verdadeira, essa ideia — chamemo-la de hipótese da *simpatia*-altruísmo — refutaria um par de antigas teorias denominadas hedonismo psicológico, segundo a qual as pessoas só fazem coisas que lhes dão prazer, e egoísmo psicológico, segundo o qual as pessoas só fazem o que lhes proporciona benefício. Por certo existem versões circulares dessas teorias, nas quais o simples fato de alguém ajudar alguém é tomado como prova de que isso *tem de* lhe agradar ou beneficiá-lo. Porém qualquer versão comprovável dessas teorias cínicas precisa identificar algum motivo oculto *independente* para a ajuda oferecida, como aplacar a angústia da pessoa, evitar a censura pública ou atrair a estima pública.

A palavra "altruísmo" também é ambígua. O "altruísmo" é a hipótese empatia-altruísmo em seu sentido psicológico, de um motivo para beneficiar outro organismo enquanto um fim em si mesmo, mais que um meio para outro fim.[48] Isso difere do altruísmo no sentido evolutivo e biológico, que é definido mais em termos de comportamento do que de motivos: o altruísmo biológico consiste em um comportamento que beneficia outro organismo às custas de si próprio.[49] (Os biólogos empregam o termo para distinguir as duas modalidades em que um organismo pode beneficiar outro. A outra é chamada mutualismo, quando um organismo beneficia um outro e ao mesmo tempo a si mesmo, tal como um inseto que poliniza uma planta, um pássaro que devora carrapatos no dorso de um mamífero e colegas de quarto com gostos semelhantes que apreciam a música um do outro.)

Na prática, os sentidos biológico e psicológico do senso de altruísmo muitas vezes coincidem, pois, se temos um motivo para fazer algo, frequentemente nos dispomos a pagar um preço para fazê-lo. E, apesar de um costumeiro mal-entendido, as explicações evolutivas para o altruísmo biológico (por exemplo, de que os indivíduos beneficiam sua parentela ou trocam favores, dois comportamentos que a longo prazo beneficiam seus genes) são perfeitamente compatíveis com o altruísmo psicológico. Se a seleção natural favorece a ajuda de parentes, ou de parceiros em uma potencial reciprocidade, mesmo que ela tenha um custo, devido aos benefícios a longo prazo para os genes, ela o faz dotando o cérebro de um motivo direto para ajudar tais beneficiários sem pensar em seu próprio bem-estar. O fato de que os genes do altruísta podem se beneficiar a longo prazo não o expõe como um hipócrita nem solapa seus motivos altruísticos, porque o benefício genético nunca figura no cérebro como um objetivo explícito.[50]

A primeira versão da hipótese empatia-altruísmo, portanto, é que o altruísmo psicológico existe, e é motivado pela emoção que chamamos de simpatia. A segunda versão baseia-se na "projeção" e no "assumir a perspectiva" sentidos pela empatia.[51] Conforme esta última, adotar o ponto de vista do outro, colocar-se na sua pele ou imaginar como é ser ele induz um estado de simpatia para com a pessoa (que então impeliria o imaginador a agir altruisticamente em relação ao objeto, caso a hipótese empatia-altruísmo seja de fato verdadeira). Poder-se-ia chamar essa versão de hipótese da perspectiva-simpatia. É a hipótese relevante para as questões levantadas nos capítulos 4 e 5, sobre como o jornalismo, as memórias, a ficção, a história e outras tecnologias de experiência vicária expandiram nosso senso coletivo de simpatia e ajudaram a conduzir a Revolução Humanitária, a Longa Paz, a Nova Paz e as Revoluções por Direitos.

Embora Batson nem sempre diferencie as duas versões da hipótese empatia-altruísmo, seu projeto de experimentos com duas décadas de extensão fornece base para ambas.[52] Comecemos com a hipótese da simpatia-altruísmo, comparando-a com a alternativa cínica em que as pessoas ajudam os outros apenas para reduzir seu próprio incômodo. As participantes em um estudo observavam Elaine, uma participante *ersatz*, receber sucessivos choques em um experimento sobre aprendizado.[53] (Os participantes masculinos eram apresentados a Charlie em lugar de Elaine.) Elaine fica visivelmente aflita à medida que a sessão prossegue, e então se dá à participante a oportunidade de assumir seu lugar. Em uma versão, a participante concluiu sua obrigação no experimento e está livre para ir embora; portanto, assumir o lugar de Elaine seria altruísmo genuíno. Em outra, a participante não assume o lugar de Elaine e deve continuar a vê-la levar choques por mais oito sessões. Batson raciocinou que, caso o único motivo das participantes para assumir o posto da pobre Elaine seja reduzir seu próprio incômodo com a visão do sofrimento da moça, elas não se importariam caso estivessem livres para ir embora. Apenas se tivessem de suportar a imagem e o som dos gemidos dela elas prefeririam levar os choques. Tal como no experimento de Kreb, havia uma manipulação da simpatia; às vezes se dizia à participante que ela e Elaine tinham os mesmos valores e interesses, às vezes que estes eram incompatíveis (por exemplo, se a participante lia *Newsweek*, Elaine poderia ser descrita como leitora de *Cosmo* e *Seventeen*). Certamente, quando as participantes se sentiam identificadas com Elaine, ficavam aliviadas por assumir os choques, tivessem ou não de assistir a seu sofrimento. Caso se considerassem diferentes, só assumiam o lugar dela quando a alternativa era acompanhar seu sofrimento. Ao lado de outros estudos, o experimento sugere que como norma as pessoas ajudam os outros egoisticamente, para aliviar seu próprio desconforto ao observar o sofrimento alheio. Mas quando simpatizam com a vítima, atuam para reduzir seu sofrimento, quer este lhes cause desconforto, quer não.

Outra rodada de experimentos testou um segundo motivo para ajudar, concretamente o desejo de ser visto fazendo a coisa socialmente aceitável.[54] Dessa vez, em vez de manipular experimentalmente a simpatia das participantes, Batson e seus colaboradores exploraram o fato de que as pessoas espontaneamente sentem diferentes graus de simpatia. Depois de ouvirem Elaine afligir-se em voz alta sobre os choques iminentes, as participantes eram chamadas a indicar até que ponto se sentiam simpáticas, motivadas, apiedadas, ternas, calorosas e compassivas. Algumas participantes escreveram números elevados ao lado dos adjetivos; outras usaram números baixos.

Assim que o procedimento teve início, a longamente sofredora moça começou a levar choques e estava visivelmente descontente, e os promotores do experimento usaram estratagemas para buscar saber se algum desejo das participantes de pôr fim àquele sofrimento se devia a uma pura vontade de fazer o bem ou à intenção de parecer boa. Um estudo apurou o humor das participantes através de um questionário, e então foi dada a cada uma delas a oportunidade de aliviar Elaine, realizando a contento uma tarefa sua, ou simplesmente de dispensar a moça sem que isso redundasse em qualquer crédito para a participante. As empáticas se sentiriam igualmente aplacadas em ambos os casos; as não empáticas, apenas se fossem elas a liberar Elaine. Em outra rodada, as participantes deviam se qualificar para ter a oportunidade de ocupar o posto de Elaine, desincumbindo-se bem da tarefa de encontrar uma carta, que elas tinham sido levadas a crer que era fácil (de modo que não havia modo de simular um mau desempenho e ficar de fora) ou difícil (a fim de que elas pudessem ocultar-se e escapar de forma plausível quando chamadas a fazer o sacrifício). As não empáticas se ocultaram e tiveram pior desempenho na suposta tarefa difícil; as empáticas se saíram ainda *melhor* na tarefa difícil, em que sabiam que seria necessário um esforço extra para permitir que sofressem no lugar de Elaine. Portanto, a emoção da simpatia pode conduzir a uma preocupação moral genuína, no sentido de Kant, de tratar uma pessoa sempre como um fim e não como um meio para um fim — nesse caso, não apenas um meio para o fim de sentir-se bem por ter ajudado outra pessoa.

Nesses casos, uma pessoa era resgatada de um dano causado por outra pessoa, o organizador do experimento. Pode o altruísmo induzido por simpatia amortecer nossa tendência a explorar alguém, ou revidar em resposta a uma provocação? Pode. Em outros experimentos, Batson colocou mulheres para jogar o dilema do prisioneiro com uma só rodada, em que elas e outra participante (fictícia) faziam lances que podiam lhes proporcionar diferentes números em uma rifa, em formato de transação de negócios.[55] Na maior parte do tempo elas adotavam aquela que os teóricos de jogos consideram a estratégia ótima: desertavam. Optavam por escolher um cartão que as protegia de findar como tolas e criava a chance de explorar a parceira, mesmo deixando-as com um resultado pior do que seria caso as duas cooperassem escolhendo cartões diferentes. Mas quando a participante lia uma carta pessoal de sua parceira anônima e era induzida a sentir empatia por ela, o índice de colaboração saltava de 20% para 70%. Em um segundo experimento, outro grupo de mulheres participava de um jogo iterado do dilema do prisioneiro, o que dá a oportunidade de retaliar a deserção de um parceiro desertando também. Elas cooperaram em resposta a uma deserção em apenas 5% das vezes. Mas quando eram induzidas previamente a empatizar com sua parceira, tornavam-se bem mais clementes e cooperavam em 45% das vezes.[56] A simpatia, portanto, é capaz de amortecer a exploração autodestrutiva e a retaliação custosa.

Nesses experimentos, ora a simpatia era manipulada indiretamente, estabelecendo-se diferentes similitudes de valores entre a participante e seu alvo, ora era inteiramente endógena: o organizador do estudo contou que algumas participantes espontaneamente se mostrariam mais empáticas que outras, qualquer que fosse a razão. A questão-chave para compreender o declínio da violência é saber se a simpatia pode ser alavancada exogenamente.

A simpatia, lembremos, tende a se expressar em relações comunais, do tipo que é acompanhado também pela culpa e pela clemência. Portanto, tudo aquilo que cria uma relação comunal deveria criar também simpatia. Um pioneiro em criar relações comunais induz gente a cooperar em um projeto com um objetivo superior (o exemplo clássico é o do acampamento de Robbers Cave, em que foi preciso tirar um ônibus do atoleiro). Muitas oficinas de superação de conflitos operam com base em um princípio semelhante: congregar os adversários em um ambiente fraternal no qual eles possam se conhecer uns aos outros como indivíduos, e confiar-lhes o objetivo superior para que imaginem como superar o conflito. Tais circunstâncias podem induzir à simpatia mútua, e as oficinas amiúde tratam de estimulá-la com exercícios em que os participantes adotam os pontos de vista uns dos outros.[57] Mas em todos esses casos os participantes são forçados à cooperação, e obviamente é impraticável colocar bilhões de pessoas em oficinas supervisionadas de superação de conflitos.

O mais poderoso deflagrador exógeno de simpatia seria um que fosse barato, amplamente disponível e já existente, isto é, o ato de assumir a perspectiva que as pessoas desenvolvem ao consumir ficção, memórias, autobiografias e reportagens. Assim, a próxima questão para a ciência da empatia reside em saber se o ato de assumir a perspectiva desses consumidores efetivamente desenvolve a simpatia pelos escritores e locutores de TV, e pelos membros de grupos que estes representam.

Em vários estudos a equipe de Batson convenceu os participantes de que eles estavam colaborando em uma pesquisa de mercado para a estação de rádio da universidade.[58] Eles eram chamados a avaliar um show piloto chamado *Notícias do Lado Pessoal*, um programa que desejava "ir além dos fatos nos acontecimentos locais, para reportar como esses fatos afetam as vidas dos indivíduos envolvidos". Em uma versão, os participantes eram solicitados a "enfocar os aspectos técnicos da exibição" e "assumir uma perspectiva objetiva sobre aquilo que é descrito", não se deixando apanhar pelos sentimentos do assunto da entrevista. Em outra, eles deviam "imaginar como a pessoa entrevistada se sente em relação ao ocorrido e como aquilo afetou a vida dela" — uma manipulação do assumir a perspectiva tendente a incutir um estado de simpatia. Notoriamente, a manipulação é um tanto grosseira: as pessoas em geral não são chamadas a dizer como se sentem enquanto leem um livro ou acompanham um noticiário. Mas os escritores sabem que seus leitores se envolvem mais na história quando existe um protagonista cujo ponto de vista eles são levados a assumir, tal como no conselho dado aos aspirantes a ficcionistas: "Ache um herói; enfie-o num apuro". Assim, presumivelmente a mídia real também atrai suas audiências a simpatizar com um personagem principal sem necessitar de ordens explícitas.

Um primeiro experimento mostrou que a simpatia induzida pelo ato de assumir a perspectiva era tão sincera quanto o tipo o obtido nos estudos com Elaine.[59] Os participantes escutavam uma entrevista com Katie, que perdera os pais em um acidente de automóvel e estava lutando para criar os irmãos mais novos. Mais tarde era-lhes dada a oportunidade de se oferecer para ajudá-la com pequenos serviços, como servir de baby-sitter e dar-lhe carona. Os organizadores do experimento manipulavam a folha de inscrições de modo a parecer que vários estudantes tinham posto seus nomes na lista de ajuda, criando pressão para que seus pares fizessem o mesmo, ou, se apenas dois o tivessem feito, permitindo que os estudantes ficassem à vontade para ignorar a sorte da moça. Os participantes que haviam se concentrado nos aspectos técnicos da entrevista só assinavam a lista de ajuda quando muitos de seus pares já o tinham feito; os que tinham escutado do ponto de vista de Katie assinavam independentemente do que seus pares tivessem feito.

Uma coisa é simpatizar com um personagem em situação de necessidade, mas generalizar simpatia para o grupo que o personagem representa é outra. Será que os leitores simpatizam apenas com Pai Tomás ou com todos os escravos afro-americanos? Com Oliver Twist ou com as crianças órfãs em geral? Com Anne Frank ou com todas as vítimas do Holocausto? Em um experimento concebido para testar essas generalizações, estudantes ouviam a história de Julie, uma jovem que contraíra aids de uma transfusão de sangue depois de um acidente automobilístico (o experimento foi conduzido antes de se descobrir tratamentos efetivos para a essa doença frequentemente fatal).

> Bem, como vocês podem imaginar, é bem aterrorizante. Quero dizer, toda vez que tusso ou me sinto um pouco mal, pergunto: o que será? Será — vocês sabem — o início do declive? Algumas vezes me sinto bastante bem, mas aquilo está sempre ali atrás em minha mente. Em qualquer dia pode haver uma mudança para pior [pausa]. E sei que — pelo menos por enquanto — não há como escapar. Sei que eles estão tentando achar uma cura — e sei que todos nós morremos. Mas tudo isso parece tão injusto. Tão horrível. Como um pesadelo [pausa]. Quero dizer, sinto-me como se estivesse apenas começando a viver e, agora, em vez disso, estou morrendo [pausa]. Isso pode realmente derrubar alguém.[60]

Mais tarde, quando os estudantes eram chamados a preencher um questionário sobre as atitudes em relação a pessoas com aids, os que assumiam a perspectiva tinham se mostrado mais simpáticos que os avaliadores técnicos, mostrando que a simpatia pode efetivamente se difundir do indivíduo para o grupo que ele representa. Mas havia uma importante mudança. O efeito do ato de assumir a perspectiva sobre a simpatia era barrado pela moralização, como se podia esperar dado o fato de que a simpatia não é um reflexo automático. Quando Julie confessava ter contraído a enfermidade depois de um verão de sexo promíscuo e sem proteção, os que assumiam a perspectiva mostravam-se mais simpáticos à categoria genérica das vítimas da aids, mas menos ao conjunto mais restrito das *jovens* soropositivas. Resultados semelhantes foram obtidos em um experimento no qual estudantes de ambos os sexos ouviam os infortúnios de uma mãe que se tornara sem-teto, ora por ter ficado doente, ora por ter se cansado de trabalhar.

A equipe de psicólogos então forçou os limites e verificou quanta simpatia era possível granjear para assassinos condenados.[61] Não é que alguém necessariamente *queira* que as pessoas desenvolvam sentimentos amistosos em relação a assassinos. Mas ao menos algum grau de simpatia pelos insensíveis pode ser necessário para se opor a castigos cruéis e execuções frívolas, além do que podemos imaginar que um grão de simpatia dessa espécie pode ter conduzido às reformas da pena capital durante a Revolução Humanitária. Batson não testou sua sorte tentando angariar simpatia para um predador psicopata, mas inventou artificiosamente um típico homicídio menor em que o perpetrador fora provocado pela vítima, a qual não era mais digna de apreço. Eis a história de James sobre como ele matou seu vizinho.

> Logo, logo, as coisas foram de mal a pior. Ele jogou lixo no meu quintal através da cerca. Usei um spray para espalhar tinta vermelha na lateral da casa dele. Ele pôs fogo na minha garagem com meu carro dentro. Ele sabia que meu carro era meu orgulho e minha alegria. Eu realmente gostava do carro e sempre o mantinha em bom estado. Na hora que acordei e vi o fogo lá fora, o carro já estava arruinado — totalmente! E ele só rindo! Fiquei maluco. Não gritei; não disse nada; mas estava tremendo tanto que mal me aguentava em pé. Decidi naquele instante que ele tinha de morrer. Naquela noite, quando ele voltou para casa, eu estava esperando em frente ao meu portão com minha espingarda de caça. Ele riu para mim e disse que eu era um medroso, que eu não tinha culhões para fazer aquilo. Mas eu fiz. Atirei

nele quatro vezes; ele morreu ali mesmo no portão. Eu ainda estava segurando a espingarda quando os tiras chegaram.

[*Entrevistador*: Você se arrepende do que fez?]

Agora? Claro. Eu sei que assassinato é errado e ninguém merece morrer assim, nem mesmo ele. Mas na hora tudo que eu queria era fazê-lo pagar — caro — e que ele sumisse da minha vida [pausa]. Quando atirei nele, senti aquela grande sensação de alívio e libertação. Eu me senti livre. Não raiva, não medo, não ódio. Mas aquele sentimento durou só um minuto ou dois. Era ele que estava livre; eu estava indo para a prisão pelo resto da vida [pausa]. E aqui estou.

Os que assumiam a perspectiva sentiram por James um pouco mais de simpatia que os avaliadores técnicos, mas isso se traduziu em uma atitude apenas infimamente mais positiva em relação a assassinos em geral.

Mas então aconteceu uma inflexão na inflexão. Uma ou duas semanas mais tarde os participantes receberam um telefonema inesperado, de um entrevistador que estava fazendo uma pesquisa sobre reforma penitenciária. (A pessoa trabalhava com os organizadores do experimento, mas nenhum dos estudantes imaginava isso.) Embutido na pesquisa de opinião havia um quesito sobre atitudes diante de homicídios, semelhante à que os estudantes tinham preenchido no laboratório. A essa distância, o efeito do ato de assumir a perspectiva fez diferença. Os estudantes que semanas antes haviam tentado imaginar como James se sentia mostraram uma considerável guinada em sua atitude para com assassinos sentenciados. A influência retardada é o que os pesquisadores da persuasão denominam efeito adormecido. Quando as pessoas são submetidas a informações que modificam suas atitudes em um sentido que elas não aprovam — no caso, sentimentos mais brandos para com homicidas —, elas percebem a influência indesejada e conscientemente a cancelam. Mais tarde, quando baixam a guarda, sua mudança emocional se revela. O resultado final do estudo é que, mesmo quando um estranho pertence a um grupo que as pessoas se inclinam fortemente a repelir, ouvir sua história assumindo sua perspectiva pode realmente aumentar a simpatia por ele e pelo grupo que ele representa, e não apenas durante uns poucos minutos depois de ouvir a história.

Em um mundo conectado as pessoas estão expostas às histórias de desconhecidos pelos mais diferentes canais, entre eles encontros pessoais, entrevistas na mídia, memórias e relatos autobiográficos. Mas o que dizer da porção desse fluxo de informações que se expressa em mundos imaginários — histórias de ficção, filmes e séries de TV, a que o público voluntariamente se abandona? O prazer de uma história reside em tomar o ponto de vista de um personagem e compará-lo com outros, sejam eles os de outros personagens, do narrador ou do próprio leitor. Pode a ficção ser uma forma sub-reptícia de incrementar a simpatia das pessoas? Em um ensaio de 1856, George Eliot defendeu essa hipótese psicológica:

> Apelos baseados em generalizações e estatísticas requerem uma simpatia prévia, um sentimento moral já em atividade; mas a pintura de uma vida humana, tal como um grande artista pode ofertar, surpreende mesmo o ser trivial e o egoísta naquela atenção para algo que está fora dele mesmo, o que pode ser chamado de a raiz material de nossos sentimentos morais. Quando Scott nos conduz à cabana de Luckie Mucklebackit, ou conta-nos a história dos "Dois boiadeiros", quando Wordsworth canta-nos o devaneio da "Pobre Susan", quando Kingsley mostra-nos Alton Locke olhando ansiosamente por sobre o portão que conduz da estrada ao primeiro bosque que ele já viu, quando Hornung pinta um grupo de limpadores de chaminés, faz-se mais no sentido de vincular as classes superiores às inferiores, de obliterar a vulgaridade do exclusivismo, do que centenas de sermões e dissertações filosóficas. A arte é a coisa mais próxima da vida; é um modo de amplificar a experiência e estender nosso contato com nossos iguais para além dos limites de nosso torrão pessoal.[62]

Hoje, a historiadora Lynn Hunt, a filósofa Martha Nussbaum e os psicólogos Raymond Mar e Keith Oatley, entre outros, advogam a leitura de ficção enquanto amplificador da empatia e uma força no sentido do progresso humanitário.[63] Pode-se pensar que os acadêmicos literários fariam fila para se somar a eles, ansiosos para mostrar que o objeto de seus estudos é uma força do progresso em uma época na qual estudantes e financiadores permanecem à distância. Mas muitos estudiosos de literatura, como Suzanne Keen em *Empathy and Novel* [Empatia e o romance], arrepiam-se à sugestão de que a ficção literária possa ser moralmente edificante. Eles encaram a ideia como demasiadamente medíocre, terapêutica, kitsch, sentimental, muito Oprah Winfrey. Ler ficção pode com igual facilidade cultivar a *schadenfreude*, apontam eles, deleitando o leitor com as desventuras de personagens que não despertam simpatia. Pode perpetuar estereótipos condescendentes do "outro". E pode esvair a preocupação simpática pelos seres vivos que poderiam se beneficiar dela, desviando-a para vítimas que na realidade não existem. Eles também observam, corretamente, que não podemos dispor de dados experimentais de qualidade mostrando que a ficção expande a simpatia. Mar, Oatley e seus colaboradores mostraram que leitores de ficção têm notas mais altas em testes de empatia e perspicácia social, mas essa correlação não mostra se a leitura de ficção torna as pessoas mais empáticas ou se são as pessoas empáticas que se inclinam a ler ficção.[64]

Seria de surpreender que as experiências ficcionais não tivessem efeitos semelhantes nas reais, pois as pessoas frequentemente confundem as duas em suas memórias.[65] E uns tantos experimentos sugerem que a ficção pode incrementar a simpatia. Um dos estudos de Batson com o programa de rádio incluiu a entrevista com um viciado em heroína que fora apresentado aos estudantes ora como um personagem real, ora como um ator.[66] Os ouvintes que foram instados a assumir seu ponto de vista tornaram-se mais simpáticos a viciados em heroína em geral, mesmo quando sabiam que o entrevistado era fictício (embora o aumento fosse maior quando pensavam que ele era real). E, nas mãos de um narrador de talento, uma vítima fictícia pode despertar *ainda mais* simpatia que uma real. Em seu livro *The Moral Laboratory* [Laboratório moral], o professor de literatura Jèmeljan Hakemulder relata experimentos em que os participantes leem fatos semelhantes acerca da situação de mulheres argelinas, vistos através dos olhos da protagonista do romance *The Displaced* [A deslocada], de Malike Mokkeddem, ou do texto de não ficção *Price of Honor* [O preço da honra], de Jan Goodwin.[67] Os participantes que leram o romance tornaram-se mais simpáticos às mulheres argelinas que os leitores do relato da vida real; eram menos propensos, por exemplo, a minimizar a situação das mulheres como parte de sua herança cultural e religiosa. Tais experimentos nos dão alguns motivos para crer que a cronologia da Revolução Humanitária, em que romances populares precederam reformas históricas, pode não ser uma simples coincidência: exercícios de assumir a perspectiva ajudam a alargar o círculo de simpatia das pessoas.

A ciência da empatia mostrou que a simpatia pode promover altruísmo genuíno, e que este pode se estender a novas categorias de pessoas quando alguém assume a perspectiva de um membro desse grupo, mesmo sendo um membro fictício. A pesquisa robustece a especulação de que reformas humanitárias são em parte dirigidas por uma maior sensibilidade para com os seres vivos, e um desejo genuíno de aliviar seus sofrimentos. E, como tal, o processo cognitivo do ato de assumir a perspectiva e a emoção da simpatia devem figurar na explicação de muitas reduções da violência na história. Estas incluem a violência institucionalizada, tal como os castigos cruéis, a escravidão e as execuções frívolas; os maus-tratos de todos os dias contra populações vulneráveis como mulheres, crianças, homossexuais, minorias raciais e animais; e o empreendimento de guerras, conquistas e limpezas étnicas sem sensibilidade para com seus custos humanos.

Ao mesmo tempo, as pesquisas nos lembram de que não deveríamos esperar por uma "era da empatia" ou uma "civilização empática" como solução de nossos problemas. A empatia tem seu lado sombrio.[68]

Em primeiro lugar, a empatia pode *subverter* o bem-estar humano quando exercitada em colisão com um princípio mais fundamental, a justiça. Batson descobriu que quando as pessoas sentiam empatia com relação a Sheri, uma garota de dez anos com uma grave enfermidade, elas também se pronunciavam para que ela furasse a fila para tratamento médico, passando à frente de outras crianças que estavam esperando havia mais tempo ou mais necessitadas. A empatia teria relegado essas crianças à morte e ao sofrimento porque elas eram anônimas e não tinham um rosto reconhecível. Pessoas que tinham ouvido os infortúnios de Sheri mas não tinham empatia por ela atuavam bem mais corretamente.[69] Outros experimentos expuseram a questão de maneira mais abstrata. Batson apurou que, em um jogo dos bens públicos (no qual as pessoas podem contribuir com um fundo que se multiplica e é distribuído entre os contribuintes), os jogadores que eram levados à empatia com relação a outro jogador (por exemplo, ao ler como a jogadora acabara de romper com seu namorado) dividiam suas contribuições com ela, exaurindo o fundo comum em detrimento de todos os demais.[70]

O equilíbrio entre empatia e justiça não é simplesmente uma curiosidade de laboratório; pode ter tremendas consequências no mundo real. Grandes danos se abateram sobre sociedades cujos líderes políticos e funcionários governamentais se excederam na empatia, distribuindo com prodigalidade benefícios a parentes e amigos em vez de distribuí-los desapaixonadamente a perfeitos estranhos. Tal nepotismo não apenas mina a competência da polícia, do governo e dos negócios; ele estabelece uma competição de soma zero pelas necessidades vitais, entre clãs e grupos étnicos que podem rapidamente passar à violência. As instituições da modernidade dependem do cumprimento de deveres abstratos de confiança que ultrapassam os laços da empatia.

O outro problema da empatia reside no fato de que ela é tacanha demais para servir como o motor de uma consideração universal pelos interesses das pessoas. A despeito dos neurônios espelho, ela não é um reflexo que nos faz simpatizar com qualquer um em quem ponhamos os olhos. Pode ser acionada, desligada ou revertida conforme nossa interpretação do relacionamento que temos com alguém. A cabeça dela está voltada para a graciosidade, a boa aparência, o parentesco, a amizade, a similaridade e a solidariedade comunal. Embora possa se difundir mais além através do ato de assumir as perspectivas de outras pessoas, os incrementos são pequenos, adverte Batson, e podem ser efêmeros.[71] Esperar que o leque da empatia possa se alargar a tal ponto que estranhos venham a significar tanto para nós quanto a família e os amigos é utópico no pior sentido do século XX, requerendo uma anulação da natureza humana que é inatingível, e é duvidoso se seria desejável.[72]

Tampouco isso é necessário. O ideal do círculo expandido não significa que devamos sentir a dor de todos os demais no planeta. Ninguém tem tanto tempo ou energia, e tentar difundir nossa empatia tão tenuemente seria um convite ao esgotamento emocional e à fadiga da compaixão.[73] O Antigo Testamento nos diz para amar os vizinhos, o Novo Testamento, para amar nossos inimigos. A justificativa moral parece ser: amai os vizinhos e os inimigos; dessa forma não os matareis. Mas, francamente, não amo meus vizinhos, para não falar de meus inimigos. Melhor, então, é o seguinte ideal: não mate seus vizinhos e inimigos, mesmo que não os amar.

O que realmente se expandiu é não tanto um círculo de empatia, mas um círculo de *direitos* — um compromisso de que outros seres vivos, não importa o quão distantes ou distintos, estão a salvo de maus-tratos e exploração. A empatia certamente teve importância histórica no estabelecimento de epifanias da preocupação com membros de grupos negligenciados. Mas epifanias não são o bastante. Para a empatia fazer diferença, precisa introduzir mudanças nas políticas e normas que determinam como as pessoas desses grupos são tratadas. Nesses momentos críticos, uma recentemente adquirida sensibilidade ante os custos humanos de uma prática pode induzir as decisões das elites e o senso comum das massas. Mas, como veremos na seção sobre razão, a argumentação moral abstrata também é necessária para superar as restrições internas à empatia. O objetivo último deveria ser ter políticas e normas que se tornem uma segunda natureza e tornem a empatia desnecessária. A empatia, como o amor, não é tudo de que precisamos.

AUTOCONTROLE

Desde que Adão e Eva comeram a maçã, Ulisses amarrou-se ao mastro, a cigarra ficou cantando enquanto a formiga armazenava comida e Santo Agostinho rogou "Senhor, fazei-me casto — mas não já", os indivíduos lutam com seu autocontrole. Nas sociedades modernas essa virtude é ainda mais vital, pois agora que dominamos os flagelos da natureza a maioria de nossas mazelas é autoinfligida. Comemos, bebemos, fumamos e jogamos demais, além dos limites de nossos cartões de crédito, estabelecemos ligações perigosas, viciamo-nos em heroína, cocaína e e-mails.

A violência também é em vasta medida um problema de autocontrole. Pesquisadores elencaram uma alta pilha de fatores de risco que levam a ela, incluindo o egoísmo, os insultos, os ciúmes, o tribalismo, a frustração, o apinhamento, o sangue quente e a masculinidade. Entretanto, quase a metade de nós somos homens, e todos já fomos insultados, ficamos enciumados e nos sentimos frustrados, sem que por isso trocássemos murros. A ubiquidade das fantasias homicidas mostra que não somos imunes às tentações da violência, mas aprendemos a resistir a elas.

O autocontrole tem recebido os créditos por uma das maiores reduções da violência na história, a redução dos homicídios a um trigésimo na Europa, desde os tempos medievais. Lembremos que, de acordo com a teoria de Norbert Elias sobre o Processo Civilizador, a consolidação dos Estados e o crescimento do comércio fizeram mais que simplesmente direcionar a estrutura dos incentivos para longe da pilhagem. Também inculcaram-nos uma ética do autocontrole que fez da continência e do decoro uma segunda natureza. As pessoas se abstêm de esfaquear-se umas às outras na mesa de jantar ou de amputar o nariz do próximo, assim como se abstêm de urinar em armários, copular em público, soltar gases durante as refeições e roer ossos para depois devolvê-los à travessa. Uma cultura da honra, em que os homens eram respeitados por não tolerar insultos, tornou-se uma cultura da dignidade, em que os homens passaram a ser respeitados por controlar seus impulsos. Reversões no declínio da violência, como as ocorridas no mundo desenvolvido nos anos 1960 e no mundo em desenvolvimento após a descolonização, foram acompanhadas por reversões na valorização do autocontrole, da disciplina dos mais velhos à impetuosidade dos jovens.

Lapsos no autocontrole também podem causar violência em escalas mais vastas. Muitas guerras e motins idiotas tiveram início quando líderes ou comunidades se indignaram com algum ultraje, mas na manhã seguinte eles tinham motivos para lamentar o rompante. Os incêndios e saques de bairros afro-americanos perpetrados por seus próprios moradores em seguida ao assassinato de Martin Luther King em 1968, e a pulverização da infraestrutura do Líbano por Israel, depois de uma incursão do Hezbollah em 2006, são apenas dois exemplos.[74]

Nesta seção, examinaremos a ciência do autocontrole para ver se ela sustenta a teoria do Processo Civilizador, do mesmo modo que examinamos na seção anterior a ciência da empatia para verificar se ela amparava a teoria do círculo expandido. A teoria do Processo Civilizador, tal como a teoria freudiana do id e do ego, da qual deriva, faz uma série de fortes afirmações sobre o sistema nervoso humano, que examinaremos sucessivamente. O cérebro contém realmente sistemas concorrentes de impulso e autocontrole? É o autocontrole uma faculdade única, encarregada de moderar todos os vícios, da gula à promiscuidade, da procrastinação de pequenos delitos à de agressões sérias? E podem esses ajustes proliferar através da sociedade, mudando o caráter desta no sentido de uma maior continência geral?

Comecemos por tentar dar sentido à própria ideia de autocontrole e às circunstâncias em que este é ou não racional.[75] Devemos primeiro deixar de lado o egoísmo puro — fazer algo que favorece a si mesmo, mas prejudica os demais — e enfocar a autoindulgência — fazer algo que favorece a si mesmo a curto prazo, mas prejudica-o a longo prazo. Exemplos não faltam. Comida hoje, gordura amanhã. Nicotina hoje, câncer amanhã. Dançar hoje, arcar com as consequências amanhã. Sexo hoje, gravidez, doença ou ciúmes amanhã. Dizer o que quer hoje, ouvir o que não quer amanhã.

Não existe nada *intrinsecamente* irracional em preferir o prazer presente ao prazer futuro. Afinal de contas, o você da terça-feira não merece menos uma barra de chocolate que o você da quarta-feira. Pelo contrário, o você da terça-feira merece *mais*. Caso a barra de chocolate seja grande o bastante, pode ajudá-lo a seguir adiante, pois comê-la na terça significa que você não fica com vontade, ao passo que guardá-la para a quarta o condena a ficar com vontade na terça. Ademais, se você se abstém do chocolate na terça, pode morrer antes de acordar, o que significa que nem o você da terça nem o você da quarta o desfrutarão. Por fim, se você põe o chocolate de lado, ele pode estragar ou ser roubado, mais uma vez privando os dois vocês do prazer.

Mantidas inalteradas todas as outras coisas, mais vale desfrutar das coisas agora. Eis por que, quando emprestamos dinheiro, insistimos nos juros. Um dólar amanhã realmente vale menos que um dólar hoje (mesmo que deixemos de lado a inflação) e o juro é o preço que fixamos para a diferença. O juro é cobrado a uma taxa fixa por unidade de tempo, o que significa que ele se acumula, ou cresce exponencialmente. Isso compensa você exatamente pelo valor decrescente do dinheiro que retorna conforme o tempo passa, porque o decréscimo do valor também é exponencial. Exponencial em que medida? A cada dia que passa, existe uma probabilidade fixa de que você venha a morrer, ou de que o devedor fuja, ou abra falência, e você nunca mais veja seu dinheiro. Como a probabilidade de que nada disso ocorra diminui dia a dia, a compensação que você exige multiplica-se na mesma escala. Retornando ao prazer, um ator racional, ao decidir entre ser indulgente hoje ou amanhã, só escolherá amanhã se o prazer for exponencialmente maior. Em outras palavras, um ator racional *deve* debitar do futuro e desfrutar de algum prazer hoje às custas de menos prazer amanhã. Não faz sentido moderar-se a vida inteira para ter uma festa de arromba em seu nonagésimo aniversário.

A autoindulgência só se torna irracional quando depreciamos o futuro muito *acentuadamente* — quando avaliamos nosso eu futuro abaixo do que ele deve valer, dada a possibilidade de ainda estarmos por aqui para desfrutar do que guardamos para ele. Existe uma taxa ótima de depreciação do futuro — matematicamente, uma taxa ótima de juros — que depende do quanto você espera viver, de qual é a probabilidade de recuperar o que você poupou, de por quanto tempo pode prolongar o valor de um recurso e de quanto iria apreciá-lo em diferentes momentos da vida (por exemplo, enquanto é vigoroso ou depois de fragilizado). "Coma, beba, alegre-se, pois amanhã vamos morrer" é uma formulação absolutamente racional, caso estejamos *seguros* de que vamos morrer amanhã. Exceder-se na autoindulgência, perder o autocontrole é depreciar demais nosso eu futuro, ou, o que dá no mesmo, cobrar uma taxa de juros elevada demais em vez de nos privarmos do eu presente em benefício do eu futuro. Nenhuma taxa de juros faria com que o prazer de fumar aos vinte anos compensasse a dor do câncer aos cinquenta.

Muito do que parece falta de autocontrole no mundo moderno pode consistir em uma taxa de depreciação incutida em nosso sistema nervoso no mundo mais precário de nossos ancestrais pré-Estado, quando as pessoas morriam mais jovens e não havia instituições que pudessem converter as economias de hoje em retorno anos mais tarde.[76] Os economistas já notaram que quando se deixa as pessoas fazerem o que querem elas poupam um mínimo para a aposentadoria, como se fossem morrer em poucos anos.[77] Essa é a base do "paternalismo libertário" de Richard Thaler, Cass Sunstein e outros economistas comportamentais, segundo os quais o governo deveria, com o consentimento das pessoas, acentuar o declive entre o eu presente e o eu futuro delas.[78] Um exemplo é a fixação de um plano ótimo de aposentadoria, tomado como padrão, que os empregados poderiam abandonar, em vez de uma seleção à qual deveriam aderir. Outro é estabelecer impostos sobre a venda mais pesados para os alimentos menos saudáveis.

Mas a fraqueza de vontade não é somente uma questão de depreciação exagerada do futuro. Quando simplesmente desvalorizamos em excesso nosso eu futuro, podemos fazer más escolhas, mas elas não mudarão conforme o tempo passa e as alternativas se aproximam. Se a voz interior que diz "sobremesa já" abafa a outra que sussurra "gordura depois", ela o fará, esteja a sobremesa disponível para consumo em cinco minutos ou cinco horas. Na realidade a preferência muda com a iminência no tempo, um fenômeno chamado de desconto *míope*.[79] Quando preenchemos o pedido do café da manhã e o penduramos na porta do quarto de hotel para ser servido na manhã seguinte, somos capazes de marcar o prato de frutas com iogurte diet. Caso, em vez disso, façamos nossa escolha em um bufê, podemos optar pelo bacon com croissants. Muitos experimentos de variadas espécies mostraram que, quando duas recompensas estão muito distantes, os organismos preferirão sensivelmente uma grande recompensa que vem mais tarde a uma pequena que vem mais cedo. Se, por exemplo, você pode escolher entre dez dólares dentro de uma semana e onze dólares em uma semana mais um dia, vai escolher a segunda opção. Mas quando a proximidade das duas recompensas é iminente, o autocontrole falha, a preferência muda e escolhemos o menor-mais cedo em lugar do maior-mais tarde: dez dólares hoje em vez de onze amanhã. Diferentemente da mera depreciação futura, que faz sentido caso a taxa de desconto seja ajustada com senso de proporção, o desconto míope não é racional em nenhum sentido evidente. Ainda assim, os organismos são míopes.

Economistas e psicólogos com mentalidade matemática explicam a reversão de preferência míope dizendo que os organismos realizam então descontos *hiperbólicos*, em vez do mais razoável desconto exponencial.[80] Quando depreciamos nosso eu futuro, em vez de multiplicar repetidamente o valor subjetivo de uma recompensa por uma fração constante por cada unidade de tempo que devemos esperar por ela (a entrega será feita pela metade, depois um quarto, um oitavo, um dezesseis avos e assim por diante), multiplicamos o valor subjetivo original por uma fração cada vez mais reduzida (o que faz a entrega ser feita pela metade, depois um terço, depois um quarto, um quinto e por aí vai). Essa percepção também pode ser expressa de um modo mais intuitivo, qualitativo. Uma hipérbole é uma curva matemática com um jeito de cotovelo, em que uma inclinação abrupta dá a impressão de ter sido soldada a outra rasa (ao contrário da curva exponencial, mais suave, parecida com um salto de esqui). Isso coincide com a teoria psicológica de que o desconto míope deriva de uma transferência de dois sistemas no interior do crânio, um para as recompensas iminentes e outro para as que se projetam no futuro ou são inteiramente hipotéticas.[81] Conforme disse Thomas Schelling,

> as pessoas às vezes se comportam como se tivessem dois *eus*, um que deseja pulmões limpos e uma longa vida e outro que adora tabaco, um que quer um corpo esguio e outro que cobra a sobremesa, um que anseia por se aperfeiçoar lendo Adam Smith sobre o autodomínio [...] e outro que preferiria ver um filme antigo na televisão.[82]

A teoria de Freud sobre o id e o ego e a ideia mais antiga de que nossos lapsos são obra de demônios interiores ("O diabo me fez fazer isso!") são outras manifestações da intuição de que o autocontrole é uma batalha de homúnculos dentro de nossa cabeça. O psicólogo Walter Mischel, que conduziu estudos clássicos sobre o desconto míope em crianças (elas são colocadas diante de um aflitivo dilema entre um marshmallow agora e dois marshmallows dentro de quinze minutos), propôs, com a psicóloga Janet Metcalfe, que o desejo de gratificação instantânea vem de um "sistema quente" do cérebro, enquanto a paciência de esperar vem de um "sistema frio".[83]

Em seções anteriores tivemos vislumbres do que podem ser os sistemas quente e frio: o sistema límbico (cujas partes principais são mostradas na figura 8.2) e os lobos frontais (vistos na figura 8.3). O sistema límbico inclui os circuitos da raiva, do medo e da dominação, que partem do mesencéfalo, através do hipotálamo, até a amígdala, juntamente com o sistema da busca, conduzido pela dopamina, que parte do mesencéfalo, através do hipotálamo, até o estriado. Ambos têm conexões de mão dupla com o córtex orbital e outras partes dos lobos frontais, que, como vimos, podem graduar a atividade desses circuitos emocionais, podendo também se colocar entre eles e o controle do comportamento. Poderíamos explicar o autocontrole como um cabo de guerra entre o sistema límbico e os lobos frontais?

Em 2004, os economistas David Laibson e George Loewenstein se associaram com o psicólogo Samuel McClure e o especialista em neuroimagem Jonathan Cohen para verificar se o paradoxo do desconto míope poderia ser explicado como toma lá dá cá entre dois sistemas cerebrais: como eles expressaram, uma cigarra límbica e uma formiga lobofrontal.[84] Os participantes eram ligados a um scanner e escolhiam entre uma pequena recompensa, de cinco dólares, que estaria disponível em um futuro próximo, e outra maior, de quarenta dólares, que só seria entregue várias semanas mais tarde. A questão era: será que o cérebro trata a escolha de modo diferente, dependendo de ela ser "cinco dólares já versus quarenta dólares em duas semanas" ou "cinco dólares em duas semanas versus quarenta dólares em seis semanas"? A resposta foi sim. As respostas que penderam para a possibilidade de gratificação imediata de um participante acionaram o estriado e o córtex orbital medial. Todas as escolhas acionaram o córtex dorsolateral pré-frontal, e uma parte dos lobos frontais envolvida em cálculos mais frios e cognitivos. Melhor ainda, as neuroimagens podiam literalmente ler a mente do participante. Quando o córtex dorsolateral pré-frontal estava mais ativo que as regiões límbicas, os participantes se inclinavam para as recompensas maiores e mais tardias; quando as regiões límbicas tinham atividade igual ou maior, eles sucumbiam à menor e imediata.

Como revela a reprodução do cérebro na figura 8.3, os lobos frontais são estruturas maciças com muitas partes; e elas realizam o autocontrole de vários modos.[85] A margem mais recuada, que confina com o lobo parietal, é chamada motora, e controla os músculos. Logo em frente a ela estão as áreas pré-motoras, que organizam comandos motores com programações mais complexas; essas são as regiões onde os neurônios espelho foram localizados pela primeira vez. A porção em frente é chamada córtex pré-frontal e inclui as regiões dorsolaterais e orbitais / ventromediais, que já encontramos muitas vezes, assim como o polo frontal, na extremidade de cada hemisfério. O polo frontal é chamado às vezes de "lobo frontal do lobo frontal" e, com o córtex dorsolateral pré-frontal, ativa-se quando as pessoas escolhem uma recompensa maior e tardia ou uma menor e iminente.[86]

Neurologistas tradicionais (doutores que se ocupavam mais em tratar pacientes com lesões cerebrais do que em percorrer graduações em scanners) não se surpreenderam com a descoberta de que é o lobo frontal que mais se envolve no autocontrole. Muitos pacientes desafortunados acabam em suas clínicas porque, descontando demais o futuro, dirigiram automóvel sem usar o cinto de segurança ou andaram de bicicleta sem capacete. Pela ínfima recompensa imediata de chegar à estrada um segundo antes ou sentindo a brisa nos cabelos, eles comprometeram a recompensa maior de escapar de um acidente com seus lobos frontais intactos. É um mau negócio. Pacientes com lesão no lobo frontal são o que se chama de conduzidos por estímulos. Ponha um pente à sua frente e imediatamente eles o pegarão para se pentear. Ponha comida e eles a levarão à boca. Deixe-os no chuveiro e eles só sairão dali quando chamados. Lobos frontais intactos são necessários para libertar o comportamento do controle dos estímulos — pondo as ações das pessoas a serviço de seus objetivos e planos.

Em uma colisão com uma superfície dura, o lobo frontal se choca com a frente do crânio e sofre danos indiscriminados. O acidente singular de Phineas Gage, que disparou limpidamente um ferro através de seu córtex orbital e ventromedial, poupando em grande medida as partes laterais e as mais frontais, mostra-nos que partes diferentes dos lobos frontais respondem por tipos diferentes de autocontrole. Gage, lembremos, foi dado como tendo perdido o equilíbrio "entre suas capacidades intelectuais e suas propensões animais". Os neurocientistas contemporâneos concordam que o córtex orbital é uma interface primordial entre a emoção e o comportamento. Pacientes com lesão orbital, lembremos, são impulsivos, irresponsáveis, distraídos, socialmente inadequados e às vezes violentos. O neurocientista Antonio Damasio atribui essa síndrome à insensibilidade deles a sinais emocionais. Ele mostrou que, quando tais pacientes jogam cartas com diferentes chances de ganhar ou perder dinheiro, eles não suam frio como as pessoas normais quando tiram uma carta ruim.[87] Esse autocontrole emocionalmente conduzido — que podemos chamar de apreensão — é evolutivamente antigo, como mostram os córtex orbitais bem desenvolvidos de mamíferos como ratos (ver figura 8.1).

Mas existem tipos de autocontrole mais frios e regrados, implementados nas partes mais externas e frontais do lobo, que estão entre as partes do cérebro que mais se expandiram no decorrer da evolução humana.[88] Já vimos que o córtex dorsolateral cuida do cálculo racional de custos e benefícios, tal como na escolha entre duas recompensas com prazos de entrega distintos, ou entre desviar um vagão desgovernado para uma linha lateral com um só ferroviário ou deixá-lo seguir pela linha principal com cinco operários.[89] O polo frontal fica ainda mais acima na cadeia de comando, e os neurocientistas atribuem-lhe nossa flexibilidade ao negociar as demandas conflitantes da vida.[90] Ele é acionado quando realizamos tarefas múltiplas, quando examinamos um problema novo, quando nos recuperamos de uma interrupção e quando nos alternamos entre sonhar acordados e enfocar o mundo à nossa volta. É ele que nos permite passar a uma sub-rotina mental e a seguir saltar de volta para a principal tarefa que estamos tentando realizar, tal como quando paramos de cozinhar para correr ao mercado e comprar um ingrediente que falta, retomando a execução da receita ao voltar. O neurocientista Etienne Koechlin sintetiza o funcionamento do lobo frontal da seguinte forma: as porções mais posteriores respondem ao *estímulo*; o córtex lateral frontal responde pelo *contexto*; e o polo frontal responde pelo *episódio*. Concretamente, quando o telefone toca e o atendemos, estamos respondendo ao estímulo. Quando estamos na casa de um amigo e deixamos que ele atenda, reagimos ao contexto. E se o amigo estiver entrando no banho e pedir para atendermos se o telefone tocar, estaremos respondendo ao episódio.

A violência impulsiva pode resultar de disfunções em qualquer um desses níveis de autocontrole. Tomemos o castigo violento de uma criança. Os pais ocidentais modernos que introjetaram normas contra a violência podem ter uma aversão automática, quase visceral, à ideia de espancar seus filhos, presumivelmente instruída pelo córtex orbital. Pais de tempos antigos e outras subculturas (aqueles a quem as mães dizem "Espere só quando seu pai chegar!") podem graduar a surra dependendo da seriedade da infração, de estarem em um espaço público ou em casa e, neste último caso, de terem ou não visitas. Mas se eles estão carentes de autocontrole, ou encolerizados com o que consideram uma travessura chocante, podem perder as estribeiras, o que significa que o circuito da raiva fica livre do controle do lobo frontal, e espancar a criança de um jeito que mais tarde podem lamentar.

Adrian Raine, que anteriormente mostrara que psicopatas e assassinos por impulso têm córtex orbital pequeno ou insensível, recentemente realizou um experimento com neuroimagem que reforça a ideia de que a violência decorre de um equilíbrio entre os impulsos do sistema límbico e o autocontrole dos lobos frontais.[91] Ele examinou uma amostragem de maridos agressores enquanto estes tentavam ignorar o significado de palavras escritas descrevendo emoções negativas como *raiva*, *ódio*, *terror* e *medo*, solicitando apenas que eles dissessem a cor em que estavam impressas (um teste de atenção, denominado tarefa Stroop). Os espancadores demoravam o nomear as cores, presumivelmente porque seu histórico de raiva criava uma hipersensibilidade às emoções negativas que as palavras exprimiam. Em comparação com o cérebro de pessoas normais, as quais conseguiam examinar os impressos sem se deixar distrair pelo significado das palavras, as estruturas límbicas dos espancadores eram mais ativas (inclusive a ínsula e o estriado), enquanto seu córtex dorsolateral frontal era menos ativo. Podemos supor que no cérebro de agressores impulsivos os estímulos vindos do sistema límbico são mais fortes e o autocontrole exercido pelos lobos frontais é mais débil.

A maioria das pessoas, naturalmente, não carece de autocontrole a ponto de se entregar à violência. Mas no interior da maioria não violenta alguns têm maior autocontrole do que outros. Ao lado da inteligência, não há outra característica que prenuncie tanto uma vida próspera e bem-sucedida.[92] Walter Mischel iniciou seus estudos sobre o retardamento da gratificação (em que deu às crianças a opção entre um marshmallow agora e dois mais tarde) no fim dos anos 1960, e acompanhou as crianças enquanto cresciam.[93] Quando elas foram testadas uma década mais tarde, as que tinham mostrado maior força de vontade no teste do marshmallow haviam se convertido em adolescentes mais bem-comportados, tiveram notas melhores no SAT* e permaneceram por mais tempo na escola. Ao serem testadas uma e duas décadas depois, haviam se tornado adultos menos

* Scholastic Aptitude Test (Teste de Aptidão Escolar), o equivalente americano do Exame Nacional do Ensino Médio (Enem) brasileiro. (N. T.)

inclinados ao uso de cocaína, tendo autoestima mais elevada e relacionamentos melhores, mais facilidade para lidar com o stress e menos sintomas de transtorno de personalidade limítrofe, tiravam notas mais elevadas e ganhavam mais dinheiro.

Outros estudos, com grandes amostragens de adolescentes e adultos, registraram resultados parecidos. Adultos podem esperar indefinidamente por dois marshmallows, mas, como vimos, pode-se apresentar a eles dilemas equivalentes, tais como "Você prefere cinco dólares agora ou quarenta daqui a duas semanas?". Estudos de Laibson, Christopher Chabris, Kris Kirby, Angela Duckworth, Martin Seligman e outros concluíram que pessoas que optam pelas somas mais altas e mais tardias obtêm notas mais altas, pesam menos, fumam menos, fazem mais exercícios e têm mais propensão a manter o saldo positivo de seus cartões de crédito a cada mês.[94]

Baumeister e seus colaboradores mediram o autocontrole de outra maneira.[95] Eles solicitaram a estudantes universitários que expressassem seu poder de autocontrole usando frases como estas:

> Sou bom em resistir a tentações.
> Deixo escapar o que passa por minha mente.
> Nunca me permito perder o controle.
> Sou arrastado por meus sentimentos.
> Perco a paciência facilmente.
> Não sou bom para guardar segredos.
> Eu estaria melhor se parasse para pensar antes de agir.
> Às vezes prazer e diversão impedem que eu faça meu trabalho.
> Sou sempre pontual.

Depois de ajustar a tendência a só apresentar as características socialmente desejáveis, os pesquisadores combinaram as respostas com uma única medida de autocontrole habitual. Eles descobriram que os estudantes com resultados melhores tinham notas mais altas, menos distúrbios alimentares, bebiam menos, eram menos propensos a dores psicossomáticas, menos depressivos, ansiosos, fóbicos e paranoicos, tinham autoestima mais elevada, eram mais conscienciosos, se relacionavam melhor com a família, tinham amizades mais estáveis, eram menos propensos a manter relações sexuais das quais mais tarde se arrependiam, ou a se imaginar enganando o parceiro numa relação monogâmica, sentiam menos necessidade de "desabafar" e "esfriar a cabeça", e sentiam-se menos culpados e envergonhados.[96] Os dotados de autocontrole ficam menos angustiados ao lidar com os problemas alheios, embora não mostrem maior nem menor simpatia em relação a eles. E, ao contrário do senso comum, que julga as pessoas com autocontrole tensas, reprimidas, neuróticas, recalcadas, transtornadas, obsessivo-compulsivas ou com fixação no estágio anal do desenvolvimento psicossexual, a equipe concluiu que quanto maior o autocontrole, melhor a vida das pessoas. Aquelas que estavam no topo da escala eram as mais sadias mentalmente.

Serão as pessoas com baixo autocontrole mais propensas a atos de violência? As evidências circunstanciais sugerem que sim. Lembremos do capítulo 3 e da teoria do crime (advogada por Michael Gottfredson, Travis Hirschi, James Q. Wilson e Richard Herrnstein), de que as pessoas que cometem crimes são as com menor autocontrole.[97] Elas optam por ganhos diminutos, rápidos e ilícitos em vez dos frutos a longo prazo de uma labuta honesta, entre estes a recompensa de não acabar na prisão. Adolescentes e adultos jovens violentos tendem a apresentar um histórico de mau comportamento na escola e terminam se envolvendo em outros tipos de problemas que indicam falta de autocontrole, como dirigir embriagado, abuso de álcool e drogas, acidentes, baixo rendimento escolar, sexo de risco, desemprego e crimes não violentos como furtos, vandalismo e roubo de carros. Muitos crimes violentos são incrivelmente impulsivos. Um homem mata outro em uma loja de conveniência por causa de alguns cigarros e, no impulso do momento, saca uma arma de fogo e assalta a caixa registradora. Ou reage a um xingamento puxando uma faca e apunhalando o ofensor.

Para ir além dos casos circunstanciais, seria preciso mostrar que a concepção psicológica de autocontrole (medido pela opção entre recompensas menores já ou maiores mais tarde, ou por índices de impulsividade) coincide com a concepção criminológica de autocontrole (medido por assomos efetivos de violência). Mischel testou crianças em escolas médias urbanas e em instituições para menores problemáticos, concluindo que as crianças que esperavam mais tempo por maiores quantidades de marshmallow eram também menos suscetíveis a se meter em brigas e bater em colegas.[98] Muitos estudos sobre avaliações de professores confirmaram que as crianças aparentemente menos impulsivas são também as menos agressivas.[99] Um estudo particularmente informativo, dos psicólogos Avshalom Caspi e Terri Moffitt, acompanhou toda uma coorte de crianças nascidas na cidade neozelandesa de Dunedin desde o dia de seu nascimento, em

1972-3.[100] Crianças de três anos que eram tidas como descontroladas — ou seja, impulsivas, inquietas, negativistas, intratáveis e emocionalmente instáveis — ao chegarem aos 21 tinham bem mais probabilidade de serem condenadas por um crime. (O estudo não distinguiu crimes violentos e não violentos, mas estudos posteriores sobre a mesma amostragem mostraram que os dois tipos de crime tendem a caminhar juntos.)[101] E uma das causas da propensão ao crime pode residir em diferenças na antecipação das consequências de seu comportamento. Ao responder a questionários, as pessoas menos controladas expressavam menos chances de virem a ser presas após uma sequência de crimes ou de perderem o respeito de seus amigos e familiares caso seu comportamento ilegal viesse à luz.

A trajetória do crime na adolescência e no início da idade adulta relaciona-se com um incremento do autocontrole, medido por uma disposição crescente para preferir recompensas tardias e maiores. Essa mudança é particularmente conduzida pelo amadurecimento físico do cérebro. A configuração do córtex pré-frontal não se completa até a terceira década de vida, com as regiões laterais e polares desenvolvendo-se por último.[102] Mas o autocontrole não é tudo. Se a delinquência dependesse *apenas* do autocontrole, adolescentes tenderiam a ter cada vez menos problemas à medida que a adolescência chega ao fim, mas não é o que acontece. A razão é que a violência depende não apenas do autocontrole, mas do ímpeto que o autocontrole tem de conter.[103] A adolescência também é uma idade que assiste à ascensão e à queda de um motivo chamado busca de sensação, dirigido por atividades no sistema da busca, que tem seu pico aos dezoito anos.[104] Ela também coincide com um incremento da competitividade intermasculina, regida pela testosterona.[105] O crescimento da busca de sensação e da competitividade pode ultrapassar o ascenso do autocontrole, fazendo com que adolescentes mais velhos, até a casa dos vinte, sejam mais violentos apesar do amadurecimento de seus lobos frontais. A longo prazo, o autocontrole leva a melhor quando é fortalecido pela experiência, que ensina aos adolescentes que a caça de emoções fortes e a competitividade têm custos e o autocontrole, vantagens. O arco do crime na adolescência é o resultado dessas forças interiores puxando e empurrando em diferentes direções.[106]

O autocontrole, portanto, é um traço estável que diferencia as pessoas entre si a partir da primeira infância. Ninguém fez os estudos sobre gêmeos adotados, que poderiam ser necessários para mostrar se o desempenho em testes-padrão de autocontrole, como o do marshmallow ou seu equivalente para adultos, é hereditário. Mas dizer que são é uma boa aposta, pois praticamente todos os traços psicológicos têm se mostrado parcialmente herdáveis.[107] O autocontrole está parcialmente correlacionado com a inteligência (com um coeficiente em torno de 0,23, em uma escala de –1 a 1) e os dois traços dependem das mesmas partes do cérebro, embora não exatamente da mesma maneira.[108] A inteligência propriamente está altamente correlacionada com o crime — gente mais obtusa comete mais crimes violentos e tem mais probabilidade de ser vítima de um — e, embora possamos aventar a possibilidade de que os efeitos do autocontrole sejam na verdade efeitos da inteligência ou vice-versa, é verossímil que ambas as características contribuam independentemente para a não violência.[109] Outra pista de que o autocontrole é hereditário é que a síndrome caracterizada por uma falta de autocontrole, o transtorno do déficit de atenção com hiperatividade (que também está ligado à delinquência e ao crime), está entre os traços de personalidade mais herdáveis.[110]

Até agora todas as evidências de que a violência seja liberada por uma falta de autocontrole baseia-se em correlações. Elas advêm da descoberta de que certas pessoas têm menos autocontrole do que outras, e de que elas têm mais propensão a se portar mal, enfurecer-se, e cometem mais crimes. Mas a correlação não prova causa. Talvez as pessoas com menor autocontrole se inclinem mais ao crime por serem também menos inteligentes, ou virem de ambientes piores, ou devido a alguma desvantagem suplementar. E, mais importante ainda, um traço estável que diferencie uma pessoa de outra não consegue explicar a principal questão que estamos tentando investigar: por que os índices de violência mudam no decorrer da história. Para isso, precisamos mostrar que indivíduos, quando deixam de lado ou reprimem o autocontrole, tornam-se por isso mais violentos. E precisamos mostrar que pessoas e sociedades podem cultivar a faculdade do autocontrole ao longo do tempo, fazendo recuar assim seus índices de violência. Vejamos se conseguimos achar esses elos perdidos.

Quando uma pessoa luta com um impulso, sente-se como se fizesse um esforço intenso. Em muitas línguas os termos para o autocontrole invocam o conceito de força, como "força de vontade" e "autodomínio". O linguista Len Talmy observou que a linguagem do autocontrole toma de empréstimo expressões da dinâmica, como se ele fosse um homúnculo que vence um teimoso antagonista dentro do crânio.[111]

Usamos as mesmas construções quando dizemos que "Sally forçou a porta a abrir" ou "Sally forçou-se a ir ao trabalho"; "Biff controlou seu cão" ou "Biff controlou sua raiva". Tal como muitas metáforas conceituais, a de que AUTOCONTROLE É ESFORÇO FÍSICO termina por ter um grão de veracidade neurobiológica.

Em seu notável conjunto de experimentos, Baumeister e seus colaboradores mostraram que o autocontrole, como um músculo, pode ficar fatigado. Seu procedimento de laboratório fica mais bem apresentado com uma citação da seção sobre Método de um de seus escritos:

> *Procedimento*: os participantes se inscreveram em um estudo sobre a percepção do paladar. Cada participante foi contatado para agendar uma sessão individual, e nessa ocasião o aplicador do experimento pediu que o participante saltasse uma refeição antes da sessão e se certificasse de não ter comido nada durante ao menos três horas.
>
> A sala do laboratório foi cuidadosamente composta antes da chegada dos participantes nas condições alimentares requeridas. Biscoitos de chocolate foram assados no aposento, em um pequeno forno, e consequentemente o laboratório estava impregnado de um delicioso aroma de chocolate. Dois tipos de alimento eram exibidos sobre a mesa em que o participante se sentava. Uma vitrine mostrava uma pilha de biscoitos de chocolate, guarnecida com alguns bombons de cobertura de chocolate. A outra continha um feixe de rabanetes vermelhos e brancos.[112]

Foi dito aos participantes que se tratava de um experimento sobre memória sensorial e que eles iriam experimentar dois gostos distintos e deveriam lembrar suas propriedades após um intervalo. A aplicadora do experimento dizia para metade dos participantes que comesse dois ou três biscoitos, e para a metade restante que comesse dois ou três rabanetes. Ela deixava a sala e observava através de um vidro espelhado para confirmar que o participante não trapaceava. O artigo registra: "Muitos mostravam um claro interesse pelos chocolates, a ponto de fitar longamente a vitrine dos biscoitos e em alguns casos até pegar alguns e cheirá-los". A aplicadora então dizia-lhes que deviam esperar quinze minutos para testar a memória de seu paladar. Nesse intervalo, deviam resolver alguns quebra-cabeças que requeriam que se desenhasse uma figura, sem refazer uma linha nem afastar o lápis do papel. Para completar o sadismo, o experimento incluía alguns quebra-cabeças insolúveis, e media por quanto tempo o participante tentava resolvê-los. Os que haviam comido biscoitos insistiram por 18,9 minutos e fizeram 34,3 tentativas de solucionar o problema. Os que tinham comido rabanetes, 8,4 minutos e 19,4 tentativas. Presumivelmente, os comedores de rabanetes tinham usado uma parcela tão grande de suas energias para resistir aos biscoitos que pouco lhes sobrara para resolver os quebra-cabeças. Baumeister chamou o efeito de "depleção do ego", usando a noção freudiana de "ego" como a entidade mental que controla as paixões.

O estudo despertou muitas objeções: talvez os comedores de rabanetes estivessem simplesmente frustrados ou raivosos, ou de mau humor, ou famintos. Mas a equipe de Baumeister dirigiu-se a eles no decorrer dos dez anos seguintes acumulando um conjunto de experimentos que mostrava que praticamente qualquer tarefa que requeira força de vontade pode estorvar qualquer outra tarefa que requeira força de vontade. Eis alguns exemplos de tarefas que podem fatigar o ego:

- Indicar a cor em que uma palavra está escrita (digamos, a palavra "vermelho" impressa em azul), ignorando a cor em que está escrita (a tarefa de Stroop).
- Acompanhar caixas que se movem em uma tela, tal como em um jogo de azar, ignorando o vídeo de uma comédia exibido em uma tela adjacente.
- Escrever um discurso convincente sobre por que as mensalidades escolares devem aumentar.
- Escrever um ensaio sobre um dia típico na vida de uma pessoa gorda sem usar estereótipos.
- Acompanhar, sem mostrar emoção, a cena do filme *Laços de ternura* em que a agonizante Debra Winger diz adeus a seus filhos.
- Para pessoas racistas, ter uma conversa com um afro-americano.
- Escrever todos os seus pensamentos, porém sem pensar em um urso polar.[113]

E eis alguns dos lapsos de força de vontade que resultaram:

- Desistir antes da hora de pressionar um flexionador de punhos, resolver anagramas ou acompanhar uma caixa em uma mesa até que algo aconteça.
- Quebrar uma dieta, tomando sorvete direto de um isopor depois de avaliar uma colherada em um teste de paladar.

- Beber mais cerveja em um teste de paladar, mesmo tendo de fazer um exame simulado de motorista logo depois.
- Não conseguir evitar pensamentos sobre sexo, por exemplo, decifrando o anagrama de "nisep" como "penis" em lugar de "spine" [espinha].
- Não conseguir manter uma conversa enquanto se ensina alguém a usar um taco de golfe.
- Dispor-se a pagar mais por um atraente relógio de pulso, carro ou lancha.
- Dissipar antecipadamente o pagamento pela participação no estudo em chicletes, doces, doritos ou em um baralho de cartas que os organizadores do experimento maliciosamente puseram à venda.

Várias condições de controle permitiram que os psicólogos eliminassem explicações alternativas como cansaço, dificuldades, oscilações de humor e desconfiança. O único denominador comum era a necessidade de autocontrole.

Uma implicação importante do experimento é que o exercício de autocontrole pode ocultar diferenças entre pessoas.[114] Não por coincidência, a cultura popular da década de 1960, que menosprezava a temperança e o autocontrole, condenava também a conformidade, como aconselhava o lema "Faça o que bem entender". Cada um entende uma coisa diferente, mas a sociedade insiste em apenas uma, de modo que devemos aplicar o autocontrole para fazê-la. Se o autocontrole nivela a individualidade, pode-se esperar que quando o ego fica fatigado a individualidade brote de novo. E foi isso que a equipe de Baumeister verificou. No experimento do sorvete, quando não havia uma solicitação prévia para que se exercesse o autocontrole, os participantes que deviam seguir uma dieta e os que podiam comer indiscriminadamente consumiam a mesma quantidade de sorvete. Mas quando sua força de vontade se exauria os que deviam seguir a dieta consumiam mais. Outras diferenças individuais trazidas à luz pela exaustão do ego incluíam o uso de estereótipos por pessoas preconceituosas e não preconceituosas, a quantidade de cerveja consumida por bebedores inveterados e moderados, assim como a quantidade de mexericos por parte de tímidos e extrovertidos.

A equipe de Baumeister também deu razão à ideia vitoriana de que algumas pessoas — particularmente homens — precisam exercer sua força de vontade para controlar seus apetites sexuais.[115] Em um estudo, os psicólogos avaliaram até que ponto um participante deveria se sentir emocionalmente próximo de outra pessoa antes de fazerem sexo casual. Os participantes de ambos os sexos diferiram nessa dimensão, e também houve uma robusta diferença entre ambos os sexos, captada pelo diálogo cinematográfico em que Diane Keaton diz: "Acho que sexo sem amor é uma experiência sem sentido", e Woody Allen replica: "Sim, mas entre as experiências sem sentido é uma das melhores". Metade dos participantes no estudo foi submetida a tarefas de depleção do ego (arrumando cartas conforme regras mutáveis) e então todos foram chamados a imaginar-se no quarto de hotel de um atraente conhecido do sexo oposto. Então se perguntou se eles se imaginavam sucumbindo à tentação. Quer suas vontades estivessem exauridas, quer não, os participantes (de ambos os sexos) que tinham considerado o sexo sem amor como uma experiência sem sentido se imaginaram resistindo à tentação. Mas uma debilitação transitória de sua força de vontade afetou os que eram mais abertos ao sexo casual: quando seu ego acabou de ficar fatigado, eles imaginaram-se muito mais facilmente dizendo sim.

O padrão para cada sexo foi revelador. Quando a força de vontade dos participantes estava descansada, homens e mulheres não diferiam: ambos resistiam à suposta infidelidade. Quando sua força de vontade fora enfraquecida, as mulheres mantinham exatamente a mesma resistência, mas os homens ficavam mais propensos a se desviar. Outro sinal de que a galanteria exige autocontrole vem de uma análise que simplesmente comparou pessoas que declararam ter muito ou pouco autocontrole (ignorando momentaneamente a depleção do ego). Entre os dotados de grande autocontrole, nem os homens nem as mulheres se imaginavam sendo infiéis a seus parceiros, mas entre os carentes de autocontrole os homens imaginavam que provavelmente o seriam. O padrão sugere que o exercício do autocontrole oculta uma profunda diferença entre homens e mulheres. Liberados de sua força de vontade, os homens são mais propensos a agir conforme prevê a psicologia evolutiva.

Baumeister e Gailliot testaram sua sorte em mais um experimento, pretendendo mostrar que o autocontrole afeta a atividade sexual real e não apenas a imaginada. Eles convidaram ao laboratório casais com experiências sexuais antigas ou iniciais, separaram-nos, deram-lhes uma tarefa de depleção do ego (concentrar-se em um vídeo tedioso enquanto afastavam distrações), reuniram-nos e convidaram-nos a trocar carinhos durante três minutos, enquanto o psicólogo discretamente deixava o aposento. Um sentimento de decoro impediu os organizadores do experimento de gravar os casais ou observá-los por um vidro espelhado, de modo que eles pediram a cada participante que escrevesse um parágrafo confidencial descrevendo exatamente o que acontecera entre eles. Os casais experimentados, quando seus egos tinham ficado fatigados, foram um pouco *menos* físicos, como se o sexo houvesse se transformado de paixão em tarefa. Mas a depleção do ego tornou os casais inexperientes muito mais físicos. Conforme o relatório, "eles se beijaram na boca por períodos prolongados, apalparam-se, acariciaram-se (por exemplo nas nádegas e nos seios da mulher) e chegaram a tirar peças de roupa para se expor".

Conforme a teoria do Processo Civilizador, uma falta de autocontrole na Europa medieval reforçava muitas manifestações de dissolução, como desmazelo, petulância, licenciosidade, rudeza, acentuado desconto do futuro e, o mais importante, violência. A ciência do autocontrole advoga a ideia de que uma única capacidade da mente pode neutralizar muitas dessas formas de dissipação. Resta porém demonstrar se a violência estaria entre elas. Sabemos que as pessoas com menor autocontrole são mais intratáveis e turbulentas. Mas poderia a manipulação experimental do autocontrole expor a besta interior?

Ninguém desejaria uma briga rebentando no laboratório, de forma que Baumeister recorreu à pimenta. Participantes famintos foram solicitados a colaborar em um estudo sobre as relações entre gostos culinários e linguagem escrita.[116] Eles indicaram seus sabores preferidos e os mais detestados, escreveram um texto com suas opiniões sobre aborto, avaliaram o escrito de outro suposto participante, avaliaram o sabor de um alimento e por fim leram a avaliação de seu parceiro sobre seu texto. No teste do alimento, metade dos participantes devia avaliar o gosto, a textura e o aroma de um *donut*; e o restante devia fazer o mesmo com um rabanete. Porém, assim que eles levavam o estímulo à boca, o psicólogo exclamava: "Esperem! Sinto muito, mas acho que estraguei tudo. Isso não é para vocês. Por favor, não comam mais. Deixem-me descobrir o que faremos a seguir". Então ele deixava o participante sozinho, por cinco minutos, com o *donut* ou o rabanete na mão. Para que não pairem dúvidas de que esse foi um teste válido de autocontrole, veja-se a passagem a seguir no relatório:

> *Participantes*: quarenta estudantes da graduação participaram desse estudo, em troca de créditos no curso. Dados sobre sete participantes foram descartados de

todas as análises, em quatro casos por suspeitas sobre o feedback e em três porque os participantes comeram o *donut* inteiro.

Os participantes então liam a avaliação de seu escrito, feita pelo parceiro, e ela era contundente. Eles também mostravam suas preferências de paladar, indicando uma rejeição por alimentos apimentados. Então os participantes eram chamados a preparar um lanche para o parceiro, com um saco de batatas fritas e um pote de molho com o nítido rótulo "Apimentado". A quantidade empregada foi medida pesando-se o pote depois. Os participantes também eram instados a avaliar suas emoções, inclusive a raiva. Aqueles cujo autocontrole havia sido exaurido pelo fato de terem de renunciar ao *donut* não enlouqueceram, mas se vingaram. Eles puseram 62% mais molho apimentado nas batatas de seus parceiros insultuosos, presumivelmente porque não puderam resistir ao impulso de vingança. Pessoas com a força de vontade fatigada também mostraram maior tendência a atormentar seu crítico acionando o botão de uma buzina de ar comprimido sempre que estes cometiam um erro em um jogo de computador.

Outro estudo investigou fantasias agressivas, pedindo aos participantes que se imaginassem em um bar com uma namorada muito querida quando um rival aparece e começa a flertar com ela, o que visivelmente a alegra. (No cenário para mulheres, era um namorado assediado por uma rival.) O participante imagina-se confrontando o concorrente, que responde enxotando-o do bar. Uma garrafa de cerveja está ao alcance de sua mão. Pergunta-se ao participante: "Qual seria a probabilidade de você quebrar a garrafa na cabeça da pessoa? Indique a resposta em uma escala de –100 (nada provável) a 100 (extremamente provável)". Os participantes com autocontrole reduzido, quando sua força de vontade estava descansada e a postos, indicavam que provavelmente não revidariam. Mas, caso a força de vontade estivesse estafada, respondiam que provavelmente o fariam.

Caso combinemos (1) os experimentos de Baumeister, segundo os quais reduzir o autocontrole no laboratório pode aumentar a tendência para o sexo impulsivo e a violência; (2) as correlações entre autocontrole reduzido por um lado e mau comportamento na infância, comportamento dissoluto e crime por outro; (3) os estudos de neuroimagem mostrando ligações entre a atividade do lobo frontal e o autocontrole; e (4) os estudos de neuroimagem evidenciando vínculos entre a violência impulsiva e uma alteração na função do lobo frontal, obtemos então um quadro empírico que reforça a conjectura de Elias, de que a violência pode ser causada por um debilitamento do conjunto de um mecanismo neurológico de autocontrole.

O quadro ainda está incompleto. A existência de um traço que durante décadas permanece estável em um indivíduo e que então pode ser exaurido em um intervalo de minutos não consegue explicar como uma sociedade pode mudar em um intervalo de séculos. Ainda precisamos mostrar que, seja qual for o nível de autocontrole com que uma pessoa nasce, ela sempre pode incrementá-lo. Não existe paradoxo na possibilidade de que o autocontrole seja herdado pelos indivíduos e ao mesmo tempo possa crescer ao longo do tempo. Foi exatamente isso que aconteceu com a estatura: os genes fazem uns serem mais altos que outros, mas ao longo dos séculos todos se tornam mais altos.[117]

Desde que as pessoas começaram a refletir sobre o autocontrole, meditaram também sobre meios de cultivá-lo. Ulisses pôs seus marinheiros para amarrá-lo ao mastro e tapar seus ouvidos com cera para que não pudesse ouvir o canto sedutor das sereias e não lançasse seu navio contra as rochas. Em sua homenagem, as técnicas em que o indivíduo previne no presente o que possa fazer no futuro são às vezes denominadas ulissianas ou odisseianas. Existem centenas de exemplos.[118] Evitamos fazer compras com o estômago vazio. Jogamos fora os brownies, ou os cigarros, ou a bebida, no momento em que não estamos loucos por eles, para que sejamos derrotados quando estivermos. Colocamos o despertador do lado oposto do quarto para não o desligar e voltar a dormir. Autorizamos nosso empregador a investir uma parte de nosso salário em um fundo de aposentadoria. Evitamos comprar uma revista, livro ou *gadget* que irá distrair nossa atenção de um projeto profissional ainda incompleto. Entregamos dinheiro a uma empresa como a Stickk.com com a instrução de nos devolver uma fração, periodicamente, caso alcancemos determinadas metas, ou, caso não, doar a soma a uma organização política que detestamos. Tornamos pública uma decisão de promover mudanças, de modo a abalar nossa reputação caso não as efetivemos.

Como vimos no capítulo 3, um modo de autocontrole ulissiano empregado pelos primeiros europeus da modernidade era deixar as facas de ponta aguda fora do alcance de uma mesa de jantar. O familiar aviso nos *saloons* dos velhos filmes de faroeste, "Entregue suas armas ao entrar", servia ao mesmo propósito, tal como, atualmente, as leis de controle de armas e acordos de desarmamento.

Outra tática é permanecer a salvo de confusões evitando um local onde um rival despeitado costuma ficar. Brigões que se deixam controlar pela turma do deixa--disso recorrem a uma tática semelhante, com o bônus suplementar de recuar sem admitir fraqueza ou covardia.

Outras estratégias de autocontrole são mais mentais que físicas. Walter Mischel mostrou que até crianças de quatro anos podem esperar durante um longo intervalo por uma dose dupla de marshmallows, caso cubram o sedutor marshmallow à sua frente, olhem para o outro lado, distraiam-se cantando ou mesmo reconstruam-no em sua mente como uma nuvem branca e fofa em vez de um delicioso doce.[119] Um equivalente no caso da violência pode ser a reconstrução cognitiva de um insulto, de um golpe demolidor na reputação de alguém a um gesto inócuo ou uma reflexão sobre a imaturidade do ofensor. Mentiras reconstruidoras desse gênero estão por trás de conselhos como "Não tome isso como algo pessoal", frases que mostram desprezo como "Ele está apenas levantando poeira", "É só um garoto" e "Leve em conta de quem se trata", ou provérbios como "Paus e pedras podem quebrar meus ossos, mas palavras nunca machucam".

Martin Daly e Margo Wilson, invocando a teoria econômica da taxa ótima de juros e a teoria biológica da coleta ótima, sugeriram uma terceira via pela qual o autocontrole pode ser manipulado. Eles propuseram que os organismos são equipados com uma variável interior, como uma taxa de juros flutuante, que regula com qual índice eles descontam seu futuro.[120] A variável é ajustada de acordo com a estabilidade ou instabilidade de seu ambiente e com uma estimativa do quanto eles irão viver. Não vale a pena poupar para o amanhã se o amanhã nunca virá, ou se seu mundo é tão caótico que você não confia que terá suas economias de volta. Em uma comparação quantitativa, com vizinhos em uma grande cidade, Daly e Wilson constataram que, quanto mais curta era a expectativa de vida (devido a todas as outras causas além da violência), maior era a taxa de crimes violentos. A correlação reforça a hipótese de que, mantida uma idade constante, as pessoas são mais imprevidentes quando têm menos anos de vida para arriscar. Um ajuste racional da taxa de desconto, respondendo às incertezas do entorno, pode criar um círculo vicioso, pois a imprevidência de um se reflete na taxa de desconto de todos os demais. O efeito Mateus, em que tudo parece correr bem em determinadas sociedades e mal em outras, pode ser uma consequência da incerteza ambiental, com a temeridade psicológica alimentando-se de pessoa para pessoa.

Um quarto caminho que as pessoas de uma dada sociedade têm de aumentar seu autocontrole é incrementar a nutrição, a temperança e a saúde. O lobo frontal é uma grande laje de tecido metabolicamente exigente, com um extraordinário apetite de glicose e outros nutrientes. Levando adiante a metáfora do autocontrole como um esforço físico, Baumeister descobriu que o nível de glicose no sangue das pessoas despenca quando seu ego está exaurido por uma tarefa que consome atenção ou exige força de vontade.[121] Caso elas restabeleçam sua taxa de glicose bebendo um copo de limonada com açúcar (mas não com adoçante), evitarão a costumeira queda em sua tarefa subsequente. Não é implausível supor que no mundo real uma situação adversa para os lobos frontais — pouco açúcar no sangue, embriaguez, dependência química, verminoses, carência de vitaminas e sais minerais — pode rebaixar o autocontrole das pessoas em uma sociedade empobrecida, deixando-as mais propensas à violência impulsiva. Muitos estudos controlados com placebos já sugeriram que fornecer suplementos dietéticos a prisioneiros pode reduzir seu índice de violência impulsiva.[122]

Baumeister conduziu sua metáfora ainda mais longe. Se a força de vontade é como um músculo que fica fadigado com o uso, drena a energia do corpo e pode ser reanimado por um energético açucarado, poderá ela ser incrementada pelo exercício? Conseguirão as pessoas desenvolver sua força de vontade original flexionando repetidamente sua determinação e firmeza? A metáfora não deveria ser levada *tão* ao pé da letra — é improvável que os lobos frontais literalmente ganhem tecido, como um bíceps sarado —, mas é possível que as conexões neurais entre o córtex e o sistema límbico se fortaleçam com a prática. Assim como é possível que as pessoas aprendam estratégias de autocontrole, desfrutem do sentimento de dominar seus impulsos e transfiram os truques de disciplina recém-descobertos de uma para outras partes de seu repertório comportamental.

Baumeister e outros psicólogos testaram a metáfora do exercício fazendo com que participantes praticassem regimes de autocontrole durante várias semanas ou meses antes de atuar em um dos seus estudos de depleção do ego.[123] Em vários casos as dietas requeriam que eles mantivessem o controle de cada bocado de alimento que comiam; que se inscrevessem em programas de exercícios físicos, gerenciamento financeiro ou habilidades de estudo; que usassem a mão não dominante em tarefas cotidianas como escovar os dentes e usar um mouse de computador; e algo que realmente deu ao autocontrole dos estudantes um treinamento: evitar palavrões, só se expressar com frases completas e não iniciar frases com "eu". Depois de várias semanas desse adestramento, os participantes de fato se mostravam mais resistentes em tarefas laboratoriais de depleção do ego, além de mostrarem maior autocontrole em suas vidas. Eles fumavam menos cigarros, bebiam menos álcool, comiam menos junk food, gastavam menos dinheiro, assistiam menos televisão, estudavam mais e lavavam louça mais frequentemente do que a deixavam se acumular na pia. Mais um ponto para a conjectura de Elias de que pequenas rotinas de autocontrole podem se tornar uma segunda natureza e generalizar-se no comportamento de alguém.

Além de ser passível de graduação por refreamentos ulissianos, pela reconstrução cognitiva e pelo índice interior ajustável de desconto, progressos na nutrição e o equivalente do ganho muscular através do exercício, o autocontrole pode variar ao sabor dos caprichos da moda.[124] Em certas épocas, ele define o parâmetro de uma pessoa decente: um adulto, um sujeito digno, uma dama ou um cavalheiro, um *mensh*. Em outros tempos, ele é ridicularizado como algo repressivo, cheio de pruridos, asfixiante, tacanho, puritano. Certamente os anos 1960, com sua inclinação ao crime, foram a época recente que mais glorificou o relaxamento do autocontrole: faça o que bem entender; deixe tudo para lá; se lhe dá prazer, faça, experimente o lado selvagem do mundo. O prêmio pela autoindulgência está escancarado nos filmes musicais da década, em que os astros de rock dão tanto duro para se suplantar uns aos outros em impulsividade que parece que investiram um bocado de planejamento e esforço em sua espontaneidade.

Poderiam essas seis vias de autocontrole proliferar entre os membros de uma sociedade e chegar a definir seu caráter global? Seria a última pedra de dominó na sequência de explicações que estrutura a teoria do Processo Civilizador. O primeiro dominó exógeno é a mudança na aplicação das leis e nas oportunidades de cooperação econômica, que objetivamente inclina os pagamentos de modo que uma recompensa adiada, em particular uma prevenção da violência impulsiva, torna-se compensadora a longo prazo. O efeito é um fortalecimento dos músculos de autocontrole que permite às pessoas (entre outras coisas) inibir seus impulsos violentos, além e acima do estritamente necessário para evitar o flagrante e o castigo. O processo pode inclusive retroalimentar-se em um movimento circular positivo, "positivo" tanto no sentido da engenharia como dos valores humanos.

Em uma sociedade onde os outros controlam sua agressividade, há menos razões para se cultivar um gatilho de retaliação ultrassensível, o que por seu turno alivia um pouco a pressão sobre todos os demais, e assim por diante.

Uma maneira de superar a brecha entre a psicologia e a história é procurar por mudanças em um indicador de autocontrole que abarque toda a sociedade. Como vimos, uma taxa de juros é apenas uma taxa, porque revela quanta compensação as pessoas cobram pelo adiamento de seu consumo. Para ser segura, uma taxa de juros é em parte determinada por fatores objetivos, como a inflação, a expectativa de crescimento da renda e o risco de que o investimento jamais retorne. Porém parcialmente ela reflete a preferência puramente psicológica por gratificação instantânea ou adiada. Conforme um economista, uma criança de seis anos que prefere comer um marshmallow em vez de dois daqui a alguns minutos estará demandando uma taxa de juros de 3% ao dia ou 150% ao mês.[125]

Gregory Clark, o historiador econômico citado no capítulo 4, estimou a taxa de juros demandada pelos ingleses (na forma de renda da terra e de casas) desde 1170 até 2000, o milênio em que transcorreu o Processo Civilizador. Antes de 1800, argumenta ele, não havia inflação, os rendimentos eram estáveis e o risco de que um proprietário perdesse seus bens era pequeno e constante. Assim, a taxa de juros efetiva era uma estimativa do grau em que as pessoas favoreciam seu presente em relação a seu futuro.

A figura 9.1 mostra que, nos mesmos séculos em que os homicídios desabaram na Inglaterra, desabou igualmente a taxa de juros, de mais de 10% para em torno de 2%. Outras sociedades europeias apresentaram uma transição similar. Naturalmente a correlação não implica causalidade, mas ela reforça a opinião de Elias de que o declínio da violência da Europa medieval para a moderna foi parte de uma tendência mais ampla no sentido do autocontrole e de uma orientação para o futuro.

O que dizer de mensurações diretas do autocontrole acumulado em uma sociedade? Uma taxa de juros anual ainda dista bastante dos exercícios momentâneos de clemência que suprimem os impulsos violentos na vida cotidiana. Embora haja um perigo em se essencializar uma sociedade, atribuindo-lhe traços de caráter que na realidade se aplicam a indivíduos (lembremos os chamados povos destemidos), pode existir um grão de verdade na impressão de que algumas

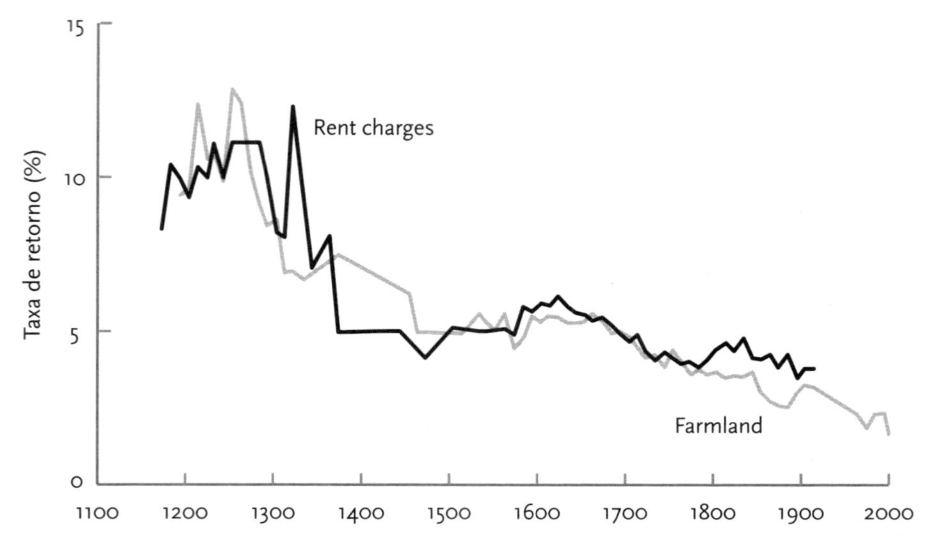

Figura 9.1. *Taxas de juros implícitas na Inglaterra, 1170-2000.*
FONTE: Gráfico de Clark, 2007a, p. 33.

sociedades têm um autocontrole maior do que outras na vida de todos os dias. Friedrich Nietzsche fazia uma diferenciação entre culturas apolíneas e dionisíacas, tomando esses nomes dos deuses gregos da luz e do vinho, e a distinção foi usada pela antropóloga Ruth Benedict em sua clássica panorâmica etnográfica *Patterns of Culture* [Padrões de cultura], de 1934. As culturas apolíneas são tidas como ponderadas, dotadas de autocontrole, racionais, lógicas e ordenadas; as culturas dionisíacas são tidas como sensíveis, passionais, instintivas, irracionais e caóticas. Poucos antropólogos invocam essa dicotomia atualmente, mas uma análise quantitativa das culturas do mundo, feita pelo sociólogo Geert Hofstede, redescobriu a distinção sob a forma de respostas a uma pesquisa entre cidadãos de classe média de mais de uma centena de países.

Conforme os dados de Hofstede, os países diferem em seis dimensões.[126] Uma delas é a orientação a longo prazo versus a orientação a curto prazo:

> Sociedades com orientação a longo prazo promovem virtudes pragmáticas direcionadas para compensações futuras, em especial a poupança, a persistência e a adaptação a circunstâncias mutantes. As sociedades com orientação a curto prazo promovem virtudes relacionadas com o passado e o presente, tais como o orgulho

nacional, o respeito à tradição, a preservação da "dignidade" e o cumprimento das obrigações sociais.

Outra dimensão é indulgência versus restrição:

A indulgência se adéqua a uma sociedade que permite uma satisfação relativamente livre das inclinações humanas básicas e naturais, relativas ao gozo da vida e às diversões. A restrição se adéqua a uma sociedade que suprime a satisfação das necessidades e regula-as por meio de normas sociais estritas.

Ambas, por certo, estão conceitualmente ligadas à faculdade do autocontrole, e não surpreende que estejam também relacionadas entre si (com um coeficiente de 0,45 em 110 países). Elias teria previsto que essas duas características nacionais teriam um nexo com as taxas de homicídios dos países, e as previsões se mostrariam verdadeiras. Os cidadãos de países com orientação mais a longo prazo cometem menos homicídios, assim como os dos países que enfatizam a restrição em lugar da indulgência.[127]

Dessa forma, a teoria do Processo Civilizador, assim como a do círculo expandido, encontrou amparo em experimentos e bases de dados bem distantes de seus campos de origem. A psicologia, a neurologia e a economia confirmaram a especulação de Elias de que os seres humanos são dotados de uma faculdade de autocontrole que regula os impulsos tanto violentos como não violentos, que pode ser fortalecida e generalizada ao longo da vida de um indivíduo, assim como pode variar em força através das sociedades e dos períodos históricos.

Até agora não mencionei outra explicação para o crescimento a longo prazo do autocontrole: que ele é um processo de evolução no sentido biológico. Antes de nos voltarmos para os dois últimos de nossos anjos bons, a moralidade e a razão, preciso dedicar algumas páginas e essa controvertida questão.

EVOLUÇÃO BIOLÓGICA RECENTE?

Muita gente usa casualmente a palavra "evolução" para tratar tanto da mudança cultural (ou seja, da história) quanto da biológica (ou seja, dos deslocamentos na frequência dos genes através das gerações). A evolução cultural e a biológica podem certamente interagir. Por exemplo, quando as tribos da Europa e da África adotaram a prática de criar vacas leiteiras, desenvolveram mutações genéticas que lhes permitiram digerir a lactose na idade adulta.[128] Mas os dois processos são diferentes. Eles sempre podem ser distinguidos, teoricamente, por experimentos em que bebês de uma sociedade são adotados e criados por outra. Se a evolução biológica aconteceu respondendo a culturas distintas de cada sociedade, então as crianças adotadas deveriam diferir, em média, de seus pares nativos.

Uma questão frequentemente feita acerca do declínio da violência é se este pode ser atribuído a uma evolução biológica recente. Em uma sociedade que empreendeu um Processo de Pacificação ou um Processo Civilizador, terá a composição genética de seus membros mudado em resposta, ajudando o processo em seu decorrer e tornando as pessoas permanentemente menos dispostas à violência? Uma transformação assim não resultaria, por certo, de uma absorção lamarckiana da tendência cultural por parte do genoma, mas de uma resposta darwiniana às contingências alteradas da sobrevivência e da reprodução. Os indivíduos que venham a ser geneticamente adaptados às culturas modificadas suplantariam seus vizinhos e contribuiriam com uma maior parcela de genes para a geração seguinte, modificando gradualmente a composição genética da população.

Pode-se imaginar, por exemplo, que, numa sociedade que empreendeu um Processo de Pacificação ou um Processo Civilizador, uma tendência para a violência impulsiva começaria a compensar menos do que nos tempos da anarquia hobbesiana, pois um gatilho de retaliação ultrassensível agora seria mais nocivo do que útil. Os psicopatas e os exaltados seriam podados pelo Leviatã e relegados às masmorras e galés, ao passo que os mais empáticos e os cabeças frias criariam seus filhos em paz. Os genes que reforçam a empatia e o autocontrole proliferariam, enquanto escasseariam os que dão rédea solta à predação e à dominação.

Mesmo uma mudança cultural tão simples como a passagem da poliginia à monogamia pode, teoricamente, alterar a paisagem da seleção. Napoleon Chagnon documentou que, entre os ianomâmis, um homem que matou outro tem mais esposas e filhos do que um homem que nunca matou; padrões parecidos podem ser encontrados em outras tribos, como os jivaros (shuares), do Equador.[129] Essa aritmética, caso perdure durante muitas gerações, favorecerá uma tendência genética a ter a vontade e a habilidade de matar. Uma sociedade que passou à monogamia, em contraste, suprime esse trunfo reprodutivo, e concebe-se que possa relaxar a seleção da belicosidade.

Neste livro pressuponho que a natureza humana, no sentido do inventário cognitivo e emocional da nossa espécie, foi uma constante ao longo da janela de 10 mil anos em que o declínio da violência é visível, e que todas as diferenças de comportamento entre as sociedades têm causas estritamente ambientais. Essa pressuposição é um padrão na psicologia evolutiva, com base no fato de que os poucos séculos e milênios em que as sociedades se dividem e se modificam são uma pequena fração do período de existência de nossa espécie.[130] Como a maioria das mudanças evolutivas adaptativas é gradual, o grosso de nossa adaptação biológica tem de ser ao estilo de vida que prevaleceu durante essas dezenas de milênios, mais do que às sociedades específicas que só recentemente divergiram daquele padrão. A suposição é endossada pela evidência da unidade física da humanidade — já que as pessoas de todas as sociedades têm todas as faculdades humanas básicas, tais como linguagem, raciocínio casual, psicologia intuitiva, ciúme sexual, medo, raiva, amor e repulsa, e que a mestiçagem recente de populações humanas não revelou diferenças qualitativas inatas entre elas.[131]

Mas as suposições sobre uma adaptação primeva e uma unidade física são apenas suposições. A velocidade da evolução biológica depende de muitos fatores, entre eles a força da pressão seletiva (ou seja, da diferença média entre o número de descendentes vivos dos portadores de cada uma de duas variantes de um gene), a demografia da população, o número de genes necessário para introduzir uma mudança e os padrões de interação entre os genes.[132] Embora um órgão complexo composto por um conjunto de muitos genes interativos possa levar eras inteiras para evoluir, um ajuste quantitativo pode ser implementado por um gene, ou um pequeno número de genes atuando independentemente, o que pode acontecer em apenas umas poucas gerações, desde que ele tenha suficientes efeitos de aptidão.[133] Nada impede que populações humanas tenham empreendido um certo grau de evolução biológica nos últimos milênios, ou mesmo séculos, bem após as raças, os grupos étnicos e as nações terem divergido.

As pessoas às vezes escrevem que as hipóteses sobre seleção natural não passam de lendas que jamais poderão ser verificadas até que alguém invente uma máquina do tempo; apesar disso, na prática a seleção natural é um processo mecânico distinto, que deixa marcas de sua construção tanto no desenho dos corpos dos organismos como na padronização de seus genomas. Desde a conclusão da primeira fase do Projeto do Genoma Humano, em 2000, a busca das impressões digitais da seleção tem sido uma das mais estimulantes atividades de pesquisa em genética humana.[134] Uma técnica justapõe a versão humana de um gene a seu equivalente em outras espécies e compara o número de mudanças silenciosas (que não têm efeito no organismo e, portanto, podem se acumular por deriva aleatória) com o número de mudanças que exercem um efeito (e portanto podem ter sido o objetivo da seleção). Outra técnica verifica a variação de um gene entre indivíduos. Um gene que tenha sido sujeito à seleção deve variar menos entre indivíduos no interior da população humana do que varia entre os seres humanos como um todo e outros mamíferos. Outras técnicas ainda verificam se um gene se encontra no meio de um grande segmento de cromossomo que seja idêntico de pessoa para pessoa — sinal de uma "varredura seletiva" recente, que arrasta um trecho de cromossomo junto com um gene útil, antes que as mutações tenham tido a possibilidade de adulterá-lo ou que a recombinação sexual tenha tido a chance de baralhá-lo. Pelo menos uma dúzia dessas técnicas foi criada e elas são constantemente refinadas. Elas podem se destinar não apenas a certos genes em particular, mas igualmente ao genoma inteiro, visando estimar a fração de nossos genes que tem sido alvo de seleção natural recente.

Essas análises vêm produzindo uma surpresa. Conforme concluiu o geneticista Joshua Akey em um rigoroso artigo em 2009,

> o número de eventos seletivos fortes que se pensa hoje terem ocorrido no genoma humano é consideravelmente maior do que se imaginava menos de uma década atrás [...]. [Aproximadamente] 8% do genoma foi influenciado por evolução positiva, e uma fração ainda maior pode ter sido submetida a uma pressão seletiva mais modesta.[135]

Muitos dos genes selecionados envolvem o funcionamento do sistema nervoso, de modo que, em teoria, podem afetar nossa cognição ou emoção. O padrão da seleção, além do mais, difere de população para população.

Alguns jornalistas louvaram esses resultados, sem compreendê-los, como uma refutação da psicologia evolutiva e do que enxergam como uma implicação politicamente perigosa de uma natureza humana moldada por adaptação a um estilo de vida caçador-coletor. Na verdade, a evidência de seleção recente, caso se aplique a genes com funções na cognição e emoção, permitiria uma forma muito mais radical de psicologia evolutiva, em que as mentes teriam sido biologicamente conformadas tanto por ambientes mais antigos como por outros, recentes. E ela poderia ter a incendiária implicação de que as populações aborígines e imigrantes são biologicamente menos adaptadas às exigências da vida moderna do que as populações que viveram durante milênios em sociedades letradas. O fato de que a hipótese seja politicamente desconfortável não significa que ela seja falsa, mas implica que devemos considerá-la muito cuidadosamente antes de concluir que é verdadeira. Existe alguma razão para se acreditar que o declínio na violência em sociedades específicas possa ser atribuído a mudanças genéticas em seus membros?

A neurobiologia da violência é uma área rica em alvos para a seleção natural. A criação seletiva de ratos durante quatro ou cinco gerações consegue produzir uma linhagem que seja marcadamente mais, ou menos, agressiva do que o rato de laboratório convencional.[136] A violência entre seres humanos, de fato, é fantasticamente mais complicada que a violência entre ratos, mas, caso as variações pessoais nas inclinações para a violência ou para longe dela sejam herdáveis, a seleção poderia certamente favorecer algumas variantes a resultar em maior descendência viva, o que mudaria a concentração dos genes incitadores e pacificadores ao longo do tempo. Portanto, devemos primeiro estabelecer se alguma parcela da variação na agressividade das pessoas é causada por uma variação em seus genes, ou seja, se a agressividade é herdável.

A hereditariedade pode ser medida pelo menos de três maneiras.[137] Uma delas consiste em ver as correlações entre as características de gêmeos idênticos que foram separados no nascimento e criados separadamente; eles partilham seus genes, mas não seu ambiente familiar (dentro da gama de ambientes da amostragem). Uma segunda maneira consiste em ver se existe uma correlação mais elevada entre gêmeos idênticos (que partilham seus genes e a maior parte de seu ambiente familiar) do que entre gêmeos fraternos (que partilham apelas metade de seus genes variáveis e a maior parte de seu ambiente familiar). A terceira consiste em verificar se existe uma correlação mais elevada entre irmãos biológicos (que partilham apelas metade de seus genes variáveis e a maior parte de seu ambiente familiar) e entre irmãos por adoção (que não partilham nenhum de seus genes variáveis, mas sim a maior parte de seu ambiente familiar). Cada um dos métodos tem pontos fortes e fracos (por exemplo, gêmeos idênticos podem se tornar parceiros no crime mais frequentemente do que gêmeos fraternos), mas os pontos fortes e fracos diferem entre os três, de modo que, caso os métodos convirjam, há bons motivos para se acreditar que a característica em pauta é herdável.

Esses métodos mostraram que ter uma personalidade antissocial e envolver-se em apuros com a lei apresentam um substancial componente herdável, embora seus efeitos às vezes dependam de características do entorno. Em um vasto estudo de 1984 sobre dinamarqueses adotados, entre os adolescentes e jovens adultos que tinham sido criados em famílias cujo pai adotivo fora condenado por um crime, 25% dos descendentes biológicos de criminosos tinham sido condenados por crimes, ao passo que apenas 15% dos descendentes biológicos de não criminosos tinham sido condenados.[138] Nesse estudo, o efeito do vínculo biológico foi examinado apenas em crimes não violentos, como furtos, de modo que na década de 1980 muitos textos diziam que apenas a criminalidade não violenta era herdável, não a tendência para a violência propriamente. Mas a conclusão foi prematura. Existem muito menos condenações por crimes violentos do que por não violentos, de modo que o tamanho da amostra dos crimes violentos é menor e a capacidade de detectar a hereditariedade também. As taxas de condenação também são afetadas pelas vicissitudes do sistema judiciário criminal, o que pode superestimar os efeitos de tendências violentas de um delinquente.

Os estudos atuais empregam mensurações mais sensíveis da violência, entre elas autoavaliações confidenciais, escalas validadas de agressão e comportamento antissocial, além de classificações feitas por professores, amigos e parentes (por exemplo, se na classificação uma pessoa "maltrata outros para obter vantagens" ou "deliberadamente amedronta ou causa desconforto em outros"). Todas as mensurações guardam relação com a probabilidade de ser condenado por um crime violento, proporcionando portanto dados muito mais abundantes.[139] Quando eles são examinados com as ferramentas da genética comportamental, todos os três métodos revelam substancial herdabilidade das tendências agressivas.[140]

A análise de gêmeos separados no nascimento é o método mais raro na genética comportamental, pois atualmente poucos gêmeos são separados. Mas o maior dos estudos, sediado na Universidade de Minnesota, pesquisou agressões cometidas por gêmeos idênticos e identificou um coeficiente de herdabilidade de 0,38 (significando que 38% da variação nas agressões dentro da amostragem podem ter explicação na variação genética).[141] Estudos sobre adoção são um pouco mais comuns, e um dos melhores estimou a herdabilidade do comportamento agressivo em 0,70 de sua amostragem.[142] Estudos que comparam tendências agressivas de gêmeos idênticos e fraternos, como discutir, brigar, ameaçar, destruir propriedade e desobedecer a pais e professores, tendem a indicar estimativas de herdabilidade entre 0,4 e 0,6, especialmente na infância e na idade adulta (na adolescência a influência de pares frequentemente encobre a dos genes).[143]

Os geneticistas behavioristas Soo Hyun Rhee e Irwin Waldman recentemente revisitaram toda a literatura de pesquisa sobre genética e agressividade, que inclui mais de uma centena de estudos sobre gêmeos e casos de adoção.[144] Eles selecionaram dezenove que preenchiam rigorosos critérios de qualidade de pesquisa e que especificamente miravam mais as ações agressivas (como brigas físicas, crueldade com animais e *bullying*) do que a categoria mais ampla das tendências antissociais. Também examinaram todos os estudos publicados sobre gêmeos e adoções, detenções criminais e condenações. Eles estimaram que a herdabilidade do comportamento agressivo é de cerca de 0,44 e que a herdabilidade da criminalidade gira em torno de 0,75 (em que 0,33 consiste em herdabilidade aditiva, ou seja, variação efetivamente gerada, e 0,42 em herdabilidade não aditiva, variação causada pela interação entre genes). Embora seu banco de dados sobre criminalidade não diferencie crimes violentos e não violentos, eles citam um estudo sobre gêmeos dinamarqueses separados que resultou em uma estimativa de herdabilidade de 0,50 para os violentos.[145] Como em muitos estudos de genética comportamental, os efeitos de ser criado em uma dada família eram tênues ou inexistentes, enquanto seguramente influíam outros aspectos do entorno que não são facilmente mensuráveis por tais técnicas, como os efeitos da vizinhança, da subcultura ou de experiências pessoais idiossincráticas. Os números exatos não deveriam ser levados tão a sério, mas sim o fato de que todos são substancialmente acima de zero. A genética comportamental confirma que tendências agressivas podem ser herdadas, e isso dá à seleção natural material para trabalhar, modificando as tendências médias de violência de uma população.

A herdabilidade é uma condição necessária para uma mudança evolutiva, mas esta abarca uma mistura de diversos elementos que contribuem para o comportamento. Quando os desenredamos, encontramos muitos caminhos específicos pelos quais a seleção natural pode ajustar nossas inclinações para a violência ou para longe dela. Examinemos alguns.

Autodomesticação e pedomorfismo. Richard Wrangham observou que a domesticação de animais usualmente os domina retardando componentes da cronologia de seu desenvolvimento, para que retenham traços juvenis na idade adulta, em um processo chamado pedomorfismo ou neotenia.[146] Linhagens e espécies domesticadas tendem a apresentar crânio e face com aparência mais infantil, mostrar menos diferenciações sexuais e uma propensão brincalhona e menos agressiva. Essas mudanças podem ser vistas em animais domésticos que foram deliberadamente domesticados, como cavalos, bovinos, cabras e raposas, e em uma espécie de lobo que se autodomesticou após começar a rondar os acampamentos humanos milhares de anos atrás, recolhendo sobras de alimentos e por fim evoluindo para cães. No capítulo 2, vimos como os bonobos evoluíram a partir de ancestrais parecidos com os chimpanzés, através de um processo de pedomorfismo, depois que sua ecologia alimentar reduziu a agressividade dos machos. Baseado em traços de pedomorfismo nas mudanças em fósseis humanos do Paleolítico, Wrangham sugeriu que um processo semelhante teve lugar na evolução humana, durante os últimos 30 mil a 50 mil anos, e pode ainda estar em curso.

Estrutura do cérebro. O neurocientista Paul Thompson mostrou que a distribuição de substância cinzenta pelo córtex cerebral, inclusive a região dorsolateral pré-frontal, é altamente herdável: ela é quase idêntica em gêmeos univitelinos e consideravelmente menos parecida em gêmeos fraternos.[147] Também o é a distribuição da substância branca, que liga o córtex frontal com outras regiões do cérebro.[148] É possível, então, que o circuito do lobo frontal que implementa o autocontrole varie geneticamente entre indivíduos, tornando-o passível de seleção natural recente.

Oxitocina. O chamado hormônio do carinho, que encoraja a simpatia e a confiança, atua em receptores em diversas partes do cérebro, e o número e a distribuição desses receptores podem ter efeitos dramáticos no comportamento. Em um experimento célebre, biólogos inseriram um gene para o receptor da vasopressina (um hormônio similar à oxitocina que opera nos cérebros masculinos) em ratos-do-campo, uma espécie agressiva e promíscua que não o possui. E eis que os roedores se tornaram monógamos, tal como seus primos evolutivos, os ratos-da-pradaria, que têm o receptor pré-instalado.[149] O experimento sugere que uma mudança genética simples no sistema da oxitocina-vasopressina pode ter efeitos profundos na simpatia, nos vínculos e por conseguinte na inibição da agressividade.

Testosterona. A resposta de uma pessoa a um desafio de dominação depende em parte da quantidade de testosterona liberada na corrente sanguínea e da quantidade de receptores desse hormônio no cérebro.[150] O gene do receptor da testosterona pode ter um efeito mais forte no cérebro de algumas pessoas que de outras. Homens com genes que codificam uma versão mais sensível do receptor têm uma maior descarga de testosterona quando conversam com uma mulher atraente (o que pode levar a um amortecimento do medo e a uma maior temeridade), e em um estudo apareceram em proporção maior que a média em uma amostragem de estupradores e assassinos condenados.[151] Os caminhos genéticos que regulam a testosterona são complexos, mas oferecem um elemento pelo qual a seleção natural pode alterar a disposição das pessoas para assumir desafios agressivos.

Neurotransmissores. São moléculas liberadas por um neurônio, expelidas através de uma fenda microscópica, e encerradas em um receptor na superfície de outro neurônio, mudando sua atividade e consequentemente permitindo que padrões de disparo neural se propaguem através do cérebro. Uma importante categoria de neurotransmissores são as catecolaminas, que incluem a dopamina, a serotonina e a norepinefrina (também chamada noradrenalina, e relacionada com a adrenalina, que desencadeia a resposta de luta-ou-fuga). As catecolaminas são usadas em vários sistemas motivacionais e emocionais do cérebro, e sua concentração é regulada por proteínas que ou as detêm ou as reciclam. Uma dessas enzimas é a monoamina oxidase-A, abreviadamente MAO-A, que ajuda a quebrar esses neurotransmissores, impedindo-os de se acumular no cérebro. Quando eles se acumulam, o organismo pode reagir excessivamente a ameaças e ficar mais suscetível a deflagrar uma agressão.

O primeiro sinal de que a MAO-A pode afetar a violência em seres humanos foi a descoberta de uma família holandesa portadora de uma mutação rara, que privava metade dos homens da versão ativa do gene.[152] (Este é encontrado no cromossomo X, do qual os homens têm apenas um, de modo que, se o gene da MAO-A de um homem é defeituoso, ele não tem uma cópia de backup para compensar.) Ao longo de cinco gerações, os homens da família afetados mostraram-se propensos a assomos agressivos. Um, por exemplo, usou uma faca para forçar as irmãs a se despirem; outro tentou atropelar seu chefe com um carro.

Um tipo de variação mais comum é encontrado na parte do gene que determina quanta MAO-A será produzida. Pessoas com uma versão de baixa atividade do gene acumulam no cérebro altas taxas de dopamina, serotonina e norepinefrina. Elas também são mais sujeitas a apresentar sintomas de distúrbio de personalidade antissocial, a relatar que cometeram atos de violência, a ser condenadas por um crime violento, a ter uma amígdala que reage mais fortemente e um córtex orbital que reage mais debilmente a faces raivosas e amedrontadas, e, em experimentos em laboratório de psicologia, a forçar outro participante a beber molho apimentado caso pensem que foram exploradas por ele.[153] Diferentemente de outros genes que afetam o comportamento, a versão de baixa atividade do gene MAO-A parece voltada especificamente para a agressividade; não foi bem correlacionada com nenhum outro traço de personalidade.[154]

A versão de baixa atividade do gene MAO-A torna as pessoas propensas à agressividade principalmente quando estas passaram por experiências estressantes na fase de crescimento, como maus-tratos ou negligência por parte dos pais, ou reprovação na escola.[155] É difícil especificar os fatores estressantes que tiveram esses efeitos, pois vidas estressantes frequentemente comportam diversos elementos de tensão ao mesmo tempo. Na verdade, o fator decisivo pode consistir em outros genes que são partilhados com um progenitor abusivo, predispondo pais e filhos à agressividade, e despertando reações negativas nas pessoas em torno deles.[156] Mas, qualquer que seja o fator decisivo, ele não reverte nem anula os efeitos da versão de baixa atividade do gene. Em todos os estudos, o gene tem um efeito na população, complementar ou principal, que pode fazer dele um alvo da seleção. Na verdade, Moffitt e Caspi (os que primeiro descobriram que o efeito do gene depende de experiências estressantes) sugerem que, mais do que conceber a versão de baixa atividade do gene como um impulsionador da violência, devíamos pensar em uma versão de alta atividade como um inibidor da violência: ele protege as pessoas de reações excessivas a uma vida de tensão. Os geneticistas descobriram evidências estatísticas de seleção ligada ao gene MAO-A em seres humanos, embora as evidências não especifiquem variantes de baixa ou alta atividade, nem provem que o gene foi selecionado devido a seus efeitos sobre a agressividade.[157]

Outros genes que afetam a dopamina também já foram associados com a delinquência, inclusive uma versão de um gene que afeta a densidade dos receptores de dopamina (DRD2) e uma versão de um gene para o transportador da dopamina (DAT1) que enxuga o excesso desse neurotransmissor a partir da sinapse, transporta-o de volta aos neurônios e o libera.[158] Qualquer um deles poderia ser um alvo fácil para a seleção natural.

A tendência genética para uma maior ou menor violência, portanto, pode ter sido selecionada ao longo das transições históricas que examinamos. A questão é: foram? A mera existência de rotas para a mudança evolutiva não prova que estas foram seguidas. A evolução depende não apenas do material genético básico, mas também de fatores como a demografia de uma população (incluindo tanto os números brutos como o grau de absorção de imigrantes vindos de outros grupos), o papel das variáveis genéticas e ambientais e a diluição dos efeitos genéticos devido a ajustes aprendidos do meio cultural.

Haverá então evidências de que o Processo de Pacificação ou o Processo Civilizador tornaram os povos pacificados ou civilizados estruturalmente menos suscetíveis à violência? Impressões ocasionais podem ser enganosas. A história fornece muitos exemplos em que uma nação considerou outra como povoada por "selvagens" ou "bárbaros", mas as impressões eram motivadas mais pelo racismo e pela observação de diferenças de tipo social, não por tentativas de distinguir natureza e criação. Entre 1788 e 1868, 168 mil prisioneiros britânicos foram levados para colônias penais na Austrália, e poderíamos supor que os australianos atuais tivessem herdado os traços turbulentos de sua população fundadora. Mas o índice de homicídios da Austrália é mais baixo que o de sua ex-metrópole; na verdade é um dos menores do mundo. Antes de 1945 os alemães tinham a reputação de ser o povo mais militarista da Terra; hoje, podem ser o mais pacifista.

O que dizer sobre evidências concretas de revolução na genômica evolutiva? Em seu manifesto *The 10,000 Year Explosion: How Civilization Accelerated Human Evolution* [A explosão de 10 mil anos: Como a civilização acelerou a evolução humana], o físico Gregory Cochran e o antropólogo Henry Harpending reexaminaram as evidências de seleção recente em seres humanos e especularam que esta inclui mudanças de temperamento e comportamento. Mas nenhum dos genes selecionados que eles descrevem está implicado no comportamento; todos se restringem à digestão, à resistência a enfermidades e à pigmentação da pele.[159]

Conheço apenas duas reivindicações de mudanças evolutivas recentes a respeito da violência que têm por trás de si pelo menos uma sugestão de evidência científica. Uma envolve os maoris, povo polinésio que se estabeleceu na Nova Zelândia cerca de mil anos atrás. Tal como muitos caçadores-horticultores sem Estado, os maoris se envolveram em guerras extensas, entre elas o genocídio do povo moriori, nas vizinhas ilhas Chatham. Hoje sua cultura preserva muitos símbolos do passado belicoso, inclusive a dança da guerra, *haka*, que inflama o time neozelandês de rúgbi All-Blacks, e um arsenal de belas armas de jade (tenho uma adorável acha de guerra em meu escritório, presente da Universidade de Auckland por ter apresentado ali uma série de palestras). O aclamado filme *O amor e a fúria*, de 1994, retrata em cores fortes o crime e a violência doméstica que afligem hoje algumas das comunidades maoris da Nova Zelândia.

Nesse contexto cultural, a imprensa neozelandesa rapidamente apoderou-se de um relatório de 2005 mostrando que a versão de baixa atividade do gene MAO-A é mais comum entre os maoris (70%) do que entre descendentes de europeus (40%).[160] O geneticista principal, Rod Lea, sugeria que o gene fora selecionado entre os maoris porque os tornava mais afeitos ao perigo durante as árduas viagens de canoa que os tinham levado ao país, e eficazes nas guerras tribais intestinas desde então. A imprensa batizou-o de gene guerreiro e especulou que ele podia ajudar a explicar os altos índices de patologia social entre os maoris na Nova Zelândia moderna.

A teoria do gene guerreiro não tem se saído bem em sua guerra com os cientistas céticos.[161] Um problema dela é que as assinaturas da seleção para o gene podem derivar também de um gargalo genético, em que ocorreu de um sortimento aleatório de genes ser carreado por uns poucos fundadores de uma população que se multiplicou por meio de seus descendentes. Outro é que a versão de baixa atividade do gene é ainda mais encontrada entre os homens chineses (77% deles), e os chineses nem são descendentes de guerreiros em sua história recente, nem particularmente propensos à patologia social em sociedades modernas. Um terceiro problema, correlato, é que a associação entre o gene e a agressividade não foi encontrada entre populações não europeias, talvez por estas terem desenvolvido outras formas de regulamentar seus níveis de catecolamina (os genes com frequência atuam em redes reguladas por realimentação, de modo que, em populações nas quais um gene específico é menos efetivo, outros genes podem intensificar sua atividade para compensá-lo).[162] Por enquanto, a teoria do gene guerreiro está cambaleando com ferimentos possivelmente mortais.

A outra reivindicação de uma mudança evolutiva recente faz referência a um processo mais civilizador do que de pacificação. Em *A Farewell to Alms: A Brief Economic History of the World* [Adeus às esmolas: Uma breve história econômica do mundo], Gregory Clark procurou explicar o tempo e o lugar da Revolução Industrial, que pela primeira vez na história incrementou o bem-estar material mais depressa do que o crescimento populacional (ver, por exemplo, a figura 4.7, tirada desse livro). Por que, perguntou Clark, foi a Inglaterra que hospedou essa antiga fuga da armadilha malthusiana?

A resposta, sugere o autor, é que a natureza dos ingleses mudara. A partir de meados de 1250, quando a Inglaterra começou a passar de uma sociedade senhorial para uma "nação de lojistas" (como Napoleão sarcasticamente a chamara), os plebeus mais abastados tinham mais filhos sobreviventes que os mais pobres, presumivelmente por casarem mais cedo e poderem proporcionar alimentação melhor e condições de vida mais higiênicas. Clark chama isso de "sobrevivência dos mais ricos": os ricos ficam mais ricos *e* têm mais filhos. Essa classe média superior suplantava também os aristocratas, que estavam rachando cabeças e decepando pedaços de corpos em torneios e guerras privadas, como vimos na figura 3.7, também extraída dos dados de Clark. Como a economia como um todo não conseguiria começar a se expandir antes do século XIX, os filhos sobreviventes extras dos comerciantes mais abastados não tinham como subir na escala econômica e deviam descer. Eles substituíam ininterruptamente os plebeus mais pobres, trazendo consigo seus costumes burgueses de poupança, trabalho duro, autocontrole, resgate paciente do futuro e aversão à violência. A população inglesa literalmente evoluiu para valores de classe média. Isso, por seu turno, permitiu a essa camada tirar vantagem das oportunidades comerciais abertas pelas inovações da Revolução Industrial. Embora Clark às vezes se desvie do politicamente correto, comentando que a não violência e o autocontrole podem ter passado de pai para filho enquanto hábitos culturais, em um resumo do livro, intitulado "Genetically Capitalist?" [Geneticamente capitalista?], ele apresenta a tese em sua versão com força total:

> A natureza altamente capitalista da sociedade inglesa em torno de 1800 — individualismo, baixas taxas de preferência de tempo, longas jornadas de trabalho, altos índices de capital humano — pode portanto decorrer da natureza da luta darwiniana em uma sociedade agrária extremamente estável no longo percurso para a

Revolução Industrial. O triunfo do capitalismo no mundo moderno poderia então ligar-se mais a nossos genes do que à ideologia ou racionalidade.[163]

A Farewell to Alms é repleto de estatísticas esclarecedoras e narrativas emocionantes sobre os precursores históricos da Revolução Industrial. Mas a teoria do geneticamente capitalista não competiu a contento na luta pela sobrevivência entre as teorias do desenvolvimento econômico.[164] Um problema dela é que, até recentemente, a prole dos ricos tem sobrepujado a dos pobres em quase *todas* as sociedades, não apenas na que desaguaria mais tarde numa revolução industrial. Outro é que aristocratas e reis podiam não ter mais herdeiros legítimos que a burguesia, porém mais do que compensavam isso com bastardos, que podem ter contribuído para uma repartição desproporcionada dos genes na geração seguinte. Um terceiro é que, quando as instituições mudam, uma nação consegue saltar para taxas espetaculares de crescimento econômico mesmo na ausência de uma história de seleção recente de valores de classe média, a exemplo do Japão no pós-guerra e da China pós-comunista. E, mais importante, Clark não cita dados mostrando que os ingleses sejam inatamente dotados de mais autocontrole ou menos violentos do que os cidadãos de outros países que não inauguraram uma revolução industrial.

Assim, mesmo que a evolução biológica possa, teoricamente, ter mexido com nossas inclinações para a violência e a não violência, não temos boas evidências de que efetivamente o fez. Ao mesmo tempo, temos boas evidências de mudanças que possivelmente não são genéticas, pois se deram em escalas de tempo rápidas demais para serem explicadas pela seleção natural, mesmo com a nova compreensão de quão recentemente esta tem agido. A abolição da escravatura e dos castigos cruéis durante a Revolução Humanitária; a redução da violência contra minorias, mulheres, crianças, homossexuais e animais durante a Revolução por Direitos; e o despencamento da guerra e do genocídio durante a Longa Paz e a Nova Paz, todos se desenrolaram em intervalos de décadas e anos, às vezes dentro de uma única geração. Um recuo particularmente abrupto é a redução dos índices de homicídio quase à metade durante o Grande Declínio da Criminalidade Americana nos anos 1990. O ritmo da redução, de cerca de 7% ao ano, foi poderoso o bastante para arrastar a taxa de violência para menos de 1%

de seu nível original apenas duas gerações atrás, tudo sem a mais ínfima chance de interferências genéticas. Já que é inquestionável que os ingressos culturais e sociais podem responder às inclinações de nossos anjos bons (tais como o autocontrole e a empatia), e portanto controlar nossas propensões violentas, temos meios para explicar o recuo da violência sem invocar a evolução biológica recente. Pelo menos por enquanto, não precisamos dessa hipótese.

MORALIDADE E TABU

O mundo tem moralidade até demais. Se você fosse somar todos os homicídios visando fazer justiça por conta própria, as baixas em guerras religiosas e revolucionárias, as pessoas executadas por crimes sem vítimas e delitos menores e os alvos de genocídios ideológicos, eles certamente ultrapassariam os mortos pela predação e conquista amorais. O senso moral humano é capaz de desculpar qualquer atrocidade na mente de quem a comete, e isso lhe fornece razões para atos de violência que não lhe trazem benefício tangível. A tortura de heréticos e conversos, a queima de bruxas, o encarceramento de homossexuais e a matança de irmãs e filhas impuras em crimes de honra são apenas alguns exemplos. O sofrimento incalculável que foi impingido ao mundo por gente motivada por causas morais é grande o bastante para nos fazer simpatizar com o que disse o comediante George Carlin: "Acho que a motivação é exagerada. Mostre-me algum preguiçoso que passa o dia assistindo a jogos na TV e coçando o saco e lhe mostrarei alguém que *não está causando porra de problema nenhum!*".

Embora a contribuição líquida do senso moral para o bem-estar humano possa bem ser negativa, naquelas ocasiões em que ele se desenvolve convenientemente pode proclamar alguns avanços monumentais, inclusive as reformas humanitárias do Iluminismo e as Revoluções por Direitos nas últimas décadas. Quando se trata de ideologias virulentas, a moralidade pode ser a doença, mas ela também pode ser a cura. A concepção do tabu, tal como concepção da moralidade, da qual a primeira é parte, também pode empurrar nos dois sentidos. Ela pode converter o inconformismo religioso ou sexual em um ultraje que reclama um castigo horrendo, mas pode também prevenir a mente de enveredar por territórios perigosos, como guerras de conquista, o uso de armas químicas e nucleares, estereótipos raciais desumanizadores, alusões casuais ao estupro e o sacrifício de vidas humanas identificáveis.

Como podemos dar sentido a esse anjo louco — a parte da natureza humana que parece ter a mais forte reputação de ser a fonte de nossa bondade, mas que na prática pode ser bem mais diabólica do que nosso pior demônio interno?

Para compreender o papel do senso moral no declínio da violência, devemos resolver uns tantos enigmas psicológicos. Um deles é como as pessoas de diferentes épocas e culturas puderam ser levadas a objetivos que elas sentiam como "morais", mas que são irreconhecíveis por nossos próprios padrões de moralidade. Outro é por que o senso moral, geralmente, não pressiona no sentido da redução do sofrimento, mas frequentemente de seu aumento. Um terceiro enigma é como o senso moral pode ser tão compartimentado: por que cidadãos honrados conseguem surrar suas esposas e filhos; por que democracias liberais conseguem praticar o escravagismo e a opressão colonial; por que nazistas alemães conseguiam tratar animais com inigualável ternura. Um quarto é como, para o bem e para o mal, a moralidade pode se estender tanto a atos como a pensamentos, levando ao paradoxo do tabu. E o enigma primordial, naturalmente: o que mudou? Que grau de liberdade no senso moral foi engendrado pelos processos da história que fez a violência amainar?

O ponto de partida é distinguir a moralidade em si, enquanto tópico da filosofia (em particular a ética normativa), do sentimento humano, um tópico da psicologia. A não ser no caso de algum relativista moral radical, acredita-se que as pessoas podem em algum sentido estar *erradas* em suas convicções morais; que suas justificativas para genocídios, estupros, crimes de honra e tortura de hereges são erradas, não apenas contrárias à nossa sensibilidade.[165] Quer alguém seja um realista moral e acredite que as verdades morais estão objetivamente fora de questão, como as verdades matemáticas, quer simplesmente admita que as afirmações morais têm certo grau de poder em termos de harmonia com convicções universalmente admitidas ou com a melhor compreensão que advém de nossa deliberação racional coletiva, o fato é que se pode diferenciar as questões da moralidade das questões da psicologia moral. Esta última diz respeito a processos mentais que as pessoas *sentem* como morais, e pode ser estudada tanto no laboratório como em campo, tal e qual qualquer outra faculdade cognitiva ou emocional.

O próximo passo no entendimento do senso moral é reconhecer que ele representa um modo distinto de se pensar uma ação, não simplesmente a abstenção de uma ação. Existem distinções psicológicas importantes entre abster-se de uma ação porque ela é considerada ilegal ("Matar é errado") e abster-se porque ela é meramente desagradável ("Detesto couve-flor"), fora de moda ("Calças boca de sino estão por fora") ou imprudente ("Não coce picadas de mosquito").[166]

Uma diferença é que a desaprovação de um ato moralizado é *universalizada*. Se você acha couve-flor ruim, que outra pessoa ache bom não é problema seu. Mas se você julga que assassinato, tortura e estupro são imorais, então você não pode simplesmente abster-se de empreender esses atos e ser indiferente ao fato de outras pessoas os cometerem. Você tem de desaprovar que *qualquer um* os cometa.

Segundo, convicções moralizantes são *acionáveis*. Mesmo que as pessoas não apliquem a máxima de Sócrates — "Conhecer o bem é fazer o bem" —, elas tacitamente aspiram a isso. Elas encaram as ações morais como objetivos intrinsecamente meritórios, que dispensam motivos suplementares. Se alguém acredita que assassinato é imoral, não precisará ser remunerado, ou sequer estimado, por abster-se de matar alguém. Quando as pessoas quebram um preceito moral, racionalizam a falha invocando algum preceito compensatório, achando uma desculpa ou reconhecendo que aquilo foi uma lamentável fraqueza pessoal. Afora os demônios e os vilões da ficção, ninguém diz: "Eu acredito que o assassinato é uma atrocidade odiosa e o pratico sempre que me convém".[167]

Por fim, as infrações moralizadas são *passíveis de punição*. Se alguém crê que assassinar é errado, não apenas se considera no direito de ver um assassino punido, mas sente-se *obrigado* a fazer com que isso ocorra. Não se pode, por assim dizer, deixar para lá em caso de assassinato. Agora coloque, no lugar de "assassinato", "idolatria", "homossexualidade", "blasfêmia", "subversão", "indecência" ou "insubordinação" e você verá como o senso moral humano pode ser uma grande força maléfica.

Outra característica estrutural do senso moral é que muitas convicções morais funcionam mais como normas e tabus do que como princípios que o crente consegue articular e defender. Na célebre escala progressiva de seis níveis do desenvolvimento moral, do psicólogo Lawrence Kohlberg, desde a evitação do castigo por uma criança até os princípios universais de um filósofo, os dois estágios intermediários (dos quais muita gente jamais passa) consistem em conformar-se com as normas para ser um bom rapaz ou uma boa moça, e manter as convenções para preservar a estabilidade social. Quando se raciocina sobre o dilema moral que Kohlberg tornou famoso, em que Heinz precisa entrar numa farmácia e roubar um medicamento caríssimo que salvará sua esposa agonizante, as pessoas que se encontram nesses estágios podem não achar outra resposta para seus questionamentos exceto que Heinz não devia roubar o remédio porque roubar é ruim e ilegal, ou que Heinz devia roubar porque é isso que um bom marido faz.[168] Poucas pessoas conseguem articular uma justificativa de princípios, como de que a vida humana é um valor cardeal que se sobrepõe às normas sociais, à estabilidade social ou à obediência às leis.

O psicólogo Jonathan Haidt ressaltou a inefabilidade das normas morais em um fenômeno que chamou de pasmo moral. Frequentemente alguém tem uma intuição momentânea de que alguma ação é imoral, e então luta, muitas vezes sem êxito, para estabelecer as razões *por que* ela é imoral.[169] Quando Haidt perguntou aos participantes de um experimento, por exemplo, se era certo um irmão e uma irmã fazerem sexo voluntário e seguro, ou uma pessoa limpar um banheiro com a bandeira americana, ou uma família comer um cãozinho de estimação atropelado por um carro, ou um homem comprar uma galinha morta e fazer sexo com ela, ou alguém quebrar uma promessa feita no leito de morte de visitar a sepultura de sua mãe, a resposta em todos os casos foi não. Mas quando se pediu explicações, inevitavelmente os participantes falharam, terminando por dizer: "Não sei, não consigo explicar, apenas sei que é errado".

Normas morais, mesmo quando inexplicáveis, podem às vezes agir como barreiras efetivas ao comportamento violento. No Ocidente moderno, como já vimos, a rejeição de alguns tipos de violência, como matar por misericórdia uma criança abandonada, responder a um insulto ou declarar guerra a outro Estado desenvolvido deriva não de se sopesar as questões morais, enfatizando os objetivos ou sofreando um impulso, mas de não se conceber o ato violento como uma opção válida de forma alguma. O ato não é considerado e rejeitado; é inimaginável ou ridículo.

A combinação de diferenças culturais radicais, em que comportamentos são moralizados com pasmo moral em nossa cultura, pode criar a impressão de que as normas e os tabus são arbitrários — que pode haver uma cultura em algum lugar onde seja imoral pronunciar uma frase com um número par de palavras, ou negar que o oceano esteja fervendo. Mas o antropólogo Richard Shweder e vários de seus alunos e colaboradores concluíram que as normas morais do mundo giram em torno de um número reduzido de temas.[170] As intuições que nós, do Ocidente moderno, tendemos a encarar como o âmago da moralidade — equidade, justiça, proteção dos indivíduos e prevenção de danos — são apenas uma das várias esferas de preocupação que podem nos vincular à parafernália cognitiva e emocional da moralização. Mesmo um passar de olhos por religiões antigas como o judaísmo, o islamismo e o hinduísmo nos lembra que elas moralizam sobre uma série de outras preocupações, como lealdade, respeito, obediência, ascetismo, e sobre a regulação de funções corporais como alimentação, sexo e menstruação.

Shweder organizou as preocupações morais do mundo de um modo tripartido.[171] A autonomia, a ética que reconhecemos no Ocidente moderno, parte do princípio de que o mundo social é composto de indivíduos e que o propósito da moralidade é permitir que eles exercitem suas escolhas e protegê-los de danos. A ética da comunidade, em contraste, enxerga o mundo social como uma coleção de tribos, clãs, famílias, instituições, corporações e outras coalizões, e iguala moralidade com dever, respeito, lealdade e interdependência. A ética da divindade propõe que o mundo é composto de uma essência divina, porções da qual habitam os corpos, e portanto o propósito da moralidade é proteger esse espírito da degradação e da contaminação. Se um corpo é um mero recipiente da alma, que em última instância pertence à divindade ou faz parte dela, então as pessoas não têm o direito de fazer o que quiserem com seus corpos. Elas têm a obrigação de evitar que eles se corrompam, abstendo-se de formas sujas de sexo, alimentação e outros prazeres físicos. A ética da divindade está subjacente à moralização da repulsa e à valorização da pureza e do ascetismo.

Haidt tomou a tripartição de Shweder e dividiu ao meio dois de seus componentes, produzindo um total de cinco preocupações que denominou fundamentos morais.[172] A comunidade foi bipartida em lealdade intragrupo e autoridade/respeito, e a autonomia em equidade/reciprocidade (a moralidade que fundamenta o altruísmo recíproco) e cuidado com danos (o cultivo da bondade e compaixão, assim como a inibição da crueldade e da agressividade). Haidt também deu à ética da divindade o rótulo mais secular de pureza/santidade. Além disso, enfatizou a tese de que os fundamentos morais são universais, mostrando que todas as cinco esferas podem ser encontradas nas instituições morais dos ocidentais seculares. Em seus espantosos cenários, por exemplo, a pureza/santidade sublinha a repulsa do participante pelo incesto, a bestialidade e a devoração de um cãozinho da família. A autoridade/respeito comandam a visita ao túmulo da mãe. A lealdade intragrupo proíbe a dessacralização de uma bandeira dos Estados Unidos.

O sistema que penso ser mais útil foi desenvolvido pelo antropólogo Alan Fiske. Ele propõe que a moralização emana de quatro modelos, sendo cada qual um modo diferente com que as pessoas concebem suas relações.[173] A teoria visa explicar como os membros de uma dada sociedade partilham recursos, de onde suas obsessões morais provêm em nossa história evolutiva, como a moral varia através das sociedades, como as pessoas conseguem compartimentalizar sua moralidade e protegê-la com tabus. Os modelos relacionais se alinham com as classificações de Shweder e Haidt mais ou menos como é mostrado na página 837.

O primeiro modelo, da partilha comunal (comunalidade, abreviadamente), combina a lealdade intragrupo com a pureza/santidade. Quando as pessoas adotam a mentalidade da partilha comunal, dividem livremente os recursos dentro do grupo, sem manter controles de quem dá e de quem toma quanto. Elas concebem o grupo como "um corpo", unificado por uma essência comum, que precisa ser defendido contra a contaminação. Reforçam a intuição da unidade com rituais de colagem e fusão como contato corporal, refeições conjuntas, movimentos sincronizados, cantos e orações em uníssono, experiências emocionais partilhadas, ornamentação ou mutilação corporal padronizada e mistura de fluidos corporais em rituais de alimentação, sexo e sangue. Elas também racionalizam isso com mitos sobre uma ascendência comum, derivada de um patriarca, o enraizamento em um território ou a relação com um animal totêmico. O modelo da comunalidade evolui a partir dos cuidados maternais, seleção de parentes e mutualismo, e pode estar implementado no cérebro, ao menos em parte, pelo sistema de oxitocina.

O segundo modelo relacional de Fiske, do escalão de autoridade, é uma hierarquia definida pela dominação, status, idade, gênero, tamanho, força, posses ou precedência. Ele autoriza os superiores a retirar o que quiserem e a receber tributos dos inferiores, e a exigir destes obediência e lealdade. Por sua vez, impõe-lhes uma responsabilidade paternalista, pastoral ou *noblesse oblige* de proteger os que estão abaixo deles. Presumivelmente evoluiu a partir das hierarquias de dominação dos primatas e pode ser implementado, em parte, pelos circuitos cerebrais sensíveis à testosterona.

<table>
<tr><td>Ética de Shweder</td><td>Divindade</td><td colspan="2">Comunidade</td><td colspan="3">Autonomia</td></tr>
<tr><td>Fundamentos morais de Haidt</td><td>Pureza/Santidade</td><td>Lealdade Intragrupo</td><td>Autoridade/Respeito</td><td>Cuidado com Danos</td><td colspan="2">Equidade/Reciprocidade</td></tr>
<tr><td>Modelos Relacionais de Fiske</td><td colspan="2">Partilha Comunal</td><td>Escalão de Autoridade</td><td colspan="2">Correspondência de Equidade</td><td>Mercado de Preços/Racional-Legal</td></tr>
</table>

A correspondência de equidade compreende a reciprocidade olho por olho e outros esquemas para se dividir equitativamente os recursos, tais como turnos, cara ou coroa, contribuições combinadas, divisão em partes iguais e fórmulas verbais como uni-duni-tê. Poucos animais praticam uma reciprocidade clara, embora os chimpanzés tenham um senso de justiça rudimentar, pelo menos aqueles que se sentem prejudicados. A base neural da correspondência de equidade compreende as partes do cérebro que registram intenções, logros, conflitos, assumir a perspectiva e cálculo, que incluem a ínsula, os córtex orbital, cingulado, dorsolateral pré-frontal e parietal, e a junção temporoparietal. A correspondência de equidade é a base de nosso senso de justiça e de nossa economia intuitiva, relacionando-nos mais com vizinhos, colegas, conhecidos e parceiros comerciais do que com amigos do peito e companheiros de armas. Muitas tribos tradicionais dedicam-se a rituais de intercâmbio de presentes sem utilidade, um pouco como em nosso Natal, apenas para cimentar relações de correspondência de equidade.[174]

(Os leitores que estejam comparando e contrastando as classificações podem se perguntar por que a categoria cuidado com danos de Haidt está adjacente à da equidade e alinhada com a correspondência de equidade de Fiske, em lugar de relacionamentos mais sentimentais como comunidade ou santidade. O motivo é que Haidt mediu o cuidado com danos indagando às pessoas sobre o tratamento de um "alguém" genérico e não de amigos e parentes que são os beneficiários usuais de cuidados. As respostas às interrogações alinham-se perfeitamente com aquelas referentes à equidade, e não por coincidência.[175] Lembremos que a lógica do altruísmo recíproco, que implementa nosso senso de equidade, é ser "agradável", cooperando no primeiro movimento, não desertando a não ser após o outro desertar e concedendo um grande benefício a um estranho em necessidade quando o custo pessoal seja relativamente pequeno. Quando os cuidados com os danos se expandem para além do círculo íntimo, então são simplesmente uma parte da lógica da equidade.)[176]

O último modelo relacional de Fiske é o mercado de preços: o sistema de moeda, preços, aluguéis, salários, dividendos, juros, crédito e derivados que move uma economia moderna. O mercado de preços depende de números, fórmulas matemáticas, sistemas de contabilidade, transferências digitais e da linguagem dos contratos formais. Ao contrário dos outros três modelos relacionais, está longe de ser universal, já que depende de letramento, numerações e outras tecnologias de informação recentemente inventadas. A lógica do mercado de preços continua a ser cognitivamente artificial, como vimos na resistência generalizada aos juros e aos lucros até a era moderna. Pode-se alinhar os modelos, comenta Fiske, em uma escala que reflete mais ou menos a ordem de aparecimento na evolução, no desenvolvimento infantil e na história: partilha comunal > escalão de autoridade > correspondência de equidade > mercado de preços.

O modelo de mercado de preços, segundo me parece, não é específico nem dos mercados nem dos preços. Ele na verdade deve ser agrupado com outros exemplos de organização social formal que foram aprimorados ao longo dos séculos como um bom modo para milhões de pessoas gerirem seus negócios em uma sociedade tecnologicamente avançada, mas que pode não ocorrer espontaneamente em mentes não tuteladas.[177] Uma dessas instituições é o aparato político da democracia, em que o poder é consignado não a um homem forte (autoridade), mas a representantes eleitos por um procedimento formal de votação e cujas prerrogativas são delineadas por um sistema de leis. Outras são as empresas, universidades ou organizações sem fins lucrativos. As pessoas que nelas trabalham não estão livres para contratar seus parentes ou conhecidos (a comunalidade) ou distribuir favores como prêmio (correspondência de equidade), estando cercadas de deveres e regulamentos. Minha emenda à teoria de Fiske não cai do céu. Ele observa que uma de suas inspirações intelectuais para o modelo de mercado de preços foi o conceito do sociólogo Max Weber sobre um modo de legitimação social "racional-legal" (em oposição a tradicional e carismático) — um sistema de normas que é trabalhado pela razão e implementado por meio de normas formais.[178] Assim, eu me referirei às vezes a esse modelo relacional usando o termo mais geral de racional-legal.

Com todas as suas maneiras diferentes de segmentar e dividir, as teorias de Shweder, Haidt e Fiske concordam em como funciona o senso moral. Nenhuma sociedade define todos os dias a virtude e o vício conforme a regra de ouro ou o imperativo categórico. Longe disso, a moralidade consiste em violar ou respeitar um dos modelos relacionais (ou éticas, ou fundamentos): trair, explorar ou subverter uma coalizão; contaminar-se ou à sua comunidade; desafiar ou insultar uma autoridade legítima; causar dano a alguém sem provocação; obter um benefício sem pagar o custo; especular com investimentos ou abusar de prerrogativas.

O fito dessas classificações não é rotular toda uma sociedade, mas proporcionar uma gramática das normas sociais.[179] A gramática deve revelar padrões comuns por trás das diferenças entre as culturas e os períodos (inclusive o declínio da violência) e prever as respostas das pessoas a infrações às normas reinantes, inclusive o gênio perverso da compartimentalização moral.

Algumas normas sociais são meras soluções para jogos de coordenação, como dirigir pelo lado direito da estrada, usar papel-moeda e falar a língua de determinado ambiente.[180] Mas as normas têm conteúdo moral. Cada norma moralizada é um compartimento contendo um modelo relacional, um ou mais papéis sociais (pais, filhos, professores, estudantes, marido, mulher, supervisor, empregado, cliente, vizinho, estranho), um contexto (residência, rua, escola, local de trabalho). Ser um membro socialmente competente de uma cultura é ter assimilado um grande leque dessas normas.

Tomemos a amizade. Duplas de amigos íntimos operam principalmente conforme o modelo da partilha comunal. Eles repartem livremente a conta da comida em um jantar festivo e trocam favores sem fazer uma contabilidade. Mas também podem reconhecer circunstâncias especiais que pedem outro modelo relacional. Podem trabalhar juntos em uma tarefa em que um deles é especialista e dá as ordens ao outro (escalão de autoridade), dividir os custos da gasolina em uma viagem (correspondência de equidade) ou negociar a venda de um carro por seu valor médio (mercado de preços).

Infrações de um modelo relacional são moralizadas como absolutamente erradas. Dentro do modelo da correspondência de equidade, que usualmente rege uma amizade, é errado alguém regatear em uma partilha. No caso específico da correspondência de equidade, uma infração seria alguém deixar de pagar sua cota na divisão dos custos da gasolina em uma viagem. A correspondência de equidade, que é a admissão de uma relação recíproca constante, permite uma contabilidade frouxa, como no caso dos rancheiros do condado de Shasta, que compensavam os danos causados uns aos outros com favores mais ou menos equivalentes e concordavam em "deixar passar" quando um pequeno dano não era compensado.[181] O mercado de preços e outros modelos racionais-legais são menos tolerantes. Um cliente que sai de um restaurante caro sem pagar não pode esperar que o proprietário deixará que ele pague um dia qualquer, ou simplesmente esqueça. É mais provável que o dono chame a polícia.

Quando uma pessoa viola os termos de um modelo relacional que ela admitiu tacitamente, o violador é visto como um parasita ou trapaceiro e torna-se alvo da ira moralista. Mas quando alguém aplica um modelo relacional em um meio ordinariamente regido por outro, uma psicologia diferente entra em ação. Não é tanto que ele tenha violado as normas, mas mais que não as "captou". A reação pode ir de perplexidade, embaraço e vergonha até choque, ofensa e raiva.[182] Imagine, por exemplo, um cliente agradecendo um dono de restaurante por uma experiência agradável e convidando-o para jantar em algum momento do futuro (ou seja, tratando uma interação de mercado como se fosse regida pela partilha comunal). E, inversamente, imagine a reação em um jantar festivo (partilha comunal) caso um hóspede puxe a carteira e se disponha a pagar o anfitrião pela comida (mercado de preços), ou se o anfitrião pedir ao hóspede que lave a louça enquanto ele relaxa vendo TV (correspondência de equidade). Da mesma forma, imagine que o hóspede oferece seu carro para o anfitrião comprar, e então conduz uma dura barganha quanto ao preço, ou que o anfitrião sugere que os casais convidados troquem de parceiro durante meia hora de sexo antes que todos voltem para casa.

A resposta emocional a um mal-entendido relacional depende de este ser acidental ou deliberado, de qual modelo é substituído por qual e da natureza do meio. O psicólogo Philip Tetlock sugeriu que a psicologia do tabu — uma reação de ultraje quando certos pensamentos são expressos — entra em cena em meios que são tidos como *sagrados*.[183] Um valor sagrado é aquele que não comporta soluções de compromisso com o que quer que seja. Valores sagrados usualmente são governados pelos modelos primevos da comunalidade e da autoridade, acionando um tabu quando alguém os ameaça com os modelos mais avançados da correspondência de equidade ou do mercado de preços. Se alguém se dispusesse a comprar seu filho (subitamente tratando uma relação de partilha comunal à luz do mercado de preços), você não perguntaria quanto ele oferece, mas se ofenderia com a simples ideia. O mesmo vale para uma oferta de comprar um presente pessoal ou uma herança da família, ou de pagamento para você trair um amigo, uma esposa ou seu país. Tetlock apurou que quando perguntavam a estudantes sobre os prós e contras de um mercado aberto para recursos sagrados como votos, serviço militar, dever de júri, órgãos humanos ou bebês disponíveis para adoção, a maioria não articulava uma boa argumentação contra essas práticas (como a de que os pobres poderiam vender seus órgãos por desespero), apenas expressavam horror quando indagados. "Argumentos" típicos eram "Isso é degradante, desumanizador, inaceitável" e "Que tipo de gente estamos nos tornando?".

A psicologia do tabu não é completamente irracional.[184] Para se manter relações preciosas, não nos basta dizer e fazer a coisa certa. Também devemos mostrar que somos bem-intencionados, que não medimos os custos e benefícios de trair aqueles que confiam em nós. Quando você se depara com uma proposta indecente, qualquer coisa menos que uma recusa indignada revelaria a trágica verdade de que você não compreende o que é ser um autêntico pai/mãe, ou cônjuge, ou cidadão. E esse entendimento consiste na absorção de uma norma cultural que designa um valor sagrado para um modelo relacional primitivo.

Em uma antiga anedota, um homem pergunta a uma mulher se ela dormiria com ele por 1 milhão de dólares, e ela diz que vai pensar. Ele pergunta então se ela dormiria com ele por cem dólares. Ela responde: "Que tipo de mulher você pensa que eu sou?". E ele: "Isso nós já estabelecemos. Agora estamos apenas acertando o preço". Compreender a piada é considerar que muitos valores sagrados são na verdade pseudossagrados. As pessoas podem ser induzidas a comprometê-los se a recompensa é ofuscada, maquiada ou redefinida.[185] (A anedota usa a figura simbólica "1 milhão de dólares" porque ela redefine um mero intercâmbio monetário em uma oportunidade capaz de mudar uma vida, no caso tornando alguém milionário.) Quando o seguro de vida surgiu, as pessoas se sentiam ultrajadas com a simples ideia de fixar um valor em dólares para uma vida humana e permitir que esposas apostassem que seus maridos iriam morrer, duas afirmações que tecnicamente descrevem com perspicácia o que faz um seguro de vida.[186] A indústria dos seguros montou campanhas de esclarecimento que redefiniram o produto, mostrando-o como um gesto de responsabilidade e decência por parte do marido, que simplesmente daria sequência a seu dever para com a família durante o tempo em que acontecesse de ele estar vivo.

Tetlock distingue três tipos de compromisso. Os de *rotina* são os que se enquadram em um modelo relacional simples, como escolher entre estar com um amigo ou com outro, comprar este carro ou aquele. Compromissos de *tabus* revertem um valor sagrado em um modelo para um valor secular em outro, tal como ao se vender um amigo, um ser amado, um órgão humano ou a si próprio, em escambo ou por dinheiro sonante. Compromissos *trágicos* intercambiam valores sagrados entre si, como ao se escolher qual paciente receberá um órgão em um transplante, ou, no mais trágico dos compromissos, a escolha de Sofia entre as vidas de seus dois filhos. A arte da política, observa Tetlock, é em grande medida a capacidade de redefinir compromissos de tabus enquanto compromissos trágicos (ou o oposto, quando se está na oposição). Um político que deseje a reforma do sistema de previdência precisará redefini-lo, de "romper nossa obrigação para com os cidadãos mais idosos" (a definição dos adversários) para "aliviar a carga dos laboriosos contribuintes", ou "parar de descuidar da educação de nossos filhos". Manter as tropas no Afeganistão é redefinido de "arriscar as vidas de nossos soldados" para "honrar o compromisso de nossa nação com a liberdade" ou "vencer a guerra contra o terror". A redefinição de valores sagrados, como veremos, pode ser uma tática negligenciada na psicologia da pacificação.

As novas teorias do senso moral, portanto, ajudaram a explicar emoções moralizadas, compartimentalizações morais e tabus. Passemos agora a aplicá-las às diferenças de moralização entre as culturas e, muito especialmente, ao longo do curso da história.

Muitas atribuições de um modelo relacional a um conjunto de normas sociais parecem naturais às pessoas de todas as sociedades e podem estar enraizadas em nossa biologia. Elas incluem a partilha comunal entre os membros de uma família, o escalão de autoridade dentro de uma família que faz as pessoas respeitarem os mais velhos e a troca de mercadorias em espécie por favores rotineiros conforme a correspondência de equidade. Mas outros tipos de atribuição de um modelo relacional a um meio e a conjunto de papéis sociais podem diferir radicalmente através dos tempos e culturas.[187]

Nos casamentos ocidentais tradicionais, por exemplo, o marido exercia autoridade sobre a mulher. O modelo foi em grande medida ultrapassado nos anos 1970, e alguns casais influenciados pelo feminismo deslocaram-se para uma equiparação igualitária, dividindo meio a meio tarefas domésticas e cuidados com os filhos, e controlando estritamente as horas dedicadas a eles. Uma vez que a fria psicologia da equiparação igualitária conflitava com a intimidade que muitos casais desejam, muitos casais modernos estabeleceram a partilha comunal — com a consequência de que não poucas mulheres sentem que o fracasso do casal em manter o equilíbrio nas contribuições para com os deveres domésticos as deixa sobrecarregadas e menosprezadas. Os cônjuges também podem configurar exceções racionais-legais, a exemplo de um contrato pré-nupcial, ou disposições em seus testamentos atribuindo heranças separadas para os filhos de casamentos anteriores.

Vinculações alternativas entre um modelo relacional e um meio ou conjunto de papéis sociais definem como as culturas se diferenciam umas das outras. Os membros de uma cultura podem permitir que a terra seja trocada ou vendida, e ficar chocados ao saber que outra sociedade faz o mesmo com noivas, e vice-versa. Em uma cultura, a sexualidade feminina pode estar sujeita à autoridade dos homens da família; em outra, a mulher é livre para partilhá-la com seu amado em uma relação comunal; em uma terceira, ela pode barganhá-la por um favor equivalente sem ser estigmatizada, um exemplo de correspondência de equidade. Em algumas sociedades, um homicídio tem de ser vingado por um parente da vítima (correspondência de equidade); em outras, pode ser compensado por uma reparação material (mercado de preços); em outras ainda, é punido pelo Estado (escalão de autoridade).

O reconhecimento de que alguém pertence a determinada cultura pode mitigar, até certo ponto, a afronta originalmente provocada pela violação de um modelo relacional. Tais violações podem até ser encaradas com humor, como em antigas comédias em que um imigrante desventurado ou um roceiro bronco tenta barganhar o preço de uma passagem de trem, apascenta suas ovelhas em um parque público ou se propõe a pagar uma dívida oferecendo a filha em casamento. A fórmula se inverte no filme *Borat*, em que o comediante Sacha Baron Cohen ridiculariza a tolerância de americanos culturalmente sensíveis para com seu comportamento ultrajante de imigrante odioso. A tolerância pode acabar, contudo, quando uma violação quebra um valor sagrado, como quando imigrantes em países ocidentais praticam a mutilação genital de mulheres, crimes de honra ou a venda de noivas menores de idade, ou quando ocidentais desrespeitam o profeta Maomé, retratando-o em romances, satirizando-o em charges de editoriais ou permitindo que escolares batizem com seu nome ursinhos de pelúcia.

Diferenças na implantação dos modelos relacionais também definem ideologias políticas.[188] O fascismo, o feudalismo, a teocracia e outras ideologias atávicas baseiam-se nos modelos relacionais primitivos da partilha comunal e do escalão de autoridade. Os interesses de um indivíduo são submergidos dentro de uma comunidade ("fascista" deriva da palavra italiana para "feixe") e a comunidade é dominada por uma hierarquia militar, aristocrática ou eclesiástica. O comunismo imaginou uma partilha comunal de recursos ("De cada um conforme sua capacidade, a cada um conforme sua necessidade"), uma correspondência de equidade dos meios de produção e um escalão de autoridade de controle político (na teoria, a ditadura do proletariado; na prática, uma *nomenklatura* de comissários sob um ditador carismático). Um tipo de socialismo populista visa a correspondência de equidade das necessidades vitais como terra, saúde, educação e cuidados com a infância. No polo oposto da escala, libertários permitiriam que as pessoas negociassem virtualmente todos os recursos no mercado de preços, inclusive órgãos humanos, bebês, saúde, sexualidade e educação.

Aninhada entre esses polos está a familiar gradação liberal-conservadora. Em muitas pesquisas, Haidt mostrou que os liberais acreditam que a moral é uma questão de prevenir o dano e estimular a equidade (valores que se alinham com a autonomia de Shweder e a correspondência de equidade de Fiske). Os conservadores dão igual peso a todos os cinco fundamentos, inclusive a lealdade intragrupo (valores como estabilidade, tradição e patriotismo), pureza / santidade (valores como propriedade, decência e religiosidade) e autoridade / respeito (valores como o respeito pela autoridade, o temor a Deus, o reconhecimento do papel dos gêneros e a obediência militar).[189] A guerra cultural americana, com seus conflitos em torno de impostos, sistema de saúde, previdência, casamento gay, aborto, o tamanho das Forças Armadas, o ensino da evolução, a profanidade da mídia e a separação entre Igreja e Estado, trava-se em grande medida em torno de diferentes concepções sobre as preocupações morais legítimas por parte do Estado. Haidt observa que os ideólogos de cada polo são capazes de enxergar o campo oposto como amoral, quando na realidade o circuito moral arde com o mesmo brilho em todos os seus cérebros, embora preenchido por pontos de vista diferentes sobre o que a moral compreende.

Antes de explicitar as conexões entre psicologia moral e violência, permita-me usar a teoria dos modelos relacionais para resolver um quebra-cabeça psicológico que foi deixado à margem em capítulos anteriores. Muitos avanços morais assumiram a forma de mudança nas sensibilidades, que fazia as ações parecerem mais ridículas que pecaminosas, como no caso de duelos, touradas e guerras chauvinistas. E muitos críticos sociais efetivos, como Jonathan Swift, Samuel Johnson, Voltaire, Mark Twain, Oscar Wilde, Bertrand Russell, Tom Lehrer e George Carlin foram mais comediantes sabichões do que profetas bombásticos. O que em nossa psicologia faz a piada ser mais poderosa que a espada?

O humor funciona confrontando seu público com uma incongruência, que pode ser resolvida modificando o quadro de referência. E nesse quadro alternativo de referência o alvo da piada passa a ocupar um lugar subalterno ou pouco digno.[190] Quando Woody Allen diz: "Tenho muito orgulho do meu relógio de ouro; meu avô o vendeu para mim em seu leito de morte", os ouvintes a princípio se surpreendem de que uma relíquia emocionalmente preciosa seja vendida e não dada, particularmente por alguém que não pode se beneficiar da venda. Então eles compreendem que o personagem de Woody Allen é mal-amado e vem de uma família de venais excêntricos. Muitas vezes o primeiro quadro de referência, que estabelece a incongruência, consiste em um modelo relacional prevalecente, e, para entender a piada, o público precisa tomar distância dele, tal como na passagem da partilha comunal para o mercado de preços no gracejo de Woody Allen.

O humor com conteúdo político ou moral pode sub-repticiamente desafiar um modelo relacional que seja uma segunda natureza de um público, ao forçá-lo a ver que ele conduz a consequências que o resto de sua mente rejeita como absurdas. A disposição de Rufus T. Firefly para declarar uma guerra em resposta a um insulto totalmente imaginário em *Diabo a quatro* desconstrói a identidade de *grandeur* nacional do escalão de autoridade, e foi apreciada em uma época na qual a imagem da guerra se deslocava de algo emocionante e glorioso para um desperdício idiota. A sátira também serviu como um acelerador de mudanças sociais recentes, como, nos anos 1960, a representação de racistas e sexistas como brutamontes pré-históricos e dos falcões da Guerra do Vietnã como psicopatas sanguinários. A União Soviética e seus satélites também alimentaram uma profunda corrente satírica subterrânea, como nesta definição das ideologias da Guerra Fria: "O capitalismo é a exploração do homem pelo homem; o comunismo é exatamente o contrário".

Conforme a escritora do século XVIII Mary Wortley Montagu, "a sátira deve, como uma brilhante e sutil lâmina de navalha/ Ferir com um toque que mal se sente ou vê". Mas sátiras são amiúde mais brilhantes que sutis, e os objetos de um gracejo devem estar todos muito advertidos sobre o poder subversivo do humor. Estes podem reagir com uma raiva que é espicaçada pelo insulto intencional a um valor sagrado, pela erosão de sua dignidade e pela compreensão de que o riso indica a percepção pública de ambos. Os protestos mortíferos provocados por charges editoriais do jornal dinamarquês *Jyllands-Posten* (por exemplo, uma que mostrava Maomé no paraíso, recepcionando homens-bomba recém-chegados com um "Parem, estamos com falta de virgens!"), em 2005, mostram que, quando se trata de minar deliberadamente um modelo relacional sagrado, o humor não é brincadeira.

Como os modelos relacionais que compõem o senso moral admitem os vários tipos de violência que as pessoas sentem como moralmente legítimas? E qual grau de liberdade permite que as sociedades reduzam a violência moralista, ou, melhor ainda, transformem-na em seu contrário? Todos os modelos relacionais convidam à punição moral das pessoas que violem suas regras de comportamento. Mas cada modelo admite também um tipo distinto de violência.[191]

Os seres humanos, observa Fiske, precisam evitar a relação com terceiros que não use qualquer um dos modelos, um estado que ele chama de relação nula ou associal. Pessoas que não se encaixam em um modelo relacional são *desumanizadas*: são vistas como carentes das características essenciais da natureza humana e tratadas, efetivamente, como objetos inanimados que podem ser ignorados, explorados ou predados à vontade.[192] Uma relação associal, portanto, arma a cena para a violência predatória de conquista, estupro, assassinato, infanticídio, bombardeio estratégico, expulsão colonial e outros crimes de conveniência.

Colocar outras pessoas sob a égide de um modelo relacional impõe pelo menos algumas obrigações que levem em conta os interesses destas. A partilha comunal tende intrinsecamente à simpatia e ao afeto — mas apenas para os membros do grupo. Nick Haslam, colaborador de Fiske, argumentou que a partilha comunal pode levar a um segundo tipo de desumanização: não a desumanização *mecânica*, de uma relação associal, mas uma desumanização *animalesca*, que nega aos forasteiros os traços que são normalmente percebidos como unicamente humanos, como razão, individualidade, autocontrole, moralidade e cultura.[193] Esses forasteiros são tratados não tanto com indiferença ou insensibilidade, mas com repulsa ou desprezo. A partilha comunal pode encorajar essa desumanização, pois as pessoas excluídas são vistas como carentes da essência pura e sagrada que une os membros da tribo, e portanto ameaçam poluí-la com seus contaminadores animais. Portanto a partilha comunal, apesar de todas as suas conotações carinhosas, apoia a mentalidade que se encontra por trás das ideologias genocidas baseadas na tribo, na raça, na etnia e na religião.

O escalão de autoridade também tem dois lados. Ele proporciona responsabilidade paternal ao proteger e apoiar os subordinados de alguém, e isso pode ser a base do Processo de Pacificação em que senhores feudais protegem seus seguidores contra a violência externa. De modo semelhante, o modelo fornece as racionalizações morais empregadas por senhores de escravos, potentados coloniais e déspotas benevolentes. Mas o escalão de autoridade também justifica um violento castigo para insolência, insubordinação, desobediência, traição, blasfêmia, heresia e lesa-majestade. Quando se une à partilha comunal, ele justifica a violência de um grupo contra outro, inclusive conquistas imperiais e chauvinistas e a submissão de subordinados, sejam castas, colônias ou escravos.

Mais benevolente é a obrigação de intercâmbio recíproco no modelo de correspondência de equidade, que atribui a cada elemento uma participação na continuidade da existência e do bem-estar dos outros. A correspondência de equidade também estimula um pouco do assumir a perspectiva, que, como já vimos, pode se converter em simpatia genuína. O efeito pacificador do comércio entre indivíduos e nações pode depender de uma mentalidade em que os parceiros mercantis, mesmo que não se amem verdadeiramente, ao menos se estimam. Por outro lado, a correspondência de equidade proporciona a justificação para represálias: um olho por um olho, um dente por um dente, uma vida por uma vida, sangue por sangue. Como vimos no capítulo 8, mesmo nas sociedades modernas as pessoas podem conceber a punição criminal como castigo justo em lugar de uma dissuasão específica.[194]

O raciocínio racional-legal, extensão do repertório moral em sociedades dotadas de letramento e numeração, não acrescenta suas próprias instituições ou emoções, e por si só não incentiva nem desencoraja a violência. Embora todas as pessoas sejam explicitamente dotadas e asseguradas do domínio sobre seus corpos e propriedades, a busca do lucro amoral em uma economia de mercado pode desembocar em mercados de escravos, tráfico humano e a abertura de mercados estrangeiros com canhoneiras. E o desenvolvimento de ferramentas quantitativas pode ser usado para maximizar os índices de matança nas condições de uma guerra high-tech. Contudo, como vimos, o raciocínio racional-legal pode ser posto a serviço de uma moralidade humanitária que calcula o bem maior para o maior número de pessoas e aquilata o montante de força policial e militar minimamente necessário para reduzir o montante agregado da violência.[195]

Quais são, então, as mudanças históricas na psicologia moral que encorajaram reduções na violência tais como as da Revolução Humanitária, da Longa Paz, da Nova Paz e das Revoluções por Direitos?

O sentido da mudança nos modelos prevalecentes é suficientemente claro. "No decorrer dos três últimos séculos e por todo o mundo", observam Fiske e Tetlock, "houve uma tendência em rápida aceleração dos sistemas sociais em seu conjunto no sentido de se deslocarem da partilha comunal e escalão de autoridade para a correspondência de equidade e mercado de preços."[196] E caso usemos os dados de pesquisas do capítulo 7 como indicador de que os sociais-liberais estão no posto de liderança em atitudes que ao final arrastam igualmente os sociais-conservadores, então os dados de Haidt sobre preocupações morais de liberais e conservadores contam a mesma história. A julgar pela importância de preocupações morais, lembremos, os sociais-liberais dão pouco peso à lealdade intragrupo e à pureza/santidade (que Fiske agrupa na partilha comunal), assim como à autoridade/respeito. Em contraste, investem todo o seu interesse em cuidado com danos e equidade/reciprocidade. Os socialmente conservadores distribuem seu portfólio moral por todos os cinco fundamentos.[197] A tendência para o social-liberalismo, portanto, é uma tendência para afastar-se dos valores comunais e autoritários, e aproximar-se dos valores baseados em equidade, justiça, autonomia e direitos legalmente assegurados. Embora tanto liberais como conservadores possam negar que tais inclinações ocorram, consideremos o fato de que nenhum político da corrente principal conservadora hoje invocaria a tradição, a autoridade, a coesão ou a religião para justificar a prática da segregação racial, a manutenção das mulheres à margem da força de trabalho ou a criminalização da homossexualidade, argumentos que empregavam há apenas umas poucas décadas.[198]

Por que pode um desinvestimento em recursos morais da comunidade, da santidade e da autoridade militar contra a violência? Um motivo é que a comunalidade pode legitimar o tribalismo e o chauvinismo, e a autoridade, fazer o mesmo com a repressão governamental. Mas uma razão mais geral é que a restrição do senso moral a territórios menores redunda em menos transgressões pelas quais as pessoas possam ser legitimamente punidas. Existe um leito comum da moralidade, baseado na autonomia e na equidade, que conta com a concordância de todos, tradicionais e modernos, liberais e conservadores. Ninguém se opõe a usar a violência do governo para pôr assaltantes, estupradores e assassinos na cadeia. Mas os defensores da moralidade tradicional gostariam de empilhar muitas infrações não violentas por cima dessa camada consensual, como homossexualidade, licenciosidade, blasfêmia, heresia, indecência e profanação de símbolos sagrados. Para sua desaprovação moral ter poder, os tradicionalistas precisam que o Leviatã puna esses transgressores também. Expurgar tais ofensas dos códigos legais deixa às autoridades menos áreas para reprimir, algemar, espancar, encarcerar ou executar pessoas.

A dinâmica das normas sociais em direção ao mercado de preços causa arrepios em muita gente, mas poderia, com seus prós e contras, impulsionar a tendência para a não violência. Libertários radicais, que amam o modelo do mercado de preços, descriminalizariam a prostituição, a posse de drogas e o jogo, esvaziando dessa forma as prisões de milhões de pessoas hoje mantidas ali pela força (para não falar de dar a cáftens e traficantes o tratamento dado aos gângsteres da lei seca). A progressão no sentido da liberdade pessoal levanta a questão de se é moralmente *desejável* negociar uma medida de violência sancionada pela sociedade por uma medida de comportamento que muita gente julga intrinsecamente errada, como a blasfêmia, a homossexualidade, o uso de drogas e a prostituição. Mas a questão é exatamente esta: certo ou errado, o recuo do senso moral, de suas esferas tradicionais de comunidade, autoridade e pureza, acarreta uma redução da violência. E essa retração é precisamente a agenda do liberalismo clássico: uma libertação dos indivíduos da força tribal e autoritária, assim como uma tolerância para com as opções pessoais, desde que não interfiram na autonomia e no bem-estar dos outros.

O direcionamento histórico da moralidade em sociedades modernas não é apenas para longe da comunalidade e da autoridade, mas no sentido da organização racional-legal, e também isso é um desenvolvimento pacificador. Fiske nota que a moralidade utilitária, cuja meta é assegurar o bem maior para o maior número, é um caso paradigmático de modelo de mercado de preços (este, por sua vez, um caso especial da mentalidade racional-legal).[199] Lembremos que foi o utilitarismo de Cesare Beccaria que levou à reengenharia da punição criminal, de uma fome primitiva de retribuição para uma política calibrada de dissuasão. Jeremy Bentham usou o raciocínio utilitarista para solapar as racionalizações sobre a punição de homossexuais e os maus-tratos contra animais, e John Stuart Mill empregou-o em uma precoce defesa do feminismo. Os movimentos de reconciliação nacional dos anos 1990, em que Nelson Mandela, Desmond Tutu e outros pacificadores renunciaram a uma justiça retribuitiva intragrupo por um coquetel de comissão da verdade, anistia e punição ponderada dos perpetradores mais atrozes, foi outra realização da redução da violência por meio de uma proporcionalidade calculada. Diga-se o mesmo da política de responder a provocações internacionais com sanções econômicas e táticas de contenção em lugar de ataques retaliatórios.

Caso as recentes teorias de psicologia moral estejam no rumo correto, então as intuições de comunidade, autoridade, sagrado e tabu provavelmente estarão sempre conosco enquanto partes da natureza humana, mesmo que tentarmos confiscar sua influência. Isso não é necessariamente motivo de alarme. Modelos relacionais podem ser combinados e integrados, e o modelo racional-legal, que objetiva minimizar a violência de conjunto, pode desalojar estrategicamente os outros modelos mentais por meios benignos.[200]

Se a versão da partilha comunal vincula-se à fonte da vida humana e aplica-se a uma comunidade constituída por toda a espécie em vez de uma família, tribo ou nação, ela pode servir como embasamento do princípio abstrato dos direitos humanos. Somos todos uma só grande família, e ninguém no seio dela pode usurpar a vida ou a liberdade de quem quer que seja. O escalão de autoridade pode admitir o monopólio estatal do uso da força com o objetivo de prevenir uma violência maior. E a autoridade do Estado sobre os cidadãos pode ser incorporada em outros níveis de autoridade sob a forma de freios e contrapesos democráticos, como quando o presidente pode vetar as leis do Parlamento, mas ao mesmo tempo o Parlamento pode usar o impeachment e destituí-lo. Valores sagrados, e os tabus que os protegem, podem ser acoplados a elementos que escolhamos como genuinamente preciosos, como a vida identificável, as fronteiras nacionais e a não utilização de armas químicas e nucleares.

Um redirecionamento engenhoso da psicologia do tabu a serviço da paz foi exposto recentemente por Scott Atran, trabalhando com os psicólogos Jeremy Ginges e Douglas Medin e o cientista político Khalil Shikaki.[201] Teoricamente, negociações de paz deveriam ocorrer dentro dos quadros do mercado de preços.

Um excedente é gerado quando os adversários baixam as armas — o chamado dividendo da paz — e os dois lados concordam em dividi-lo. Cada lado cede em relação a suas demandas máximas para usufruir de uma parte desse excedente, que é maior do que o que ele obteria caso deixasse a mesa de negociações e pagasse o preço de continuar o conflito.

Desafortunadamente, a mentalidade do sagrado e do tabu pode confundir os mais bem concebidos planos de negociadores racionais. Se na cabeça de um dos antagonistas um dado valor é sagrado, então tem valor infinito e não pode ser trocado por bem algum, exatamente como alguém não pode vender seu filho por bem algum. As pessoas inflamadas pelo fervor nacionalista e religioso consideram sagrados certos valores, como a soberania sobre uma terra santa ou o reconhecimento de antigas atrocidades. Comprometê-los em nome da paz ou da prosperidade é um tabu. A simples ideia de fazê-lo desmascara o pensador como um traidor, um *quisling*,* um mercenário, uma prostituta.

Em um ousado experimento, os pesquisadores não se contentaram com a amostragem usual de conveniência, com algumas dezenas de estudantes de graduação que preenchem questionários para ganhar uns trocados. Eles investigaram atores reais na disputa israelo-palestina: mais de seiscentos colonos judeus na Cisjordânia, mais de quinhentos refugiados palestinos e mais de setecentos estudantes palestinos, metade dos quais identificada com o Hamas ou a Jihad Islâmica da Palestina. A equipe não teve dificuldade em identificar, dentro de cada grupo, os fanáticos que encaravam suas próprias reivindicações como valores sagrados. Quase metade dos colonos israelenses indicou que jamais seria concebível que o povo judeu renunciasse a uma parte da Terra de Israel, inclusive a Judeia e a Samaria (que compõem a Cisjordânia), não importando qual fosse a recompensa. Entre os palestinos, mais da metade indicou ser inadmissível um compromisso sobre a soberania de Jerusalém, qualquer que fosse a recompensa, e 80% dos refugiados rejeitaram qualquer compromisso sobre o "direito de retorno" dos palestinos a Israel.

Os pesquisadores dividiram cada grupo em três e apresentaram-lhes um acordo de paz hipotético, que exigia de cada parte que cedesse em um valor sagrado. O acordo era uma solução de dois Estados, em que os israelenses se

* De Vidkun Quisling, governante fantoche da Noruega sob a ocupação nazista, cujo nome tornou-se sinônimo de colaboracionismo. (N. T.)

retirariam de 99% da Cisjordânia e da Faixa de Gaza, mas não teriam de absorver os refugiados palestinos. Sem surpresas, a proposta não avançou satisfatoriamente. Os absolutistas de ambos os lados reagiram com ira e repugnância, dizendo que se necessário recorreriam à violência em oposição ao acordo.

No caso de um terço dos participantes, o acordo era suavizado por uma compensação em dinheiro vivo dos Estados Unidos e da União Europeia, algo como 1 bilhão de dólares anuais durante cem anos, ou uma garantia de que as pessoas viveriam em paz e prosperidade. Com tais suavizantes em pauta, os não absolutistas, como era de esperar, abrandaram um pouco sua oposição. Mas os absolutistas, defrontados com a expectativa da transação com um tabu, mostraram-se ainda *mais* repugnados, coléricos e preparados para recorrer à violência. É nisso que dá a concepção do ator racional no comportamento humano, quando se trata de um conflito político-religioso.

Tudo isso seria realmente deprimente se não fosse por uma observação de Tetlock, de que muitos valores ostensivamente sagrados são na verdade pseudossagrados, e podem ser negociados caso o compromisso com o tabu seja nitidamente redefinido. Na terceira variante do hipotético acordo de paz, agregava-se à solução de dois Estados uma declaração puramente simbólica por parte do inimigo, abdicando de um de *seus* valores sagrados. No acordo apresentado aos colonos israelenses, os palestinos "renunciariam a qualquer exigência do direito de retorno que é sagrado para eles", ou "seriam chamados a reconhecer o direito histórico e legítimo do povo judeu a Eretz Israel". No acordo apresentado aos palestinos, Israel "seria chamado a reconhecer o histórico e legítimo direito dos palestinos a seu próprio Estado e a desculpar-se por todos os males causados ao povo palestino", ou "renunciaria ao que acredita ser seu sagrado direito sobre a Cisjordânia", ou ainda "simbolicamente reconheceria a legitimidade histórica do direito de retorno" (embora não o efetivando na prática). O palavreado fez diferença. Ao contrário das ofertas de dinheiro ou de paz, a concessão simbólica de um valor sagrado por parte do inimigo, especialmente quando reconhece um valor sagrado do lado oposto, reduziu a cólera absolutista, sua ojeriza e disposição para a violência. As concessões não reduziram os absolutistas à minoria em seus respectivos campos, mas as proporções foram grandes o bastante para ter potencialmente revertido os resultados das eleições nacionais que se seguiram.

São profundas as implicações dessa manipulação da psicologia moral das pessoas. Encontrar *alguma coisa* que abrande a oposição de fanáticos israelenses e palestinos ao que o resto do mundo reconhece como a única solução viável para o conflito é algo que se aproxima de um milagre. As ferramentas-padrão dos experts diplomáticos, que encaram os litigantes como atores racionais e operam com os custos e benefícios de um acordo de paz, podem sair pela culatra. Então eles deveriam tratar os litigantes como atores *moralistas*, e operar com o contorno simbólico do acordo de paz, caso desejem que se faça um pouco de luz. O senso moral humano nem sempre é um obstáculo à paz, mas pode sê-lo quando se dá rédea solta à mentalidade do sagrado e do tabu. Apenas quando essa mentalidade é redirecionada sob a égide de objetivos racionais ela pode conduzir a um resultado que possa realmente ser chamado de moral.

Quais causas exógenas estão deslocando as instituições morais para longe da comunidade, da autoridade e da pureza, na direção da equidade, da autonomia e da racionalidade?

Uma força óbvia é a mobilidade geográfica e social. As pessoas já não se confinam nos pequenos mundos da família, da aldeia e da tribo, onde a conformidade e a solidariedade são essenciais à vida diária, e o ostracismo e o exílio são uma forma de morte social. Elas podem buscar fortuna em outros círculos, que as expõem a concepções de mundo alternativas e as introduzem em uma moralidade mais ecumênica, que gravita em torno mais dos direitos dos indivíduos que da veneração chauvinista de um grupo.

Pela mesma ótica, sociedades abertas, onde o talento, a ambição e a sorte podem deslocar as pessoas da situação em que nasceram, são menos propensas a ver o escalão de autoridade como uma lei natural inviolável, e mais predispostas a enxergá-lo como um artefato histórico ou um legado da injustiça.

Quando indivíduos diferentes se misturam, comerciam entre si e são incorporados em equipes profissionais ou sociais que cooperam por um objetivo unificador, suas intuições de pureza podem se diluir. Um exemplo, mencionado no capítulo 7, é a maior tolerância para com a homossexualidade entre pessoas que conhecem pessoalmente homossexuais. Haidt assinala que quando se dá um zoom no mapa eleitoral dos Estados Unidos, passando da divisão genérica em estados vermelhos e estados azuis para a divisão mais detalhada entre *condados* vermelhos e azuis, descobre-se que os condados azuis, representando as regiões que votaram no candidato presidencial mais liberal, alinham-se com o litoral e as principais hidrovias. Antes do advento dos aviões e das rodovias interestaduais, esses eram os lugares onde as pessoas e suas ideias se misturavam mais facilmente. Essa vantagem original fez deles entroncamentos de transporte, comércio, mídia, pesquisa e educação, e hoje eles continuam a ser zonas francas pluralistas — e liberais. Embora o liberalismo político estadunidense não seja de forma alguma o mesmo que o liberalismo clássico, os dois se sobrepõem em sua avaliação das esferas morais. A microgeografia do liberalismo sugere que a tendência moral para afastar-se da comunidade, da autoridade e da pureza é de fato um efeito da mobilidade e do cosmopolitismo.[202]

Outro subversor da comunidade, da autoridade e da pureza é o estudo objetivo da história. A mentalidade da comunidade, observa Fiske, concebe os grupos como eternos: o grupo é unido por uma essência imutável, e suas tradições remontam à aurora dos tempos.[203] Os escalões de autoridade também são naturalmente retratados como eternos. Foram ordenados pelos deuses, ou são inerentes a uma vasta cadeia dos seres que organiza o universo. Ambos os modelos ostentam uma pureza e uma nobreza permanentes como parte de sua natureza essencial.

Nesse tecido de racionalizações, um historiador autêntico é tão bem recebido quanto um gambá em uma festa no jardim. Donald Brown, antes de embarcar em sua pesquisa sobre a universalidade humana, quis explicar por que os hinduístas da Índia tinham tão pouca produção acadêmica séria, ao contrário das civilizações vizinhas da China.[204] As elites de uma sociedade de castas hereditárias, suspeitava ele, consideravam que nada de bom poderia vir de acadêmicos bisbilhotando em arquivos onde poderiam tropeçar com evidências que solapariam sua pretensão de descenderem de heróis e deuses. Brown examinou 25 civilizações da Ásia e da Europa, verificando que aquelas estratificadas em classes hereditárias favoreciam o mito, a legenda e a hagiografia, enquanto desencorajavam a história, as ciências naturais, a biografia, os retratos realistas e a educação uniforme. Mais recentemente, os movimentos nacionalistas dos séculos XIX e XX recrutaram quadros de aluguel para escrever histórias de encomenda sobre os valores imemoriais e o passado glorioso de suas nações.[205] A partir dos anos 1960, muitas democracias foram traumatizadas por obras historiográficas revisionistas que expunham suas raízes precárias e suas sórdidas iniquidades. O declínio do patriotismo, do tribalismo e da confiança em hierarquias é em parte um legado da nova historiografia. Muitas batalhas entre liberais e conservadores continuam a ser travadas em torno de currículos escolares e mostras de museus.

Embora o fato histórico seja o melhor antídoto para a legenda em interesse próprio, projeções imaginosas da ficção também podem reorientar o senso moral de um público. Os protagonistas de muitos enredos já se defrontaram com conflitos entre uma moralidade definida por lealdade, obediência, patriotismo, dever, lei ou convenção, em contraste com a conduta que é moralmente defensável. No filme *Rebeldia indomável*, de 1967, um guarda de presídio está a ponto de castigar Paul Newman, trancando-o em um cubículo sufocante, quando explica: "Sinto muito, Luke, estou apenas fazendo meu serviço. Você vai apreciar". E Luke replica: "Não, chefe, chamar isso de serviço não vai torná-lo certo".

Menos frequentemente, um escritor pode abalar seus leitores ao mostrar-lhes que a própria consciência pode ser um guia não confiável sobre o que é certo. Huckleberry Finn, enquanto desce o Mississippi de barco, é subitamente atormentado pela culpa por ter ajudado o escravo Jim a escapar de sua proprietária legítima e fugir para um estado livre.*

> Jim falava em voz alta enquanto eu me recriminava comigo mesmo. Ele ia dizendo que a primeira coisa que ia fazer quando chegasse a um estado livre seria guardar dinheiro e jamais gastar um único *cent*, e quando tivesse o bastante ele iria comprar sua mulher, que se encontrava em uma fazenda perto de onde morava Miss Watson; e então eles dois iriam trabalhar para comprar os dois filhos, e se o dono deles não quisesse vendê-los, achariam um abolicionista para ir lá e roubá-los.
>
> Eu gelei de ouvir aquela conversa [...]. Pensava que era no que dava minha imprevidência. Ali estava aquele negro, que eu tinha ajudado a fugir, fincando pé e dizendo que iria roubar seus filhos — filhos que pertenciam a um homem que eu nunca tinha conhecido; um homem que nunca tinha me feito mal [...].
>
> Minha consciência começou a me atormentar mais ardentemente do que nunca, até que eu disse a ela: "Pode bater — ainda não é tarde demais — assim que eu avistar a luz de uma casa, desço em terra e conto". [...] Logo todos os meus tormentos tinham ido embora. Comecei a me esforçar por achar uma luz, como se estivesse cantando para mim. Por fim apareceu uma [...].
>
> [Jim] saltou e deixou a canoa preparada, pôs seu velho paletó no fundo para que eu sentasse em cima, deu-me o remo; e quando empurrei o barco ele disse: "Daqui a pouquinho vou poder gritar de alegria, e vou dizer, tudo por causa do Huck; sou um

* Estado livre: antiescravagista, nos Estados Unidos de antes da guerra civil. (N. T.)

homem livre e nunca seria livre se não fosse pelo Huck; Huck fez isso. Jim nunca vai esquecer você, Huck; você é o melhor amigo que Jim já teve; você é o ÚNICO amigo que Jim já teve".

Eu ia remando, banhado em suor, para delatar Jim; mas quando ele disse aquilo, pareceu que tudo se enrolava sobre mim.

Nessa passagem de cortar o coração, uma consciência guiada por princípios, reciprocidade e simpatia por um estranho empurra Huck na direção errada, e um momentâneo empurrão de sua simpatia por um amigo (reforçado na mente do leitor por uma concepção de direitos humanos) coloca-o no caminho certo. É talvez o mais refinado retrato da vulnerabilidade do senso moral humano ante convicções rivais, a maioria das quais moralmente erradas.

RAZÃO

A razão parece ter caído em tempos difíceis. A cultura popular está afundando em novas profundezas de burrice e o discurso político americano tornou-se uma corrida para ver quem desce mais.[206] Estamos vivendo uma era de criacionismo científico, imposturas New Age, teorias da conspiração sobre o Onze de Setembro, linhas diretas psíquicas e fundamentalismo religioso ressurgente.

Como se a proliferação da irracionalidade não fosse ruim o bastante, muitos comentaristas vêm utilizando seus poderes racionais para argumentar que a razão é superestimada. Durante a lua de mel que se seguiu à posse de George W. Bush em 2001, editorialistas opinaram que um grande presidente não precisa ser inteligente, pois um bom coração e uma limpidez moral inabalável são superiores às triangulações e aos equívocos dos mandarins hiperinstruídos. Afinal de contas, disseram, foram os melhores e mais brilhantes dos educados em Harvard que arrastaram os Estados Unidos para o atoleiro do Vietnã. "Teóricos críticos" e pós-modernistas, à esquerda, e defensores da religião, à direita, concordam em uma coisa: que as duas guerras mundiais e o Holocausto foram a maçã envenenada do cultivo ocidental da ciência e da razão desde o Iluminismo.[207]

Mesmo os cientistas estão exagerando. Os seres humanos são guiados por suas paixões, dizem muitos psicólogos, e dispõem seus raquíticos poderes no campo da razão apenas para racionalizar seus sentimentos viscerais a posteriori.

Economistas behavioristas exultam ao mostrar o quanto o comportamento humano se afasta da teoria do ator racional e os jornalistas que publicam seu trabalho não perdem oportunidade para espalhar a teoria. A implicação é que, já que a irracionalidade é inevitável, podemos perfeitamente relaxar e aproveitar.

Nesta seção, a última do capítulo, tentarei convencê-lo, leitor, de que tanto a afirmação pessimista sobre o estado da razão no mundo como qualquer sentimento de que isso não seria tão mau assim se equivocam. Com todas as suas tolices, as sociedades modernas têm se tornado mais sagazes e, mantidas inalteradas todas as outras coisas, um mundo mais inteligente é um mundo menos violento.

Antes de retornarmos a essa indicação, permita-me afastar alguns dos preconceitos contra a razão. Agora que o presidente George W. Bush se foi, a teoria de que estamos melhor com líderes não intelectualizados tornou-se simplesmente embaraçosa, e as razões do embaraço podem ser quantificadas. Medir as características psicológicas de personalidades públicas, com certeza, é um procedimento com uma história imprecisa, mas o psicólogo Dean Simonton desenvolveu vários processos de mensuração historiométrica que são confiáveis e válidos (no sentido técnico psicométrico do termo) e politicamente imparciais.[208] Ele analisou dados de 42 presidentes, de George Washington a George W. Bush, e concluiu que tanto a inteligência propriamente dita como a abertura para novas ideias e valores estão significativamente relacionadas com a performance presidencial, tal como esta foi avaliada por historiadores não tendenciosos.[209] Embora Bush pessoalmente esteja bem acima da média da população em inteligência, é o terceiro mais mal colocado entre os presidentes e o último em abertura para a experimentação, com um imbatível escore de 0,0 em uma escala de zero a cem. Simonton publicou sua obra em 2006, quando Bush ainda estava no cargo, mas as três pesquisas de historiadores concluídas desde então corroboram a estimativa: Bush foi classificado em 37º, 36º e 39º entre os 42 presidentes.[210]

Quanto ao Vietnã, a indicação de que os Estados Unidos teriam evitado a guerra caso os assessores de Kennedy e Johnson fossem menos inteligentes parece improvável à luz do fato de que, depois que eles deixaram a cena, a guerra foi ferozmente travada por Richard Nixon, que não era nem o melhor nem o mais brilhante.[211] A relação entre inteligência presidencial e guerra também pode ser quantificada. Entre 1946 (quando começam os dados do Peace Research Institute of Oslo — Prio) e 2008, o QI dos presidentes correlaciona-se negativamente com o número de mortos em combate em guerras envolvendo os Estados Unidos durante seu governo, com um coeficiente de –0,45.[212] Seria possível dizer que, para cada ponto a mais no QI presidencial, menos 13 440 pessoas morreram em combate, embora seja mais rigoroso afirmar que os três presidentes mais sagazes, Kennedy, Carter e Clinton, afastaram o país de guerras destrutivas.

A ideia de que o Holocausto foi um produto do Iluminismo é ridícula, se não obscena. Como vimos no capítulo 6, o que mudou no século XX não foi tanto a ocorrência de genocídios, mas o reconhecimento de que o genocídio é algo ruim. As armadilhas tecnológicas e burocráticas do Holocausto são um espetáculo à parte na contagem dos custos humanos e desnecessárias para a perpetração do assassinato em massa, como nos lembram os machetes ensanguentados do genocídio ruandês. A ideologia nazista, tal como os movimentos nacionalistas, romântico-militaristas e comunistas da mesma era, foi fruto do Contrailuminismo do século XIX, fora da linha de pensamento que conecta Erasmo, Bacon, Hobbes, Espinosa, Locke, Hume, Kant, Bentham, Jefferson, Madison e Mill. As pretensões científicas do nazismo eram pseudociência risível, como a ciência real provou com facilidade. Em um brilhante ensaio recente, o filósofo Yaki Menschenfreund analisa a teoria de que a racionalidade iluminista é responsável pelo Holocausto:

> É impossível compreender uma política tão destrutiva sem reconhecer que a ideologia nazista era, em sua maior parte, não apenas irracional — mas antirracional. Ela valorizava o passado pagão, pré-cristão, da nação alemã, adotava ideias românticas de retorno à natureza e a uma existência mais "orgânica" e alimentava uma expectativa apocalíptica sobre um fim dos dias em que a eterna luta entre as raças se resolveria [...]. O desprezo pelo racionalismo e sua associação com o desdenhado Iluminismo estava no âmago do pensamento nazista; os ideólogos do movimento enfatizavam a contradição entre a *Weltanschauung* ("visão de mundo"), a experiência natural e direta das coisas, e o *Welt-an-denken* ("pensamento sobre o mundo"), a atividade intelectual "destrutiva" que rebaixa a realidade através da conceituação, do cálculo e da teorização. Contra a "degenerada" adoração liberal-burguesa da razão, os nazistas advogavam a ideia de uma existência vital, espontânea, não ofuscada nem estorvada por compromissos ou dilemas.[213]

Por fim, consideremos a sugestão de que a razão é incapaz de competir com a força muscular das emoções, uma pequena parte que tenta assumir o controle do todo. Os psicólogos David Pizarro e Paul Bloom argumentaram que essa é uma interpretação excessiva dos fenômenos laboratoriais de uma estupefação moral e outras reações viscerais diante de dilemas morais.[214] Mesmo que uma decisão seja guiada pela intuição, a própria intuição pode ser o legado de um raciocínio moral que ocorreu previamente, seja em meditações privadas, conversas à mesa de jantar ou através da assimilação de normas derivadas de debates anteriores. Estudos de caso revelam que, em momentos críticos de uma vida pessoal (como a decisão de uma mulher de fazer um aborto) ou da história de uma sociedade (como as lutas por direitos civis, das mulheres e dos gays, ou a participação nacional em uma guerra), as pessoas podem ser consumidas por reflexões e deliberações aflitivas. Já vimos muitas transformações morais históricas originadas em esmerados esforços intelectuais, que por seu turno se defrontavam com refutações furiosas. Uma vez que o debate se consumava, o lado vencedor se entrincheirava na sensibilidade das pessoas e apagava seus próprios rastros. Hoje, por exemplo, as pessoas devem ficar perplexas se lhes perguntarem se devíamos queimar hereges, manter escravos, chicotear crianças ou quebrar os ossos de criminosos em rodas de tortura, embora esses mesmíssimos debates tenham acontecido alguns séculos atrás. Vimos até uma base neuroanatômica para o intercâmbio entre intuição e raciocínio nos estudos de Joshua Greene sobre o problema do vagão, vistos em um scanner cerebral: cada uma dessas faculdades morais tem eixos neurobiológicos distintos.[215]

Quando Hume escreveu a famosa passagem "A razão é, e deve ser, apenas a escrava das paixões", ele não estava aconselhando as pessoas a apertar o gatilho, perder as estribeiras ou cair de cabeça no esquema de Mr. Wrong.[216] Ele estava basicamente estabelecendo a noção lógica de que a razão, por si só, é apenas um meio para se passar de uma proposição verdadeira para outra, sem se deter nos valores dessas proposições. Entretanto, existem muitos motivos para que a razão, trabalhando em conjunção com "alguma partícula da pomba misturada em nossa estrutura", tenha de "dirigir as determinações de nossa mente e, onde tudo o mais seja igual, produzir uma tranquila preferência por aquilo que seja útil e aproveitável para a humanidade, acima do que seja pernicioso e perigoso". Consideremos algumas das vias pelas quais se espera que a aplicação da razão possa reduzir os índices de violência.

A sequência cronológica em que a Revolução Científica e a Idade da Razão precedem a Revolução Humanitária nos lembra uma grande causa, aquela captada por Voltaire, de que absurdos conduzem a atrocidades. Uma desmistificação de asneiras — como a ideia de que os deuses reclamam sacrifícios, bruxas lançam feitiços, hereges vão para o inferno, judeus envenenam poços, animais não sentem, crianças são possuídas pelo demônio, africanos são brutos e reis governam por direito divino — é um passo para derrubar muitas razões pró-violência.

O segundo efeito pacificador do exercício da faculdade da razão é que este caminha lado a lado com o autocontrole. Lembremos que os dois traços estão estatisticamente vinculados nos indivíduos e que seus substratos psicológicos se sobrepõem no cérebro.[217] É a razão — ao deduzir as consequências a longo prazo de uma ação — que fornece a alguém os motivos para controlar a si mesmo.

Mais ainda, o autocontrole vai além de simplesmente evitar escolhas precipitadas que prejudicarão o futuro de quem as faz. Ele também pode significar a supressão de alguns de nossos instintos básicos por motivos que estamos mais capacitados a justificar. Técnicas de laboratório sutis, como a mensuração de em quanto tempo alguém associa rostos brancos ou negros com palavras como "bom" e "mau", ou experimentos de neuroimagem capazes de monitorar a atividade da amígdala, mostraram que muitos brancos apresentam pequenas reações viscerais negativas a afro-americanos.[218] Entretanto, a enorme mudança nas atitudes explícitas em relação a afro-americanos, que vimos nas figuras 7.6, 7.7 e 7.8, e a evidente cortesia com que brancos e negros vivem e trabalham juntos atualmente mostram que as pessoas conseguem permitir que seu melhor julgamento suplante os preconceitos.

O raciocínio também pode interagir com o senso moral. Cada um dos quatro modelos relacionais dos quais brotam os impulsos morais traz um estilo de raciocínio particularmente seu. Cada um desses modos de raciocinar pode ser acompanhado em uma escala matemática, e é implementado por uma família diferenciada de intuições cognitivas.[219] A partilha comunal pensa em categorias do estilo tudo-ou-nada (também chamadas escala nominal): ou uma pessoa está dentro do grupo consagrado ou está fora. A mentalidade cognitiva é a da biologia intuitiva, com suas essências puras e potenciais contaminações. O escalão de autoridade usa uma escala ordinal: a linha de uma hierarquia de dominação. Seu aparato cognitivo é uma física intuitiva de espaço, força e tempo: os indivíduos mais bem colocados são considerados maiores, mais fortes, mais altos e mais bem situados no ranking. A correspondência de equidade é medida por uma escala de intervalos que permite a comparação entre duas quantidades para ver qual é a maior, mas sem entrar no mérito das proporções. Ela emprega procedimentos concretos como o alinhamento das coisas, sua contagem ou a comparação por meio de uma balança. Apenas o mercado de preços (e a mentalidade racional-legal que o abarca) permite que se raciocine em termos de *proporcionalidade*. O modelo racional-legal requer ferramentas não intuitivas da matemática simbólica, tais como frações, porcentagens e potenciação. Como mencionei, ele está longe de ser universal e depende das aptidões cognitivas melhoradas do letramento e da numeração.

Não é por coincidência que a palavra "proporcionalidade" tem tanto um sentido moral como um sentido matemático. Só pregadores e cantores pop proclamam que a violência um dia desaparecerá da face da Terra. Um grau de violência moderado, mesmo que apenas como reserva, sempre será necessário sob a forma de forças policiais e militares para dissuadir a predação ou incapacitar aqueles que não se puder dissuadir. Entretanto, existe uma vasta diferença entre a violência mínima necessária para prevenir uma violência maior e as espirais de fúria que uma mente desequilibrada é capaz de liberar em atos de justiça tosca. Um grosseiro senso de retaliação olho por olho, especialmente com a marca do viés de interesse próprio na escala, produz muitas formas de excessos violentos, incluindo castigos cruéis e heterodoxos, espancamentos selvagens de crianças travessas, incursões retaliatórias destrutivas na guerra, respostas mortíferas para insultos triviais e a repressão brutal de rebeliões por parte de governos vagabundos do mundo em desenvolvimento. Do mesmo modo, muitos avanços morais têm consistido não em evitar a todo custo o uso da força, mas em aplicá-la em doses cuidadosamente medidas. Alguns exemplos incluem a reforma das punições criminais após a argumentação utilitária de Beccaria, o castigo moderado de crianças por pais esclarecidos, a desobediência civil e a resistência passiva que se detêm no limiar da violência, as respostas calculadas de democracias modernas a provocações (exercícios militares, tiros de advertência, ataques cirúrgicos a instalações militares) e as anistias parciais em conciliações pós-conflito. Essas reduções da violência requerem um senso de proporcionalidade, um hábito mental que não surge naturalmente e precisa ser cultivado pela razão.

A razão também pode ser uma força contra a violência quando abstrai a violência propriamente dita, enquanto categoria mental, e encara-a como um problema a ser resolvido em vez de uma disputa a ser vencida. Os gregos de Homero concebiam suas guerras devastadoras como manipulações de marionetes cujos cordéis eram sadicamente puxados das alturas.[220] Isso, para funcionar, requeria um exercício de abstração: eles se elevavam acima do ponto de vista que encara a guerra como culpa de inimigos eternamente pérfidos. Entretanto, responsabilizar os deuses pelas guerras não fornece muitas oportunidades práticas para meros mortais reduzi-las. Denúncias moralistas da guerra também se distinguem enquanto entidade, mas fornecem poucas referências sobre o que fazer quando um exército invasor está na fronteira. Uma mudança real surgiu com os escritos de Grotius, Hobbes, Kant e outros pensadores modernos: a guerra era intelectualizada como um problema da teoria dos jogos, a ser resolvido através de arranjos institucionais proativos. Séculos mais tarde, um desses arranjos — a exemplo da tríade kantiana da democratização, comércio e uma comunidade internacional — ajudou a reduzir os índices de guerra durante a Longa Paz e a Nova Paz. E a Crise dos Mísseis de Cuba foi desarmada quando Kennedy e Krushchóv conscientemente a redefiniram como uma armadilha da qual ambos deviam escapar sem que nenhum dos dois perdesse o prestígio.

Nenhuma dessas razões de ser da racionalidade dialoga com a noção de Hume de que a racionalidade é meramente um meio visando um fim, e que o fim depende das paixões de quem raciocina. A razão consegue estabelecer um itinerário para a paz e a harmonia, caso o autor do raciocínio queira paz e harmonia. Mas ela também pode estabelecer um itinerário para a guerra e o confronto. Teremos algum motivo para esperar que a racionalidade oriente um ser racional a *querer* menos violência?

No terreno da lógica rigorosa, a resposta é não. Mas não falta muito para que se converta em sim. Tudo que você precisa são duas condições. A primeira é que os raciocinadores tenham apreço por seu próprio bem-estar: que prefiram viver a morrer, manter o corpo inteiro a vê-lo mutilado, experimentar o conforto a sofrer dores. A mera lógica não os força a ter esses preconceitos. Contudo, qualquer produto da seleção natural — ou seja, qualquer ator que logre suportar os estragos da entropia por um tempo que lhe permita ser em primeiro lugar um raciocinador — com toda probabilidade os tem.

A segunda condição é que os raciocinadores pertençam a uma comunidade com outros atores capazes de violar seu bem-estar e de trocar mensagens de modo que cada um compreenda o raciocínio do outro. Essa condição tampouco é logicamente necessária. Pode-se imaginar um Robinson Crusoé que raciocine solitariamente, ou um imperador da galáxia que não se deixe atingir por questões desse tipo. Mas a seleção natural não pode ter manufaturado um raciocinador solitário, pois a evolução só funciona em populações, e o *Homo sapiens*, em particular, é um animal não apenas racional como social e praticante da linguagem. Quanto ao imperador, dificilmente seria a cabeça a exibir uma coroa. Mesmo ele, em princípio, deveria se inquietar com a possibilidade de cair do poder e ser chamado a lidar com seus súditos de outrora.

Conforme vimos no fim do capítulo 4, a adoção do interesse próprio e a sociabilidade se combinam com a razão para configurar uma moralidade em que a não violência seja um objetivo. A violência é um dilema do prisioneiro em que cada lado pode lucrar predando o outro, mas ambos ficam melhor se nenhum deles o tentar, já que a predação mútua deixa um e outro ensanguentados e feridos, se não mortos. Na definição do dilema pela teoria dos jogos, não se permite que os dois lados conversem, e mesmo que o fizessem eles não teriam como confiar um no outro. Mas na vida real as pessoas podem conferir, e podem confiar em promessas com fiadores emocionais, sociais ou legais. E, tão logo um lado tenta prevalecer sobre outro para não sofrer dano, ele não tem escolha exceto comprometer-se a não causar dano tampouco ao outro lado. Na medida em que ele diz "É ruim para você me machucar", compromete-se com "É ruim para mim machucar você", já que a lógica não pode fazer diferença entre "mim" e "você" (afinal, esses significados se deslocam a cada rodada da conversação). Nas palavras do filósofo William Godwin, "que mágica existe no pronome 'meu' que justificaria uma derrubada das decisões da verdade imparcial?".[221] Nem tampouco pode a razão diferenciar entre Mike e Dave, Lisa e Amy ou qualquer outro conjunto de indivíduos, pois naquilo que diz respeito à lógica existe simplesmente uma porção de *x* e *y*. Assim, quando você tenta persuadir alguém de se abster de lhe causar dano, ao apelar para *razões* para tanto, você é sugado para uma posição de compromisso com o não uso do dano enquanto um objetivo geral. E na medida em que você se orgulha da qualidade de seu raciocínio, empenha-se em aplicá-lo rápida e amplamente, assim como o emprega para persuadir os demais, será forçado a implementar seu raciocínio na busca de interesses universais, entre eles a abstenção da violência.[222]

Os seres humanos, naturalmente, não foram criados em um estado de razão original. Nós descendemos de macacos, passamos centenas de milênios em pequenos bandos e incrementamos nossos processos cognitivos a serviço da caça, da coleta e da socialização. Apenas gradualmente, com o surgimento da escrita, das cidades e das viagens e comunicações de longa distância, nossos antepassados conseguiram cultivar a faculdade da razão e aplicá-la a um conjunto mais vasto de temas, em um processo que ainda está em curso. Seria de esperar que uma racionalidade coletiva aprimorada ao longo do tempo iria progressivamente moldar nossos impulsos violentos imediatistas e destemperados, forçando-nos a tratar um número crescente de atores racionais como gostaríamos que nos tratassem.

Nossas faculdades cognitivas não precisam ter evoluído nessa direção. Mas, uma vez que você conta com um sistema de raciocínio aberto, mesmo tendo evoluído com propósitos prosaicos como preparar comida e conseguir alianças, você não consegue evitar que ele se ocupe de proposições interessantes, que são consequência de outras tantas proposições. Quando você adquiriu a língua de sua mãe e logrou entender *Este é o gato que matou o rato*, nada pôde impedi-lo de entender *Este é o rato que comeu a cevada*. Quando você aprendeu a somar 37 + 24, nada pôde impedi-lo de deduzir a soma de 32 + 47. Os pesquisadores das ciências cognitivas chamam isso de sistematização do feito e atribuem-na ao poder combinado dos sistemas neurais que interligam a linguagem e o raciocínio.[223] Assim, se os membros da espécie têm o poder de raciocinar entre si, e suficientes oportunidades para exercitá-lo, mais cedo ou mais tarde eles tropeçarão nos benefícios mútuos da não violência e outras formas de consideração recíproca, praticando-as mais frequente e amplamente.

Essa é a teoria do círculo expandido como Peter Singer a formulou originalmente.[224] Embora eu tenha cooptado sua metáfora enquanto denominação do processo histórico em que crescentes oportunidades de assumir novas perspectivas levam à simpatia por grupos mais diversos, o próprio Singer tinha em mente não tanto as emoções, mas o intelecto. Ele é um filósofo da filosofia, e argumentou que através dos éons as pessoas tiveram o poder de literalmente *pensar o caminho* para um maior respeito pelos interesses dos demais. E esse respeito não pode se confinar aos interesses das pessoas com quem convivemos em um pequeno círculo social. Assim como você não pode se favorecer em detrimento de outros quando arvora ideais de comportamento, também não pode favorecer os membros de seu grupo em detrimento dos de outro grupo. Para Singer, é a razão pura e dura, mais que a emotiva empatia, que expande sempre mais o círculo:

> Começar pela razão é como subir em uma escada rolante que conduz para cima e além de onde a vista alcança. Uma vez que você deu o primeiro passo, a distância a ser percorrida independe de sua vontade e não podemos saber antecipadamente aonde iremos parar [...].
>
> Se não compreendemos como é uma escada rolante, podemos subir nela tencionando ir apenas uns poucos metros além, só para descobrir que depois de subir é difícil evitar que ela nos leve até o fim. Do mesmo modo, uma vez que um raciocínio teve início, é difícil dizer onde irá parar. A ideia de uma defesa desinteressada da conduta de terceiros aflora devido à natureza social dos seres humanos e às exigências da vida em grupo, mas, no raciocínio de seres pensantes, adquire uma lógica própria que conduz à sua expansão para além dos limites do grupo.[225]

Na sequência histórica que Singer apresenta, o círculo moral dos gregos antigos restringia-se à cidade-Estado, como indica este epitáfio involuntariamente cômico, de meados do século V:

> Este memorial foi erigido sobre o corpo de um excelente homem. Pythion, de Mégara, matou sete homens e quebrou sete lanças nos corpos deles [...]. Este homem, que salvou três regimentos atenienses [...] sem haver afligido ninguém entre todos os homens que habitam a Terra, desce ao mundo subterrâneo felicitado aos olhos de todos.[226]

Platão expandiu o círculo ao defender que os gregos deviam poupar outros gregos de devastações e da escravização, reservando esses destinos apenas aos não gregos. Nos tempos modernos, os europeus expandiram a norma da não escravização a outros europeus, mas os africanos eram presa fácil. Hoje, de fato, a escravidão é ilegal para todos.

O único problema da metáfora de Singer é que a história das preocupações morais assemelha-se menos a uma escada rolante, que permanece fixa no chão aparentemente para a eternidade, então ergue-se até o piso seguinte, fixa-se ali, e assim por diante. A história de Singer localizou apenas quatro dimensões do círculo em dois milênios e meio, o que resulta em uma ascensão a cada 625 anos. Parece um pouco brusco para uma escada rolante. Singer reconhece a atribulação do progresso moral e o atribui à raridade de grandes pensadores:

> Na medida em que depende do ritmo e do êxito da emergência de um espírito questionador, a história é uma crônica de acidentes. Entretanto, se o raciocínio floresce dentro dos limites de uma moralidade costumeira, a longo prazo o progresso não é acidental. De tempos em tempos, pensadores destacados hão de emergir, incomodando-se com as fronteiras que o costume impõe a seu raciocínio, pois está na natureza do pensamento rejeitar as advertências que dizem "limite excedido". O raciocínio é inerentemente expansionista. Busca a aplicação universal. A não ser que forças contrárias o esmaguem, cada nova aplicação se tornará parte do território de raciocínio legado às futuras gerações.[227]

Mas continua a ser intrigante que esses pensadores destacados tenham aparecido tão raramente na cena mundial, e que o progresso da razão deva desperdiçar tanto tempo. Por que a racionalidade humana precisou de dezenas de milhares de anos para chegar à conclusão de que algo talvez pudesse estar um pouco errado com a escravidão? Ou com espancar crianças, estuprar donzelas, exterminar povos nativos, prender homossexuais ou travar guerras para aplacar a vaidade ferida dos reis? Não seria necessário um Einstein para descobrir.

Uma possibilidade é que a teoria de uma escada rolante da razão esteja historicamente incorreta e que na ascensão do progresso moral a humanidade tenha sido conduzida mais pelo coração que pela cabeça. Outra possibilidade é que Singer esteja certo, ao menos em parte, mas a escada rolante seja movida não simplesmente pela aparição esporádica de pensadores destacados, e sim por uma elevação da qualidade do pensamento *de todos*. Talvez estejamos ficando melhores porque estamos ficando mais inteligentes.

Acredite ou não, *estamos* ficando mais inteligentes. No início dos anos 1980 o filósofo James Flynn teve um momento heureca quando notou que as empresas que vendiam testes de QI periodicamente redefiniam seus escores.[228] O QI médio por definição tinha de ser cem, mas a porcentagem de questões respondidas corretamente era um número arbitrário que dependia do grau de dificuldade que apresentavam. Os elaboradores do teste tinham de mapear a escala de porcentagem de acerto dentro da escala do QI por meio de uma fórmula, mas esta ia perdendo a precisão. Os escores médios dos testes iam subindo ao longo das décadas, de modo que, para manter a média em cem, de tempos em tempos eles ajustavam a fórmula, de modo que as pessoas testadas precisassem de um número maior de respostas corretas para obter um determinado QI. Do contrário, haveria uma inflação de QI.

Essa inflação, descobriu Flynn, não era do tipo que se deveria fustigar, mas estava nos dizendo algo importante sobre a história recente da mente humana. Gerações mais novas, submetidas às mesmas perguntas das mais antigas, acertavam mais. As gerações mais novas tinham de estar se saindo melhor do que aquilo que os testes de QI mediam. Como esses testes tinham sido aplicados maciçamente em todo o mundo durante a maior parte do século XX, em alguns países até o último escolar e recruta, seria possível tabular a mudança sofrida em um país ao longo do tempo. Flynn vasculhou o mundo em busca de dados brutos em que os mesmos testes de QI eram aplicados durante muitos anos, ou onde as normas de pontuação permitiam que os números fossem comparados. O resultado foi o mesmo em todas as amostragens: os níveis de QI cresciam ao longo do tempo.[229] Em 1994, Richard Herrnstein e o cientista político Charles Murray batizaram o fenômeno de efeito Flynn, e o nome pegou.[230]

O efeito Flynn foi observado em trinta países, inclusive alguns do mundo em desenvolvimento, e vem atuando desde que os testes de QI foram aplicados em massa pela primeira vez, por volta do período da Primeira Guerra Mundial.[231] Mesmo dados mais antigos da Grã-Bretanha sugerem que o efeito Flynn pode ter começado com o magote de britânicos nascidos em 1877 (embora naturalmente eles tenham sido testados quando adultos).[232] Os ganhos não são pequenos: em cada década uma média de três pontos no QI (um quinto do desvio padrão).

As implicações são assombrosas. Um adolescente médio atual, caso recuasse no tempo de volta a 1950, teria um QI de 118. Caso ele recuasse até 1910, chegaria a um QI de 130, superando 98% de seus contemporâneos. Sim, você leu certo: se tomarmos o efeito Flynn por seu valor de face, uma pessoa comum atual é mais inteligente que 98% das pessoas nos velhos bons tempos de 1910. Para dizer as coisas de forma ainda mais chocante, se uma pessoa comum de 1910 fosse transportada no tempo até o presente, obteria um QI de setenta, que está no limite do retardo mental. No caso das Matrizes Progressivas de Raven, um teste que às vezes é considerado a mais pura medida da inteligência geral, a progressão é ainda mais acentuada. Uma pessoa comum de 1910 teria hoje um QI de cinquenta, bem no centro da área dos retardados mentais, entre um retardo "moderado" e um "leve".[233]

Evidentemente, não podemos aquilatar o efeito Flynn por seu valor de face. O mundo de 1910 não era povoado por gente que hoje seria considerada mentalmente retardada. Comentadores procuraram meios de neutralizar o efeito Flynn, mas as alternativas óbvias não funcionaram. Escritores da esquerda igualitária e da direita tipo "seja um self-made man" tentaram persistentemente minar a própria ideia de inteligência e os instrumentos que pretendem medi-la. Porém os cientistas que estudam as diferenças individuais humanas são virtualmente unânimes em afirmar que a inteligência pode ser medida, e que ela prevê o sucesso acadêmico e profissional em todos os níveis da escala.[234] Poderíamos pensar que talvez as crianças tenham ficado mais familiarizadas com os testes décadas depois de as escolas terem começado a aplicá-los. Mas, como aponta Flynn, os avanços têm sido constantes ao longo do tempo, enquanto a popularidade dos testes conheceu altos e baixos.[235] Poderia ter acontecido, então, que o conteúdo das perguntas do teste, como "Quem escreveu *Romeu e Julieta*?", tenha se tornado de conhecimento público, ou que as palavras da seção de vocabulário tenham passado para o uso cotidiano, ou que os problemas de aritmética tenham sido ensinados anteriormente nas escolas? Desafortunadamente, os maiores avanços nos testes de QI encontram-se exatamente naqueles itens que *não* dependem de conhecimento, vocabulário ou aritmética.[236] Concentram-se nos itens que exigem raciocínio abstrato, como similaridades ("O que existe de comum entre uma libra e uma polegada?"), analogias ("*Pássaro* está para *ovo* assim como *árvore* está para o quê?") e matrizes visuais (onde padrões geométricos preenchem as linhas e colunas de uma grade e quem faz o teste deve determinar qual figura deve preencher uma lacuna na casa inferior direita; por exemplo, da esquerda para a direita, em cada casa uma forma pode ganhar um contorno, perder uma linha vertical e então ter uma área vazia pintada de preto). Os subtestes de vocabulário e matemática mostraram o *menor* avanço ao longo do tempo, e outros testes que os empregam, como o SAT, mostraram até um ligeiro declínio em alguns grupos etários em certos anos.[237] A figura 9.2 mostra o incremento do QI em diferentes subtestes, nos Estados Unidos a partir do fim da década de 1940.

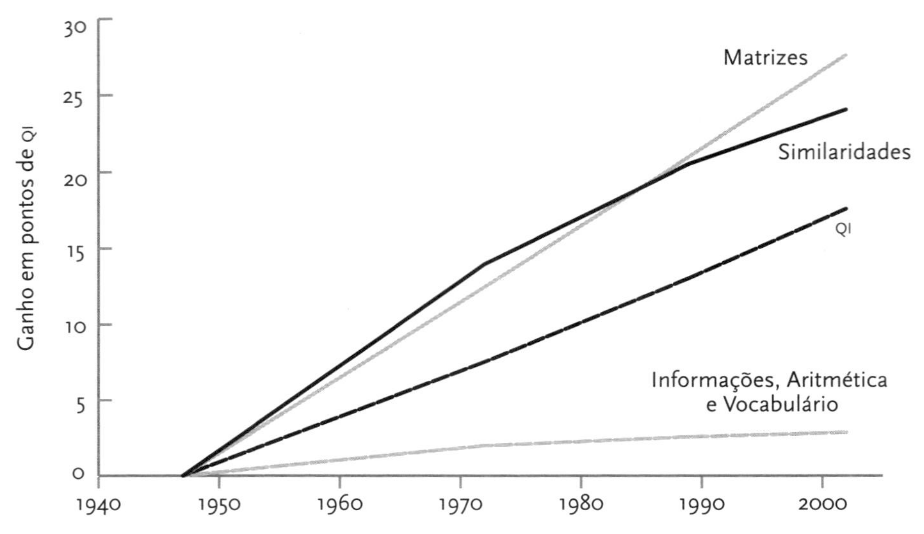

Figura 9.2. *O efeito Flynn: aumento dos resultados de QI, 1947-2002.*
FONTE: Gráfico de Flynn, 2007, p. 8.

O efeito Flynn foi uma bomba científica, pois, caso se enfocasse apenas o avanço em matrizes e similaridades, seria de se pensar que o que cresceu ao longo das décadas foi a *inteligência geral*. Esses subtestes são considerados a mais pura mensuração da inteligência, já que se adaptam bem à tendência das pessoas para obter um escore bom ou ruim em um amplo conjunto de testes díspares. Essa tendência é chamada de *g*, e a existência de *g* é frequentemente considerada como a mais importante descoberta da ciência dos testes mentais.[238] Caso você aplique em alguém qualquer tipo de teste que venha à sua mente para captar uma noção usual de inteligência — matemática, vocabulário, geometria, lógica, análise de texto, conhecimento factual —, as pessoas que se saem bem em um tendem a se sair bem nos outros. Isso não é uma conclusão a priori. Todos conhecemos as histórias do gênio matemático tartamudo e do poeta eloquente incapaz de conferir seu saldo bancário, e pode-se pensar que diferentes tipos de inteligência trocam recursos no cérebro, de modo que quanto mais tecido cerebral você tem para a matemática, menos terá para a linguagem e vice-versa. Nada disso. De fato algumas pessoas são melhores do que outras em matemática, ou relativamente melhores em linguagem, mas, comparados com a população como um todo, os dois talentos — e qualquer outro talento que associemos ao conceito de inteligência — tendem a caminhar juntos.

A inteligência geral, além disso, é altamente herdável, e na maior parte não afetada pelo ambiente familiar (embora possa ser afetada pelo ambiente cultural).[239] Sabemos disso porque as medidas de *g* em adultos são fortemente correlatas em gêmeos idênticos separados no nascimento e nada correlatas em irmãos adotivos criados na mesma família. A inteligência geral também se relaciona com várias medidas da estrutura e do funcionamento neural, inclusive a velocidade do processamento de informação, o tamanho de conjunto do cérebro, a espessura da substância cinzenta no córtex cerebral e a integridade da substância branca conectando uma região cortical à outra.[240] Mais provavelmente *g* representa os efeitos somados de muitos genes, cada um afetando em pequena escala o funcionamento do cérebro.

A bomba é que o efeito Flynn é quase com certeza ambiental. A seleção natural tem um limite de velocidade medido em gerações, mas o efeito Flynn é mensurável em uma escala de décadas e anos. Flynn também foi capaz de descartar incrementos na nutrição, na saúde em geral e na exogamia (casamentos fora da comunidade local) enquanto explicações para o efeito que leva seu nome.[241] O que quer que impulsione o efeito Flynn, portanto, parece se localizar no ambiente *cognitivo* das pessoas, não em seus genes, dietas, vacinas ou circuitos de possível relacionamento amoroso.

Um grande progresso na solução do mistério do efeito Flynn foi a descoberta de que seus avanços *não são* ganhos na inteligência geral.[242] Se fossem, teriam melhorado os escores em todos os subtestes, inclusive vocabulário, matemática e capacidade de memorização, em um nível compatível com a correlação entre cada teste e *g*. Na prática, o salto concentrou-se em subtestes como similaridades e matrizes. Qualquer que possa ser o misterioso fator ambiental, ele é altamente seletivo nos componentes da inteligência que aprimora: não a capacidade cerebral básica, mas as aptidões necessárias para uma boa pontuação em subtestes de raciocínio abstrato.

A melhor hipótese é que o efeito Flynn tem várias causas, que podem ter atuado com força distinta em diferentes fases do século. O incremento em matrizes visuais pode ter sido alimentado por um ambiente crescentemente tecnológico e rico em símbolos, que forçou as pessoas a analisar padrões visuais e vinculá-los a normas arbitrárias.[243] Mas a competência em matéria visual é um elemento lateral no entendimento dos ganhos de inteligência que podem ser importantes no raciocínio moral. Flynn identifica a recente aptidão em crescimento como pensamento *pós-científico* (em oposição a *pré-científico*).[244] Consideremos uma questão típica da seção de similaridades de um teste de QI: "O que cães e lebres têm em comum?". A resposta, óbvia para nós, é que ambos são mamíferos. Mas um americano de 1900 poderia igualmente responder: "Você usa cães para caçar lebres". A diferença, observa Flynn, é que hoje classificamos espontaneamente o mundo conforme as categorias da ciência, mas não muito tempo atrás a resposta "correta" poderia soar confusa e irrelevante. "E daí que eles são mamíferos?", teria respondido o testado de 1900, conforme imagina Flynn. "Do ponto de vista dele, essa é a coisa menos importante. O importante é a orientação no espaço e no tempo, quais coisas são úteis e quais estão sob controle de alguém."[245]

Flynn estava colocando palavras nas bocas dos mortos, mas esse tipo de raciocínio foi documentado em estudos sobre povos pré-modernos feitos por psicólogos como Michael Cole e Alexander Luria. Luria transcreveu entrevistas com camponeses russos em regiões remotas da União Soviética aos quais se apresentavam perguntas sobre similaridades como nos testes de QI:

P: O que um peixe e um corvo têm em comum?

R: Um peixe, ele vive na água. Um corvo voa. Se o peixe fica bem em cima na água, o corvo pode bicá-lo. Um corvo pode comer um peixe, mas um peixe não pode comer um corvo.

P: Você poderia usar uma palavra para os dois [como "animais"]?

R: Se você os chamasse de "animais", isso não seria correto. Um peixe não é um animal, nem tampouco um corvo [...]. Uma pessoa pode comer um peixe, mas não um corvo.

Os entrevistados por Luria também rejeitaram um modo de pensar puramente hipotético — o estágio da cognição que Piaget denomina operações formais (em oposição a operações concretas).

P: Todos os ursos são brancos ali onde há sempre neve. Em Novaya Zemlya há sempre neve. De que cor são os ursos de lá?

R: Eu só vi ursos negros e não vou falar do que não vi.

P: Mas em que implicam minhas palavras?

R: Se uma pessoa não esteve lá, ela não pode dizer nada com base em palavras. Se um homem tem sessenta ou oitenta anos e viu um urso branco lá e me contou sobre ele, ele pode ser digno de crédito.[246]

Flynn observa: "Os camponeses estão inteiramente certos. Eles compreendem a diferença entre as proposições analíticas e as sintéticas: a lógica pura nada pode nos dizer acerca dos fatos; só a experiência pode. Mas isso não faria bem a eles nos testes usuais de QI". Isso porque os testes usuais de QI incluem raciocínio abstrato, formal: a capacidade de alguém distanciar-se do conhecimento estreito de seu pequeno mundo e explorar as implicações de postulados em mundos puramente hipotéticos.

Caso Flynn esteja certo quando diz que muito do efeito Flynn é causado por uma crescente tendência a enxergar o mundo através de "óculos específicos", como afirma ele, quais são as causas exógenas da disponibilidade desses óculos? Um, notório, é a escolarização. Sabemos que ela induz os adolescentes do estágio das operações concretas, segundo Piaget, para o das operações formais, e que mesmo com a escolarização nem todos efetuam a transição.[247] No decorrer do século XX, no mundo inteiro, as crianças passaram a ficar mais tempo na escola. Em 1900, um adulto americano médio tinha sete anos de escolaridade, e um quarto da população tinha menos de quatro anos.[248] Apenas na década de 1930 o ensino secundário tornou-se obrigatório.

E durante essa transição a natureza da escolarização mudou. No início do século, ler consistia em ficar de pé recitando livros em voz alta. Conforme observou o pesquisador em educação Richard Rothstein,

> muitos recrutas da Primeira Guerra Mundial não passavam em um teste escrito básico de inteligência, em parte porque, mesmo que tivessem cursado a escola por alguns anos e aprendido a ler em voz alta, estavam sendo solicitados pelo Exército a entender e interpretar o que haviam lido, uma habilidade que muitos deles jamais tinham aprendido.[249]

Outro pesquisador, Jeremy Genovese, documentou as mudanças nas metas da educação durante o século XX analisando o conteúdo dos exames de admissão ao ensino secundário em 1902-13 e comparando-os com os testes de aproveitamento aplicados a estudantes da mesma idade nos anos 1990.[250] No que diz respeito ao conhecimento factual, atualmente exige-se menos dos adolescentes. Por exemplo, na seção de geografia de um exame final de hoje, pediu-se que os estudantes localizassem os Estados Unidos em um mapa-múndi! Já seus bisavós eram solicitados a "enumerar os estados em que você passaria ao viajar por um meridiano desde Columbus (Ohio) até o golfo do México, enumerando e localizando a capital de cada um deles". Por outro lado, uma questão típica em um teste atual requer que os estudantes lidem com índices, montantes, contingências múltiplas e rudimentos de economia:

> Uma comunidade localiza-se em uma região com grande escassez de água potável. Para gerir seus recursos hídricos, o que, entre essas alternativas, a comunidade *não* deveria fazer?
> A. Aumentar o consumo de água.
> B. Comprar água de outra comunidade.
> C. Instalar dispositivos de economia de água nas residências.
> D. Cobrar taxas mais altas pela água.

Qualquer um que compreenda a expressão "lei da oferta e da procura" compreende que a opção D não pode ser a resposta correta. Mas, se você tem apenas a imagem de um reservatório de água e pessoas bebendo dele, a conexão entre quanto isso custa e em quanto tempo a água se reduz não fica imediatamente clara.

Flynn sugere que no decorrer do século XX o raciocínio científico infiltrou-se da escola e outras instituições no pensamento de todos os dias. Mais gente trabalhava em escritórios e nas profissões liberais, em que manipulavam mais símbolos que safras, animais e máquinas. As pessoas tinham mais tempo livre, e o usavam lendo, disputando jogos combinatórios e acompanhando o que acontecia com o mundo. E, sugere Flynn, a mentalidade da ciência deslocou-se para o discurso cotidiano sob a forma de abstrações taquigráficas. Uma abstração taquigráfica é uma ferramenta de análise técnica duramente conquistada que, uma vez apreendida, permite que as pessoas manipulem sem esforço as relações abstratas. Qualquer um que seja capaz de ler este livro, mesmo sem treinamento em ciências ou filosofia, provavelmente já assimilou centenas dessas abstrações através da leitura casual, conversas e exposição à mídia, como *proporcionalidade*, *porcentagem*, *correlação*, *causação*, *grupo de controle*, *placebo*, *amostragem representativa*, *falso positivo*, *empírico*, *post hoc*, *estatístico*, *mediana*, *variabilidade*, *argumento circular*, *trade-off* e *análise de custo-benefício*. E no entanto cada uma delas — mesmo as que se tornaram uma segunda natureza para nós, como *porcentagem* — em algum momento deslocou-se da academia e outras fontes de saber, incrementando sua popularidade com o uso na imprensa ao longo do século XX.[251]

Não é apenas a classe média com conexões acadêmicas e midiáticas que absorveu as abstrações taquigráficas da tecnocracia. O linguista Geoffrey Nunberg comentou a letra de Bruce Springsteen em "The River": "Consegui um emprego de trabalhador da construção na Johnstown Company/ Mas nos últimos tempos não houve muito trabalho por causa da economia". Apenas nos últimos quarenta anos, observa Nunberg, gente comum falaria "da economia" como uma força natural com poderes causais, tal como o tempo.[252] Antes, ele teria dito "por causa dos tempos difíceis". Ou, ele poderia ter acrescentado, por causa dos judeus, dos negros ou dos camponeses ricos.

Podemos agora juntar as duas grandes ideias desta seção: os efeitos pacificadores da razão e o efeito Flynn. Temos vários motivos para supor que os acrescidos poderes da razão — especificamente, a habilidade de deixar de lado a experiência imediata, afastar-se de um ponto de vista estreito e enquadrar as próprias ideias em termos abstratos, universais — levariam a melhores compromissos morais, inclusive a abstenção da violência. E acabamos de ver que no decorrer do século XX reforçaram-se progressivamente as habilidades de raciocínio das pessoas — particularmente a habilidade de deixar de lado a experiência imediata, afastar-se de um ponto de vista estreito e enquadrar as próprias ideias em termos abstratos. Podemos juntar essas duas ideias para ajudar a explicar os declínios da violência documentados na segunda metade do século XX: a Longa Paz, a Nova Paz e as Revoluções por Direitos? Poderia haver um efeito Flynn *moral*, em que a cada vez mais acelerada escada rolante da razão nos levaria para longe dos impulsos que levam à violência?

A ideia não é louca. A aptidão coletiva que mais se aperfeiçoou no efeito Flynn, a abstração das particularidades concretas da experiência imediata, é precisamente a aptidão que precisa ser exercitada para se assumir a perspectiva dos outros e expandir o círculo da consideração moral. O próprio Flynn fez a conexão ao relatar uma conversa que teve com seu pai, irlandês que nascera em 1884 e era muito inteligente, mas relativamente pouco escolarizado.

> Meu pai odiara tanto os ingleses que tinha sobrado pouco espaço para preconceitos contra qualquer outro grupo. Mas ele nutria um pouco de racismo contra os negros, e meu irmão e eu tratávamos de convencê-lo de abandonar aquilo. "Que tal se você acordasse certa manhã e descobrisse que sua pele enegrecera? Isso tornaria você um ser menos humano?" Ele retrucou: "Isso agora é a coisa mais idiota que você já disse. Você já ouviu falar de a pele de um homem ficar preta da noite para o dia?".[253]

Tal como o camponês russo ao refletir sobre a cor dos ursos, o pai de Flynn estava encurralado em um modo de pensar concreto, pré-científico. Ele se recusava a entrar em um mundo hipotético e explorar suas consequências, o que é um dos caminhos para as pessoas repensarem seus compromissos, inclusive seu tribalismo e seu racismo.

Ou considere a questão da prova da escola secundária sobre o uso da água em uma cidadezinha específica, que requer, entre outras coisas, que se pense sobre proporções. Flynn observa que as questões de proporcionalidade são surpreendentemente difíceis para muitos adolescentes, e estão entre as aptidões que cresceram como parte do efeito Flynn.[254] Conforme vimos, a mentalidade de proporção é essencial para se calibrar o uso justo da violência, como na punição criminal e na ação militar. Alguém precisaria apenas trocar "gerir seus recursos hídricos" por "gerir seu índice de criminalidade" na pergunta do teste para ver como um incremento de inteligência pode se traduzir em políticas mais humanas. Um recente estudo do psicólogo Michael Sargent mostrou que pessoas com elevada "necessidade cognitiva" — o traço de gostar de desafios mentais — têm atitudes menos punitivas em relação à justiça criminal, mesmo depois de se levar em conta sua idade, sexo, raça, educação, renda e orientação política.[255]

Antes de testarmos a ideia de que o efeito Flynn acelerou uma escada rolante racional, levou a uma moral mais ampla e a menos violência, precisamos de um teste de sanidade do próprio efeito Flynn. Podem as pessoas de hoje ser tão mais inteligentes que as de ontem? O próprio Flynn, em um escrito anterior, observou com incredulidade que em alguns países, caso as antigas normas de pontuação fossem aplicadas hoje, um quarto dos estudantes seria classificado como "superdotado", enquanto o número de "gênios" verificáveis teria sextuplicado. "O resultado", disse ele ceticamente, "seria um renascimento cultural grande demais para ser ignorado."[256] Porém realmente *houve* um renascimento intelectual nas décadas recentes, talvez não na cultura, mas com certeza na ciência e na tecnologia. A cosmologia, a física de partículas, a geologia, a genética, a biologia molecular, a biologia evolutiva e a neurociência deram saltos vertiginosos em entendimento, enquanto a tecnologia proporcionou-nos milagres seculares como partes do corpo substituíveis, genotipagem de rotina, assombrosas fotografias de planetas externos e galáxias distantes, e minúsculas engenhocas que permitem conversar com bilhões de pessoas, tirar fotos, localizar-se no planeta, ouvir vastas coleções de músicas, ler obras de livrarias imensas e ter acesso às maravilhas da internet global. Esses milagres surgiram em ritmo tão rápido que nos deixaram blasés sobre as ideias que os tornaram possíveis. Mas nenhum historiador que vasculhe a trajetória humana em uma escala de séculos pode omitir o fato de que estamos vivendo hoje um período de extraordinária potencialidade cerebral.

Tendemos a ser blasés igualmente acerca do progresso moral, mas os historiadores que trabalham com um horizonte amplo também se maravilharam com os avanços morais das últimas seis décadas. Como sabemos, a Longa Paz foi recebida pelos mais renomados historiadores militares com esgares de descrença. As Revoluções por Direitos também nos deram ideais que as pessoas instruídas de hoje acham a coisa mais natural do mundo, mas que são virtualmente sem precedentes na história humana, tais como que todas as pessoas de todas as raças e credos têm direitos iguais, que mulheres devem viver livres de todas as formas de coação, que crianças não devem jamais ser espancadas, que estudantes devem ser protegidos do *bullying* e que não há nada de errado em ser gay. Não acho nada implausível que essas sejam, em parte, dádivas de uma refinada e ampla aplicação da razão.

A outra metade do exame de sanidade é indagar se nossos antepassados recentes podem mesmo ser considerados como moralmente retardados. A resposta, estou preparado para argumentar, é sim. Embora eles fossem com certeza pessoas decentes com cérebros funcionando perfeitamente, a sofisticação moral coletiva da cultura em que viviam era tão primitiva, pelos padrões contemporâneos, quanto suas estâncias hidrominerais e elixires se estes forem julgados pelos parâmetros médicos de hoje. Muitas de suas crenças podem ser consideradas não só monstruosas como, em um sentido muito real, idiotas. Elas não resistiriam a um escrutínio de sua coerência com outros valores que se dizia manter, e persistiam unicamente porque a o feixe de luz intelectual da época, mais estreito, não incidia rotineiramente sobre elas.

Caso você considere esse julgamento uma calúnia contra nossos ancestrais, considere algumas das convicções que eram comuns nas décadas anteriores ao início do efeito de acumulação do ascenso da inteligência abstrata. Um século atrás, dezenas de grandes escritores e artistas pregavam a beleza e a nobreza da guerra, e ansiavam pelo advento da Primeira Guerra Mundial. Um presidente "progressista", Theodore Roosevelt, escreveu que a dizimação dos nativos americanos era necessária para impedir que o continente se tornasse uma "reserva de caça para esquálidos selvagens" e que em nove casos em dez "os únicos índios bons são os índios mortos".[257] Outro, Woodrow Wilson, supremacista branco que mantivera estudantes negros fora de Princeton quando fora reitor da universidade, elogiou a Ku Klux Klan, limpou o governo federal de servidores negros e disse dos imigrantes étnicos: "Qualquer homem que carrega um hífen em seu nome carrega uma adaga que está pronto a cravar nas entranhas desta república assim que estiver pronto".[258] Um terceiro, Franklin Roosevelt, levou 100 mil cidadãos estadunidenses para campos de concentração por serem da mesma raça dos inimigos japoneses.

Do outro lado do Atlântico, o jovem Winston Churchill escreveu sobre participar de "uma porção de alegres guerrinhas contra povos bárbaros" dentro do Império Britânico. Em uma dessas alegres guerrinhas, escreveu ele, "procedemos sistematicamente, aldeia por aldeia, e destruímos as casas, tapamos os poços, derrubamos as torres, cortamos as árvores de sombra, queimamos as lavouras e rompemos os açudes em uma expedição punitiva". Churchill defendia essas atrocidades alegando que "a estirpe ariana está fadada ao triunfo" e dizia ser "fortemente favorável a usar gás venenoso contra tribos incivilizadas". Ele culpou as pessoas da Índia pela fome causada pela incúria britânica, pois elas ficavam "procriando como coelhos", acrescentando: "Odeio indianos. Eles são um povo bestial com uma religião bestial".[259]

Hoje nos assombramos com a moralidade compartimentalizada desses homens, que em muitos sentidos eram esclarecidos e humanos quando se tratava de sua própria raça. Entretanto, eles jamais deram o salto mental que os teria encorajado a tratar as pessoas de outras raças com a mesma consideração. Ainda me lembro das gentis lições de minha mãe quando minha irmã era criança, no início dos anos 1960, lições que milhões de crianças receberam nas décadas seguintes: "Existem negros maus e negros bons, justamente como existem brancos maus e brancos bons. Você não consegue dizer se uma pessoa é boa ou má olhando a cor de sua pele". "Sim, as coisas daquela gente nos parecem esquisitas. Mas as coisas que fazemos também parecem esquisitas para eles." Essas lições não são doutrinação, mas raciocínio dirigido, levando as crianças a conclusões que eles possam aceitar por sua própria conta. Certamente esse raciocínio estava ao alcance do hardware neural dos grandes estadistas de um século atrás. A diferença é que as crianças de hoje foram encorajadas a dar esses saltos cognitivos, e a compreensão resultante tornou-se sua segunda natureza. Abstrações taquigráficas como *liberdade de expressão*, *tolerância*, *direitos humanos*, *direitos civis*, *democracia*, *coexistência pacífica* e *não violência* (e suas antíteses, como *racismo*, *genocídio*, *totalitarismo* e *crimes de guerra*) difundiram-se para além de suas origens no discurso político abstrato e se transformaram em parte da caixa de ferramentas mental de qualquer um. Os avanços podem ser chamados com justiça de um ganho de inteligência, não completamente distinto daquele que elevou os escores no raciocínio abstrato.

A idiotice moral não se confinava às políticas dos governantes; ela estava escrita nas leis do país. Quando muitos dos leitores deste livro já tinham nascido, as raças em grande parte dos Estados Unidos eram segregadas pela força, mulheres não podiam integrar júris em julgamentos de estupro, pois poderiam ficar embaraçadas pelos testemunhos, a homossexualidade era um crime grave, e os homens tinham permissão para estuprar suas esposas, confiná-las em casa e, às vezes, matá-las e a seus amantes adúlteros. E se você pensa que os atuais procedimentos parlamentares são imbecis, considere este testemunho de 1876, vindo de um advogado representando a cidade de San Francisco em audiência sobre os direitos dos imigrantes chineses:

> No que toca à religião [dos chineses], não é nossa religião. É o que basta dizer a respeito; como a nossa é certa, a deles precisa necessariamente ser errada. [Pergunta: Qual é sua religião?] A nossa é a crença na existência da Divina Providência, que tem em suas mãos os destinos das nações. A sabedoria divina ditou que Ele dividiria o país e o mundo como herança entre cinco grandes famílias; à dos negros Ele daria a África; à dos brancos Ele daria a Europa; à dos vermelhos Ele daria a América; e a Ásia Ele daria às raças amarelas. Ele nos inspira com a determinação de não só ter preservado nossa herança, mas de ter tomado a América dos vermelhos; e está estabelecido agora que os grupos de famílias saxônicas, americanas ou europeias, a raça branca, devem ter a herança da Europa e da América e que as raças amarelas da China devem ser confinadas ao que Deus Todo-Poderoso deu-lhes originalmente;

> e como eles não são um povo favorito não lhes é permitido roubar de nós o que roubamos dos selvagens americanos.[260]

Tampouco eram apenas os advogados que se sentiam intelectualmente desafiados quando se tratava de raciocínio moral. Mencionei no capítulo 6 que, nas décadas em torno da virada para o século XX, muitos intelectuais e escritores (entre eles Yeats, Shaw, Flaubert, Wells, Lawrence, Woolf, Bell e Eliot) expressavam um desprezo pelas massas que bordejava o genocídio.[261] Muitos outros viriam a apoiar o fascismo, o nazismo e o stalinismo.[262] John Carey cita um ensaio de Eliot em que o poeta comenta a superioridade espiritual de um grande artista: "É melhor, de um modo paradoxal, fazer o mal do que nada fazer; ao menos existimos". Carey comenta, de uma era posterior: "Essa frase aterradora não leva em conta, notamos, o efeito do mal sobre suas vítimas".[263]

A ideia de que as mudanças por trás do efeito Flynn também expandiram o círculo moral passa em um exame de sanidade, mas isso não significa que seja verdadeira. Para mostrar que a inteligência ascendente levou a menos violência, no mínimo é preciso estabelecer o seguinte vínculo intermediário: que em média, tudo o mais sendo igual, as pessoas com aptidões de raciocínio mais sofisticadas (atestadas pelo QI ou por outras mensurações) são mais cooperativas, têm círculos morais mais amplos e menor propensão à violência. Mais ainda, seria desejável mostrar que sociedades inteiras de indivíduos com melhor raciocínio adotam políticas que são menos indutoras de violência. Se pessoas mais inteligentes e sociedades mais inteligentes tendem a ser menos violentas, então talvez o recente aumento da inteligência possa ajudar a explicar a recente redução da violência.

Antes de examinarmos as evidências ligadas a essa hipótese, permita-me esclarecer o que ela não é. O tipo de raciocínio relevante para o progresso moral não é a inteligência geral no sentido de potencial cerebral básico, mas o cultivo do raciocínio abstrato, o aspecto da inteligência que foi alavancado pelo efeito Flynn. Os dois são estreitamente correlacionados, de modo que medidas de QI irão, em geral, detectar o raciocínio abstrato, mas é este último que tem importância para a hipótese da escada rolante. Pelo mesmo motivo, as diferenças específicas de raciocínio que focarei não são necessariamente herdáveis (ainda que a inteligência geral seja altamente herdável), e me aterei à suposição de que todas as diferenças entre grupos são ambientais em sua origem.

Também é importante observar que a hipótese da escada rolante diz respeito à influência da *racionalidade* — o nível do raciocínio abstrato em uma sociedade — e não à influência dos *intelectuais*. Intelectuais, nas palavras do escritor Eric Hoffer, "não conseguem operar na temperatura ambiente".[264] Eles se deixam excitar por opiniões arrojadas, teorias perspicazes, ideologias impetuosas e visões utópicas do tipo que causou tantos distúrbios no século XX. O tipo de razão que expande as sensibilidades morais não provém de grandes "sistemas" intelectuais, mas do exercício da lógica, da clareza, da objetividade e da proporcionalidade. Em qualquer época esses hábitos mentais estão distribuídos desigualmente entre a população, mas o efeito Flynn, como uma maré montante, ergue todos os barcos, e portanto podemos esperar assistir a uma maré de mini e microiluminismos atravessando as elites e igualmente os cidadãos comuns.

Deixe-me apresentar sete ligações, umas mais e outras menos diretas, entre a aptidão de raciocínio e os valores pacíficos.

Inteligência e crime violento. A primeira ligação é a mais direta: pessoas mais inteligentes cometem menos crimes violentos e são vítimas de menos crimes violentos, mantidos constantes o status socioeconômico e outras variáveis.[265] Não temos meios para identificar o eixo causal — se as pessoas mais inteligentes concluem que a violência é errada ou ineficaz, se exercitam o autocontrole ou se permanecem distantes das situações em que a violência aflora. Porém, tudo o mais sendo igual (deixando de lado, por exemplo, as oscilações no crime entre as décadas de 1960 e 1980), conforme as pessoas se tornam mais inteligentes, deve haver menos violência.

Inteligência e cooperação. Na extremidade oposta da escala da abstração, podemos considerar o mais puro modelo de como o raciocínio abstrato pode solapar as tentações violentas, o dilema do prisioneiro. Em sua popular coluna na revista *Scientific American*, o cientista da computação Douglas Hofstadter angustiou-se com o fato de que a resposta aparentemente racional, em um dilema do prisioneiro de uma rodada única, era desertar.[266] Você não pode confiar que o outro jogador coopere, pois ele não tem elementos para confiar em você, e cooperar quando ele deserta redundará no pior resultado para você. A angústia de Hofstadter vem da observação de que, caso os dois lados olhassem para seus dilemas de um mesmo e olímpico ponto de vista, distanciando-se de suas bases estreitas, ambos deduziriam que o melhor resultado para ambos é cooperar. Caso cada um confiasse que o outro compreende isso, e o outro compreendesse que ele o compreendia, e assim ad infinitum, ambos deveriam cooperar e colher os benefícios dessa escolha. Hofstadter concebeu uma *super-racionalidade* em que ambos os lados teriam certeza da racionalidade do outro, e certeza de que o outro teria certeza da deles, e assim por diante, embora ele melancolicamente tenha admitido que não era fácil distinguir como tornar as pessoas super-racionais.

Pode uma inteligência superior ao menos estimular as pessoas no sentido da super-racionalidade? Ou seja, terão os melhores pensadores uma propensão a refletir sobre o fato de que a cooperação mútua conduz ao melhor resultado conjunto, pressupor que o outro sujeito está pensando a mesma coisa e desfrutar do consequente e simultâneo salto de confiança? Ninguém apresentou um dilema do prisioneiro de rodada única para pessoas com diferentes níveis de inteligência; porém um recente estudo chegou perto disso, usando um dilema do prisioneiro com uma *sequência* de rodadas únicas, em que o segundo jogador age apenas depois de ver o movimento do primeiro. O economista Stephen Burks e seus colaboradores deram a mil caminhoneiros em treinamento um teste de QI do tipo matrizes e um dilema do prisioneiro, usando dinheiro para as ofertas e recompensas.[267] Os caminhoneiros mais inteligentes tendiam a cooperar mais no primeiro movimento, mesmo após a tabulação por idade, raça, gênero, escolaridade e renda. Os pesquisadores também verificaram a resposta do segundo jogador ao movimento do primeiro. Essa resposta nada tinha a ver com super-racionalidade, mas reflete uma disposição para cooperar em resposta à cooperação do outro, de tal modo que ambos os jogadores se beneficiariam caso o jogo fosse iterado. Os caminhoneiros mais inteligentes, conforme o estudo, tendiam mais a responder à cooperação com cooperação e à deserção com deserção.

O economista Garrett Jones relacionou a inteligência com o dilema do prisioneiro por outro caminho. Ele fez a varredura de toda a literatura sobre experimentos com o dilema do prisioneiro iterado realizados em colégios e universidades entre 1959 e 2003.[268] A partir de 36 experimentos envolvendo milhares de participantes, ele concluiu que quanto maior era a pontuação das escolas no SAT (que é estreitamente correlata ao QI médio), mais os estudantes cooperavam.

Dois estudos extremamente diferentes, portanto, concordam que a inteligência conduz à cooperação na situação quintessencial em que seus benefícios podem ser previstos. Uma sociedade que se torna mais inteligente, então, pode ser uma sociedade que se torna mais cooperativa.

Inteligência e liberalismo. Agora chegamos a um achado que soa mais tendencioso do que é: pessoas mais inteligentes são mais liberais. A afirmação fará os conservadores se enfurecer, não só porque parece contestar sua inteligência, mas também porque eles podem objetar, legitimamente, que muitos cientistas sociais (que são em sua esmagadora maioria liberais ou esquerdistas) usam suas pesquisas para aplicar golpes baixos na direita, estudando o conservadorismo como se ele fosse uma deficiência mental (Tetlock e também Haidt chamaram atenção para essa politização).[269] Assim, antes de retornar às evidências que relacionam inteligência e liberalismo, permita-me restringir a conexão.

Em primeiro lugar, na medida em que a inteligência está relacionada com a classe social, qualquer correlação com o liberalismo, caso não seja estatisticamente controlada, pode simplesmente refletir os preconceitos políticos da classe média alta. Mas a restrição decisiva é que a escada rolante da razão prevê apenas que a inteligência se relacionaria com o *liberalismo clássico*, que valoriza a autonomia e o bem-estar dos indivíduos acima das restrições de tribo, autoridade e tradição. Espera-se que a inteligência tenha relação com o liberalismo clássico porque este é em si uma consequência da intercambialidade de perspectivas que é inerente à razão enquanto tal. A inteligência não precisa ser correlacionada com outras ideologias que se amontoam nas coalizões de centro-esquerda contemporâneas, como o populismo, o socialismo, o politicamente correto, as políticas de identidade e o movimento verde. Na verdade, o liberalismo clássico é às vezes inerente às facções libertárias e contrárias ao politicamente correto nas atuais coalizões à direita do centro. Mas no conjunto as pesquisas de Haidt mostram que são as pessoas que identificam suas políticas com a palavra "liberal" que mais se inclinam a enfatizar a equidade e a autonomia, virtudes supremas do liberalismo clássico, em detrimento da comunidade, da autoridade e da pureza.[270] E, conforme vimos no capítulo 7, os autodenominados liberais estão nos primeiros postos nas questões ligadas à autonomia pessoal, com as posições que eles iniciaram décadas atrás sendo cada vez mais aceitas pelos conservadores de hoje.

O psicólogo Satoshi Kanazawa analisou dois grandes bancos de dados estadunidenses e encontrou, em ambos, correlações entre a inteligência e o liberalismo político dos entrevistados, tabulando-se como estatisticamente constantes a idade, sexo, raça, escolaridade, renda e religião.[271] Entre mais de 20 mil jovens adultos que tinham participado do National Longitudinal Study of Adolescent Health [Estudo Nacional Longitudinal sobre a Saúde do Adolescente], o QI médio se elevava de modo constante, dos que se identificavam como "muito conservadores" (94,8) para os que diziam ser "muito liberais" (106,4). A pesquisa General Social Survey mostra uma correlação semelhante, embora contendo um acréscimo de que a inteligência acompanha mais de perto o liberalismo clássico que o liberalismo de esquerda. Os entrevistados mais inteligentes eram *menos* inclinados a concordar com a afirmação (esquerdista, mas não liberal clássica) de que o governo tem a responsabilidade de redistribuir a renda dos ricos para os pobres, enquanto se inclinavam mais a concordar que o governo devia ajudar os negros americanos a compensar a discriminação histórica que sofreram (uma posição liberal que é especificamente motivada pelo valor da equidade).

Uma melhor evidência de que a inteligência causa — mais do que simplesmente relaciona-se com — atitudes liberais clássicas vem das análises do psicólogo Ian Deary e seus colegas, em um banco de dados que incluía todas as crianças nascidas na Grã-Bretanha em uma determinada semana de 1970. O título de seu artigo diz tudo: "Bright Children Become Enlightened Adults" [Crianças brilhantes tornam-se adultos esclarecidos].[272] Por "esclarecidos" eles entendem a mentalidade do Iluminismo, que definem, acompanhando o *Concise Oxford Dictionary*, como "uma filosofia que enfatiza a razão e o individualismo mais que a tradição". Eles concluíram que o QI das crianças aos dez anos (incluindo testes de raciocínio abstrato) prenunciava sua adesão a atitudes antirracistas, socialmente liberais e pró-mulheres ao chegarem aos trinta anos, mantidas constantes as variáveis de educação, classe social dos entrevistados e classe social de seus pais. Os controles socioeconômicos, ao lado do intervalo de vinte anos entre a aferição da inteligência e a pesquisa das atitudes, produzem um indicador, prima facie, de que o processo causal parte da inteligência para o liberalismo clássico. Uma segunda análise descobriu em quem as crianças de dez anos se inclinavam a votar quando adultas: mais nos liberais-democratas (uma coalizão de centro-esquerda/libertária) ou nos verdes, e menos nos partidos nacionalistas ou anti-imigrantes. Mais uma vez, fica uma sugestão de que a inteligência conduz mais ao liberalismo clássico que ao de esquerda. Quando a classe social era tabulada, a correlação QI-verdes desaparecia, mas a QI-liberais-democratas se mantinha.

Inteligência e instrução econômica. E agora uma correlação que aborrecerá a esquerda tanto quanto a do liberalismo aborreceu a direita. O economista Bryan Caplan também examinou os dados da General Social Survey e concluiu que as pessoas mais inteligentes tendem a pensar mais como economistas (mesmo após controles estatísticos das variáveis de educação, renda, sexo, partido político e orientação política).[273] Elas são mais simpáticas à imigração, a mercados livres e ao livre-comércio, e menos simpáticas ao protecionismo, a políticas de emprego e a intervenções do governo nos negócios. Naturalmente, nenhuma dessas posições se relaciona diretamente com a violência. Mas, se alguém se distancia para abarcar todo o leque em que se encontram essas posições, poderá argumentar que a direção que se alinha com a inteligência é também aquela que historicamente apontou para a pacificação. Pensar como economista é aceitar do liberalismo clássico a teoria do comércio gentil, que advoga a soma positiva dos resultados do intercâmbio e o benefício por tabela de redes expansivas de cooperação.[274] Isso se opõe às mentalidades populistas, nacionalistas e comunistas, que enxergam a riqueza do mundo como sendo de soma zero e inferem que o enriquecimento de um grupo tem de ser feito às custas de outro. O resultado histórico da ignorância econômica frequentemente tem sido violência étnica e de classe, quando as pessoas concluem que os sem posses só podem melhorar de vida confiscando pela força a riqueza dos possuidores e punindo-os por sua avareza.[275] Como vimos no capítulo 7, os tumultos étnicos e genocídios se reduziram desde a Segunda Guerra Mundial, especialmente no Ocidente, e uma maior apreciação intuitiva da economia pode ter tido um papel ("Nos últimos tempos não houve muito trabalho por causa da economia"). No nível das relações internacionais, o comércio foi substituindo o protecionismo do tipo "empobrecer o vizinho" ao longo da última metade do século e, junto com a democracia e a comunidade internacional, contribuiu para a paz kantiana.[276]

Educação, competência intelectual e democracia. Por falar em paz kantiana, a perna democrática do tripé também pode ter sido fortalecida pelo raciocínio. Um dos grandes enigmas das ciências políticas internacionais é por que a democracia deita raízes em alguns países, mas não em outros — por que, por exemplo, os ex-satélites e repúblicas da União Soviética fizeram a transição na Europa, mas não na Ásia Central. A precariedade das democracias impostas no Iraque e no Afeganistão torna o problema ainda mais agudo.

Teóricos vêm especulando há muito que uma massa letrada e bem informada é um pré-requisito para uma democracia que funcione. Na rua onde estou, a Biblioteca Pública de Boston expõe em sua fachada as emocionantes palavras: "O bem comum requer a educação do povo como salvaguarda da ordem e da liberdade". Provavelmente quem entalhou a frase tinha em mente, por "educação", não a habilidade de enumerar os nomes das capitais dos estados por onde alguém passaria em uma viagem de Columbus, Ohio, até o golfo do México, mas familiaridade com letras e números, compreensão dos princípios que fundamentam o governo democrático e a sociedade civil, capacidade de avaliar líderes e suas políticas, consciência da existência de outros povos, com suas diversas culturas, e uma expectativa de que uma pessoa é parte de uma comunidade de cidadãos instruídos que compartilham esses mesmos entendimentos.[277] Tais faculdades reclamam um mínimo de raciocínio abstrato, e coincidem com aquelas que foram desenvolvidas com o efeito Flynn, presumivelmente porque o próprio efeito Flynn foi conduzido pela educação.

Porém até recentemente a teoria da disposição para a democracia da Biblioteca Pública de Boston ainda não tinha sido testada. Sabe-se há muito que as democracias maduras têm populações mais bem-educadas e mais inteligentes, porém elas também têm mais de tudo que é bom na vida, e não se pode dizer o que causa o quê. Talvez os países mais democráticos sejam também mais ricos e possam sustentar mais escolas e bibliotecas, o que torna seus cidadãos mais educados e inteligentes, em vez do raciocínio inverso.

O psicólogo Heiner Rindermann tentou cortar o nó correlacional com uma técnica das ciências sociais chamada relação cruzada (vimos um exemplo dela no estudo britânico mostrando que crianças brilhantes tornam-se adultos esclarecidos).[278] Muitos bancos de dados atribuem pontuações numéricas ao nível de democracia e estado de direito nos diversos países. Também estão disponíveis em muitos países os dados sobre o número de anos que suas crianças passam na escola. Em um subconjunto de países, Rindermann obteve igualmente dados sobre sua pontuação média em testes de inteligência amplamente aplicados, ao lado de seu desempenho em testes de aproveitamento acadêmico aplicados internacionalmente; ele combinou os dois em uma medida de aptidão intelectual.

Rindermann testou se o nível de educação e aptidão de um país em uma época (1960-72) prenunciava seu nível de prosperidade, democracia e estado de direito em um período posterior (1991-2003). Se a teoria da Biblioteca Pública de Boston é verdadeira, as correlações devem permanecer estreitas mesmo quando outras variáveis, como a prosperidade do país na fase anterior, mantêm-se constantes. E, o mais crucial, precisam ser bem mais estreitas que aquelas entre democracia e estado de direito na fase anterior e educação e aptidão intelectual na fase posterior, pois é o passado que afeta o presente e não o inverso.

Tiremos o chapéu para os entalhadores da Biblioteca Pública de Boston. A educação e a aptidão intelectual no passado de fato prenunciam a democracia e o estado de direito (juntamente com a prosperidade) no presente recente, tudo o mais sendo igual. A prosperidade no passado, em contraste, não prenuncia democracia no presente (embora prenuncie levemente o estado de direito). A aptidão intelectual era um prenunciador de democracia mais poderoso que os anos de escolaridade, e Rindermann mostrou que a escolaridade só era um prenúncio devido à sua correlação com a aptidão intelectual. Não é um grande salto concluir que um progresso na aptidão intelectual turbinado pela educação tornou pelo menos algumas partes do mundo seguras para a democracia. Esta, por definição, está associada a menos violência governamental, e sabemos que está estatisticamente associada a uma aversão por guerras interestatais, distúrbios étnicos mortais e genocídio, e com uma redução na gravidade das guerras civis.[279]

Educação e guerra civil. O que dizer do mundo em desenvolvimento? A pontuação média em testes de inteligência, embora partindo dos níveis mais baixos, tem subido de modo constante nos países onde essas tendências vêm sendo aferidas, como Quênia e Dominica.[280] Podemos atribuir alguma parcela da Nova Paz aos níveis ascendentes de raciocínio nesses países? As evidências aqui são circunstanciais, mas sugestivas. Vimos anteriormente que a Nova Paz foi liderada, em parte, por uma maior aceitação da democracia e de economias abertas, que, como acabamos de ver, as pessoas mais inteligentes tendem a preferir. Reúna os dois elementos, e poderemos aventar a possibilidade de que mais educação pode levar a cidadãos mais inteligentes (no sentido de "inteligência" que nos interessa aqui), que podem preparar o caminho para a democracia e as economias abertas, que podem favorecer a paz.

É difícil verificar cada conexão dessa cadeia, mas a primeira e a última delas foram correlacionadas em um recente artigo cujo título é autoexplicativo: ("ABC's, 123's, and the Golden Rule: The Pacifying Effect of Education on Civil War, 1980-1999 [ABC, 123 e a regra de ouro: O efeito pacificador da educação em guerras civis, 1980-1999]).[281] O cientista político Clayton Thyne analisou 160 países e 49 guerras civis tomadas do levantamento de James Fearon e David Laitin, que visitamos no capítulo 6. Thyne descobriu que quatro indicadores do nível da educação no país — a parcela do produto interno bruto investida em educação primária, a porcentagem da população em idade escolar matriculada em escolas primárias, a porcentagem da população em idade escolar (especialmente a masculina) matriculada em escolas secundárias e (marginalmente) o nível de alfabetização de adultos — reduziam, todos, a chance de que o país se envolvesse numa guerra civil no ano seguinte. Os efeitos eram mensuráveis: comparado com um país que tivesse um desvio padrão abaixo da média em matrículas no primário, outro país que tivesse um desvio padrão acima da média tinha 73% menos possibilidade de viver uma guerra civil no ano subsequente, mantendo-se constantes as guerras anteriores, a renda per capita, a população, o relevo, as exportações de petróleo, o grau de democracia e anocracia, assim como a fragmentação étnica e religiosa.

Agora, podemos concluir dessas correlações que a escolaridade torna as pessoas mais inteligentes, o que as torna mais hostis à guerra civil. A escolarização tem outros efeitos pacificadores. Ela eleva a confiança no governo, mostrando que este consegue fazer ao menos uma coisa certa. Faz as pessoas atinarem que é melhor que se ocupem de seus ofícios em vez de se dedicar à bandidagem e a guerras de facções. E ela mantém os garotos adolescentes longe das ruas e das milícias. Porém as correlações são tentadoras, e Thyne argumenta que pelo menos uma parte do efeito pacificador da educação consiste em "dar às pessoas ferramentas com as quais elas podem resolver suas disputas pacificamente".[282]

Sofisticação do discurso político. Por fim, passemos o olhar pelo discurso político, que muitos acreditam estar ficando cada vez mais obtuso. Não existe nada que funcione como um QI do discurso, mas Tetlock e outros psicólogos políticos identificaram uma variável, chamada complexidade integradora, que capta um sentido de equilíbrio intelectual, nuance e sofisticação.[283] Uma passagem que é pobre em marcos de complexidade integradora expõe uma opinião e martela-a incansavelmente, sem nuance ou qualificação. Sua mínima complexidade pode ser quantificada pela contagem de palavras como "absolutamente", "sempre", "sem dúvida", "com certeza", "inteiramente", "para sempre", "inquestionável", "irrefutável", "indubitavelmente" e "inegavelmente". Uma passagem ganha créditos por algum grau de complexidade integradora caso demonstre um toque de sutileza com palavras como "usualmente", "em geral", "mas", "entretanto" e "talvez". A pontuação aumenta se ela reconhece dois pontos de vista, mais ainda se discute conexões, intercâmbios ou compromissos entre eles, e eleva-se ao máximo se ela expõe essas relações referenciadas em um princípio ou sistema mais elevado. A complexidade integradora de uma passagem não é o mesmo que a inteligência da pessoa que a escreveu, mas as duas coisas estão relacionadas, especialmente, segundo Simonton, no caso dos presidentes americanos.[284]

A complexidade integradora guarda relação com a violência. Gente cuja linguagem é menos integradoramente complexa ou mediana tem maior propensão a reagir à frustração com violência e abre um conflito com mais frequência em jogos de guerra.[285] Trabalhando com o psicólogo Peter Suedfeld, Tetlock tabulou a complexidade integradora dos discursos de líderes nacionais em uma série de crises políticas do século XX que se concluíram pacificamente (como o bloqueio de Berlim em 1948 e a Crise dos Mísseis de Cuba) ou com guerra (como a Primeira Guerra Mundial e a Guerra da Coreia) e concluiu que quando a complexidade dos discursos dos governantes declinava a guerra se seguia.[286] Em particular, eles localizaram uma conexão entre a retórica simplória e as confrontações militares em discursos de árabes e israelenses, bem como de americanos e soviéticos durante a Guerra Fria.[287] Não sabemos exatamente o que significam as correlações: ou bem antagonistas empacados não conseguem conceber uma via de concordância, ou antagonistas belicosos simplificam sua retórica para balizar uma implacável posição na barganha. Após rever tanto os estudos de laboratório como os da vida real, Tetlock sugere que ambas as dinâmicas estão presentes.[288]

Terá a complexidade integradora do discurso político se elevado com o efeito Flynn? Um estudo dos cientistas políticos James Rosenau e Michael Fagen sugere que talvez sim.[289] Os pesquisadores tabularam a complexidade integradora dos depoimentos no Congresso dos Estados Unidos e na cobertura de imprensa no início (1916-32) e no fim (1970-93) do século XX. Observaram a verbosidade circundando as controvérsias das duas fases e com conteúdo basicamente similar, como a Lei Smoot-Hawley, que apertou o cerco contra o livre-comércio, e o acordo do North American Free Trade Agreement (Nafta)

[Tratado Norte-Americano de Livre-Comércio], que o destravou; a concessão do voto feminino e a tramitação da Emenda dos Direitos Iguais. Em quase todos os casos, contrariamente aos piores temores dos aficionados da política, a complexidade integradora do discurso político *aumentou* entre o início e o fim do século. A única exceção são os depoimentos de parlamentares sobre os direitos das mulheres. Eis um exemplo da qualidade dos argumentos usados em apoio ao direito de voto das mulheres em 1917:

> No grande estado da Estrela Solitária,* os 58 condados que tenho a honra de representar, em um estado que é o maior da União, toda pessoa maior de 21 anos pode votar exceto um presidiário, um lunático e uma mulher. Não quero que no estado da Estrela Solitária a mulher seja colocada na mesma classe e categoria que um presidiário e um lunático.[290]

E aqui vai um exemplo de argumento usado em 1972 para se opor à Emenda dos Direitos Iguais, usado pelo senador Sam Ervin, nascido em 1896:

> [A Emenda] diz que mulheres e homens são seres humanos idênticos e iguais perante a lei. Ela dá consideração para muitas tolices como essa. É absolutamente ridículo falar em tirar uma mãe de seus filhos para que ela possa ir combater o inimigo e deixar o pai em casa para cuidar das crianças. O senador de Indiana pode pensar que isso é sábio, mas eu, não. Eu penso que é insensato.[291]

Mas a imutável inanidade dos argumentos do senador sobre os direitos femininos foi ofuscada por 28 outras comparações que identificaram um aumento da sofisticação ao longo do século. Ervin, aliás, não era um troglodita, mas um respeitado senador que logo seria celebrizado como presidente da Comissão de Watergate, que derrubou Richard Nixon. O fato de que suas palavras soam tão vazias hoje, mesmo com os baixos padrões dos discursos senatoriais, adverte-nos para não sermos tão nostálgicos dos discursos políticos de décadas atrás.

Em uma esfera, entretanto, os políticos realmente parecem estar nadando contra o efeito Flynn: os debates presidenciais americanos. Para aqueles que os

* Apelido dado ao estado do Texas por causa da estrela solitária em sua bandeira. (N. E.)

acompanharam em 2008, três palavras bastam para explicar: Joe, o Encanador.*
Os psicólogos William Gorton e Janie Diels quantificaram a tendência pontuando a sofisticação da linguagem dos candidatos nos debates de 1960 a 2008.[292] Concluíram que a sofisticação de conjunto declinou de 1992 a 2008, e que a qualidade dos comentários sobre a economia entrou em queda livre antes ainda, em 1984. Ironicamente, o decréscimo na sofisticação dos debates presidenciais pode ser produto de um *aprimoramento* na sofisticação dos estrategistas políticos. Debates televisivos nas semanas finais de uma campanha destinam-se a uma faixa de eleitores indecisos que estão entre os menos informados e engajados. Eles tendem a fazer sua escolha com base em slogans e frases de efeito, de modo que os estrategistas aconselham os candidatos a mirar baixo. O nível de sofisticação despencou em 2000 e 2004, quando os adversários democratas de Bush o igualaram em banalidade. Esse ponto vulnerável do sistema político americano pode ajudar a explicar como o país deu consigo em duas guerras prolongadas durante uma era de paz crescente.

Há um motivo para eu ter feito da razão o último dos anjos bons de nossa natureza. Uma vez que a sociedade tem um patamar de civilização assentado, é a razão que oferece a maior esperança de ulterior redução da violência. Os outros anjos estão conosco desde quando somos humanos, mas durante a maior parte de nossa existência foram incapazes de prevenir a guerra, a escravidão, o despotismo, o sadismo institucionalizado e a opressão das mulheres. Por importantes que sejam, a empatia, o autocontrole e o senso moral têm graus de liberdade muito diminutos e um raio de aplicação demasiadamente restrito para explicar os avanços das últimas décadas e séculos.

A empatia é um círculo que pode ser alargado, mas sua elasticidade é limitada aos laços de parentesco, amizade, similaridade e graciosidade. Ela atinge um ponto de ruptura muito antes de circundar todo o conjunto de pessoas que a razão nos diz que poderia merecer nossa preocupação moral. A empatia também é vulnerável a ser descartada como mero sentimentalismo. É a razão que nos

* Referência a Joe, the Plumber, apelido do encanador americano Samuel Joseph Wurzelbacher, ativista conservador que ficou famoso na época das eleições de 2008 ao aparecer em eventos da campanha do republicano John McCain, tendo sido citado por este em discursos e no último debate presidencial como a personificação do americano de classe média. (N. E.)

ensina os truques para expandir nossa empatia, e é a razão que nos diz como e quando devemos investir nossa compaixão em um estranho desamparado.

O autocontrole é um músculo que pode ser fortalecido, mas só pode prevenir os danos que abrigamos em nossas tentações interiores. Além disso, os slogans dos anos 1960 estavam certos em uma coisa: há momentos na vida em que realmente vale a pena você cortar as amarras e fazer o que bem entender. A razão nos diz quais são esses momentos: o tempo de alguém fazer o que bem entender não limita a liberdade de os outros também fazerem o que bem entendem.

O senso moral oferece três éticas que podem ser atribuídas a papéis e recursos sociais. Porém as aplicações do senso moral na sua maioria não são especificamente morais, mas sobretudo tribais, autoritárias ou puritanas, e é a razão que nos diz quais das outras aplicações devemos arraigar como normas. E a ética que podemos conceber para trazer o bem maior para o maior número, a mentalidade racional-legal, não é em absoluto parte do senso moral natural.

A razão está acima dessas demandas porque é um sistema sequencial combinatório aberto, um engenho capaz de gerar um número ilimitado de novas ideias. Uma vez que ele é programado com um interesse próprio básico e a capacidade de se comunicar com os outros, sua própria lógica o impele, em tempo integral, a respeitar os interesses de um número sempre crescente de outros. Também é a razão que pode sempre prestar atenção às imperfeições dos exercícios de raciocínio anteriores, renovando-se e aprimorando-se em resposta. E se você detecta uma falha neste argumento, é a razão que lhe permite apontá-la e defender uma alternativa.

Adam Smith, amigo de Hume e luminar do Iluminismo escocês, expôs primeiro esse raciocínio na *Teoria dos sentimentos morais*, usando um pungente exemplo que ecoa até hoje. Smith chamou-nos a imaginar nossas reações ao ler sobre uma terrível calamidade atingindo um grande número de estranhos, como 1 milhão de chineses perecendo em um terremoto. Se formos honestos, admitiremos que nossa reação seria mais ou menos assim: iríamos nos sentir mal por um tempo, apiedando-nos das vítimas e talvez refletindo sobre a fragilidade da vida. Talvez hoje enviássemos um cheque ou clicássemos em um website para ajudar os sobreviventes. E então voltaríamos ao trabalho, jantaríamos e iríamos para a cama como se nada tivesse acontecido. Mas se um acidente nos atinge pessoalmente, mesmo sendo comparativamente trivial, como perder um dedo mínimo, ficaríamos imensamente mais abalados e seríamos incapazes de afastar a desgraça de nossa mente.

Tudo isso soa terrivelmente cínico, mas Smith prossegue. Considere outro cenário. Dessa vez apresentam-lhe uma escolha: você pode perder seu dedo mínimo ou 1 milhão de chineses podem ser mortos. Você sacrificaria 1 milhão de vidas para salvar seu dedo mínimo? Smith prevê, e eu concordo, que quase ninguém faria essa monstruosa opção. Mas por que não, indaga Smith, já que nossa empatia para com estrangeiros é muito menos compulsiva do que nossa angústia com um infortúnio pessoal? Ele responde ao paradoxo comparando nossos anjos bons:

> Não é o suave poder da humanidade, não é esta tênue centelha da benevolência com a qual a natureza iluminou o coração humano, que é portanto capaz de confrontar os mais fortes impulsos do amor-próprio. É um poder mais forte, um motivo mais forçoso, que se faz exercer em tais ocasiões. É a razão, o princípio, a consciência, o habitante de nosso peito, o homem interior, o grande juiz e árbitro de nossa conduta. É ele que, sempre que estamos no umbral de um ato que afeta a felicidade dos outros, nos chama, com uma voz capaz de assombrar a mais presunçosa de nossas paixões, nos diz que não somos mais que um na multidão, em nada melhores que nenhum outro nela; e que quando damos preferência a nós, tão vergonhosa e cegamente, tornamo-nos objetos merecedores de ressentimento, cólera e execração. É apenas dele que aprendemos a real pequenez de nós mesmos, e de tudo que nos diz respeito, e as naturais deformações do amor-próprio podem ser corrigidas unicamente pelo olhar desse imparcial espectador. É ele que nos aponta a justeza da generosidade e a deformidade da injustiça; a correção da renúncia aos nossos maiores interesses, em favor dos ainda maiores interesses dos outros, e a monstruosidade de se fazer o menor dano a outro ser a fim de obter o maior benefício para nós.[293]

10. Nas asas dos anjos

Conforme o homem avança em civilização, e as pequenas tribos são unidas em comunidades maiores, a mais simples razão dirá a cada indivíduo que ele deve estender seus instintos e simpatias sociais a todos os membros da mesma nação, ainda que pessoalmente não os conheça. Uma vez atingido esse ponto, apenas uma barreira artificial impede que suas simpatias se estendam aos homens de todas as nações e raças.

Charles Darwin, *A origem do homem e a seleção sexual*

Este livro nasceu de uma resposta à questão "Sobre o que você é otimista?" e espero que os números que arregimentei tenham soerguido sua avaliação sobre o estado do mundo, em relação ao lúgubre senso comum convencional. Mas após documentar dezenas de declínios e liquidações, meu estado de espírito é menos de otimismo e mais de gratidão. O otimismo reclama um toque de arrogância, pois extrapola o passado para um futuro incerto. Embora eu confie que os sacrifícios humanos, o escravagismo, as pessoas quebradas na roda e as guerras entre democracias não retornarão tão cedo, predizer que os atuais níveis de criminalidade, guerra civil ou terrorismo perdurarão é aventurar-se em um território que os anjos temem pisar. O que *podemos* ter certeza é que muitas formas de violência declinaram até o presente, e podemos tentar compreender por que isso aconteceu. Como cientista, tenho de ser cético quanto a qualquer força mística ou destino cósmico que nos conduza sempre para cima. O declínio da violência é um produto de condições sociais, culturais e materiais. Caso as condições persistam, a violência continuará baixa ou cairá ainda mais; caso contrário, não.

Neste capítulo final não tentarei fazer previsões; nem oferecerei conselhos a políticos, chefes de polícia ou pacificadores, o que, dadas minhas qualificações, seria uma forma de negligência. O que tentarei fazer é definir as amplas forças que puxaram a violência para baixo. Minha fonte serão os acontecimentos que repetidamente retornaram nos capítulos históricos (2 a 7), envolvendo as faculdades da mente que foram expostas nos capítulos psicológicos (8 e 9). Isto é, buscarei características comuns no Processo de Pacificação, no Processo Civilizador, na Revolução Humanitária, na Longa Paz, na Nova Paz e nas Revoluções por Direitos. Cada um deveria representar uma via pela qual a predação, a dominação, a vingança, o sadismo ou a ideologia foram sobrepujados pelo autocontrole, a empatia, a moralidade ou a razão.

Não deveríamos esperar que essas forças redundassem em uma grande teoria unificada. O retraimento que procuramos expor se desenvolveu ao longo de escalas largamente diferenciadas no tempo e no poder daninho: a domesticação das incursões crônicas e vendetas; a redução de tipos maléficos de violência interpessoal como a amputação de nariz, a eliminação de práticas cruéis como os sacrifícios humanos, as execuções sob tortura e o flagelamento, a abolição de instituições como a escravidão e a prisão por dívidas, o ocaso da moda dos esportes sangrentos e duelos, a erosão do assassinato político e do despotismo, o recente declínio das guerras, pogroms e genocídios, a redução da violência contra mulheres, a descriminalização da homossexualidade, a proteção de crianças e animais. A única coisa que as práticas citadas têm em comum é que maltratam fisicamente uma vítima, e portanto é somente sob a perspectiva de uma vítima genérica — que, como vimos, é também o ponto de vista do moralista — que poderíamos ao menos sonhar com uma teoria final. Sob o prisma do cientista, os motivos do perpetrador podem ser heterogêneos, e assim serão também as explicações sobre as forças que atuaram contra tais motivos.

Ao mesmo tempo, todo esse desenvolvimento inegavelmente aponta na mesma direção. Este é um bom tempo na história para ser uma vítima potencial. Pode-se imaginar uma narrativa histórica com práticas diferentes indo em diferentes direções: que a escravidão continuasse abolida, por exemplo, mas os pais resolvessem trazer de volta as surras selvagens de seus filhos; ou que os Estados se tornassem cada vez mais humanos para com seus cidadãos, porém mais inclinados à guerra uns contra os outros. Isso não aconteceu. Muitas práticas se moveram na direção de menos violência; em número excessivo para ser coincidência.

Sem dúvida, alguns eventos seguiram em outro sentido: a devastação das guerras europeias até a Segunda Guerra Mundial (eclipsando o decréscimo de sua frequência até que os dois fatores recuaram), o auge dos ditadores genocidas nas décadas intermediárias do século XX, o crescimento do crime nos anos 1960 e o assomo das guerras civis no mundo em desenvolvimento após a descolonização. Entretanto, cada um desses eventos foi sistematicamente revertido e, de onde nos situamos na linha do tempo, muitas tendências apontam para a pacificação. Podemos não ter direito a uma teoria de tudo, mas precisamos de uma teoria que explique por que tantas coisas específicas voltam-se na mesma direção.

IMPORTANTE, MAS INCONSISTENTE

Permita-me começar por indicar umas tantas forças que poderíamos crer que seriam importantes nos processos, pazes e revoluções dos capítulos 2 a 7, mas que o máximo que posso dizer é que no final não o foram. Não que essas forças sejam menores em qualquer sentido; apenas elas não trabalharam solidamente para reduzir a violência.

Armamento e desarmamento. Escritores obcecados pela violência e aqueles avessos a ela têm algo em comum: a fixação nas armas. As histórias militares, escritas por e para homens, têm uma fixação por arcos longos, estribos, peças de artilharia e tanques. Muitos movimentos de não violência foram movimentos pelo desarmamento: a demonização dos "mercadores da guerra", as demonstrações antinucleares, as campanhas pelo controle de armas. E então temos os igualmente armocêntricos contrários à proscrição, de acordo com os quais a invenção de artefatos inimaginavelmente destrutivos (dinamite, gases venenosos, bombas nucleares) tornaria a guerra impensável.

A tecnologia dos armamentos obviamente mudou o curso da história muitas vezes, determinando vitoriosos e perdedores, tornando a dissuasão plausível e multiplicando o poder de destruição de certos antagonistas. Ninguém afirmaria, por exemplo, que a proliferação de armas automáticas no mundo em desenvolvimento foi boa para a paz. Contudo, é difícil achar ao longo da história alguma correlação entre o poder destrutivo do armamento e o número de perdas humanas de querelas mortíferas. Com o correr dos milênios, as armas, tal e qual qualquer tecnologia, ficaram cada vez melhores, mas os índices de violência não tiveram elevação constante, mostrando em vez disso altos e baixos no formato de dentes de serra inclinados. As lanças e flechas de povos pré-Estado produziram uma contagem de corpos proporcionalmente mais elevada do que qualquer coisa desde então (capítulo 2) e os piqueiros e cavalarianos da Guerra dos Trinta Anos produziram mais baixas humanas que a artilharia e os gases da Primeira Guerra Mundial (capítulo 5). Embora os séculos XVI e XVII tenham assistido a uma revolução militar, ela foi menos uma corrida armamentista que uma corrida *de exércitos*, em que os governos inflaram o tamanho e a eficiência de suas Forças Armadas. A história dos genocídios mostra que as pessoas podem ser trucidadas mais eficazmente com armas primitivas do que com tecnologia industrial (capítulos 5 e 6).

Tampouco as quedas abruptas da violência, como as da Longa Paz, da Nova Paz e do Grande Declínio da Criminalidade Americana, se originaram de uma redução das armas por parte dos antagonistas. A sequência histórica usualmente seguiu o caminho inverso, como no desmantelamento de arsenais como parte dos dividendos da paz após o fim da Guerra Fria. Quanto à paz nuclear, temos visto que armas atômicas podem ter tido pouca influência sobre o curso dos acontecimentos mundiais dada sua inutilidade em batalhas e o maciço poder destrutivo das forças convencionais (capítulo 5). E o popular (ainda que bizarro) argumento de que as grandes potências inevitavelmente usariam suas armas nucleares para justificar o custo de desenvolvê-los mostrou ser simplesmente falso.

O fracasso do determinismo tecnológico enquanto teoria da história da violência não deveria surpreender tanto. O comportamento humano é orientado por metas e não por estímulos; o que influi realmente no emprego da violência é se a pessoa quer ou não que o outro morra. O clichê dos adversários do controle de armas é literalmente verdade: armas não matam; pessoas matam (o que não implica endossar argumentos contra ou a favor do controle de armas). Qualquer um que esteja equipado para caçar, colher uma safra, rachar lenha ou preparar uma salada tem os meios para fazer um bocado de mal ao corpo humano. Sendo a necessidade a mãe da invenção, as pessoas podem aprimorar sua tecnologia na medida em que seus inimigos as forçam a tanto. O armamento, em outras palavras, parece ser largamente endógeno às dinâmicas históricas que resultaram em fortes declínios da violência. Se alguém é rapace ou está aterrorizado, desenvolve os artefatos de que precisa; quando prevalecem as cabeças mais frias, as armas enferrujam em paz.

Recursos e poder. Quando eu era estudante, nos anos 1970, tinha um professor que revelava a quem quisesse ouvi-lo a verdade sobre a Guerra do Vietnã: na realidade o problema era o tungstênio. O mar da China Meridional, ele descobrira, tinha os maiores depósitos mundiais do metal, usado em filamentos de lâmpadas e de aço super-rápido. Todos os debates sobre comunismo, nacionalismo e contenção eram cortina de fumaça para a batalha das superpotências para controlar a fonte desse recurso vital.

A teoria do tungstênio na Guerra do Vietnã é um exemplo de determinismo dos recursos, a ideia de que as pessoas inevitavelmente lutam por recursos finitos como terra, água, minerais e territórios estratégicos. Uma versão estabelece que o conflito surge de uma alocação desigual dos recursos e a paz virá quando estes forem repartidos mais equitativamente. Outra bebe de teorias "realistas" que encaram o conflito por terras e recursos como elemento permanente nas relações internacionais, e a paz como resultado de um equilíbrio de poder em que cada lado é dissuadido de abocanhar a esfera de influência do outro.

Ainda que as contendas por recursos sejam um fator dinâmico vital na história, elas oferecem poucas luzes sobre as grandes tendências da violência. As erupções mais devastadoras do último meio milênio foram alimentadas não por recursos, mas por ideologias, como religião, revolução, nacionalismo, fascismo e comunismo (capítulo 5). Embora ninguém possa provar que cada um desses conflitos não se devia na verdade ao tungstênio ou outro recurso inconfessado, qualquer esforço para demonstrar que assim era tende a parecer uma teoria conspiratória maluca. Quanto ao equilíbrio de poder, sua subversão após o colapso da União Soviética e a reunificação das Alemanhas não conduziu o mundo a uma louca escalada. Longe disso, não teve efeitos discerníveis na Longa Paz entre os países desenvolvidos e pressagiou a Nova Paz entre aqueles em desenvolvimento. Tampouco alguma dessas surpresas agradáveis teve origem na descoberta ou redistribuição de recursos. Na verdade, os recursos no mundo em desenvolvimento amiúde se convertem mais em maldições que em bênçãos. Países ricos em petróleo e minérios, embora possuindo um bolo mais volumoso para dividir entre seus cidadãos, estão entre os que registram maior violência (capítulo 6).

A frouxa correlação entre controle de recursos e violência também deve ser vista sem surpresa. Os psicólogos evolucionistas mostram-nos que os homens, por mais ricos ou pobres que sejam, sempre podem brigar por mulheres, status e dominação. Os economistas dizem-nos que a prosperidade advém não da terra com coisas nela, mas do engenho, esforço e cooperação para fazer dessas coisas produtos úteis. Quando as pessoas dividem seu labor e trocam seus frutos, a riqueza pode crescer e todos vencem. Isso significa que a competição por recursos não é uma constante na natureza, mas é endógena na rede de forças sociais que inclui a violência. Dependendo de sua infraestrutura e mentalidade, as pessoas em diferentes épocas e lugares podem se engajar em intercâmbios com soma positiva de produtos finais ou em contendas com soma zero, pois os custos da guerra devem ser subtraídos do valor dos recursos pilhados. Os Estados Unidos poderiam invadir o Canadá para tomar as rotas de navegação dos Grande Lagos ou os preciosos depósitos de níquel canadenses, mas qual seria o ganho, se os americanos já desfrutam de seus benefícios através do comércio?

Afluência. Ao longo dos milênios, o mundo tornou-se mais próspero e também menos violento. Ficarão as sociedades mais pacíficas à medida que enriquecem? Talvez as dores e frustrações cotidianas da pobreza tornem as pessoas mais intratáveis e deem-lhes mais motivos para lutar, e a abundância de uma sociedade afluente proporcione mais razões para se dar valor à vida e, por extensão, à vida alheia.

Entretanto, é difícil achar correlações estreitas entre afluência e não violência, e algumas correlações vão na direção oposta. Entre os povos pré-Estado, frequentemente são as tribos sedentárias, vivendo em regiões temperadas ricas em peixes e caça, como no noroeste do Pacífico, que tinham escravos, castas e uma cultura guerreira, enquanto os materialmente modestos boxímanes e semais estão na extremidade mais pacífica da escala (capítulo 2). E eram os gloriosos impérios antigos que tinham escravos, crucificações, gladiadores, conquistas pela força e sacrifícios humanos (capítulo 1).

As ideias que fundamentam a democracia e outras reformas humanitárias floresceram no século XVIII, mas os surtos de bem-estar material vieram consideravelmente mais tarde (capítulo 4). A prosperidade só começou a surgir no Ocidente com a Revolução Industrial, no século XIX, e a saúde e a longevidade decolaram com a revolução na saúde pública ao longo do mesmo século. Flutuações em menor escala na prosperidade também parecem estar fora de sintonia com a preocupação com os direitos humanos. Embora se tenha sugerido que os linchamentos no sul dos Estados Unidos ocorriam quando os preços do algodão baixavam, a tendência histórica geral foi de um exponencial recuo dos linchamentos na primeira metade do século XX, sem inflexão nem nos Felizes Anos 1920 nem na Grande Depressão (capítulo 7). Até onde podemos dizer, as Revoluções por Direitos, que começaram no fim dos anos 1950, não ganharam nem perderam gás com os altos e baixos do ciclo dos negócios. E não foram resultados automáticos da afluência moderna, como vimos no caso da tolerância relativamente elevada com a violência doméstica e o espancamento de crianças em alguns prósperos Estados da Ásia (capítulo 7).

Tampouco os crimes violentos acompanham de perto os indicadores econômicos. As inclinações da taxa de homicídios nos Estados Unidos durante o século XX são grandemente desconectadas das fases de prosperidade: a taxa de assassinatos despencou no meio da Grande Depressão, aumentou durante os anos de boom da década de 1960 e voltou a cair durante a Grande Recessão que começou em 2007 (capítulo 3). A precária correlação poderia ter sido prevista pelos registros policiais, segundo os quais os homicídios são regidos por motivos morais como revide de insultos e infidelidade, mais do que por motivos materiais como dinheiro ou comida.

Prosperidade e violência mostram uma poderosa correlação em uma comparação: diferenças entre os países na parte inferior da escala (capítulo 6). A probabilidade de que um país seja sacudido por uma violenta rebelião civil, como vimos, emerge quando seu produto interno bruto per capita cai abaixo de mil dólares anuais. É difícil, porém, apontar as causas por trás da correlação. O dinheiro pode comprar muitas coisas, e não é óbvio que as coisas que um país não pode adquirir sejam responsáveis por sua violência. Podem ser as privações individuais das pessoas, como alimentação e assistência de saúde, mas também podem ser as carências de todo o país, como escolas decentes, polícia e governo (capítulo 6). E, como a guerra é um desenvolvimento ao contrário, não podemos sequer conhecer em que escala a pobreza causa a guerra ou a guerra causa a pobreza.

E embora a pobreza extrema esteja associada com a guerra civil, não parece correlacionar-se com o genocídio. Lembremos que países pobres têm mais crises políticas, e crises políticas podem conduzir a genocídios, mas, uma vez que um país entra em crise, a pobreza não o torna mais sujeito a hospedar um genocídio (capítulo 6). E na outra extremidade da escala a Alemanha dos anos 1930 tinha deixado para trás o pior da Grande Depressão e estava se tornando uma potência industrial, mas foi então que produziu as atrocidades que levaram à cunhagem da palavra "genocídio".

As confusas relações entre prosperidade e violência nos lembram que os seres humanos não vivem somente de pão. Somos animais que acreditam, que moralizam, e uma grande parte de nossa violência provém mais de ideologias destrutivas do que da falta de prosperidade. Para o melhor ou para o pior — normalmente o pior —, as pessoas amiúde se dispõem a trocar conforto material por aquilo que enxergam como pureza espiritual, glória comunal ou justiça perfeita.

Religião. Por falar em ideologias, já vimos que poucos benefícios advieram dos antigos dogmas tribais. Por todo o mundo, a crença no sobrenatural autorizou o sacrifício de gente para aplacar deuses sedentos de sangue e o assassinato de bruxas devido aos malévolos poderes que elas teriam (capítulo 4). As escrituras descrevem um Deus que se compraz com o genocídio, o estupro, a escravidão e a execução dos não conformistas, e por milênios esses escritos foram usados para racionalizar o massacre de infiéis, a possessão de mulheres, o espancamento de crianças, o domínio de animais e a perseguição de hereges e homossexuais (capítulos 1, 4 e 7). Reformas humanitárias como a eliminação de castigos cruéis, a disseminação de romances que induzem à empatia e a abolição da escravatura encontraram uma oposição feroz das autoridades eclesiásticas e seus apologistas (capítulo 4). A elevação de valores tacanhos à esfera do sagrado é uma permissão para se menosprezar os interesses de outros povos e um imperativo para se rejeitar a possibilidade de compromissos (capítulo 9). Ela inflamou os combatentes nas guerras religiosas europeias, o segundo período mais sangrento da história moderna ocidental, e hoje continua a exaltar combatentes no Oriente Médio e partes do mundo islâmico. A teoria de que a religião é uma força da paz, frequentemente ouvida atualmente na direita religiosa e seus aliados, não coincide com os fatos da história.

Os defensores da religião alegam que as duas ideologias genocidas do século

XX, o fascismo e o comunismo, eram ateístas. Porém a primeira alegação é equivocada e a segunda, irrelevante (capítulo 4). O fascismo coexistiu alegremente com o catolicismo na Espanha, Itália, Portugal e Croácia, e ainda que Hitler usasse pouco a cristandade ele estava longe de ser ateu e afirmava estar realizando um plano divino.[1] Historiadores documentaram que muitos na elite nazista mesclavam o nacional-socialismo com a cristandade alemã em uma fé sincrética, adaptada a suas visões milenaristas e sua longa história de antissemitismo.[2] Muitos clérigos cristãos e seus rebanhos alegremente se inscreveram, fazendo causa comum com os nazistas em sua oposição à cultura tolerante, secular e cosmopolita da era de Weimar.[3]

Quanto ao ateísmo comunista, ateu ele por certo era. Mas o repúdio de uma ideologia iliberal não confere automaticamente imunidade a outras. O marxismo, como Daniel Chirot observou (ver página 453), contribuiu com a pior ideia da Bíblia cristã, um cataclismo milenarista que iria se traduzir em uma utopia e restaurar a inocência paradisíaca. E ele violentamente rejeitou o humanismo e o liberalismo do Iluminismo, que situava a autonomia e o florescimento dos indivíduos como objetivo último dos sistemas políticos.[4]

Ao mesmo tempo, movimentos religiosos *específicos*, em determinadas épocas da história, *trabalharam* contra a violência. Em zonas de anarquia, instituições religiosas por vezes serviram como uma força civilizatória, e, como muitas delas pretendem deter a patente da moralidade em suas comunidades, podem ter posto em cena elementos de reflexão e ação moral. Os quacres apostaram nos argumentos do Iluminismo contra a escravidão e a guerra, em movimentos efetivos pela abolição e pelo pacifismo, e no século XIX outras denominações juntaram-se a eles (capítulo 4). Igrejas protestantes também ajudaram a domar a fronteira selvagem dos Estados Unidos no sul e no oeste (capítulo 3). Igrejas afro-americanas forneceram infraestrutura organizativa e poder retórico ao movimento por direitos civis (embora, como vimos, Martin Luther King rejeitasse a vertente principal da teologia cristã e buscasse inspiração em Gandhi, na filosofia secular ocidental e em teólogos humanistas renegados). Tais igrejas também trabalharam com organizações políticas e comunitárias para reduzir o crime nos núcleos urbanos afro-americanos dos anos 1990 (capítulo 3). No mundo em desenvolvimento, Desmond Tutu e outros líderes eclesiásticos trabalharam com organizações políticas e não governamentais nos movimentos de reconciliação que curaram países das sequelas do apartheid e da agitação civil (capítulo 8).

Portanto o subtítulo *Como a religião envenena tudo*, do best-seller ateísta *Deus não é grande*, de Christopher Hitchens, é um exagero. A religião não tem um papel principal na história da violência porque é uma força principal na história de coisa alguma. O vasto conjunto de movimentos aos quais chamamos religiões tem pouco em comum, além de sua distinção das instituições seculares, que surgiram recentemente no cenário humano. E as crenças e práticas das religiões, apesar de serem atribuídas à divina providência, são endógenas aos assuntos humanos, vinculando-se às correntes intelectuais e sociais destes. Quando as correntes se movem em direções esclarecidas, as religiões se adaptam a elas, mais obviamente quando esquecem discretamente as mais sanguinárias passagens do Antigo Testamento. Nem todas as acomodações são tão cruas como as da Igreja Mórmon, cujos líderes tiveram uma revelação de Jesus Cristo em 1890 de que ela devia abandonar a poligamia (por volta da época em que essa prática estava impedindo Utah de aderir à União), e outra em 1978 dizendo-lhes que o sacerdócio podia aceitar negros, antes rejeitados por carregarem a marca de Caim. Mas acomodações mais sutis, instigadas por denominações cismáticas, movimentos de reforma, concílios ecumênicos e outras forças liberalizantes, permitiram que outras religiões fossem arrastadas pela tendência humanista. É quando as forças fundamentalistas se confrontam com essa corrente e impõem constrangimentos tribais, autoritários e puristas que a religião se torna uma força pró-violência.

O DILEMA DO PACIFISTA

Permita-me retornar das forças históricas que não parecem ser aplacadoras eficazes da violência àquelas que o são. E tentar situar tais forças em algo parecido com um quadro explicativo, de modo que, em vez de subtrair itens de uma lista, possamos perceber o que eles podem ter em comum. O que buscamos é uma compreensão de por que a violência sempre foi tão tentadora, por que as pessoas sempre desejaram reduzi-la e por que certas modalidades de mudanças finalmente a reduziram. Para que as explicações sejam genuínas, as mudanças devem ser exógenas: não devem ser parte do próprio declínio que estamos tentando explicar, mas eventos independentes que o precederam e o causaram.

Uma boa maneira de dar sentido às mutantes dinâmicas da violência é pensar outra vez no modelo paradigmático dos benefícios da cooperação (no caso, os da abstinência da agressão), mais concretamente o dilema do prisioneiro (capítulo

8). Mudemos os rótulos e passemos a chamá-lo de dilema do pacifista. Uma pessoa ou coalizão pode ser tentada, devido aos ganhos da vitória, pela agressão predatória (o equivalente a desertar diante de um colaborador), e certamente deseja evitar o pior *payoff*, ser derrotado por um adversário que sucumbe à mesma tentação. Mas, se ambos optarem pela agressão, cairão em uma guerra punitiva (deserção mútua), que os deixará em pior situação do que se eles tivessem optado pelas recompensas de paz (cooperação mútua). A figura 10.1 é uma representação do dilema do pacifista; os números para ganhos e perdas são arbitrários, mas permitem captar a trágica estrutura do dilema.

Escolhas próprias	Escolhas do outro: Pacifista	Escolhas do outro: Agressor
Pacifista	Paz (5) Paz (5)	Deserção (–100) Vitória (10)
Agressor	Vitória-Penalti (10) Deserção (–100)	Guerra (–50) Guerra (–50)

Figura 10.1. *O dilema do pacifista.*

O dilema do pacifista está longe de ser um modelo matemático, mas vou mantê-lo para oferecer uma segunda maneira de apresentar as ideias que tentarei explicar com palavras. Os números exprimem a dupla tragédia da violência. A primeira parte da tragédia é que quando o mundo vive esses *payoffs* é irracional ser pacifista. Se seu adversário é um pacifista, você é tentado a explorar sua vulnerabilidade (os 10 pontos da vitória são melhores que os 5 da paz), ao passo que, se ele é um agressor, você fará melhor suportando o castigo de uma guerra (uma perda de 50 pontos) em vez de ser um tolo e deixá-lo explorar você (uma devastadora perda de 100). Seja como for, a agressão é a escolha racional.

A segunda parte da tragédia é que os custos de ser vítima (nesse caso, –100) são vastamente desproporcionais aos benefícios de ser agressor (10). A não ser que dois adversários se encerrem em um combate de morte, a agressão não é um jogo de soma zero, mas de soma negativa; coletivamente, é melhor não recorrer a ela, a despeito da vantagem do vitorioso. O proveito de um conquistador ao tomar um pouco mais de terra é submergido pela perda da família que ele mata durante a pilhagem, e os poucos momentos de compulsão experimentados por um estuprador são obscenamente desproporcionais aos sofrimentos que ele causa à vítima. A assimetria em última instância é uma consequência da lei da entropia: uma fração infinitesimal dos estados do universo é ordenada o bastante para sustentar a vida e a felicidade, de modo que é mais fácil destruir e produzir miséria do que cultivar e proporcionar felicidade. Tudo isso significa que mesmo o mais frio cálculo utilitário, em que um observador desinteressado contabilizar o total de felicidade e infelicidade, apontará a violência como indesejável, por causar mais infelicidade a suas vítimas do que felicidade aos perpetradores, degradando o montante total de felicidade no mundo.

Porém, quando descemos do elevado ponto de vista do observador desinteressado para a perspectiva terrestre de um dos atores, podemos verificar por que é tão difícil erradicar a violência. Cada lado seria demente de ser o único a optar pelo pacifismo, pois seu adversário seria tentado à agressão, fazendo-o pagar um custo terrível. O problema do outro explica por que o pacifismo, voltar a outra face, transformar as espadas em arados e outros sentimentos moralistas não foram um redutor eficaz da violência: eles só funcionam se o adversário for vencido pelos mesmos sentimentos e ao mesmo tempo. Penso que isso também nos ajuda a compreender por que a violência pode gerar de modo tão imprevisível uma espiral para cima, ou para baixo, em vários momentos da história. Cada lado tem de ser agressivo o bastante para não ser um alvo fácil para seu oponente, e muitas vezes a melhor defesa é um bom ataque. O medo do ataque que resulta daí, em ambos os lados — o dilema hobbesiano da armadilha ou segurança —, pode levar a uma escalada na beligerância de todos (capítulo 2). Mesmo quando o jogo é jogado repetidas vezes e a ameaça de represálias pode (em tese) conter ambos os lados, a vantagem estratégica do excesso de confiança e outros preconceitos interessados podem levar, inversamente, a ciclos de confrontos. Pela mesma lógica, um gesto de boa vontade digno de crédito pode eventualmente ser correspondido, revertendo o ciclo e rechaçando a violência quando todos menos esperam.

E aqui reside a chave para se identificar um denominador comum capaz de enfeixar os redutores históricos da violência. Cada um deve mudar a estrutura do *payoff* do dilema do pacifista — os números no tabuleiro de xadrez —, de modo a atrair os dois lados para a casa superior esquerda, aquela que dá a ambos os benefícios mútuos da paz.

À luz da história e da psicologia que passamos em revista, acredito que podemos identificar cinco eventos que empurraram o mundo em uma direção pacífica. Cada um se apresentou, em graus diversos, em várias sequências históricas, dados quantitativos e estudos experimentais. E cada um pode ser mostrado modificando os números do dilema do pacifista de um modo que estimula as pessoas na direção da preciosa célula da paz. Vamos passá-los em revista, na ordem em que foram introduzidos nos capítulos precedentes.

O LEVIATÃ

Um Estado que usa o monopólio da força para proteger seus cidadãos pode ser o mais coerente redutor de violência que encontramos neste livro. Sua lógica simples foi retratada no triângulo agressor-vítima-espectador, na figura 2.1, e pode ser reaproveitada nos termos do dilema do pacifista. Se um governo impõe a um agressor um custo grande o bastante para cancelar seus ganhos — digamos, uma penalidade que seja o triplo da vantagem da agressão sobre se manter pacífico —, ele inverte o atrativo das duas escolhas do agressor em potencial, tornando a paz mais atraente que a guerra (figura 10.2).

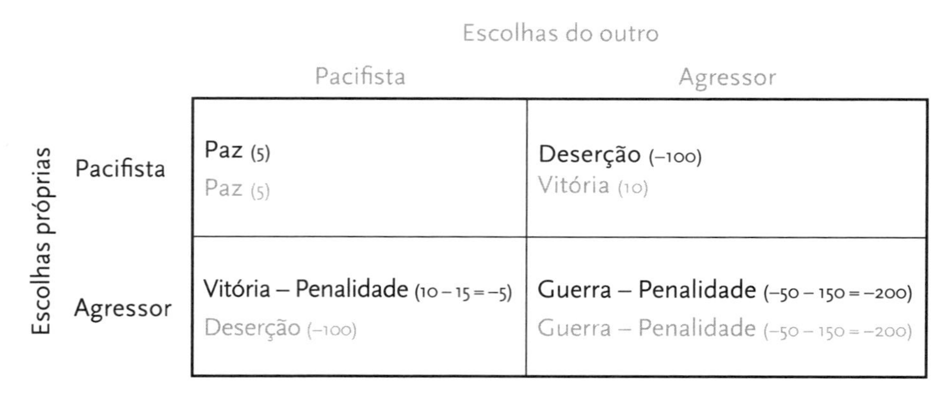

Figura 10.2. *Como um Leviatã resolve o dilema do pacifista.*

Além de mudar a aritmética do ator racional, um Leviatã — ou sua contraparte feminina, Iustitia, a deusa da justiça — é uma terceira parte, desinteressada, cujas penalidades não são infladas pelos cálculos em proveito próprio dos participantes, e que não serve a uma vingança. Um árbitro que paira sobre o jogo desestimula o oponente de atacar preventivamente ou em autodefesa, reduzindo seu desejo de manter uma atitude agressiva, deixando o adversário à vontade, e assim por diante, de modo a lograr uma desescalada do ciclo de beligerância. E, graças a efeitos generalizados de autocontrole que podem ser demonstrados em laboratórios de psicologia, abster-se da agressão pode se tornar um hábito, de modo que as partes civilizadas inibirão seus impulsos de agressão mesmo quando o Leviatã volta as costas.

Os efeitos do Leviatã encontram-se por trás dos processos de Pacificação e Civilizador que deram seus nomes aos capítulos 2 e 3. Quando bandos, tribos e cacicados tombaram sob controle dos primeiros Estados, a supressão das incursões e vendetas reduziu seus níveis de morte violenta a um quinto (capítulo 2). E quando os feudos da Europa se coligaram em reinos e Estados soberanos, a consolidação do estado de direito por fim rebaixou a taxa de homicídios a um trigésimo (capítulo 3). Bolsões de anarquia que ficavam fora do alcance do governo conservaram suas violentas culturas de honra, tal como em grotões montanhosos da Europa e nas fronteiras de colonização do sul e do oeste dos Estados Unidos (capítulo 3). O mesmo se aplica aos bolsões de anarquia na paisagem socioeconômica, como as classes mais baixas, que permanecem carentes de uma efetiva aplicação da lei, e os fornecedores do contrabando, que não podem se beneficiar dela (capítulo 3). Quando o estado de direito recua, a exemplo de um momento de descolonização, falência do Estado, anocracias, greves da polícia e da década de 1960, a violência pode voltar a galope (capítulos 5 e 6). Governos ineptos destacam-se entre os maiores fatores de risco de guerra civil e são talvez o principal ativo que diferencia o violento mundo em desenvolvimento do mundo desenvolvido, mais pacífico (capítulo 6). E quando cidadãos de um país com um estado de direito fraco são convidados ao laboratório, entregam-se a malévolas punições gratuitas que deixam todos pior do que estavam (capítulo 8).

Tanto o Leviatã, na representação que Hobbes arquitetou, quanto Iustitia, tal como a estatuária dos tribunais a exibe, estão armados de espadas. Mas às vezes a cegueira e a balança não bastam. As pessoas evitam prejudicar sua reputação, assim como seu corpo e sua conta bancária; portanto, ocasionalmente, o poder suave de terceiros influentes ou a ameaça da vergonha e do ostracismo pode ter o mesmo efeito que a polícia ou o Exército com sua ameaça de usar a força. Esse poder brando é decisivo na arena internacional, onde o governo do mundo sempre foi uma fantasia, mas o julgamento por parte de terceiros, intermitentemente apoiado por sanções ou demonstrações de força simbólicas, pode percorrer um longo caminho. Os menores riscos de guerra quando países pertencem a organizações internacionais e quando acolhem tropas de paz são dois exemplos quantificáveis dos efeitos pacificadores de terceiros desarmados ou levemente armados (capítulos 5 e 6).

Quando o Leviatã brande sua espada, o benefício depende de ele aplicar a força judiciosamente, impondo penalidades apenas nas células "agressivas" na matriz de decisão de seus súditos. Quando o Leviatã impõe castigos indiscriminadamente a todas as quatro células, brutalizando seus súditos para permanecer no poder, pode causar tantos danos quanto os que evita (capítulos 2 e 4). Os benefícios das democracias sobre as autocracias e anocracias surge quando o governo cautelosamente faz gotejar apenas a força suficiente nas células certas da matriz decisória para transformar a opção pacifista, de um ideal inatingível e agonizante em uma escolha irresistível.

O COMÉRCIO GENTIL

A ideia de que o intercâmbio de benefícios pode converter uma guerra de soma zero em um lucro recíproco de soma positiva foi uma das noções-chave do Iluminismo, recuperada pela biologia moderna como uma explicação sobre como evolui a cooperação fora do parentesco. Ela modifica o dilema do pacifista ao tornar mais apetitoso o resultado do pacifismo mútuo, com ganhos mútuos de troca (figura 10.3).

Embora o comércio gentil não elimine o desastre de ser derrotado em um ataque, suprime o incentivo a um ataque do adversário (já que este também se beneficia do intercâmbio pacífico) e, assim, mantém essa preocupação fora da pauta. A lucratividade da cooperação mútua é ao menos parcialmente exógena, pois depende de mais elementos afora a disposição dos atores para comerciar: depende também de que cada um deles se especialize em produzir algo que o

Escolhas próprias	Escolhas do outro: Pacifista	Escolhas do outro: Agressor
Pacifista	Paz + Lucro (5 + 100 = 105) Paz + Lucro (5 + 100 = 105)	Deserção (−100) Vitória (10)
Agressor	Vitória (10) Deserção (−100)	Guerra (−50) Guerra (−50)

Figura 10.3. *Como o comércio resolve o dilema do pacifista.*

outro quer, e da presença de uma infraestrutura que lubrifique o intercâmbio, como transportes, finanças, contabilidade e execução dos contratos. E, uma vez que as pessoas se iniciam no intercâmbio voluntário, são encorajadas a adotar a perspectiva do outro para obter o melhor acordo ("O cliente tem sempre razão"), o que por seu turno pode levar as partes a uma respeitosa consideração pelos interesses recíprocos, se não necessariamente a efusões.

Na teoria de Norbert Elias, o Leviatã e o comércio gentil eram os dois condutos do Processo Civilizador europeu (capítulo 3). A partir da Baixa Idade Média, os reinos em expansão não só puniram a pilhagem e nacionalizaram a justiça como arcaram com uma infraestrutura de intercâmbio, incluindo dinheiro e a execução dos contratos. Essa estrutura, juntamente com avanços tecnológicos como os das estradas e relógios, e a remoção dos tabus contra juros, inovações e competição, tornaram o comércio mais atraente, e portanto os mercadores, artesãos e burocratas desalojaram os guerreiros cavalheirescos. A teoria era fundamentada por dados históricos mostrando que o comércio começou a se expandir na Baixa Idade Média, e por dados criminológicos apontando que as taxas de mortes violentas realmente despencaram (capítulos 9 e 3).

Entre entidades maiores como as cidades e Estados, o comércio foi reforçado pela navegação oceânica, novas instituições financeiras e um declínio das políticas mercantilistas. Tais processos foram creditados em parte à domesticação no século XVIII de potências imperiais guerreiras como Suécia, Dinamarca, Holanda e Espanha, convertidas em Estados mercantis que criavam menos confusão (capítulo 5). Dois séculos mais tarde a transformação da China e do

Vietnã, do comunismo autoritário no capitalismo autoritário, foi acompanhada por uma redução no desejo de favorecer guerras totais ideológicas, que nas décadas precedentes tinham feito dos dois países os mais mortíferos quadrantes da Terra (capítulo 6). Em outras partes do mundo, igualmente, o deslocamento dos valores para longe da glória nacional e no sentido de fazer dinheiro pode ter desenfunado as velas de irascíveis movimentos revanchistas (capítulos 5 e 6). Parte da propensão pode ter vindo do relaxamento da tenaz das ideologias, que passaram a ser vistas como moralmente arruinadas, mas parte pode ter vindo do fascínio pelas lucrativas compensações da economia globalizada.

Essas narrativas foram fundamentadas por estudos quantitativos. Durante as décadas do pós-guerra que assistiram à Longa Paz e à Nova Paz, o comércio internacional disparou, e já vimos que países que comerciam entre si são menos inclinados a terçar espadas, tudo o mais sendo igual (capítulo 5). Lembremos também que países que são mais abertos à economia mundial são mais avessos a hospedar genocídios e guerras civis (capítulo 6). Na direção oposta, governos que baseiam sua prosperidade nacional em arrancar da terra petróleo, minérios e diamantes, em vez de agregar-lhes valor através do comércio e dos negócios, são mais sujeitos a tombar em guerras civis (capítulo 6).

A teoria do comércio gentil não apenas é apoiada pelos números dos bancos de dados internacionais, mas também é compatível com um fenômeno que é velho conhecido dos antropólogos: que muitas culturas mantêm ativas redes de intercâmbio, mesmo quando os bens trocados são presentes sem utilidade, por saberem que isso ajuda a manter a paz entre elas.[5] Esse foi um dos fenômenos dos anais etnográficos que levaram Alan Fiske e seus colaboradores a sugerir que, em uma relação de competição em igualdade ou mercado de preços, as pessoas sentem-se vinculadas por obrigações recíprocas e menos tendentes à desumanização mútua do que quando as relações inexistem ou são associais (capítulo 9).

A mentalidade por trás do comércio gentil, diferentemente das de outras forças pacificadoras que passo em revista neste capítulo, não foi diretamente testada no laboratório de psicologia. Sabemos que quando pessoas (aliás, macacos também) são reunidas em um jogo de soma positiva, requerendo que elas colaborem de modo a atingir um objetivo que beneficia a ambas, tensões hostis podem se dissolver (capítulo 8). Também sabemos que o intercâmbio no mundo real pode ser um lucrativo jogo de soma positiva. Mas não sabemos se o intercâmbio em si reduz as tensões hostis. Até onde sei, na vasta literatura sobre empatia, cooperação e agressão, ninguém testou por que pessoas que concluíram uma troca mutuamente lucrativa são menos inclinadas a se confrontar ou a cobrir a comida do outro com molho de pimenta ultrapicante. Suspeito que o comércio gentil não seja precisamente um tema sexy para os pesquisadores. As elites culturais e intelectuais sempre se sentiram superiores aos homens de negócios, e não lhes ocorre dar a meros comerciantes o crédito por algo tão nobre como a paz.[6]

FEMINIZAÇÃO

Dependendo de como você encara, o falecido Tsutomu Yamaguchi foi o homem mais afortunado ou o mais desafortunado do mundo. Yamaguchi sobreviveu à explosão atômica em Hiroshima, mas então fez uma escolha infeliz de onde ir para fugir da devastação: Nagasaki. Ele sobreviveu também a essa bomba e viveu mais 65 anos, morrendo em 2010, aos 93 anos. Um homem que resistiu às duas únicas explosões nucleares da história merece nossa respeitosa atenção, e antes de morrer ele ofereceu uma receita para a paz na era atômica: "As únicas pessoas que deveriam ser autorizadas a governar países com armas nucleares são as mães, aquelas que ainda estão amamentando seus bebês".[7]

Yamaguchi estava invocando a mais fundamental generalização empírica sobre a violência — que esta é cometida principalmente por homens. Desde seu tempo de criança, os homens brincam mais violentamente, fantasiam mais sobre violência, consomem mais entretenimento violento, cometem a fatia do leão dos crimes violentos, têm mais prazer em punições e vinganças, assumem mais riscos temerários em ataques agressivos, votam em líderes e políticas mais belicosos, planejam e executam quase todas as guerras e genocídios (capítulos 2, 3, 7 e 8). Mesmo quando os sexos se equivalem e a distância entre suas médias é pequena, a diferença pode decidir uma eleição apertada, ou deflagrar uma espiral de beligerância em que cada lado deve ser um pouco mais belicoso que o outro. Historicamente, as mulheres assumiram a liderança em movimentos pacifistas e humanitários em desproporção com sua influência em outras instituições políticas da época; e as últimas décadas, quando elas e seus interesses tiveram uma influência sem precedentes em todos os domínios da vida, foram também as décadas em que as guerras entre Estados desenvolvidos se tornaram cada vez mais impensáveis (capítulos 5 e 7). A caracterização de James Sheehan para a mudança na missão dos Estados europeus no pós-guerra, de bravura militar em amparo do berço ao túmulo, é quase uma caricatura dos papéis tradicionais dos gêneros.

A precisa receita de Yamaguchi, naturalmente, pode ser discutida. George Shultz lembra que, quando disse a Margaret Thatcher em 1986 que defendera que Ronald Reagan sugerisse a Mikhail Gorbatchôv a abolição das armas nucleares, ela lhe deu uma bolsada.[8] Mas Yamaguchi poderia replicar que os filhos de Margaret Thatcher já estavam crescidos e de qualquer forma as opiniões dela voltavam-se para um mundo governado por homens. Já que os Estados nucleares tão cedo não serão liderados por mulheres, e menos ainda por mães em fase de aleitamento, nunca saberemos se a receita de Yamaguchi é correta. Mas ele acertou quando especulou que um mundo mais feminino é um mundo mais pacífico.

Os valores identificados com as mulheres podem ser suscetíveis de reduzir a violência devido ao legado psicológico da diferença biológica básica entre os sexos, isto é, que os machos têm um incentivo maior para competir pelo acesso sexual às fêmeas, enquanto estas têm um estímulo para evitar riscos que convertam seus filhos em órfãos. Competições de soma zero, quer assumam a forma de disputas por mulheres em sociedades tribais e cavalheirescas, quer de contendas por honra, status, dominação e glória nas atuais, são uma obsessão mais do homem que da mulher. Suponha que no dilema do pacifista uma parcela das recompensas pela vitória e dos custos da derrota — digamos 80% — consista em inchaço ou equimoses no ego masculino. E suponha que as escolhas agora são feitas por atrizes mulheres, de modo que esses *payoffs* psíquicos são reduzidos em consequência (figura 10.4; omiti as escolhas simétricas do outro para maior clareza). Agora a paz é mais tentadora que a vitória, e a guerra, mais custosa que a vitória. A opção pacifista triunfa de alto a baixo. A reversão seria ainda mais dramática caso ajustássemos a casa da guerra para indicar um custo do conflito violento maior para as mulheres que para os homens.

Sem dúvida, um deslocamento da influência masculina para a feminina na tomada de decisões pode não ser completamente exógeno. Em uma sociedade em que invasores rapaces podem irromper a qualquer momento, os custos da derrota são catastróficos para ambos os sexos; e qualquer coisa exceto os mais truculentos valores marciais pode ser suicídio. Um sistema de valores de inclinação feminina pode ser um luxo a ser desfrutado por uma sociedade ao abrigo de invasões predatórias. Mas uma redefinição dos poderes relativos em favor dos interesses das mulheres também pode ser causada por forças exógenas que nada têm a ver com a violência. Em sociedades tradicionais, uma dessas forças é o modo de vida: as mulheres estão melhor em sociedades onde elas ficam em sua família de nascença, sob a asa de seus pais e irmãos, e seus maridos são visitantes, em contraste com sociedades em que elas se mudam para o clã do marido e são dominadas por este e por sua parentela (capítulo 7). Em sociedades modernas, a força exógena inclui avanços tecnológicos e materiais que libertam a mulher da tarefa crônica de cuidar dos filhos e dos deveres domésticos, como alimentos comprados prontos, utensílios poupadores de trabalho, meios de contracepção, uma esperança de vida dilatada e a passagem a uma economia da informação.

Escolhas próprias \ Escolhas do outro	Pacifista	Agressor
Pacifista	Paz (5)	Deserção sem humilhação (−100 + 80 = −20)
Agressor	Vitória sem glória (10 − 8 = 2)	Guerra (−50)

Figura 10.4. *Como a feminização pode resolver o dilema do pacifista.*

As sociedades onde as mulheres conseguem um acordo melhor, sejam tradicionais ou modernas, tendem a ter menos violência organizada (capítulo 8). Isso é bastante óbvio entre as tribos e os cacicados que literalmente vão à guerra para raptar mulheres, ou vingar raptos anteriores, como os ianomâmis e os gregos homéricos (capítulos 1 e 2). Mas também pode ser visto em países contemporâneos, no contraste entre os baixos níveis de violência política e jurídica nas democracias feministas da Europa Ocidental e os altos níveis nos Estados da mutilação genital, apedrejamento de adúlteras, uso da burca e da charia, na África e na Ásia islâmicas (capítulo 6).

A feminização não precisa consistir em mulheres literalmente detendo mais poder na decisão sobre a possibilidade de ir à guerra. Pode se expressar também em uma sociedade se distanciar de uma cultura de honra viril, com seu aval à retaliação violenta a insultos, endurecimento dos meninos através de castigos físicos e veneração da glória marcial (capítulo 8). Essa foi a tendência nas democracias da Europa e do mundo desenvolvido e nos estados americanos mais "azuis" (capítulos 3 e 7). Vários acadêmicos conservadores sugeriram-me tristemente que o Ocidente moderno vem se apequenando pela perda de virtudes como bravura, ascendência do materialismo, da frivolidade, da decadência e da afeminação. Ora, venho supondo que a violência é sempre uma coisa ruim, exceto quando evita uma violência maior, mas esses homens estão corretos ao ver nisso um juízo de valor, e que nenhum argumento lógico favorece intrinsecamente a paz em detrimento da honra e da glória. Apenas penso que as vítimas potenciais de toda essa virilidade merecem ser ouvidas na discussão, e elas podem não concordar que suas vidas e integridade sejam o preço a ser pago pela glorificação das virtudes masculinas.

Há ainda outra razão pela qual a feminização é um fator de pacificação. Os arranjos sociais e sexuais que favorecem os interesses das mulheres tendem a drenar os charcos onde prolifera a competição violenta entre machos. Um desses arranjos é o casamento, em que os homens se comprometem a investir nos filhos que geraram, em vez de competirem entre si por oportunidades sexuais. Casar-se reduz a testosterona dos homens e a probabilidade de levarem uma vida de crimes; vimos que a taxa de homicídios dos Estados Unidos despencou nas décadas dos alegres casamentos, 1940 e 1950, cresceu nas dos casamentos adiados, 1960 e 1970, e permanece elevada em comunidades afro-americanas que têm índices de casamento particularmente baixos (capítulo 3).

Outro drenador de charcos é a igualdade nos números. Meios sociais não policiados e apenas masculinos, como os dos caubóis e acampamentos de garimpeiros na antiga fronteira estadunidense, são quase sempre violentos (capítulo 3). O oeste era selvagem porque eram homens jovens que estavam ali, enquanto as mulheres jovens ficavam para trás no leste. Mas as sociedades podem ficar cheias de machos por uma razão mais sinistra, a saber, porque suas contrapartes femininas foram abortadas ou mortas ao nascer. Em um artigo chamado "A Surplus of Men, a Deficit of Peace" [Um excedente de homens, um déficit de paz], as cientistas políticas Valerie Hudson e Andrea den Boer mostram que a tradicional matança de recém-nascidas na China por muito tempo resultou em um grande número de homens sós.[9] Estes são sempre pobres, pois os ricos atraem as escassas mulheres. Os "galhos nus", como os chamam na China, congregam-se em gangues de vagabundos que brigam e duelam entre si, roubam e aterrorizam populações assentadas. Podem até chegar a formar exércitos que ameaçam governos locais ou nacionais. Um líder pode tentar derrotar as gangues pela repressão violenta ou tratar de cooptá-las, o que usualmente exige que ele adote uma filosofia falocrata que lhes agrade. Melhor ainda, ele pode exportar a energia destrutiva das gangues enviando-as a outros territórios, como trabalhadores migrantes, colonos ou soldados. Conforme Hudson e Den Boer comentam, "toda sociedade tem uma porção de galhos nus para poupar em um conflito — e os respectivos governos podem fazê-lo alegremente".[10]

Um feminicídio tradicional, ao qual se somou nos anos 1980 a indústria do aborto de fetos femininos, injetou uma massa de homens excedentes na estrutura populacional do Afeganistão, Bangladesh, China, Paquistão e partes da Índia (capítulo 7).[11] Esses excedentes de homens vaticinam dificuldades para as perspectivas imediatas da paz e democracia nessas regiões. A longo prazo, o equilíbrio sexual pode finalmente ser restaurado por uma preocupação feminista e humanitária com o direito dos fetos femininos a respirar pela primeira vez, ao lado de líderes políticos que finalmente assumam a aritmética demográfica e incentivem a criação das filhas. O consequente boom de meninas iria se traduzir em sociedades menos violentas. Mas, até que as primeiras gerações meio a meio nasçam e cresçam, essas sociedades podem viver uma dura jornada.

O respeito de uma sociedade pelos interesses das mulheres tem outra correlação com o índice de violência. Este é um problema não só de excesso de homens, mas de excesso de homens *jovens*. Pelo menos dois grandes estudos sugerem que países com uma maior proporção de homens jovens têm maior probabilidade de travar guerras interestatais e civis (capítulo 6).[12] Uma pirâmide populacional com uma ampla base de jovens é perigosa não só porque gente jovem gosta de pintar o sete, e em sociedades assim tende a suplantar em número os mais velhos e mais prudentes. Ela também é perigosa porque esses jovens homens têm maior probabilidade de ficar privados de status e parceiras. As economias esclerosadas dos países do mundo em desenvolvimento não podem colocar agilmente um magote de jovens para trabalhar, deixando muitos deles desempregados ou subempregados. E caso a sociedade tenha certo grau de poligamia, oficial ou *de facto*, com muitas jovens mulheres sendo usurpadas por homens mais velhos ou mais ricos, o excedente de jovens marginalizados se transformará em um excedente de adultos marginalizados. Estes não têm nada a perder, e podem encontrar emprego e razão de viver em milícias, gangues de senhores da guerra e células terroristas (capítulo 6).

O título *Sex and War* [Sexo e guerra] soa como o último dos engodos machistas, mas esse livro recente é um manifesto pelo empoderamento das mulheres.[13] O biólogo reprodutivo Malcolm Potts, escrevendo junto com a cientista social Martha Campbell e o jornalista Thomas Hayden, reuniu evidências de que quando as mulheres têm acesso à contracepção e à liberdade de se casar em seus próprios termos, elas têm menos filhos do que quando os homens de suas sociedades forçam-nas a ser fábricas de bebês. E isso, por sua vez, significa que a população de seus países será menos tensionada por uma vasta camada de gente jovem em sua base. (Ao contrário de uma compreensão anterior, um país não se torna afluente antes que sua taxa de crescimento populacional se reduza.) Potts e seus coautores argumentam que dar às mulheres mais poder sobre sua capacidade reprodutiva (sempre o território contestado na batalha biológica dos sexos) pode ser a via isolada mais eficaz para reduzir a violência nas partes perigosas do mundo de hoje. Mas esse empoderamento com frequência tem de enfrentar a oposição de homens tradicionalistas que querem preservar seu poder sobre a reprodução feminina, e de instituições religiosas que são contra a contracepção e o aborto.

Portanto, muitas variedades de feminização — empoderamento político direto, deflação da honra viril, promoção do casamento nos termos da mulher, direito de nascer das meninas e controle das mulheres sobre sua própria reprodução — foram forças motrizes da redução da violência. As partes do mundo que se atrasam nessa marcha histórica são as que se atrasam no declínio da violência. Mas dados de pesquisas em escala global mostram que mesmo em países mais incultos há uma considerável demanda reprimida de empoderamento feminino, e muitas organizações internacionais estão empenhadas em acelerar seu atendimento (capítulos 6 e 7). São sinais que geram esperança de que, a longo prazo, se não imediatamente, haverá mais quedas dos conflitos violentos no mundo.

O CÍRCULO EXPANDIDO

As duas últimas forças pacificadoras embaralham as recompensas psicológicas da violência. A primeira é a expansão do círculo de simpatia. Suponha que viver em uma sociedade cosmopolita, que nos põe em contato com uma gama mais diferenciada de pessoas e nos convida a assumir seus pontos de vista, muda nossa resposta emocional ao bem-estar. Imagine que se conduza essa mudança à sua conclusão lógica: nosso próprio bem-estar e o dos outros tornaram-se tão entrelaçados que literalmente amamos nossos inimigos e sentimos suas dores. Os *payoffs* de nossos adversários potenciais simplesmente se somariam aos nossos próprios (e vice-versa) e o pacifismo se tornaria esmagadoramente preferível à agressão (figura 10.5).

Escolhas próprias \ Escolhas do outro	Pacifista	Agressor
Pacifista	Paz (5 + 5 = 10) Paz (5 + 5 = 10)	Deserção (− 100 + 10 = − 90) Vitória (10 + − 100 = − 90)
Agressor	Vitória (10 + − 100 = − 90) Deserção (− 100 + 10 = − 90)	Guerra (− 50 + − 50 = − 100) Guerra (− 50 + − 50 = − 100)

Figura 10.5. *Como a empatia e a razão resolvem o dilema do pacifista.*

Naturalmente, uma perfeita fusão dos interesses de todos os seres humanos é um nirvana inatingível. Mas incrementos menores na avaliação dos interesses dos outros — por exemplo, uma suscetibilidade a sentimentos de culpa quando se pensa na escravização, tortura e aniquilamento de pessoas — pode mudar a probabilidade de agressões contra eles.

Examinamos evidências em ambas as pontas dessa sequência causal: acontecimentos exógenos que ampliaram as oportunidades de assumir a perspectiva do outro, e uma resposta psicológica que transforma a mudança de perspectiva em simpatia (capítulos 4 e 9). A partir do século XVII, avanços tecnológicos na indústria editorial e nos transportes criaram uma República das Letras e uma revolução da leitura, em que as sementes da Revolução Humanitária lançaram raízes (capítulo 4). Mais pessoas liam livros, inclusive ficção, que as levava a habitar as mentes de outras pessoas, e sátiras, que as induziam a questionar as normas de sua sociedade. Descrições vívidas dos sofrimentos causados pela escravidão, de castigos sádicos, da guerra, da crueldade para com crianças e animais precederam as reformas que baniram ou reduziram essas práticas. Embora a cronologia não prove uma relação de causa e efeito, estudos de laboratório mostraram que ouvir uma narrativa na primeira pessoa pode despertar simpatia pelo narrador ou ao menos torná-la plausível (capítulo 9).

Alfabetização, urbanização, mobilidade e acesso aos meios de informação de massa continuaram a crescer nos séculos XIX e XX, e na segunda metade deste último uma aldeia global começou a emergir, tornando as pessoas ainda mais conscientes de outras pessoas diferentes delas próprias (capítulos 5 e 7). Tal como a República das Letras e a revolução da leitura ajudaram a deflagrar a Revolução Humanitária do século XVIII, a aldeia global e a revolução eletrônica podem ter auxiliado a Longa Paz, a Nova Paz e as Revoluções por Direitos ao longo do século XX. Embora não possamos comprovar a observação costumeira de que a cobertura da mídia acelerou o movimento pelos direitos civis, o sentimento contra a guerra e a queda do comunismo, os estudos sobre simpatia e perspectiva são sugestivos, e já vimos muitas correlações estatísticas entre a mistura cosmopolita de povos e a adoção de valores humanistas (capítulos 7 e 9).[14]

A ESCADA ROLANTE DA RAZÃO

O círculo expandido e a escada rolante da razão são impulsionados pelas mesmas causas exógenas, particularmente a alfabetização, o cosmopolitismo e a educação.[15] E seu efeito pacificador pode ser representado pela mesma fusão de interesses no dilema do pacifista. Mas o círculo expandido (no sentido em que venho usando o termo) e a escada rolante da razão são conceitualmente distintos (capítulo 9). O primeiro implica assumir o ponto de vista de outra pessoa e imaginar as emoções dela como se fossem as suas próprias. O segundo implica elevar-se a um ponto de vista olímpico, super-racional — a perspectiva da eternidade, a visão sem ponto de vista — e considerar como equivalentes os interesses próprios e os das outras pessoas.

A escada rolante da razão tem uma fonte exógena adicional: a natureza da realidade, com suas relações lógicas e fatos empíricos que independem da constituição psicológica dos pensadores que tentam compreendê-la. Assim como os seres humanos apuraram as instituições do conhecimento e da razão e purgaram as superstições e inconsistências de seus sistemas de crenças, certas conclusões eram obrigatórias, tal e qual quando alguém domina as leis da aritmética e certas somas e produtos são obrigatórios (capítulos 4 e 9). E em muitos casos as conclusões foram tais que induziram as pessoas a cometer menos atos de violência.

Ao longo do livro vimos as consequências benéficas do emprego da razão nos assuntos humanos. Em vários momentos da história, matanças por superstição, como sacrifícios humanos, caças às bruxas, libelos de sangue, inquisições e buscas de bodes expiatórios étnicos, tombaram por terra enquanto hipóteses factuais, na medida em que passaram pelo escrutínio de massas intelectualmente mais sofisticadas (capítulo 4). Relatórios cuidadosamente fundamentados — contra a escravidão, o despotismo, a tortura, a perseguição religiosa, a crueldade com animais, a rudeza com crianças, a violência contra mulheres, as guerras frívolas e a perseguição de homossexuais — não eram apenas palavras vazias e penetraram nas decisões das pessoas e instituições, que deram ouvidos a seus argumentos e implementaram reformas (capítulos 4 e 7).

Claro que nem sempre é fácil distinguir a empatia da razão, o coração da mente. Mas o alcance limitado da empatia, com sua afinidade por gente como nós e gente próxima de nós, sugere que a empatia requer o impulso universalizante da razão para promover mudanças em políticas e normas que realmente reduzam a violência no mundo (capítulo 9). Essas mudanças incluem não apenas a proibição legal de atos de violência, mas instituições concebidas para reduzir as tentações da violência. Entre esses engenhos estão um sábio governo democrático, as salvaguardas kantianas contra a guerra, os movimentos de reconciliação no mundo em desenvolvimento, os movimentos de resistência não violenta, as operações internacionais de manutenção da paz, as reformas preventivas da criminalidade e as ofensivas civilizatórias da década de 1990, e táticas de contenção, as sanções e engajamentos cautelosos concebidos para dar aos líderes nacionais mais opções afora o simples jogo da galinha que levou à Primeira Guerra Mundial ou o apaziguamento que levou à Segunda (capítulos 3 a 8).

Um efeito mais amplo da escada rolante da razão, embora com muitas evasivas, reversões e negaceios, é o movimento de rejeição dos sistemas morais do tribalismo, da pureza e da autoridade, e de inclinação ao humanismo, ao liberalismo clássico, à autonomia e aos direitos humanos (capítulo 9). Um sistema de valores humanista, que privilegia o desenvolvimento humano como bem supremo, é um produto da razão, pois pode ser *justificado*: ele pode ser coletivamente acordado por qualquer comunidade de pensadores que avaliem seus próprios interesses e se empenhem em uma negociação racional, enquanto os valores comunais e autoritários são restritos a uma tribo ou hierarquia (capítulos 4 e 9).

Quando as correntes cosmopolitas trazem pessoas diferentes para a discussão, quando a liberdade de expressão permite que a discussão vá para onde quiser e quando experiências históricas fracassadas são expostas à luz, as evidências sugerem que os sistemas de valores evoluem no sentido do humanismo liberal (capítulos 4 a 9). Vimos isso no recente declínio das ideologias totalitárias, dos genocídios e guerras que elas inflamaram, e também no contágio das Revoluções por Direitos, quando a indefensabilidade da opressão das minorias raciais foi extrapolada para a opressão de mulheres, crianças, homossexuais e animais (capítulo 7). Vimo-lo também na maneira como essas revoluções acabaram varrendo os conservadores que a princípio se opuseram a elas. A exceção que confirma a regra são as sociedades insulares que são privadas das ideias do resto do mundo e amordaçadas pela repressão governamental e clerical à imprensa: estas são também as sociedades que mais teimosamente resistem ao humanismo e se apegam a suas ideologias tribais, autoritárias e religiosas (capítulo 6). Mas mesmo essas sociedades podem se mostrar incapazes de resistir para sempre às correntes liberalizantes da nova República das Letras eletrônica.

A metáfora da escada rolante, com sua implicação de algo superposto direcionado ao caminhar aleatório da modalidade ideológica, pode parecer liberalizante, "presentista" e historicamente ingênua. Contudo, é uma espécie de história liberal apoiada pelos fatos. Vimos que muitas reformas liberalizantes que se originaram na Europa Ocidental ou nas costas americanas foram emuladas, após um intervalo de tempo, pelas partes mais conservadoras do mundo (capítulos 4, 6 e 7). E vimos as correlações, e até uma ou duas relações causais, entre uma capacidade racional bem desenvolvida e uma receptividade à cooperação, à democracia, ao liberalismo clássico e à não violência (capítulo 9).

REFLEXÕES

O declínio da violência pode ser o acontecimento mais importante e menos apreciado na história de nossa espécie. Suas implicações tocam a essência de nossas crenças e valores — o que poderia ser mais fundamental que um entendimento sobre se, no decorrer da história, a condição humana tornou-se constantemente melhor, constantemente pior ou não mudou? Pendentes da balança estão as concepções sobre a queda do homem, a autoridade moral das escrituras religiosas e da hierarquia, a perversidade inata ou a benevolência da natureza humana, as forças que conduzem a história, a avaliação moral sobre a natureza, a comunidade, a tradição, a emoção, a razão e a ciência. Minha tentativa de documentar e explicar o decréscimo da violência encheu muitas páginas, e não cabe aqui usar outras mais para explorar suas implicações. Mas terminarei com duas reflexões sobre o que se poderia extrair do declínio histórico da violência.

A primeira diz respeito ao modo como devemos encarar a modernidade — a transformação da vida humana pela ciência, pela tecnologia e pela razão, com a consequente diminuição do costume, da fé, da comunidade, da autoridade tradicional e da imersão na natureza.

A aversão à modernidade é uma das grandes constantes do criticismo social contemporâneo. Quer a nostalgia seja da intimidade das cidades pequenas, da sustentabilidade ecológica, da solidariedade comunitária, dos valores da família, da fé religiosa, do comunismo primitivo ou da harmonia com os ritmos da natureza, todos querem que o relógio volte atrás. O que a tecnologia nos deu, indagam eles, exceto alienação, espoliação, patologia social, perda de sentido e uma cultura consumista que está destruindo o planeta para nos ofertar *McMansions*,* utilitários esportivos e *reality shows* na televisão?

Lamentações pelo paraíso perdido têm uma longa história na vida intelectual, como mostrou o historiador Arthur Herman em *A ideia de decadência na história ocidental*.[16] E, desde os anos 1970, sempre que a nostalgia romântica tornou-se o senso comum, estatísticos e historiadores enfileiraram fatos contra ela. Os títulos de seus livros contam a história: *The Good News Is the Bad News is Wrong* [A boa notícia é que as más notícias estão erradas], *It's Getting Better All the Time* [Está melhorando o tempo inteiro], *The Good Old Days — They Were Terrible!* [Os velhos bons tempos — eles eram horríveis!], *The Case for Rational Optimism* [O caso do otimismo racional], *The Improving State of the World* [O estado do mundo em aprimoramento], *The Progress Paradox* [O paradoxo do progresso] e, mais recentemente, *The Rational Optimist* [O otimista racional], de Matt Ridley, e *Getting Better* [Melhorando], de Charles Kenny.[17]

Essas defesas da modernidade relatam as aflições da vida cotidiana antes do

* *McMansions*: termo pejorativo para residência de qualidade e gosto duvidosos nos subúrbios americanos. (N. T.)

advento da prosperidade e da tecnologia. Nossos antepassados, lembram elas, viviam infestados de piolhos e parasitas e viviam por sobre porões atulhados com suas próprias fezes. A alimentação era sem graça, monótona e intermitente. O cuidado com a saúde resumia-se à serra do médico e ao boticão do dentista. Ambos os sexos trabalhavam do nascer ao pôr do sol, quando eram mergulhados nas trevas. Os invernos significavam meses de fome, tédio e consumidora solidão em residências rurais cobertas pela neve.

Mas não eram apenas os confortos físicos mundanos que faltavam a nossos antepassados recentes. Eram também as coisas mais elevadas e nobres da existência, como conhecimento, beleza e contato humano. Até recentemente, a maior parte das pessoas nunca viajava para além de alguns quilômetros de seu lugar de nascimento. Todos ignoravam a vastidão do cosmo, a pré-história da civilização, a genealogia dos seres vivos, o mundo microscópico e os componentes da matéria e da vida. Gravações musicais, livros a preço acessível, notícias do mundo, reproduções de obras de arte e dramas cinematográficos eram coisas que não se concebia, quanto mais dispor delas em um utensílio que cabe no bolso da camisa. Quando os filhos emigravam, os pais podiam nunca mais encontrá-los, ou ouvir suas vozes, ou conhecer os netos. E há ainda as dádivas da modernidade da própria vida: as décadas adicionais de existência, as mães que vivem para ver seus recém-nascidos, as crianças que sobrevivem aos primeiros anos sobre a Terra. Quando passeio por antigos cemitérios da Nova Inglaterra, sempre me impressiono com a abundância de pequenas lápides e epitáfios pungentes: "Elvina Maria, falecida em 12 de julho de 1845, aos quatro anos e nove meses. *Perdoa esta lágrima, lamenta um pai. Aqui descansa a florzinha murcha*".

Mesmo com todas essas razões pelas quais não seria romântico entrar em uma máquina do tempo, os nostálgicos sempre deram um jeito de recorrer a um trunfo moral: a profusão da violência moderna. Pelo menos, dizem, nossos antepassados não precisavam se preocupar com assaltos, tiroteios em escolas, ataques terroristas, holocaustos, guerras mundiais, campos de extermínio, napalm, gulags e catástrofes nucleares. Certamente nenhum Boeing 747, nenhum antibiótico e nenhum iPod compensam os sofrimentos que as sociedades e tecnologias modernas podem causar.

E é aqui que a história sem sentimentalismos e a instrução estatística podem mudar nossa visão da modernidade. Pois elas mostram que a nostalgia por um passado aprazível é a maior de todas as ilusões. Sabemos hoje que os povos nativos, cujas vidas são tão romantizadas nos livros infantis contemporâneos, tinham índices de morte em guerras que superavam os das nossas conflagrações mundiais. As visões românticas da Europa medieval omitem os requintadamente construídos instrumentos de tortura e ignoram o risco de homicídio de então, trinta vezes mais elevado. Os séculos que despertam a nostalgia das pessoas eram tempos em que a mulher de um adúltero podia ter seu nariz amputado, uma criança de sete anos podia ser enforcada por furtar uma saia, a família de um prisioneiro podia ter de pagar pelos seus grilhões, uma bruxa podia ser serrada ao meio e um marinheiro, açoitado até ficar em carne viva. Os lugares-comuns morais de nossa época, de que a escravidão, a guerra e a tortura estão errados, seriam vistos como sentimentalismo adocicado e a noção de direitos humanos universais, como algo quase incoerente. O genocídio e os crimes de guerra não constam dos arquivos históricos da época apenas porque naquele tempo ninguém julgou que eles tivessem importância. Do ponto de vista de quase sete décadas depois das guerras mundiais e genocídios da primeira metade do século XX, vemos que eles não eram presságios do pior que estava por vir, nem um novo padrão de normalidade ao qual o mundo teria de se acostumar, mas uma elevação de onde se desceria acidentadamente. E as ideologias por trás deles não eram tessituras da modernidade e sim atavismos que terminaram na lata de lixo da história.

As forças da modernidade — a razão, a ciência, o humanismo, os direitos individuais — por certo não foram empurradas constantemente em uma mesma direção; nem trarão jamais uma utopia ou acabarão com as fricções e mágoas que surgem com o ser humano. Mas no alto de todos os benefícios que a modernidade nos trouxe em saúde, experiência e conhecimento, podemos agregar seu papel na redução da violência.

Para escritores que *notaram* o declínio da violência, há uma aura de mistério em sua cristalina abundância operando em tantas escalas de tempo e magnitude. James Payne escreveu sobre a tentação de aludir a "um poder mais alto operando" em um processo que parece "quase mágico".[18] Robert Wright quase sucumbiu à tentação, perguntando se o declínio da competição de soma zero é uma "evidência da divindade", sinal de um "sentido que parte do divino" ou uma história com um "autor cósmico".[19]

Consigo facilmente resistir à tentação, mas admito que a multiplicidade de registros em que a violência serpenteia para baixo é um enigma que merece ponderação. O que faremos com a impressão de que a história humana contém uma seta? Onde se encontra a seta, somos levados a perguntar, e quem a colocou ali? E, se o alinhamento de tantas forças históricas em uma direção benéfica não implica um pintor divino de signos, poderia isso demonstrar alguma noção de realismo moral — que as verdades morais encontram-se aí, alhures, para que as descubramos, tal como descobrimos as verdades da ciência e da matemática?[20]

Meu ponto de vista próprio é que o dilema do pacifista ao menos esclarece o mistério, e mostra como uma direção não aleatória da história deita raízes em um aspecto da realidade que informa nossas concepções de moralidade e propósito. Nossa espécie nasceu em um dilema, porque nossos interesses finais são distintos, porque nossos corpos vulneráveis fazem de nós alvos fáceis da exploração e porque a tentação de ser o explorador e não o explorado sentenciará todos os lados a um conflito punitivo. O pacifismo unilateral é uma estratégia perdedora e uma paz conjunta está fora do alcance de todos. Essas contingências enlouquecedoras são inerentes à estrutura matemática dos *payoffs*, e nesse sentido eles estão na natureza da realidade. Não é de admirar que os gregos antigos atribuíssem suas guerras aos caprichos dos deuses, ou que os hebreus e cristãos apelassem para uma divindade moralista com poder para retificar os *payoffs* no outro mundo e, portanto, mudar a estrutura de incentivos percebida aqui na Terra.

A natureza humana, tal como a evolução a produziu, não dá conta do desafio de nos conduzir até a maravilhosamente pacífica casa na extremidade esquerda e superior da grade. Motivos como cupidez, medo, dominação e luxúria continuam a nos direcionar para a agressão. E, apesar do grande trabalho em seu entorno, a ameaça da vingança olho por olho tem o poder de pôr em execução a cooperação caso o jogo se repita; na prática este é desajustado por inclinações egoístas e frequentemente resulta em ciclos de vendeta em vez de uma dissuasão estável.

Mas a natureza humana também contém motivos para nos levar à casa maravilhosamente pacífica, tais como a simpatia e o autocontrole. Ela comporta canais de comunicação como a linguagem. E está equipada com um sistema combinatório aberto de raciocínio. Quando o sistema é refinado no cadinho de um debate, e seus produtos se acumulam através do letramento e outras formas de memória cultural, ele pode pensar meios de mudar a estrutura do *payoff* e tornar a casa pacífica cada vez mais atraente. Não menos importante entre essas táticas é o apelo super-racional a uma outra característica abstrata da realidade — a intercambialidade de perspectivas, a não especificidade de nossos pontos de vista estreitos, que corrompe o dilema ao fundir os *payoffs* dos dois antagonistas.

Apenas uma visão hipertrofiada de nossa própria importância pode transformar nosso desejo de escapar ao dilema do pacifista em um propósito cósmico transcendente. Mas o desejo não parece penetrar em contingências do mundo que não são exatamente físicas, e portanto difere dos desejos que foram as mães de outras invenções como o açúcar refinado ou os sistemas de aquecimento central. A enlouquecedora estrutura do dilema do pacifista é na verdade uma feição abstrata da realidade. Assim como o é a sua feição mais abrangente, a intercambialidade de perspectivas, que é o princípio subjacente à regra de ouro e seus equivalentes que já foram redescobertos em muitas tradições morais. Nossos processos cognitivos têm lutado com esses aspectos da realidade ao longo de nossa história, tal como têm lutado com as leis da lógica e da geometria.

Embora nossa fuga de contendas destrutivas não seja um propósito cósmico, ela *é* um propósito humano. Defensores da religião há muito asseveram que na ausência dos decretos divinos a moralidade jamais poderia referenciar-se fora de nós mesmos. As pessoas só podem perseguir interesses egoístas, talvez retocados pelo gosto ou pela moda, e estão condenadas ao relativismo e niilismo perpétuos. Agora podemos avaliar por que essa linha de argumentação está errada. Descobrir caminhos terrenos que permitam aos seres humanos florescer, inclusive estratagemas que superem a tragédia do apelo agressivo inerente, seria um propósito suficiente para qualquer um. É um objetivo mais nobre do que integrar um coro celestial, fundir-se com um espírito cósmico ou reencarnar em uma forma superior, pois o objetivo pode ser justificado para qualquer ser pensante em vez de ser inculcado em facções arbitrárias pelo carisma, pela tradição ou pela força. E os dados que examinamos neste livro mostram que é um objetivo em que se pode progredir — um progresso hesitante, incompleto, mas assim mesmo indubitável.

Uma reflexão final. Ao escrever este livro, adotei uma linguagem que é analítica e algumas vezes irreverente, porque acredito que o tópico já proporcionou piedade em excesso e compreensão insuficiente. Mas de forma alguma perdi a consciência da realidade por trás dos números. Passar em revista a história da violência é assombrar-se repetidamente com a crueldade e o desperdício de tudo aquilo, e às vezes ser tomado pela cólera, pela repugnância e por uma incomensurável tristeza. Sei que por trás dos gráficos há um jovem que sente uma punhalada de dor e assiste à vida que se esvai dele, sabendo que foi despojado de décadas de existência. Há uma vítima de torturas cuja consciência teve seu conteúdo substituído por uma agonia insuportável, só deixando lugar para o desejo de que a própria consciência adormeça. Há uma mulher que soube que seu marido, seu pai e seus irmãos jazem mortos em uma vala, e que ela dentro em pouco "cairá nas mãos de quente e forçada violação".[21] Já seria terrível o bastante se essas provações atingissem uma pessoa, ou dez, ou cem. Mas os números não se contam às centenas, milhares ou mesmo milhões, mas às centenas de milhões — uma ordem de grandeza que a mente vacila em entender, com um horror que se aprofunda à medida que ela se dá conta de quanto sofrimento o macaco nu já infligiu à sua própria espécie.[22]

Ora, enquanto este planeta, obedecendo à lei fixa da gravitação, continua a percorrer sua órbita, esta espécie vai também achando meios de trazer os números para baixo, permitindo que uma parcela sempre maior da humanidade viva em paz e morra de causas naturais.[23] Com todas as tribulações de nossa existência, com todos os problemas que subsistem no mundo, o declínio da violência é um resultado que podemos saborear, e um impulso que nos faz ter apreço pelas forças da civilização e das luzes que o tornaram possível.

Notas

PREFÁCIO [pp. 19-28]

1. A disponibilidade na memória afeta a estimativa de probabilidade: Slovic, 1987; Tversky e Kahnemann, 1973.

2. Longa Paz: cunhado por Gaddis, 1986.

3. Discussões sobre o declínio da violência em meus livros anteriores: Pinker, 1977, pp. 518-9; Pinker 2002, pp. 166-9, 320, 330-6.

4. Outros livros sobre o declínio da violência: Elias, 1939/2000; Human Security Report Project, 2011; Keeley, 1996; Muchembled, 2009; Mueller, 1989; Nazaretyan, 2010; Payne, 2004; Singer, 1981/2011; Wright, 2000; Wood, 2004.

I. UMA TERRA ESTRANGEIRA [pp. 29-66]

1. Um levantamento: Bennett Haselton e eu apresentamos a 265 usuários da internet cinco pares de períodos históricos e perguntamos em quais eles achavam que as taxas de mortes violentas foram mais altas: bandos pré-históricos de caçadores-coletores ou os primeiros Estados; bandos de caçadores-coletores contemporâneos ou sociedades ocidentais modernas; homicídio na Inglaterra do século XIV ou na Inglaterra do século XX; guerra nos anos 1950 ou nos anos 2000; homicídio nos Estados Unidos nos anos 1970 ou nos anos 2000. Em cada caso, os participantes da pesquisa acharam que a cultura mais recente era mais violenta, por um fator de 1,1 a 4,6. Em cada caso, como veremos, a cultura mais antiga foi mais violenta, por um fator de 1,6 a mais de 30.

2. Ötzi: B. Cullen, "Testimony From the Iceman", *Smithsonian*, fev. 2003; C. Holden, "Iceman's Final Hours", *Science,* n. 316, 1 jun. 2007, p. 1261.

3. Homem de Kennewick: McManamon, 2004; C. Holden, "Random Samples", *Science,* n. 279, 20 fev. 1998, p. 1137.

4. Homem de Lindow: Joy, 2009.

5. Crânio decepado com cérebro preservado: "2000-Year-Old-Brain Found in Britain", *Boston Globe,* 13 dez. 2008.

6. Família assassinada: C. Holden, "A Family Affair", *Science,* n. 322, 21 nov. 2008, p. 1169.

7. Guerras homéricas: Gottschall, 2008.

8. Agamêmnon encoraja o genocídio: Homero, 2003, p. 101.

9. "Navios velozes de baixo calado": Gottschall, 2008, p. 1.

10. "Fendido com surpreendente facilidade": Gottschall, 2008, pp. 143-4.

11. "Muitas noites em vigília": *Ilíada* 9325-7, citado em Gottschall, p. 58.

12. A Bíblia hebraica: Kugel, 2007.

13. "Abusaria ele de nossa irmã": Gn 34,23-31.

14. "matai de entre as crianças": Nm 31.

15. "Não deixarás com vida": Dt 20,16-17.

16. "destruíram totalmente" Jericó: Js 6.

17. "destruiu a tudo o que tinha fôlego": Js 10,40-41.

18. "Vai, pois, agora e fere a Amaleque": 1Sm 15,3.

19. Saul trama a morte de Davi: 1Sm 18,7.

20. "destruiu a terra": 1Cr 20,1-3.

21. "sabedoria de Deus": 1Rs 3,23-28.

22. Quantificação dos homicídios bíblicos: Schwager, 2000, pp. 47, 60.

23. Vítimas do dilúvio do tempo de Noé: literalistas bíblicos datam o dilúvio em 2300 AEC. McEvedy e Jones, 1978, estimam que o mundo continha cerca de 14 milhões de pessoas em 3000 AEC e 27 milhões em 2000 AEC.

24. História bíblica real e fictícia: Kugel, 2007.

25. Autoria da Bíblia cristã: Ehrman, 2005.

26. Os Jesus pagãos: B. G. Walker, "The Other Easters", *Freethought Today*, abr. 2008, pp. 6-7; Smith, 1952.

27. Entretenimento dos romanos: Kyle, 1998.

28. Investigação forense da crucificação: Edwards, Gabel e Hosmer, 1986.

29. Martirológios: Gallonio, 1903/2004; Kay, 2000.

30. "A mãe estava presente": citado em Gallonio, 1903/2004, p. 133.

31. Punição para os sete pecados capitais: Lehner e Lehner, 1971.

32. Inquisição: Grayling, 2007; Rummel, 1994.

33. "Quando as alavancas se curvaram à frente": citado em Bronowski, 1973, p. 216.

34. Estatística de bruxas na fogueira: Rummel, 1994.

35. Santo Agostinho sobre cobras e galhos de árvore: Grayling, 2007, p. 25.

36. "lançam no fogo": Jo 15,6.

37. "Limitando-nos aos exemplos quantificáveis": Kaeuper, 2000, p. 24.

38. "nunca matar um cavaleiro que implorasse clemência": citado em Kaeuper, 2000, p. 31.

39. "dispor da dama ou da donzela do modo que desejar": citado em Kaeuper, 2000, p. 30.

40. Ultimato de Henrique V: *Henrique V*, ato 3, cena III.

41. Bruxa morre queimada: Tatar, 2003, p. 207.

42. Contos de Grimm: Tatar, 2003.

43. Punch and Judy: Schechter, 2005, pp. 83-4.

44. Violência em histórias infantis: Davies, Lee, Fox e Foz, 2004.

45. Hamilton: Chernow, 2004.

46. Duelo de Hamilton: Krystal, 2007.

47. História do duelo: Krystal, 2007; Schwartz, Baxter e Ryan, 1984.

48. Humor como arma contra a honra: Pinker, 1997, cap. 8.

49. O ridículo põe fim aos duelos: Stevens, 1940, pp. 280-3; citado em Mueller, 1989, p. 10.

50. A cultura marcial e seu declínio: Sheenan, 2008; Van Creveld, 2008.

51. Jogos não violentos na Alemanha: A. Curry, "Monopoly Killer", *Wired*, abr. 2009.

52. Declínio da violência na elite: Cooney, 1997.

53. Anúncios misóginos: Ad Nauseam, 2000. O anúncio de Chae e Sanborn foi publicado na revista *Life* em 11 ago. 1952.

54. Mudanças em reações à palavra "rape": Tom Jones, e-mail ao autor, 19 nov. 2010, reproduzido com sua permissão.

55. Castigos físicos de alunos: comunicação pessoal de amigos britânicos e católicos; também S. Lyall, "Blaming Church, Ireland Details Scourge of Abuse: Report Spans 60 years", *New York Times*, 21 maio 2009.

2. O PROCESSO DE PACIFICAÇÃO [pp. 67-102]

1. De uma charge de Bob Mankoff.

2. Darwin, genética e teoria dos jogos: Maynard Smith, 1998; Maynard Smith e Szathmáry, 1997.

3. "Para uma máquina de sobrevivência": Dawkins, 1976/1989, p. 66.

4. Violência animal: Williams, 1988; Wrangham, 1999a.

5. "três principais causas de contenda": Hobbes, 1651/1957, p. 185.

6. Competição por fêmeas: Darwin, 1874; Trivers, 1972.

7. Equívocos a respeito da teoria da seleção sexual: Pinker, 1997, 2002.

8. Dilema da segurança: Schelling, 1960.

9. "nada pode ser mais dócil do que [o homem] em seu estado primitivo": Rousseau, 1755/1994, pp. 61-2.

10. Máfia da Paz e Harmonia: Van der Dennen, 1995, 2005.

11. Violência entre os chimpanzés: Goodall, 1986; Wilson e Wrangham, 2003; Wrangham, 1999a; Mitani, Watts e Amsler, 2010.

12. Exibições de agressividade em animais: Maynard Smith, 1988; Wrangham, 1999a.

13. Descoberta estarrecedora de Goodall: Goodall, 1986.

14. Violência letal em chimpanzés: Wilson e Wrangham, 2003; Wrangham, 1999a; Wrangham, Wilson e Muller, 2006.

15. Valor adaptativo do chimpancídio: Wilson e Wrangham, 2003; Wrangham, 1999a; Wrangham e Peterson, 1996; Mitani et al., 2010.

16. Bonobos: De Waal e Lanting, 1997; Furuichi e Thompson, 2008; Wrangham e Peterson, 1996. Bonobos e a cultura popular: I. Parker, "Swingers", *New Yorker*, 30 jul. 2007; M. Dowd, "The Baby Bust", *New York Times*, 10 abr. 2002.

17. Bonobos como modelo do ancestral humano: De Waal, 1996; De Waal e Lanting, 1997.

18. Bonobos na natureza: Furuichi e Thompson, 2008; Wrangham e Peterson, 1996; I. Parker, "Swingers", *New Yorker*, 30 jul. 2007.

19. Bonobos como espécie destoante: Wrangham e Pilbeam, 2001.

20. Dimorfismo sexual e competição entre machos: Plavcan, 2000.

21. *Ardipithecus ramidus*: White et al., 2009.

22. Dimorfismo sexual e competição entre machos nos *Homo*: Plavcan, 2000; Wrangham e Peterson, 1996, pp. 178-82.

23. Revolução Neolítica: Diamond, 1997; Gat, 2006; Otterbein, 2004.

24. Onda agrícola: Cavalli-Sforza, 2000; Gat, 2006.

25. Tipos de sociedades: Gat, 2006.

26. Primeiros Estados: Diamond, 1997; Gat, 2006; Kurtz, 2001; Otterbein, 2004.

27. Cacicados modernos: Goldstein, 2011.

28. Os primeiros Estados como esquemas de proteção: Gat, 2006; Kurtz, 2001; North, Wallis e Weingast, 2009; Otterbein, 2004; Steckel e Wallis, 2009; Tilly, 1985.

29. Chambris efeminados: Daly e Wilson, 1988, p. 152.

30. Truques sujos contra antropólogos: Freeman, 1999; Pinker, 2002, cap. 6; Dreger, 2011; C. C. Mann, "Chagnon Critics Overtepped Bounds, Historian Says", *Science*, 11 dez. 2009.

31. Mitos da guerra primitiva inofensiva: Keeley, 1996.

32. "poucas razões para guerrear": Eckhardt, 1992, p. 1.

33. Violência pré-Estado: Kelley, 1996; LeBlanc, 2003; Gat, 2006; Van der Dennen, 1995; Thayer, 2004; Wrangham e Peterson, 1996.

34. Incursões na guerra primitiva: Chagnon, 1996; Gat, 2006; Keeley, 1996; LeBlanc, 2003; Thayer, 2004; Wrangham e Peterson, 1996.

35. Armas primitivas: Keeley, 1996.

36. "[eles] se comprazem em atormentar os homens": citado em Schechter, 2005, p. 2.

37. Incursão dos ianomâmis: Valero e Biocca, 1970.

38. Incursão dos wathaurungs: Morgan, 1852/1979, pp. 43-4.

39. Incursão dos iñupiaqs: Burch 2005, p. 110.

40. Canibalismo: Fernández-Jalvo et al., 1996; Gibbons, 1997.

41. Doenças causadas por príons: E. Pennisi, "Canibalism and Prion Disease May Have Been Rampant in Ancient Humans", *Science*, 11 abr. 2003, pp. 227-8.

42. Caçoada do guerreiro maori: A. Vayda, *Maori Warfare* (1960), citado em Keeley, 1996, p. 100.

43. Motivos para a guerra primitiva: Chagnon, 1988; Daly e Wilson, 1988; Gat, 2006; Keeley, 1996; Wiessner, 2006.

44. Ianomâmi "cansado de lutar": citado em Wilson, 1978, pp. 119-20.

45. Universalidade da vingança: Daly e Wilson, 1988; McCullough, 2008.

46. Contagem de vítimas em sociedades sem Estado: Bowles, 2009; Gat, 2006; Keeley, 1996.

47. Arqueologia forense: Keeley, 1996; McCall e Shields, 2007; Steckel e Wallis, 2009; Thorpe, 2003; Walker, 2001.

48. Morte por violência em sociedades pré-históricas: Bowles, 2009; Keeley, 1996.

49. Morte por violência em caçadores-coletores: Bowles, 2009.

50. Morte por violência em caçadores-horticultores e agricultores tribais: Gat, 2006; Keeley, 1996.

51. Morte por violência em sociedades com Estado: Keeley, 1996.

52. Taxas de mortes na guerra: a estimativa de 3% provém da obra de 1600 páginas *A Study of War*, Wright, 1942, p. 245. A primeira edição foi concluída em novembro de 1941, antes dos anos mais destrutivos da Segunda Guerra Mundial. Mas essa porcentagem ficou inalterada na revisão de 1965 (Wright, 1942/1965, p. 245), e na edição resumida de 1964 (Wright, 1942/1964, p. 60), embora nesta última sejam mencionadas Dresden, Hiroshima e Nagasaki no mesmo parágrafo. Suponho que a estimativa inalterada seja intencional, e que as mortes adicionais na guerra mundial sejam contrabalançadas pelo bilhão de pessoas adicionadas ao mundo durante as décadas mais fecundas e menos letais do pós-guerra.

53. Estimativas para Estados Unidos e Europa no século XX: Keeley, 1996, de Harris, 1975.

54. As mortes em batalha estão somadas para os anos de 1900 a 1945 (inclusive), e os dados foram extraídos dos três bancos de dados do projeto Correlates of War (interstate, extrastate e intrastate); usou-se o maior valor das duas colunas, "Mortes por estado" (State deaths) e "Total de mortes" (Total deaths) (Sarkees, 2000; disponível em: <http://www.correlatesofwar.org>), juntamente com a média geométrica das estimativas de baixa nas mortes em batalha (coluna "Battle death low") e de alta nas mortes em batalha (coluna "Batalha death high") para os anos de 1946 a 2000 (inclusive), extraída de Prio Battle Deaths Dataset (Gleditschi, Wallensteen, Eriksson, Sollenberg e Strand, 2002, Lacina e Gleditsch, 2005; disponível em: <http://www.prio.no/Data/>).

55. Mortes em batalhas no século XX: o denominador de 6 bilhões de mortes provém de uma estimativa de que 12 bilhões de pessoas viveram no século XX (Mueller, 2004b, p. 193) e cerca de 5,75 bilhões estavam vivas ao findar o século.

56. Cento e oitenta milhões de mortes violentas: White, no prelo; a estimativa de 3% foi obtida usando-se 6,25 bilhões como a estimativa do número total de mortes; ver nota 55.

57. Mortes no Iraque e Afeganistão: "Iraq Coalition Casualty Count". Disponível em: <www.icasualties.org>.

58. Taxa de mortes em batalhas e guerras: Human Security Report Project, 2008, p. 29. A estimativa de 56,5 milhões de mortes no mundo todo provém da Organização Mundial da Saúde. A multiplicação por vinte baseia-se na estimativa da OMS de 310 mil "mortes relacionadas à guerra" em 2000, o ano mais recente disponível em: *World Report on Violence and Health*. Ver Krug, Dahlberg, Mercy, Zwi e Lozano, 2002, p. 10.

59. Morte por violência em sociedades pré-colombianas com e sem Estado: Steckel e Wallis, 2009.

60. Taxas de homicídios na Europa moderna: Eisner, 2001.

61. Taxas de homicídios nos Estados Unidos nos anos 1970 e 1980: Daly e Wilson, 1988.

62. Astecas: Keeley, 1996, tabela 6.1, p. 195.

63. Taxas de morte para França, Rússia, Alemanha e Japão: Keeley, 1996, tabela 6.1, p. 195; os números do século XX foram ajustados para levar em conta anos faltantes.

64. Mortes em guerras americanas: Leland e Oboroceanu, 2010, coluna "Total Deaths". Os números da população provêm de U. S. Census. Disponível em: <www.census.gov/compendia/statab/hist_stats.html>.

65. Todas as mortes violentas no século XX: baseado em 180 milhões de mortes estimadas por White, no prelo, e na população mundial anual média para o século XX de 3 bilhões de pessoas.

66. Mortes em batalha em 2005: Estados Unidos, disponível em: <www.icasualties.org>. Mundo: UCPD/Prio Armed Conflict Dataset, Human Security Report Project, 2007; ver Human Security Centre, 2005, baseado parcialmente em dados de Gleditsch et al., 2002, e Lacina e Gleditsch, 2005.

67. Prevalência da guerra entre caçadores-coletores: Divale, 1972; Ember, 1978; Keeley, 1996. Ver também Chagnon, 1988; Gat, 2006; Knauft, 1987; Otterbein, 2004. Van der Dennen, 2005, cita oito estimativas da proporção de sociedades sem Estado que raramente ou nunca fizeram guerra; a mediana é 15%.

68. Andamaneses: "Noble or Savage? The Era of the Hunter-Gatherer Was Not the Social and Environmental Eden That Some Suggest", *Economist*, 19 dez. 2007.

69. Refugiados derrotados: Gat, 2006; Keeley, 1996; Van der Dennen, 2005.

70. O passado violento dos boxímanes: Goldstein, 2001, p. 28.

71. Violência entre os semais: Knauft, 1987.

72. Boxímanes e inuítes do Ártico Central: Gat, 2006; Lee, 1982.

73. Taxas de homicídios nos Estados Unidos: Foz e Zawitz, 2007; Zahn e McCall, 1999; Pax Botswaniana: Gat, 2006.

74. Paz Canadiana: Chirot e McCauley, 2006, p. 114.

75. "A vida ficou melhor desde que o governo veio": citado em Thayer, 2004, p. 140.

76. Retribuição, rixas e julgamento: Ericksen e Horton, 1992.

77. Aumento da violência com a descolonização: Wiessner, 2006.

78. Perigos da civilização para a saúde: Steckel e Wallis, 2009; Diamond, 1997.

79. Queda do Éden e os primórdios da civilização: Kugel, 2007.

80. O *trade-off* entre caçar e cultivar: Gat, 2006; North et al., 2009; Steckel e Wallis, 2009.

81. Primeiros Estados: Steckel e Wallis, 2009.

82. Crueldade e despotismo nos primeiros Estados: Betzig, 1986; Otterbein, 2004; Spitzer, 1975.

3. O PROCESSO CIVILIZADOR [pp. 103-93]

1. Norbert Elias: Fletcher, 1997.

2. Gráfico dos homicídios na Inglaterra: Gurr, 1981.

3. Levantamento das percepções da violência: ver nota 1 do cap. 1.

4. História do homicídio: Cockburn, 1991; Eisner, 2001, 2003; Johnson e Monkkonen, 1996; Monkkonen, 1997; Spierenburg, 2008.

5. Tendências do homicídio a longo prazo: Eisner, 2003.

6. Homicídios em Kent: Cockburn, 1991.

7. Correlação do homicídio com outros tipos de violência: Eisner, 2003, pp. 93-4; Zimring, 2007; Marvell, 1999; Daly e Wilson, 1988.

8. Curandeiros: Keeley, 1996, pp. 94-7; Eisner, 2003, pp. 94-5.

9. Constâncias no homicídio: Eisner, 2003, 2009; Daly e Wilson, 1988.

10. Declínio da violência na elite: Eisner, 2003; Clark, 2007a, p. 122; Cooney, 1997.

11. Lei de Verkko: Daly e Wilson, 1988; Eisner, 2003; Eisner, 2008.

12. *Das Mittelalterliche Hausbuch*: Elias, 1939/2000, pp. 513-6; discussão nas pp. 172-82; Grafzu Waldburg Wolfegg, 1988.

13. Júbilo furioso dos cavaleiros ao destruir: Tuchman, 1978, p. 8.

14. Violência cotidiana na Idade Média: Elias, 1939/2000, p. 168.

15. "seu cérebro jorrou para fora": Hanawalt, 1976, pp. 311-2, citado em Monkkonen, 2001, p. 154.

16. Entretenimento medieval violento: Tuchman, 1978, p. 135.

17. Cortar narizes: Groebner, 1995.

18. "se um nariz depois de cortado pode voltar a crescer": Groebner, 1995, p. 4.

19. Impetuosidade na Idade Média: Elias, 1939/2000, pp. 168-9.

20. "puerilidade observável no comportamento medieval": Tuchman, 1978, p. 52.

21. "comprimindo ligeiramente os lábios": introdução de D. L. Sayers, *The Song of Roland* (Nova York, Viking, 1957), p. 15, citado em Kaeuper, 2000, p. 33.

22. "pérolas e rubis" no lenço: Elias, 1939/2000, p. 123.

23. "algo purulento": Elias, 1939/2000, p. 130.

24. O nojo como adaptação: Curtis e Biran, 2001; Pinker, 1997, cap. 6; Rozin e Falon, 1987.

25. Mudanças no modo de praguejar: Pinker, 2007b, cap. 7.

26. *Pissabeds* e *windfuckers*: Hughes, 1991/1998, p. 3.

27. Autocontrole: Daly e Wilson, 2000; Pinker, 1997, cap. 6; Schelling, 1984.

28. Propriedade universal: Brown, 1991; Duerr, 1988-97; mas ver Mennel e Goudsblom, 1997.

29. "não é o ponto zero": Elias, 1939/2000, pp. 135, 181, 403, 421.

30. Número de unidades políticas na Europa: Wright, 1942, p. 215; Richardson, 1960, pp. 168-9.

31. Revolução militar: Levy, Walker e Edwards, 2001.

32. "Estados fazem guerra e vice-versa": Tilly, 1985.

33. Paz do rei: Daly e Wilson, 1988, p. 242.

34. Dinheiro sangrento e *coroners*: Daly e Wilson, 1988, pp. 241-5.

35. "A atitude cristã [...] dizia que o dinheiro era maligno": Tuchman, 1978, p. 37.

36. "a lei comercial proibia a inovação": Tuchman, 1978, p. 37.

37. Evolução da cooperação: Cosmides e Tooby, 1992; Ridley, 1997; Trivers, 1971.

38. Livre mercado e empatia: Mueller, 1999, 2010b.

39. *Doux commerce*: citado em Fukuyama, 199, p. 254.

40. Principais transições na evolução: Maynard Smith e Szathmáry, 1997. Ver resenha em Pinker, 2000.

41. Jogos de soma positiva e progresso: Wright, 2000.

42. Processo descivilizador na Alemanha nazista: De Swaan, 2001; Fletcher, 1997; Kieken, 1998; Mennell, 1990; Steenhuis, 1984.

43. Continuação do declínio nos homicídios na Alemanha nazista: Eisner, 2008.

44. Problemas para o Processo Civilizador: Eisner, 2003.

45. Legitimidade do Estado e não violência: Eisner, 2003; Roth, 2009.

46. Normas informais de cooperação: Ellickson, 1991; Fukuyama, 1999; Ridley, 1997.

47. Equiparação igualitária (*equality matching*): Fiske, 1992; ver também "Moralidade e tabu" no cap. 9 deste livro.

48. Taxa de homicídios entre rancheiros: Roth, 2009, p. 355. A taxa por 100 mil adultos para os rancheiros, extraída da figura 7.2, é multiplicada por 0,65 para convertê-la para a taxa por 100 mil pessoas, como sugerido na p. 495 do livro de Roth.

49. Mudança do perfil socioeconômico da violência: Cooney, 1997; Eisner, 2003.

50. "Bati em muitos": citado em Wouters, 2007, p. 37.

51. "Com certos homens, nada além": citado em Wouters, 2007, p. 37.

52. "Com a acha de armas": S. Sailer, 2004, "More Diversity = Less Wellfare?". Disponível em: <www.vdare.com/sailer/diverse.htm>.

53. Civilização da classe média e operária: Spierenburg, 2008; Wiener, 2004; Wood, 2004.

54. Crime como autoajuda para a justiça: Black, 1983; Wood, 2003.

55. Motivos de homicídio: Black, 1983; Daly e Wilson, 1988; Eisner, 2009.

56. Assassinos como mártires: Black, 1983, p. 39.

57. Violência como problema de saúde pública: ver Pinker, 2002, cap. 17.

58. Definição de distúrbio mental: Wakefield, 1992.

59. Polícia e afro-americanos: Black, 1980, pp. 134-41, citado em Cooney, 1997, p. 394.

60. Desinteresse do sistema judiciário pelas pessoas de status inferior: Cooney, 1997, p. 394.

61. Encrenqueiro do bairro: MacDonald, 2006.

62. Autoajuda nos bairros pobres: Wilkinson, Beaty e Lurry, 2009.

63. Persistência da violência entre clãs na Europa: Eisner, 2003; Gat, 2006.

64. Distinção entre guerra civil e crime organizado: Mueller, 2004a.

65. Confiabilidade das estatísticas de crimes abrangendo vários países: LaFree, 1999; LaFree e Tseloni, 2006.

66. As taxas de homicídios para países individuais provêm do United Nations Office on Drugs and Crime, 2009. Sempre que é mencionada uma estimativa da OMS, eu a uso; senão, indico a média geométrica entre as estimativas altas e baixas.

67. Taxa mundial de homicídio: Krug et al., 2002, p. 10.

68. Europeus comem com espadas: Elias, 1939/2000, p. 107.

69. Baixa criminalidade em autocracias e democracias estabelecidas: LaFree e Tseloni, 2006; Patterson, 2008; O. Patterson, "Jamaica Bloody Democracy", *New York Times*, 26 maio 2010. Guerra civil em anocracias: Gleditsch, Hegre e Strand, 2009; Hegre, Ellingsen, Gates e Gleditsch, 2001; Marshall e Cole, 2008. Guerra civil funde-se com crime: Mueller, 2004a.

70. Violência pós-descolonização na Nova Guiné: Wiessner, 2006.

71. Provérbios dos engas: Wiessner, 2006, p. 179.

72. Ofensivas civilizadoras: Spierenburg, 2008; Wiener, 2004; Wood, 2003, 2004.

73. Ofensiva civilizadora na Nova Guiné: Wiessner, 2000.

74. Explicações vazias sobre a violência americana: ver Pinker, 2002, pp. 308-9.

75. Americanos mais violentos mesmo sem armas de fogo: Monkkonen, 1989, 2001. Aproximadamente 65% dos homicídios nos Estados Unidos são cometidos com arma de fogo, Cook e Moore, 1999, p. 279; Departamento de Justiça dos Estados Unidos, 2007, "Expanded Homicide Data, Table 7", disponível em: <www2.fbi.gov/ucr/cius2007/offenses/expanded_information/

data/shrtable_07.html>. Isso significa que a taxa de homicídios americana sem armas de fogo é mais alta que a taxa de homicídios total da maioria dos países europeus.

76. Estatísticas de homicídios por países e regiões: ver nota 66.

77. Taxas de homicídios para negros e brancos: Fox e Zawitz, *Homicide Trends in the U. S.*, 2007.

78. Disparidade racial em levantamentos sobre crimes: Skogan, 1989, pp. 240-1.

79. A diferença entre norte e sul não é apenas uma diferença entre brancos e negros: Courtwright, 1966, p. 61; Nisbett e Cohen, 1996.

80. Violência americana no século XIX: Gurr, 1981; Gurr, 1989a; Monkkonen, 1989, 2001; Roth, 2009.

81. Homicídios entre irlandeses-americanos: Gurr, 1981, 1989a; Monkkonen, 1989, 2001.

82. Declínio do homicídio urbano no nordeste: Gurr, 1981, 1989a.

83. História da disparidade racial na violência: Monkkonen, 2001; Roth, 2009. Diferença crescente entre brancos e negros nos homicídios em Nova York: Gurr, 1989b, p. 39.

84. Código das ruas: Anderson, 1999.

85. A democracia chegou cedo demais: Spierenburg, 2006.

86. "o sul tinha um Estado deliberadamente fraco": Monkkonen, 2001, p. 157.

87. A maioria dos homicídios era razoável: Monkkonen, 1989, p. 94.

88. Justiça jacksoniana: citado em Courtwright, 1996, p. 29.

89. Mais violência no sul: Monkkonen, 2001, pp. 156-7; Nisbett e Cohen, 1996; Gurr, 1989a, pp. 53-4, nota 74.

90. Cultura da honra sulista: Nisbett e Cohen, 1996.

91. Homicídio por questão de honra em comparação com roubo de veículo: Cohen e Nisbett, 1997.

92. Sulistas insultados: Cohen, Nisbett, Bowdle e Schwarz, 1996.

93. Deixar passar: Ellickson, 1991. Pastoreio e violência: Chu, Rivera e Loftin, 2000.

94. Lutas de atordoar boi: Nabokov, 1955/1997, pp. 1717-72.

95. Caubóis bêbados: Courtwright, 1996, p. 89.

96. Taxas de homicídios no Oeste Selvagem: Courtwright, 1996, pp. 96-7. Wichita: Roth, 2009, p. 381.

97. Justiça ineficaz no Oeste Selvagem: Courtwright, 1996, p. 100.

98. Ele chamou Bill Smith de mentiroso: Courtwright, 1996, p. 29.

99. *Dirty deck, dirty neck*: Courtwright, 1996, p. 92.

100. Direitos de propriedade durante a corrida do ouro: Umbeck, 1981, p. 50.

101. Gomorra: Courtwright, 1996, pp. 74-5.

102. A violência é coisa de homens jovens: Daly e Wilson, 1988; Eisner, 2009; Wrangham e Peterson, 1996.

103. Psicologia evolutiva da violência masculina: Buss, 2005; Daly e Wilson, 1988; Geary, 2010; Gottschall, 2008.

104. No caminho do fracasso reprodutivo: Daly e Wilson, 1988, p. 163.

105. Álcool e violência: Bushman, 1997; Bushman e Cooper, 1990.

106. Mulheres pacificaram o oeste: Courtwright, 1996.

107. Efeitos pacificadores do casamento: Sampson, Laub e Wimer, 2006.

108. Guinada na tendência da violência nos anos 1960: Eisner, 2003, 2008; Fukuyama, 1999; Wilson e Herrnstein, 1985.

109. Surto de homicídios: U. S. Bureau of Justice Statistics, Foz e Zawitz, 2007.

110. Taxa de homicídios por negros: Zahn e MccCall, 1999.

111. Surto de casamentos: Courtwright, 1996.

112. *Baby boom* não explica o surto de criminalidade: Zimring, 2007, pp. 59-60; Skogan, 1989.

113. Perene invasão de bárbaros: Wilson, 1974, pp. 58-9, citado em Zimring, 2007, pp. 58-9.

114. Tamanho relativo das coortes não é suficiente: Zimring, 2007, pp. 58-9.

115. Conhecimento comum e solidariedade: Chwe, 2001; Pinker, 2007b, cap. 8.

116. Informalização no vestuário e nas maneiras: Lieberson, 2000. Informalização na forma de tratamento: Pinker, 2007b, cap. 8

117. Declínio da confiança nas instituições: Fukuyama, 1999.

118. *Proletarização* de Arnold Toynbee; *baixa nos padrões do comportamento desviante* de Daniel Patrick Moynihan; citado em Charles Murray, "Prole Models", *Wall Street Journal*, 6 fev. 2001.

119. Marcação do tempo e autocontrole: Elias, 1939/2000, p. 380.

120. Logrando intelectuais: ver, p. ex., Pinker, 2002, pp. 261-2.

121. Estupro como *radical chic*: ver Brownmiller, 1975, pp. 248-55, e cap. 7 para numerosos exemplos.

122. Estupro como insurreição: Cleaver, 1968/1999, p. 33. Ver também Brownmiller, 1975, pp. 248-53.

123. Estuprador inteligente e eloquente: capa e opinião da imprensa no interior do livro em Cleaver, 1968/1999.

124. Recuo do sistema judicial: Wilson e Herrnstein, 1985, pp. 424-5. Ver também Zimring, 2007, figura 3.2, p. 47.

125. Descriminalização da desordem pública: Fukuyama, 1999.

126. Desproteção dos afro-americanos: Kennedy, 1997.

127. Paranoia de polícia: Wilkinson et al., 2009.

128. Relatório de Moynihan: Massey e Sampson, 2009.

129. Incentivos perversos: Fukuyama, 1999; Murray, 1984.

130. Ceticismo quanto aos efeitos da presença paterna: Harris, 1998/2008; Pinker, 2002, cap. 19; Wright e Beaver, 2005.

131. Taxas de homicídios nos Estados Unidos: FBI Uniform Crime Reports, 1950-2005, U. S. Federal Bureau of Investigation, 2010b.

132. Homicídios no Canadá: Gartner, 2009.

133. Homicídios na Europa: Eisner, 2008.

134. Declínio em outros crimes: U. S. Bureau of Justice Statistics, *National Crime Victimization Survey*, 1990 e 2010, mencionado em Zimring, 2007, p. 8.

135. Nuvem além do horizonte: citado em Zimring, 2007, p. 21.

136. Banho de sangue: citado em Levitt, 2004, p. 169.

137. Superpredadores: citado em Levitt, 2004, p. 169.

138. Gotham City sem Batman: Citado em Gardner, 2010, p. 225.

139. Coorte propensa ao crime menor: Zimring, 2007, pp. 22, 61-2.

140. Diferentes tendências do desemprego no Canadá e nos Estados Unidos: Zimring, 2007.

141. Desemprego e violência seguem em direções diferentes: Eisner, 2008.

142. Desemprego não prediz crimes violentos: Zimring, 2007, p. 63; Levitt, 2004; Raphael e Winter-Ebmer, 2001.

143. "Aliás, nunca foi certa": citado em A. Baker, "In This Recession, Bad Times Do Not Bring More Crime (If They Ever Did)", *New York Times*, 30 nov. 2009.

144. Desigualdade e violência: Daly, Wilson e Vasdev, 2001; LaFree, 1999.

145. Índice de Gini para os Estados Unidos: U. S. Census Bureau, 2010b.

146. Desigualdade pode não causar o crime: Neumayer, 2003, 1020.

147. Afirmação de que o aborto reduz a criminalidade: Neumayer, 2003, 2010.

148. Aborto como uma de quatro causas do declínio da criminalidade: Levitt, 2004.

149. Problemas em vincular o aborto à criminalidade: Joyce, 2004; Lott e Whitley, 2007; Zimring, 2007; Foote e Goetz, 2008; S. Sailer e S. Levitt, "Does Abortion Prevent Crime?", *Slate*, 23 ago. 1999. Disponível em: <www.slate.com.id/33569/entry/33571/>. Réplica de Levitt: Levitt, 2004. Ver também suas respostas a Sailer em *Slate*.

150. Mais crianças em risco depois do Caso Roe contra Wade: Lott e Whitley, 2007; Zimring, 2007.

151. Mulheres que fazem aborto são mais responsáveis: Joyce, 2004.

152. Pares suplantam os pais: Harris, 1998/2008, caps. 9, 12, 13; Wright e Beaver, 2005.

153. Predições para coortes etárias erradas: Foote e Goetz, 2008; Lott e Whitley, 2007; S. Sailer e S. Levitt, "Does Abortion Prevent Crime?", *Slate*, 23 ago. 1999. Disponível em: <www.slate.com.id/33569/entry/33571>.

154. Explicação para o declínio da criminalidade nos anos 1990: Blumstein e Wallman, 2006; Eisner, 2008; Levitt, 2004; Zimring, 2007.

155. Obsessão americana por encarcerar: J. Webb, "Why We Must Fix Our Prisons", *Parade*, 29 mar. 2009.

156. Americanos presos: Zimring, 2007, figura 3.2, p. 47; J. Webb, "Why We Must Fix Our Prisons", *Parade*, 29 mar. 2009.

157. Um pequeno número comete muitos crimes: Wolfgang, Figlio e Sellin, 1972.

158. Criminosos têm pouco autocontrole: Gottfredson e Hirschi, 1990; Wilson e Herrnstein, 1985.

159. Dissuasão funciona: Levitt e Miles, 2007; Lott, 2007; Raphael e Stoll, 2007.

160. Greve da polícia de Montreal: "City Without Cops", *Time*, 17 out. 1969, p. 47; reproduzido em Kaplan, 1973, p. 20.

161. Problemas na expicação do encarceramento: Eisner, 2008; Zimring, 2007.

162. Retornos decrescentes do encarceramento: Johnson e Raphael, 2006.

163. Eficácia do policiamento adicional: Levitt, 2004.

164. Policiamento em Boston: F. Butterfield, "Is Boston, Nothing Is Something", *New York Times*, 21 nov. 1996; Winship, 2004.

165. Policiamento em Nova York: MacDonald, 2006.

166. Teoria das Janelas Quebradas: Wilson e Kelling, 1982.

167. História de sucesso de Nova York: Zimring, 2007; MacDonald, 2006.

168. O maior êxito da história na prevenção do crime: Zimring, 2007, p. 201.

169. Problemas com as Janelas Quebradas: Levitt, 2004; B. E. Harcourt, "Bratton's 'Broken

Windows': No Matter What You've Heard, the Chief's Policing Method Wastes Precious Funds", *Los Angeles Times*, 20 abr. 2006.

170. Janelas Quebradas holandesas: Keizer, Lindenberg e Steg, 2008.

171. Estatísticos práticos: Eisner, 2008; Rosenfeld, 2006. Ver também Fukuyama, 1999.

172. Mulheres e clérigos negros como forças civilizadoras: Anderson, 1999; Winship, 2004.

173. Milagre de Boston: Winship, 2004; P. Shea, "Take Us out of the Old Brawl Game", *Boston Globe*, 30 jun. 2008; F. Butterfield, "Is Boston, Nothing Is Something", *New York Times*, 21 nov. 1996.

174. M. Cramer, "Homicide Rate Falls to Lowest Levels since '03", *Boston Globe*, 1 jan. 2010.

175. Punições pequenas e previsíveis em comparação com punições grandes mas aleatórias: J. Rosen, "Prisoners of Parole", *New York Times Magazine*, 10 jan. 2010.

176. Descontar o futuro: Daly e Wilson, 2000; Hirschi e Gottfredson, 2000; Wilson e Herrnstein, 1985. Ver também "Autocontrole" no cap. 9 deste livro.

177. Dominância ou justiça: Fiske, 1991, 1992, 2004a. Ver também "Moralidade e tabu" no cap. 9 deste livro.

178. "o juiz não vai com a minha cara": J. Rosen, "Prisoners of Parole", *New York Times Magazine*, 10 jan. 2010.

179. Kant e a prevenção do crime: J. Seabrook, "Don't Shoot: A Radical Approach to the Problem of Gang Violence", *New Yorker*, 22 jun. 2009.

180. Casa pegando fogo: J. Seabrook, "Don't Shoot: A Radical Approach to the Problem of Gang Violence", *New Yorker*, 22 jun. 2009, pp. 37-8.

181. Reconstituição da ordem social: Fukuyama, 1999, p. 271; "Positive Trends Recorded in U. S. Data on Teenagers", *New York Times*, 13 jul, 2007.

182. Informalização e terceira natureza: Wouters, 2007.

4. A REVOLUÇÃO HUMANITÁRIA [pp. 194-269]

1. Museu da tortura: disponível em: <www.torturamuseum.com/this.html>.

2. Livros ilustrados sobre tortura: Held, 1986; Puppi, 1990.

3. Tortura medieval: Held, 1986; Levinson, 2004b; Mannix, 1964; Payne, 2004; Puppi, 1990.

4. Papa Paulo IV como um torturador santificado: Held, 1986, p. 12.

5. Tortura ilógica: Mannix, 1964, pp. 123-4.

6. Universalidade da tortura: Davies, 1981; Mannix, 1964; Payne, 2004; Spitzer, 1975.

7. Teóricos críticos: Menschenfreund, 2010. Teoconservadorismo: Linker, 2007.

8. Humanismo na Ásia: Bourgon, 2003; Kurlansky, 2006; Sen, 2000.

9. Sacrifício humano: Davies, 1981; Mannix, 1964; Otterbein, 2004; Payne, 2004.

10. "para que ninguém queimasse": 2Rs 23,10.

11. Número de astecas sacrificados: White, no prelo.

12. Mortes em satis: White, no prelo.

13. Fundamento lógico dos supersticiosos para o sacrifício humano: Davies, 1981; Mannix, 1964; Otterbein, 2004; Payne, 2004.

14. Citado em M. Gerson, "Europe's Burqa Rage", *Washington Post*, 26 maio 2010.

15. Passar a perna nos deuses: Payne, 2004, p. 39.

16. Bruxaria e guerra entre caçadores-coletores: Chagnon, 1997; Daly e Wilson, 1988; Gat, 2006; Keeley, 1996; Wiessner, 2006.

17. Detecção hiperativa de causas: Atran, 2002.

18. Acusações de bruxaria: Daly e Wilson, 1988, pp. 237, 260-1.

19. Aplicação de normas impopulares: Willer, Kuwabara e Macy, 2009. Ver também McKay, 1841/1995.

20. *Malleus Maleficarum*: Mannix, 1964; A. Grafton, "Say Anything", *New Republic*, 5 nov. 2008.

21. Sessenta mil vítimas da caça às bruxas: White, no prelo. Cem mil vítimas da caça às bruxas: Rummel, 1994, p. 70.

22. Caças às bruxas: Rummel, 1994, p. 62; A. Grafton, "Say Anything", *New Republic*, 5 nov. 2008.

23. Libelos de sangue: Rummel: 1994, p. 56.

24. Céticos quanto à bruxaria: Mannix, 1964, pp. 133-4.

25. Experimentos com bruxaria: Mannix, 1964, pp. 134-5, também relatado em McKay, 1841/1995.

26. Declínio da bruxaria: Thurston, 2007; Mannix, 1964, p. 137.

27. Atrocitologia: Rummel, 1994; Rummel, 1997; White, no prelo; White, 2010b.

28. Mortos em guerras e massacres cristãos: White, no prelo, fornece as seguintes estimativas: cruzadas, 3 milhões; supressão dos albigenses, 1 milhão; guerras huguenotes, 2-4 milhões; Guerra dos Trinta Anos, 7,5 milhões. Ele não fornece suas próprias estimativas sobre as mortes pela Inquisição baseadas em várias fontes, mas cita uma estimativa do secretário-geral da Inquisição em 1808: 32 mil.

29. Quatrocentos milhões de pessoas: estimativa da população mundial em 1200, de *Historical Estimates of World Population*. U. S. Census Bureau, 2010a.

30. Cruzada albigense: Rummel, 1994, p. 46.

31. Cruzada albigense como genocídio: Chalk e Jonassohn, 1990; Kiernan, 2007; Rummel, 1994.

32. Torturada por causa de roupas de baixo limpas: Mannix, 1964, pp. 50-1.

33. Vítimas da Inquisição espanhola: Rummel, 1994, p. 70.

34. Perseguição religiosa: Grayling, 2007.

35. Lutero e os judeus: Lull, 2005.

36. João Calvino: "Sermon on Deuteronomy": citado em Grayling, 2007, p. 41.

37. Calvino homicida: Grayling, 2007.

38. Henrique VIII queimou 3,25 hereges: Payne, 2004, p. 17.

39. Guerras religiosas na Europa: Wright, 1942, p. 198.

40. Número de vítimas das Guerras religiosas: ver a tabela da p. 277 para comparações semelhantes e as comparações de Matthew White.

41. Vítimas durante a Guerra Civil Inglesa: Schama, 2001, p. 13. Schama cita "no mínimo um quarto de milhão" de mortos na Inglaterra, País de Gales e Escócia e supõe mais 200 mil na Irlanda, em uma população total de 5 milhões nas ilhas britânicas nessa época.

42. Ressentimento papal: Holsti, 1991, p. 25.

43. Declínio da Inquisição: Perez, 2006.

44. Erasmo e outros céticos: Popkin, 1979.

45. Exame da perseguição religiosa: Grayling, 2007.

46. "Calvino diz que ele está certo": *Concerning Heretics, Whether They Are to Be Persecuted*, citado em Grayling, 2007, pp. 53-4.

47. Francis Bacon cético: citado em Grayling, 2007, p. 102.

48. Queimar gatos: citado em Payne, 2004, p. 126.

49. Pepys: citado em Clark, 2007a, p. 182.

50. Pelourinho letal: Mannix, 1964, pp. 132-3.

51. Açoitamento letal: Mannix, 1964, pp. 146-7. Ver também Payne, 2004, cap. 9.

52. Prisões cruéis: Payne, 2004, p. 122.

53. Reforma das prisões: Payne, 2004, p. 122.

54. Mortes abomináveis na fogueira: Mannix, 1964, p. 117.

55. Quebrado na roda: *Trewlicher Bericht Eynes Scrocklichen Kindermords Beym Hexensabath*, Hamburgo, 12 jun. 1607. Disponível em: <http://borndigital.com/wheeling.htm>.

56. Quebrado na roda de modo abominável: Hunt, pp. 70-6.

57. Compaixão pela vítima da roda: Hunt, 2007, p. 99.

58. Voltaire sobre a tortura: citado em Hunt, 2007, p. 75.

59. Hipocrisia cristã: Montesquieu, 1748/2002.

60. "o princípio da compaixão": citado em Hunt, 2007, pp. 112, 76.

61. Rush sobre a reforma de criminosos: citado em Hunt, 2007, p. 98.

62. "embotar os sentimentos": citado em Hunt, 2007, p. 98.

63. Beccaria: Hunt, 2007.

64. Defesa religiosa da tortura: Hunt, 2007, cap. 2.

65. Primeiros movimentos pelos direitos dos animais: Gross, 2009; Shevelow, 2008.

66. Infrações capitais triviais: Rummel, 1994, p. 66; Payne, 2004.

67. Julgamentos rápidos: Payne, 2004, p. 120.

68. Número de execuções por trivialidades: Rummel, 1994, p. 66.

69. Declínio da pena de morte: Payne, 2004, p. 119.

70. Moratória sem efeito vinculativo da ONU: E. M. Lederer, "UN General Assembly Calls for Death Penalty Moratorium", *Boston Globe*, 18 dez. 2007.

71. Os Estados Unidos destoam: a pena capital foi abolida no Alaska, Havaí, Illinois, Iowa, Maine, Massachusetts, Michigan, Minnesota, New Hampshire, Nova Jersey, Novo México, Nova York, Dakota do Norte, Rhode Island, Vermont, Virgínia Ocidental, Wisconsin e Distrito de Columbia. A última execução não militar no Kansas aconteceu em 1965.

72. As execuções de americanos são infinitesimais: durante os anos 2000, a cada ano 16500 pessoas foram assassinadas, e cerca de 55 foram executadas.

73. Declínio nas execuções nos Estados Unidos nos anos 2000: Death Penalty Information Center, 2010b.

74. Pena capital para crimes exceto assassinato: Death Penalty Information Center, 2010a.

75. "Em reforma após reforma": Payne, 2004, p. 132.

76. História da escravidão: Davis, 1984; Patterson, 1985; Payne, 2004; Sowell, 1998.

77. Abolições recentes: Rodriguez, 1999.

78. Citação de "Report on the Coast of Africa by Captain George Collier, 1918-19", reproduzido em Eltis e Richardson, 2010.

79. Estatísticas do tráfico de escravos: Rummel, 1994, pp. 48, 70. White, no prelo, estima que

16 milhões de pessoas tenham morrido no tráfico atlântico de escravos, e outros 18,5 milhões no tráfico de escravos do Oriente Médio.

80. Escravidão como um jogo de soma negativa: Smith, 1776/2009, p. 281.

81. "proprietários eram maus negociantes": Mueller, 1989, p. 12.

82. Economia do sul americano antes da Guerra de Secessão: Fogel e Engerman, 1974.

83. Abolição do tráfico pela Grã-Bretanha: Nadelman, 1990, p. 492.

84. Motivos humanitários para a proibição do tráfico: Nadelman, 1990, p. 493; Ray, 1989, p. 415.

85. Motivos humanitários para a abolição da escravidão: Davis, 1984; Grayling, 2007; Hunt, 2007; Mueller, 1989; Payne, 2004; Sowell, 1998.

86. "a humanidade não nasceu com sela": Thomas Jefferson, "To Roger C. Weightman", 24 jun. 1826, em *Portable Thomas Jefferson*, p. 585.

87. Escravidão por dívida: Payne, 2004, pp. 193-9.

88. Estremecer diante da servidão por dívida: citado em Payne, 2004, p. 196.

89. Cobrança de dívida como força: Payne, 2004, p. 197.

90. Tráfico humano moderno: Feingold, 2010, p. 49.

91. Estatísticas dúbias: Free the Slaves (disponível em: <www.freetheslaves.net/>, acesso em: 19 out. 2010) afirma que "existem 27 milhões de escravos no mundo hoje", um número que é imensamente maior do que os fornecidos pelo Trafficking Statistics Project, da Unesco; Feigold, 2010. Bales sobre o progresso da luta contra a escravidão: S. L. Leach, "Slavery is Not Dead, Just Less Recognizable", *Christian Science Monitor*, 1 set. 2004.

92. Despotismo: Betzig, 1986.

93. Execuções sumárias por déspotas: Davies, 1981, p. 94.

94. Assassinato político: Payne, 2004, cap. 7; Woolf, 2007.

95. Regicídio: Eisner, 2011.

96. Morte pelo governo: Rummer, 1994, 1997.

97. Declínio de assassinatos políticos: Payne, 2004, pp. 88-94; Eisner, 2011.

98. Abrir mão desse direito a todas as coisas se outros também o fizerem; Hobbes, 1651/1957, p. 190.

99. "isentar-se da obediência": Locke, *Dois tratados sobre o governo*, citado em Grayling, 2007, p. 127.

100. Elaboradores da Constituição e a natureza humana: Pinker, 2002, cap. 16; McGinnis, 1996, 1997.

101. "Se os homens fossem anjos": "Federalist Papers n. 51", em Rossiter, 1961, p. 322.

102. "que se contraponha ambição a ambição": "Federalist Papers n. 51", em Rossiter, 1961, pp. 331-2.

103. Os elaboradores da Constituição e a cooperação de soma positiva: McGinnis, 1996, 1997.

104. Mozi sobre a guerra e o mal: citado na epígrafe de Kurlansky, 2006.

105. Espadas em relhas de arados: Is 2,4.

106. Oferecer a outra face: Lc 6,27-29.

107. Guerra como o estado normal da Idade Média: G. Schwarzenberger, "International Law", *New Encyclopaedia Britannica*, 15. ed., citado em Nadelmann, 1990.

108. Taxas de guerra: ver figura 5.17, baseada no Catálogo de Conflitos de Peter Brecke, discutida no cap. 5; Brecke, 1999, 2002; Long e Brecke, 2003.

109. Perseguição de pacifistas: Kurlansky, 2006.

110. Fallstaff sobre a honra: *Henrique IV*, parte I, ato 5, cena 1.

111. Johnson sobre a guerra europeia: *Idler*, n. 81 [82], 3 nov. 1759, em Greene, 2000, pp. 296-7.

112. "perniciosa raça de pestezinhas odiosas": *Viagens de Gulliver*, parte II, cap. 6.

113. *Pensée* antiguerra: "A justiça e a razão dos efeitos", *Pensées*, 293.

114. Comércio como tática antiguerra: Bell, 2007a; Mueller, 1989, 1999; Russett e Oneal, 2001; Schneider e Gleditsch, 2010.

115. "o espírito do comércio": Kant, 1795/1983.

116. Quacres empreendedores: Mueller, 1989, p. 25.

117. "Paz perpétua": Kant, 1795/1983.

118. Declarações régias de amor à paz: Luard, 1986, pp. 346-7.

119. "deixou de ser possível": Mueller, 1989, p. 18, baseado em estudo de Luard, 1986.

120. Abandonando o jogo da conquista: Mueller, 1989, pp. 18-21.

121. Guerras entre grandes potências menos frequentes, porém mais destrutivas: Levy, 1983.

122. Misterioso declínio da força: Payne, 2004, p. 29.

123. Não violência como requisito prévio para a democracia: Payne, 2004, 2005.

124. Agitação moral e o tráfico de escravos: Nadelmann, 1990.

125. Fantasias homicidas e sexuais: Buss, 2005; Symons, 1979.

126. Igualar a repulsa visceral à repulsa moral: Haidt, Björklund e Murphy, 2000; Rozin, 1997.

127. Degradação e maus-tratos: Glover, 1999.

128. Reintrodução medieval da tortura judicial romana: Langbein, 2005.

129. A vida era barata: Payne, 2004, p. 28.

130. Produtividade em publicação de livros: Clark, 2007a, pp. 251-2.

131. Bibliotecas com romances: Keen, 2007, p. 45.

132. Alfabetização crescente: Clark, 2007a, pp. 178-80; Vincent, 2000; Hunt, 2007, pp. 40-1.

133. Aumento da alfabetização dos franceses: Blum e Houdailles, 1985. Outros países europeus: Vincent, 2000, pp. 4, 9.

134. Revolução na leitura: Darnton, 1990; Outram, 1995.

135. Momento decisivo na leitura: Darnton, 1990, p. 166.

136. Círculo expandido: Singer, 1981.

137. História do romance: Hunt, 2007; Price, 2003. Número de romances publicados: Hunt, 2007, p. 40.

138. Oficial em prantos: Citado em Hunt, 2007, pp. 47-8.

139. Eulogia de Richardson por Diderot: citado em Hunt, 2007, p. 55.

140. Censura a romances: citado em Hunt, 2007, p. 51.

141. Romances com influência moral: Keen, 2007.

142. Campus global: Lodge, 1988, pp. 43-4.

143. República das Letras: P. Cohen, "Digital Keys for Unlocking the Humanities' Riches", *New York Times*, 16 nov. 2010.

144. Mente combinatória: Pinker, 1999, cap. 10; Pinker, 1997, cap. 2; Pinker, 2007b, cap. 9.

145. Espinosa: Goldstein, 2006.

146. Cidades subversivas: E. L. Glaeser, "Revolution of Urban Rebels", *Boston Globe*, 4 jul. 2008.

147. Ceticismo como origem do pensamento moderno: Popkin, 1979.

148. Permutabilidade das perspectivas como base da moralidade: Nagel, 1970; Singer, 1981.

149. Revoluções humanitárias na Ásia: Bourgon, 2003; Sen, 2000. Ver também Kurlansky, 2006.

150. Visão trágica da condição humana: Burke, 1790/1967; Sowell, 1987.

151. Receptividade à democracia: Payne, 2005; Rindermann, 2008.

152. Madison, governo e a natureza humana: "Federalist Papers n. 51", em Rossiter, 1961, p. 322. Ver também McGinnis, 1996, 1997; Pinker, 2002, cap. 16.

153. Franceses como uma espécie diferente: citado em Bell, 2007a, p. 77.

154. Visões trágica e utópica: originalmente de Sowell, 1987, que as chamou de "restrita" e "irrestrita"; ver Pinker, 2002, cap. 16.

155. Contrailuminismos: Berlin, 1979; Garrard, 2006; Howard, 2001, 2007; Chirot, 1995; Menschenfreund, 2010.

156. *Schwerpunkt*: Berlin, 1979, p. 11.

157. Cosmopolitismo como um mal: Berlin, 1979, p. 12.

158. "Calor! Sangue! [...] Vida!": citado em Berlin, 1979, p. 14.

159. Organismo superpessoal: Berlin, 1979, p. 18.

160. "os homens desejam a harmonia": citado em Bell, 2007a, p. 81.

161. O mito do darwinismo social: Claeys, 2000; Johnson, 2010; Leonard, 2009. O mito originou-se em uma história politizada de Richard Hofstadter, intitulada *Social Darwinism in American Thought*.

162. A guerra é nobre: Mueller, 1989, p. 39.

5. A LONGA PAZ [pp. 270-406]

1. A Segunda Guerra Mundial não foi o clímax: *War and Civilization* (1950), p. 4, citado em Mueller, 1989, 1995.

2. Predições apocalípticas: Mueller, 1989, 1995.

3. Lewis F. Richardson: Hayes, 2002; Richardson, 1960; Wilkinson, 1980.

4. Um longo futuro sem uma guerra mundial: Richardson, 1960, p. 133.

5. Hemoclismo: White, 2004.

6. Diagnósticos sinistros da modernidade: Menschenfreund, 2010. Entre os exemplos destacam-se Sigmund Freud, Michel Foucault, Zygmunt Bauman, Edmund Husserl, Theodor Adorno, Max Horkheimer e Jean-François Lyotard.

7. Longa Paz: Gaddis, 1986, 1989. Gaddis refere-se à ausência de guerras entre Estados Unidos e União Soviética, mas a ampliei e incluí a paz entre grandes potências e Estados desenvolvidos.

8. O peru superotimista: geralmente creditado ao especialista em administração de empresas Nassim Nicholas Taleb.

9. A população do planeta: estimativas históricas de população de McEvedy e Jones, 1978.

10. Probabilidade subjetiva através da disponibilidade mnemônica: Tversky e Kahneman, 1973, 1974.

11. Percepções erradas do risco: Gardner, 2008; Ropeik e Gray, 2002; Slovic, Fischof e Lichtenstein, 1982.

12. As piores coisas que pessoas fizeram a outras: White, 2010a. Ver também White, no prelo,

para os relatos dos eventos e estimativas mais recentes. O site menciona os números e fontes em que basearam suas estimativas.

13. Revolta de An Lushan: White observa que esses números são controversos. Alguns historiadores atribuem-nos à migração ou a um desdobramento do censo; outros consideram-nos dignos de crédito, pois os agricultores de subsistência devem ter sido altamente vulneráveis à destruição da infraestrutura de irrigação.

14. Carros de guerra assírios: Keegan, 1993, p. 166.

15. Selvageria revoltante: Saunders, 1979, p. 65.

16. "O maior deleite que um homem pode ter": citado em inúmeras fontes, entre elas Gat, 2006, p. 427.

17. Cromossomo Y de Genghis: Zerjal et al., 2003.

18. Torres de crânios: Rummel, 1994, p. 51.

19. Massacres esquecidos: White, no prelo.

20. Lista de guerras desde 3000 AEC: Eckhardt, 1992.

21. Gráfico "taco de hóquei" das guerras: Eckhardt, 1992, p. 177.

22. Associated Press versus monges do século XVI: Payne, 2004, p. 69.

23. Miopia histórica distorce as tendências da guerra: Payne, 2004, pp. 67-70.

24. Medindo a miopia histórica com uma régua: Taagepera e Colby, 1979.

25. Horizonte militar: Keegan, 1993, pp. 121-2.

26. O mal da guerra suplanta o bem: Richardson, 1960, p. xxxvii.

27. "condenar muito é compreender pouco": Richardson, 1960, pp. xxxv.

28. "Não dá para coisificar": Richardson, 1960, p. 35.

29. O tráfico de escravos como guerra: Richardson, 1960, p. 113.

30. Pequenas guerras excluídas: Richardson, 1960, pp. 112, 135-6.

31. Pórcia versus Richardson: Richardson, 1960, p. 130.

32. Visão panorâmica e testes de hipótese: Richardson, 1960; Wilkinson, 1980.

33. Ilusão do agrupamento: Feller, 1968.

34. Falácia do jogador: Kahneman e Tversky, 1972; Tversky e Kahneman, 1974.

35. Vaga-lumes e constelações: Gould, 1991.

36. Inícios aleatórios de guerras também são constatados em Singer and Small's Correlates of War Project, Singer e Small, 1972, pp. 205-6 (ver também Helmbold, 1998); no banco de dados de Quincy Wright em *A Study of War*, Richardson, 1960, p. 129; na lista de guerras ao longo de 2500 anos de Pitirim Sorokin, Sorokin, 1957, p. 561; e no banco de dados Great Power War, de Levy, 1983, pp. 136-7.

37. Uma distribuição exponencial de durações de guerras também é encontrada no Catálogo de Conflitos de Brecke, 1999, 2002.

38. Guerras com maior probabilidade de terminar no primeiro ano: ver Wilkinson, 1980, para mais detalhes.

39. Nenhum ciclo significativo: Richardson, 1960, pp. 140-1; Wilkinson, 1980, pp. 30-1; Levy, 1983, pp. 136-8; Sorokin, 1957, pp. 559-63; Luard, 1986, p. 79.

40. A história não é um motor: Sorokin, 1957, p. 563.

41. A pessoa mais importante do século XX: White, 1999.

42. A Primeira Guerra Mundial não precisaria ter acontecido: Lebow, 2007.

43. Historiadores sobre Hitler: citado em Mueller, 2004a, p. 54.

44. Sem Hitler, sem Segunda Guerra Mundial: Mueller, 2004a, p. 54.

45. Sem Hitler, sem Holocausto: Goldhagen, 2009; Himmelfarb, 1984, p. 81; Fischer, 1998, p. 288; Valentino, 2004.

46. Probabilidade de cara: Keller, 1986. Persi Diaconis, estatístico e mágico, consegue obter cara dez vezes seguidas; ver E. Landuis, "Lifelong Debunker Takes on Arbiter of Neutral Choices", *Stanford Report*, 7 jun. 2004.

47. Henri Poincaré: *Science and Method*, citado em Richardson, 1960, p. 131.

48. "a humanidade tornou-se menos belicosa": Richardson, 1960, p. 167.

49. Outros conjuntos de dados apontam para a mesma conclusão: Sorokin, 1957, p. 564: "Assim como nos dados aqui apresentados não existe nada que corrobore a afirmação de que a guerra desapareceu no passado, também não existe nada, apesar dos números excepcionalmente elevados para o século XX, que corrobore a ideia de que houve (ou haverá) qualquer tendência constante de aumento da guerra. Não, a curva flutua, e isso é tudo". Singer e Small, 1972, p. 201: "A guerra está aumentando, como muitos estudiosos e leigos de nossa geração inclinam-se a crer? A resposta parece ser uma inequívoca negativa". Luard, 1986, p. 67: "A frequência geral da guerra [de 1917 a 1986] não diferiu muito da encontrada para a era anterior [1789 a 1917]. [...] A quantidade média de guerra por Estado, a medida mais significativa, agora é menor se a comparação for feita com todo o período de 1789-1914. Mas se fizermos a comparação apenas com 1815-1914, há pouco declínio".

50. Guerras em menor número, porém mais letais: Richardson, 1960, p. 142.

51. Tecnicamente não são "proporcionais", pois geralmente existe um intercepto diferente de zero, mas são "linearmente relacionados".

52. Distribuição de lei de potência no Correlates of War Dataset: Cederman, 2003.

53. Gráfico de distribuição de lei de potência: Newman, 2005.

54. Distribuições de lei de potência, teoria e dados: Mitzenmacher, 2004, 2006; Newman, 2005.

55. Leis de Zipf: Zipf, 1935.

56. Tipo de palavras e frequências: Francis e Kucera, 1982.

57. Coisas com distribuições de lei de potência: Hayes, 2002; Newman, 2005.

58. Exemplos de distribuições normal e de lei de potência: Newman, 2005.

59. Newman apresentou as porcentagens das cidades com tamanho exato de população, e não em faixas de tamanho de população, para manter as unidades comensuráveis nos gráficos lineares e logarítmicos (comunicação pessoal, 1 fev. 2011).

60. Causas da guerra: Levy e Thompson, 2010; Vasquez, 2009.

61. Mecanismos que geram distribuições de lei de potência: Mitzenmacher, 2004; Newman, 2005.

62. Leis de potência para brigas mortais e para cidades: Richardson, 1960, pp. 154-6.

63. Criticalidade auto-organizada e tamanhos das guerras: Cederman, 2003; Roberts e Turcotte, 1998.

64. Jogo de guerra de atrito: Maynard Smith, 1982, 1988; ver também Dawkins, 1976/1989.

65. Aversão à perda: Kahneman e Renshon, 2007; Kahneman e Tversky, 1979, 1984; Tversky e Kahneman, 1981. Custos perdidos na natureza: Dawkins e Brockmann, 1980.

66. Guerras mais letais duram mais: Richardson, 1960, p. 130; Wilkinson, 1980, pp. 20-30.

67. Aumento não linear no custo de guerras mais longas: os números de mortes nas 79 guerras em Correlates of War Inter-State War Dataset (Sarkees, 2000) são mais bem preditos por uma função exponencial de duração (responsável por 48% da variância) do que pelas durações propriamente ditas (responsáveis por 18% da variância).

68. Lei de Weber para mortes percebidas: Richardson, 1960, p. 11.

69. Redescoberta da Lei de Weber para mortes percebidas: Slovic, 2007.

70. Atrito com custos perdidos gera uma distribuição de lei de potência: Wilkinson, 1980, pp. 23-6; Weiss, 1963; Jean-Baptiste Michel, comunicação pessoal.

71. Regras 80:20: Newman, 2005.

72. Interpolação de brigas pequenas: Richardson, 1960, pp. 148-50

73. Homicídios nos Estados Unidos: Fox e Zawitz, 2007; com dados para os anos 2006-09 extrapolados como 17 mil por ano, o total estimado é 955 603.

74. Homicídios mais numerosos que mortes relacionadas a guerras: Krug et al., 2002, p. 10; ver também nota 76.

75. Guerras menos letais que doenças: Richardson, 1960, p. 153.

76. Guerras continuam menos letais que doenças: em 2000, segundo o *World Report on Violence and Health* da OMS, houve 520 mil homicídios e 310 mil "mortes relacionadas a guerras". Com aproximadamente 56 milhões de mortes por todas as causas, isso representa uma taxa global de mortes violentas de aproximadamente 1,5%. Esse valor não se compara diretamente ao de Richardson, pois as estimativas deste para o período 1820-1952 foram radicalmente menos completas.

77. Regra 80:2: baseado nas 94 guerras de magnitudes 4-7 para as quais Richardson tinha dados de mortes representáveis em gráfico.

78. Grandes potências: Levy, 1983; Levy et al., 2001.

79. Um punhado de grandes potências luta em boa parte das guerras: Levy, 1983, p. 3.

80. Grandes potências ainda lutam em muitas guerras: Gleditsch et al., 2002; Lacina e Gleditsch, 2005; disponível em: <www.prio.no/Data/>.

81. Guerras de grandes potências matam a maioria das pessoas: Levy, 1983, p. 107.

82. Dados do último quarto do século XX: Correlates of War Inter-State War Dataset, 1816-1997 (v. 3.0), disponível em: <www.correlatesofwar.org/>, Sarkees, 2000.

83. Lembremos que Levy excluiu as guerras coloniais, exceto quando uma grande potência participou ao lado de um movimento insurgente contra o governo colonial.

84. Guerras breves em fins do século XX: Correlates of War Inter-State War Dataset, 1816-1997 (v. 3.0), disponível em: <www.correlatesofwar.org/>, Sarkees, 2000; e para a guerra de Kosovo, Prio Battle Deaths Dataset, 1946-2008 (v. 3.0), disponível em: <www.prio.no/CSCW/Datasets/Armed-Conflict/Battle-Deaths/>, Gleditsch et al., 2002; Lacina e Gleditsch, 2005.

85. Catálogo de Conflitos: Brecke, 1999, 2002; Long e Brecke, 2003.

86. Definição de "Europa": embora eu tenha adotado o esquema de codificação do Catálogo de Conflitos, outros conjuntos de dados codificam esses países como asiáticos (ver, por exemplo, Human Security Report Project, 2008).

87. Os mesmos dados representados em escala logarítmica resultam em algo parecido com a figura 5.15, refletindo a distribuição de lei de potência na qual as guerras maiores (as que envolveram grandes potências, a maioria delas europeias) são responsáveis pela maioria das mortes. Mas

em razão do grande declínio nas mortes em guerras europeias após 1950, a escala logarítmica magnifica a pequena alta no último quarto de século.

88. Catálogo de Conflitos e catálogo de conflitos europeus pré-1400: Long e Brecke, 2003; Brecke, 1999.

89. Guerras pouco conhecidas: nenhuma dessas é mencionada, mas mais de mil respostas a um questionário no qual pedi a cem internautas que listassem todas as guerras cujo nome conseguissem lembrar.

90. Guerra como parte da ordem natural das coisas: Howard, 2001, pp. 12, 13.

91. Baixas não preocupavam muito: Luard, 1986, p. 240.

92. Vida sexual de reis europeus: Betzig, 1986, 1996a, 2002.

93. Suserania: Luard, 1986, p. 85.

94. Guerras por motivos fúteis: Luard, 1986, pp. 85-6, 97-8, 105-6.

95. Habsburgos: *Black Lamb and Grey Falcon* (1941), citado em Mueller, 1995, p. 177.

96. Biologia e dinastias: Betzig, 1996a, 2002.

97. Matar pessoas que cultuam o Deus errado: Luard, 1986, pp. 42-3.

98. A religião dispensa a diplomacia: Mattingly, 1958, p. 154; citado em Luard, 1986, p. 287.

99. Número declinante de unidades políticas na Europa: Wright, 1942, p. 215; Gat, 2006, p. 456.

100. Revolução militar: Gat, 2006; Levy e Thompson, 2010; Levy et al., 2001; Mueller, 2004a.

101. Soldados e fora da lei, Tilly, 1985, p. 173.

102. Pegue o dinheiro e corra: Mueller, 2004a, p. 17.

103. Evolução militar: Gat, 2006, pp. 456-80.

104. Napoleão e guerra total: Bell, 2007a.

105. Século XVIII relativamente pacífico: Brecke, 1999; Luard, 1986, p. 52; Bell, 2007a, p. 5. A citação de Bell sobre os "poodles de palco" provém de Michael Howard.

106. Ideologia, nacionalismo e Iluminismo: Howard, 2001.

107. França napoleônica arrebatada: Bell, 2007a.

108. Desfiguramento do Iluminismo: Bell, 2007a, p. 77.

109. Dialética entre Iluminismo e Contrailuminismo: Howard, 2001, p. 38.

110. Concerto da Europa como produto do Iluminismo: Howard, 2001, p. 41; ver também Schroeder, 1994.

111. As nações têm de lutar pela existência: Howard, 2001, p. 45.

112. Conservadores e nacionalistas fundiram-se: Howard, 2001, p. 54.

113. Nacionalismo hegeliano: Luard, 1986, p. 355.

114. Marxismo e nacionalismo: Glover, 1999.

115. Autodeterminação como dinamite: citado em Moynihan, 1993, p. 83.

116. Guerra é bom: citações de Mueller, 1989, pp. 38-51.

117. Chafurdando no materialismo: citado em Mueller, 1995, p. 187.

118. Paz é ruim: citações de Mueller, 1989, pp. 38-51.

119. Equivalente moral da guerra: James, 1906/1971.

120. Belloc queria a guerra: Mueller, 1989, p. 43.

121. Valéry queria a guerra: Bell, 2007a, p. 311.

122. Sherlock Holmes queria a guerra: Gopnick, 2004.

123. Por que aconteceu a Primeira Guerra Mundial: Ferguson, 1998; Gopnik, 2004; Lebow, 2007; Stevenson, 2004.

124. Oito milhões e meio: Correlates of War Inter-State War Dataset, Sarkees, 2000; 15 milhões: White, no prelo.

125. Ideologias anti-iluministas na Alemanha, Itália e Japão: Chirot, 1995; Chirot e McCauley, 2006.

126. Guerra Fria como freio ao expansionismo comunista: Mueller, 1989, 2004a.

127. Movimentos pacifistas no século XIX: Howard, 2001; Kurlansky, 2006; Mueller, 1989, 2004a; Payne, 2004.

128. Pacifistas ridicularizados: Mueller, 1989, p. 30.

129. Acompanhamento shawiano: citado em Wearing, 2010, p. viii.

130. O que Angell realmente escreveu: Ferguson, 1998; Gardner, 2010; Mueller, 1989.

131. A guerra não mais se justificava: Luard, 1986, p. 365.

132. *Nada de novo no front*: Remarque, 1929 / 1987, pp. 222-5.

133. "Uma montanha [...] não pode ofender uma montanha": Remarque, 1929 / 1987, p. 204.

134. Aversão à guerra entre alemães nos anos 1930: Mueller, 1989, 2004a.

135. Alternativas a Hitler não teriam iniciado a Segunda Guerra Mundial: Turner, 1996.

136. Genialidade demoníaca de Hitler: Mueller, 1989, p. 65. Hitler manipulador do mundo: Mueller, 1989, p. 64.

137. Estamos condenados: ver Mueller, 1989, p. 271, notas 2 e 4, e p. 98.

138. Morgenthau sobre a Terceira Guerra Mundial: citado em Mueller, 1995, p. 192.

139. As superpotências da Guerra Fria ficaram fora do caminho uma da outra: isso incluiu a Coreia, onde a União Soviética forneceu apenas um limitado apoio aéreo à sua aliada norte-coreana, e nunca mais próximo do que cem quilômetros da frente de batalha.

140. A mais longa paz entre as grandes potências desde o Império Romano: Mueller, 1989, pp. 3-4. Gaddis, 1989.

141. Nenhum exército cruzou o Reno: D. DeLong, "Let Us Give Thanks (Wacht am Rhein Department)", 12 nov. 2004. Disponível em: <www.j-bradford-delong.net/movable_type/2004-2_archives/000536.html>.

142. Nenhuma guerra entre Estados na Europa Ocidental: Correlates of War Inter-State War Dataset (v. 3.0), Sarkees, 2000.

143. Sem guerras entre Estados no Leste Europeu: Correlates of War Inter-State War Dataset (v. 3.0), Sarkees, 2000. Decorrente da definição desse conjunto de dados de "guerra entre Estados" como um conflito com mil mortes em um ano e membros do sistema entre Estados dos dois lados. O bombardeio da Iugoslávia pela Otan em 1999 não está incluído nas atuais bases de dados desse banco de dados, que terminam em 1997; o Prio Dataset considera esse evento uma guerra (civil) entre Estados, porque a Otan participou apoiando o Exército de Libertação de Kosovo. Cabe notar que os critérios de Levi incluiriam esse conflito como uma guerra envolvendo uma grande potência.

144. Sem guerras entre Estados envolvendo países desenvolvidos: Mueller, 1989, pp. 4 e 271, nota 5.

145. O declínio das conquistas desde 1948: uma análise minuciosa feita pelo cientista político Mark Zacher (Zacher, 2001) menciona sete: Índia-Goa (1961), Indonésia-Irian Ocidental (1961-62),

China-Fronteira Nordeste (1962), Israel-Jerusalém/Cisjordânia/Gaza/Golan (1967), Vietnã do Norte-Vietnã do Sul (1975), Irã-ilhas do estreito de Hormuz (1971) e China-ilhas Paracel (1974). Algumas outras agressões bem-sucedidas resultaram em mudanças secundárias no sistema de novas entidades políticas.

146. A maior transferência de poder da história: Sheenan, 2008, pp. 167-71.

147. Não houve mais guerras coloniais ou imperiais: Human Security Centre, 2005; Human Security Report Project, 2008.

148. Nenhum Estado eliminado: Zacher, 2001.

149. Vinte e dois Estados ocupados na primeira metade do século XX, nenhum na segunda metade: Russett e Oneal, 2001, p. 180.

150. Dinamarqueses loucos por uma briga: Mueller, 1989, p. 21.

151. O mais longo período de paz entre grandes potências: Levy et al., 2001, p. 18.

152. Chance de uma guerra de grandes potências em 65 anos: em 1991 Levy teve de excluir a Guerra da Coreia para calcular que a probabilidade do número de guerras observadas entre grandes potências desde o fim da Segunda Guerra Mundial era de apenas 0,005 (ver Levy et al., 2001, nota 11). Duas décadas depois, não precisamos de tal critério para obter enorme significância estatística.

153. Improbabilidade da Longa Paz: as taxas de inícios por ano de guerras entre grandes potências, e de inícios por ano de guerras com uma grande potência pelo menos de um dos lados, entre 1495 e 1945, foram extraídas de Levy, 1983, tabela 4.1, pp. 88-91. As taxas de inícios por ano de guerras entre Estados europeus de 1815 até 1945 foram extraídas de Correlates of War Dataset, Sarkees, 2000. Esses dados foram multiplicados por 65 para gerar o parâmetro lambda para uma distribuição de Poisson, e a probabilidade de obter o número de guerras observadas ou menos foi calculada com base nessa distribuição.

154. Conclusões precoces sobre o declínio da guerra: Levi, 1981; Gaddis, 1986; Holsti, 1986; Luard, 1988; Mueller, 1989; Fukuyama, 1989; Ray, 1989; Kaysen, 1990.

155. Mundo "pós-guerra": Jervis, 1988, p. 380.

156. Predição ansiosa: Kaysen, 1990, p. 64.

157. A guerra não é mais desejável: Keegan, 1993, p. 59.

158. A guerra pode não se repetir: Howard, 1991, p. 176.

159. Assombrosa descontinuidade: Luard, 1986, p. 77.

160. Nada parecido na história: Gat, 2006, p. 609.

161. *Press gangs*: Payne, 2004, p. 73.

162. Evitando a conscrição: Sheehan, 2008, p. 217.

163. Conscrição em 48 países: Payne, 2004; International Institute for Strategic Studies, 2010; Central Intelligence Agency, 2010.

164. Porção da população usando farda como melhor indicador do militarismo: Payne, 1989.

165. Proporção média de soldados: média não ponderada de 63 países em existência durante todo o período, de Correlates of War National Material Capabilities Dataset (1816-2001), Sarkees, 2000, disponível em: <www.correlatesofwar.org>.

166. Nervosismo com a Declaração Universal dos Direitos Humanos: Hunt, 2007, pp. 202-3.

167. Rebaixamento da nação-Estado: V. Havel, "How Europe Could Fail", *New York Review of Books*, 18 nov. 1993, p. 3.

168. Território é a questão mais importante na Guerra: Vasquez, 2009, pp. 165-6.

169. Norma da integridade territorial: Zacher, 2001.

170. Referenciais cognitivos na negociação de soma positiva: Schelling, 1960.

171. Maior valorização da vida: Luard, 1986, p. 268.

172. Krushcóv: Citado em Mueller, 2004a, p. 74.

173. Comedimento de Carter: "Carter Defends Handling of Hostage Crisis", *Boston Globe*, 17 nov. 2009.

174. Salvar as aparências durante a Crise dos Mísseis de Cuba: Glover, 1999, p. 202.

175. Robert Kennedy sobre a Crise dos Mísseis de Cuba: Kennedy, 1969/1999, p. 49.

176. Krushchóv e Kennedy apertando um nó: citado em Gover, 1999, p. 202.

177. Guerra fria como uma escada de mão e não uma escada rolante: Mueller, 1989.

178. Aversão dos militares à matança gratuita: Hoban, 2007; Jack Hoban, comunicação pessoal, 14 nov. 2009.

179. O Guerreiro Ético: Hoban, 2007, 2010.

180. "História da caça": Humphrey, 1992.

181. Relativamente poucas mortes em batalha: segundo o conjunto de dados Prio (Laicina e Gledisch, 2005), houve 14200 mortes em batalha no Afeganistão de 2001 a 2008, e 13500 mortes em batalha no Iraque. As mortes em conflitos intercomunitários foram mais numerosas; trataremos delas no próximo capítulo.

182. Nova campanha anti-insurgência: N. Shachtman, "The End of the Air War", *Wired*, jan. 2010, pp. 102-9.

183. Mísseis inteligentes matam menos civis: Goldstein, 2011.

184. Mortes de civis no Afeganistão: Bohannon, 2011. Minha estimativa de 5300 para 2004-10 é a soma das 4024 mortes de civis informadas para 2004-09 (p. 1260) e 1152 estimadas para 2010 (55% do total das 2537 para 2009 e 2010, p. 1257). Estimativa de 843 mil civis mortos em batalhas no Vietnã de Rummer (1997), tabela 6.1.A. Condiz com a estimativa do total de mortes em batalha (civis e soldados) de 1,6 milhão do Prio New War Dataset (Gleditsch et al., 2002; Lacina, 2009), combinada com a suposição, discutida no cap. 6, de que aproximadamente metade de todas as mortes em batalha corresponde a civis.

185. Europeus são de Vênus: Kagan, 2002.

186. "Abaixo esse tipo de coisa": Sheehan, 2008.

187. "essa não é a Wermacht": e-mail de Cabul, 11 dez. 2003.

188. Atemorizado pelo terror nuclear: ver Mueller, 1989, p. 217, nota 3. Para um exemplo recente, ver Van Creveld, 2008.

189. Robusta filha do terror: W. Churchill, "Never Despair", discurso à Câmara dos Comuns, 1 mar. 1955.

190. Nobel para a bomba nuclear: citado em Mueller, 2004a, p. 164.

191. Longa Paz não é a paz nuclear: Mueller, 1989, cap. 5; Ray, 1989, pp. 429-31.

192. Paz da dinamite: citado em Ray, 1989, p. 429.

193. Novas armas não lograram implementar a paz: Ray, 1989, pp. 429-30.

194. Gás venenoso lançado de avião: Mueller, 1989.

195. Armas de destruição em massa não dissuadem: Luard, 1986, p. 396.

196. Desafio ao blefe das potências nucleares: Ray, 1989, p. 430; Huth e Russett, 1984; Kugler, 1984; Gochman e Maoz, 1984, pp. 613-5.

197. Tabu nuclear: Schelling, 2000, 2005; Tannenwald, 2005b.

198. Bomba de nêutron compatível com guerra justa: Tannenwald, 2005b, p. 31.

199. Não é tabu: Paul, 2009; Tannenwald, 2005b.

200. O anúncio da margarida: "Daisy: The Complete History of an Infamous and Iconic Ad". Disponível em: <www.conelrad.com / daisy / index / php>.

201. A marca de Caim: citado em Tannenwald, 2005b, p. 30.

202. Santificação de Hiroshima: citado em Schelling, 2005, p. 373.

203. Surgimento gradual do tabu nuclear: Schelling, 2005; Tannenwald, 2005b. Dulles cita de Schelling, 2000, p. 1.

204. Eisenhower sobre armas nucleares: Schelling, 2000, p. 2.

205. Johnson ratifica o tabu: Schelling, 2000, p. 3.

206. Predição por Kennedy da proliferação nuclear: Mueller, 2010a, p. 90.

207. Predição de que Alemanha e Japão se tornariam potências nucleares: ver Mueller, 2010a, p. 92.

208. Condenação pelo mundo civilizado: citado em Price, 1997, p. 91.

209. Churchill sobre armas químicas: citado em Mueller, 1989, p. 85.

210. Liberação acidental de gás venenoso: Mueller, 1989, p. 85; Price, 1997, p. 112.

211. Saddan enforcado por ataque químico: "Charges Facing Saddam Hussein", BBC News, 1 jul. 2004. Disponível em: <news.bbc.co.uk / 2 / hi / middle_east / 3320293.stm>.

212. Pequeno número de mortes por gás: Mueller, 1989, p. 84; Mueller, 2004a, p. 43.

213. *Venomous Woman*: Hallissy, 1987, pp. 5-6, citado em Price, 1997, p. 23.

214. "A World Free of Nuclear Weapons": Perry, Shultz, Kissinger e Nunn, 2008; Shultz, Perry, Kissinger e Nunn, 2007.

215. Três quartos de ex-secretários de Defesa e Estado e ex-consultores de segurança nacional: Shultz, 2009, p. 81. Global Zero: <www.globalzero.org>.

216. Mapa do caminho para o Global Zero: Global Zero Commission, 2010.

217. Céticos do Global Zero: Schelling, 2009; H. Brown e J. Deutsch, "The Nuclear Disarmament Fantasy", *Wall Street Journal*, 19 nov. 2007, p. A19. Planejamento para Global Zero: B. Blechman, "Stop at Start", *New York Times*, 19 fev. 2010.

218. Democracia obsoleta: D. Moynihan, "The American Experiment", *Public Interest*, outono 1975, citado em Mueller, 1995, p. 192. Ver Gardner, 2010 para outros exemplos.

219. Democracias e autocracias: Marshall e Cole, 2009.

220. Debate sobre a Paz Democrática: Mueller, 1989, 2004a; Ray, 1989; Rosato, 2003; White, 2005b.

221. Paz Democrática é uma Pax Americana: Rosato, 2003.

222. Paz Democrática revida: Russett e Oneal, 2001; White, 2005b.

223. Uma Paz Democrática estatística: Russett e Oneal, 2001.

224. Disputas militarizadas entre Estados: Gochman e Maoz, 1984; Jones, Bremer e Singer, 1996.

225. Copiosas disputas militarizadas entre Estados: a análise apresentada em Russett e Oneal, 2001, baseou-se em Correlates of War Project's Militarized Interstate Dispute 2.1 Dataset (Jones et al., 1996), que abrange de 1885 a 1992 (ver também Gochman e Maoz, 1984). Russett,

2008, desde então estendeu seus dados a partir da base de dados 3.0 (Ghosn, Palmes e Bremer, 2004), que cobre até 2001.

226. Apoio para a Paz Democrática: Russett e Oneal, 2001, pp. 108-11; Russett, 2008, 2010.

227. Democracias generalizadamente mais pacíficas: Russett e Oneal, 2001, p. 116.

228. Não existe Paz Autocrática: Russett e Oneal, 2001, p. 115.

229. A Paz Democrática não é uma Pax Americana: Russett e Oneal, 2001, p. 112.

230. Não houve Pax Americana nem Pax Britannica: Russett e Oneal, 2001, p. 188-89.

231. Paz entre democracias recentes: Russett e Oneal, 2001, p. 121.

232. Não houve Paz Democrática no século XIX: Russett e Oneal, 2001, p. 114.

233. Paz Liberal: Gleditsch, 2008; Goldstein e Pevehouse, 2009; Schneider e Gleditsch, 2010.

234. Paz dos Arcos Dourados: essa ideia costuma ser atribuída ao jornalista Thomas Friedman. Uma exceção anterior marginal foi o ataque dos Estados Unidos ao Panamá em 1989, mas o número de mortos desse episódio foi inferior ao mínimo requerido para categorizar uma guerra segundo a definição padrão. A Guerra de Kargill de 1999 entre Paquistão e Índia pode ser outra exceção, dependendo de considerarmos ou não as forças paquistanesas como guerrilheiros independentes ou soldados do governo; ver White, 2005b.

235. Céticos quanto à relação entre comércio e paz: Gaddis, 1986, p. 111; Ray, 1989.

236. Ataques e comércio: Keegan, 1993, p. ex., p. 126.

237. Comércio entre Inglaterra e Alemanha antes da Primeira Guerra Mundial: Ferguson, 2006.

238. Comércio explica a Primeira Guerra Mundial, afinal de contas: Gat, 2006, pp. 554-7; Weede, 2010.

239. Comércio reduz conflitos: Russett e Oneal, 2001, pp. 145-8. Mesmo fazendo o controle para os efeitos do crescimento econômico: p. 153.

240. Comércio e desenvolvimento: Hegre, 2000.

241. Abertura para a economia global: Russett e Oneal, 2001, p. 148.

242. Democracia é apenas diádica; o comércio é também monádico: McDonald, 2010; Russett, 2010.

243. Paz Capitalista: Gartzke, 2007; Gartzke e Hewitt, 2010; McDonald, 2010; Mousseau, 2010; Mueller, 1999, 2010b; Rosecrance, 2010; Schneider e Gleditsch, 2010; Weede, 2010.

244. Opor democracia e capitalismo: Gartzke e Hewitt, 2010; McDonald, 2010; Mousseau, 2010; mas ver também Russett, 2010.

245. "Faça dinheiro, não faça a guerra": Gleditsch, 2008.

246. Cientistas e governo mundial: Mueller, 1989, p. 98.

247. Bertrand Russell e guerra nuclear preventiva: Mueller, 1989, pp. 109-10; Sowell, 2010, cap. 8.

248. Comunidades econômicas europeias: Sheenan, 2008, pp. 158-9.

249. OIGS europeias e a paz: Sheenan, 2008.

250. Todas as três variáveis: Russett, 2008.

251. Relações internacionais e normas morais: Cederman, 2001; Mueller, 1989, 2004a, 2007; Nadelmann, 1990; Payne, 2004; Ray, 1989.

252. "Realismo" nas relações internacionais: ver Goldstein e Pevehouse, 2009; Ray, 1989; Thayer, 2004.

253. Ideias e o fim da Guerra Fria: Bennett, 2005; English, 2005; Tannenwald, 2005a; Tannenwald e Wohlforth, 2005; Thomas, 2005.

254. Glasnost: A. Brown, "When Gorbachev Took Charge", *New York Times*, 11 mar. 2010.

255. Kant, sobre os países aprenderem com a experiência: Kant, 1784/1970, p. 47; citado em Cederman, 2001.

256. De volta a Kant: Cederman, 2001.

257. Aprendendo com os erros: ver também Dershowitz, 2004a.

6. A NOVA PAZ [pp. 407-514]

1. Previsões dos experts: Gardner, 2010; Mueller, 1995, 2010a.

2. "Grandes rivalidades entre potências": citado em S. McLemee, "What Price Utopia?" (resenha do livro *Black Mass*, de J. Gray), *New York Times Book Review*, 25 nov. 2007, p. 20.

3. "Rota da precariedade sangrenta": S. Tanenhaus, "The End of Journey: From Whittaler Chambers to George W. Bush", *New Republic*, 2 jul. 2007, p. 42.

4. "nada além de terrorismo [...] e genocídios": citado em C. Lambert, "Le Professeur", *Harvard Magazine*, jul.-ago. 2007, p. 36.

5. "Um lugar mais perigoso do que nunca": citado em C. Lambert, "Reviewing 'Reality'", *Harvard Magazine*, mar.-abr. 2007, p. 45.

6. "as mesmas desgraças": M. Kinsley, "The Least We Can Do", *Atlantic*, out. 2010.

7. Falso sentimento de insegurança: Leif Wenar, citado em Mueller, 2006, p. 3.

8. "novas guerras": Kaldor, 1999.

9. Ameaças vitais: para citações, ver Mueller, 2006, pp. 6, 45.

10. Declínio das mortes e deslocamentos em "novas guerras": Melander, Oberg e Hall, 2009; Goldstein, 2011; Human Security Report Project, 2011.

11. Catálogo de conflitos: Brecke, 1999, 2002; Long e Brecke, 2003.

12. Prio Battle Deaths Dataset: Lacina e Gleditsch, 2005; disponível em: <www.prio.no/cscw/Datasets/Armed-Conflict/Battle-Deaths/>.

13. Bancos de dados relativos a conflitos: UCDP: <www.prio.no/cscw/Datasets/Armed-Conflict/UCDP-PRIO/>. SIPRI: <www.sipri.org>, Stockholm International Peace Research Institute, 2009. Human Security Report Projetc: <www.hsrgroup.org/>; Human Security Centre, 2005, 2006; Human Security Report Projetc, 2007, 2008, 2009.

14. Categorias de conflito armado: Human Security Report Project, 2008, p. 10; Hewitt, Wilkenfeld e Gurr, 2008; Lacina, 2009.

15. Genocídio mais mortífero: o cálculo de que o genocídio matou mais gente no século XX que a guerra foi primeiramente exposto por Rummel, 1994, reproduzido por White, 2005a, e captado em 2009 no título do livro de Goldhagen sobre genocídio, *Worse Than War*. Matthew White (no prelo) indica que a comparação depende de como se classifica os genocídios em tempos de guerra, que representam metade das mortes em genocídios. Em sua maioria as mortes do Holocausto, por exemplo, dependeram da conquista alemã da Europa. Caso os genocídios em tempos de guerra sejam agregados às mortes em combate, então as guerras passam a ser piores, 105 milhões contra 40

milhões. Se eles se somam aos genocídios em tempos de paz, então os genocídios são piores, 81 milhões contra 64 milhões. (Nenhum dos cálculos inclui mortes devidas a fomes.)

16. Bancos de dados sobre genocídios: Eck e Hultman, 2007; Harff, 2003, 2005; Rummel, 1994, 1997; "One-Sided Violence Dataset", disponível em: <www.pcr.uu.se/research/ucdp/datasets/>.

17. Categorias de mortes: Documentação do Prio, Lacina, 2009, pp. 5-6; Human Security Report Project, 2008.

18. Conceito de causalidade: Pinker, 2007b, pp. 65-73, 208-25.

19. Primeira Guerra Mundial e pandemia da gripe espanhola: Oxford et al., 2002.

20. Índice baixo de mortes em combate: média de 2000-05 do número de mortes registrado no Human Security Report Project, 2007, baseado no banco de dados UCDP/Prio, Gleditsch et al., 2002. Os números sobre população são de *International Data Base*, U. S. Census Bureau, 2010c.

21. Taxa média de homicídios: Krug et al., 2002, p. 10.

22. Todos os números desses gráficos foram tomados do banco de dados do Prio: Gleditsch et al., 2002; Lacina, 2009; Lacina e Gleditsch, 2005. Os dados divergem levemente dos do banco de dados UCDP/Prio, para os três gráficos: Human Security Centre, 2006; Human Security Report Project, 2007.

23. Guerras interestatais: banco de dados do Prio sobre novas guerras, "melhores estimativas" para baixas em combate. Gleditsch et al., 2002; Lacina, 2009.

24. Crescimento pacífico da China: Bijian, 2005; Weede, 2010; Human Security Report Project, 2011. Política turca de "Zero problemas com vizinhos": "Ahmet Davutoglu", *Foreign Policy*, dez. 2010, p. 45. Jactância brasileira: S. Glasser, "The FP Interview: The Soft-Power Power" (entrevista com Celso Amorim), *Foreign Policy*, dez. 2010, p. 43.

25. Paz no extremo Oriente: Human Security Report Project, 2011, caps. 1, 3.

26. Letalidade declinante das guerras civis: Marshall e Cole, 2009, p. 114.

27. Letalidade declinante das guerras: Human Security Report Project, 2009, p. 2.

28. Pobreza e guerra: Human Security Centre, 2005, p. 152, usando dados de Macartan Humphreys e Ashutosh Varshney.

29. Pobreza pode não causar competição violenta por recursos: Fearon e Laitin, 2003; Theisen, 2008.

30. A guerra como um desenvolvimento ao contrário: Human Security Report Project, 2008, p. 5; Collier, 2007.

31. Governos mais ricos podem manter a paz: Human Security Report Project, 2011, caps. 1, 3.

32. Variáveis estruturais mudam devagar: Human Security Report Project, 2007, p. 27.

33. Amor por indução policial: citado em Goldhagen, 2009, p. 212.

34. Polícia má: Fearon e Laitin, 2003; Mueller, 2004a.

35. Ele é um filho da puta nosso: Roosevelt pode não ter criado a expressão; ver <message.snopes.com/showthread.php?t=8204>.

36. Guerras por procuração são apenas parte do declínio: Human Security Centre, 2005, p. 153.

37. Indiferença de Mao por mortes: citado em Glover, 1999, p. 297.

38. Mao acharia o.k. se metade da população mundial morresse: citado em Mueller, 2010a.

39. Determinação dos vietnamitas para absorver baixas: Mueller, 2004a, pp. 76-7. Subestimação americana: Blight e Lang, 2007.

40. Deixar crescer a barba ou permanecer na Europa: C. J. Chivers e M. Schwirtz, "Georgian President Vows to Rebuild Army", *New York Times*, 24 ago. 2008.

41. Anocracias: Human Security Report Project, 2007, 2008; Marshall e Cole, 2009.

42. A encrenca das anocracias: Marshall e Cole, 2008. Ver também Pate, 2008, p. 31.

43. Distribuição das anocracias: Human Security Report Project, 2008, pp. 48-9.

44. A maldição dos recursos: Collier, 2007; Faris, 2007; Ross, 2008.

45. O bilhão de baixo está no século XIV: Collier, 2007, p. 1.

46. Remanescentes da guerra: Mueller, 2004a, p. 1.

47. O general Bunda Nua: Mueller, 2004a, p. 103.

48. Estatísticas sobre guerras civis: Fearon e Laitin, 2003, p. 76.

49. Melhoria dos governos africanos: Human Security Report Project, 2007, pp. 26-7.

50. Líderes democráticos africanos: R. Rotberg, "New Breed of African Leader", *Christian Science Monitor*, 9 jan. 2002.

51. Pressão internacional: Human Security Report Project, 2007, pp. 28-9; Human Security Centre, 2005, pp. 153-5.

52. Democracias não têm grandes guerras civis: Gleditsch, 2008; Lacina, 2006.

53. Globalização reduz conflitos civis: Blanton, 2007; Bussman e Schneider, 2007; Gleditsch, 2008, pp. 699-700.

54. Forças de manutenção da paz: Fortna, 2008; Goldstein, 2011.

55. Guerras civis se amontoaram: Hewitt et al., 2008, p. 24; Human Security Report Project, 2008, p. 45. Dados sobre início e término: Fearon e Laitin, 2003.

56. Crescimento das forças de paz e ativismo internacional: Human Security Centre, 2005, pp. 153-5; Fortna, 2008; Gleditsch, 2008; Goldstein, 2011.

57. Benditas sejam as forças de paz: Fortna, 2008, p. 173.

58. Paz e recepções do coquetel: Fortna, 2008, p. 129.

59. "se Kabbah se for": Fortna, 2008, p. 140.

60. Forças de manutenção da paz salvam a face: Fortna, 2008, p. 153.

61. Carência de um levantamento por parte da ONU: Human Security Centre, 2005, p. 19.

62. Contagem de mortes na era dos senhores da guerra: Rummel, 1994, p. 94.

63. Declínio das mortes em conflitos não estatais: Human Security Report Project, 2007, pp. 36-7; Human Security Report Project, 2011.

64. Contagem de cadáveres no Iraque: Fischer, 2008.

65. República Democrática do Congo: o total de 147618 é a soma das mortes em combates "estimadas" de 1998 até 2008. O total de 9,4 milhões para toda a guerra é a média geométrica das somas das estimativas mais baixa e mais alta de mortos em combate. Ambos do Prio Battle Deathes Dataset, 1946-2008, versão 3.0, disponível em: <www.prio.no/CSCW/Datasets/Armed-Conflict/Battle-Deaths/>, Lacina e Gleditsch, 2005.

66. Mito da reversão das mortes em guerras civis; Human Security Centre, 2005, p. 75; Goldstein, 2011; Roberts, 2010; White, no prelo.

67. Mortes de civis na Guerra Civil dos Estados Unidos: Faust, 2008.

68. Estudo do *Lancet*: Burnham et al., 2006.

69. Distorção em estudos epidemiológicos: Human Security Report Project, 2009; Johnson et al., 2008; Spagat, Mack, Cooper e Kreutz, 2009.

70. O fator falsificação: Bohannon, 2008.

71. Levantamentos retrospectivos de mortos em guerras: Obermeyer, Murray e Gakidou, 2008.

72. O problema das estimativas: Spagat et al., 2009.

73. Assertiva de 5,4 milhões de mortes no Congo: Coghlan et al., 2008.

74. Problemas com a estimativa no Congo: Human Security Report Project, 2009.

75. Declínio da fome e doenças durante guerras: Human Security Report Project, 2009.

76. Vidas salvas pela vacinação: Human Security Report Project, 2009, p. 3.

77. Mortes indiretas provavelmente decresceram: Human Security Report Project, 2009, p. 27.

78. Definições de genocídio, democídio político: Rummel, 1994, p. 31. Compilações de genocídios: Chalk e Jonassohn, 1990; Chirot e McCauley, 2006; Glover, 1999; Goldhagen, 2009; Harff, 2005; Kiernan, 2007; Payne, 2004; Power, 2002; Rummel, 1994; Valentino, 2004.

79. Cento e setenta milhões de vítimas de democídios: Rummel, 1994, 1997.

80. A elevada estimativa de Rummel: White, 2010c, nota 4; Dulić, 2004a, 2004b; Rummel, 2004.

81. Estimativa mais conservadora das vítimas de democídios: White, 2005a, no prelo.

82. Democídios em tempos de guerra: White, no prelo; ver também a nota 15 neste capítulo.

83. Afogamentos em massa: Bell, 2007a, pp. 182-3; Payne, 2004, p. 54.

84. *Einsatzgruppen* foram mais letais que as câmaras de gás: Goldhagen, 2009, p. 124. Equipes letais anteriores: Keegan, 1993, p. 166.

85. Técnicas tutsis de homicídio em massa: Goldhagen, 2009, p. 120.

86. O que significa "arrasar": Chalk e Jonassohn, 1990, p. 7.

87. Fome bíblica: Dt 28,52-57.

88. Tortura e mutilação durante democídios: Goldhagen, 2009; Power, 2002; Rummel, 1994.

89. Artisticamente cruel: Dostoiévski, 1880/2002, p. 238.

90. Total de mortes na Revolução Cultural: Rummel, 1994, p. 100. Contudo, ver também Harff, 2003, que fornece uma estimativa mais conservadora.

91. Pilhagem dos Guardas Vermelhos: Glover, 1999, p. 290.

92. Christian Wirth: Glover, 1999, p. 342.

93. Psicologia das categorias: Pinker, 1997, pp. 306-13; Pinker, 1999/2011, cap. 10.

94. Precisão dos estereótipos: Jussim, McCauley e Lee, 1995; Lee, Jussim e McCauley, 1995; McCauley, 1995.

95. Aplicando estereótipos como categorias quando sob pressão: Jussim et al., 1995.

96. Categorias refletem atitudes: Jussim et al., 1995; Lee et al., 1995; McCauley, 1995.

97. Essencializando grupos sociais: Gelman, 2005; Gil-White, 1999; Haslam, Rothschild e Ernst, 2000; Hirschfeld, 1996; Prentice e Miller, 2007.

98. Taxonomias dos motivos para genocídios: Chalk e Jonassohn, 1990; Chirot e McCauley, 2006; Goldhagen, 2009; Harff, 2003; Valentino, 2004.

99. Genocídio por conveniência: Goldhagen, 2009.

100. Massacre dos judeus de Alexandria pelos romanos: Kiernan, 2007, p. 14.

101. Armadilha hobbesiana na antiga Iugoslávia: Glover, 1999; Goldhagen, 2009.

102. Aristóteles sobre o ódio: citado em Chirot e McCauley, 2006, pp. 72-3.

103. O genocídio dos jivaros: citado em Daly e Wilson, 1988, p. 232.

104. O genocídio dos fandis: citado em Daly e Wilson, 1988, pp. 231-2.

105. Metáforas e analogias na cognição: Pinker, 2007b, cap. 5.

106. Metáforas sobre vermes: Chirot e McCauley, 2006; Goldhagen, 2009; Kane, 1999; Kiernan, 2007.

107. "Mate as lêndeas": Kane, 1999. Citado de Kiernan, 2007, p. 606.

108. Yukis: citado em Chalk e Jonassohn, 1990, p. 198.

109. Cheyennes: citado em Kiernan, 2007, p. 606; Kane, 1999.

110. Metáforas biológicas sobre judeus: Chirot e McCauley, 2006, pp. 16, 42; Goldhagen, 2009.

111. Psicologia da repugnância: Curtis e Biran, 2001; Rozin e Fallon, 1987; Rozin, Markwith e Stoess, 1997.

112. Moralização da repugnância: Haidt, 2002; Haidt et al., 2000; Haidt, Koller e Dias, 1993; Rozin et al., 1997; Shweder, Much, Mahapatra e Park, 1997. Ver também "Moralidade e tabu" no cap. 9 deste livro.

113. Primo Levi, *Os afogados e os sobreviventes*, citado em Glover, 1999, pp. 88-9.

114. Desumanização e demonização no genocídio: Goldhagen, 2009. Ver também Haslam, 2006.

115. Ideologia homicida: epígrafe deste capítulo, de Soljenítsin, 1973 / 1991, pp. 173-4.

116. Mitos de ancestralidade: Geary, 2002.

117. Economia intuitiva: Caplan, 2007; Caplan e Miller, 2010; Fiske, 1991, 1992, 2004a; Sowell, 1980, 2005.

118. Mobilidade das minorias de intermediários: Sowell, 1996.

119. Violência contra minorias de intermediários: Chirot, 1994; Courtois et al., 1999; Glover, 1999; Horowitz, 2001; Sowell, 1980, 2005.

120. Marxismo e cristianismo: Chirot e McCauley, 2006, pp. 142-3.

121. O nazismo e o livro do Apocalipse: Chirot e McCauley, 2006, p. 144. Ver também Ericksen e Heschel, 1999; Goldhagen, 1996; Heschel, 2008; Steigmann-Gall, 2003.

122. Características psicológicas de tiranos utópicos: Chirot, 1994; Glover, 1999; Oakley, 2007.

123. Insensibilidade de Mao: Glover, 1999, p. 291.

124. Esquemas alucinados de Mao: Chirot e McCauley, 2006, p. 144; Glover, 1999, pp. 284-6.

125. Grupos étnicos vizinhos usualmente não cometem genocídio: Brown, 1997; Fearon e Laitin, 1996; Harff, 2003; Valentino, 2004.

126. Alemães antissemitas mas não genocidas: Valentino, 2004, p. 24.

127. Democídios cometidos por uma minoria armada: Mueller, 2004a; Payne, 2005; Valentino, 2004.

128. Divisão de trabalho em genocídios: Valentino, 2004. Ver também Goldhagen, 2009.

129. Genocídios acabam quando líderes morrem ou são destituídos: Valentino, 2004.

130. Antigos historiadores: Chalk e Jonassohn, 1990, p. 58.

131. Genocídio tão velho como a história: Chalk e Jonassohn, 1990, p. xvii.

132. Índice de genocídios: Kiernan, 2007, p. 12.

133. Contagens de democídios: Rummel, 1994, pp. 45, 70; ver também Rummel, 1997, para a contagem original. A precisão numérica de sua estimativa não pretende ser uma contagem acurada, mas permitir que outros verifiquem as fontes e cálculos empregados.

134. Increase Mather enaltece o genocídio: Chalk e Jonassohn, 1990, p. 180.

135. Moabitas retribuem o favor: Payne, 2004, p. 47.

136. Alma imortal justifica o assassínio: Bhagavad-Gita, 1983, pp. 74, 87, 106, 115, citado em Payne, 2004, p. 51.

137. Cromwell: citado em Payne, 2004, p. 53.

138. Reação parlamentar: citado em Payne, 2004, p. 53.

139. Voz no deserto: citado em Kiernan, 2007, pp. 82-5.

140. Códigos de honra militares: Chirot e McCauley, 2006, pp. 101-2. Nada de errado com o genocídio: Payne, 2004, pp. 54-5; Chalk e Jonassohn, 1990, pp. 199, 213-4; Goldhagen, 2009, p. 241.

141. Roosevelt e os índios: Courtwright, 1996, p. 109.

142. Lawrence e sua câmara letal: Carey, 1993, p. 12.

143. Extermínio dos japoneses: Mueller, 1989, p. 88.

144. Origens da palavra "genocídio": Chalk e Jonassohn, 1990.

145. Negação do Holocausto: Payne, 2004, p. 57.

146. Novidade das memórias sobre genocídios: Chalk e Jonassohn, 1990, p. 8.

147. Concepção de história: Chalk e Jonassohn, 1990, p. 8.

148. Métodos de estimativa de Rummel: Rummel, 1994, pp. xvi-xx; Rummel, 1997. Ver também White, 2010c, nota 4, para observações.

149. Definição de "democídio": Rummel, 1994, cap. 2.

150. Grande Salto Adiante: Rummel depois disso mudou de opinião devido às revelações de que Mao sabia da devastação em curso (Rummel, 2002), mas vou me ater a seus números originais.

151. Pseudogovernos versus governos reconhecidos: White, 2010c, nota 4.

152. Governos previnem mais mortes do que causam: White, 2007.

153. Índices de mortes dos grandes genocídios: Rummel, 1994, p. 4.

154. Governos democráticos, autoritários e totalitários e seus índices de mortes: Rummel, 1997, p. 367.

155. Índices de mortes de governos democráticos, autoritários e totalitários: Rummel, 1994, p. 15.

156. Governos totalitários versus democráticos: Rummel, 1994, p. 2.

157. A forma de governo faz diferença: Rummel, 1997, pp. 6-10; ver também Rummel, 1994.

158. Problema e solução do democídio: Rummel, 1994, p. xxi.

159. Hemoclismo: observe que a figura 6.7 conta em dobro algumas das mortes da figura 6.1, porque Rummel classifica muitas mortes em combate de civis como democídios. Também estão contadas duas vezes algumas das mortes da tabela na p. 195 de Matthew White, que registra genocídios em tempo de guerra na contagem total das guerras.

160. Tendências do democídio e da democracia: Rummel, 1997, p. 471. As análises de regressão de Rummel validam essa opinião, embora sejam problemáticas.

161. Perpetradores do genocídio de Ruanda: Mueller, 2004a, p. 100.

162. O genocídio de Ruanda era evitável: Goldhagen, 2009; Mueller, 2004a; Power, 2002.

163. Dados sobre novos genocídios: Harff, 2003, 2005; Marshall et al., 2009.

164. UCDP One-Sided Violence Dataset: Kreutz, 2008; Kristine e Hultman, 2007; disponível em: <www.pcr.uu.se/research/ucdp/datasets/>.

165. Matanças em massa de meados dos anos 1960 ao fim dos 1970: a média geométrica do número de mortes está nas faixas da tabela 8.1 de Harff, 2005, exceto Darfur, que foi obtido convertendo as entradas do banco de dados PITF para médias geométricas das faixas definidas em Marshall et al., 2009, e somando-as aos anos de 2003 a 2008.

166. Totais de mortes em genocídios superestimados: os massacres na Bósnia, por exemplo, provavelmente mataram um número de pessoas mais perto de 100 mil que de 200 mil; Nettelfield, 2010. Sobre números conflitantes, ver Andreas e Greenhill, 2010.

167. Fatores de risco do democídio: Harff, 2003, 2005.

168. Efeitos da instabilidade: Harff, 2003, p. 62.

169. Caminhos do democídio: Harff, 2003, p. 61.

170. Hitler lia Marx: Watson, 1985. Gêmeos fraternos: P. Chaunu, citado em Besançon, 1998. Ver também Bullock, 1991; Courtois et al., 1999; Glover, 1999.

171. Declínio do democídio e declínio do comunismo: Valentino, 2004, p. 150.

172. Omeletes utópicas: frase às vezes atribuída a Walter Duranty, correspondente do *New York Times* na União Soviética durante os anos 1930, mas identificada como "anônimo, francês" pelo *Bartlett's Familiar Quotations*, 17. ed.

173. Seres humanos não são ovos: Pipes, 2003, p. 158.

174. Menos democídios no próximo século: Valentino, 2004, p. 151.

175. Sem Hitler não haveria Holocausto: Himmelfarb, 1984.

176. Sem Stálin não haveria expurgos: citado em Valentino, 2004, p. 61.

177. Sem Mao não haveria Revolução Cultural: citado em Valentino, 2004, p. 62.

178. Dados globais do terrorismo: Memorial Institute for the Prevention of Terrorism (dados não mais abertos ao público), reportados pelo Human Security Centre, 2006, p. 16.

179. Ameaças vitais: ver Mueller, 2006, para citações.

180. Profecia de catástrofe terrorista: R. A. Clarke, "Ten Years Later", *Atlantic*, jan.-fev. 2005.

181. Ataques terroristas submergidos no rastro da distribuição da lei de potência: Clauset, Young e Gleditsch, 2007.

182. Raridade de ataques terroristas destrutivos: Global Terrorism Database, Start (National Consortium for the Study of Terrorism and Responses to Terrorism, 2010; disponível em: <www.start.umd.edu/gtd/>), acesso em 21 abr. de 2010. O número exclui os ataques terroristas associados com o genocídio de Ruanda.

183. Pavor de terroristas superado: Mueller, 2006.

184. Índices de morte: *National Vital Statistics for the Year 2007*, Xu, Kochanek e Tejada-Vera, 2009, tabela 2.

185. Mais mortos por gamos que por terroristas: Mueller, 2006, nota 1, pp. 199-200; estatísticas do National Safety Council, convenientemente sintetizadas em <danger.mongabay.com/injurydeath.htm>.

186. Mortes em excesso por evitar viagens aéreas: Gigerenzer, 2006.

187. Psicologia do risco: Slovic, 1987; Slovic et al., 1982. Ver também Gigerenzer, 2006; Gigerenzer e Murray, 1987; Kahneman, Slovic e Tversky, 1982; Ropeik e Gray, 2002; Tversky e Kahneman, 1973, 1974, 1983.

188. Outros benefícios de medos exagerados: Daly e Wilson, 1988, pp. 231-2, 237, 260-1.

189. Distorções políticas de ilusões cognitivas: Mueller, 2006; Slovic, 1987; Slovic et al., 1982; Tetlock, 1999.

190. Bin Laden se vangloria: "Timeline: The Al-Qaida Tapes", *Guardian*. Disponível em: <www.guardian.co.uk/alqaida/page/0,12643,839823,00.html>. Ver também Mueller, 2006, p. 3.

191. A gafe de Kerry: citado em M. Bai, "Kerry's Undeclared War", *New York Times*, 10 out. 2004.

192. História do terrorismo: Payne, 2004, pp. 137-40; Cronin, 2009, p. 89.

193. Terroristas dos anos 1970: Abrahms, 2006; Cronin, 2009; Payne, 2004.

194. A maioria dos grupos terroristas fracassou, e todos morreram: Abrahms, 2006; Cronin, 2009; Payne, 2004.

195. Fracassos terroristas: ver também Cronin, 2009, p. 91.

196. Estados são imortais, grupos terroristas não: Cronin, 2009, p. 110.

197. Grupos terroristas nunca vencem Estados: Cronin, 2009, p. 93. Porcentagem de êxito de 6%: Cronin, 2009, p. 215.

198. Decência como uma língua internacional: Cronin, 2009, p. 114. O total de mortes de Oklahoma City como 165 foi tomado do Global Terrorism Database (ver n. 182).

199. Global Terrorism Database, Start (National Consortium for the Study of Terrorism and Responses to Terrorism), 2010; acesso em 6 abr. 2010.

200. Critérios de inclusão: National Consortium for the Study of Terrorism and Responses to Terrorism, 2009.

201. Incremento do terrorismo suicida islamista: Atran, 2006.

202. Proporção de mortes no terrorismo sunita. National Counterterrorism Center, 2009.

203. Letalidade do terrorismo suicida: Cronin, 2009, p. 67; nota 145, p. 242. Minoria dos ataques, maioria das mortes: Atran, 2006.

204. Ingredientes de um ataque terrorista suicida: citado em Atran, 2003.

205. Jogando com as possibilidades no campo de batalha: Tooby e Cosmides, 1988.

206. Guerreiros covardes: Chagnon, 1997.

207. "entre o demônio e o profundo mar azul": Valentino, 2004, p. 59.

208. Apoio à seleção da parentela: Gaulin e McBurney, 2001; Lieberman, Tooby e Cosmides, 2002.

209. Companheiros de aldeia ianomâmis eram parentes: Chagnon, 1988, 1997.

210. Tropas de chimpanzés: Wilson e Wrangham, 2003.

211. Parentesco percebido versus parentesco real: Daly, Salmon e Wilson, 1997; Lieberman et al., 2002; Pinker, 1997.

212. Sinais do parentesco: Johnson, Ratwik e Sawyer, 1987; Lieberman et al., 2002; Salmon, 1998.

213. Soldados combatem por bancos de irmãos: Mueller, 2004a; Thayer, 2004.

214. Manchester sobre irmãos de armas: citado em Thayer, 2004, p. 183.

215. Quando os homens amam as guerras: Broyles, 1984.

216. Melhores alternativas para missões suicidas: Rapoport, 1964, pp. 88-9; Tooby e Cosmides, 1988.

217. Perfis psicológicos dos terroristas suicidas: Atran, 2003, 2006, 2010.

218. Os cerra-filas dos Tigres Tâmeis: Atran, 2006.

219. As cenouras do Hamas: Atran, 2003; Blackwell e Sugiyama, no prelo.

220. Homens fazem loucuras em grupo: Willer et al., 2009.

221. Valores sagrados e terrorismo suicida: Atran, 2006, 2010; Ginges et al., 2007; McGraw e Tetlock, 2005.

222. Testemunho sobre o terrorismo suicida: Atran, 2010.

223. Destino do terrorismo suicida em Israel: Cronin, 2009, pp. 48-57, 66-7.

224. Barreiras físicas ao terrorismo: Cronin, 2009, p. 67. Outros exemplos incluem as Nações Unidas em Bagdá e governos da Irlanda do Norte, Chipre e Líbano.

225. Não violência palestina: E. Bronner, "Palestinians Try a Less Violent Path to Resistence", *New York Times*, 6 abr. 2010.

226. Recuo recente do terrorismo suicida: S. Shane, "Rethinking Which Terror Groups to Fear", *New York Times*, 26 set. 2009.

227. Apoiadores da Al-Qaeda despencam: Human Security Report Project, 2007.

228. Al-Odah, "encorajar uma cultura": citado em F. Zakaria, "The Jihad Against the Jihadis", *Newsweek*, 12 fev. 2010.

229. Al-Odah, "Meu irmão Osama": citado em P. Bergen e P. Cruickshank, "The Unraveling: Al-Qaeda's Revolt Against Bin Laden", *New Republic*, 11 jun. 2008.

230. Resposta favorável às críticas à Al Qaeda: P. Bergen e P. Cruickshank, "The Unraveling: Al-Qaeda's Revolt Against Bin Laden", *New Republic*, 11 jun. 2008.

231. A *fatwa* do mufti: F. Zakaria, "The Jihad Against the Jihadis", *Newsweek*, 12 fev. 2010.

232. A jihad enquanto violação da Charia: citado em P. Bergen e P. Cruickshank, "The Unraveling: Al-Qaeda's Revolt Against Bin Laden", *New Republic*, 11 jun. 2008.

233. Matando inocentes: citado em P. Bergen e P. Cruickshank, "The Unraveling: Al Qaeda's Revolt Against Bin Laden", *New Republic*, 11 jun. 2008.

234. Endossando a violência contra civis: citado em F. Zakaria, "The Jihad Against the Jihadis", *Newsweek*, 12 fev. 2010.

235. Opinião pública em zonas de guerra: Human Security Report Project, 2007, p. 19.

236. Despencando: F. Zakaria, "The Only Thing We Have To Fear...", *Newsweek*, 2 jun. 2008.

237. Oposição a ataques contra civis: Human Security Report Project, 2007, p. 15.

238. Índice de baixas no Iraque: Contagem de Corpos do Iraque, disponível em: <www.iraqbodycount.org/database/>, acesso em 24 nov. 2010. Ver também Human Security Report Project, 2007, p. 14.

239. Despertar Sunita: Human Security Report Project, 2007, p. 15.

240. Falam os experts: Gardner, 2010; Mueller, 1995, 2010a.

241. Conflitos armados muçulmanos: dezenove dos 36 conflitos armados em 2008, no banco de dados do Prio, envolvem um país muçulmano: Israel-Hamas, Iraque-Al-Mahdi, Filipinas-Milf, Sudão-JEM, Paquistão-BLA, Afeganistão-Talibã, Somália-Al-Shabaab, Irã-Jandulla, Turquia-PKK, Índia-insurgentes da Cachemira, Mali-ATNMC, Argélia-Aqim, Paquistão-TTP, Estados Unidos-Al-Qaeda, Tailândia-insurgentes patanes, Niger-MNJ, Rússia-Emirado do Cáucaso, Índia-Pulf, Djibuti-Eritreia. Trinta das 44 organizações terroristas no *Reports on Terrorism 2008* do Departamento de Estado americano, disponível em: <www.state.gov/s/ct/rls/crt/2008/122449.htm>, acesso em 21 abr. 2010.

242. Exércitos muçulmanos são maiores: Payne, 1989.

243. Organizações terroristas muçulmanas: trinta das 44 organizações terroristas no *Reports on Terrorism 2008* do Departamento de Estado americano, disponível em: <www.state.gov/s/ct/rls/crt/2008/122449.htm>, acesso em 21 abr. 2010.

244. Raridade de democracias muçulmanas: Esposito e Mogahed, 2007, p. 30.

245. Democracias duvidosas: Esposito e Mogahed, 2007, p. 30.

246. Menos direitos nos países muçulmanos: Pryor, 2007, pp. 155-6.

247. Castigos cruéis: Payne, 2004, p. 156.

248. Opressão das mulheres: Esposito e Mogahed, 2007, p. 117.

249. Escravidão no mundo muçulmano: Payne, 2004, p. 156.

250. Perseguição à bruxaria: A. Sandels, "Saudi Arabia: Kingdom Steps up Hunt for 'Witches' and 'Black Magicians'", *Los Angeles Times*, 26 nov. 2009.

251. Cultura da honra exagerada: Fattah e Fierke, 2009; Ginges e Atran, 2008.

252. Citações genocidas: ver Goldhagen, 2009, pp. 494-504; Mueller, 1989, pp. 255-6.

253. *Relatório do desenvolvimento humano árabe*: Programa de Desenvolvimento das Nações Unidas, 2003; ver também R. Fisk, "UN Highlights Uncomfortable Truths for Arab World", *Independent*, 3 jul. 2002.

254. Insularidade: "A Special Report on the Arab World", *Economist*, 23 jul. 2009.

255. Tolerância muçulmana: Lewis, 2002, p. 114.

256. A imprensa como profanação: Lewis, 2002, p. 142.

257. Humanidades subversivas: "Iran Lauches New Crackdown on Universities", Radio Free Europa/Radio Liberty, 26 ago. 2010; disponível em: <www.rferl.org/content/Iran_Launches_New_Crackdown_On_Universities/2138387.html>.

258. Choque de civilizações: Huntington, 1993.

259. O que 1 bilhão de muçulmanos realmente pensam: Esposito e Mogahed, 2007.

260. Organizações políticas muçulmanas que endossam a violência: Asal, Johnson e Wilkenfeld, 2008.

261. Lei de potência dos ataques terroristas: Clauset e Young, 2005; Clauset et al., 2007.

262. Tempo para planejar ataques terroristas: Mueller, 2006, p. 179.

263. A falácia da conjunção: Tversky e Kahneman, 1983.

264. Pontuação dos cenários versus soma das possibilidades: Slovic et al., 1982.

265. Pagar mais por um seguro antiterrorismo: Johnson et al., 1993.

266. A previsão de Taylor: Mueller, 2010a, p. 162.

267. A previsão de Allison: Mueller, 2010a, p. 181.

268. A previsão de Falkenrath: citado em Parachini, 2003.

269. As previsões de Negroponte e Garwin: Mueller, 2010a, p. 181.

270. Reputações dos experts imunes a falsas previsões: Gardner, 2010.

271. Examinando os riscos de terrorismo nuclear: Levi, 2007; Mueller, 2010a; Parachini, 2003; Schelling, 2005.

272. Sem destruição em massa: Mueller, 2006; Mueller, 2010a.

273. Apenas três ataques terroristas não convencionais: Parachini, 2003.

274. Nações levam suas bombas muito a sério: citado em Mueller, 2010a, p. 166.

275. O Paquistão não sucumbirá a extremistas: Human Security Report Project, 2007, p. 19.

276. Ferro-velho radioativo: Mueller, 2010a, p. 166.

277. Desafios hercúleos para o terrorismo nuclear: citado em Mueller, 2010a, p. 185.

278. Lei de Murphy do terrorismo nuclear: Levi, 2007, p. 8.

279. Guerra inevitável com o Irã: J. T. Kuhner, "The Coming War with Iran: Real Question Is Not if, but When", *Washington Times*, 4 out. 2009.

280. Não será o fim do mundo: Mueller, 2010a, pp. 153-5; Lindsay e Takeyh, 2010; Procida, 2009; Riedel, 2010; P. Scoblic, "What Are Nukes Good for?", *New Republic*, 7 abr. 2010.

281. *Fatwa* contra a bomba islâmica: "Iran Breaks Seals at Nuclear Plant", CNN, 10 ago. 2005. Disponível em: <http://edition.cnn.com/2005/WORLD/europe/08/10/iran.iaea.1350/index.html>.

282. Os prazos fatais passaram: C. Krauthammer, "In Iran, Armig for Armageddon", *Washington Post*, 16 dez. 2005. 2009: Y. K. Halevi e M. Oren, "Contra Iran", *New Republic*, 5 fev. 2007.

283. Entrevista com Ahmadinejad: M. Ahmadinejad, entrevistado por A. Curry, NBC News, 18 set. 2009. Disponível em: <www.msnbc.msn.com/id/32913296/ns/world_news-mideastn_africa/print/1/displaymode/1098/>.

284. "Apagar Israel do mapa": E. Bronner, "Just How far Did They Go, Those Words Against Israel?", *New York Times*, 11 jun. 2006.

285. Previsões e consequências da Coreia do Norte nuclear: Mueller, 2010a, p. 150.

286. Implausibilidade de bombas nucleares por procuração: Mueller, 2010a; Procida, 2009.

287. "Preciosa demais para desperdiçar matando gente": Schelling, 2005.

288. Estresse climático, tão ruim como o atômico: T. F. Homer-Dixon, "Terror in the Weather Forecast", *New York Times*, 24 abr. 2007.

289. Mudança climática justifica guerra ao terror: citado em S. Giry, "Climate Conflicts", *New York Times*, 9 abr. 2007; ver também Salehyan, 2008.

290. Mudança climática pode não levar à guerra: Buhaug, 2010; Gleditsch, 1998; Salehyan, 2008; Theisen, 2008.

291. Terroristas não são agricultores de subsistência: Atran, 2003.

7. AS REVOLUÇÕES POR DIREITOS [pp. 515-649]

1. Luta selvagem: Boulton e Smith, 1992; Geary, 2010; Maccoby e Jacklin, 1987.

2. Brigas como divertimento: Geary, 2010; Ingle, 2004; Nisbett e Cohen, 1996.

3. Motins étnicos mortíferos: Horowitz, 2001.

4. Anatomia de um pogrom: Horowitz, 2001, cap. 1.

5. Lendo a lei do motim: Payne, 2004, pp. 173-5.

6. Pogroms americanos: Payne, 2004, pp. 180-1.

7. História dos linchamentos americanos: Waldrep, 2002.

8. Violência comunal contra negros: Payne, 2004, p. 180.

9. Declínio dos motins: Payne, 2004, pp. 174, 180-2; Horowitz, 2001, p. 300.

10. Estranhos frutos: "The Best of the Century", *Time*, 31 dez. 1999.

11. Estatísticas do FBI sobre crimes de ódio: <www.fbi.gov/hq/cid/civilrights/hate.htm>.

12. Fim dos motins étnicos mortíferos no Ocidente: Horowitz, 2001, p. 561.

13. Motins dos anos 1960 não eram raciais: Horowitz, 2001, pp. 300-1.

14. Fim dos motins étnicos mortíferos no Ocidente: Horowitz, 2001, p. 561.

15. Ruby Nell Bridges: Steinbeck, 1962/1997, p. 194.

16. Ausência de epidemias de crimes de ódio ou queima de igrejas: La Griffe du Lion, 2000; M. Fumento, "A Church Arson Epidemic? It's Smoke and Mirrors", *Wall Street Journal*, 8 jul. 1996.

17. Sem violência mortal contra muçulmanos: Human Rights First, 2008. Os exemplos mais próximos eram (1) o ataque fatal a um adolescente dinamarquês de ascendência turca, mas a polícia

excluiu o racismo como motivo, e (2) uma gravação em vídeo do assassinato em estilo de execução de dois homens, possivelmente do Daguestão e Tadjiquistão, por um grupo neonazista russo.

18. Motins policiais: Horowitz, 2001, pp. 518-21.

19. Políticas discriminatórias prenunciam violência étnica: Gurr e Monty, 2000; Asal e Pate, 2005, pp. 32-3.

20. Declínio da discriminação étnica: Asal e Pate, 2005.

21. Discriminação pelo mundo: Asal e Pate, 2005, pp. 35-6.

22. Discriminação em declínio: Asal e Pate, 2005, p. 38.

23. Previsão de tumultos afro-americanos: A. Hacker, *The End of American Era*, citado em Gardner, 2010, p. 96.

24. "Um enorme abismo racial": citado na p. 219.

25. Bell sobre o racismo: citado em Bobo, 2001.

26. Atitudes dos brancos para com os negros: Bobo, 2001; ver também Patterson, 1997.

27. Eliminadas dos questionários: Bobo, 2001.

28. Tolerância religiosa: Caplow, Hicks e Wattenberg, 2001, p. 116.

29. Pernalonga racista: busca por "Racist Bugs Bunny" no Youtube.com.

30. Funny Face: disponível em: <theimaginaryworld.com/ffpac.html>.

31. Códigos de linguagem em campi: Kors e Silverglate, 1998. Ver também Foundation for Individual Rights in Education, <www.thefire.org>.

32. Autoparódia: "Political Correctness versus Freedom of Thought — The Keith John Sampsom Story", disponível em: <www.thefire.org/article/10067.html>; "Brandeis University: Professor Found Guilty of Harassment for Protected Speech", disponível em: <www.thefire.org/case/755.html>.

33. "Insensibilidade" racial: Kors e Silverglate, 1998.

34. Estupro em motins e genocídios: Goldhagen, 2009; Horowitz, 2001; Rummel, 1994. Estupro na guerra: Brownmiller, 1975; Rummel, 1994.

35. Concepções tradicionais sobre estupro: Brownmiller, 1975; Wilson e Daly, 1992.

36. Juristas e pilhérias com estupro: Brownmiller, 1975, p. 312.

37. Polícia e pilhérias com estupro: Brownmiller, 1975, pp. 364-6.

38. Mulheres barradas em júris: Brownmiller, 1975, p. 296.

39. Partes interessadas: Thornhill e Palmer, 2000; Wilson e Daly, 1992; Jones, 1999.

40. Economia sexual: A. Dworkin, 1993, p. 119.

41. Seleção sexual: Archer, 2009; Clutton-Brock, 2007; Symons, 1979; Trivers, 1972.

42. Assédio e estupro em outras espécies: Jones, 1999.

43. Fatores de risco no estupro: Jones, 1999, 2000; Thornhill e Palmer, 2000.

44. Gravidez após estupro: Gottschall e Gottschall, 2003; Jones, 1999.

45. Ciúme sexual: Buss, 2000; Symons, 1979; Wilson e Daly, 1992.

46. Diferenças entre sexos nos ciúmes: Buss, 2000.

47. A mulher enquanto propriedade do homem: Brownmiller, 1975; Wilson e Daly, 1992.

48. Mudanças nas leis de estupro durante a Idade Média: Brownmiller, 1975. Vestígios correntes: Wilson e Daly, 1992.

49. Deliberação ilícita do júri: Brownmiller, 1975, p. 374.

50. Marido de vítima do estupro: citado em Wilson e Daly, 1992. Divórcio não é raro: Brownmiller, 1975.

51. Evolução da repulsa ao estupro: Symons, 1979; Thornhill e Palmer, 2000.

52. Agonia da violação: Buss, 1989; Thornhill e Palmer, 2000.

53. Princípio da autonomia: Hunt, 2007; Macklin, 2003.

54. Mudanças na lei do estupro: Brownmiller, 1975.

55. Mary Astell: citada em Jaggar, 1983, p. 27.

56. Resenha da *Newsweek* sobre *Laranja mecânica*: citada em Brownmiller, 1975, p. 302.

57. Kubrick: citado em Brownmiller, 1975, p. 302.

58. Estupro conjugal: United Nations Development Fund for Women, 2003.

59. Tabu do estupro em videogames: depoimento pessoal de F. X. Shen, 13 jan. 2007. Ultraje e violações: disponível em: <www.gamegrene.com/node/447>; <www.cnn.com/2010/WORLD/asiapcf/03/30/japan.video.game.rape/index.html>.

60. Estupro pode ser superdimensionado: Taylor e Johnson, 2008.

61. Estatísticas pouco sérias sobre estupro: Sommers, 1994, cap. 10; MacDonald, 2008.

62. Pesquisa sobre vitimação: U. S. Bureau of Justice Statistics, Maston, 2010.

63. Mudanças na atitude para com as mulheres: Spence, Helmreich e Stapp, 1973; Twenge, 1997.

64. Um abismo entre os sexos: Salmon e Symons, 2001, p. 4.

65. Homens subestimam, mulheres superestimam: Buss, 1989.

66. Função do estupro: Brownmiller, 1975, p. 15.

67. Mirmídones: Brownmiller, 1975, p. 209.

68. Problemas com a teoria dos mirmídones: Check e Malamuth, 1985; Gottschall e Gottschall, 2001; Jones, 1999, 2000; MacDonald, 2008; Sommers, 1994; Thornhill e Palmer, 2000; Pinker, 2002, cap. 18.

69. Inspiração marxista para a teoria dos mirmídones: Brownmiller, 1975, pp. 210-1.

70. O que os homens querem: MacDonald, 2008.

71. Motivos dos maus-tratos maritais: Kimmel, 2002; Wilson e Daly, 1992.

72. Guarda da esposa e violência doméstica: Buss, 2000; Symons, 1979; Wilson e Daly, 1992.

73. As mulheres enquanto propriedade através do mundo: Wilson e Daly, 1992.

74. Leis permitindo que os maridos castiguem as mulheres: Suk, 2009, p. 13.

75. Mudanças nas leis sobre guarda da parceira: Wilson e Daly, 1992.

76. Medidas cautelares obrigatórias e perseguição: Suk, 2009, p. 10.

77. Bater na mulher não é um grande problema, vender LSD é pior que estuprar: Rossi, Waite, Bose e Berk, 1974.

78. Quando um homem espanca uma mulher: Shotland e Straw, 1976.

79. Surrar a esposa não é importante: Johnson e Sigler, 2000.

80. Bater na mulher com bengala: Johnson e Sigler, 2000.

81. Simetria sexual na violência doméstica: Archer, 2009; Straus, 1977/1978; Straus e Gelles, 1988.

82. O estereótipo do rolo de macarrão: Straus, 1977/1978, pp. 447-8.

83. Tipos de violência conjugal: Johnson, 2006; Johnson e Leone, 2005.

84. Homens cometem violências domésticas mais graves: Dobash et al., 1992; Graham-Kevan e Archer, 2003; Johnson, 2006; Johnson e Leone, 2005; Kimmel, 2002; Saunders, 2002.

85. Pouca mudança nas miudezas: Straus, 1995; Straus e Kantor, 1994.

86. Declínio começou em 1985: Straus e Kantor, 1994, figura 2.

87. Abrigos femininos salvam a vida de homens agressores: Browne e Williams, 1989.

88. Relatório de pesquisa britânica sobre o crime não informa tendências da violência doméstica: ver Jansson, 2007.

89. Diferenças nacionais cruzadas sobre violência doméstica: Archer, 2006a.

90. Organização Mundial da Saúde e a violência doméstica global: Heise e Garcia-Moreno, 2002.

91. Entre um quinto e metade: United Nations Population Fund, 2000.

92. Leis sobre a violência contra mulheres: United Nations Development Fund for Women, 2003, apêndice 1.

93. Atrocidades contra mulheres: Kristof e WuDunn, 2009; United Nations Development Fund for Women, 2003.

94. Poder de gênero e individualismo correlacionados com menos violência contra mulheres: Archer, 2006a. As correlações referidas nesse artigo não se relacionam com afluência, mas em uma palestra pessoal em 18 de maio de 2010 Archer confirmou que ambas permanecem estatisticamente significativas quando o PIB entra em recessão.

95. Pressão pelo fim da violência contra mulheres: Kristof e WuDunn, 2009; United Nations Development Fund for Women, 2003.

96. Campanhas internacionais de condenação: Nadelmann, 1990.

97. Impulso de condenação da violência contra mulheres: depoimento de I. Alberdi, "10th Anniversary Statement on the UN International Day for the Elimination of Violence Against Women", Unifem. Disponível em: <www.unifem.org/news_events/story_detail.php?StoryID=976>.

98. Apoio universal à igualdade de gênero: Pew Research Center, 2010.

99. Atitudes muçulmanas sobre o poder das mulheres: Esposito e Mogahed, 2007; Mogahed, 2006.

100. Abandonos legendários: Milner, 2000, pp. 206-8.

101. Infanticídio: Breiner, 1990; Daly e Wilson, 1988; DeMause, 1998; Hrdy, 1999; Milner, 2000; Piers, 1978; Resnick, 1970; Williamson, 1978.

102. O infanticídio através das culturas: Williamson, 1978. Ver também Daly e Wilson, 1988; Divale e Harris, 1976; Hrdy, 1999; Milner, 2000.

103. De 10% a 50%: Milner, 2000, p. 3; ver também Williamson, 1978.

104. "Todas as famílias": DeMause, 1974, citado em Milner, 2000, p. 2.

105. Histórias de infância: Breiner, 1990; DeMause, 1974, 1998, 2008; Heywood, 2001; Hrdy, 1999; Milner, 2000.

106. O infanticídio como "natural": Milner, 2000, p. 537.

107. Teoria da história da vida: Daly e Wilson, 1988; Hagen, 1999; Hawkes, 2006; Hrdy, 1999; Maynard Smith, 1988, 1998.

108. Mais investimentos no aleitamento do que na gestação: Hagen, 1999.

109. Evitar o investimento a fundo perdido: Maynard Smith, 1998. Exceção para o evitamento: Dawkins e Brockmann, 1980.

110. O infanticídio enquanto triagem: Daly e Wilson, 1988; Hagen, 1999; Hrdy, 1999.

111. Teste empírico da teoria da triagem: Daly e Wilson, 1988, pp. 37-60.

112. Infanticídio entre os ianomâmis: citado em Daly e Wilson, 1988, p. 51.

113. Ausência de correlação entre infanticídio e belicosidade: Williamson, 1978, p. 64.

114. Tylor: citado em Milner, 2000, p. 12.

115. Recém-nascidos sujos: Plutarco, *Sobre a afeição pelas crianças*, citado em Milner, 2000, p. 508.

116. Depressão pós-parto enquanto adaptação: Hagen, 1999; Daly e Wilson, 1988, pp. 61-77.

117. Cerimônias de personalização: Daly e Wilson, 1988; Milner, 2000.

118. Cem milhões de meninas faltando: Sen, 1990; Milner, 2000, cap. 8; N. D. Kristof, "Stark Data on Women: 100 Million Are Missing", *New York Times*, 5 nov. 1991.

119. Infanticídio feminino é antigo: Milner, 2000, pp. 236-45; ver também Hudson e Den Boer, 2002.

120. "Se um menino fica doente": citado em N. D. Kristof, "Stark Data on Women: 100 Million Are Missing", *New York Times*, 5 nov. 1991.

121. Infanticídio feminino: Milner, 2000, cap. 8; Hrdy, 1999; Hawkes, 1981; Daly e Wilson, 1988, pp. 53-6.

122. Crianças em monturos: Breiner, 1990, pp. 6-7.

123. Infanticídio na Europa medieval e moderna: Milner, 2000; Hanlon, 2007; Hynes, no prelo.

124. Evolução da proporção entre sexos: Maynard Smith, 1988, 1998.

125. Teoria do crescimento populacional zero: Divale e Harris, 1976. Problemas na teoria do crescimento populacional zero: Chagnon, 1997; Daly e Wilson, 1988; Hawkes, 1981.

126. Teoria de Trivers-Willard: Trivers e Willard, 1973. Problemas da teoria: Hawkes, 1981; Hrdy, 1999.

127. Moderado apoio em testamentos: Hrdy, 1999.

128. Raridade da matança de meninos: exceção para Shensi, na China: Milner, 2000, p. 238; os rendilles, no Quênia: Williamson, 1978, nota 33; trabalhadores urbanos pobres em Parma no século XVII: Hynes, no prelo.

129. Infanticídio feminino enquanto um problema para os outros: Gottschall, 2008.

130. Infanticídio feminino enquanto um círculo vicioso: Chagnon, 1997; Gottschall, 2008.

131. Infanticídio feminino e herança: Hawkes, 1981; Sen, 1990.

132. Filha igual a água: citado em Milner, 2000, p. 130.

133. Índia e China hoje: Milner, 2000, pp. 236-45.

134. Infanticídio feminino hoje, encrenca amanhã: Hudson e Den Boer, 2002.

135. Infanticídios nos Estados Unidos hoje: FBI Uniform Crime Reports, "2007: Crime in the United States", Departamento de Justiça dos Estados Unidos, 2007. Disponível em: <www2.fbi.gov/ucr/cius2007/offenses/expanded_information/data/shrtable_02.html>.

136. Mães infanticidas nos Estados Unidos: Milner, 2000, p. 124; Daly e Wilson, 1988; Resnick, 1970.

137. Proibição do infanticídio no judaísmo e no cristianismo: Milner, 2000, cap. 2; Breiner, 1990.

138. Mercier sobre os recém-nascidos: citado em Milner, 2000, p. 512.

139. Moralidade do infanticídio e tabu da vida humana: Bock, 1993; Glover, 1977; Green, 2001; Kohl, 1978; Singer, 1994; Tooley, 1972.

140. Infanticídio diferenciado de outros homicídios de crianças: Milner, 2000, p. 16.

141. Indulgência com o infanticídio: Resnick, 1970.

142. Sacrifício humano por compaixão: de uma lembrança de Benjamin Franklin Bonney, citada em Courtwright, 1996, pp. 118-9.

143. Ladeira escorregadia no Holocausto: Glover, 1999.

144. Imprecisão da vida humana: Brock, 1993; Gazzaniga, 2005; Green, 2001; Singer, 1994.

145. Fria indiferença: W. Langer, citado por Milner, 2000, p. 68. Ver também Hanlon, 2007; Hynes, no prelo.

146. Infanticídio na Idade Média: Milner, 2000, p. 70.

147. Bebês em cloacas: citado em DeMause, 1982, p. 31.

148. Inspeção nos seios de criadas solteiras: Milner, 2000, p. 71.

149. Infanticídio *de facto* na Europa: Milner, 2000, pp. 99-107; caps. 3-5.

150. Médico legista britânico: citado em Milner, 2000, p. 100.

151. Estatísticas sobre aborto: Henshaw, 1990; Sedgh et al., 2007.

152. Início da atividade neural: Gazzaniga, 2005.

153. Concepções sobre mentes dos fetos e outras: Gray, Gray e Wegner, 2007.

154. Menos castigos corporais entre caçadores-coletores: Levinson, 1989; Milner, 2000, p. 267.

155. Poupar a vara: Milner, 2000, p. 257.

156. Variações em torno de "poupar a vara": Heywood, 2001, p. 100.

157. Castigo físico na Europa medieval: DeMause, 1998.

158. Proporção de crianças surradas: Heywood, 2001, p. 100.

159. Execução de crianças: A. Helms, "Review of Peter Martin's 'Samuel Johnson: A Biography'", *Boston Globe*, 30 nov. 2008.

160. Pais alemães: DeMause, 2008, p. 10.

161. Antigas punições: Milner, 2000, p. 267.

162. Pais japoneses: DeMause, 2008.

163. Canção de ninar inglesa: Piers, 1978, citado em Milner, 2000, p. 266.

164. Versos iídiches: Milner, 2000, pp. 386-9; ver também Heywood, 2001, pp. 94-7; Daly e Wilson, 1999; Tatar, 2003.

165. Conflito pais-descendentes: Dawkins, 1976/1989; Hrdy, 1999; Trivers, 1974, 1985.

166. Pregador alemão: citado em Heywood, 2001, p. 33.

167. Locke, Rousseau e a revolução na infância: Heywood, 2001, pp. 23-4.

168. Locke: citações de Heywood, 2001, p. 23.

169. Rousseau: citações de Heywood, 2001, p. 24.

170. Reformas por volta da virada para o século XX: Heywood, 2001; Zelizer, 1985.

171. Economicamente sem valor, emocionalmente sem preço: Zelizer, 1985.

172. Movimento Estudo Infantil e políticas de bem-estar das crianças: White, 1996.

173. Maus-tratos de crianças comparado aos de animais: H. Markel, "Case Shined First Light on Abuse of Children", *New York Times*, 15 dez. 2009.

174. Complexidades na história da infância: Heywood, 2001.

175. Opiniões contra o espancamento: Harris, 1998/2008; Straus, 1999.

176. Crianças nunca, jamais devem ser espancadas: Straus, 2005.

177. Ceticismo sobre a nocividade do espancamento: Harris, 1998/2008.

178. Cultura da honra: Nisbett e Cohen, 1996.

179. Pesquisa sobre espancamento: disponível em: <www.surveyusa.com/50StateDiscipline

Child0805SortedbyTeacher.htm>. Estados "vermelhos" e "azuis" definidos conforme os votos na eleição presidencial de 2004.

180. Diferenças estado por estado quanto ao espancamento: disponível em: <www.surveyusa.com/50StateDisciplineChild0805SortedbyTeacher.htm>.

181. Tendências na aceitação do espancamento: dados da General Social Survey, disponível em: <www.norc.org/GSS+Website/>.

182. Declínio do castigo físico: Straus, 2001, pp. 27-9; Straus, 2009; Straus e Kantor, 1995.

183. Recuo na Europa: Straus, 2009.

184. Castigo físico através do mundo: Straus, 2009.

185. Diferenças étnicas sobre espancamento: Harris, 1998/2008.

186. Declínio na aprovação do espancamento em todos os grupos étnicos: dados da General Social Survey, disponível em: <www.norc.org/GSS+Website/>.

187. Criminalizando o espancamento: Straus, 2009.

188. Desaprovação do espancamento em escolas americanas: disponível em: <www.surveyusa.com/50StateDisciplineChild0805SortedbyTeacher.htm>.

189. Condenação internacional do castigo físico: Human Rights Watch, 2008.

190. Lista de conferência de maus-tratos infantis: Straus e Kantor, 1995.

191. Os maus-tratos contra crianças são um problema sério: pesquisas de 1976 e 1985: Straus e Gelles, 1986. Pesquisa de 1999: PR Newswire, disponível em: <www.nospank.net/n-e62.htm>.

192. Índice de mortes violentas de crianças: A. Gentleman, "The Fear is Not in Step With Reality", *Guardian*, 4 mar. 2010.

193. Columbine: Cullen, 2009.

194. Efeitos do *bullying*: P. Klass, "At Last, Facing Down Bullies (and Their Enablers)", *New York Times*, 9 jun. 2009.

195. Movimento *antibullying*: J. Saltzman, "Antibully Law May Face Free Speech Challenges", *Boston Globe*, 4 maio 2010; W. Hu, "Schools' Gossip Girls and Boys Get Some Lessons in Empathy", *New York Times*, 5 abr. 2010; P. Klass, "At Last, Facing Down Bullies (and Their Enablers)", *New York Times*, 9 jun. 2009.

196. Oprah contra o *bullying*: "The Truth About Bullying", *Oprah Winfrey Show*, 6 maio 2009. Disponível em: <www.oprah.com/relationships/School-Bullying>.

197. Crime e segurança na escola: DeVoe et al., 2004.

198. Garotas se tornando selvagens: M. Males e M. Lind, "The Myth of Mean Girls", *New York Times*, 2 abr. 2010; W. Koch, "Girls Have Not Gone Wild, Juvenile Violence Study Says", *USA Today*, 20 nov. 2008. Ver também Girls Study Group, 2008, para dados até 2004.

199. Pressuposto da nutrição: Harris, 1998/2008; ver também Pinker, 2002, cap. 19; Harris, 2006; Wright e Beaver, 2005.

200. Batalha de comida: S. Saulny, "25 Chicago Students Arrested for a Middle-School Fight", *New York Times*, 11 nov. 2009.

201. Escoteiro de seis anos e garota de doze: I. Urbina, "It's a Fork, It's a Spoon, It's a... Weapon?", *New York Times*, 12 out. 2009; I. Urbina, "After Uproar on Suspension, District Will Rewrite Rules", *New York Times*, 14 out. 2009. Escoteiro: "Brickbats", *Reason*, abr. 2010.

202. Treinadores de recreio: W. Hu, "Forget Goofing Around: Recess Has a New Boss", *New York Times*, 14 mar. 2010.

203. Desarmamento digital: Schechter, 2005.

204. Mortos-vivos não, cenouras sim: J. Steinhauer, "Drop the Mask! It's Halloween, Kids, You Might Scare Somebody", *New York Times*, 30 out. 2009.

205. Crimes de ódio: Skenazy, 2009, p. 161.

206. Pesadelo em *Vila Sésamo*: Skenazy, 2009, p. 69.

207. Pânico com o sequestro de crianças: Skenazy, 2009; Finkelhor, Hammer e Sedlak, 2002; "Phony Numbers on Child Abduciotn", Estatísticas da Universidade George Mason; disponível em: <http: / / stats.org / stories / 2002 / phony_aug01_02.htm>.

208. Origem dos encontros para brincar: Google Books, analisado com Bookworm, Michel et al., 2011; ver a nota da figura 7.1.

209. Mudanças no andar e brincar: Skenazy, 2009.

210. Crianças soltas: Skenazy, 2009.

211. O cálculo de Cairns: citado em Skenazy, 2009, p. 16.

212. Teatro do controle do crime: D. Bennett, "Abducted: The Amber Alert System Is More Effective as Theater Than a Way to Protect Children", *Boston Globe*, 20 jul. 2008.

213. Crianças atropeladas por seus pais: Skenazy, 2009, p. 176.

214. Alertas de sequestro contraproducentes: D. Bennett, "Abducted: The Amber Alert System Is More Effective as Theater Than a Way to Protect Children", *Boston Globe*, 20 jul. 2008.

215. Alan Turing: Hodges, 1983.

216. As máquinas de Turing: Turing, 1936.

217. Podem as máquinas pensar?: Turing, 1950.

218. Homofobia com apoio do Estado, passado: Fone, 2000. Presente: Ottosson, 2009.

219. Mais homofobia contra gays homens: Fone, 2000. Mais leis contra a homossexualidade masculina: Ottosson, 2006.

220. Mais crimes de honra contra homens: Departamento de Justiça dos Estados Unidos, FBI, *2008 Hate Crime Statistics*, tabela 4. Disponível em: <www2.fbi.gov / ucr / hc2008 / data / table_04.html>.

221. Biologia da homossexualidade: Bailey, 2003; Hamer e Copeland, 1994; LeVay, 2010; Peters, 2006.

222. Fêmeas flexíveis: Baumeister, 2000.

223. Vantagem na fertilidade feminina: Hamer e Copeland, 1994.

224. Raridade da homossexualidade através das culturas: Broude e Greene, 1976.

225. Desaprovação da homossexualidade através das culturas: Broude e Greene, 1976.

226. Confundindo moralidade com repulsa: Haidt, 2002; Rozin, 1997.

227. História da homofobia: Fone, 2000.

228. O Iluminismo repensa a homossexualidade: Fone, 2000.

229. Homofobia com apoio do Estado: Ottosson, 2006, 2009.

230. Pillay: citado em Ottosson, 2009.

231. A opinião de Kennedy: *Lawrence v. Texas* (02-102), 2003. Disponível em: <www.law.cornell.edu / supct / html / 02-102.zo.html>.

232. Roger Brown: Pinker, 1998.

233. Atitudes na homossexualidade: Gallup, 2008.

234. Efeitos de se conhecer um gay: Gallup, 2009.

235. "Gay? Que seja, cara": Gallup, 2002.

236. Estatísticas de crimes de ódio do FBI: disponível em: <www.fbi.gov/hq/cid/civilrights/hate.htm>.

237. Problemas com as estatísticas de crimes de ódio do FBI: Harlow, 2005.

238. Estatísticas sobre crimes de ódio em 2008: FBI, *2008 Hate Crime Statistics*, disponível em: <www2.fbi.gov/ucr/hc2008/index.html>. Estatísticas criminais de 2008: FBI, *2008 Crime in the United States*, disponível em: <www2.fbi.gov/ucr/cius2008/index.html>.

239. Homicídios de ódio: FBI, *2008 Hate Crime Statistics*, disponível em: <www2.fbi.gov/ucr/hc2008/index.html>. Ocorreram 115 homicídios de ódio entre 1996 e 2005, e cerca de um quinto deles tinha homossexuais como alvo.

240. Cientistas acreditam que animais sentem dor: Herzog, 2010, p. 209.

241. História do tratamento dos animais: Gross, 2009; Harris, 1985; Herzog, 2010; Spencer, 2000; Stuart, 2006.

242. Carnivorismo humano: Boyd e Silk, 2006; Harris, 1985; Herzog, 2010; Wrangham, 2009a.

243. Carnivorismo e evolução humana: Boyd e Silk, 2006; Cosmides e Tooby, 1992; Tooby e DeVore, 1987.

244. Fome de carne, festa e carnalidade: Boyd e Silk, 2006; Harris, 1985; Symons, 1979.

245. Formosura e conservação: Herzog, 2010.

246. Crueldade dos hopis com animais: Brandt, 1974.

247. Receita de tartaruga assada: disponível em: <www.nativetech.org/recipes/recipe.php?recipeid=211>.

248. Nacos da cauda: Wrangham, 2009a.

249. Chutando e comendo cães: Gray e Young, 2011; citação de C. Turnbull.

250. Aristóteles: citado em Stuart, 2006, p. xviii.

251. Celso: citado em Spencer, 2000, p. 210.

252. Galeno: citado em Gross, 2009.

253. Tomás de Aquino: citado em Gross, 2009.

254. A mente não tem partes: Descartes, 1641/1967.

255. Dissecação no início da Idade Moderna: Spencer, 2000, p. 210.

256. Carne macia no século XVII: P. C. D. Brears, *The Gentlewoman's Kitchen*, 1984, citado em Spencer, 2000, p. 205.

257. Uma granja de aves e porcos no século XVII: P. Pullar, *Paixões abrasadoras*, 1970, citado em Spencer, 2000, p. 206.

258. Motivos para o vegetarianismo: Herzog, 2010; Rozin et al., 1997; Spencer, 2000; Stuart, 2006.

259. Moralidade equiparada com pureza e ascetismo: Haidt, 2002; Rozin et al., 1997; Shweder et al., 1997.

260. Você é aquilo que come: Rozin, 1996.

261. Vegetarianismo e romantismo: Spencer, 2000; Stuart, 2006.

262. Briga de galos e luta de classes: Herzog, 2010.

263. Normas de dieta judaicas: Schechter, Greenstone, Hirsch e Kohler, 1906.

264. Vegetarianismo precoce: Spencer, 2000.

265. Vacas sagradas: Harris, 1985.

266. Nazismo e direitos dos animais: Herzog, 2010; Stuart, 2006.

267. Voltaire: citado em Spencer, 2000, p. 210.

268. Direitos dos animais como assunto ridículo: N. Kristof, "Humanity Toward Animals", *New York Times*, 8 abr. 2009.

269. Direitos dos animais no século XIX: Gross, 2009; Herzog, 2010; Stuart, 2006.

270. Orwell e os maníacos por alimentos: *O caminho para Wigan Pier*, citado em Spencer, 2000, pp. 278-9.

271. Mudança nos anos 1970: Singer, 1975/2009; Spencer, 2000.

272. Brophy: citado em Spencer, 2000, p. 303.

273. *Libertação animal*: Singer, 1975/2009.

274. *The Expanding Circle*: Singer, 1981/2011.

275. V-Sapo: K. W. Burton, "Virtual Dissection", *Science*, 22 fev. 2008.

276. Briga de galos: Herzog, 2010, pp. 155-62.

277. Banimento das touradas: D. Woolls, "Tuning Out Tradition: Spain Pulls Live Bullfights Off State TV", *Boston Globe*, 23 ago. 2007.

278. Caçadores cada vez mais idosos: K. Johnson, "For Many Youths, Hunting Loses the Battle for Attention", *New York Times*, 25 set. 2010.

279. Caçar versus observar: U. S. Fish and Wildlife Service, 2006.

280. Caçadores *locavore*: S. Rinella, "Locavore, Get Your Gun", *New York Times*, 14 dez. 2007.

281. Pescaria humana: P. Bodo, "Hookless Fly-Fishing Is a Humane Advance", *New York Times*, 7 nov. 1999.

282. Nenhum animal foi maltratado: American Humane Association Film and Television Unit, 2010; disponível em: <www.americanhumane.org/protecting-animals/programs/no-animals-were-harmed/>.

283. Sem maltratar animais: American Humane Association Film and Television Unit, 2009.

284. O exterminador em chefe: M. Leibovich, "What's White, Has 132 Rooms, and Flies?", *New York Times*, 18 jun. 2009.

285. A revolução do frango assado: Herzog, 2010.

286. Mais consumo de frangos que de bois: Departamento de Agricultura dos Estados Unidos, Economic Research Service, disponível em: <www.humanesociety.org/assets/pdfs/farm/Per-Cap-Cons-Meat-1.pdf>.

287. Duzentos frangos equivalem a uma vaca: Herzog, 2010, p. 193.

288. Carne sem patas: J. Temple, "The No-Kill Carnivore", *Wired*, fev. 2009.

289. Três vezes mais ex-vegetarianos: Herzog, 2010, p. 200.

290. Definições frouxas de vegetarianismo: Herzog, 2010; C. Stahler, "How Many Vegetarians Are There?", *Vegetarian Journal*, jul.-ago. 1994.

291. Vegetarianismo e distúrbios alimentares: Herzog, 2010, pp. 198-9.

292. Declínio do consumo de mamíferos: Departamento de Agricultura dos Estados Unidos, Economic Research Service, disponível em: <www.humanesociety.org/assets/pdfs/farm/Per-Cap-Cons-Meat-1.pdf>.

293. Asfixiando frangos: W. Neuman, "New Way to Help Chickens Cross to Other Side", *New York Times*, 21 out. 2010.

294. Oitenta por cento dos britânicos querem melhores condições: Pesquisa Taylor Nelson de 2000 para a RSPCA, citada pela Associação Vegetariana, 2010.

295. Pesquisa Gallup sobre proteção animal: Gallup, 2003.

296. Arizona, Colorado, Flórida, Oregon: N. D. Kristof, "A Farm Boy Reflects", *New York Times*, 31 jul. 2008.

297. Regulamentos da União Europeia: disponível: <http://ec.europa.eu/food/animal/index_en.htm>.

298. L. Hickman, "The Lawyer Who Defends Animals", *Guardian*, 5 mar. 2010.

299. Pesquisa sobre bem-estar animal: Gallup, 2003.

300. Vegetarianismo entre simpatizantes de Dean: "The Dean Activists: Their Profile and Prospects", Pew Research Center for the People & the Press, 2005. Disponível em: <http://people-press.org/report/?pageid=936>.

301. Repensando a vida humana e a morte: Singer, 1994.

302. Um grave problema de consciência: Pinker, 1997, caps. 2, 8.

303. Carnívoros em extinção: J. McMahan, "The Meat Eaters", *New York Times*, 19 set. 2010.

304. Flexão à esquerda do conservadorismo: Nash, 2009, p. 329; Courtwright, 2010.

305. Cinco vezes mais livros: Caplow et al., 2001, p. 267.

306. Reservatório de inovações: Diamond, 1997; Sowell, 1994, 1996, 1998.

307. "Pilgrimage to Nonviolence": King, 1963/1995.

308. O arco da justiça: Parker, 1852/2005, "Of Justice and Conscience", em *Ten Sermons of Religion*.

8. DEMÔNIOS INTERIORES [pp. 650-764]

1. Resistência a reconhecer o lado sombrio: Pinker, 2002.

2. Os terríveis dois anos: Côté et al., 2006.

3. Tremblay e bebês com armas: citado em C. Holden, "The Violence of the Lambs", *Science*, n. 289, pp. 580-1, 2000.

4. Fantasias homicidas: Kenrick e Sheets, 1994; Buss, 2005, pp. 5-8.

5. Fantasias de vingança: citado em Buss, 2005, pp. 6-7.

6. Efeitos especiais: Schechter, 2005, p. 81.

7. História do entretenimento violento: Schechter, 2005.

8. A ficção como um manual de instruções para a vida: Pinker, 1997, cap. 8. Curiosidade mórbida sobre a violência: Baumeister, 1997; Tiger, 2006.

9. Sexo e consciência: Symons, 1979.

10. Ataque de gato: Panksepp, 1998, p. 194.

11. Impulso para morder o cirurgião: citado em Hitchcock e Cairns, 1973, pp. 897-8.

12. Xingamentos: Pinker, 2007b, cap. 7.

13. Soldados que não disparam suas armas: Collins, 2008; Grossman, 1995; Marshall, 1947/1978.

14. Problemas com alegações de soldados que não atiram: Bourke, 1999; Spiller, 1988.

15. Confrontos aborrecidos: Collins, 2008.

16. Êxtase em combate: Bourke, 1999; Collins, 2008; Thayer, 2004.

17. Detonador da violência dos chimpanzés: Wrangham, 1999a.

18. Violência contra investigadores da violência: Pinker, 2002, cap. 6; Dreger, 2011.

19. Capacidade de fazer o mal: Baumeister, 1997; Baumeister e Campbell, 1999.

20. Narrativas de danos: Baumeister, Stillwell e Wotman, 1990.

21. Índice de raiva: Baumeister et al., 1990.

22. Narrativas sobre danos com controle de danos: Stillwell e Baumeister, 1997.

23. Viés do interesse próprio: Goffman, 1959; Tavris e Aronson, 2007; Trivers, no prelo; Von Hippel e Trivers, 2011; Kurzban, 2011.

24. Dissonância cognitiva: Festinger, 1957. Efeito Lake Wobegon e outras ilusões positivas: Taylor, 1989.

25. Emoções morais como a base para a cooperação: Haidt, 2002; Pinker, 2008; Trivers, 1971.

26. Vantagens da brecha da moralização: Baumeister, 1997; Baumeister et al., 1990; Stillwell e Baumeister, 1997.

27. O autoengano como uma adaptação: Trivers, 1976, 1985, no prelo; Von Hippel e Trivers, 2011.

28. Orwell: citado em Trivers, 1985.

29. Problemas com o autoengano: Pinker, 2011.

30. Autoengano verdadeiro: Valdesolo e DeSteno, 2008.

31. Narrativas históricas rivais: Baumeister, 1997.

32. Sérvios agredidos: Baumeister, 1997, pp. 50-1; Van Evera, 1994.

33. A veracidade do infame discurso de Roosevelt: Mueller, 2006.

34. O ponto de vista dos malfeitores: Baumeister, 1997, cap. 2.

35. Hitler como um idealista: Baumeister, 1997, cap. 2; Bullock, 1991; Rosenbaum, 1998.

36. Autor de uma orgia de sangue: citado em J. McCormick e P. Annin, "Alienated, Marginal, and Deadly", *Newsweek*, 19 set. 1994.

37. Estuprador em série: citado em Baumeister, 1997, p. 41.

38. Gacy: citado em Baumeister, 1997, p. 49.

39. O crime enquanto controle social: Black, 1983. Provocações na violência doméstica: Buss, 2005; Collins, 2008; Straus, 1977/1978.

40. Perspectivas da vítima, do predador, do cientista e do moralista: Baumeister, 1997.

41. Imoralidade de explicar o Holocausto: Shermer, 2004, pp. 76-9; Rosenbaum, 1998.

42. Banalidade do mal: Arendt, 1963.

43. Eichmann: Goldhagen, 2009.

44. Pesquisas inspiradas por Hannah Arendt: Milgram, 1974.

45. Predação versus agressão em mamíferos: Adams, 2006; Panksepp, 1998.

46. Raiva falsa versus raiva real: Panksepp, 1998.

47. Programação do controle motor versus estado emocional: Adams, 2006.

48. Circuito da raiva: Panksepp, 1998.

49. Agressão no rato: Adams, 2006; Panksepp, 1998.

50. Dor, frustração e agressão: Renfrew, 1997, cap. 6.

51. Córtex orbital e córtex ventromedial: Damasio, 1994; Fuster, 2008; Jensen et al., 2007; Kringelbach, 2005; Raine, 2008; Scarpa e Raine, 2007; Seymour, Singer e Dolan, 2007.

52. Sistema de busca: Panksepp, 1998.

53. Autoestímulo: Olds e Milner, 1954.

54. Ataques ofensivos versus defensivos: Adams, 2006; Panksepp, 1998.

55. Medo versus raiva: Adams, 2006; Panksepp, 1998.

56. Sistema de dominação: Panksepp, 1998.

57. Sexualidade masculina e agressividade: Panksepp, 1998, p. 199.

58. Testosterona: Archer, 2006b; Dabbs e Dabbs, 2000; Panksepp, 1998.

59. Phineas Gage: Damasio, 1994; Macmillan, 2000.

60. Gage não era mais Gage: citado em Macmillan, 2000.

61. Córtex orbital e córtex ventromedial conectados à amígdala: Damasio, 1994; Fuster, 2008; Jensen et al., 2007; Kringelbach, 2005; Raine, 2008; Scarpa e Raine, 2007; Seymour et al., 2007.

62. Raiva por injustiça acende a ínsula: Sanfey et al., 2003.

63. Córtex orbital versus córtex ventromedial: Jensen et al., 2007; Kringelbach, 2005; Raine, 2008; Seymour et al., 2007.

64. Phineas Gages modernos: Séguin, Sylvers e Lilienfeld, 2007, p. 193.

65. Características de pacientes com lesão do lobo frontal: Scarpa e Raine, 2007, p. 153.

66. Cérebros de psicopatas, assassinos e pessoas com transtorno antissocial: Blair e Cipolotti, 2000; Blair, 2004; Raine, 2008; Scarpa e Raine, 2007.

67. Lesão orbital afeta hierarquia de dominações: Séguin et al., 2007, p. 193.

68. Lesão orbital, indelicadeza e empatia: Stone, Baron-Cohen e Knight, 1998.

69. Lesão orbital e vergonha: Raine et al., 2000.

70. Mente culpada e ressonância magnética funcional: Young e Saxe, 2009.

71. Teoria da mente e junção temporoparietal: Saxe e Kanwisher, 2003.

72. Bebês chorões e vagões desgovernados: Greene, 2012; Greene e Haidt, 2012; Pinker, 2008.

73. Seu cérebro e a moralidade: Greene, 2012; Greene e Haidt, 2002; Greene et al., 2001.

74. Córtex pré-frontal dorsolateral: Fuster, 2008.

75. Taxonomia da violência: Baumeister, 1997.

76. Adaptações da exploração: Buss e Duntley, 2008.

77. Castrando um cavalo: From F. Zimring, citado em Kaplan, 1973, p. 23.

78. Empatia e rastreadores: Liebenberg, 1990.

79. Atrocidade em Uganda: Baumeister, 1997, p. 125.

80. Psicopatas: Hare, 1993; Lykken, 1995; Mealey, 1995; Raine, 2008; Scarpa e Raine, 2007.

81. Proporção de psicopatas entre criminosos violentos: G. Miller, "Investigating the Psychopatic Mind", *Science*, pp. 1284-6, 5 set. 2008; Hare, 1993; Baumeister, 1997, p. 138.

82. Cérebros de psicopatas: Raine, 2008.

83. Herdabilidade de sintomas psicopáticos: Hare, 1993; Lykken, 1995; Mealey, 1995; Raine, 2008. Psicopatia como estratégia de trapaça: Kinner, 2003; Lalumière, Harris e Rice, 2001; Mealey, 1995; Rice, 1997.

84. Psicopatas em genocídios e guerras civis: Mueller, 2004a; Valentino, 2004.

85. Reincidência em categorias emocionais: Cosmides e Tooby, 1992; Pinker, 2007b, caps. 5 e 9.

86. Repulsa, ódio e fúria: Tooby e Cosmides, 2010.

87. Ilusões positivas: Johnson, 2004; Tavris e Aronson, 2007; Taylor, 1989.

88. Autoengano e detecção de mentiras: Von Hippel e Trivers, 2011.

89. Vantagens do autoengano: Trivers, 1976, no prelo; Von Hippel e Trivers, 2011.

90. Churchill: citado em Johnson, 2004, p. 1.

91. Líderes guerreiros iludidos: Luard, 1986, pp. 204, 212, 268-9.

92. Quem começa uma guerra frequentemente a perde: Johnson, 2004, p. 4; Lindley e Schildkraut, 2005; Luard, 1986, p. 268.

93. Incompetência militar enquanto autoengano: Wrangham, 1999b.

94. Jogo de guerra: Johnson et al., 2006.

95. Pensamento de grupo no governo Bush: K. Alter, "Is Groupthink Driving Us to War?", *Boston Globe*, 21 set. 2002.

96. Pensamento de grupo: Janis, 1982.

97. Lógica das altercações triviais: Daly e Wilson, 1988, p. 127.

98. Lógica da dominação: Daly e Wilson, 1988; Dawkins, 1976/1989; Maynard Smith, 1988.

99. Alianças na dominação: Boehm, 1999; De Waal, 1998.

100. Exibições de dominação: Dawkins, 1976/1989; Maynard Smith, 1988.

101. Conhecimento vulgar: Chwe, 2001; Lee e Pinker, 2010; Lewis, 1969; Pinker, 2007b.

102. Cultura da honra induz à violência: Brezina, Agnew, Cullen e Wright, 2004.

103. O efeito da plateia: Felson, 1982; Baumeister, 1997, pp. 155-6. Ver também McCullough, 2008; McCullough, Kurzban e Tabak, 2010.

104. Dominação e tamanho do grupo: Baumeister, 1997, p. 167.

105. Perdão em primatas: De Waal, 1996; McCullough, 2008.

106. Perdão só entre parentes ou colaboradores: McCullough, 2008.

107. Chimpanzés não se reconciliam fora da comunidade: Van der Dennen, 2005; Wrangham e Peterson, 1996; Wrangham et al., 2006.

108. Obsessão dos homens por status: Browne, 2002; Susan M. Pinker, 2008; Rhoads, 2004.

109. Homens correm mais riscos: Byrnes, Miller e Schafer, 1999; Daly e Wilson, 1988; Johnson, 2004; Johnson et al., 2006; Rhoads, 2004.

110. Economistas do trabalho e brecha de gênero: Browne, 2002; Susan M. Pinker, 2008; Rhoads, 2004.

111. Brecha de gênero na violência: Archer, 2006b, 2009; Buss, 2005; Daly e Wilson, 1988; Geary, 2010; Goldstein, 2001.

112. Bases biológicas da diferença de sexo: Geary, 2010; Pinker, 2002, cap. 18; Archer, 2009; Blum, 1997; Browne, 2002; Halpern, 2000.

113. Agressões retaliatórias: Geary, 2010; Crick, Ostrov e Kawabata, 2007.

114. Dominação e sex appeal: Buss, 1994; Daly e Wilson, 1988; Ellis, 1992; Symons, 1979.

115. Antigos pré-requisitos da dominação: Betzig, 1986; Betzig, Borgerhoff Mulder e Turke, 1988.

116. Moderno sex appeal da dominação: Buss, 1994; Ellis, 1992.

117. Diferenças de sexo no cérebro: Blum, 1997; Geary, 2010; Panksepp, 1998.

118. Guyness: N. Angier, "Does Testosterone Equal Aggression? Maybe Not", *New York Times*, 20 jun. 1995.

119. Testosterona e desafio: Archer, 2006b; Dabbs e Dabbs, 2000; Johnson et al., 2006; McDermott, Johnson, Cowden e Rosen, 2007.

120. Esforços parental e de acasalamento: Buss, 1994; Buss e Schmitt, 1993.

121. O paradoxo da maior temeridade nos jovens: Daly e Wilson, 2005.

122. Violência ao longo do ciclo da vida: Daly e Wilson, 1988, 2000; Rogers, 1994.

123. O mito da autoestima: Baumeister, 1997; Baumeister, Smart e Boden, 1996.

124. "supervencedores multitalentosos": citado em Baumeister, 1997, p. 144.

125. Explicando Hitler: Rosenbaum, 1998, p. xii.

126. Transtorno de personalidade narcisista no *DSM-IV*, 2000.

127. Narcisismo, personalidade limítrofe e psicopatias em tiranos: Bullock, 1991; Oakley, 2007; Shermer, 2004. Ver também Chirot, 1994; Glover, 1999.

128. Identidade social: Brown, 1985; Pratto, Sidanius e Levin, 2006; Sidanius e Pratto, 1999; Tajfel, 1981; Tooby, Cosmides e Price, 2006.

129. Humor e times esportivos: Brown, 1985.

130. Testosterona depois de uma disputa esportiva: Archer, 2006b; Dabbs e Dabbs, 2000; McDermott et al., 2007.

131. Testosterona depois de uma eleição: Stanton et al., 2009.

132. Favoritismo intragrupo: Brown, 1985; Hewstone, Rubin e Willis, 2002; Pratto et al., 2006; Sidanius e Pratto, 1999; Tajfel, 1981.

133. Pequenos racistas: Aboud, 1989. Bebês, raça e sotaque: Kinzler, Shutts, DeJesus e Spelke, 2009.

134. Dominação social: Pratto et al., 2006; Sidanius e Pratto, 1999.

135. Raças versus coalizões: Kurzban, Tooby e Cosmides, 2001; Sidanius e Pratto, 1999.

136. Sotaque e preconceito: Tucker e Lambert, 1969; Kinzler et al., 2009.

137. Ressentimento: Chirot, 1994, cap. 12; Goldstein, 2001, p. 409; Baumeister, 1997, p. 152.

138. Ressentimento alemão: Chirot, 1994, cap. 12; Goldstein, 2001, p. 409; Baumeister, 1997.

139. Ressentimento islâmico: Fattah e Fierke, 2009.

140. Holandização: Mueller, 1989.

141. Ceticismo em torno de antigos ódios: Brown, 1997; Fearon e Laitin, 1996; Fearon e Laitin, 2003; Lacina, 2006; Mueller, 2004a; Van Evera, 1994.

142. Número de línguas: Pinker, 1994, cap. 8.

143. Civilidade étnica no mundo desenvolvido: Brown, 1997.

144. Policiando os estouvados: Fearon e Laitin, 1996.

145. Governos rubergoldbergianos: Asal e Pate, 2005; Bell, 2007b; Brown, 1997; Mnookin, 2007; Sowell, 2004; Tyrrell, 2007. O time de rúgbi como unificador nacional: Carlin, 2008.

146. Identidade e violência: Appiah, 2006; Sen, 2006.

147. Homens em ambas as extremidades do racismo: Pratto et al., 2006; Sidanius e Pratto, 1999; Sidanius e Veniegas, 2000.

148. Guerra e gênero: Goldstein, 2001.

149. Rainhas que guerrearam: Luard, 1986, p. 194.

150. A guerra é um jogo masculino: Gottschall, 2008.

151. Feminismo e pacifismo: Goldstein, 2001; Mueller, 1989.

152. Brecha de gênero em pesquisas eleitorais: Goldstein, 2001, pp. 329-30.

153. Brecha de gênero em eleições presidenciais: "Exit Polls, 1980-2008", *New York Times*. Disponível em: <elections.nytimes.com/2008/results/president/exit-polls.html>.

154. Brecha de gênero menor que brecha social: Goldstein, 2001, pp. 329-30.

155. Brecha feminista no Oriente Médio: Goldstein, 2001, pp. 329-30.

156. Tratamento da mulher e guerra através das culturas: Goldstein, 2001, pp. 396-9.

157. Mulheres e guerras em países modernos Goldstein, 2001, p. 399.

158. Poder às mulheres e homens excluídos: Hudson e Den Boer, 2002; Potts e Hayden, 2008.

159. Jargão da dominação: Google Books, analisado por Bookworm (ver a nota da figura 7.1), Michel et al., 2011.

160. Gloriosas e honrosas: Google Books, analisado por Bookworm (ver a nota da figura 7.1), Michel et al., 2011.

161. "o brilho de nossos olhos": citado em Daly e Wilson, 1988, p. 228.

162. "criando asas": citado em J. Diamond, "Vengeance is Ours", *New Yorker*, 21 abr. 2008.

163. "inflamado pela alegria": citado em Daly e Wilson, 1988, p. 230.

164. Universalidade da vingança: McCullough, 2008, pp. 74-6; Daly e Wilson, 1988, pp. 221-7. Vingança em guerras tribais: Chagnon, 1997; Daly e Wilson, 1988; Keeley, 1996; Wiessner, 2006.

165. Vingança em homicídios, massacres e explosões: McCullough et al., 2010.

166. Vingança em terrorismo, motins e guerras: Atran, 2003; Horowitz, 2001; Mueller, 2006.

167. Declarando guerra em estado de cólera: Luard, 1986, p. 269.

168. Fúria cataclísmica: G. Prange, citado em Mueller, 2006, p. 59.

169. Alternativas à retaliação desconsideradas após Pearl Harbor e Onze de Setembro: Mueller, 2006.

170. Bin Laden: " Full Text: Bin Laden's 'Letter to America'", *Observer*, 24 nov. 2002. Disponível em: <www.guardian.co.uk/world/2002/nov/24/theobserver>.

171. Fantasias de vingança: Buss, 2005; Kenrick e Sheets, 1994.

172. Vingança no laboratório: McCullough, 2008.

173. Bebendo para afogar vingança frustrada: Giancola, 2000.

174. O circuito da raiva: Panksepp, 1998.

175. A raiva na ínsula: Sanfey et al., 2003.

176. Neurociência da vingança: De Quervain et al., 2004.

177. Neurociência da vingança, empatia e gênero: Singer et al., 2006.

178. Homens querem justiça, mulheres querem perdão: Gilligan, 1982.

179. Agressão retaliativa em mulheres: Crick et al., 2007; Geary, 2010.

180. A vingança enquanto doença, o perdão como cura: McCullough, 2008; McCullough et al., 2010.

181. Lógica da dissuasão: Daly e Wilson, 1988, p. 128.

182. Modelos de evolução da cooperação: Axelrod, 1984/2006; Axelrod e Hamilton, 1981; McCullough, 2008; Nowak, 2006; Ridley, 1997; Sigmund, 1997.

183. O dilema do prisioneiro enquanto uma grande ideia: Poundstone, 1992.

184. Primeiro torneio do dilema do prisioneiro iterado: Axelrod, 1984/2006; Axelrod e Hamilton, 1981.

185. Altruísmo recíproco: Trivers, 1971.

186. Os torneios mais recentes: McCullough, 2008; Nowak, May e Sigmund, 1995; Ridley, 1997; Sigmund, 1997.

187. Componentes do olho por olho: Axelrod, 1984/2006.

188. Reciprocidade indireta: Nowak, 2006; Nowak e Sigmund, 1998.

189. Jogo dos bens públicos: Fehr e Gächter, 2000; Herrmann, Thöni e Gächter, 2008a; Ridley, 1997.

190. A tragédia dos comuns: Hardin, 1968.

191. Eficácia da dissuasão em jogos de economia: Fehr e Gächter, 2000; Herrmann, Thöni e Gächter, 2008b; McCullough, 2008; McCullough et al., 2010; Ridley, 1997.

192. Medo da vingança abranda a vingança: Diamond, 1977; ver também Ford e Blegen, 1992.

193. Implacabilidade da vingança: Frank, 1988; Schelling, 1960. Self-help justice: Black, 1983; Daly e Wilson, 1988.

194. Cólera vingativa como mecanismo de redirecionamento: Sell, Tooby e Cosmides, 2009.

195. O alvo precisa saber que foi escolhido: Gollwitzer e Denzler, 2009.

196. O efeito da plateia em vinganças: Bolton e Zwick, 1995; Brown, 1968; Kim, Smirth e Brigham, 1998.

197. O efeito da plateia em brigas: Felson, 1982.

198. Jogo do ultimato: Bolton e Zwick, 1995; Fehr e Gächter, 2000; Ridley, 1997; Sanfey et al., 2003.

199. Jogo do ultimato no scanner: Sanfey et al., 2003.

200. Brecha da moralização e escalada da vingança: Baumeister, 1997.

201. Garotos na traseira do carro: D. Gilbert, "He Who Cast the First Stone Probably Didn't", *New York Times*, 24 jul. 2006.

202. Olhos por olho: Shergill, Bays, Frith e Wolpert, 2003.

203. Castigo justo e justificativa da punição criminal: Kaplan, 1973.

204. Chicanas sobre a justiça: Daly e Wilson, 1988, p. 256.

205. Dissuasão versus castigo justo: Carlsmith, Darley e Robinson, 2002.

206. Castigo justo como estratégia contra jogadas: Pinker, 2002, cap. 10.

207. Cooperação informal no condado de Shasta: Ellickson, 1991.

208. Castigo perverso através das sociedades: Herrmann et al., 2008a, 2008b.

209. A clemência como dimmer da vingança: McCullough, 2008; McCullough et al., 2010.

210. A clemência em primatas: De Waal, 1996.

211. Meninos em guerra em Robbers Cave: Sherif, 1966.

212. Culpa, vergonha, embaraço: Baumeister, Stillwell e Heatherton, 1994; Haidt, 2002; Trivers, 1971.

213. Conhecimento vulgar: Chwe, 2001; Lee e Pinker, 2010; Lewis, 1969; Pinker, 2007b; Pinker, Nowak e Lee, 2008.

214. Pedidos de desculpa de políticos: Dodds, 2003b, acesso em 28 jun. 2010. Ver também Dodds, 2003a.

215. Injustiça tolerante: Long e Brecke, 2003, pp. 70-1.

216. "Se você quer paz, trabalhe pela paz": Goldstein, 2011.

217. Gestos de reconciliação: Long e Brecke, 2003, p. 72.

218. Tragédias shakespearianas e tchekhovianas: Oz, 1993, p. 260.

219. Justificativa ocasional da tortura: Levinson, 2004a, p. 34; P. Finn, J. Warrick e J. Tate, "Detainee Became an Asset", *Washington Post*, 9 ago. 2009.

220. Justificativa ocasional da tortura: Levinson, 2004a; Posner, 2004; Walzer, 2004.

221. Ineficácia da maior parte das torturas: A. Grafton, "Say Anything", *New Republic*, 5 nov. 2008.

222. Execuções como entretenimento: Tuchman, 1978.

223. *Serial killers* versus assassinos em massa: Schechter, 2003.

224. Mais investigadores de assassinos em série que assassinos em série: Fox e Levin, 1999, p. 166.

225. Redução do número de *serial killers*: C. Beam, "Blood Loss: The Decline of the Serial Killer", *Slate*, 5 jan. 2011.

226. Número de *serial killers* e vítimas: Fox e Levin, 1999, p. 167; J. A. Fox, citado em Schechter, 2003, p. 286.

227. Motivo dos *serial killers* não foi identificado: Schechter, 2003.

228. Fascínio mórbido: Nell, 2006; Tiger, 2006; Baumeister, 1997.

229. Sadismo enquanto dominação: Potegal, 2006.

230. *Schadenfreude* no scanner: Takahashi et al., 2009.

231. A vingança desliga a empatia: Singer et al., 2006. A vingança requer a consciência da vítima: Gollwitzer e Denzler, 2009.

232. Mais M que S: Baumeister, 1997; Baumeister e Campbell, 1999.

233. Circuitos entrelaçados do sexo e da agressividade: Panksepp, 1998.

234. Arma como ereção: citado em Thayer, 2004, p. 191.

235. O ato de matar enquanto orgasmo: citado em Baumeister, 1997, p. 224.

236. Martirológicos: Gallonio, 1903/2004; Puppi, 1990.

237. Mulheres em perigo em entretenimento macabro: Schechter, 2005.

238. Excitados durante açoitamento: Theweleit, 1977/1987, citado em DeMause, 2002, p. 217.

239. *Serial killers* homens: Schechter, 2003, p. 31.

240. *Serial killers* mulheres: Schechter, 2003, p. 31.

241. A culpa é antecipatória: Baumeister, 1997, cap. 10; Baumeister et al., 1994.

242. Proibições da tortura: Levinson, 2004b.

243. Advogados da tortura: Dershowitz, 2004b.

244. Resposta aos advogados da tortura: Dershowitz, 2004b; Levinson, 2004a.

245. Tabu contra a tortura é útil: Levinson, 2004a; Posner, 2004.

246. Aversão a gritos de dor: De Waal, 1996; Preston e De Waal, 2002.

247. Motivos para repulsa a exibições de dor: Hauser, 2000, pp. 219-23.

248. Ansiedade ao causar danos aos outros: Milgram, 1974.

249. O problema do vagão: Greene e Haidt, 2002; Greene et al., 2001.

250. Aversão à violência à queima-roupa: Collins, 2008.

251. Alemães ordinários: Browning, 1992.

252. Náusea e não busca espiritual: Baumeister, 1997, p. 211.

253. Distinguindo a ficção da realidade: Sperber, 2000.

254. Reações embotadas em psicopatas: Blair, 2004; Hare, 1993; Raine et al., 2000.

255. Variações entre guardas: Baumeister, 1997, cap. 7.

256. Sadismo enquanto gosto adquirido: Baumeister, 1997, cap. 7; Baumeister e Campbell, 1999.

257. Escalada do sadismo e *serial killers*: Baumeister, 1997; Schechter, 2003.

258. Teoria da contraemoção e motivação: Solomon, 1980.

259. Sadismo e teoria da contraemoção: Baumeister, 1997, cap. 7; Baumeister e Campbell, 1999.

260. Masoquismo benigno: Rozin, 1996. Masoquismo benigno enquanto adaptação: Pinker, 1997, pp. 389, 540.

261. Violência ideológica: Baumeister, 1997, cap. 6; Chirot e McCauley, 2006; Glover, 1999; Goldhagen, 2009; Kiernan, 2007; Valentino, 2004.

262. Agradeço a Jennifer Sheehy-Skeffington por essa percepção.

263. Polarização grupal: Myers e Lamm, 1976.

264. Pensamento grupal: Janis, 1982.

265. Animosidade grupal: Hoyle, Pinkley e Insko, 1989; ver também Baumeister, 1997, pp. 193-4.

266. Experimentos com obediência: Milgram, 1974.

267. Realidade e ficção sobre Kitty Genovese: Manning, Levine e Collins, 2007. Apatia do espectador: Latané e Darley, 1970.

268. O experimento da prisão de Stanford: Zimbardo, 2007; Zimbardo, Maslach e Haney, 2000.

269. Alemães não foram punidos por desobediência: Goldhagen, 2009.

270. Replicação do experimento de Milgram: Burger, 2009. Ver Reicher e Haslam, 2006, para uma reedição parcial do experimento da prisão de Stanford, porém com diferenças demais para permitir uma verificação de tendências no tempo.

271. Obediência podia ter sido menor: Twenge, 2009.

272. Vantagens da conformidade: Deutsch e Gerard, 1955.

273. Circuitos de realimentação em popularidade: Salganik, Dodds e Watts, 2006.

274. Ignorância pluralista: Centola, Willer e Macy, 2005; Willer et al., 2009.

275. Espiral do silêncio e terrorismo basco: Spencer e Croucher, 2008.

276. O experimento de conformidade de Asch: Asch, 1956.

277. Coação e ignorância pluralista: Centola et al., 2005; Willer et al., 2009.

278. Apavorados demais para parar de aplaudir: Glover, 1999, p. 242.

279. Controle do pensamento na China maoista: Glover, 1999, pp. 292-3.

280. Ignorância pluralista simulada: Centola et al., 2005.

281. Crescimento do fascismo: Payne, 2005.

282. Seis graus de separação: Travers e Milgram, 1969.

283. Ignorância pluralista no laboratório: Willer et al., 2009.

284. O embuste de Sokal: Sokal, 2000.

285. Dissonância cognitiva: Festinger, 1957.

286. Desengajamento moral: Bandura, 1999; Bandura, Underwood e Fromson, 1975; Kelman, 1973; Milgram, 1974; Zimbardo, 2007; Baumeister, 1997, parte 3.

287. A política e a língua inglesa: Orwell, 1946/1970.

288. Burke: citado em Nunberg, 2006, p. 20.

289. Eufemismo, enquadramento e negativa plausível: Pinker, 2007b; Pinker et al., 2008.

290. Resvalar gradualmente para barbaridades: Glover, 1999; Baumeister, 1997, caps. 8 e 9.

291. Experimento de Milgram enquanto jogo de escalada: Katz, 1987.

292. Dispersão da responsabilidade: Bandura et al., 1975; Milgram, 1974.

293. Dispersão da responsabilidade em unidades militares e burocracias: Arendt, 1963; Baumeister, 1997; Browning, 1992; Glover, 1999.

294. Resistência a maltratar diretamente: Greene, 2012.

295. Anestesia psíquica para grandes números: Slovic, 2007.

296. Aviltar a vítima: Bandura et al., 1975.

297. Comparação vantajosa: Bandura, 1999; Gabor, 1994.

298. Um pouco de psicologia pode ir bastante longe: ver também Kahneman e Renshon, 2007.

9. ANJOS BONS [pp. 765-893]

1. Era da empatia: De Waal, 2009.

2. Civilização empática: Rifkin, 2009. Trecho de <www.huffingtonpost.com/jeremy-rifkin/the-empathic-civilization_b_416589.html>.

3. Construindo a paz criança por criança: Gordon, 2009.

4. Faculdades de coexistência pacífica: Dawkins, 1976/1989; McCullough, 2008; Nowak, 2006; Ridley, 1997.

5. Sentimentos de virtude: Hume, 1751/2004.

6. Titchener e a empatia: Titchener, 1909/1973.

7. Popularidade da *empatia*, *força de vontade*, *autocontrole*: baseado em análise do Google Books feita pelo programa Bookworm, Michel et al., 2011; ver nota da figura 7.1.

8. Significados da empatia: Batson, Ahmad, Lishmer e Tsang, 2002; Hoffman, 2000; Keen, 2007; Preston e De Waal, 2002.

9. William James sobre a simpatia e os fox terriers: James, 1977.

10. Sentidos da empatia: Batson et al., 2002; Hoffman, 2000; Keen, 2007; Preston e De Waal, 2002.

11. Empatia e leitura da mente: Baron-Cohen, 1995.

12. Desassociação na leitura de pensamentos e emoções: Blair e Perschardt, 2002.

13. Psicopatas leem mas não sentem emoções: Hare, 1993; Mealey e Kinner, 2002.

14. Empatia versus incômodo com o sofrimento alheio: Batson et al., 2002.

15. Contágio emocional: Preston e De Waal, 2002.

16. Simpatia não é o mesmo que contágio: Bandura, 2002.

17. Descoberta dos neurônios espelho: Di Pellegrino, Fadiga, Fogassi, Gallese e Rizzolatti, 1992.

18. Possíveis neurônios espelho em seres humanos: Iacoboni et al., 1999.

19. Neurônios espelho viram mania: Iacoboni, 2008; J. Lehrer, "Built to Be Fans", *Seed*, 10 fev. 2006, pp. 119-20; C. Buckley, "Why Our Hero Leapt Onto the Tracks and We Might Not", *New York Times*, 7 jan. 2007; S. Vedantam, "How Brain's 'Mirrors' Aid Our Social Understanding", *Washington Post*, 25 set. 2006.

20. Neurônios espelho tal como o DNA: Ramachandran, 2000.

21. Macacos desagradáveis: McCullough, 2008, p. 125.

22. Empatia no cérebro: Lamm, Batson e Decety, 2007; Moll, Oliveira-Souza e Eslinger, 2003; Moll, Zahn, Oliveira-Souza, Krueger e Grafman, 2005.

23. Ceticismo sobre neurônios espelho: Csibra, 2008; Alison Gopnik, 2007; Hickok, 2009; Hurford, 2004; Jacob e Jeannerod, 2005.

24. Ativação da ínsula: Singer et al., 2006; Wicker et al., 2003.

25. Ínsula não se acende com sentimento de vingança: Singer et al., 2006.

26. Contraempatia em competições: Lanzetta e Englis, 1989.

27. A empatia no cérebro: Lamm et al., 2007.

28. Atlas da empatia: Damasio, 1994; Lamm et al., 2007; Moll et al., 2003; Moll et al., 2005; Raine, 2008.

29. Oxitocina: Pfaff, 2007.

30. Carinho materno como precursor da simpatia: Batson et al., 2002; Batson, Lishner, Cook e Sawyer, 2005.

31. Oxitocina induz à verdade: Kosfeld et al., 2005; Zak, Stanton, Ahmadi e Brosnan, 2007.

32. Graciosidade: Lorenz, 1950/1971.

33. Bebês tiram partido da reação à graciosidade: Hrdy, 1999.

34. Evolução de Mickey Mouse: Gould, 1980.

35. O Mickey perigoso: B. Barnes, "After Mickey's Makeover, Less Mr. Nice Guy", *New York Times*, 4 nov. 2009.

36. Acusados com cara de bebê: Zebrowitz e McDonald, 1991.

37. Crianças feias são mais castigadas: Berkowitz e Frodi, 1979.

38. Adultos sem atrativos são julgados mais duramente: Etcoff, 1999.

39. Perdão, simpatia, culpa: Baumeister et al., 1994; Hoffman, 2000; McCullough, 2008; McCullough et al., 2010.

40. Relações comunais versus de troca: Baumeister et al., 1994; Clark, Mills e Powell, 1986; Fiske, 1991; Fiske, 1992, 2004a.

41. Tabus em relações comunais: Fiske e Tetlock, 1997; McGraw e Tetlock, 2005.

42. Pouca simpatia por estranhos como padrão: Axelrod, 1984/2006; Baumeister et al., 1994; Trivers, 1971.

43. Criancinhas ajudam alguém em apuros: Warneken e Tomasello, 2007; Zahn-Waxler, Radke-Yarrow, Wagner e Chapman, 1992.

44. Simpatia pelos necessitados: Batson et al., 2005b.

45. Semelhança faz diferença: Preston e De Waal, 2002, p. 16; Batson, Turk, Shaw e Klein, 1995c.

46. Características compartilhadas e alívio dos choques: Krebs, 1975.

47. A hipótese da empatia-altruísmo: Batson e Ahmad, 2001; Batson et al., 2002; Batson, Ahmad e Stocks, 2005a; Batson, Duncan, Ackerman, Buckley e Birch, 1981; Batson et al., 1988; Krebs, 1975.

48. Definição psicológica de altruísmo: Batson et al., 2002; Batson et al., 1981; Batson et al., 1988.

49. Definição evolutiva de altruísmo: Dawkins, 1976/1989; Hamilton, 1963; Maynard Smith, 1982.

50. Confusões sobre altruísmo: Pinker, 1997, caps. 1, 6; Pinker, 2006.

51. Hipótese da empatia-altruísmo: Batson e Ahmad, 2001; Batson et al., 2002; Batson et al., 2005a; Batson et al., 1981; Batson et al., 1988.

52. O estudo de Batson sobre empatia: Batson et al., 2002; Batson et al., 2005a.

53. Similaridade, empatia e facilidade de escapar: Batson et al., 1981.

54. Empatia e aceitabilidade social: Batson et al., 1988.

55. Empatia e o dilema do prisioneiro de rodada única: Batson e Moran, 1999.

56. Empatia e o dilema do prisioneiro iterado: Batson e Ahmad, 2001.

57. Empatia por um objetivo superior e em experimentos de solução de conflitos: Batson et al., 2005a, pp. 367-8; Stephan e Finlay, 1999.

58. Simpatia por grupos via assumir a perspectiva: Batson et al., 1997.

59. Assumir a perspectiva da vítima induz ao altruísmo: Batson et al., 1988.

60. Assumir a perspectiva da vítima induz ao altruísmo para com o grupo: Batson et al., 1997.

61. Simpatia por criminosos condenados: Batson et al., 1997.

62. George Eliot sobre a empatia através da ficção: Em "The Natural History of German Life", citado em Keen, 2007, p. 54.

63. A ficção enquanto amplificador da empatia: Hunt, 2007; Mar e Oatley, 2008; Mar et al., 2006; Nussbaum, 1997, 2006.

64. Pessoas empáticas leem ficção: Mar et al., 2006.

65. Confundindo fato com ficção: Strange, 2002.

66. Empatia por um personagem fictício e seu grupo: Batson, Chang, Orr e Rowland, 2008.

67. A ficção enquanto um laboratório moral: Hakemulder, 2000.

68. O lado sombrio da empatia: Batson et al., 2005a; Batson et al., 1995a; Batson, Klein, Highberger e Shaw, 1995b; Prinz, 2011.

69. A empatia subverte a justiça: Batson et al., 1995b.

70. Empatia e bens públicos: Batson et al., 1995a.

71. Benefícios efêmeros da empatia: Batson et al., 2005a, p. 373.

72. Utopia versus natureza humana: Pinker, 2002.

73. Esgotamento e fadiga por excesso de empatia: Batson et al., 2005a.

74. Guerra do Líbano enquanto lapso do autocontrole: Mueller e Lustick, 2008.

75. A lógica do autocontrole: Ainslie, 2001; Daly e Wilson, 2000; Kirby e Herrnstein, 1995; Schelling, 1978, 1984, 2006.

76. Taxas de juros ancestrais versus modernas: Daly e Wilson, 1983, 2000, 2005; Wilson e Daly, 1997.

77. Plano de aposentadoria míope: Akerlof, 1984; Frank, 1988.

78. Paternalismo libertário: Thaler e Sunstein, 2008.

79. O desconto míope: Ainslie, 2001; Kirby e Herrnstein, 1995.

80. O desconto hiperbólico: Ainslie, 2001; Kirby e Herrnstein, 1995.

81. O desconto hiperbólico e seus dois mecanismos: Pinker, 1997, p. 396; Laibson, 1997.

82. Dois eus: Schelling, 1984, p. 58.

83. Sistemas cerebrais quente e frio: Metcalfe e Mischel, 1999.

84. A cigarra límbica e a formiga lobo-frontal: McClure, Laibson, Loewenstein e Cohen, 2004.

85. Lobos frontais: Fuster, 2008.

86. Lobos frontais e desconto temporal: Shamosh et al., 2008.

87. Gage e seus congêneres modernos: Anderson et al., 1999; Damasio, 1994; Macmillan, 2000; Raine, 2008; Raine et al., 2000; Scarpa e Raine, 2007.

88. Expansão do córtex durante a evolução: Hill et al., 2010.

89. Córtex dorsolateral pré-frontal em análise de custo-benefício: Greene et al., 2001; McClure et al., 2004.

90. Polo frontal: Gilbert et al., 2006; Koechlin e Hyafil, 2007; L. Helmuth, "Brain Model Puts Most Sophisticated Regions Front and Center", *Science*, n. 302, p. 1133.

91. Respostas límbicas e pré-frontais em maridos agressores: Lee, Chan e Raine, 2008.

92. Importância da inteligência: Gottfredson, 1997a, 1997b; Neisser et al., 1996.

93. O teste do marshmallow: Metcalfe e Mischel, 1999; Mischel et al., no prelo.

94. Recompensas tardias e resultados na vida: Chabris et al., 2008; Duckworth e Seligman, 2005; Kirby, Winston e Santiesteban, 2005.

95. Relatórios pessoais sobre autocontrole: Tangney, Baumeister e Boone, 2004.

96. Benefícios do autocontrole: Tangney et al., 2004.

97. Crime e autocontrole: Gottfredson, 2007; Gottfredson e Hirschi, 1990; Wilson e Herrnstein, 1985.

98. Adiamento da gratificação e agressão: Rodriguez, Mischel e Shoda, 1989.

99. Avaliações de professores sobre impulsividade e agressividade: Dewall et al., 2007; Tangney et al., 2004.

100. Estudo longitudinal do temperamento: Caspi, 2000. Ver também Beaver, DeLisi, Vaughn e Wright, 2008.

101. Crimes violentos e não violentos correlacionados em pesquisa na Nova Zelândia: Caspi et al., 2002.

102. Maturação dos lobos frontais: Fuster, 2008, pp. 17-9.

103. Prazo de desconto não se correlaciona com delinquência juvenil: Wilson e Daly, 2006.

104. Pico da busca de sensação aos dezoito anos: Romer, Duckworth, Sznitman e Park, 2010.

105. Testosterona: Archer, 2006b.

106. Puxões e empurrões em cérebros adolescentes: Romer et al., 2010.

107. Todos os traços psicológicos são herdáveis: Bouchard e McGue, 2003; Harris, 1998/2008; McCrae et al., 2000; Pinker, 2002; Plomin, DeFries, McClearn e McGuffin, 2008; Turkheimer, 2000.

108. Autocontrole correlacionado com inteligência: Burks, Carpenter, Goette e Rustichini, 2009; Shamosh e Gray, 2008. Autocontrole e inteligência nos lobos frontais: Shamosh et al., 2008.

109. Inteligência e prática de crimes: Herrnstein e Murray, 1994; Neisser et al., 1996. Inteligência e ser assassinado: Batty, Deary, Tengstrom e Rasmussen, 2008.

110. Herdabilidade do TDAH e ligações com o crime: Beaver et al., 2008; Wright e Beaver, 2005.

111. Metáfora da dinâmica da força e do autocontrole: Talmy, 2000; Pinker, 2007b, cap. 4.

112. Autocontrole fatigado: Baumeister et al., 1998; citação da p. 1254.

113. Estudos sobre depleção do ego: Baumeister et al., 1998; Baumeister, Gailliot, Dewall e Oaten, 2006; Dewall et al., 2007; Gailliot e Baumeister, 2007; Gailliot et al., 2007; Hagger, Wood, Stiff e Chatzisarantis, 2010.

114. Autocontrole mascara diferenças individuais: Baumeister et al., 2006.

115. Autocontrole e sexualidade masculina: Gailliot e Baumeister, 2007.

116. Depleção do ego e violência: Dewall et al., 2007.

117. Herdabilidade da altura: Weedon e Frayling, 2008.

118. Autocontrole ulissiano: Schelling, 1984, 2006.

119. Estratégias de autocontrole em crianças: Metcalfe e Mischel, 1999.

120. A taxa de juros como uma variável interna: Daly e Wilson, 2000, 2005; Wilson e Daly, 1997, 2006.

121. Autocontrole e glicose: Gailliot et al., 2007.

122. Álcool e violência: Baumeister, 1997; Bushman, 1997. Suplementos nutricionais nas prisões: J. Bohannon. "The Theory? Diet Causes Violence. The Lab? Prison", *Science*, n. 325, 25 set. 2009.

123. Exercitando a vontade: Baumeister et al., 2006.

124. Modas sobre autocontrole e dignidade: Eisner, 2008; Wiener, 2004; Wouters, 2007.

125. Taxas de juros das crianças: Clark, 2007a, p. 171.

126. Variações através das culturas: Hofstede e Hofstede, 2010.

127. Orientação a longo prazo e homicídio: a correlação entre orientação a longo prazo e índices de homicídio em 95 países cujos dados estão disponíveis é de –0,325. A correlação entre indulgência e homicídio é de 0,25. Ambas são estatisticamente significativas. A orientação a longo prazo e os índices de indulgência foram extraídos de <www.geerthofstede.nl/research-vsm/dimension-data-matrix.aspx>. Os dados sobre homicídios são as elevadas estimativas tomadas das estatísticas de homicídios internacionais do United Nations Office on Drugs and Crime, 2009.

128. Tolerância à lactose na idade adulta: Tishkoff et al., 2006.

129. Ianomâmis assassinos: Chagnon, 1988; Chagnon, 1997. Jivaros assassinos: Redmond, 1994.

130. Admissão de reduzida mudança evolutiva recente: Pinker, 1997; Tooby e Cosmides, 1990a, 1990b.

131. Unidade física da humanidade: Brown, 1991, 2000; Tooby e Cosmides, 1990a, 1992.

132. Mecanismos da seleção natural: Maynard Smith, 1998.

133. Evolução quantitativa e de um só gene e psicologia evolutiva: Tooby e Cosmides, 1990a.

134. Testes de seleção de genomas: Akey, 2009; Kreitman, 2000; Przeworski, Hudson e Di Rienzo, 2000.

135. Seleção recente em seres humanos: Akey, 2009, p. 717.

136. Criação seletiva de ratos agressivos: Cairns, Gariépy e Hood, 1990.

137. Medindo a herdabilidade: Plomin et al., 2008; Pinker, 2002, cap. 19.

138. Estudo dinamarquês sobre adoções: Mednick, Gabrielli e Hutchings, 1984.

139. Medidas de agressão correlacionadas com crime violento: Caspi et al., 2002; Guo, Roettger e Cai, 2008b.

140. Herdabilidade da agressividade: Plomin et al., 2008, cap. 13; Bouchard e McGue, 2003; Eley, Lichtenstein e Stevenson, 1999; Ligthart et al., 2005; Lykken, 1995; Raine, 2002; Rhee e Waldman, 2007; Rowe, 2002; Slutske et al., 1997; Van Beijsterveldt, Bartels, Hudziak e Boomsma, 2003; Van den Oord, Boomsma e Verhulst, 1994.

141. Agressividade em gêmeos separados: Bouchard e McGue, 2003, tabela 6.

142. Agressividade em adotados: Van den Oord et al., 1994; ver também Rhee e Waldman, 2007.

143. Agressividade em gêmeos: Cloninger e Gottesman, 1987; Eley et al., 1999; Ligthart et al., 2005; Rhee e Waldman, 2007; Slutske et al., 1997; Van Beijsterveldt et al., 2003.

144. Meta-análise de geneticistas behavioristas sobre agressividade: Rhee e Waldman, 2007.

145. Crimes violentos em gêmeos: Cloninger e Gottesman, 1987.

146. Pedomorfismo e autodomesticação: Wrangham, 2009b; Wrangham e Pilbeam, 2001.

147. Hereditariedade na distribuição da substância cinzenta: Thompson et al., 2001.

148. Hereditariedade na conectividade da substância branca: Chiang et al., 2009.

149. Tornando ratos-do-campo monógamos: McGraw e Young, 2010.

150. Testosterona e desafios agressivos: Archer, 2006b; Dabbs e Dabbs, 2000.

151. Variação no receptor da testosterona: Rajender et al., 2008; Roney, Simmons e Lukaszewski, 2009.

152. MAO-A de baixa atividade e violência em seres humanos: Brunner et al., 1993.

153. Variantes da MAO-A e agressividade: Alia-Klein et al., 2008; Caspi et al., 2002; Guo, Ou, Roettger e Shih, 2008a; Guo et al., 2008b; McDermott et al., 2009; Meyer-Lindenberg, 2006.

154. MAO-A voltada especificamente para a violência: N. Alia-Klein, citado em Holden, 2008, p. 894; Alia-Klein et al., 2008.

155. Efeitos da MAO-A dependem de experiências: Caspi et al., 2002; Guo et al., 2008b.

156. Fator decisivo da MAO-A pode estar em outros genes: Harris, 2006; Guo et al., 2008b, p. 548.

157. Seleção do gene MAO-A: Gilad, 2002.

158. Receptor de dopamina e genes de transporte: Guo et al., 2008b; Guo, Roettger e Shih, 2007.

159. Não é citada prova de seleção recente de genes do comportamento: Cochran e Harpending, 2009. Ver também Wade, 2006.

160. O gene guerreiro faz furor: Holden, 2008; Lea e Chambers, 2007; Merriman e Cameron, 2007.

161. Problemas na hipótese do gene guerreiro: Merriman e Cameron, 2007.

162. Fracasso em validar a violência da MAO-A em não brancos: Widom e Brzustowicz, 2006.

163. "Genetically Capitalist?": Clark, 2007b, p. 1. Ver também Clark, 2007a, p. 187.

164. Problemas na teoria do geneticamente capitalista: Betzig, 2007; Bowles, 2007; Pomeranz, 2008.

165. Moralidade como um fato prático: Harris, 2010; Nagel, 1970; Railton, 1986; Sayre-McCord, 1988.

166. Preferências moralizadas versus não moralizadas: Haidt, 2002; Rozin, 1997; Rozin et al., 1997.

167. Racionalização moral: Bandura, 1999; Baumeister, 1997.

168. Normas injustificadas e desenvolvimento moral: Kohlberg, 1981.

169. Intuição moral: Haidt, 2001.

170. Temas morais recorrentes através das culturas: Fiske, 1991; Haidt, 2007; Rai e Fiske, 2011; Shweder et al., 1997.

171. Três éticas: Shweder et al., 1997.

172. Cinco fundamentos: Haidt, 2007.

173. Quatro modelos relacionais: Fiske, 1991, 1992, 2004a, 2004b; Haslam, 2004; Rai e Fiske, 2011.

174. Ritual de troca de presentes: Mauss, 1924/1990.

175. Julgamentos cuidado com danos alinham-se com julgamentos equidade/reciprocidade: Haidt, 2007.

176. Por que cuidado com danos com estranhos faz parte da equidade/reciprocidade: Axelrod, 1984/2006; Trivers, 1971.

177. Extensão do mercado de preços às instituições formais: Pinker, 2007b, caps. 8 e 9; Lee e Pinker, 2010; Pinker et al., 2008; Pinker, 2010.

178. Raciocínio racional-legal e mercado de preços: Fiske, 1991, pp. 435, 47; Fiske, 2004b, p. 17.

179. Gramática das normas sociais e morais: Fiske, 2004b.

180. Normas sociais não moralizadas: Fiske, 2004b.

181. As normas no condado de Shasta: Ellickson, 1991.

182. Não "captar" normas sociais: Fiske e Tetlock, 1999; Tetlock, 1999.

183. Valores sagrados e psicologia do tabu: Fiske e Tetlock, 1999; Tetlock, 1999; Tetlock et al., 2000.

184. Racionalidade de tabus: Fiske e Tetlock, 1999; Tetlock, 2003.

185. Redefinindo recompensas-tabu: Fiske e Tetlock, 1997; McGraw e Tetlock, 2005; Tetlock, 1999, 2003.

186. Seguro de vida: Zelizer, 2005.

187. Diferenças culturais em modelos relacionais: Fiske, 1991, 1992, 2004a; Rai e Fiske, 2011.

188. Ideologias políticas e modelos relacionais: Fiske e Tetlock, 1999; McGraw e Tetlock, 2005; Tetlock, 2003.

189. Fundamentos morais e a cultura liberal-conservadora da guerra: Haidt, 2007; Haidt e Graham, 2007; Haidt e Hersh, 2001.

190. Lógica do humor: Koestler, 1964; Pinker, 1997, cap. 8.

191. Modelos relacionais e violência: Fiske, 1991, pp. 46-7, 130-3.

192. Modelos relacionais nulos/associais: Fiske, 2004b.

193. Dois tipos de desumanização: Haslam, 2006.

194. Justiça criminal como retribuição olho por olho: Carlsmith et al., 2002; ver também Sargent, 2004.

195. Raciocínio racional-legal, mercado de preços e utilitarismo: Rai e Fiske, 2011; Fiske, 1991, p. 47; McGraw e Tetlock, 2005.

196. Deslocamento histórico da partilha comunal para o mercado de preços: Fiske e Tetlock, 1997, p. 278, nota 3.

197. Liberais e conservadores: Haidt, 2007; Haidt e Graham, 2007; Haidt e Hersh, 2001.

198. Agora somos todos liberais: Courtwright, 2010; Nash, 2009.

199. Mercado de preços e utilitarismo: Rai e Fiske, 2011; Fiske, 1991, p. 47; McGraw e Tetlock, 2005.

200. Gramática dos modelos relacionais: Fiske, 2004b; Fiske e Tetlock, 1999; Rai e Fiske, 2011.

201. Tabus, valores sagrados e o conflito israelo-palestino: Ginges et al., 2007.

202. Condados vermelhos e condados azuis: Haidt e Graham, 2007; ver também <elections.nytimes.com/2008/results/president/map.html>.

203. A partilha comunal implica que o grupo é eterno: Fiske, 1991, p. 44.

204. Hierarquia e escritos históricos: Brown, 1988.

205. Nacionalismo e histórias de encomenda: Bell, 2007b; Scheff, 1994; Tyrrell, 2007; Van Evera, 1994.

206. A palavra "dumbth" [de "dumb", "pateta"; combinação de "ignorância" e "burrice"] foi cunhada pelo comediante Steve Allen.

207. Culpando o Iluminismo pelo Holocausto: ver Menschenfreund, 2010. Exemplos de esquerda incluem Zygmunt Bauman, Michel Foucault e Theodor Adorno; exemplos de defensores da religião incluem Dinesh D'Souza em *What's So Great About Christianity?* e teoconservadores como Richard John Neuhaus; ver Linker, 2007.

208. Historiometria: Simonton, 1990.

209. Inteligência, abertura e desempenho dos presidentes dos Estados Unidos: Simonton, 2006.

210. Bush terceiro pior entre os presidentes: C-Span 2009 Pesquisa sobre liderança presiden-

cial histórica, C-Span, 2010; J. Griffin e N. Hines, "Who's the Greatest? The *Times* U. S. Presidential Rankings", *New York Times*, 24 mar. 2010; Siena Research Institute, 2010.

211. Nem o melhor nem o mais brilhante: Nixon é classificado como o 38º, o 27º e o trigésimo entre os 42 presidentes nas pesquisas históricas citadas na nota 210, e em 25º em inteligência; ver Simonton, 2006, tabela 1, p. 516, coluna I-C (escolhida porque os números de QI são os mais plausíveis).

212. A correlação e as estimativas são de uma análise estatística em que as mortes em combate de todos os anos de guerras nas quais os Estados Unidos foram participantes primários ou secundários foram cotejadas com o QI dos presidentes. As mortes em combate são as cifras da "melhor estimativa" no Prio Battle Deaths Dataset (Lacina, 2009); estimativas de QI por Simonton, 2006, tabela 1, p. 516, coluna I-C.

213. Racionalidade e Holocausto: Menschenfreund, 2010.

214. Razão como pequena parte que tenta assumir o controle do todo: Haidt, 2001. Raciocínio moral e intuição moral: Pizarro e Bloom, 2003.

215. Intuição moral e raciocínio moral no cérebro: Greene, 2012; Greene et al., 2001.

216. A razão como escrava das paixões: Hume, 1739/2000, p. 266.

217. Correlação entre inteligência e autocontrole: Burks et al., 2009; Shamosh e Gray, 2008. Autocontrole e inteligência no cérebro: Shamosh et al., 2008.

218. Reações emocionais a outras raças: Phelps et al., 2000.

219. Modelos relacionais, escalas matemáticas e cognição: Fiske, 2004a.

220. Sádicos manipuladores de marionetes: Gottschall, 2008.

221. Godwin: citado em Singer, 1981/2011, pp. 151-2.

222. Lógica da moralidade: Nagel, 1970; Singer, 1981/2011.

223. Sistematização do raciocínio: Fodor e Pylyshyn, 1988; Pinker, 1994, 1997, 1999, 2007b.

224. Círculo expandido: Singer, 1981/2011.

225. Escada rolante da razão: Singer, 1981/2011, pp. 88, 113-4.

226. Epitáfio grego: citado em Singer, 1981/2011, p. 112.

227. Pensadores destacados: Singer, 1981/2011, pp. 99-100.

228. O "Heureca!" de Flynn: Flynn, 1984; Flynn, 2007.

229. Elevação do QI por todo o mundo: Flynn, 2007, p. 2; Flynn, 1987.

230. Batizando o efeito Flynn: Herrnstein e Murray, 1994.

231. Trinta países: Flynn, 2007, p. 2.

232. Efeito Flynn começou em 1877: Flynn, 2007, p. 23.

233. Adultos de 1910 seriam retardados hoje: Flynn, 2007, p. 23.

234. Consenso dos cientistas sobre inteligência: Deary, 2001; Gottfredson, 1997a; Neisser et al., 1996. Inteligência como prenunciador de sucesso na vida: Gottfredson, 1997b; Herrnstein e Murray, 1994.

235. Efeito Flynn sem correlação com oscilações nos testes: Flynn, 2007, p. 14.

236. Efeito Flynn não se aplica a matemática, vocabulário e conhecimento: Flynn, 2007; Greenfield, 2009. Ver também Wicherts et al., 2004.

237. Ligeiros declínios no teste SAT: Flynn, 2007, p. 20; Greenfield, 2009.

238. Inteligência geral: Deary, 2001; Flynn, 2007; Neisser et al., 1996.

239. Herdabilidade e inteligência, influência familiar inexistente: Bouchard e McGue, 2003; Harris, 1998/2008; Pinker, 2002; Plomin et al., 2008; Turkheimer, 2000.

240. A inteligência geral e o cérebro: Chiang et al., 2009; Deary, 2001; Thompson et al., 2001.

241. Efeito Flynn não se deve a vigor híbrido: Flynn, 2007, pp. 101-2. Efeito Flynn não se deve a ganhos na saúde e nutrição: Flynn, 2007, pp. 102-6.

242. Efeito Flynn não em *g*: Flynn, 2007; Wicherts et al., 2004.

243. Complexidade visual e QI: Greenfield, 2009.

244. Raciocínio pré-científico versus pós-científico: Flynn, 2007. Ver também Neisser, 1976; Tooby e Cosmides, no prelo; Pinker, 1997, pp. 302-6.

245. Cães e lebres: Flynn, 2007, p. 24.

246. Diálogos sobre similaridades e hipóteses: Cole, Gay, Glick e Sharp, 1971; Luria, 1976; Neisser, 1976.

247. Escolaridade e operações formais: Flynn, 2007, p. 32.

248. Avanços na escolaridade: Flynn, 2007, p. 32.

249. Interpretação de texto: Rothstein, 1998, p. 19.

250. Mudanças nos exames escolares: Genovese, 2002.

251. Abstrações taquigráficas: todos esses termos elevaram sua utilização ao longo do século XX, baseado em análise do Google Books feita pelo programa Bookworm: Michel et al., 2011; ver a nota da figura 7.1.

252. "por causa da economia": G. Nunberg, comentário sobre a linguagem em *Fresh Air*, National Public Radio, 2001.

253. Raciocínios concretos no pai de Flynn: J. Flynn, "What Is Intelligence: Beyound the Flynn Effect", Colóquio do Departamento de Psicologia de Harvard, 5 dez. 2007; ver também "The World Is Getting Smarter", *Economist/Intelligent Life*, dez. 2007. Disponível em: <moreintelligenlife.com/node/654>.

254. Dificuldade com proporcionalidades: Flynn, 2007, p. 30.

255. Gente que pensa é menos punitiva: Sargent, 2004.

256. "renascimento cultural": Flynn, 1987, p. 187.

257. "esquálidos selvagens": Roosevelt, *The Winning of the West* (Whitefish, Mont.: Kessinger), vol. 1, p. 65. "Índios mortos": citado em Courtwright, 1996, p. 109.

258. Racismo de Woodrow Wilson: Loewen, 1995, pp. 22-31.

259. Racismo de Churchill: Toye, 2010; citações extraídas de J. Hari, " The Two Churchills", *New York Times*, 12 ago. 2010.

260. Declaração imbecil no Congresso: citado em Courtwright, 1996, pp. 155-6.

261. Desprezo de intelectuais e escritores pelas massas: Carey, 1993.

262. Apoio de intelectuais ao totalitarismo: Carey, 1993; Glover, 1999; Lilla, 2001; Sowell, 2010; Wolin, 2004.

263. Um Eliot aterrador: Carey, 1993, p. 85.

264. Intelectuais encrenqueiros: Carey, 1993; Glover, 1999; Lilla, 2001; Sowell, 2010; Wolin, 2004.

265. Pessoas mais inteligentes são menos violentas: Herrnstein e Murray, 1994; Wilson e Herrnstein, 1985; Farrington, 2007, pp. 22-3, 26-7.

266. Super-racionalidade no dilema do prisioneiro: Hofstadter, 1985.

267. QI de caminhoneiros e o dilema do prisioneiro: Burks et al., 2009.

268. Testes SAT e o dilema do prisioneiro: Jones, 2008.

269. Politização das ciências sociais: Haidt e Graham, 2007; Tetlock, 1994.

270. Políticos liberais e equidade: Haidt, 2007; Haidt e Graham, 2007.

271. Liberalismo e inteligência nos Estados Unidos: Kanazawa, 2010.

272. Crianças brilhantes tornam-se adultos esclarecidos: Deary, Batty e Gale, 2008.

273. Pessoas mais espertas pensam como economistas: Caplan e Miller, 2010.

274. Economias de mercado enquanto força pacificadora: Kant, 1795/1983; Mueller, 1999; Russett e Oneal, 2001; Schneider e Gleditsch, 2010; Wright, 2000 Mueller, 2010b.

275. Mentalidade de soma zero e violência étnica: Sowell, 1980, 1996.

276. Paz kantiana: Gleditsch, 2008; Russett, 2008; Russett e Oneal, 2001.

277. Pré-requisitos cognitivos da democracia: Rindermann, 2008.

278. Aptidões intelectuais e democracia: Rindermann, 2008.

279. Democracia e violência: Gleditsch, 2008; Harff, 2003, 2005; Lacina, 2006; Pate, 2008; Rummel, 1994; Russett, 2008; Russett e Oneal, 2001.

280. Efeito Flynn no Quênia e em Dominica: Flynn, 2007, p. 144.

281. Educação e guerra civil: Thyne, 2006.

282. Efeito pacificador da educação: Thyne, 2006, p. 733.

283. Complexidade integradora: Suedfeld e Coren, 1992; Tetlock, 1985; Tetlock, Peterson e Lerner, 1996.

284. Baixa mas significativa correlação entre QI e complexidade integradora: Suedfeld e Coren, 1992. Correlação de 0,58 entre presidentes: Simonton, 2006.

285. Complexidade integradora e violência: Tetlock, 1985, pp. 1567-8.

286. Complexidade integradora em grandes guerras: Suedfeld e Tetlock, 1977.

287. Complexidade integradora e guerras árabe-israelenses: Suedfeld, Tetlock e Ramirez, 1977. Complexidade integradora e as ações Estados Unidos-União Soviética: Tetlock, 1985.

288. Deslindando efeitos da complexidade integradora: Tetlock, 1985; Tetlock et al., 1996.

289. Complexidade integradora do discurso político americano: Rosenau e Fagen, 1997.

290. Inanidade de parlamentar em 1917: citado em Rosenau e Fagen, 1997, p. 676.

291. Inanidade de senador em 1972: citado em Rosenau e Fagen, 1997, p. 677.

292. Sofisticação dos debates presidenciais nos Estados Unidos: Gorton e Diels, 2010.

293. Habitante de nosso peito: Adam Smith, 1759/1976, p. 136.

10. NAS ASAS DOS ANJOS [pp. 894-926]

1. Hitler não era ateu: Murphy, 1999.

2. Nazismo e cristianismo: Ericksen e Heschel, 1999; Goldhagen, 1996; Heschel, 2008; Steigmann-Gall, 2003; Chirot e McCauley, 2006, p. 144.

3. Causa comum entre o nazismo e a Igreja: Ericksen e Heschel, 1999, p. 11.

4. Marxismo e cristianismo: Chirot e McCauley, 2006, pp. 142-3; Chirot, 1995.

5. Presentes e amizade: Mauss, 1924/1990.

6. Comerciantes sem sex appeal: Mueller, 1999, 2010b.

7. Apenas mães que amamentam deviam comandar forças nucleares: D. Garner, "After Atom Bomb's Shock, the Real Horrors Began Unfolding", *New York Times*, 20 jan. 2010.

8. Bolsada: Shultz, 2009.

9. Excedente de homens, déficit de paz: Hudson e Den Boer, 2002.

10. Poupando galhos nus: Hudson e Den Boer, 2002, p. 26.

11. Massa de homens: Hudson e Den Boer, 2002.

12. Número de jovens e probabilidade de guerras: Fearon e Laitin, 2003; Mesquida e Wiener, 1996.

13. Sexo e guerra: Potts, Campbell e Hayden, 2008.

14. Mistura de povos fomenta humanismo: os exemplos incluem a descoberta de que países onde as mulheres são mais influentes têm menos violência doméstica (Archer, 2006a); de que pessoas que conhecem gays são menos homofóbicas (ver nota 232 do cap. 7); e de que os condados americanos ao longo do litoral e hidrovias são mais liberais (Haidt e Graham, 2007).

15. Escada rolante da razão, círculo expandido: ambos são extraídos de Singer, 1981/2011.

16. A ideia do declínio: Herman, 1997.

17. Otimistas racionais: Bettmann, 1974; Easterbrook, 2003; Goklany, 2007; Kenny, 2011; Ridley, 2010; Robinson, 2009; Wattenberg, 1984.

18. Um poder mais alto?: Payne, 2004, p. 29.

19. Evidência de divindade?: Wright, 2000, p. 319. Sentido que parte do divino?: Wright, 2000, p. 320. Autor cósmico?: Wright, 2000, p. 334.

20. Realismo moral: Nagel, 1970; Railton, 1986; Sayre-McCord, 1988; Shafer-Landau, 2003; Harris, 2010.

21. "quente e forçada violação": *Henrique V*, ato 3, cena 3.

22. Centenas de milhões de mortos: Rummel, 1994/1997. "O macaco nu": de Desmond Morris.

23. Enquanto este planeta continua a percorrer sua órbita: Charles Darwin, *A origem das espécies*, frase final.

Referências bibliográficas

ABC NEWS. "Most Say Spanking's OK by Parents but Not by Grade-School Teachers". *ABC News Poll*. Nova York, 2002. Disponível em: <abcnews.go.com/sections/US/DailyNews/spanking_poll021108.html>.

ABOUD, F. E. *Children and Prejudice*. Cambridge, Massachusetts: Blackwell, 1989.

ABRAHMS, M. "Why Terrorism Does Not Work". *International Security*, n. 31, pp. 42-78, 2006.

AD NAUSEAM. *"You Mean a Woman Can Open It... ?": The Woman's Place in the Classic Age of Advertising*. Holbrook, Massachusetts: Adams Media, 2000.

ADAMS, D. "Brain Mechanisms of Aggressive Behavior: An Updated Review". *Neuroscience & Biobehavioral Reviews*, n. 30, pp. 304-18, 2006.

AINSLIE, G. *Breakdown of Will*. Nova York: Cambridge University Press, 2001.

AKERLOF, G. A. *An Economic Theorist's Book of Tales*. Nova York: Cambridge University Press, 1984.

AKEY, J. M. "Constructing Genomic Maps of Positive Selection in Humans: Where Do We Go from Here?". *Genome Research*, n. 19, pp. 711-22, 2009.

ALIA-KLEIN, N.; GOLDSTEIN, R. Z.; KRIPLANI, A.; LOGAN, J.; TOMASI, D.; WILLIAMS, B.; TELANG, F.; SHUMAY, E.; BIEGON, A.; CRAIG, I. W.; HENN, F.; WANG, G. J.; VOLKOW, N. D.; FOWLER, J. S. "Brain Monoamine Oxidase-A Activity Predicts Trait Aggression". *Journal of Neuroscience*, n. 28, pp. 5099-104, 2008.

AMERICAN HUMANE ASSOCIATION FILM AND TELEVISION UNIT. *No Animals Were Harmed: Guidelines for the Safe Use of Animals in Filmed Media*. Englewood, Colorado: American Humane Association, 2009.

______. "No Animals Were Harmed: A Legacy of Protection", 2010. Disponível em: <www.americanhumane.org/protecting-animals/programs/no-animals-were-harmed/legacy-of-protection.html>.

AMERICAN PSYCHIATRIC ASSOCIATION. *Diagnostic and Statistical Manual of Mental Disorders: DSM-IV-TR*. 4. ed. Washington, D. C.: American Psychiatric Association, 2000.

AMNESTY INTERNATIONAL. "Abolitionist and Retentionist Countries", 2010. Disponível em: <www.amnesty.org/en/death-penalty/abolitionist-and-retentionist-countries>.

ANDERSON, E. *The Code of the Street: Violence, Decency, and the Moral Life of the Inner City*. Nova York: Norton, 1999.

ANDERSON, S. W.; BECHARA, A.; DAMASIO, H.; TRANEL, D.; DAMASIO, A. R. "Impairment of Social and Moral Behavior Related to Early Damage in Human Prefrontal Cortex". *Nature Neuroscience*, n. 2, pp. 1032-7, 1999.

ANDREAS, P.; GREENHILL, K. M. (orgs.). *Sex, Drugs, and Body Counts: The Politics of Numbers in Global Crime and Conflict*. Ithaca, N. Y.: Cornell University Press, 2010.

APPIAH, K. A. *Cosmopolitanism: Ethics in a World of Strangers*. Nova York: Norton, 2006. [Ed. port.: *Cosmopolitismo*. Lisboa: Europa-América, 2008.]

ARCHER, J. "Cross-Cultural Differences in Physical Aggression between Partners: A Social Role Analysis". *Personality and Social Psychology Bulletin*, n. 10, pp. 133-53, 2006a.

______. "Testosterone and Human Aggression: An Evaluation of the Challenge Hypothesis". *Neuroscience & Biobehavioral Reviews*, n. 30, pp. 319-45, 2006b.

______. "Does Sexual Selection Explain Human Sex Differences in Aggression?". *Behavioral & Brain Sciences*, n. 32, pp. 249-311, 2009.

ARENDT, H. *Eichmann in Jerusalem: A Report on the Banality of Evil*. Nova York: Viking Press, 1963. [Ed. bras.: *Eichmann em Jerusalém*. São Paulo: Companhia das Letras, 1999.]

ASAL, V.; JOHNSON, C.; WILKENFELD, J. "Ethnopolitical Violence and Terrorism in the Middle East". In: HEWITT, J. J.; WILKENFELD, J.; GURR, T. R. (orgs.). *Peace and Conflict 2008*. Boulder, Colorado: Paradigm, 2008.

______; PATE, A. "The Decline of Ethnic Political Discrimination 1950-2003". In: MARSHALL, M. G.; GURR, T. R. (orgs.). *Peace and Conflict 2005: A Global Survey of Armed Conflicts, Self-Determination Movements, and Democracy*. College Park: Center for International Development and Conflict Management, University of Maryland, 2005.

ASCH, S. E. "Studies of Independence and Conformity I: A Minority of One against a Unanimous Majority". *Psychological Monographs: General and Applied*, v. 70, n. 416, 1956.

ATRAN, S. *In Gods We Trust: The Evolutionary Landscape of Supernatural Agency*. Nova York: Oxford University Press, 2002.

______. "Genesis of Suicide Terrorism". *Science*, n. 299, pp. 1534-9, 2003.

______. "The Moral Logic and Growth of Suicide Terrorism". *Washington Quarterly*, n. 29, pp. 127-47, 2006.

______. "Pathways to and from Violent Extremism: The Case for Science-Based Field Research" (Depoimento perante a Subcomissão de Forças Armadas do Senado / Ameaças e Capacidades Emergentes, 10 mar. 2010). *Edge*, 2010. Disponível em: <www.edge.org/3rd_culture/atran10/atran10_index.html>.

AXELROD, R. *The Evolution of Cooperation*. Nova York: Basic Books, 1984/2006. [Ed. bras.: *A evolução da cooperação*. São Paulo: Leopardo, 2010.]

______; HAMILTON, W. D. "The Evolution of Cooperation". *Science*, n. 211, pp. 1390-6, 1981.

BAILEY, M. *The Man Who Would Be Queen: The Science of Gender-Bending and Transsexualism*. Washington, D. C.: National Academies Press, 2003.

BANDURA, A. "Moral Disengagement in the Perpetration of Inhumanities". *Personality & Social Psychology Review*, n. 3, pp. 193-209, 1999.

_______. "Reflexive Empathy: On Predicting More than Has Ever Been Observed". *Behavioral & Brain Sciences*, n. 25, pp. 24-5, 2002.

_______; UNDERWOOD, B.; FROMSON, M. E. "Disinhibition of Aggression through Diffusion of Responsibility and Dehumanization of Victims". *Journal of Research in Personality*, n. 9, 253-69, 1975.

BARON-COHEN, S. *Mindblindness: An Essay on Autism and Theory of Mind*. Cambridge, Massachusetts: MIT Press, 1995.

BATSON, C. D.; AHMAD, N. "Empathy-Induced Altruism in a Prisoner's Dilemma II: What if the Partner Has Defected?". *European Journal of Social Psychology*, n. 31, pp. 25-36, 2001.

_______; _______, N.; LISHMER, D. A.; TSANG, J.-A. "Empathy and Altruism". In: SNYDER, C. R.; LOPEZ, S. J. (orgs.). *Handbook of Positive Psychology*. Oxford, Reino Unido: Oxford University Press, 2002.

_______; _______, N.; STOCKS, E. L. "Benefits and Liabilities of Empathy-Induced Altruism". In: MILLER, A. G. (org.). *The Social Psychology of Good and Evil*. Nova York: Guilford Press, 2005.

_______; BATSON, J. G.; TODD, M.; BRUMMETT, B. H.; SHAW, L. L.; ALDEGUER, C. M. R. "Empathy and the Collective Good: Caring for One of the Others in a Social Dilemma". *Journal of Personality & Social Psychology*, n. 68, pp. 619-31, 1995.

_______; CHANG, J.; ORR, R.; ROWLAND, J. "Empathy, Attitudes, and Action: Can Feeling for a Member of a Stigmatized Group Motivate One to Help the Group?". *Personality & Social Psychology Bulletin*, n. 28, pp. 1656-66, 2008.

_______; DUNCAN, B. D.; ACKERMAN, P.; BUCKLEY, T.; BIRCH, K. "Is Empathic Emotion a Source of Altruistic Motivation?". *Journal of Personality & Social Psychology*, n. 40, pp. 292-302, 1981.

_______; DYCK, J. L.; BRANDT, R. B.; BATSON, J. G.; POWELL, A. L.; MCMASTER, M. R.; GRIFFITT, C. "Five Studies Testing Two New Egoistic Alternatives to the Empathy-Altruism Hypothesis". *Journal of Personality & Social Psychology*, n. 55, pp. 52-77, 1988.

_______; KLEIN, T. R.; HIGHBERGER, L.; SHAW, L. L. "Immorality from Empathy-Induced Altruism: When Compassion and Justice Conflict". *Journal of Personality & Social Psychology*, n. 68, pp. 1042-54, 1995.

_______; LISHNER, D. A.; COOK, J.; SAWYER, S. "Similarity and Nurturance: Two Possible Sources of Empathy for Strangers". *Basic & Applied Social Psychology*, n. 27, pp. 15-25, 2005.

_______; MORAN, T. "Empathy-Induced Altruism in a Prisoner's Dilemma". *European Journal of Social Psychology*, n. 29, pp. 909-24, 1999.

_______; POLYCARPOU, M. R.; HARMON-JONES, E.; IMHOFF, H. J.; MITCHENER, E. C.; BEDNAR, L. L.; KLEIN, T. R.; HIGHBERGER, L. "Empathy and Attitudes: Can Feeling for a Member of a Stigmatized Group Improve Feelings Toward the Group?". *Journal of Personality & Social Psychology*, n. 72, pp. 105-18, 1997.

_______; TURK, C. L.; SHAW, L. L.; KLEIN, T. R. "Information Function of Empathic Emotion: Learning that We Value the Other's Welfare". *Journal of Personality and Social Psychology*, n. 68, pp. 300--13, 1995.

BATTY, G. D.; DEARY, I. J.; TENGSTROM, A.; RASMUSSEN, F. "IQ in Early Adulthood and Later Risk of Death by Homicide: Cohort Study of 1 Million Men". *British Journal of Psychiatry*, n. 193, pp. 461-5, 2008.

BAUMEISTER, R. F. *Evil: Inside Human Violence and Cruelty*. Nova York: Holt, 1997.

_______. "Gender Differences in Erotic Plasticity: The Female Sex Drive as Socially Flexible and Responsive". *Psychological Bulletin*, n. 126, pp. 347-74, 2000.

_______; BRATSLAVSKY, E.; MURAVEN, M.; TICE, D. M. "Ego Depletion: Is the Active Self a Limited Resource?". *Journal of Personality & Social Psychology*, n. 24, pp. 1252-65, 1998.

_______; CAMPBELL, W. K. "The Intrinsic Appeal of Evil: Sadism, Sensational Thrills, and Threatened Egotism". *Personality & Social Psychology Review*, n. 3, pp. 210-21, 1999.

_______; GAILLIOT, M.; DEWALL, C. N.; OATEN, M. "Self-Regulation and Personality: How Interventions Increase Regulatory Success, and How Depletion Moderates the Effects of Traits on Behavior". *Journal of Personality*, n. 74, pp. 1773-801, 2006.

_______; SMART, L.; BODEN, J. M. "Relation of Threatened Egotism to Violence and Aggression: The Dark Side of High Self-Esteem". *Psychological Review*, n. 103, pp. 5-33, 1996.

_______; STILLWELL, A. M.; WOTMAN, S. R. "Victim and Perpetrator Accounts of Interpersonal Conflict: Autobiographical Narratives about Anger". *Journal of Personality & Social Psychology*, n. 59, pp. 994-1005, 1990.

_______; STILLWELL, A. M.; HEATHERTON, T. F. "Guilt: An Interpersonal Approach". *Psychological Bulletin*, n. 115, pp. 243-67, 1994.

BEAVER, K. M.; DELISI, M.; VAUGHN, M. G.; WRIGHT, J. P. "The Intersection of Genes and Neuropsychological Deficits in the Prediction of Adolescent Delinquency and Low Self-Control". *International Journal of Offender Therapy & Comparative Criminology*, n. 54, pp. 22-42, 2008.

BELL, D. A. *The First Total War: Napoleon's Europe and the Birth of Warfare as We Know It*. Boston: Houghton Mifflin, 2007a.

_______. "Pacific Nationalism". *Critical Review*, n. 19, pp. 501-10, 2007b.

BENNETT, A. "The Guns that Didn't Smoke: Ideas and the Soviet Non-Use of Force in 1989". *Journal of Cold War Studies*, n. 7, pp. 81-109, 2005.

BERKOWITZ, L.; FRODI, A. "Reactions to a Child's Mistakes as Affected by Her/His Looks and Speech". *Social Psychology Quarterly*, n. 42, pp. 420-5, 1979.

BERLIN, I. *The Counter-Enlightenment. Against the Current: Essays in the History of Ideas*. Princeton, Nova Jersey: Princeton University Press, 1979.

BESANÇON, A. "Forgotten Communism". *Commentary*, pp. 24-7, jan. 1998.

BETTMANN, O. L. *The Good Old Days — They Were Terrible!*. Nova York: Random House, 1974.

BETZIG, L. L. *Despotism and Differential Reproduction*. Hawthorne, N. Y.: Aldine de Gruyter, 1986.

_______. "Monarchy". In: LEVINSON, D.; EMBER, M. (orgs.). *Encyclopedia of Cultural Anthropology*. Nova York: Holt, 1996a.

_______. "Political Succession". In: LEVINSON, D.; EMBER, M. (orgs.). *Encyclopedia of Cultural Anthropology*. Nova York: Holt, 1996b.

_______. "British polygyny". In: SMITH, M. (org.). *Human Biology and History*. Londres: Taylor & Francis, 2002.

_______. "The Son Also Rises". *Evolutionary Psychology*, n. 5, pp. 733-9, 2007.

_______; BORGERHOFF MULDER, M.; TURKE, P. *Human Reproductive Behavior: A Darwinian Perspective*. Nova York: Cambridge University Press, 1988.

BHAGAVAD-GITA. *Bhagavad-Gita as It Is*. Los Angeles: Bhaktivedanta Book Trust, 1983.

BIJIAN, Z. "China's 'Peaceful Rise' to Great-Power Status". *Foreign Affairs*, set./out. 2005.

BLACK, D. "Crime as Social Control". *American Sociological Review*, n. 48, pp. 34-45, 1983.

BLACKWELL, A. D.; SUGIYAMA, L. S. "When is Self-Sacrifice Adaptive?". In: SUGIYAMA, L. S.; SUGIYAMA, M. S.; WHITE, F.; KENNETH, D.; ARROW, H. (orgs.). *War in Evolutionary Perspective*. No prelo.

BLAIR, R. J. R.. "The Roles of Orbital Frontal Cortex in the Modulation of Antisocial Behavior". *Brain & Cognition*, n. 55, pp. 198-208, 2004.

______.; CIPOLOTTI, L. "Impaired Social Response Reversal: A Case of 'Acquired Sociopathy'". *Brain*, n. 123, pp. 1122-41, 2000.

______.; PERSCHARDT, K. S. "Empathy: A Unitary Circuit or a Set of Dissociable Neurocognitive Systems?". *Behavioral & Brain Sciences*, n. 25, pp. 27-8, 2002.

BLANTON, R. "Economic Globalization and Violent Civil Conflict: Is Openness a Pathway to Peace?". *Social Science Journal*, n. 44, pp. 599-619, 2007.

BLIGHT, J. G.; LANG, J. M. "Robert McNamara: Then and Now". *Daedalus*, n. 136, pp. 120-31, 2007.

BLUM, A.; HOUDAILLES, J. "L'Alphabétisation au XVIIIe et XIXeme siècle. L'illusion parisienne". *Population*, n. 6, 1985.

BLUM, D. *Sex on the Brain: The Biological Differences between Men and Women*. Nova York: Viking, 1997.

BLUMSTEIN, A.; WALLMAN, J. (orgs.). *The Crime Drop in America*. Ed. rev. Nova York: Cambridge University Press, 2006.

BOBO, L. D. "Racial Attitudes and Relations at the Close of the Twentieth Century". In: SMELSER, N. J.; WILSON, W. J.; MITCHELL, F. (orgs.). *America Becoming: Racial Trends and Their Consequences*. Washington, D. C.: National Academies Press, 2001.

______; DAWSON, M. C. "A Change Has Come: Race, Politics, and the Path to the Obama Presidency". *Du Bois Review*, n. 6, pp. 1-14, 2009.

BOEHM, C. *Hierarchy in the Forest: The Evolution of Egalitarian Behavior*. Cambridge, Massachusetts: Harvard University Press, 1999.

BOHANNON, J. "Calculating Iraq's Death Toll: WHO Study Backs Lower Estimate". *Science*, n. 319, p. 273, 2008.

______. "Counting the Dead in Afghanistan". *Science*, n. 331, pp. 1256-60, 2011.

BOLTON, G. E.; ZWICK, R. "Anonymity versus Punishment in Ultimatum Bargaining". *Games & Economic Behavior*, n. 10, pp. 95-121, 1995.

BOUCHARD, T. J. Jr.; MCGUE, M. "Genetic and Environmental Influences on Human Psychological Differences". *Journal of Neurobiology*, n. 54, pp. 4-45, 2003.

BOULTON, M. J.; SMITH, P. K. "The Social Nature of Play Fighting and Play Chasing: Mechanisms and Strategies Underlying Cooperation and Compromise". In: BARKOW, J.; COSMIDES, L.; TOOBY, J. (orgs.). *The Adapted Mind: Evolutionary Psychology and the Generation of Culture*. Nova York: Oxford University Press, 1992.

BOURGON, J. "Abolishing 'Cruel Punishments': A Reappraisal of the Chinese Roots and Long-Term Efficiency of the Xinzheng Legal Reforms". *Modern Asian Studies*, n. 37, pp. 851-62, 2003.

BOURKE, J. *An Intimate History of Killing: Face-to-Face Killing in 20th-Century Warfare*. Nova York: Basic Books, 1999.

BOWLES, S. "Genetically Capitalist?". *Science*, n. 318, pp. 394-5, 2007.

BOWLES, S. "Did Warfare among Ancestral Hunter-Gatherers Affect the Evolution of Human Social Behaviors?". *Science*, n. 324, pp. 1293-8, 2009.

BOYD, R.; SILK, J. B. *How Humans Evolved*. 4. ed. Nova York: Norton, 2006.

BRANDT, R. B. *Hopi Ethics: A Theoretical Analysis*. Chicago: University of Chicago Press, 1974.

BRECKE, P. "Violent Conflicts 1400 A.D. to the Present in Different Regions of the World". Estudo apresentado no Encontro da Peace Science Society (Internacional), 1999.

______. "Taxonomy of Violent Conflicts", 2002. Disponível em: <www.inta.gatech.edu/peter/power.html>.

BREINER, S. J. *Slaughter of the Innocents: Child Abuse Through the Ages and Today*. Nova York: Plenum, 1990.

BREZINA, T.; AGNEW, R.; CULLEN, F. T.; WRIGHT, J. P. "The Code of the Street: A Quantitative Assessment of Elijah Anderson's Subculture of Violence Thesis and Its Contribution to Youth Violence Research". *Youth Violence & Juvenile Justice*, n. 2, pp. 303-28, 2004.

BROCK, D. W. *Life and Death: Philosophical Essays in Biomedical Ethics*. Nova York: Cambridge University Press, 1993.

BRONOWSKI, J. *The Ascent of Man*. Boston: Little, Brown, 1973. [Ed. bras.: *A escalada do homem*. São Paulo: Martins, 1992.]

BROUDE, G. J.; GREENE, S. J. "Cross-Cultural Codes on Twenty Sexual Attitudes and Practices". *Ethnology*, n. 15, pp. 409-29, 1976.

BROWN, B. R. "The Effects of Need to Maintain Face on Interpersonal Bargaining". *Journal of Experimental Social Psychology*, n. 4, pp. 107-22, 1968.

BROWN, D. E. *Hierarchy, History, and Human Nature: The Social Origins of Historical Consciousness*. Tucson: University of Arizona Press, 1988.

______. *Human Universals*. Nova York: McGraw-Hill, 1991.

______. "Human Universals and Their Implications". In: ROUGHLEY, N. (org.). *Being Humans: Anthropological Universality and Particularity in Transdisciplinary Perspectives*. Nova York: Walter de Gruyter, 2000.

BROWN, M. E. "The Impact of Government Policies on Ethnic Relations". In: BROWN, M.; GANGULY, S. (orgs.). *Government Policies and Ethnic Relations in Asia and the Pacific*. Cambridge, Massachusetts: MIT Press, 1997.

BROWN, R. *Social Psychology: The Second Edition*. Nova York: Free, 1985.

BROWNE, A.; WILLIAMS, K. R. "Exploring the Effect of Resource Availability and the Likelihood of Female-Perpetrated Homicides". *Law & Society Review*, n. 23, pp. 75-94, 1989.

BROWNE, K. *Biology at Work*. New Brunswick, Nova Jersey: Rutgers University Press, 2002.

BROWNING, C. R. *Ordinary Men: Reserve Police Battalion 101 and the Final Solution in Poland*. Nova York: HarperCollins, 1992.

BROWNMILLER, S. *Against our Will: Men, Women, and Rape*. Nova York: Fawcett Columbine, 1975.

BROYLES, W. J. "Why Men Love War". *Esquire*, nov. 1984.

BRUNNER, H. G.; NELEN, M.; BREAKFIELD, X. O.; ROPERS, H. H.; VAN OOST, B. A. "Abnormal Behavior Associated with a Point Mutation in the Structural Gene for Monoamine Oxidase A". *Science*, n. 262, pp. 578-80, 1993.

BUHAUG, H. "Climate Not to Blame for African Civil Wars". *Proceedings of the National Academy of Sciences*, n. 107, pp. 16477-82, 2010.

BULLOCK, A. *Hitler and Stalin: Parallel Lives*. Londres: HarperCollins, 1991.

BURCH, E. S. *Alliance and Conflict*. Lincoln: University of Nebraska Press, 2005.

BURGER, J. M. "Replicating Milgram: Would People still Obey Today?". *American Psychologist*, n. 64, pp. 1-11, 2009.

BURKE, E. *Reflections on the Revolution in France*. Londres: J. M. Dent & Sons, 1790/1967.

BURKS, S. V.; CARPENTER, J. P.; GOETTE, L.; RUSTICHINI, A. "Cognitive Skills Affect Economic Preferences, Strategic Behavior, and Job Attachment". *Proceedings of the National Academy of Sciences*, n. 106, pp. 7745-50, 2009.

BURNHAM, G.; LAFTA, R.; DOOCY, S.; ROBERTS, L. "Mortality after the 2003 Invasion of Iraq: A Cross--Sectional Cluster Sample Survey". *Lancet*, n. 368, pp. 1421-8, 2006.

BUSHMAN, B. J. "Effects of Alcohol on Human Aggression: Validity of Proposed Explanations. *Recent Developments in Alcoholism*, n. 13, pp. 227-43, 1997.

_______; COOPER, H. M. "Effects of Alcohol on Human Aggression: An Integrative Research Review". *Psychological Bulletin*, n. 107, pp. 341-54, 1990.

BUSS, D. M. "Conflict between the Sexes". *Journal of Personality & Social Psychology*, n. 56, pp. 735-47, 1989.

_______. *The Evolution of Desire*. Nova York: Basic Books, 1994.

_______. *The Dangerous Passion: Why Jealousy Is as Necessary as Love and Sex*. Nova York: Free, 2000.

_______. *The Murderer Next Door: Why the Mind is Designed to Kill*. Nova York: Penguin, 2005.

_______; DUNTLEY, J. D. "Adaptations for Exploitation". *Group Dynamics: Theory, Research, & Practice*, n. 12, pp. 53-62, 2008.

_______; SCHMITT, D. P. "Sexual Strategies Theory: An Evolutionary Perspective on Human Mating". *Psychological Review*, n. 100, pp. 204-32, 1993.

BUSSMAN, M.; SCHNEIDER, G. "When Globalization Discontent Turns Violent: Foreign Economic Liberalization and Internal War. *International Studies Quarterly*, n. 51, pp. 79-97, 2007.

BYRNES, J. P.; MILLER, D. C.; SCHAFER, W. D. "Gender Differences in Risk-Taking: A Meta-Analysis". *Psychological Bulletin*, n. 125, pp. 367-83, 1999.

C-SPAN. "C- Span 2009 Historians Presidential Leadership Survey", 2010. Disponível em: <legacy.c--span.org/PresidentialSurvey/presidential-leadership-survey.aspx>.

CAIRNS, R. B.; GARIÉPY, J.-L.; HOOD, K. E. "Development, Microevolution, and Social Behavior". *Psychological Review*, n. 97, pp. 49-65, 1990.

CAPITAL PUNISHMENT U. K. *The End of Capital Punishment in Europe*, 2004. Disponível em: <www.capitalpunishmentuk.org/europe.html>.

CAPLAN, B. *The Myth of the Rational Voter: Why Democracies Choose Bad Policies*. Princeton, Nova Jersey: Princeton University Press, 2007.

_______; MILLER, S. C. "Intelligence Makes People Think like Economists: Evidence from the General Social Survey". *Intelligence*, n. 38, pp. 636-47, 2010.

CAPLOW, T.; HICKS, L.; WATTENBERG, B. *The First Measured Century: An Illustrated Guide to Trends in America, 1900-2000*. Washington, D. C.: AEI, 2001.

CAREY, J. *The Intellectuals and the Masses: Pride and Prejudice among the Literary Intelligentsia, 1880-1939*. Nova York: St. Martin's, 1993.

CARLIN, J. *Playing the Enemy: Nelson Mandela and the Game that Made a Nation*. Nova York: Penguin,

2008. [Ed. bras.: *Conquistando o inimigo: Nelson Mandela e o jogo que uniu a África do Sul*. Rio de Janeiro: Sextante, 2009.]

CARLSMITH, K. M.; DARLEY, J. M.; ROBINSON, P. H. "Why Do We Punish? Deterrence and Just Deserts as Motives for Punishment". *Journal of Personality & Social Psychology*, n. 83, pp. 284-99, 2002.

CARSWELL, S. *Survey on Public Attitudes Towards the Physical Punishment of Children*. Wellington: New Zealand Ministry of Justice, 2001.

CASPI, A. "The Child Is Father of the Man: Personality Continuities from Childhood to Adulthood". *Journal of Personality & Social Psychology*, n. 78, pp. 158-72, 2000.

_______; MCCLAY, J.; MOFFITT, T. E.; MILL, J.; MARTIN, J.; CRAIG, I. W.; TAYLOR, A.; POULTON, R. "Evidence that the Cycle of Violence in Maltreated Children Depends on Genotype". *Science*, n. 297, pp. 727-42, 2002.

CAVALLI-SFORZA, L. L. *Genes, Peoples, and Languages*. Nova York: North Point, 2000. [Ed. bras.: *Genes, povos e línguas*. São Paulo: Companhia das Letras, 2003.]

CEDERMAN, L.-E. "Back to Kant: Reinterpreting the Democratic Peace as a Macrohistorical Learning Process". *American Political Science Review*, n. 95, pp. 15-31, 2001.

_______. "Modeling the Size of Wars: From Billiard Balls to Sandpiles". *American Political Science Review*, n. 97, pp. 135-50, 2003.

CENTER FOR SYSTEMIC PEACE. Site de dados de rede integrada para pesquisa de conflito social, 2010. Disponível em: <www.systemicpeace.org/inscr/inscr.htm>.

CENTOLA, D.; WILLER, R.; MACY, M. "The Emperor's Dilemma: A Computational Model of Selfenforcing Norms". *American Journal of Sociology*, n. 110, pp. 1009-40, 2005.

CENTRAL INTELLIGENCE AGENCY. *The World Factbook*, 2010. Disponível em: <www.cia.gov/library/publications/the-world-factbook/>.

CHABRIS, C. F.; LAIBSON, D.; MORRIS, C. L.; SCHULDT, J. P.; TAUBINSKY, D. "Individual Laboratory-Measured Discount Rates Predict Field Behavior". *Journal of Risk & Uncertainty*, n. 37, pp. 237-69, 2008.

CHAGNON, N. A. "Life Histories, Blood Revenge, and Warfare in a Tribal Population". *Science*, n. 239, pp. 985-92, 1988.

_______. "Chronic Problems in Understanding Tribal Violence and Warfare". In: BOCK, G.; GOODE, J. (orgs.). *The Genetics of Criminal and Antisocial Behavior*. Nova York: Wiley, 1996.

_______. *Yanomamö*. 5. ed. Nova York: Harcourt Brace, 1997.

CHALK, F.; JONASSOHN, K. *The History and Sociology of Genocide: Analyses and Case Studies*. New Haven, Connecticut: Yale University Press, 1990.

CHECK, J. V. P.; MALAMUTH, N. "An Empirical Assessment of Some Feminist Hypotheses about Rape". *International Journal of Women's Studies*, n. 8, pp. 414-23, 1985.

CHERNOW, R. *Alexander Hamilton*. Nova York: Penguin, 2004.

CHIANG, M. C.; BARYSHEVA, M.; SHATTUCK, D. W.; LEE, A. D.; MADSEN, S. K.; AVEDISSIAN, C.; KLUNDER, A. D.; TOGA, A. W.; MCMAHON, K. L.; DE ZUBICARAY, G. I.; WRIGHT, M. J.; SRIVASTAVA, A.; BALOV, N.; THOMPSON, P. M. "Genetics of Brain Fiber Architecture and Intellectual Performance". *Journal of Neuroscience*, n. 29, pp. 2212-24, 2009.

CHINA (TAIWAN), REPÚBLICA DA. Departamento de Estatística, Ministério do Interior, 2000. Análise e comparação de estatísticas criminais em vários países. Disponível em: <www.moi.gov.tw/stat/english/topic.asp>.

CHIROT, D. *Modern Tyrants*. Princeton, Nova Jersey: Princeton University Press, 1994.

CHIROT, D. "Modernism without Liberalism: The Ideological Roots of Modern Tyranny". Contention, n. 5, pp. 141-82, 1995.

______; MCCAULEY, C. *Why Not Kill Them All? The Logic and Prevention of Mass Political Murder*. Princeton, Nova Jersey: Princeton University Press, 2006.

CHU, R.; RIVERA, C.; LOFTIN, C. "Herding and Homicide: An Examination of the Nisbett-Reeves Hypothesis". *Social Forces*, n. 78, pp. 971-87, 2000.

CHWE, M. S.-Y. *Rational Ritual: Culture, Coordination, and Common Knowledge*. Princeton, Nova Jersey: Princeton University Press, 2001.

CLAEYS, G. "'The Survival of the Fittest' and the Origins of Social Darwinism". *Journal of the History of Ideas*, n. 61, pp. 223-40, 2000.

CLARK, G. *A Farewell to Alms: A Brief Economic History of the World*. Princeton, Nova Jersey: Princeton University Press, 2007a.

______. "Genetically Capitalist? The Malthusian Era and the Formation of Modern Preferences", 2007b. Disponível em: <www.econ.ucdavis.edu/faculty/gclark/papers/capitalism%20 genes.pdf>.

CLARK, M. S.; MILLS, J.; POWELL, M. C. "Keeping Track of Needs in Communal and Exchange Relationships". *Journal of Personality & Social Psychology*, n. 51, pp. 333-8, 1986.

CLAUSET, A.; YOUNG, M. "Scale Invariance in Global Terrorism", 2005. Disponível em: <arXiv:physics/0502014v2> [physics.soc-ph].

______; YOUNG, M.; GLEDITSCH, K. S. "On the Frequency of Severe Terrorist Events". *Journal of Conflict Resolution*, n. 51, pp. 58-87, 2007.

CLEAVER, E. *Soul on Ice*. Nova York: Random House, 1968/1999.

CLONINGER, C. R.; GOTTESMAN, I. I. "Genetic and Environmental Factors in Antisocial Behavior Disorders". In: MEDNICK, S. A.; MOFFITT, T. E.; STACK, S. A. (orgs.). *The Causes of Crime: New Biological Approaches*. Nova York: Cambridge University Press, 1987.

CLUTTON-BROCK, T. "Sexual Selection in Males and Females". *Science*, n. 318, pp. 1882-5, 2007.

COCHRAN, G.; HARPENDING, H. *The 10,000 Year Explosion: How Civilization Accelerated Human Evolution*. Nova York: Basic Books, 2009.

COCKBURN, J. S. "Patterns of Violence in English Society: Homicide in Kent, 1560-1985". *Past & Present*, n. 130, pp. 70-106, 1991.

COGHLAN, B.; NGOY, P.; MULUMBA, F.; HARDY, C.; BEMO, V. N.; STEWART, T.; LEWIS, J.; BRENNAN, R. *Mortality in the Democratic Republic of Congo: An Ongoing Crisis*. Nova York: International Rescue Committee, 2008. Disponível em: <www.theirc.org/sites/default/files/migrated/resources/2007/2006-7_congomortalitysurvey.pdf>.

______; NISBETT, R. E. "Field Experiments Examining the Culture of Honor: The Role of Institutions in Perpetuating Norms about Violence". *Personality & Social Psychology Bulletin*, n. 23, pp. 1188-99, 1997.

COHEN, D.; NISBETT, R. E.; BOWDLE, B.; SCHWARZ, N. "Insult, Aggression, and the Southern Culture of Honor: An 'Experimental Ethnography'". *Journal of Personality & Social Psychology*, n. 20, pp. 945-60, 1996.

COLE, M.; GAY, J.; GLICK, J.; SHARP, D. W. *The Cultural Context of Learning and Thinking*. Nova York: Basic Books, 1971.

COLLIER, P. *The Bottom Billion: Why the Poorest Countries Are Failing and What Can Be Done about It*. Nova York: Oxford University Press, 2007.

COLLINS, R. *Violence: A Micro-Sociological Theory*. Princeton, Nova Jersey: Princeton University Press, 2008.

COOK, P. J.; MOORE, M. H. "Guns, Gun Control, and Homicide". In: SMITH, M. D.; ZAHN, M. A. (orgs.). *Homicide: A Sourcebook of Social Research*. Thousand Oaks, Califórnia: Sage, 1999.

COONEY, M. *The decline of elite homicide. Criminology*, n.35, pp. 381-407, 1997.

COSMIDES, L.; TOOBY, J. "Cognitive Adaptations for Social Exchange". In: BARKOW, J. H.; COSMIDES, L.; TOOBY, J. (orgs.). *The Adapted Mind: Evolutionary Psychology and the Generation of Culture*. Nova York: Oxford University Press, 1992.

CÔTÉ, S. M.; VAILLANCOURT, T.; LEBLANC, J. C.; NAGIN, D. S.; TREMBLAY, R. E. "The Development of Physical Aggression from Toddlerhood to Pre-Adolescence: A Nationwide Longitudinal Study of Canadian Children". *Journal of Abnormal Child Psychology*, n. 34, pp. 71-85, 2006.

COURTOIS, S.; WERTH, N.; PANNÉ, J.-L.; PACZKOWSKI, A.; BARTOSEK, K.; MARGOLIN, J.-L. *The Black Book of Communism: Crimes, Terror, Repression*. Cambridge, Massachusetts: Harvard University Press, 1999. [Ed. bras.: *O livro negro do comunismo*. Rio de Janeiro: Bertrand Brasil, 1999.]

COURTWRIGHT, D. T. *Violent Land: Single Men and Social Disorder from the Frontier to the Inner City*. Cambridge, Massachusetts: Harvard University Press, 1996.

_______. *No Right Turn: Conservative Politics in a Liberal America. Cambridge*, Massachusetts: Harvard University Press, 2010.

CRICK, N. R.; OSTROV, J. M.; KAWABATA, Y. "Relational Aggression and Gender: An Overview". In: FLANNERY, D. J.; VAZSONYI, A. T.; WALDMAN, I. D. (orgs.). *The Cambridge Handbook of Violent Behavior and Aggression*. Nova York: Cambridge University Press, 2007.

CRONIN, A. K. *How Terrorism Ends: Understanding the Decline and Demise of Terrorist Campaigns*. Princeton, Nova Jersey: Princeton University Press, 2009.

CSIBRA, G. "Action Mirroring and Action Understanding: An Alternative Account". In: HAGGARD, P.; ROSETTI, Y.; KAWAMOTO, M. (orgs.). *Attention and Performance XXII: Sensorimotor Foundations of Higher Cognition*. Nova York: Oxford University Press, 2008.

CULLEN, D. *Columbine*. Nova York: Twelve, 2009.

CURTIS, V.; BIRAN, A. "Dirt, Disgust, and Disease: Is Hygiene in Our Genes?". *Perspectives in Biology & Medicine*, n. 44, pp. 17-31, 2001.

DABBS, J. M.; DABBS, M. G. *Heroes, Rogues, and Lovers: Testosterone and Behavior*. Nova York: McGraw--Hill, 2000.

DALY, M.; SALMON, C.; WILSON, M. "Kinship: The Conceptual Hole in Psychological Studies of Social Cognition and Close Relationships". In: SIMPSON, J.; KENRICK, D. (orgs.). *Evolutionary Social Psychology*. Mahwah, Nova Jersey: Erlbaum, 1997.

_______; WILSON, M. *Sex, Evolution, and Behavior*. 2. ed. Belmont, Califórnia: Wadsworth, 1983.

_______. *Homicide*. Nova York: Aldine de Gruyter, 1988.

_______. *The Truth about Cinderella: A Darwinian View of Parental Love*. New Haven, Connecticut: Yale University Press, 1999.

_______. "Risk-taking, Intrasexual Competition, and Homicide". *Nebraska Symposium on Motivation*. Lincoln: University of Nebraska Press, 2000.

DALY, M. "Carpe Diem: Adaptation and Devaluing of the Future". *Quarterly Review of Biology*, n. 80, pp. 55-60, 2005.

_______. ; WILSON, M.; VASDEV, S. "Income Inequality and Homicide Rates in Canada and the United States". *Canadian Journal of Criminology*, n. 43, pp. 219-36, 2001.

DAMASIO, A. R. *Descartes' Error: Emotion, Reason, and the Human Brain*. Nova York: Putnam, 1994. [Ed. bras.: *O erro de Descartes*. São Paulo: Companhia das Letras, 1996.]

DARNTON, R. *The Kiss of Lamourette: Reflections in Cultural History*. Nova York: Norton, 1990. [Ed. bras.: *O beijo de Lamourette*. São Paulo: Companhia das Letras, 1990.]

DARWIN, C. R. *The Descent of Man, and Selection in Relation to Sex*. 2. ed. Nova York: Hurst & Co., 1874. [Ed. bras.: *A origem do homem e a seleção sexual*. Belo Horizonte: Itatiaia, 2004.]

DAVIES, N. *Human Sacrifice in History and Today*. Nova York: Morrow, 1981.

DAVIES, P.; LEE, L.; FOX, A.; FOX, E. "Could Nursery Rhymes Cause Violent Behavior? A Comparison with Television Viewing". *Archives of Diseases of Childhood*, n. 89, pp. 1103-5, 2004.

DAVIS, D. B. *Slavery and Human Progress*. Nova York: Oxford University Press, 1984.

DAWKINS, R. *The Selfish Gene*. Nova ed. Nova York: Oxford University Press, 1976/1989. [Ed. bras.: *O gene egoísta*. São Paulo: Companhia das Letras, 2007.]

_______; BROCKMANN, H. J. "Do Digger Wasps Commit the Concorde Fallacy?". *Animal Behavior*, n. 28, pp. 892-96, 1980.

DE QUERVAIN, D. J.-F.; FISCHBACHER, U.; TREYER, V.; SCHELLHAMMER, M.; SCHNYDER, U.; BUCK, A.; FEHR, E. "The Neural Basis of Altruistic Punishment". *Science*, n. 305, pp. 1254-8, 2004.

DE SWAAN, A. "Dyscivilization, Mass Extermination, and the State". *Theory, Culture, & Society*, n. 18, pp. 265-76, 2001.

DE WAAL, F. B. M. *Good Natured: The Origins of Right and Wrong in Humans and Other Animals*. Cambridge, Massachusetts: Harvard University Press, 1996.

_______. *Chimpanzee Politics: Power and Sex among the Apes*. Baltimore: Johns Hopkins University Press, 1998.

_______. *The Age of Empathy: Nature's Lessons for a Kinder Society*. Nova York: Harmony, 2009.

_______; LANTING, F. *Bonobo: The Forgotten Ape*. Berkeley: University of California Press, 1997.

DEARY, I. J. *Intelligence: A Very Short Introduction*. Nova York: Oxford University Press, 2001.

_______; BATTY, G. D.; GALE, C. R. "Bright Children Become Enlightened Adults". *Psychological Science*, n. 19, pp. 1-6, 2008.

DEATH PENALTY INFORMATION CENTER. *Death Penalty for Offenses Other Than Murder*, 2010a. Disponível em: <www.deathpenaltyinfo.org/death-penalty-offenses-other-murder>.

_______. *Facts about the Death Penalty*, 2010b. Disponível em: <www.deathpenaltyinfo.org/documents/FactSheet.pdf>.

DEMAUSE, L. *The History of Childhood*. Nova York: Harper Torchbooks, 1974.

_______. *Foundations of Psychohistory*. Nova York: Creative Roots, 1982.

_______. "The History of Child Abuse". *Journal of Psychohistory*, n. 25, pp. 216-36, 1998.

_______. *The Emotional Life of Nations*. Nova York: Karnac, 2002.

_______. "The Childhood Origins of World War II and the Holocaust". *Journal of Psycho history*, n. 36, pp. 2-35, 2008.

DERSHOWITZ, A. M. *Rights from Wrongs: A Secular Theory of the Origins of Rights*. Nova York: Basic Books, 2004a.

DERSHOWITZ, A. M. "Tortured Reasoning". In: LEVINSON, S. (Ed.). *Torture: A Collection*. Nova York: Oxford University Press, 2004b.

DESCARTES, R. "Meditations on First Philosophy". In: POPKIN, R. (org.). *The Philosophy of the 16th and 17th Centuries*. Nova York: Free, 1641/1967. [Ed. bras.: *Meditações sobre filosofia primeira*. Campinas: Ed. da Unicamp, 2004.]

DEUTSCH, M.; GERARD, G. B. "A Study of Normative and Informational Social Influence upon Individual Judgment". *Journal of Abnormal & Social Psychology*, n. 51, pp. 629-36, 1955.

DEVOE, J. F.; PETER, K.; KAUFMAN, P.; MILLER, A.; NOONAN, M.; SNYDER, T. D.; BAUM, K. *Indicators of School Crime and Safety: 2004*. Washington, D. C.: National Center for Education Statistics and Bureau of Justice Statistics, 2004.

DEWALL, C.; BAUMEISTER, R. F.; STILLMAN, T.; GAILLIOT, M. "Violence Restrained: Effects of Self--Regulation and Its Depletion on Aggression". *Journal of Experimental Social Psychology*, n. 43, pp. 62-76, 2007.

DEWAR RESEARCH. *Government Statistics on Domestic Violence: Estimated Prevalence of Domestic Violence*. Ascot, Reino Unido: Dewar Research, 2009. Disponível em: <www.dewar4research.org/DOCS/DVGovtStatsAug09.pdf>.

DI PELLEGRINO, G.; FADIGA, L.; FOGASSI, L.; GALLESE, V.; RIZZOLATTI, G. "Understanding Motor Events: A Neurophysiological Study". *Experimental Brain Research*, n. 91, pp. 176-80, 1992.

DIAMOND, J. M. *Guns, Germs, and Steel: The Fates of Human Societies*. Nova York: Norton, 1997. [Ed. bras.: *Armas, germes e aço*. Rio de Janeiro: Record, 2001.]

DIAMOND, S. R. "The Effect of Fear on the Aggressive Responses of Anger-Aroused and Revengemotivated Subjects". *Journal of Psychology*, n. 95, pp. 185-8, 1977.

DIVALE, W. T. "System Population Control in the Middle and Upper Paleolithic: Inferences Based on Contemporary Hunter-Gatherers". *World Archaeology*, n. 4, pp. 222-43, 1972.

_______; HARRIS, M. "Population, Warfare, and the Male Supremacist Complex". *American Anthropologist*, n. 78, pp. 521-38, 1976.

DOBASH, R. P.; DOBASH, R. E.; WILSON, M.; DALY, M. "The Myth of Sexual Symmetry in Marital Violence". *Social Problems*, n. 39, pp. 71-91, 1992.

DODDS, G. G. "Political Apologies and Public Discourse". In: RODIN, J.; STEINBERG, S. P. (orgs.). *Public Discourse in America*. Filadélfia: University of Pennsylvania Press, 2003a.

_______. "Political Apologies: Chronological List", 2003b. Disponível em: <reserve.mg2.org/apologies.htm>.

_______. "Political Apologies since Update of 01/23/03". Concordia University, 2005.

DONOHUE, J. J.; LEVITT, S. D. "The Impact of Legalized Abortion on Crime". *Quarterly Journal of Economics*, n. 116, pp. 379-420, 2001.

DOSTOIÉVSKI, F. *The Brothers Karamazov*. Nova York: Farrar, Straus & Giroux, 1880/2002. [Ed. bras.: *Os irmãos Karamázov*. São Paulo: Ed. 34, 2008.]

DREGER, A. "Darkness's Descent on the American Anthropological Association: A Cautionary Tale". *Human Nature*. DOI 10.1007/s12110-011-9103-y, 2011.

DUCKWORTH, A. L.; SELIGMAN, M. E. P. "Self-Discipline Outdoes IQ in Predicting Academic Performance of Adolescents". *Psychological Science*, n. 16, pp. 939-44, 2005.

DUERR, H.-P. *Der Mythos vom Zivilisationsprozess*. v. 1-4. Frankfurt: Suhrkamp, 1988-97.

DULIĆ, T. "A Reply to Rummel". *Journal of Peace Research*, n. 41, pp. 105-6, 2004a.

DULIĆ, T. "Tito's Slaughterhouse: A Critical Analysis of Rummel's Work on Democide". *Journal of Peace Research*, n. 41, pp. 85-102, 2004b.

DWORKIN, A. *Letters from a War Zone*. Chicago: Chicago Review, 1993.

EASTERBROOK, G. *The Progress Paradox: How Life Gets Better While People Feel Worse*. Nova York: Random House, 2003.

ECK, K.; HULTMAN, L. "Violence Against Civilians in War". *Journal of Peace Research*, n. 44, pp. 233-46, 2007.

ECKHARDT, W. *Civilizations, Empires, and Wars*. Jefferson, N. C.: McFarland, 1992.

EDWARDS, W. D.; GABEL, W. J.; HOSMER, F. "On the Physical Death of Jesus Christ". *Journal of the American Medical Association*, n. 255, pp. 1455-63, 1986.

EHRMAN, B. D. *Misquoting Jesus: The Story Behind Who Changed the Bible and Why*. Nova York: HarperCollins, 2005. [Ed. bras.: *O que Jesus disse? O que Jesus não disse? Quem mudou a Bíblia e por quê*. Rio de Janeiro: Ediouro, 2011.]

EISNER, M. "Modernization, Self-Control, and Lethal Violence: The Long-Term Dynamics of European Homicide Rates in Theoretical Perspective". *British Journal of Criminology*, n. 41, pp. 618-38, 2001.

_______. "Long-Term Historical Trends in Violent Crime". *Crime & Justice*, n. 30, pp. 83-142, 2003.

_______. "Modernity Strikes Back? A Historical Perspective on the Latest Increase in Interpersonal Violence 1960-1990". *International Journal of Conflict & Violence*, n. 2, pp. 288-316, 2008.

_______. "The Uses of Violence: An Examination of Some Cross-Cutting Issues". *International Journal of Conflict & Violence*, n. 3, pp. 40-59, 2009.

_______. "Killing Kings: Patterns of Regicide in Europe, 600-1800". *British Journal of Criminology*, n. 51, pp. 556-77, 2011.

ELEY, T. C.; LICHTENSTEIN, P.; STEVENSON, J. "Sex Differences in the Etiology of Aggressive and Nonaggressive Antisocial Behavior: Results from Two Twin Studies". *Child Development*, n. 70, pp. 155-68, 1999.

ELIAS, N. *The Civilizing Process: Sociogenetic and Psychogenetic Investigations*. Ed. rev. Cambridge, Massachusetts: Blackwell, 1939/2000. [Ed. bras.: *O processo civilizador*. Rio de Janeiro: Jorge Zahar, 1995.]

ELLICKSON, R. C. *Order without Law: How Neighbors Settle Disputes*. Cambridge, Massachusetts: Harvard University Press, 1991.

ELLIS, B. J. "The Evolution of Sexual Attraction: Evaluative Mechanisms in Women". In: BARKOW, J.; COSMIDES, L.; TOOBY, J. (orgs.). *The Adapted Mind: Evolutionary Psychology and the Generation of Culture*. Nova York: Oxford University Press, 1992.

ELTIS, D.; RICHARDSON, D. *Atlas of the Transatlantic Slave Trade*. New Haven, Connecticut: Yale University Press, 2010.

EMBER, C. "Myths about Hunter-Gatherers". *Ethnology*, n. 27, pp. 239-48, 1978.

ENGLISH, R. "The Sociology of New Thinking: Elites, Identity Change, and the End of the Cold War". *Journal of Cold War Studies*, n. 7, pp. 43-80, 2005.

ERICKSEN, K. P.; HORTON, H. "'Blood Feuds': Cross-Cultural Variation in Kin Group Vengeance". *Behavioral Science Research*, n. 26, pp. 57-85, 1992.

ERICKSEN, R. P.; HESCHEL, S. *Betrayal: German Churches and the Holocaust*. Minneapolis: Fortress, 1999.

ESPOSITO, J. L.; MOGAHED, D. *Who Speaks for Islam? What a Billion Muslims Really Think*. Nova York: Gallup, 2007.

ESPY, M. W.; SMYKLA, J. O. *Executions in the United States, 1608-2002*. Death Penalty Information Center, 2002. Disponível em: <www.deathpenaltyinfo.org/executions-us-1608-2002-espy-file>.

ETCOFF, N. L. *Survival of the Prettiest: The Science of Beauty*. Nova York: Doubleday, 1999. [Ed. bras.: *A lei do mais belo*. Rio de Janeiro: Objetiva, 1999.]

FARIS, S. "Fool's Gold". *Foreign Policy*, jul. 2007.

FARRINGTON, D. P. "Origins of Violent Behavior over the Life Span". In: FLANNERY, D. J.; VAZSONYI, A. T.; WALDMAN, I. D. (orgs.). *The Cambridge Handbook of Violent Behavior and Aggression*. Nova York: Cambridge University Press, 2007.

FATTAH, K.; FIERKE, K. M. "A Clash of Emotions: The Politics of Humiliation and Political Violence in the Middle East". *European Journal of International Relations*, n. 15, pp. 67-93, 2009.

FAUST, D. *The Republic of Suffering: Death and the American Civil War*. Nova York: Vintage, 2008.

FEARON, J. D.; LAITIN, D. D. "Explaining Interethnic Cooperation". *American Political Science Review*, n. 90, pp. 715-35, 1996.

______. "Ethnicity, Insurgency, and Civil War". *American Political Science Review*, n. 97, pp. 75-90, 2003.

FEHR, E.; GÄCHTER, S. "Fairness and Retaliation: The Economics of Reciprocity". *Journal of Economic Perspectives*, n. 14, pp. 159-81, 2000.

FEINGOLD, D. A. "Trafficking in Numbers: The Social Construction of Human Trafficking Data". In: ANDREAS, P.; GREENHILL, K. M. (orgs.). *Sex, Drugs, and Body Counts: The Politics of Numbers in Global Crime and Conflict*. Ithaca, N. Y.: Cornell University Press, 2010.

FELLER, W. *An Introduction to Probability Theory and its Applications*. Nova York: Wiley, 1968.

FELSON, R. B. "Impression Management and the Escalation of Aggression and Violence". *Social Psychology Quarterly*, n. 45, pp. 245-54, 1982.

FERGUSON, N. *The Pity of War: Explaining World War I*. Nova York: Basic Books, 1998.

______. *The War of the World: Twentieth-Century Conflict and the Descent of the West*. Nova York: Penguin, 2006.

FERNÁNDEZ-JALVO, Y.; DIEZ, J. C.; BERMÚDEZ DE CASTRO, J. M.; CARBONELL, E.; ARSUAGA, J. L. "Evidence of Early Cannibalism". *Science*, n. 271, pp. 277-8, 1996.

FESTINGER, L. *A Theory of Cognitive Dissonance*. Stanford, Califórnia: Stanford University Press, 1957.

FINKELHOR, D.; HAMMER, H.; SEDLAK, A. J. *Nonfamily Abducted Children: National Estimates and Characteristics*. Washington, D. C.: U. S. Departament of Justice, Office of Justice Programms: Office of Juvenile Justice and Delinquency Prevention, 2002.

______; JONES, L. "Why Have Child Maltreatment and Child Victimization Declined?". *Journal of Social Issues*, n. 62, pp. 685-716, 2006.

FISCHER, H. *Iraqi Civilian Deaths Estimates*. Washington, D. C.: Library of Congress, 2008.

FISCHER, K. P. *The History of an Obsession: German Judeophobia and the Holocaust*. Nova York: Continuum, 1998.

FISKE, A. P. *Structures of Social Life: The Four Elementary Forms of Human Relations*. Nova York: Free, 1991.

______. "The Four Elementary Forms of Sociality: Framework for a Unified Theory of Social Relations". *Psychological Review*, n. 99, pp. 689-723, 1992.

FISKE, A. P. "Four Modes of Constituting Relationships: Consubstantial Assimilation; Space, Magnitude, Time, and Force; Concrete Procedures; Abstract Symbolism". In: HASLAM, N. (org.). *Relational Models Theory: A Contemporary Overview*. Mahwah, Nova Jersey: Erlbaum, 2004a.

______. "Relational Models Theory 2.0". In: HASLAM, N. (org.). *Relational Models Theory: A Contemporary Overview*. Mahwah, Nova Jersey: Erlbaum, 2004b.

______; TETLOCK, P. E. "Taboo Trade-Offs: Reactions to Transactions that Transgress the Spheres of Justice". *Political Psychology*, n. 18, pp. 255-97, 1997.

______. "Taboo Tradeoffs: Constitutive Prerequisites for Social Life". In: RENSHON, S. A.; DUCKITT, J. (orgs.). *Political Psychology: Cultural and Cross-Cultural Perspectives*. Londres: Macmillan, 1999.

FLETCHER, J. *Violence and Civilization: An Introduction to the Work of Norbert Elias*. Cambridge, Reino Unido: Polity, 1997.

FLYNN, J. R. "The Mean IQ of Americans: Massive Gains 1932 to 1978". *Psychological Bulletin*, n. 95, pp. 29-51, 1984.

______. "Massive IQ Gains in 14 Nations: What IQ Tests Really Measure". *Psychological Bulletin*, n. 101, pp. 171-91, 1987.

______. *What Is Intelligence?*. Cambridge, Reino Unido: Cambridge University Press, 2007. [Ed. bras.: *O que é inteligência?*. Porto Alegre: Artmed, 2009.]

FODOR, J. A.; PYLYSHYN, Z. "Connectionism and Cognitive Architecture: A Critical Analysis". *Cognition*, n. 28, pp. 3-71, 1988.

FOGEL, R. W.; ENGERMAN, S. L. *Time on the Cross: The Economics of American Negro Slavery*. Boston: Little, Brown, 1974.

FONE, B. *Homophobia: A History*. Nova York: Picador, 2000.

FOOTE, C. L.; GOETZ, C. F. "The Impact of Legalized Abortion on Crime: Comment". *Quarterly Journal of Economics*, n. 123, pp. 407-23, 2008.

FORD, R.; BLEGEN, M. A. "Offensive and Defensive Use of Punitive Tactics in Explicit Bargaining". *Social Psychology Quarterly*, n. 55, pp. 351-62, 1992.

FORTNA, V. P. *Does Peacekeeping Work? Shaping Belligerents' Choices after Civil War*. Princeton, Nova Jersey: Princeton University Press, 2008.

FOX, J. A.; LEVIN, J. "Serial Murder: Popular Myths and Empirical Realities". In: SMITH, M. D.; ZAHN, M. A. (orgs.). *Homicide: A Sourcebook of Social Research*. Thousand Oaks, Califórnia: Sage, 1999.

______; ZAWITZ, M. W. *Homicide Trends in the United States*, 2007. Disponível em: <bjs.ojp.usdoj.gov/content/homicide/homtrnd.cfm>.

FRANÇA. MINISTÉRIO DAS RELAÇÕES EXTERIORES. *A pena de morte na França*, 2007. Disponível em: <ambafrance-us.org/IMG/pdf/Death_penalty.pdf>.

FRANCIS, N.; KUČERA, H. *Frequency Analysis of English Usage: Lexicon and Grammar*. Boston: Houghton Mifflin, 1982.

FRANK, R. H. *Passions within Reason: The Strategic Role of the Emotions*. Nova York: Norton, 1988.

FREEMAN, D. *The Fateful Hoaxing of Margaret Mead: A Historical Analysis of her Samoan Research*. Boulder, Colorado: Westview, 1999.

FUKUYAMA, F. "The End of History?". *National Interest*, verão 1989.

______. *The Great Disruption: Human Nature and the Reconstitution of Social Order*. Nova York: Free

Press, 1999. [Ed. bras.: *A grande ruptura: A natureza humana e a reconstituição da ordem social*. Rio de Janeiro: Rocco, 2000.]

FURUICHI, T.; THOMPSON, J. M. *The Bonobos: Behavior, Ecology, and Conservation*. Nova York: Springer, 2008.

FUSTER, J. M. *The Prefrontal Cortex*. 4. ed. Nova York: Elsevier, 2008.

GABOR, T. *Everybody Does It! Crime by the Public*. Toronto: University of Toronto Press, 1994.

GADDIS, J. L. "The Long Peace: Elements of Stability in the Postwar International System". *International Security*, n. 10, pp. 99-142, 1986.

______. *The Long Peace: Inquiries into the History of the Cold War*. Nova York: Oxford University Press, 1989.

GAILLIOT, M. T.; BAUMEISTER, R. F. "Self-Regulation and Sexual Restraint: Dispositionally and Temporarily Poor Self-Regulatory Abilities Contribute to Failures At Restraining Sexual Behavior". *Personality & Social Psychology Bulletin*, n. 33, pp. 173-86, 2007.

______; BAUMEISTER, R. F.; DEWALL, C. N.; MANER, J. K.; PLANT, E. A.; TICE, D. M.; BREWER, L. E.; SCHMEICHEL, B. J. "Self-Control Relies on Glucose as a Limited Energy Source: Willpower is More Than a Metaphor". *Journal of Personality & Social Psychology*, n. 92, pp. 325-36, 2007.

GALLONIO, A. *Tortures and Torments of the Christian Martyrs*. Los Angeles: Feral House, 1903 / 2004.

GALLUP. "Atitude dos americanos ante a homossexualidade continua a se tornar mais tolerante", 2001. Disponível em: <www.gallup.com / poll / 4432 / American-Attitudes-Toward-Homosexuality-Continue-Become-More-Tolerant.aspx>.

______. "Aceitação da homossexualidade: Um movimento dos jovens", 2002. Disponível em: <www.gallup.com / poll / 5341 / Acceptance-Homosexuality-Youth-Movement.aspx>.

______. "Público indiferente a direitos dos animais", 2003. Disponível em: <www.gallup.com / poll / 8461 / Public-Lukewarm-Animal-Rights.aspx>.

______. "Americanos ainda divididos sobre moral da homossexualidade", 2008. Disponível em: <www.gallup.com / poll / 108115 / Americans-Evenly-Divided-Morality-Homosexuality.aspx>.

______. "Conhecer um gay / lésbica afeta visão sobre a questão gay", 2009. Disponível em: <www.gallup.com / poll / 118931 / Knowing-Someone-Gay-Lesbian-Affects-Views-Gay-Issues.aspx>.

______. "Aceitação dos gays por americanos cruza limiar dos 50%", 2010. Disponível em: <www.gallup.com / poll / 135764 / Americans-Acceptance-Gay-Relations-Crosses-Threshold.aspx>.

GALLUP, A. *The Gallup Poll Cumulative Index: Public Opinion, 1935-1997*. Wilmington, Delaware: Scholarly Resources, 1999.

GARDNER, D. *Risk: The Science and Politics of Fear*. Londres: Virgin, 2008.

______. *Future Babble: Why Expert Predictions Fail — and Why We Believe Them Anyway*. Nova York: Dutton, 2010.

GARRARD, G. *Counter-Enlightenments: From the Eighteenth Century to the Present*. Nova York: Routledge, 2006.

GARTNER, R. "Homicide in Canada". In: ROSS, J. I. (org.). *Violence in Canada: Sociopolitical Perspectives*. Piscataway, Nova Jersey: Transaction, 2009.

GARTZKE, E. "The Capitalist Peace". *American Journal of Political Science*, n. 51, pp. 166-91, 2007.

______; HEWITT, J. J. "International Crises and the Capitalist Peace". *International Interactions*, n. 36, pp. 115-45, 2010.

GAT, A. *War in Human Civilization*. Nova York: Oxford University Press, 2006.

GAULIN, S. J. C.; MCBURNEY, D. H. *Psychology: An Evolutionary Approach*. Upper Saddle River, Nova Jersey: Prentice Hall, 2001.

GAZZANIGA, M. S. *The Ethical Brain*. Nova York: Dana, 2005.

GEARY, D. C. *Male, Female: The Evolution of Human Sex Differences*. 2. ed. Washington, D. C.: American Psychological Association, 2010.

GEARY, P. J. *The Myth of Nations: The Medieval Origins of Europe*. Princeton, Nova Jersey: Princeton University Press, 2002.

GELMAN, S. A. *The Essential Child: Origins of Essentialism in Everyday Thought*. Nova York: Oxford University Press, 2005.

GENOVESE, J. E. C. "Cognitive Skills Valued by Educators: Historical Content Analysis of Testing in Ohio". *Journal of Educational Research*, n. 96, pp. 101-14, 2002.

GHOSN, F.; PALMER, G.; BREMER, S. "The MID 3 Data Set, 1993-2001: Procedures, Coding Rules, and Description". *Conflict Management & Peace Science*, n. 21, pp. 133-54, 2004.

GIANCOLA, P. R. "Executive Functioning: A Conceptual Framework for Alcohol-Related Aggression". *Experimental & Clinical Psychopharmacology*, n. 8, pp. 576-97, 2000.

GIBBONS, A. "Archeologists Rediscover Cannibals". *Science*, n. 277, pp. 635-7, 1997.

GIGERENZER, G. "Out of the Frying Pan into the Fire: Behavioral Reactions to Terrorist Attacks". *Risk Analysis*, n. 26, pp. 347-51, 2006.

_______; MURRAY, D. J. *Cognition as Intuitive Statistics*. Hillsdale, Nova Jersey: Erlbaum, 1987.

GIL-WHITE, F. "How Thick Is Blood?". *Ethnic & Racial Studies*, n. 22, pp. 789-820, 1999.

GILAD, Y. "Evidence for Positive Selection and Population Structure at the Human MAO-A Gene". *Proceedings of the National Academy of Sciences*, n. 99, pp. 862-7, 2002.

GILBERT, S. J.; SPENGLER, S.; SIMONS, J. S.; STEELE, J. D.; LAWRIE, S. M.; FRITH, C. D.; BURGESS, P. W. "Functional Specialization within Rostral Prefrontal Cortex (Area 10): A Meta-Analysis". *Journal of Cognitive Neuroscience*, n. 18, pp. 932-48, 2006.

GILLIGAN, C. *In a Different Voice: Psychological Theory and Women's Development*. Cambridge, Massachusetts: Harvard University Press, 1982.

GINGES, J.; ATRAN, S. "Humiliation and the Inertia Effect: Implications for Understanding Violence and Compromise in Intractable Intergroup Conflicts". *Journal of Cognition & Culture*, n. 8, pp. 281-94, 2008.

_______; ATRAN, S.; MEDIN, D.; SHIKAKI, K. "Sacred Bounds on Rational Resolution of Violent Political Conflict". *Proceedings of the National Academy of Sciences*, n. 104, pp. 7357-60, 2007.

GIRLS STUDY GROUP. *Violence by Teenage Girls: Trends and Context*. Washington, D. C.: U. S. Departament of Justice: Office of Justice Programs, 2008. Disponível em: <girlsstudygroup.rti.org/docs/OJJDP_GSG_Violence_Bulletin.pdf>.

GLEDITSCH, K. S. "Expanded Trade and GDP Data". *Journal of Conflict Resolution*, n. 46, pp. 712-24, 2002.

GLEDITSCH, N. P. "Armed Conflict and the Environment: A Critique of the Literature". *Journal of Peace Research*, n. 35, pp. 381-400, 1998.

_______. "The Liberal Moment Fifteen Years on". *International Studies Quarterly*, n. 52, pp. 691-712, 2008.

_______.; HEGRE, H.; STRAND, H. "Democracy and Civil War". In: MIDLARSKY, M. (org.). *Handbook of War Studies III*. Ann Arbor: University of Michigan Press, 2009.

GLEDITSCH, N. P.; WALLENSTEEN, P.; ERIKSSON, M.; SOLLENBERG, M.; STRAND, H. "Armed Conflict 1946--2001: A New Dataset". *Journal of Peace Research*, n. 39, pp. 615-37, 2002.

GLOBAL ZERO COMMISSION. *Global Zero Action Plan*, 2010. Disponível em: <static.globalzero.org/files/docs/GZAP_6.0.pdf>.

GLOVER, J. *Causing Death and Saving Lives*. Londres: Penguin, 1977.

_______. *Humanity: A Moral History of the Twentieth Century*. Londres: Jonathan Cape, 1999.

GOCHMAN, C. S.; MAOZ, Z. "Militarized Interstate Disputes, 1816-1976: Procedures, Patterns, and Insights". *Journal of Conflict Resolution*, n. 28, pp. 585-616, 1984.

GOFFMAN, E. *The Presentation of Self in Everyday Life*. Nova York: Doubleday, 1959.

GOKLANY, I. M. *The Improving State of the World: Why We're Living Longer, Healthier, More Comfortable Lives on a Cleaner Planet*. Washington, D. C.: Cato Institute, 2007.

GOLDHAGEN, D. J. *Hitler's Willing Executioners: Ordinary Germans and the Holocaust*. Nova York: Knopf, 1996. [Ed. bras.: *Os carrascos voluntários de Hitler*. São Paulo: Companhia das Letras, 1997.]

_______. *Worse than War: Genocide, Eliminationism, and the Ongoing Assault on Humanity*. Nova York: PublicAffairs, 2009.

GOLDSTEIN, J. S. *War and Gender*. Cambridge, Reino Unido: Cambridge University Press, 2001.

_______. *Winning the War on War: The Surprising Decline in Armed Conflict Worldwide*. Nova York: Dutton, 2011.

_______; PEVEHOUSE, J. C. *International Relations*. 8. ed., atualizada 2008-2009. Nova York: Pearson Longman, 2009.

GOLDSTEIN, R. N. *Betraying Spinoza: The Renegade Jew Who Gave Us Modernity*. Nova York: Nextbook/Schocken, 2006.

GOLLWITZER, M.; DENZLER, M. "What Makes Revenge Sweet: Seeing the Offender Suffer or Delivering a Message?". *Journal of Experimental Social Psychology*, n. 45, pp. 840-4, 2009.

GOODALL, J. *The Chimpanzees of Gombe: Patterns of Behavior*. Cambridge, Massachusetts: Harvard University Press, 1986.

GOPNIK, Adam. "The Big One: Historians Rethink the War to End All Wars". *New Yorker*, ago. 2004.

GOPNIK, Alison. "Cells that Read Minds? What the Myth of Mirror Neurons Gets Wrong about the Human Brain". *Slate*, 26 abr. 2007.

GORDON, M. *Roots of Empathy: Changing the World Child by Child*. Nova York: Experiment, 2009.

GORTON, W.; DIELS, J. "Is Political Talk Getting Smarter? An Analysis of Presidential Debates and the Flynn Effect". *Public Understanding of Science*, 18 mar. 2010.

GOTTFREDSON, L. S. "Mainstream Science on Intelligence: An Editorial with 52 Signatories, History, and Bibliography". *Intelligence*, n. 24, pp. 13-23, 1997a.

_______. "Why *g* Matters: The Complexity of Everyday Life". *Intelligence*, n. 24, pp. 79-132, 1997b.

GOTTFREDSON, M. R. "Self-Control and Criminal Violence". In: FLANNERY, D. J.; VAZSONYI, A. T.; WALDMAN, I. D. (org.). *The Cambridge Handbook of Violent Behavior and Aggression*. Nova York: Cambridge University Press, 2007.

_______; HIRSCHI, T. *A General Theory of Crime*. Stanford, Califórnia: Stanford University Press, 1990.

GOTTSCHALL, J. *The Rape of Troy: Evolution, Violence, and the World of Homer*. Nova York: Cambridge University Press, 2008.

_______ ; GOTTSCHALL, R. "Are Per-Incident Rape-Pregnancy Rates Higher than Per-Incident Consensual Pregnancy Rates?". *Human Nature*, n. 14, pp. 1-20, 2003.

GOULD, S. J. *A Biological Homage to Mickey Mouse. The Panda's Thumb: More Reflections in Natural History*. Nova York: Norton, 1980.

______. *Glow, Big Glowworm. Bully for Brontosaurus*. Nova York: Norton, 1991.

GRAF ZU WALDBURG WOLFEGG, C. *Venus and Mars: The World of the Medieval Housebook*. Nova York: Prestel, 1988.

GRAHAM-KEVAN, N.; ARCHER, J. "Intimate Terrorism and Common Couple Violence: A Test of Johnson's Predictions in Four British Samples". *Journal of Interpersonal Violence*, n. 18, pp. 1247--70, 2003.

GRAY, H. M.; GRAY, K.; WEGNER, D. M. "Dimensions of Mind Perception". *Science*, n. 315, p. 619, 2007.

GRAY, P. B.; YOUNG, S. M. "Human-Pet Dynamics in Cross-Cultural Perspective". *Anthrozoos 1*, n. 24, pp. 17-30, 2010.

GRAYLING, A. C. *Toward the Light of Liberty: The Struggles for Freedom and Rights that Made the Modern Western World*. Nova York: Walker, 2007.

GREEN, R. M. *The Human Embryo Research Debates: Bioethics in the Vortex of Controversy*. Nova York: Oxford University Press, 2001.

GREENE, D. (org.). *Samuel Johnson: The Major Works*. Nova York: Oxford University Press, 2000.

GREENE, J. D. *The Moral Brain and What To Do with It*. Nova York: Penguim, 2012.

______; HAIDT, J. "How (and Where) Does Moral Judgment Work?". *Trends in Cognitive Science*, n. 6, pp. 517-23, 2002.

______; SOMMERVILLE, R. B.; NYSTROM, L. E.; DARLEY, J. M.; COHEN, J. D. "An FMRI Investigation of Emotional Engagement in Moral Judgment". *Science*, n. 293, pp. 2105-8, 2001.

GREENFIELD, P. M. "Technology and Informal Education: What Is Taught, and What Is Learned". *Science*, n. 323, pp. 69-71, 2009.

GROEBNER, V. "Losing Face, Saving Face: Noses and Honour in the Late Medieval Town". *History Workshop Journal*, n. 40, pp. 1-15, 1995.

GROSS, C. G. "Early Steps toward Animal Rights". *Science*, n. 324, pp. 466-7, 2009.

GROSSMAN, L. C. D. *On Killing: The Psychological Cost of Learning to Kill in War and Society.* Nova York: Back Bay, 1995.

GUO, G.; OU, X.-M.; ROETTGER, M.; SHIH, J. C. "The VNTR 2 Repeat in MAOA and Delinquent Behavior in Adolescence and Young Adulthood: Associations and MAOA Promoter Activity". *European Journal of Human Genetics*, n. 16, pp. 626-34, 2008.

______; ROETTGER, M. E.; CAI, T. "The Integration of Genetic Propensities into Social-Control Models of Delinquency and Violence among Male Youths". *American Sociological Review*, n. 73, pp. 543-68, 2008.

______; ROETTGER, M. E.; SHIH, J. C. "Contributions of the DAT1 and DRD2 Genes to Serious and Violent Delinquency among Adolescents and Young Adults". *Human Genetics*, n. 121, pp. 125--36, 2007.

GURR, T. R. "Historical Trends in Violent Crime: A Critical Review of the Evidence". In: MORRIS, N.; TONRY, M. (orgs.). *Crime and Justice*. Chicago: University of Chicago Press, 1981. v. 3.

______. "Historical Trends in Violent Crime: Europe and the United States". In: ______ (org.). *Violence in America*. Newbury Park, Califórnia: Sage, 1989a. v. 1: *The History of Crime.*

______ (org.). *Violence in America*. Londres: Sage, 1989b. v. 1.

GURR, T. R; MONTY, M. G. "Assessing the Risks of Future Ethnic Wars". In: GURR, T. R. (org.). *Peoples versus States*. Washington, D. C.: United States Institute of Peace Press, 2000.

HAGEN, E. H. "The Functions of Postpartum Depression". *Evolution & Human Behavior*, n. 20, pp. 325-59, 1999.

HAGGER, M.; WOOD, C.; STIFF, C.; CHATZISARANTIS, N. L. D. "Ego Depletion and the Strength Model of Self-Control: A Meta-Analysis". *Psychological Bulletin*, n. 136, pp. 495-525, 2010.

HAIDT, J. "The Emotional Dog and Its Rational Tail: A Social Intuitionist Approach to Moral Judgment". *Psychological Review*, n. 108, pp. 813-34, 2001.

_______. "The Moral Emotions". In: DAVIDSON, R. J.; SCHERER, K. R.; GOLDSMITH, H. H. (orgs.). *Handbook of Affective Sciences*. Nova York: Oxford University Press, 2002.

_______. "The New Synthesis in Moral Psychology". *Science*, n. 316, pp. 998-1002, 2007.

_______; BJORKLUND, F.; MURPHY, S. "Moral Dumbfounding: When Intuition Finds No Reason". University of Virginia, 2000.

_______; GRAHAM, J. "When Morality Opposes Justice: Conservatives Have Moral Intuitions that Liberals May Not Recognize". *Social Justice Research*, n. 20, pp. 98-116, 2007.

_______; HERSH, M. A. "Sexual Morality: The Cultures and Emotions of Conservatives and Liberals". *Journal of Applied Social Psychology*, n. 31, pp. 191-221, 2001.

_______; KOLLER, H.; DIAS, M. G. "Affect, Culture, and Morality, or Is It Wrong To Eat Your Dog?". *Journal of Personality & Social Psychology*, n. 65, pp. 613-28, 1993.

HAKEMULDER, J. F. *The Moral Laboratory: Experiments Examining the Effects of Reading Literature on Social Perception and Moral Self-Concept*. Filadélfia: J. Benjamins, 2000.

HALLISSY, M. *Venomous Woman: Fear of the Female in Literature*. Westport, Connecticut: Greenwood Press, 1987.

HALPERN, D. F. *Sex Differences in Cognitive Abilities*. 3. ed. Mahwah, Nova Jersey: Erlbaum, 2000.

HAMER, D. H.; COPELAND, P. *The Science of Desire: The Search for the Gay Gene and the Biology of Behavior*. Nova York: Simon & Schuster, 1994.

HAMILTON, W. D. "The Evolution of Altruistic Behavior". *American Naturalist*, n. 97, pp. 354-6, 1963.

HANAWALT, B. A. "Violent Death in 14th and Early 15th-Century England". *Contemporary Studies in Society & History*, n. 18, pp. 297-320, 1976.

HANLON, G. *Human Nature in Rural Tuscany: An Early Modern History*. Nova York: Palgrave Macmillan, 2007.

HARDIN, G. "The Tragedy of the Commons". *Science*, n. 162, pp. 1243-8, 1968.

HARE, R. D. *Without Conscience: The Disturbing World of the Psychopaths around Us*. Nova York: Guilford, 1993.

HARFF, B. "No Lessons Learned from The Holocaust? Assessing the Risks of Genocide and Political Mass Murder Since 1955". *American Political Science Review*, n. 97, pp. 57-73, 2003.

_______. "Assessing Risks of Genocide and Politicide". In: MARSHALL, M. G.; GURR, T. R. (orgs.). *Peace and Conflict 2005: A Global Survey of Armed Conflicts, Self-Determination Movements, and Democracy*. College Park: Center for International Development & Conflict Management, University of Maryland, 2005.

HARLOW, C. W. *Hate Crime Reported by Victims and Police*. Washington, D. C.: U. S. Department of Justice, Bureau of Justice Statistics, 2005. Disponível em: <bjs.ojp.usdoj.gov/content/pub/pdf/hcrvp.pdf>.

HARRIS, J. R. *The Nurture Assumption: Why Children Turn out the Way They Do*. 2. ed. Nova York: Free Press, 1998/2008.

_______. *No Two Alike: Human Nature and Human Individuality*. Nova York: Norton, 2006. [Ed. bras.: *Não há dois iguais: Natureza humana e individualidade*. São Paulo: Globo, 2007.]

HARRIS, M. *Culture, People, Nature*. 2. ed. Nova York: Crowell, 1975.

_______. *Good to Eat: Riddles of Food and Culture*. Nova York: Simon & Schuster, 1985.

HARRIS, S. *The Moral Landscape: How Science Can Determine Human Values*. Nova York: Free, 2010.

HASLAM, N. "Dehumanization: An Integrative Review". *Personality & Social Psychology Review*, n. 10, pp. 252-64, 2006.

_______ (org.). *Relational Models Theory: A Contemporary Overview*. Mahwah, Nova Jersey: Erlbaum, 2004.

_______; ROTHSCHILD, L.; ERNST, D. "Essentialist Beliefs about Social Categories". *British Journal of Social Psychology*, n. 39, pp. 113-27, 2000.

HAUSER, M. D. *Wild Minds: What Animals Really Think*. Nova York: Henry Holt, 2000.

HAWKES, K. "A Third Explanation for Female Infanticide". *Human Ecology*, n. 9, pp. 79-96, 1981.

_______. "Life History Theory and Human Evolution". In: _______; PAINE, R. (orgs.). *The Evolution of Human Life History*. Oxford: SAR, 2006.

HAYES, B. "Statistics of Deadly Quarrels". *American Scientist*, n. 90, pp. 10-5, 2002.

HEGRE, H. "Development and the Liberal Peace: What Does It Take To Be a Trading State?". *Journal of Peace Research*, n. 37, pp. 5-30, 2000.

_______; ELLINGSEN, T.; GATES, S.; GLEDITSCH, N. P. "Toward a Democratic Civil Peace? Democracy, Political Change, and Civil War 1816-1992". *American Political Science Review*, n. 95, pp. 33-48, 2001.

HEISE, L.; GARCIA-MORENO, C. "Violence by Intimate Partners". In: KRUG, E. G.; DAHLBERG, L. L.; MERCY, J. A.; ZWI, A. B.; LOZANO, R. (orgs.). *World Report on Violence and Health*. Geneva: World Health Organization, 2002.

HELD, R. *Inquisition: A Selected Survey of the Collection of Torture Instruments from the Middle Ages to Our Times*. Aslockton, Notts, Reino Unido: Avon & Arno, 1986.

HELMBOLD, R. "How Many Interstate Wars Will There Be in the Decade 2000-2009?". *Phalanx*, n. 31, pp. 21-3, 1998.

HENSHAW, S. K. "Induced Abortion: A World Review". *Family Planning Perspectives*, n. 22, pp. 76-89, 1990.

HERMAN, A. *The Idea of Decline in Western History*. Nova York: Free, 1997. [Ed. bras.: *A ideia da decadência na história ocidental*. Rio de Janeiro: Record, 1999.]

HERRMANN, B.; THÖNI, C.; GÄCHTER, S. "Antisocial Punishment across Societies". *Science*, n. 319, pp. 1362-7, 2008a.

_______. "Antisocial Punishment Across Societies", 2008b: Material de suporte online. Disponível em: <www.sciencemag.org/content/319/5868/1362/supp/DC1>.

HERRNSTEIN, R. J.; MURRAY, C. *The Bell Curve: Intelligence and Class Structure in American Life*. Nova York: Free, 1994.

HERZOG, H. *Some We Love, Some We Hate, Some We Eat: Why It's so Hard to Think Straight about Animals*. Nova York: HarperCollins, 2010.

HESCHEL, S. *The Aryan Jesus: Christian Theologians and the Bible in Nazi Germany*. Princeton, Nova Jersey: Princeton University Press, 2008.

HEWITT, J. J.; WILKENFELD, J.; GURR, T. R. (orgs.). *Peace and Conflict 2008*. Boulder, Colorado: Paradigm, 2008.

HEWSTONE, M.; RUBIN, M.; WILLIS, H. "Intergroup Bias". *Annual Review of Psychology*, n. 53, pp. 575-604, 2002.

HEYWOOD, C. *A History of Childhood*. Malden, Massachusetts: Polity, 2001. [Ed. bras.: *Uma história da infância*. Porto Alegre: Artmed, 2004.]

HICKOK, G. "Eight Problems for the Mirror Neuron Theory of Action Understanding in Monkeys and Humans". *Journal of Cognitive Neuroscience*, n. 21, pp. 1229-43, 2009.

HILL, J.; INDER, T.; NEIL, J.; DIERKER, D.; HARWELL, J.; VAN ESSEN, D. "Similar Patterns of Cortical Expansion During Human Development and Evolution". *Proceedings of the National Academy of Sciences*, n. 107, pp. 13135-40, 2010.

HIMMELFARB, M. "No Hitler, No Holocaust". *Commentary*, pp. 37-43, mar. 1984.

HIRSCHFELD, A. O. *Race in the Making: Cognition, Culture, and the Child's Construction of Human Kinds*. Cambridge, Massachusetts: MIT Press, 1996.

HIRSCHI, T.; GOTTFREDSON, M. R. "In Defense of Self-Control". *Theoretical Criminology*, n. 4, pp. 55-69, 2000.

HITCHCOCK, E.; CAIRNS, V. "Amygdalotomy". *Postgraduate Medical Journal*, n. 49, pp. 894-904, 1973.

HOBAN, J. E. "The Ethical Marine Warrior: Achieving a Higher Standard". *Marine Corps Gazette*, pp. 36-40, set. 2007.

______. "Developing the Ethical Marine Warrior". *Marine Corps Gazette*, pp. 20-5, jun. 2010.

HOBBES, T. *Leviathan*. Nova York: Oxford University Press, 1651 / 1957. [Ed. bras.: *Leviatã*. São Paulo: Ícone, 2008.]

HODGES, A. *Alan Turing: The Enigma*. Nova York: Simon & Schuster, 1983.

HOFFMAN, M. L. *Empathy and Moral Development: Implications for Caring and Justice*. Cambridge, Reino Unido: Cambridge University Press, 2000.

HOFSTADTER, D. R. "Dilemmas for Superrational Thinkers, Leading up to a Luring Lottery". In: ______. *Metamagical Themas: Questing for the Essence of Mind and Pattern*. Nova York: Basic Books, 1985.

HOFSTEDE, G.; HOFSTEDE, G. J. "Dimensions of National Cultures", 2010. Disponível em: <www.geerthofstede.nl / culture / dimensions-of-national-cultures.aspx>.

HOLDEN, C. "Parsing the Genetics of Behavior". *Science*, n. 322, pp. 892-5, 2008.

HOLSTI, K. J. "The Horsemen of the Apocalypse: At the Gate, Detoured, or Retreating?". *International Studies Quarterly*, n. 30, pp. 355-72, 1986.

______. *Peace and War: Armed Conflicts and International Order 1648-1989*. Cambridge, Reino Unido: Cambridge University Press, 1991.

HOMERO. *The Iliad*. Trad. E. V. Rieu e P. Jones. Nova York: Penguin, 2003. [Ed. bras.: *Ilíada*. São Paulo: Penguin Classics Companhia das Letras, 2013.]

HOROWITZ, D. L. *The Deadly Ethnic Riot*. Berkeley: University of California Press, 2001.

HOWARD, M. *The Lessons of History*. New Haven, Connecticut: Yale University Press, 1991.

______. *The Invention of Peace and the Reinvention of War*. Londres: Profile, 2001.

HOWARD, M. *Liberation or Catastrophe? Reflections on the History of the Twentieth Century*. Londres: Continuum, 2007.

HOYLE, R. H.; PINKLEY, R. L.; INSKO, C. A. "Perceptions of Social Behavior: Evidence of Differing Expectations for Interpersonal and Intergroup Interaction". *Personality & Social Psychology Bulletin*, n. 15, pp. 365-76, 1989.

HRDY, S. B. *Mother Nature: A History of Mothers, Infants, and Natural selection*. Nova York: Pantheon, 1999.

HUDSON, V. M.; DEN BOER, A. D. "A Surplus of Men, a Deficit of Peace: Security and Sex Ratios in Asia's Largest States". *International Security*, n. 26, pp. 5-38, 2002.

HUGHES, G. *Swearing: A Social History of Foul Language, Oaths, and Profanity in English*. Nova York: Penguin, 1991.

HUMAN RIGHTS FIRST. *Violence against Muslims: 2008 Hate Crime Survey*. Nova York: Human Rights First, 2008.

HUMAN RIGHTS WATCH. *A Violent Education: Corporal Punishment of Children in U. S. Public Schools*. Nova York: Human Rights Watch, 2008.

HUMAN SECURITY CENTRE. *Human Security Report 2005: War and Peace in the 21st Century*. Nova York: Oxford University Press, 2005.

_______. *Human Security Brief 2006*. Vancouver, B. C.: Human Security Centre, 2006.

HUMAN SECURITY REPORT PROJECT. *Human Security Brief 2007*. Vancouver, B. C.: Human Security Report Project, 2007.

_______. *Miniatlas of Human Security*. Washington, D. C.: Banco Mundial, 2008.

_______. *Human Security Report 2009: The Shrinking Costs of War*. Nova York: Oxford University Press, 2009.

_______. *Human Security Report 2009/2010: The Causes of Peace and the Shrinking Costs of War*. Nova York: Oxford University Press, 2011.

HUME, D. *A Treatise of Human Nature*. Nova York: Oxford University Press, 1739/2000. [Ed. bras.: *Tratado da natureza humana*. São Paulo: Unesp, 2009.]

_______. *An Enquiry Concerning the Principles of Morals*. Amherst, N. Y.: Prometheus, 1751/2004. [Ed. bras.: *Uma investigação sobre os princípios da moral*. Campinas: Ed. da Unicamp, 1995.]

HUMPHREY, R. L. *Values for a New Millennium*. Maynardville, Tennessee: Life Values, 1992.

HUNT, L. *Inventing Human Rights: A History*. Nova York: Norton, 2007.

HUNTINGTON, S. P. "The Clash of Civilizations?". *Foreign Affairs*, verão 1993.

HURFORD, J. R. "Language Beyond Our Grasp: What Mirror Neurons Can, and Cannot, Do for Language Evolution". In: OLLER, D. K.; GRIEBEL, U. (orgs.). *Evolution of Communication Systems: A Comparative Approach*. Cambridge, Massachusetts: MIT Press, 2004.

HUTH, P.; RUSSETT, B. "What Makes Deterrence Work? Cases from 1900 to 1980". *World Politics*, n. 36, pp. 496-526, 1984.

HYNES, L. "Routine Infanticide by Married Couples in Parma, 16th-18th Century". *Journal of Early Modern History*. No prelo.

IACOBONI, M. *Mirroring People: The New Science of How We Connect with Others*. Nova York: Farrar, Straus & Giroux, 2008.

IACOBONI, M.; WOODS, R. P.; BRASS, M.; BEKKERING, H.; MAZZIOTTA, J. C.; RIZZOLATTI, G. "Cortical Mechanisms of Human Imitation". *Science*, n. 286, pp. 2526-8, 1999.

INGLE, D. "Recreational fighting". In: CROSS, G. S. (org.). *Encyclopedia of Recreation and Leisure in America*. Nova York: Scribner, 2004.

INTERNATIONAL INSTITUTE FOR STRATEGIC STUDIES. *The Military Balance 2010*. Londres: Routledge, 2010.

JACOB, P.; JEANNEROD, M. "The Motor Theory of Social Cognition: A Critique". *Trends in Cognitive Sciences*, n. 9, pp. 21-5, 2005.

JAGGAR, A. M. *Feminist Politics and Human Nature*. Lanham, Maryland: Rowman & Littlefield, 1983.

JAMES, W. *The Moral Equivalent of War. The Moral Equivalent of War and Other Essays*. Nova York: Harper & Row, 1906/1971.

_______. "On a Certain Blindness in Human Beings". In: MCDERMOTT, J. J. (org.). *The Writings of William James*. Chicago: University of Chicago Press, 1977.

JANIS, I. L. *Groupthink: Psychological Studies of Policy Decisions and Fiascoes*. 2. ed. Boston: Houghton Mifflin, 1982.

JANSSON, K. *British Crime Survey: Measuring Crime for 25 years*. Londres: U. K. Home Office, 2007.

JENSEN, J.; SMITH, A. J.; WILLEIT, M.; CRAWLEY, A. P.; MIKULIS, D. J.; VITCU, I.; KAPUR, S. "Separate Brain Regions Code for Salience versus Valence During Reward Prediction in Humans". *Human Brain Mapping*, n. 28, pp. 294-302, 2007.

JERVIS, R. "The Political Effects of Nuclear Weapons". *International Security*, n. 13, pp. 80-90, 1988.

JOHNSON, D. D. P. *Overconfidence and War: The Havoc and Glory of Positive Illusions*. Cambridge, Massachusetts: Harvard University Press, 2004.

_______; MCDERMOTT, R.; BARRETT, E. S.; COWDEN, J.; WRANGHAM, R.; MCINTYRE, M. H.; ROSEN, S. P. "Overconfidence in Wargames: Experimental Evidence on Expectations, Aggression, Gender and Testosterone". *Proceedings of the Royal Society B*, n. 273, pp. 2513-20, 2006.

JOHNSON, E. A.; MONKKONEN, E. H. *The Civilization of Crime*. Urbana: University of Illinois Press, 1996.

JOHNSON, E. J.; HERSHEY, J.; MESZAROS, J.; KUNREUTHER, H. "Framing, Probability Distortions, and Insurance Decisions". *Journal of Risk & Uncertainty*, n. 7, pp. 35-41, 1993.

JOHNSON, E. M. "Deconstructing Social Darwinism. Primate Diaries", 2010. Disponível em: <scienceblogs.com/primatediaries/2010/01/deconstructing_social_darwinis.php>.

JOHNSON, G. R.; RATWIK, S. H.; SAWYER, T. J. "The Evocative Significance of Kin Terms in Patriotic Speech". In: REYNOLDS, V.; FALGER, V.; VINE, I. (orgs.). *The Sociobiology of Ethnocentrism*. Londres: Croon Helm, 1987.

JOHNSON, I. M.; SIGLER, R. T. "The Stability of the Public's Endorsements of the Definition and Criminalization of the Abuse of Women". *Journal of Criminal Justice*, n. 28, pp. 165-79, 2000.

JOHNSON, M. P. "Conflict and Control: Gender Symmetry and Asymmetry in Domestic Violence". *Violence Against Women*, n. 12, pp. 1003-18, 2006.

_______; LEONE, J. M. "The Differential Effects of Intimate Terrorism and Situational Couple Violence: Findings from the National Violence against Women Survey". *Journal of Family Issues*, n. 26, pp. 322-49, 2005.

JOHNSON, N. F.; SPAGAT, M.; GOURLEY, S.; ONNELA, J.-P.; REINERT, G. "Bias in Epidemiological Studies of Conflict Mortality". *Journal of Peace Research*, n. 45, pp. 653-63, 2008.

JOHNSON, R.; RAPHAEL, S. *How Much Crime Reduction Does the Marginal Prisoner Buy?*. Berkeley: University of California, 2006.

JONES, D. M.; BREMER, S.; SINGER, J. D. "Militarized Interstate Disputes, 1816-1992: Rationale, Coding Rules, and Empirical Patterns". *Conflict Management & Peace Science*, n. 15, pp. 163-213, 1996.

JONES, G. "Are Smarter Groups More Cooperative? Evidence from Prisoner's Dilemma Experiments, 1959-2003". *Journal of Economic Behavior & Organization*, n. 68, pp. 489-97, 2008.

JONES, L.; FINKELHOR, D. *Updated Trends in Child Maltreatment, 2007*. Durham, N. H.: Crimes Against Children Research Center, University of New Hampshire, 2007.

JONES, O. D. "Sex, Culture, and the Biology of Rape: Toward Explanation and Prevention". *California Law Review*, n. 87, pp. 827-942, 1999.

_______. "Reconsidering Rape". *National Law Journal*, A21, 2000.

JOY, J. *Lindow Man*. Londres: British Museum Press, 2009.

JOYCE, T. "Did Legalized Abortion Lower Crime?" *Journal of Human Resources*, n. 39, pp. 1-28, 2004.

JUSSIM, L. J.; MCCAULEY, C. R.; LEE, Y.-T. "Why Study Stereotype Accuracy and Inaccuracy?". In: LEE, Y.-T.; JUSSIM, L. J.; MCCAULEY, C. R. (orgs.). *Stereotype Accuracy: Toward Appreciating Group Differences*. Washington, D. C.: American Psychological Association, 1995.

KAEUPER, R. W. "Chivalry and the 'Civilizing Process'". In: _______ (org.). *Violence in Medieval Society*. Rochester, N. Y.: Boydell & Brewer, 2000.

KAGAN, R. "Power and Weakness". *Policy Review*, n. 113, pp. 1-21, 2002.

KAHNEMAN, D.; RENSHON, J. "Why Hawks Win". *Foreign Policy*, dez. 2007

_______; SLOVIC, P.; TVERSKY, A. *Judgment Under Uncertainty: Heuristics and Biases*. Nova York: Cambridge University Press, 1982.

_______; TVERSKY, A. "Subjective Probability: A Judgment of Representativeness". *Cognitive Psychology*, n. 3, pp. 430-54, 1972.

_______. "Prospect Theory: An Analysis of Decisions under Risk". *Econometrica*, n. 47, pp. 313-27, 1979.

_______. "Choices, Values, and Frames". *American Psychologist*, n. 39, pp. 341-50, 1984.

KALDOR, M. *New and Old Wars: Organized Violence in a Global Era*. Stanford, Califórnia: Stanford University Press, 1999.

KANAZAWA, S. "Why Liberals and Atheists Are More Intelligent". *Social Psychology Quarterly*, n. 73, pp. 33-57, 2010.

KANE, K. "Nits Make Lice: Drogheda, Sand Creek, and the Poetics of Colonial Extermination". *Cultural Critique*, n. 42, pp. 81-103, 1999.

KANT, I. "Idea for a Universal History with a Cosmopolitan Purpose". In: REISS, H. (org.). *Kant's Political Writings*. Nova York: Cambridge University Press, 1784/1970. [Ed. bras.: *Ideia de uma história universal de um ponto de vista cosmopolita*. São Paulo: Martins Fontes, 2010.]

_______. "Perpetual Peace: A Philosophical Sketch". In: _______. *Perpetual Peace and Other Essays*. Indianapolis: Hackett, 1795/1983.

KAPLAN, J. *Criminal Justice: Introductory Cases and Materials*. Mineola, N. Y.: Foundation Press, 1973.

KATZ, L. *Bad Acts and Guilty Minds: Conundrums of Criminal Law*. Chicago: University of Chicago Press, 1987.

KAY, S. "The Sublime Body of the Martyr". In: KAEUPER, R. W. (org.). *Violence in Medieval Society*. Woodbridge, Reino Unido: Boydell, 2000.

KAYSEN, C. "Is War Obsolete?". *International Security*, n. 14, pp. 42-64, 1990.

KEEGAN, J. *A History of Warfare*. Nova York: Vintage, 1993. [Ed. bras.: *Uma história da guerra*. São Paulo: Companhia das Letras, 1995.]

KEELEY, L. H. *War Before Civilization: The Myth of the Peaceful Savage*. Nova York: Oxford University Press, 1996. [Ed. bras.: *A guerra antes da civilização*. São Paulo: É Realizações, 2012.]

KEEN, S. *Empathy and the Novel*. Oxford, Reino Unido: Oxford University Press, 2007.

KEIZER, K.; LINDENBERG, S.; STEG, L. "The Spreading of Disorder". *Science*, n. 322, pp. 1681-5, 2008.

KELLER, J. B. "The Probability of Heads". *American Mathematical Monthly*, n. 93, pp. 191-7, 1986.

KELMAN, H. C. "Violence without Moral Restraint: Reflections on the Dehumanization of Victims and Victimizers". *Journal of Social Issues*, n. 29, pp. 25-61, 1973.

KENNEDY, R. *Race, Crime, and the Law*. Nova York: Vintage, 1997.

KENNEDY, R. F. *Thirteen Days: A Memoir of the Cuban Missile Crisis*. Nova York: Norton, 1969/1999.

KENNY, C. *Getting Better: Why Global Development is Succeeding — and How We Can Improve the World Even More*. Nova York: Basic Books, 2011.

KENRICK, D. T.; SHEETS, V. "Homicidal Fantasies". *Ethology & Sociobiology*, n. 14, pp. 231-46, 1994.

KIERNAN, B. *Blood and Soil: A World History of Genocide and Extermination from Sparta to Darfur*. New Haven, Connecticut: Yale University Press, 2007.

KIM, S. H.; SMIRTH, R. H.; BRIGHAM, N. L. "Effects of Power Imbalance and the Presence of Third Parties on Reactions to Harm: Upward and Downward Revenge". *Personality & Social Psychology Bulletin*, n. 24, pp. 353-61, 1998.

KIMMEL, M. S. "'Gender Symmetry' in Domestic Violence". *Violence Against Women*, n. 8, pp. 1332-63, 2002.

KING JR, M. L.,. "Pilgrimage to Nonviolence". In: LYND, S.; LYND, A. (orgs.). *Nonviolence in America: A Documentary History*. Maryknoll, N. Y.: Orbis, 1963/1995.

KINNER, S. "Psychopathy as an Adaptation: Implications for Society and Social Policy". In: BLOOM, R. W.; DESS, N. (orgs.). *Evolutionary Psychology and Violence: A Primer for Policymakers and Public Policy Advocates*. Westport, Connecticut: Praeger, 2003.

KINZLER, K. D.; SHUTTS, K.; DEJESUS, J.; SPELKE, E. S. "Accent Trumps Race in Guiding Children's Social Preferences". *Social Cognition*, n. 27, pp. 623-34, 2009.

KIRBY, K. N.; HERRNSTEIN, R. J. "Preference Reversals Due to Myopic Discounting of Delayed Reward". *Psychological Science*, n. 6, pp. 83-9, 1995.

_______; WINSTON, G.; SANTIESTEBAN, M. "Impatience and Grades: Delay-Discount Rates Correlate Negatively with College GPA". *Learning and Individual Differences*, n. 15, pp. 213-22, 2005.

KNAUFT, B. "Reconsidering Violence in Simple Human Societies". *Current Anthropology*, n. 28, pp. 457-500, 1987.

KOECHLIN, E.; HYAFIL, A. "Anterior Prefrontal Function and the Limits of Human Decision-Making". *Science*, n. 318, pp. 594-8, 2007.

KOESTLER, A. *The Act of Creation*. Nova York: Dell, 1964.

KOHL, M. (org.). *Infanticide and the Value of Life*. Buffalo, N. Y.: Prometheus, 1978.

KOHLBERG, L. *The Philosophy of Moral Development: Moral Stages and the Idea of Justice*. San Francisco: Harper & Row, 1981.

KORS, A. C.; SILVERGLATE, H. A. *The Shadow University: The Betrayal of Liberty on America's Campuses*. Nova York: Free, 1998.

KOSFELD, M.; HEINRICHS, M.; ZAK, P. J.; FISCHBACHER, U.; FEHR, E. "Oxytocin Increases Trust in Humans". *Nature*, n. 435, pp. 673-6, 2005.

KREBS, D. L. "Empathy and Altruism". *Journal of Personality & Social Psychology*, n. 32, pp. 1134-46, 1975.

KREITMAN, M. "Methods to Detect Selection in Populations with Applications to the Human". *Annual Review of Genomics & Human Genetics*, n. 1, pp. 539-59, 2000.

KREUTZ, J. *UCDP one-sided violence codebook version 1.3*, 2008. Disponível em: <www.pcr.uu.se/digitalAssets/19/19256_UCDP_One-sided_violence_Dataset_Codebook_v1.3.pdf>.

KRIEKEN, R. V. "Review Article: What Does It Mean To Be Civilised? Norbert Elias on the Germans and Modern Barbarism". *Communal/Plural: Journal of Transnational & Cross-Cultural Studies*, n. 6, pp. 225-33, 1998.

KRINGELBACH, M. L. "The Human Orbitofrontal Cortex: Linking Reward to Hedonic Experience". *Nature Reviews Neuroscience*, n. 6, pp. 691-702, 2005.

KRISTINE, E.; HULTMAN, L. "One-Sided Violence against Civilians in War: Insights from New Fatality Data". *Journal of Peace Research*, n. 44, pp. 233-46, 2007.

KRISTOF, N. D.; WUDUNN, S. *Half the Sky: Turning Oppression into Opportunity for Women Worldwide*. Nova York: Random House, 2009. [Ed. bras.: *Metade do céu: Transformando a opressão em oportunidades para as mulheres de todo o mundo*. São Paulo: Novo Século, 2011.]

KRUG, E. G.; DAHLBERG, L. L.; MERCY, J. A.; ZWI, A. B.; LOZANO, R. (orgs.). *World Report on Violence and Health*. Genebra: Organização Mundial da Saúde, 2002.

KRYSTAL, A. "En Garde! The History of Dueling". *New Yorker*, 12 mar. 2007.

KUGEL, J. L. *How to Read the Bible: A Guide to Scripture, Then and Now*. Nova York: Free, 2007.

KUGLER, J. "Terror without Deterrence". *Journal of Conflict Resolution*, n. 28, pp. 470-506, 1984.

KURLANSKY, M. *Nonviolence: Twenty-five Lessons from the History of a Dangerous Idea*. Nova York: Modern Library, 2006.

KURTZ, D. V. *Anthropology and the Study of the State. Political Anthropology: Power and Paradigms*. Boulder, Colorado: Westview, 2001.

KURZBAN, R. *Why Everyone (Else) Is a Hypocrite: Evolution and the Modular Mind*. Princeton, Nova Jersey: Princeton University Press, 2011.

KURZBAN, R.; TOOBY, J.; COSMIDES, L. "Can Race Be Erased? Coalitional Computation and Social Categorization". *Proceedings of the National Academy of Sciences*, n. 98, pp. 15387-92, 2001.

KYLE, D. G. *Spectacles of Death in Ancient Rome*. Nova York: Routledge, 1998.

LA GRIFFE DU LION. "Analysis of Hate Crime". *La Griffe du Lion*, v. 2, n. 5, 2000. Disponível em: <lagriffedulion.f2s.com/hatecrime.htm>.

LACINA, B. "Explaining the Severity of Civil Wars". *Journal of Conflict Resolution*, n. 50, pp. 276-89, 2006.

______. *Battle Deaths Dataset 1946-2009: Codebook for Version 3.0*. Center for the Study of Civil War e International Peace Research Institute Oslo (Prio), 2009.

______; GLEDITSCH, N. P. "Monitoring Trends in Global Combat: A New Dataset in Battle Deaths". *European Journal of Population*, n. 21, pp. 145-66, 2005.

______; GLEDITSCH, N. P.; RUSSETT, B. "The Declining Risk of Death in Battle". *International Studies Quarterly*, n. 50, pp. 673-80, 2006.

LAFREE, G. "A Summary and Review of Cross-National Comparative Studies of Homicide". In: SMITH, M. D.; ZAHN, M. A. (orgs.). *Homicide: A Sourcebook of Social Research*. Thousand Oaks, Califórnia: Sage, 1999.

______; TSELONI, A. "Democracy and Crime: A Multilevel Analysis of Homicide Trends in Fortyfour Countries, 1950-2000". *Annals of the American Academy of Political and Social Science*, n. 605, pp. 25-49, 2006.

LAIBSON, D. "Golden Eggs and Hyperbolic Discounting". *Quarterly Journal of Economics*, n. 112, pp. 443-77, 1997.

LALUMIÈRE, M. L.; HARRIS, G. T.; RICE, M. E. "Psychopathy and Developmental Instability". *Evolution and Human Behavior*, n. 22, pp. 75-92, 2001.

LAMM, C.; BATSON, C. D.; DECETY, J. "The Neural Substrate of Human Empathy: Effects of Perspective--Taking and Cognitive Appraisal". *Journal of Cognitive Neuroscience*, n. 19, pp. 42-58, 2007.

LANE, R. "On the Social Meaning of Homicide Trends in America". In: GURR, T. R. (org.). *Violence in America*. Newbury Park, Califórnia: Sage, 1989. v. 1: The History of Crime.

LANGBEIN, J. H. "The Legal History of Torture". In: LEVINSON, S. (org.). *Torture: A Collection*. Nova York: Oxford University Press, 2005.

LANZETTA, J. T.; ENGLIS, B. G. "Expectations of Cooperation and Competition and Their Effects on Observers' Vicarious Emotional Responses". *Journal of Personality & Social Psychology*, n. 56, pp. 543-54, 1989.

LATANÉ, B.; DARLEY, J. M. *The Unresponsive Bystander: Why Doesn't He Help?*. Nova York: Appleton--Century Crofts, 1970.

LEA, R.; CHAMBERS, G. "Monoamine Oxidase, Addiction, and the 'Warrior' Gene Hypothesis". *Journal of the New Zealand Medical Association*, n. 120, 2007.

LEBLANC, S. A. *Constant Battles: The Myth of the Noble Savage and a Peaceful Past*. Nova York: St. Martin's, 2003.

LEBOW, R. N. "Contingency, Catalysts, and Nonlinear Change: The Origins of World War I". In: LEVY, J. S.; GOERTZ, G. (org.). *Explaining War and Peace: Case Studies and Necessary Condition Counterfactuals*. Nova York: Routledge, 2007.

LEE, J. J.; PINKER, S. "Rationales for Indirect Speech: The Theory of the Strategic Speaker". *Psychological Review*, n. 117, pp. 785-807, 2010.

LEE, R. "Politics, Sexual and Non-Sexual, in Egalitarian Society". In: ______; LEACOCK, R. E. (orgs.). *Politics and History in Band Societies*. Nova York: Cambridge University Press, 1982.

LEE, T. M. C.; CHAN, S. C.; RAINE, A. "Strong Limbic and Weak Frontal Activation to Aggressive Stimuli in Spouse Abusers". *Molecular Psychiatry*, n. 13, pp. 655-60, 2008.

LEE, Y.-T.; JUSSIM, L. J.; MCCAULEY, C. R. (orgs.). *Stereotype Accuracy: Toward Appreciating Group Differences*. Washington, D. C.: American Psychological Association, 1995.

LEHNER, E.; LEHNER, J. *Devils, Demons, and Witchcraft*. Mineola, N. Y.: Dover, 1971.

LEITER, R. A. (org.). *National Survey of State Laws*. 6. ed. Detroit: Thomson/Gale, 2007.

LELAND, A.; OBOROCEANU, M.-J. *American War and Military Operations Casualties: Lists and Statistics*, 2010. Disponível em: <fpc.state.gov/documents/organization/139347.pdf>.

LEONARD, T. "Origins of the Myth of Social Darwinism: The Ambiguous Legacy of Richard Hofstadter's 'Social Darwinism In American Thought'". *Journal of Economic Behavior & Organization*, n. 71, pp. 37-59, 2009.

LEVAY, S. *Gay, Straight, and the Reason Why: The Science of Sexual Orientation*. Nova York: Oxford University Press, 2010.

LEVI, M. A. *On Nuclear Terrorism*. Cambridge, Massachusetts: Harvard University Press, 2007.

LEVI, W. *The Coming End of War*. Beverly Hills, Califórnia: Sage, 1981.

LEVINSON, D. *Family Violence in Cross-Cultural Perspective*. Thousand Oaks, Califórnia: Sage, 1989.

LEVINSON, S. "Contemplating Torture: An Introduction". In: ______ (org.). *Torture: A Collection*. Nova York: Oxford University Press, 2004a.

______. *Torture: A Collection*. Nova York: Oxford University Press, 2004b.

LEVITT, S. D. *Understanding why crime fell in the 1990s: Four factors that explain the decline and six that do not. Journal of Economic Perspectives*, n. 18, pp. 163-90, 2004.

______.; MILES, T. J. "Empirical Study of Criminal Punishment". In: POLINSKY, A. M.; SHAVELL, S. (orgs.). *Handbook of Law and Economics*. Amsterdam: Elsevier, 2007. v. 1.

LEVY, J. S. *War in the Modern Great Power System 1495-1975*. Lexington: University Press of Kentucky, 1983.

______.; THOMPSON, W. R. *Causes of War*. Malden, Massachusetts: Wiley-Blackwell, 2010.

______. *The Arc of War: Origins, Escalation, and Transformation*. Chicago: University of Chicago Press, 2011.

LEVY, J. S.; WALKER, T. C.; EDWARDS, M. S. "Continuity and Change in the Evolution of Warfare". In: MAOZ, Z.; GAT, A. (orgs.). *War in a Changing World*. Ann Arbor: University of Michigan Press, 2001.

LEWIS, B. *What Went Wrong? The Clash between Islam and Modernity in the Middle East*. Nova York: HarperPerennial, 2002. [Ed. bras.: *O que deu errado no Oriente Médio?*. Rio de Janeiro: Zahar, 2002.]

LEWIS, D. K. *Convention: A Philosophical Study*. Cambridge, Massachusetts: Harvard University Press, 1969.

LIEBENBERG, L. *The Art of Tracking: The Origin of Science*. Cidade do Cabo: David Philip, 1990.

LIEBERMAN, D.; TOOBY, J.; COSMIDES, L. "Does Morality Have a Biological Basis? An Empirical Test of the Factors Governing Moral Sentiments Relating to Incest". *Proceedings of the Royal Society of Londres* B, n. 270, pp. 819-26, 2002.

LIEBERSON, S. *A Matter of Taste: How Names, Fashions, and Culture Change*. New Haven, Connecticut: Yale University Press, 2000.

LIGTHART, L.; BARTELS, M.; HOEKSTRA, R. A.; HUDZIAK, J. J.; BOOMSMA, D. I. "Genetic Contributions to Subtypes of Aggression". *Twin Research & Human Genetics*, n. 8, pp. 483-91, 2005.

LILLA, M. *The Reckless Mind: Intellectuals in Politics*. Nova York: New York Review of Books, 2001.

LINDLEY, D.; SCHILDKRAUT, R. "Is War Rational? The Extent of Miscalculation and Misperception as Causes of War". Trabalho apresentado na International Studies Association, 2005. Disponível em: <www.allacademic.com/meta/p71904_index.html>.

LINDSAY, J. M.; TAKEYH, R. "After Iran Gets the Bomb". *Foreign Affairs*, 2010.

LINKER, D. *The Theocons: Secular America under Siege*. Nova York: Anchor, 2007.

LODGE, D. *Small World*. Nova York: Penguin, 1988.

LOEWEN, J. W. *Lies My Teacher Told Me: Everything Your American History Textbook Got Wrong*. Nova York: New Press, 1995.

LONG, W. J.; BRECKE, P. *War and Reconciliation: Reason and Emotion in Conflict Resolution*. Cambridge, Massachusetts: MIT Press, 2003.

LORENZ, K. "Part and Parcel in Animal and Human Societies". *Studies in Animal and Human Behavior*. Cambridge, Massachusetts: Harvard University Press, 1950/1971. v. 2.

LOTT, J. *Crime and Punishment. Freedomnomics: Why the Free Market Works and Other Half-Baked Theories Don't*. Washington, D. C.: Regnery, 2007.

LOTT, J. R. Jr.; WHITLEY, J. E. "Abortion and Crime: Unwanted Children and Out-Of-Wedlock Births". *Economic Inquiry*, n. 45, pp. 304-24, 2007.

LUARD, E. *War in International Society*. New Haven, Connecticut: Yale University Press, 1986.

_______. *The Blunted Sword: The Erosion of Military Power in Modern World Politics*. Nova York: New Amsterdam, 1988.

LULL, T. F. (org.). *Martin Luther's Basic Theological Writings*. Minneapolis: Augsburg Fortress, 2005.

LURIA, A. R. *Cognitive Development: Its Cultural and Social Foundations*. Cambridge, Massachusetts: Harvard University Press, 1976.

LYKKEN, D. T. *The Antisocial Personalities*. Mahwah, Nova Jersey: Erlbaum, 1995.

MACCOBY, E. E.; JACKLIN, C. N. *The Psychology of Sex Differences*. Stanford, Califórnia: Stanford University Press, 1987.

MACDONALD, H. "New York Cops: Still the Finest". *City Journal*, n. 16, 2006.

_______. "The Campus Rape Myth". *City Journal*, n. 18, 2008.

MACKLIN, R. "Human Dignity Is a Useless Concept". *British Medical Journal*, n. 327, pp. 1419-20, 2003.

MACMILLAN, M. *An Odd Kind of Fame: Stories of Phineas Gage*. Cambridge, Massachusetts: MIT Press, 2000.

MANNING, R.; LEVINE, M.; COLLINS, A. "The Kitty Genovese Murder and the Social Psychology of Helping: The Parable of the 38 Witnesses". *American Psychologist*, n. 62, pp. 555-62, 2007.

MANNIX, D. P. *The History of Torture*. Sparkford, Reino Unido: Sutton, 1964.

MAR, R. A.; OATLEY, K. "The Function of Fiction Is the Abstraction and Simulation of Social Experience". *Perspectives on Psychological Science*, n. 3, pp. 173-92, 2008.

_______; OATLEY, K.; HIRSH, J.; DELA PAZ, J.; PETERSON, J. B. "Bookworms versus Nerds: Exposure to Fiction versus Non-Fiction, Divergent Associations with Social Ability, and the Simulation of Fictional Social Worlds". *Journal of Research in Personality*, n. 40, pp. 694-717, 2006.

MARSHALL, M. G.; COLE, B. R. "Global Report on Conflict, Governance, and State Fragility, 2008". *Foreign Policy Bulletin*, n. 18, pp. 3-21, 2008.

_______. *Global Report 2009: Conflict, Governance, and State Fragility*. Arlington, Virginia: George Mason University Center for Global Policy, 2009.

_______; GURR, T. R.; HARFF, B. *PITF State Failure Problem Set: Internal Wars and Failures of Governance 1955-2008. Dataset and Coding Guidelines*. Força-Tarefa de Instabilidade PolíticaPolitical Instability Task Force, 2009. Disponível em: <globalpolicy.gmu.edu/pitf/pitfdata.htm>.

MARSHALL, S. L. A. *Men against Fire: The Problem of Battle Command in Future War*. Gloucester, Massachusetts: Peter Smith, 1947/1978.

MARVELL, T. B. *Homicide Trends 1947-1996: Short-Term versus Long-Term Factors. Proceedings of the Homicide Research Working Group Meetings, 1997 and 1998*. Washington, D. C.: U. S. Department of Justice, 1999.

MASSEY, D. S.; SAMPSON, R. (orgs.). "Special Issue: The Moynihan Report Revisited: Lessons and Reflections after Four Decades". *Annals of the American Academy of Political & Social Science*, n. 621, pp. 6-326, 2009.

MASTON, C. T. "Survey Methodology for Criminal Victimization in the United States, 2007", 2010. Disponível em: <bjs.ojp.usdoj.gov/content/pub/pdf/cvus/cvus07mt.pdf>.

MATTINGLY, G. "International Diplomacy and International Law". In: WERNHAM, R. B. (org.). *The New Cambridge Modern History*. Nova York: Cambridge University Press, 1958. v. 3

MAUSS, M. *The Gift: The Form and Reason for Exchange in Archaic Societies*. Nova York: Norton, 1924/1990.

MAYNARD SMITH, J. *Evolution and the Theory of Games*. Nova York: Cambridge University Press, 1982.

_______. *Games, Sex, and Evolution*. Nova York: Harvester Wheatsheaf, 1988.

_______. *Evolutionary Genetics*. 2. ed. Nova York: Oxford University Press, 1998.

MAYNARD SMITH, J.; SZATHMÁRY, E. *The Major Transitions in Evolution*. Nova York: Oxford University Press, 1997.

MCCALL, G. S.; SHIELDS, N. "Examining the Evidence from Small-Scale Societies and Early Prehistory and Implications for Modern Theories of Aggression and Violence". *Aggression and Violent Behavior*, n. 13, pp. 1-9, 2007.

MCCAULEY, C. R. "Are Stereotypes Exaggerated? A Sampling of Racial, Gender, Academic, Occupational, and Political Stereotypes". In: LEE, Y.-T.; JUSSIM, L. J.; MCCAULEY, C. R. (orgs.). *Stereotype Accuracy: Toward Appreciating Group Differences*. Washington, D. C.: American Psychological Association, 1995.

MCCLURE, S. M.; LAIBSON, D.; LOEWENSTEIN, G.; COHEN, J. D. "Separate Neural Systems Value Immediate and Delayed Monetary Rewards". *Science*, n. 306, pp. 503-7, 2004.

MCCRAE, R. R.; COSTA, P. T.; OSTENDORF, F.; ANGLEITNER, A.; HREBICKOVA, M.; AVIA, M. D.; SANZ, J.; SANCHEZ--BERNARDOS, M. L.; KUSDIL, M. E.; WOODFIELD, R.; SAUNDERS, P. R.; SMITH, P. B. "Nature over Nurture: Temperament, Personality, and Life Span Development". *Journal of Personality & Social Psychology*, n. 78, pp. 173-86, 2000.

MCCULLOUGH, M. E. *Beyond Revenge: The Evolution of the Forgiveness Instinct*. San Francisco: Jossey--Bass, 2008.

_______; KURZBAN, R.; TABAK, B. A. "Revenge, Forgiveness, and Evolution". In: MIKULINCER, M.; SHAVER, P. R. (orgs.). *Understanding and Reducing Aggression, Violence, and Their Consequences*. Washington, D. C.: American Psychological Association, 2010.

MCDERMOTT, R.; JOHNSON, D.; COWDEN, J.; ROSEN, S. "Testosterone and Aggression in a Simulated Crisis Game". *Annals of the American Association for Political & Social Science*, n. 614, pp. 15-33, 2007.

_______; TINGLEY, D.; COWDEN, J.; FRAZZETTO, G.; JOHNSON, D. D. P. "Monoamine Oxidase A Gene (MAOA) Predicts Behavioral Aggression Following Provocation". *Proceedings of the National Academy of Sciences*, n. 106, pp. 2118-23, 2009.

MCDONALD, P. J. "Capitalism, Commitment, and Peace". *International Interactions*, n. 36, pp. 146-68, 2010.

MCEVEDY, C.; JONES, R. *Atlas of World Population History*. Londres: A. Lane, 1978.

MCGINNIS, J. O. "The Original Constitution and our Origins". *Harvard Journal of Law & Public Policy*, n. 19, pp. 251-61, 1996.

_______. "The Human Constitution and Constitutive Law: A Prolegomenon". *Journal of Contemporary Legal Issues*, n. 8, pp. 211-39, 1997.

MCGRAW, A. P.; TETLOCK, P. E. "Taboo Trade-Offs, Relational Framing, and the Acceptability of Exchanges". *Journal of Consumer Psychology*, n. 15, pp. 2-15, 2005.

MCGRAW, L. A.; YOUNG, L. J. "The Prairie Vole: An Emerging Model Organism for Understanding the Social Brain". *Trends in Neurosciences*, n. 33, pp. 103-9, 2010.

MCKAY, C. *Extraordinary Popular Delusions and the Madness of Crowds*. Nova York: Wiley, 1841/1995.

MCMANAMON, F. P. "Kennewick Man". *Archeology Program*, 2004. Disponível em: <www.nps.gov/archeology/kennewick/index.htm>.

MEALEY, L. "The Sociobiology of Sociopathy: An Integrated Evolutionary Model". *Behavioral & Brain Sciences*, n. 18, pp. 523-41, 1995.

_______; KINNER, S. "The Perception-Action Model of Empathy and Psychopathic 'Coldheartedness'". *Behavioral & Brain Sciences*, n. 42, pp. 42-3, 2002.

MEDNICK, S. A.; GABRIELLI, W. F.; HUTCHINGS, B. "Genetic Factors in Criminal Behavior: Evidence from an Adoption Cohort". *Science*, n. 224, pp. 891-3, 1984.

MELANDER, E.; OBERG, M.; HALL, J. "Are "New Wars" More Atrocious?". Trabalho apresentado no encontro anual da International Studies Association: Exploring the Past, Anticipating the Future, 2009.

MENNELL, S. "Decivilising Processes: Theoretical Significance and Some Lines of Research". *International Sociology*, n. 5, pp. 205-23, 1990.

_______; GOUDSBLOM, J. "Civilizing Processes — Myth or Reality? A Comment on Duerr's Critique of Elias". *Comparative Studies in Society & History*, n. 39, pp. 729-33, 1997.

MENSCHENFREUND, Y. "The Holocaust and the Trial of Modernity". *Azure*, n. 39, pp. 58-83, 2010.

MERRIMAN, T.; CAMERON, V. "Risk-Taking: Behind the Warrior Gene Story". *Journal of the New Zealand Medical Association*, n. 120, 2007.

MESQUIDA, C. G.; WIENER, N. I. "Human Collective Aggression: A Behavioral Ecology Perspective". *Ethology & Sociobiology*, n. 17, pp. 247-62, 1996.

METCALFE, J.; MISCHEL, W. "A Hot/Cool System Analysis of Delay of Gratification: Dynamics of Willpower". *Psychological Review*, n. 106, pp. 3-19, 1999.

MEYER-LINDENBERG, A. "Neural Mechanisms of Genetic Risk for Impulsivity and Violence in Humans". *Proceedings of the National Academy of Sciences*, n. 103, pp. 6269-74, 2006.

MICHEL, J.-B.; SHEN, Y. K.; AIDEN, A. P.; VERES, A.; GRAY, M. K.; THE GOOGLE BOOKS TEAM; PICKETT, J. P.; HOIBERG, D.; CLANCY, D.; NORVIG, P.; ORWANT, J.; PINKER, S.; NOWAK, M.; LIEBERMAN-AIDEN, E. "Quantitative Analysis of Culture Using Millions of Digitized Books". *Science*, n. 331, pp. 176-82, 2011.

MILGRAM, S. *Obedience to Authority: An Experimental View*. Nova York: Harper & Row, 1974.

MILNER, L. S. *Hardness of Heart/Hardness of Life: The Stain of Human Infanticide*. Nova York: University Press of America, 2000.

MISCHEL, W.; AYDUK, O.; BERMAN, M. G.; CASEY, B. J.; GOTLIB, I.; JONIDES, J.; KROSS, E.; TESLOVICH, T.; WILSON, N.; ZAYAS, V.; SHODA, Y. I."'Willpower' over the Life Span: Decomposing Impulse Control". *Social Cognitive & Affective Neuroscience*. No prelo.

MITANI, J. C.; WATTS, D. P.; AMSLER, S. J. "Lethal Intergroup Aggression Leads to Territorial Expansion in Wild Chimpanzees". *Current Biology*, n. 20, R507-8, 2010.

MITZENMACHER, M. "A Brief History of Generative Models for Power Laws and Lognormal Distributions". *Internet Mathematics*, n. 1, pp. 226-51, 2004.

_______. "Editorial: The Future of Power Law Research". *Internet Mathematics*, n. 2, pp. 525-34, 2006.

MNOOKIN, R. H. "Ethnic Conflicts: Flemings and Walloons, Palestinians and Israelis". *Daedalus*, n. 136, pp. 103-19, 2007.

MOGAHED, D. *Perspectives of Women in the Muslim World*. Washington, D. C.: Gallup, 2006.

MOLL, J.; OLIVEIRA-SOUZA, R. de; ESLINGER, P. J. "Morals and the Human Brain: A Working Model". *NeuroReport*, n. 14, pp. 299-305, 2003.

MOLL, J.; ZAHN, R.; OLIVEIRA-SOUZA, R. de; KRUEGER, F.; GRAFMAN, J. "The Neural Basis of Human Moral Cognition". *Nature Reviews Neuroscience*, n. 6, pp. 799-809, 2005.

MONKKONEN, E. "Diverging Homicide Rates: England and the United States, 1850-1875". In: GURR, T. R. (org.). *Violence in America*. Newbury Park, Califórnia: Sage, 1989. v. 1: The History of Crime.

_______. "Homicide over the Centuries". In: FRIEDMAN, L. M.; FISHER, G. (orgs.). *The Crime Conundrum: Essays on Criminal Justice*. Boulder, Colorado: Westview, 1997.

_______. *Murder in New York City*. Berkeley: University of California Press, 2001.

MONTESQUIEU. *The Spirit of the Laws*. Amherst, N. Y.: Prometheus, 1748/2002. [Ed. bras.: *O espírito das leis*. São Paulo: Martins, 2005.]

MOORE, S.; SIMON, J. L. *It's Getting Better All the Time: Greatest Trends of the Last 100 Years*. Washington, D. C.: Cato Institute, 2000.

MORGAN, J. *The Life and Adventures of William Buckley: Thirty-two Years as a Wanderer amongst the Aborigines*. Canberra: Australia National University Press, 1852/1979.

MOUSSEAU, M. "Coming to Terms with the Capitalist Peace". *International Interactions*, n. 36, pp. 185--92, 2010.

MOYNIHAN, D. P. *Pandaemonium: Ethnicity in International Politics*. Nova York: Oxford University Press, 1993.

MUCHEMBLED, R. *Une Histoire de la violence*. Paris: Seuil, 2009.

MUELLER, J. *Retreat from Doomsday: The Obsolescence of Major War*. Nova York: Basic Books, 1989.

_______. *Quiet Cataclysm: Reflections on the Recent Transformation of World Politics*. Nova York: HarperCollins, 1995.

_______. *Capitalism, Democracy, and Ralph's Pretty Good Grocery*. Princeton, Nova Jersey: Princeton University Press, 1999.

_______. *The Remnants of War*. Ithaca, N. Y.: Cornell University Press, 2004a.

_______. "Why Isn't There More Violence?". *Security Studies*, n. 13, pp. 191-203, 2004b.

_______. *Overblown: How Politicians and the Terrorism Industry Inflate National Security Threats, and Why We Believe Them*. Nova York: Free, 2006.

_______. "The Demise of War and of Speculations about the Causes Thereof". Trabalho apresentado na convenção nacional da International Studies Association, 2007.

_______. *Atomic Obsession: Nuclear Alarmism from Hiroshima to Al-Qaeda*. Nova York: Oxford University Press, 2010a.

_______. "Capitalism, Peace, and the Historical Movement of Ideas". *International Interactions*, n. 36, pp. 169-84, 2010b.

MUELLER, J.; LUSTICK, I. "Israel's Fight-or-Flight Response". *National Interest*, 1 nov. 2008.

MURPHY, J. P. M. "Hitler Was Not an Atheist". *Free Inquiry*, n. 9, 1999.

MURRAY, C. A. *Losing Ground: American Social Policy, 1950-1980*. Nova York: Basic Books, 1984.

MYERS, D. G.; LAMM, H. "The Group Polarization Phenomenon". *Psychological Bulletin*, n. 83, pp. 602--27, 1976.

NABOKOV, V. V. *Lolita*. Nova York: Vintage, 1955/1997. [Ed. bras.: *Lolita*. São Paulo: Companhia das Letras, 1994.]

NADELMANN, E. A. "Global Prohibition Regimes: The Evolution of Norms in International Society". *International Organization*, n. 44, pp. 479-526, 1990.

NAGEL, T. *The Possibility of Altruism*. Princeton, Nova Jersey: Princeton University Press, 1970.

NASH, G. H. *Reappraising the Right: The Past and Future of American Conservatism*. Wilmington, Delaware: Intercollegiate Studies Institute, 2009.

NATIONAL CONSORTIUM FOR THE STUDY OF TERRORISM AND RESPONSES TO TERRORISM. *Global Terrorism Database: GTD Variables and Inclusion Criteria*. College Park: University of Maryland, 2009.

______. "Global Terrorism Database", 2010. Disponível em: <www.start.umd.edu/gtd/>.

NATIONAL COUNTERTERRORISM CENTER. *2008 Report Terrorism*. Washington, D. C.: National Counterterrorism Center, 2009. Disponível em: <wits-classic.nctc.gov/ReportPDF.do?f=crt2008nctcannexfinal.pdf>.

NAZARETYAN, A. P. *Evolution of Non-Violence: Studies in Big History, Self-Organization, and Historical Psychology*. Saarbrucken: Lambert Academic Publishing, 2010.

NEISSER, U. "General, Academic, and Artificial Intelligence: Comments on the Papers by Simon and by Klahr". In: RESNICK, L. (org.). *The Nature of Intelligence*. Mahwah, Nova Jersey: Erlbaum, 1976.

NEISSER, U.; BOODOO, G.; BOUCHARD, T. J. Jr.; BOYKIN, A. W.; BRODY, N.; CECI, S. J.; HALPERN, D. F.; LOEHLIN, J. C.; PERLOFF, R.; STERNBERG, R. J.; URBINA, S. "Intelligence: Knowns and Unknowns". *American Psychologist*, n. 51, pp. 77-101, 1996.

NELL, V. "Cruelty's Rewards: The Gratifications of Perpetrators and Spectators". *Behavioral & Brain Sciences*, n. 29, pp. 211-57, 2006.

NETTELFIELD, L. J. "Research and Repercussions of Death Tolls: The Case of the Bosnian Book of the Dead". In: ANDREAS, P.; GREENHILL, K. M. (orgs.). *Sex, Drugs, and Body Counts*. Ithaca, N. Y.: Cornell University Press, 2010.

NEUMAYER, E. "Good Policy Can Lower Violent Crime: Evidence from a Cross-National Panel of Homicide Rates, 1980-97". *Journal of Peace Research*, n. 40, pp. 619-40, 2003.

______. "Is Inequality Really a Major Cause of Violent Crime? Evidence from a Cross-National Panel of Robbery and Violent Theft Rates". Londres: London School of Economics, 2010.

NEWMAN, M. E. J. "Power Laws, Pareto Distributions and Zipf's Law". *Contemporary Physics*, n. 46, pp. 323-51, 2005.

NISBETT, R. E.; COHEN, D. *Culture of Honor: The Psychology of Violence in the South*. Nova York: HarperCollins, 1996.

NORTH, D. C.; WALLIS, J. J.; WEINGAST, B. R. *Violence and Social Orders: A Conceptual Framework for Interpreting Recorded Human History*. Nova York: Cambridge University Press, 2009.

NOWAK, M. A. "Five Rules for the Evolution of Cooperation". *Science*, n. 314, pp. 1560-3, 2006.

______; MAY, R. M.; SIGMUND, K. "The Arithmetic of Mutual Help". *Scientific American*, n. 272, pp. 50-5, 1995.

______; SIGMUND, K. "Evolution of Indirect Reciprocity by Image Scoring". *Nature*, n. 393, pp. 573--77, 1998.

NUNBERG, G. *Talking right: How Conservatives Turned Liberalism into a Tax-Raising, Latte-Drinking, Sushi-Eating, Volvo-Driving,* New York Times*-Reading, Body-Piercing, Hollywood-Loving, Left--Wing Freak Show*. Nova York: PublicAffairs, 2006.

NUSSBAUM, M. *Cultivating Humanity: A Classical Defense of Reform in Liberal Education*. Cambridge, Massachusetts: Harvard University Press, 1997.

______. "Arts Education: Teaching Humanity". *Newsweek*, 21-28 ago. 2006.

OAKLEY, B. *Evil Genes: Why Rome Fell, Hitler Rose, Enron Failed, and My Sister Stole My Mother's Boyfriend*. Amherst, N. Y.: Prometheus, 2007.

OBERMEYER, Z.; MURRAY, C. J. L.; GAKIDOU, E. "Fifty Years of Violent War Deaths from Vietnam To Bosnia: Analysis of Data from the World Health Survey Programme". *BMJ*, n. 336, pp. 1482-6, 2008.

OLDS, J.; MILNER, P. "Positive Reinforcement Produced by Electrical Stimulation of Septal Area and Other Regions of Rat Brain". *Journal of Comparative & Physiological Psychology*, n. 47, pp. 419--27, 1954.

ORWELL, G. "Politics and the English Language". In:______. *A Collection of Essays*. Boston: Mariner, 1946/1970. [Ed. bras: *Como morrem os pobres e outros ensaios*. São Paulo: Companhia das Letras, 2011.]

OTTERBEIN, K. F. *How War Began*. College Station, Texas: Texas A&M University Press, 2004.

OTTOSSON, D. *LGBT World Legal Wrap up Survey*. Bruxelas: International Lesbian and Gay Association, 2006.

______. *State-Sponsored Homophobia*. Bruxelas: International Lesbian, Gay, Bisexual, Trans, and Intersex Association, 2009.

OUTRAM, D. *The Enlightenment*. Nova York: Cambridge University Press, 1995.

OXFORD, J. S.; SEFTON, A.; JACKSON, R.; INNES, W.; DANIELS, R. S.; JOHNSON, N. P. "World War I May Have Allowed the Emergence of 'Spanish' Influenza". *Lancet Infectious Diseases*, n. 2, pp. 111-4, 2002.

OZ, A. "A Postscript Ten Years Later". In:______. *In the Land of Israel*. Nova York: Harcourt, 1993.

PANKSEPP, J. *Affective Neuroscience: The Foundations of Human and Animal Emotions*. Nova York: Oxford University Press, 1998.

PARACHINI, J. "Putting WMD Terrorism into Perspective". *Washington Quarterly*, n. 26, pp. 37-50, 2003.

PARKER, T. *Ten Sermons of Religion*. Ann Arbor: University of Michigan Library, 1852/2005.

PATE, A. "Trends in Democratization: A Focus on Instability in Anocracies". In: HEWITT, J. J.; WILKENFELD, J.; GURR, T. R. (orgs.). *Peace and Conflict 2008*. Boulder, Colo.: Paradigm, 2008.

PATTERSON, O. *Slavery and Social Death*. Cambridge, Massachusetts: Harvard University Press, 1985. [Ed. bras.: *Escravidão e morte social*. São Paulo: Edusp, 2009.]

______. *The Ordeal of Integration*. Washington, D. C.: Civitas, 1997.

______. *Democracy, Violence, and Development in Jamaica: A Comparative Analysis*. Harvard University, 2008.

PAUL, T. V. *The Tradition of Non-Use of Nuclear Weapons*. Stanford, Califórnia: Stanford University Press, 2009.

PAYNE, J. L. *Why Nations Arm*. Nova York: Blackwell, 1989.

______. *A History of Force: Exploring the Worldwide Movement against Habits of Coercion, Bloodshed, and Mayhem*. Sandpoint, Idaho: Lytton, 2004.

______. "The Prospects for Democracy in High-Violence Societies". *Independent Review*, n. 9, pp. 563-72, 2005.

PEREZ, J. *The Spanish Inquisition: A History*. New Haven, Connecticut: Yale University Press, 2006.

PERRY, W. J.; SHULTZ, G. P.; KISSINGER, H. A.; NUNN, S. "Toward a Nuclear-Free World". *Wall Street Journal*, p. A13, 15 jan. 2008.

PETERS, N. J. *Conundrum: The Evolution of Homosexuality*. Bloomington, Indiana: AuthorHouse, 2006.

PEW RESEARCH CENTER. *Gender Equality Universally Embraced, but Inequalities Acknowledged*. Washington, D. C.: Pew Research Center, 2010. Disponível em: <pewglobal.org/files/pdf/Pew-Global--Attitudes-2010-Gender-Report.pdf>.

PFAFF, D. W. *The Neuroscience of Fair Play: Why We (Usually) Follow the Golden Rule*. Nova York: Dana, 2007.

PHELPS, E. A.; O'CONNOR, K. J.; CUNNINGHAM, W. A.; FUNAYAMA, E. S.; GATENBY, J. C.; GORE, J. C.; BANAJI, M. R. "Performance on Indirect Measures of Race Evaluation Predicts Amygdala Activation". *Journal of Cognitive Neuroscience*, n. 12, pp. 729-38, 2000.

PIERS, M. W. *Infanticide: Past and Present*. Nova York: Norton, 1978.

PINKER, S. *The Language Instinct*. Nova York: HarperCollins, 1994. [Ed. bras.: *O instinto da linguagem*. São Paulo: Martins, 2004.]

_______. *How the Mind Works*. Nova York: Norton, 1997. [Ed. bras.: *Como a mente funciona*. São Paulo: Companhia das Letras, 1998.]

_______. "Obituary: Roger Brown". *Cognition*, n. 66, pp. 199-213, 1998.

_______. *Words and Rules: The Ingredients of Language*. Nova York: HarperCollins, 1999.

_______. "Review of John Maynard Smith and Eörs Szathmáry's 'The Origins of Life: From the Birth of Life to the Origin of Language'". *Trends in Evolution & Ecology*, n. 15, pp. 127-8, 2000.

_______. *The Blank Slate: The Modern Denial of Human Nature*. Nova York: Viking, 2002. [Ed. bras.: *Tábula rasa*. São Paulo: Companhia das Letras, 2004.]

_______. "Deep Commonalities between Life and Mind". In: GRAFEN, A.; RIDLEY, M. (orgs.). *Richard Dawkins: How a Scientist Changed the Way We Think*. Nova York: Oxford University Press, 2006.

_______. "A History of Violence". *New Republic*, 19 mar. 2007a.

_______. *The Stuff of Thought: Language as a Window into Human Nature*. Nova York: Viking, 2007b. [Ed. bras.: *Do que é feito o pensamento*. São Paulo: Companhia das Letras, 2008.]

_______. "The Moral Instinct". *New York Times Sunday Magazine*, 13 jan. 2008.

_______. "The Cognitive Niche: Coevolution of Intelligence, Sociality, and Language". *Proceedings of the National Academy of Sciences*, n. 107, pp. 8993-9, 2010.

_______. "Two Problems with Invoking Self-Deception Too Easily: Self-Serving Biases versus Genuine Self-Deception, and Distorted Representations versus Adjusted Decision Criteria". *Behavioral & Brain Sciences*, n. 34, pp. 35-7, 2011.

_______; NOWAK, M. A.; LEE, J. J. "The Logic of Indirect Speech". *Proceedings of the National Academy of Sciences USA*, n. 105, pp. 833-8, 2008.

PINKER, S. M. *The Sexual Paradox: Men, Women, and the Real Gender Gap*. Nova York: Scribner, 2008. [Ed. bras.: *O paradoxo sexual*. São Paulo: Best Seller, 2010.]

PIPES, R. *Communism: A History*. Nova York: Modern Library, 2003.

PIZARRO, D. A.; BLOOM, P. "The Intelligence of the Moral Intuitions: A Comment On Haidt (2001)". *Psychological Review*, n. 110, pp. 193-6, 2003.

PLAVCAN, J. M. "Inferring Social Behavior from Sexual Dimorphism in the Fossil Record". *Journal of Human Evolution*, n. 39, pp. 327-44, 2000.

PLOMIN, R.; DEFRIES, J. C.; MCCLEARN, G. E.; MCGUFFIN, P. *Behavior Genetics*. 5. ed. Nova York: Worth, 2008.

POMERANZ, K. "A Review of 'A Farewell to Alms' by Gregory Clark". *American Historical Review*, n. 113, pp. 775-9, 2008.

POPKIN, R. *The History of Skepticism from Erasmus to Spinoza*. Berkeley: University of California Press, 1979. [Ed. bras.: *História do ceticismo: De Erasmo a Spinoza*. Rio de Janeiro: Francisco Alves, 2000.]

POSNER, R. A. "Torture, Terrorism, and Interrogation". In: LEVINSON, S. (org.). *Torture: A Collection*. Nova York: Oxford University Press, 2004.

POTEGAL, M. "Human Cruelty Is Rooted in the Reinforcing Effects of Intraspecific Aggression that Subserves Dominance Motivation". *Behavioral & Brain Sciences*, n. 29, pp. 236-7, 2006.

POTTS, M.; HAYDEN, T. *Sex and War: How Biology Explains Warfare and Terrorism and Offers a Path to a Safer World*. Dallas, Texas: Benbella, 2008.

POUNDSTONE, W. *Prisoner's Dilemma: Paradox, Puzzles, and the Frailty of Knowledge*. Nova York: Anchor, 1992.

POWER, S. *A Problem from Hell: America and the Age of Genocide*. Nova York: HarperPerennial, 2002. [Ed. bras.: *Genocídio: A retórica americana em questão*. São Paulo: Companhia das Letras, 2004.]

PRATTO, F.; SIDANIUS, J.; LEVIN, S. "Social Dominance Theory and the Dynamics of Intergroup Relations: Taking Stock and Looking Forward". *European Review of Social Psychology*, n. 17, pp. 271-320, 2006.

PRENTICE, D. A.; MILLER, D. T. "Psychological Essentialism of Human Categories". *Current Directions in Psychological Science*, n. 16, pp. 202-6, 2007.

PRESTON, S. D.; DE WAAL, F. B. M. "Empathy: Its Ultimate and Proximate Bases". *Behavioral & Brain Sciences*, n. 25, pp. 1-72, 2002.

PRICE, L. *The Anthology and the Rise of the Novel: From Richardson to George Eliot*. Nova York: Cambridge University Press, 2003.

PRICE, R. M. *The Chemical Weapons Taboo*. Ithaca, N. Y.: Cornell University Press, 1997.

PRINZ, J. J. "Is Empathy Necessary for Morality?". In: GOLDIE, P.; COPLAN, A. (orgs.). *Empathy: Philosophical and Psychological Perspectives*. Oxford: Oxford University Press, 2011.

PROCIDA, F. "Overblown: Why an Iranian Nuclear Bomb Is Not the End of the world". *Foreign Affairs*, 2009.

PRYOR, F. L. "Are Muslim Countries Less Democratic?". *Middle East Quarterly*, n. 14, pp. 53-8, 2007.

PRZEWORSKI, M.; HUDSON, R. R.; DI RIENZO, A. "Adjusting the Focus on Human Variation". *Trends in Genetics*, n. 16, pp. 296-302, 2000.

PUPPI, L. *Torment in Art: Pain, Violence, and Martyrdom*. Nova York: Rizzoli, 1990.

RAI, T.; FISKE, A. P. "Moral Psychology Is Relationship Regulation: Moral Motives for Unity, Hierarchy, Equality, and Proportionality". *Psychological Review*, n. 118, pp. 57-75, 2011.

RAILTON, P. "Moral Realism". *Philosophical Review*, n. 95, pp. 163-207, 1986.

RAINE, A. "The Biological Basis of Crime". In: WILSON, J. Q.; PETERSILIA, J. (orgs.). *Crime: Public Policies for Crime Control*. Oakland, Califórnia: ICS, 2002.

______. "From Genes to Brain to Antisocial Behavior". *Current Directions in Psychological Science*, n. 17, pp. 323-8, 2008.

RAINE, A.; LENCZ, T.; BIHRLE, S.; LACASSE, L.; COLLETTI, P. "Reduced Prefrontal Gray Matter Volume and Reduced Autonomic Activity in Antisocial Personality Disorder". *Archives of General Psychiatry*, n. 57, pp. 119-29, 2000.

RAJENDER, S.; PANDU, G.; SHARMA, J. D.; GANDHI, K. P. C.; SINGH, L.; THANGARAJ, K. "Reduced CAG Repeats Length in Androgen Receptor Gene Is Associated with Violent Criminal Behavior". *International Journal of Legal Medicine*, n. 122, pp. 367-72, 2008.

RAMACHANDRAN, V. S. "Mirror Neurons and Imitation Learning as the Driving Force behind 'The Great Leap Forward' in Human Evolution". *Edge*, 2000. Disponível em: <www.edge.org/3rd_culture/ramachandran/ramachandran_index.html>.

RAPHAEL, S.; STOLL, M. A. *Why Are So Many Americans in Prison?*. Berkeley: University of California Press, 2007.

_______; WINTER-EBMER, R. "Identifying the Effect of Unemployment on Crime". *Journal of Law & Economics*, n. 44, pp. 259-83, 2001.

RAPOPORT, A. *Strategy and Conscience*. Nova York: Harper & Row, 1964.

RAY, J. L. "The Abolition of Slavery and the End of International War". *International Organization*, n. 43, pp. 405-39, 1989.

REDMOND, E. M. *Tribal and Chiefly Warfare in South America*. Ann Arbor: University of Michigan Museum, 1994.

REICHER, S.; HASLAM, S. A. "Rethinking the Psychology of Tyranny: The BBC Prison Study". *British Journal of Social Psychology*, n. 45, pp. 1-40, 2006.

REINO UNIDO. HOME OFFICE. Estatísticas sobre pesquisas de desenvolvimento: Crime, 2010. Disponível em: <rds.homeoffice.gov.uk/rds/bcs1.html>.

_______. OFFICE FOR NATIONAL STATISTICS. Estimativas populacionais para o Reino Unido, Inglaterra e País de Gales, Escócia e Irlanda do Norte, 2009. Disponível em: <www.statistics.gov.uk/statbase/Product.asp?vlnk=15106>.

REMARQUE, E. M. *All Quiet on the Western Front*. Nova York: Ballantine, 1929/1987. [Ed. bras.: *Nada de novo no front*. Porto Alegre: L&PM, 2004.]

RENFREW, J. W. *Aggression and Its Causes: A Biopsychosocial Approach*. Nova York: Oxford University Press, 1997.

RESNICK, P. J. "Murder of the Newborn: A Psychiatric Review of Neonaticide". *American Journal of Psychiatry*, n. 126, pp. 58-64, 1970.

RHEE, S. H.; WALDMAN, I. D. "Behavior-Genetics of Criminality and Aggression". In: FLANNERY, D. J.; VAZSONYI, A. T.; WALDMAN, I. D. (orgs.). *The Cambridge Handbook of Violent Behavior and Aggression*. Nova York: Cambridge University Press, 2007.

RHOADS, S. E. *Taking Sex Differences Seriously*. San Francisco: Encounter, 2004.

RICE, M. "Violent Offender Research and Implications for the Criminal Justice System". *American Psychologist*, n. 52, pp. 414-23, 1997.

RICHARDSON, L. F. *Statistics of Deadly Quarrels*. Pittsburgh: Boxwood, 1960.

RIDLEY, M. *The Origins of Virtue: Human Instincts and the Evolution of Cooperation*. Nova York: Viking, 1997. [Ed. bras.: *As origens da virtude*. Rio de Janeiro: Record, 2000.]

_______. *The Rational Optimist: How Prosperity Evolves*. Nova York: HarperCollins, 2010.

RIEDEL, B. "If Israel Attacks". *National Interest*, 24 ago. 2010.

RIFKIN, J. *The Empathic Civilization: The Race to Global Consciousness in a World in Crisis*. Nova York: J. P. Tarcher/Penguin, 2009.

RINDERMANN, H. "Relevance of Education and Intelligence for the Political Development of Nations: Democracy, Rule of Law and Political Liberty". *Intelligence*, n. 36, pp. 306-22, 2008.

ROBERTS, A. "Lives and Statistics: Are 90% of War Victims Civilians?". *Survival*, n. 52, pp. 115-36, 2010.

ROBERTS, D. C.; TURCOTTE, D. L. "Fractality and Self-Organized Criticality of Wars". *Fractals*, n. 6, pp. 351-7, 1998.

ROBINSON, F. S. *The Case for Rational Optimism*. New Brunswick, Nova Jersey: Transaction, 2009.

RODRIGUEZ, J. P. *Chronology of World Slavery*. Santa Barbara, Califórnia: ABC-Clio, 1999.

RODRIGUEZ, M. L.; MISCHEL, W.; SHODA, Y. "Cognitive Person Variables in The Delay of Gratification of Older Children at Risk". *Journal of Personality & Social Psychology*, n. 57, pp. 358-67, 1989.

ROGERS, A. R. "Evolution of Time Preference by Natural Selection". *American Economic Review*, n. 84, pp. 460-81, 1994.

ROMER, D.; DUCKWORTH, A. L.; SZNITMAN, S.; PARK, S. "Can Adolescents Learn Self-Control? Delay of Gratification in the Development of Control over Risk Taking". *Prevention Science*, n. 11, pp. 319-30, 2010.

RONEY, J. R.; SIMMONS, Z. L.; LUKASZEWSKI, A. W. "Androgen Receptor Gene Sequence and Basal Cortisol Concentrations Predict Men's Hormonal Responses to Potential Mates". *Proceedings of the Royal Society B: Biological Sciences*, n. 277, pp. 57-63, 2009.

ROPEIK, D.; GRAY, G. *Risk: A Practical Guide for Deciding What's Really Safe and What's Really Dangerous in the World around You*. Boston: Houghton Mifflin, 2002.

ROSATO, S. "The Flawed Logic of Democratic Peace Theory". *American Political Science Review*, n. 97, pp. 585-602, 2003.

ROSECRANCE, R. "Capitalist Influences and Peace". *International Interactions*, n. 36, pp. 192-8, 2010.

ROSENAU, J. N.; FAGEN, W. M. "A New Dynamism in World Politics: Increasingly Skillful Individuals?". *International Studies Quarterly*, n. 41, pp. 655-86, 1997.

ROSENBAUM, R. *Explaining Hitler: The Search for the Origins of His Evil*. Nova York: Random House, 1998. [Ed. bras.: *Para entender Hitler: A busca das origens do mal*. Rio de Janeiro: Record, 2000.]

ROSENFELD, R. "Patterns in Adult Homicide: 1980-1995". In: BLUMSTEIN, A.; WALLMAN, J. (orgs.). *The Crime Drop in America*. Ed. rev. Nova York: Cambridge University Press, 2006.

ROSS, M. L. "Blood Barrels: Why Oil Wealth Fuels Conflict". *Foreign Affairs*, 2008.

ROSSI, P. H.; WAITE, E.; BOSE, C.; BERK, R. A. "The Structuring of Normative Judgements Concerning the Seriousness of Crimes". *American Sociological Review*, n. 39, pp. 224-37, 1974.

ROSSITER, C. (org.). *The Federalist Papers*. Nova York: New American Library, 1961.

ROTH, R. "Homicide in Early Modern England, 1549-1800: The Need for a Quantitative Synthesis". *Crime, History & Societies*, n. 5, pp. 33-67, 2001.

_______. *American Homicide*. Cambridge, Massachusetts: Harvard University Press, 2009.

ROTHSTEIN, R. *The Way We Were? The Myths and Realities of America's Student Achievement*. Nova York: Century Foundation, 1998.

ROUSSEAU, J.-J. *Discourse upon the Origin and Foundation of Inequality among Mankind*. Nova York: Oxford University Press, 1755/1994. [Ed. bras.: *Discurso sobre a origem e os fundamentos da desigualdade entre os homens*. São Paulo: Martins, 2005.]

ROWE, D. C. *Biology and Crime*. Los Angeles: Roxbury, 2002.

ROZIN, P. "Towards a Psychology of Food and Eating: From Motivation to Module to Model to Marker, Morality, Meaning, and Metaphor". *Current Directions in Psychological Science*, n. 5, pp. 18-24, 1996.

_______. "Moralization". In: BRANDT, A.; ROZIN, P. (orgs.). *Morality and Health*. Nova York: Routledge, 1997.

_______; FALLON, A. "A Perspective on Disgust". *Psychological Review*, n. 94, pp. 23-41, 1987.

_______; MARKWITH, M.; STOESS, C. "Moralization and Becoming a Vegetarian: The Transformation of Preferences into Values and the Recruitment of Disgust". *Psychological Science*, n. 8, pp. 67-73, 1997.

RUMMEL, R. J. *Death by Government*. Piscataway, Nova Jersey: Transaction, 1994.

RUMMEL, R. J. *Statistics of Democide*. Piscataway, Nova Jersey: Transaction, 1997.
_______. "20th Century Democide", 2002. Disponível em: <www.hawaii.edu/powerkills/20th.htm>.
_______. "One-Thirteenth of a Data Point Does Not a Generalization Make: A Reply to Dulić". *Journal of Peace Research*, n. 41, pp. 103-4, 2004.
RUSSETT, B. *Peace in the Twenty-First Century? The Limited but Important Rise of Influences on Peace*. New Haven, Connecticut: Yale University Press, 2008.
_______. "Capitalism or Democracy? Not So Fast". *International Interactions*, n. 36, pp. 98-205, 2010.
RUSSETT, B.; ONEAL, J. *Triangulating Peace: Democracy, Interdependence, and International Organizations*. Nova York: Norton, 2001.
SAGAN, S. D. "The Global Nuclear Future". *Bulletin of the American Academy of Arts & Sciences*, n. 62, pp. 21-3, 2009.
_______. *Nuclear Programs with Sources*. Califórnia: Stanford University Press, 2010.
SALEHYAN, I. "From Climate Change to Conflict? No Consensus Yet". *Journal of Peace Research*, n. 45, pp. 315-26, 2008.
SALGANIK, M. J.; DODDS, P. S.; WATTS, D. J. "Experimental Study of Inequality and Unpredictability in an Artificial Cultural Market". *Science*, n. 311, pp. 854-6, 2006.
SALMON, C. A. "The Evocative Nature of Kin Terminology in Political Rhetoric". *Politics & the Life Sciences*, n. 17, pp. 51-7, 1998.
_______; SYMONS, D. *Warrior Lovers: Erotic Fiction, Evolution, and Female Sexuality*. New Haven, Connecticut: Yale University Press, 2001.
SAMPSON, R. J.; LAUB, J. H.; WIMER, C. "Does Marriage Reduce Crime? A Counterfactual Approach to within-Individual Causal Effects". *Criminology*, n. 44, pp. 465-508, 2006.
SANFEY, A. G.; RILLING, J. K.; ARONSON, J. A.; NYSTROM, L. E.; COHEN, J. D. "The Neural Basis of Economic Decision-Making in the Ultimatum Game". *Science*, n. 300, pp. 1755-8, 2003.
SARGENT, M. J. "Less Thought, More Punishment: Need for Cognition Predicts Support for Punitive Responses to Crime". *Personality & Social Psychology Bulletin*, n. 30, pp. 1485-93, 2004.
SARKEES, M. R. "The Correlates of War Data on War: An Update to 1997". *Conflict Management & Peace Science*, n. 18, pp. 123-44, 2000.
SAUNDERS, D. G. "Are Physical Assaults by Wives and Girlfriends a Major Social Problem? A Review of the Literature". *Violence Against Women*, n. 8, pp. 1424-48, 2002.
SAUNDERS, J. J. *The History of the Mongol Conquests*. Londres: Routledge & Kegan Paul, 1979.
SAXE, R.; KANWISHER, N. "People Thinking about Thinking People: The Role of the Temporoparietal Junction in 'Theory of Mind'". *NeuroImage*, n. 19, pp. 1835-42, 2003.
SAYRE-MCCORD, G. *Essays on Moral Realism*. Ithaca, N. Y.: Cornell University Press, 1988.
SCARPA, A.; RAINE, A. "Biosocial Bases of Violence". In: FLANNERY, D. J.; VAZSONYI, A. T.; WALDMAN, I. D. (orgs.). *The Cambridge Handbook of Violent Behavior and Aggression*. Nova York: Cambridge University Press, 2007.
SCHAMA, S. *A History of Britain*. Nova York: Hyperion, 2001. v. 2: The Wars of the British 1603-1776.
SCHECHTER, H. *The Serial Killer Files: The Who, What, Where, How, and Why of the World's Most Terrifying Murderers*. Nova York: Ballantine, 2003.
_______. *Savage Pastimes: A Cultural History of Violent Entertainment*. Nova York: St. Martin's, 2005.
SCHECHTER, S.; GREENSTONE, J. H.; HIRSCH, E. G.; KOHLER, K. "Dietary Laws". *Jewish Encyclopedia*, 1906.

SCHEFF, T. J. *Bloody Revenge: Emotions, Nationalism, and War*. Lincoln, Nebraska: iUniverse.com, 1994.

SCHELLING, T. C. *The Strategy of Conflict*. Cambridge, Massachusetts: Harvard University Press, 1960.

_______. *Micromotives and Macrobehavior*. Nova York: Norton, 1978.

_______. "The Intimate Contest for Self-Command". In: _______. *Choice and Consequence: Perspectives of an Errant Economist*. Cambridge, Massachusetts: Harvard University Press, 1984.

_______. "The Legacy of Hiroshima: A Half-Century without Nuclear War". *Philosophy & Public Policy Quarterly*, n. 20, pp. 1-7, 2000.

_______. "An Astonishing Sixty Years: The Legacy of Hiroshima". In: GRANDIN, K. (org.). *Les Prix Nobel*. Estocolmo: Nobel Foundation, 2005.

_______. *Strategies of Commitment, and Other Essays*. Cambridge, Massachusetts: Harvard University Press, 2006.

_______. "A World without Nuclear Weapons?". *Daedalus*, n. 138, pp. 124-9, 2009.

SCHNEIDER, G.; GLEDITSCH, N. P. "The Capitalist Peace: The Origins and Prospects of a Liberal Idea". *International Interactions*, n. 36, pp. 107-14, 2010.

SCHROEDER, P. W. *The Transformation of European Politics, 1763-1848*. Nova York: Oxford University Press, 1994.

SCHUMAN, H.; STEEH, C.; BOBO, L. D. *Racial Attitudes in America: Trends and Interpretations*. Cambridge, Massachusetts: Harvard University Press, 1997.

SCHWAGER, R. *Must There Be Scapegoats? Violence and Redemption in the Bible*. Nova York: Crossroad, 2000.

SCHWARTZ, W. F.; BAXTER, K.; RYAN, D. "The Duel: Can These Men Be Acting Efficiently?". *Journal of Legal Studies*, n. 13, pp. 321-55, 1984.

SEDGH, G.; HENSHAW, S. K.; SINGH, S.; BANKOLE, A.; DRESCHER, J. "Legal Abortion Worldwide: Incidence and Recent Trends". *International Family Planning Perspectives*, n. 33, pp. 106-16, 2007.

SÉGUIN, J. R.; SYLVERS, P.; LILIENFELD, S. O. "The Neuropsychology of Violence". In: FLANNERY, D. J.; VAZSONYI, A. T.; WALDMAN, I. D. (orgs.). *The Cambridge Handbook of Violent Behavior and Aggression*. Nova York: Cambridge University Press, 2007.

SELL, A.; TOOBY, J.; COSMIDES, L. "Formidability and the Logic of Human Anger". *Proceedings of the National Academy of Sciences*, n. 106, pp. 15073-8, 2009.

SEN, A. "More than 100 Million Women Are Missing". *New York Review of Books*, 20 dez. 1990.

_______. "East and West: The Reach of Reason". *New York Review of Books*, 20 jul. 2000.

_______. *Identity and Violence: The Illusion of Destiny*. Nova York: Norton, 2006.

SEYMOUR, B.; SINGER, T.; DOLAN, R. "The Neurobiology of Punishment". *Nature Reviews Neuroscience*, n. 8, pp. 300-11, 2007.

SHAFER-LANDAU, R. *Moral Realism: A Defence*. Oxford: Clarendon, 2003.

SHAMOSH, N. A.; DE YOUNG, C. G.; GREEN, A. E.; REIS, D. L.; JOHNSON, M. R.; CONWAY, A. R. A.; ENGLE, R. W.; BRAVER, T. S.; GRAY, J. R. "Individual Differences in Delay Discounting: Relation to Intelligence, Working Memory, and Anterior Prefrontal Cortex". *Psychological Science*, n. 19, pp. 904-11, 2008.

SHAMOSH, N. A.; GRAY, J. R. "Delay Discounting and Intelligence: A Meta-Analysis". *Intelligence*, n. 38, pp. 289-305, 2008.

SHEEHAN, J. J. *Where Have All the Soldiers Gone? The Transformation of Modern Europe*. Boston: Houghton Mifflin, 2008.

SHERGILL, S. S.; BAYS, P. M.; FRITH, C. D.; Wolpert, D. M. "Two Eyes for an Eye: The Neuroscience of Force Escalation". *Science*, n. 301, p. 187, 2003.

SHERIF, M. *Group Conflict and Cooperation: Their Social Psychology*. Londres: Routledge & Kegan Paul, 1966.

SHERMER, M. *The Science of Good and Evil: Why People Cheat, Gossip, Care, Share, and Follow the Golden Rule*. Nova York: Holt, 2004.

SHEVELOW, K. *For the Love of Animals*. Nova York: Holt, 2008.

SHOTLAND, R. L.; STRAW, M. K. "Bystander Response to an Assault: When a Man Attacks a Woman". *Journal of Personality & Social Psychology*, n. 34, pp. 990-9, 1976.

SHULTZ, G. P. "A World Free of Nuclear Weapons". *Bulletin of the American Academy of Arts & Sciences*, n. 62, pp. 81-2, 2009.

_______; PERRY, W. J.; KISSINGER, H. A.; NUNN, S. "A World Free of Nuclear Weapons". *Wall Street Journal*, 4 jan. 2007.

SHWEDER, R. A.; MUCH, N. C.; MAHAPATRA, M.; PARK, L. "The 'Big Three' of Morality (Autonomy, Community, and Divinity) and the 'Big Three' Explanations of Suffering". In: BRANDT, A.; ROZIN, P. (orgs.). *Morality and Health*. Nova York: Routledge, 1997.

SIDANIUS, J.; PRATTO, F. *Social Dominance*. Cambridge, Reino Unido: Cambridge University Press, 1999.

_______; VENIEGAS, R. C. "Gender and Race Discrimination: The Interactive Nature of Disadvantage". In: OSKAMP, S. (org.). *Reducing Prejudice and Discrimination: The Claremont Symposium on Applied Social Psychology*. Mahwah, Nova Jersey: Erlbaum, 2000.

SIENA RESEARCH INSTITUTE. *American Presidents: Greatest and Worst. Siena's 5th Presidential Expert Poll*. Loudonville, N. Y.: Siena College, 2010. Disponível em: <www.siena.edu/uploadedfiles/home/parents_and_community/community_page/sri/independent_research/Presidents%20Release_2010_final.pdf>.

SIGMUND, K. "Games Evolution Plays". In: SCHMITT, A.; ATZWANGER, K.; GRAMMER, K.; SCHÄFER, K. (orgs.). *Aspects of Human Ethology*. Nova York: Plenum, 1997.

SIMONS, O. *Marteaus Europa oder Der Roman, bevor er Literatur wurde*. Amsterdam: Rodopi, 2001.

SIMONTON, D. K. *Psychology, Science, and History: An Introduction to Historiometry*. New Haven, Connecticut: Yale University Press, 1990.

_______. "Presidential IQ, Openness, Intellectual Brilliance, and Leadership: Estimates and Correlations for 42 U. S. Chief Executives". *Political Psychology*, n. 27, pp. 511-26, 2006.

SINGER, D. J.; SMALL, M. *The Wages of War 1816-1965: A Statistical Handbook*. Nova York: Wiley, 1972.

SINGER, P. *Animal Liberation: The Definitive Classic of the Animal Movement*. Ed. atual. Nova York: HarperCollins, 1975/2009. [Ed. bras.: *Libertação animal: O clássico definitivo sobre o movimento pelos direitos dos animais*. São Paulo: WMF Martins Fontes, 2010.]

_______. *The Expanding Circle: Ethics and Sociobiology*. Princeton, Nova Jersey: Princeton University Press, 1981/2011.

_______. *Rethinking Life and Death: The Collapse of our Traditional Ethics*. Nova York: St. Martin's Press, 1994.

SINGER, T.; SEYMOUR, B.; O'DOHERTY, J. P.; STEPHAN, K. E.; DOLAN, R. J.; FRITH, C. D. "Empathic Neural Responses Are Modulated by the Perceived Fairness of Others". *Nature*, n. 439, pp. 466-9, 2006.

SKENAZY, L. *Free-Range Kids: Giving Our Children the Freedom We Had without Going Nuts with Worry*. San Francisco: Jossey-Bass, 2009.

SKOGAN, W. "Social Change and the Future of Violent Crime". In: GURR, T. R. (org.). *Violence in America*. Newbury Park, Califórnia: Sage, 1989. v. 1: The History of Crime.

SLOVIC, P. "Perception of Risk". *Science*, n. 236, pp. 280-5, 1987.

_______. "'If I Look at the Mass I Will Never Act': Psychic Numbing and Genocide". *Judgment & Decision Making*, n. 2, pp. 79-95, 2007.

_______; FISCHOF, B.; LICHTENSTEIN, S. "Facts versus Fears: Understanding Perceived Risk". In: KAHNEMAN, D.; SLOVIC, P.; TVERSKY, A. (orgs.). *Judgment under Uncertainty: Heuristics and Biases*. Nova York: Cambridge University Press, 1982.

SLUTSKE, W. S.; HEATH, A. C.; DINWIDDIE, S. H.; MADDEN, P. A. F.; BUCHOLZ, K. K.; DUNNE, M. P.; STATHAM, D. J.; MARTIN, N. G. "Modeling Genetic and Environmental Influences in the Etiology of Conduct Disorder: A Study of 2,682 Adult Twin Pairs". *Journal of Abnormal Psychology*, n. 106, pp. 266-79, 1997.

SMITH, A. *The Theory of Moral Sentiments*. Indianapolis: Liberty Classics, 1759/1976. [Ed. bras.: *A teoria dos sentimentos morais*. São Paulo: Martins Fontes, 1999.]

_______. *The Wealth of Nations*. Nova York: Classic House, 1776/2009. [Ed. bras.: *A riqueza das nações*. São Paulo: Martins Fontes, 2003.]

SMITH, H. *Man and His Gods*. Boston: Little, Brown, 1952.

SOKAL, A. D. *The Sokal Hoax: The Sham that Shook the Academy*. Lincoln: University of Nebraska Press, 2000.

SOLOMON, R. L. "The Opponent-Process Theory of Acquired Motivation". *American Psychologist*, n. 35, pp. 691-712, 1980.

SOLZHENITSYN, A. *The Gulag Archipelago*. Nova York: HarperPerennial, 1973/1991. [Ed. bras.: *Arquipélago Gulag*. São Paulo: Círculo do Livro, 1975.]

SOMMERS, C. H. *Who Stole Feminism?*. Nova York: Simon & Schuster, 1994.

SOROKIN, P. *Social and Cultural Dynamics: A Study of Change in Major Systems of Art, Truth, Ethics, Law, and Social Relationships*. Boston: Extending Horizons, 1975.

SOWELL, T. *Knowledge and Decisions*. Nova York: Basic Books, 1980.

_______. *A Conflict of Visions: Ideological Origins of Political Struggles*. Nova York: Quill, 1987. [Ed. bras.: *Conflito de visões: Origens ideológicas das lutas políticas*. São Paulo: É Realizações, 2012.]

_______. *Race and Culture: A World View*. Nova York: Basic Books, 1994.

_______. *Migrations and Cultures: A World View*. Nova York: Basic Books, 1996.

_______. *Conquests and Cultures: An International History*. Nova York: Basic Books, 1998.

_______. *Affirmative Action around the World: An Empirical Study*. New Haven, Connecticut: Yale University Press, 2004.

_______. "Are Jews Generic?". In: _______. *Black Rednecks and White Liberals*. Nova York: Encounter, 2005.

_______. *Intellectuals and Society*. Nova York: Basic Books, 2010. [Ed. bras.: *Os intelectuais e a sociedade*. São Paulo: É Realizações, 2011.]

SPAGAT, M.; MACK, A.; COOPER, T.; KREUTZ, J. "Estimating War Deaths: An Arena of Contestation". *Journal of Conflict Resolution*, n. 53, pp. 934-50, 2009.

SPENCE, J. T.; HELMREICH, R.; STAPP, J. "A Short Version of the Attitudes toward Women Scale (AWS)". *Bulletin of the Psychonomic Society*, n. 2, pp. 219-20, 1973.

SPENCER, A. T.; CROUCHER, S. M. "Basque Nationalism and the Spiral of Silence: An Analysis of Public Perceptions of ETA in Spain and France". *International Communication Gazette*, n. 70, pp. 137-53, 2008.

SPENCER, C. *Vegetarianism: A History*. Nova York: Four Walls Eight Windows, 2000.

SPERBER, D. (org.). *Metarepresentations: A Multidisciplinary Perspective*. Nova York: Oxford University Press, 2000.

SPIERENBURG, P. "Democracy Came Too Early: A Tentative Explanation for the Problem of American Homicide". *American Historical Review*, n. 111, pp. 104-14, 2006.

_______. *A History of Murder: Personal Violence in Europe from the Middle Ages to the Present*. Cambridge, Reino Unido: Polity, 2008.

SPILLER, R. J. "S. L. A. Marshall and the Ratio of Fire". *Rusi Journal*, n. 133, pp. 63-71, 1988.

SPITZER, S. "Punishment and Social Organization: A Study of Durkheim's Theory of Penal Evolution". *Law & Society Review*, n. 9, pp. 613-38, 1975.

STANTON, S. J.; BEEHNER, J. C.; SAINI, E. K.; KUHN, C. M.; LABAR, K. S. "Dominance, Politics, and Physiology: Voters' Testosterone Changes on the Night of the 2008 United States Presidential Election". *PLoS ONE*, n. 4, p. e7543, 2009.

STATISTICS CANADA. "Table 1: Homicide Rates by Province / Territory, 1961 to 2007", 2008. Disponível em: <www.statcan.gc.ca / pub / 85-002-x / 2008009 / article / t / 5800411-eng.htm>.

_______. "Homicide Offences, Number and Rate, by Province and Territory", 2010. Disponível em: <www40.statcan.ca / l01 / cst01 / legal12a-eng.htm>.

STECKEL, R. H.; WALLIS, J. "Stones, Bones, and States: A New Approach to the Neolithic Revolution", 2009. Disponível em: <www.nber.org / ~confer / 2007 / daes07 / steckel.pdf>.

STEENHUIS, A. "We Have Not Learnt To Control Nature and Ourselves Enough: An Interview with Norbert Elias". *De Groene Amsterdammer*, pp. 10-11, 16 maio 1984.

STEIGMANN-GALL, R. *The Holy Reich: Nazi Conceptions of Christianity, 1919-1945*. Nova York: Cambridge University Press, 2003.

STEINBECK, J. *Travels with Charley and Later Novels, 1947-1962*. Nova York: Penguin, 1962 / 1997. [Ed. port.: *Viagens com Charley*. Lisboa: Livros do Brasil, 1983.]

STEPHAN, W. G.; FINLAY, K. "The Role of Empathy in Improving Intergroup Relations". *Journal of Social Issues*, n. 55, pp. 729-43, 1999.

STEVENS, W. O. *Pistols at Ten Paces: The Story of the Code of Honor in America*. Boston: Houghton Mifflin, 1940.

STEVENSON, D. *Cataclysm: The First World War as Political Tragedy*. Nova York: Basic Books, 2004.

STILLWELL, A. M.; BAUMEISTER, R. F. "The Construction of Victim and Perpetrator Memories: Accuracy and Distortion in Role-Based Accounts". *Personality & Social Psychology Bulletin*, n. 23, pp. 1157-72, 1997.

STOCKHOLM INTERNATIONAL PEACE RESEARCH INSTITUTE. *SIPRI Yearbook Armaments, Disarmaments, and International Security*. Nova York: Oxford University Press, 2009.

STONE, V. E.; BARON-COHEN, S.; KNIGHT, R. T. "Frontal Lobe Contributions to Theory of Mind". *Journal of Cognitive Neuroscience*, n. 10, pp. 640-56, 1998.

STRANGE, J. J. "How Fictional Tales Wag Real-World Beliefs: Models and Mechanisms of Narrative

Influence". In: GREEN, M. C.; STRANGE, J. J.; BROCK, T. C. (orgs.). *Narrative Impact: Social and Cognitive Foundations*. Nova York: Routledge, 2002.

STRAUS, M. A. "Wife-Beating: How Common, and Why?". *Victimology*, n. 2, pp. 443-58, 1977/1978.

______. "Trends in Cultural Norms and Rates of Partner Violence: An Update to 1992". In: STITH, S. M.; STRAUS, M. A. (orgs.). *Understanding Partner Violence: Prevalence, Causes, Consequences, and Solutions*. Minneapolis: National Council on Family Relations, 1995.

______. "Corporal Punishment by American Parents: National Data on Prevalence, Chronicity, Severity, and Duration, in Relation to Child, and Family Characteristics". *Clinical Child & Family Psychology Review*, n. 2, pp. 55-70, 1999.

______. *Beating the Devil out of Them: Corporal Punishment in American Families and Its Effects on Children*. Ed. rev. New Brunswick, Nova Jersey: Transaction, 2001.

______. "Children Should Never, Ever Be Spanked No Matter What the Circumstances". In: LOSEKE, D. R.; GELLES, R. J.; CAVANAUGH M. M. (orgs.). *Current Controversies about Family Violence*. Thousand Oaks, Califórnia: Sage, 2005.

______. "Differences in Corporal Punishment by Parents in 32 Nations and Its Relation to National Differences in IQ". Trabalho apresentado na 14th International Conference on Violence, Abuse, and Trauma, 2009. Disponível em: <pubpages.unh.edu/~mas2/Cp98D%20CP%20%20IQ%20world-wide.pdf>.

______; GELLES, R. J. "Societal Change and Change in Family Violence from 1975 to 1985 as Revealed by Two National Surveys". *Journal of Marriage & the Family*, n. 48, pp. 465-80, 1986.

______. "How Violent Are American Families? Estimates from the National Family Violence Resurvey and Other Studies". In: HOTALING, G. T.; FINKELHOR, D.; KIRKPATRICK, J. T.; STRAUS, M. A. (orgs.). *Family Abuse and Its Consequences: New Directions in Research*. Thousand Oaks, Califórnia: Sage, 1988.

______; KANTOR, G. K. "Change in Spouse Assault Rates from 1975 to 1992: A Comparison of Three National Surveys in the United States". Trabalho apresentado no 13th World Congress of Sociology, 1994. Disponível em: <pubpages.unh.edu/~mas2/V55.pdf>.

______. "Trends in Physical Abuse by Parents from 1975 to 1992: A Comparison of Three National Surveys". Trabalho apresentado na American Society of Criminology, 1995.

______.; KANTOR, G. K.; MOORE, D. W. "Changes in Cultural Norms Approving Marital Violence from 1968 to 1994". In: KANTOR, G. K.; JASINSKI, J. L. (orgs.). *Out of the Darkness: Contemporary Perspectives on Family Violence*. Thousand Oaks, Califórnia: Sage, 1997.

STUART, T. *The Bloodless Revolution: A Cultural History of Vegetarianism from 1600 to Modern Times*. Nova York: Norton, 2006.

SUEDFELD, P.; COREN, S. "Cognitive Correlates of Conceptual Complexity". *Personality & Individual Differences*, n. 13, pp. 1193-9, 1992.

______; TETLOCK, P. E. "Integrative Complexity of Communications in International Crises". *Journal of Conflict Resolution*, n. 21, pp. 169-84, 1977.

______; TETLOCK, P. E.; RAMIREZ, C. "War, Peace, and Integrative Complexity: UN Speeches on the Middle East Problem 1947-1976". *Journal of Conflict Resolution*, n. 21, pp. 427-42, 1977.

SUK, J. *At Home in the Law: How the Domestic Violence Revolution is Transforming Privacy*. New Haven, Connecticut: Yale University Press, 2009.

SYMONS, D. *The Evolution of Human Sexuality*. Nova York: Oxford University Press, 1979.

TAAGEPERA, R.; COLBY, B. N. "Growth of Western Civilization: Epicyclical or Exponential?". *American Anthropologist*, n. 81, pp. 907-12, 1979.

TAJFEL, H. *Human Groups and Social Categories*. Nova York: Cambridge University Press, 1981.

TAKAHASHI, H.; KATO, M.; MATSUURA, M.; MOBBS, D.; SUHARA, T.; OKUBO, Y. "When Your Gain Is My Pain and Your Pain Is My Gain: Neural Correlates of Envy and Schadenfreude". *Science*, n. 323, pp. 937-9, 2009.

TALMY, L. "Force Dynamics in Language and Cognition". In: ______. *Toward a Cognitive Semantics*. Cambridge, Massachusetts: MIT Press, 2000. v. 1: Concept Structuring Systems.

TANGNEY, J. P.; BAUMEISTER, R. F.; BOONE, A. L. "High Self-Control Predicts Good Adjustment, Less Pathology, Better Grades, and Interpersonal Success". *Journal of Personality*, n. 72, pp. 272--324, 2004.

TANNEWALD, N. "Ideas and Explanation: Advancing the Theoretical Agenda". *Journal of Cold War Studies*, n. 7, pp. 13-42, 2005a.

______. "Stigmatizing the Bomb: Origins of the Nuclear Taboo". *International Security*, n. 29, pp. 5-49, 2005b.

______; WOHLFORTH, W. C. "Introduction: The Role of Ideas and the End of the Cold War". *Journal of Cold War Studies*, n. 7, pp. 3-12, 2005.

TATAR, M. *The Hard Facts of the Grimm's Fairy Tales*. 2. ed. rev. Princeton, Nova Jersey: Princeton University Press, 2003.

TAVRIS, C.; ARONSON, E. *Mistakes Were Made (But Not by Me): Why We Justify Foolish Beliefs, Bad Decisions, and Hurtful Acts*. Orlando, Flórida: Harcourt, 2007.

TAYLOR, S.; JOHNSON, K. C. *Until Proven Innocent: Political Correctness and the Shameful Injustices of the Duke Lacrosse Rape Case*. Nova York: St. Martin's, 2008.

TAYLOR, S. E. *Positive Illusions: Creative Self-Deception and the Healthy Mind*. Nova York: Basic Books, 1989.

TETLOCK, P. E. "Integrative Complexity of American and Soviet Foreign Policy Rhetoric: A Timeseries Analysis". *Journal of Personality & Social Psychology*, n. 49, pp. 1565-85, 1985.

______. "Political Psychology or Politicized Psychology: Is the Road to Scientific Hell Paved with Good Moral Intentions?". *Political Psychology*, n. 15, pp. 509-29, 1994.

______. "Coping with Tradeoffs: Psychological Constraints and Political Implications". In: LUPIA, A.; MCCUBBINS, M.; POPKIN, S. (orgs.). *Political Reasoning and Choice*. Berkeley: University of California Press, 1999.

______. "Thinking the Unthinkable: Sacred Values and Taboo Cognitions". *Trends in Cognitive Sciences*, n. 7, pp. 320-4, 2003.

______; KRISTEL, O. V.; ELSON, B.; GREEN, M. C.; LERNER, J. "The Psychology of the Unthinkable: Taboo Tradeoffs, Forbidden Base Rates, and Heretical Counterfactuals". *Journal of Personality & Social Psychology*, n. 78, pp. 853-70, 2000.

______; PETERSON, R. S.; LERNER, J. S. "Revising the Value Pluralism Model: Incorporating Social Content and Context Postulates". In: SELIGMAN, C.; OLSON, J. M.; ZANNA, M. P. (orgs.). *The Psychology of Values: The Ontario Symposium*. Mahwah, Nova Jersey: Erlbaum, 1996. v. 8.

THALER, R. H.; SUNSTEIN, C. R. *Nudge: Improving Decisions about Health, Wealth, and Happiness*. New Haven, Connecticut: Yale University Press, 2008.

THAYER, B. A. *Darwin and International Relations: On the Evolutionary Origins of War and Ethnic Conflict*. Lexington: University Press of Kentucky, 2004.

THEISEN, O. M. "Blood and Soil? Resource Scarcity and Internal Armed Conflict Revisited". *Journal of Peace Research*, n. 45, pp. 801-18, 2008.

THEWELEIT, M. *Male Fantasies*. Minneapolis: University of Minnesota Press, 1977/1987.

THOMAS, D. C. "Human Rights Ideas, the Demise of Communism, and the End of the Cold War". *Journal of Cold War Studies*, n. 7, pp. 110-41, 2005.

THOMPSON, P. M.; CANNON, T. D.; NARR, K. L.; VAN ERP, T. G. M.; POUTANEN, V.-P.; HUTTUNEN, M.; LÖNNQVIST, J.; STANDERTSKJÖLD-NORDENSTAM, C.-G.; KAPRIO, J.; KHALEDY, M.; DAIL, R.; ZOUMALAN, C. I.; TOGA, A. W. "Genetic Influences on Brain Structure". *Nature Neuroscience*, n. 4, pp. 1-6, 2001.

THORNHILL, R.; PALMER, C. T. *A Natural History of Rape: Biological Bases of Sexual Coercion*. Cambridge, Massachusetts: MIT Press, 2000.

THORPE, I. J. N. "Anthropology, Archaeology, and the Origin of War". *World Archaeology*, n. 35, pp. 145-65, 2003.

THURSTON, R. *Witch Hunts: A History of the Witch Persecutions in Europe and North America*. Nova York: Longman, 2007.

THYNE, C. L. "ABC's, 123's, and the Golden Rule: The Pacifying Effect of Education on Civil War, 1980-1999". *International Studies Quarterly*, n. 50, pp. 733-54, 2006.

TIGER, L. "Torturers, Horror Films, and the Aesthetic Legacy of Predation". *Behavioral & Brain Sciences*, n. 29, pp. 244-5, 2006.

TILLY, C. "War Making and State Making as Organized Crime". In: EVANS, P.; RUESCHEMEYER, D.; SKOCPOL, T. (orgs.). *Bringing the State Back in*. Nova York: Cambridge University Press, 1985.

TISHKOFF, S. A.; REED, F. A.; RANCIARO, A.; VOIGHT, B. F.; BABBITT, C. C.; SILVERMAN, J. S.; POWELL, K.; MORTENSEN, H. M.; HIRBO, J. B.; OSMAN, M.; IBRAHIM, M.; OMAR, S. A.; LEMA, G.; NYAMBO, T. B.; GHORI, J.; BUMPTSTEAD, S.; PRITCHARD, J. K.; WRAY, G. A.; DELOUKAS, P. "Convergent Adaptation of Human Lactase Persistence in Africa and Europe". *Nature Genetics*, n. 39, pp. 31-40, 2006.

TITCHENER, E. B. *Lectures on the Experimental Psychology of the Thought-Processes*. Nova York: Arno Press, 1909/1973.

TOOBY, J.; COSMIDES, L. *The Evolution of War and Its Cognitive Foundations*. Institute for Evolutionary Studies Technical Report, 1988.

_______. "On the Universality of Human Nature and the Uniqueness of the Individual: The Role of Genetics and Adaptation". *Journal of Personality*, n. 58, pp. 17-67, 1990a.

_______. "The Past Explains the Present: Emotional Adaptations and the Structure of Ancestral Environments". *Ethology & Sociobiology*, n. 11, pp. 375-424, 1990b.

_______. "Psychological Foundations of Culture". In: BARKOW, J.; COSMIDES, L.; TOOBY, J. (orgs.). *The Adapted Mind: Evolutionary Psychology and the Generation of Culture*. Nova York: Oxford University Press, 1992.

_______. "Groups in Mind: The Coalitional Roots of War and Morality". In: HØGH-OLESON, H. (org.). *Human Morality and Sociality: Evolutionary and Comparative Perspectives*. Nova York: Palgrave Macmillan, 2010.

_______. "Ecological Rationality and the Multimodular Mind: Grounding Normative Theories in Adaptive Problems". In: MANKTELOW, K. I.; OVER, D. E. (orgs.). *Reasoning and Rationality*. Londres: Routledge. No prelo.

_______; COSMIDES, L.; PRICE, M. E. "Cognitive Adaptations for N-Person Exchange: The Evolutionary Roots of Organizational Behavior". *Managerial & Decision Economics*, n. 27, pp. 103-29, 2006.

TOOBY, J. DEVORE, I. "The Reconstruction of Hominid Evolution Through Strategic Modeling". In: KINZEY, W. G. (org.). *The Evolution of Human Behavior: Primate Models*. Albany, N. Y.: SUNY Press, 1987.

TOOLEY, M. "Abortion and Infanticide". *Philosophy & Public Affairs*, n. 2, pp. 37-65, 1972.

TOYE, R. *Churchill's Empire: The World that Made Him and the World He Made*. Nova York: Henry Holt, 2010.

TRAVERS, J.; MILGRAM, S. "An Experimental Study of the Small-World Problem". *Sociometry*, n. 32, pp. 425-43, 1969.

TRIVERS, R. L. "The Evolution of Reciprocal Altruism". *Quarterly Review of Biology*, n. 46, pp. 35-57, 1971.

_______. "Parental Investment and Sexual Selection". In: CAMPBELL, B. (org.). *Sexual Selection and the Descent of Man*. Chicago: Aldine, 1972.

_______. "Parent-Offspring Conflict". *American Zoologist*, n. 14, pp. 249-64, 1974.

_______. "Foreword". In: DAWKINS, R. (org.). *The Selfish Gene*. Nova York: Oxford University Press, 1976. [Ed. bras.: *O gene egoísta*. São Paulo: Companhia das Letras, 2007.]

_______. *Social Evolution*. Reading, Massachusetts: Benjamin/Cummings, 1985.

_______. *Deceit and Self-Deception*. No prelo.

_______; WILLARD, D. E. "Natural Selection of Parental Ability to Vary the Sex Ratio of Offspring". *Science*, n. 179, pp. 90-1, 1973.

TUCHMAN, B. W. *A Distant Mirror: The Calamitous 14th Century*. Nova York: Knopf, 1978.

TUCKER, G. R.; LAMBERT, W. E. "White and Negro Listeners' Reactions to Various American-English Dialects". *Social Forces*, n. 47, pp. 465-8, 1969.

TURING, A. M. "On Computable Numbers, with an Application to the *Entscheidungsproblem*". *Proceedings of the London Mathematical Society*, n. 42, pp. 230-65, 1936.

_______. "Computing Machinery and Intelligence". *Mind*, n. 59, pp. 433-60, 1950.

TURKHEIMER, E. "Three Laws of Behavior Genetics and What They Mean". *Current Directions in Psychological Science*, n. 5, pp. 160-4, 2000.

TURNER, H. A. *Hitler's Thirty Days to Power: January 1933*. Nova York: Basic Books, 1996.

TVERSKY, A.; KAHNEMAN, D. "Availability: A Heuristic for Judging Frequency and Probability". *Cognitive Psychology*, n. 4, pp. 207-32, 1973.

_______. "Judgment under Uncertainty: Heuristics and Biases". *Science*, n. 185, pp. 1124-31, 1974.

_______. "The Framing of Decisions and the Psychology of Choice". *Science*, n. 211, pp. 453-8, 1981.

_______. "Extensions versus Intuitive Reasoning: The Conjunction Fallacy in Probability Judgment". *Psychological Review*, n. 90, pp. 293-315, 1983.

TWENGE, J. M. "Attitudes toward Women, 1970-1995: A Meta-Analysis". *Psychology of Women Quarterly*, n. 21, pp. 35-51, 1997.

_______. "Change over Time in Obedience: The Jury's Still out, but It Might Be Decreasing". *American Psychologist*, n. 64, pp. 28-31, 2009.

TYRRELL, M. "Homage to Ruritania: Nationalism, Identity, and Diversity". *Critical Review*, n. 19, pp. 511-2, 2007.

UMBECK, J. "Might Makes Rights: A Theory of the Formation and Initial Distribution of Property Rights". *Economic Inquiry*, n. 19, pp. 38-59, 1981.

UNITED NATIONS. *World Population Prospects*. Dados populacionais, 2008 rev. Disponível em: <esa.un.org/unpp/>.

UNITED NATIONS DEVELOPMENT FUND FOR WOMEN. *Not a Minute More: Ending Violence Against Women*. Nova York: United Nations, 2003.

UNITED NATIONS DEVELOPMENT PROGRAMME. *Arab Human Development Report 2002: Creating Opportunities for Future Generations*. Nova York: Oxford University Press, 2003.

UNITED NATIONS OFFICE ON DRUGS AND CRIME. *International Homicide Statistics*, 2009. Disponível em: <www.unodc.org/documents/data-and-analysis/IHS-rates-05012009.pdf>.

UNITED NATIONS POPULATION FUND. *The State of World Population: Lives Together, Worlds Apart — Men and Women in a Time of Change*. Nova York: United Nations, 2000.

U. S. BUREAU OF JUSTICE STATISTICS. *National Crime Victimization Survey Spreadsheet*, 2009. Disponível em: <bjs.ojp.usdoj.gov/content/glance/sheets/viortrd.csv>.

_______. *Intimate Partner Violence in the U. S*, 2010. Disponível em: <bjs.ojp.usdoj.gov/content/intimate/victims.cfm>.

_______. *Homicide Trends in the U. S.: Intimate Homicide*, 2011. Disponível em: <bjs.ojp.usdoj.gov/content/homicide/intimates.cfm>.

U. S. CENSUS BUREAU. *Historical Estimates of World Population*, 2010a. Disponível em: <www.census.gov/ipc/www/worldhis.html>.

_______. *Income Families*. "Table F-4: Gini Ratios of Families by Race and Hispanic Origin of Householder", 2010b. Disponível em: <www.census.gov/hhes/www/income/data/historical/families/index.html>.

_______. *International Data Base (IDB): Total Midyear Population for the World: 1950-2020*, 2010c. Disponível em: <www.census.gov/ipc/www/idb/worldpop.php>.

U. S. FEDERAL BUREAU OF INVESTIGATION. *Crime in the United States*, 2007. Disponível em: <www.fbi.gov/ucr/cius2007/index.html>.

_______. *Hate Crimes*, 2010a. Disponível em: <www.fbi.gov/about-us/investigate/civilrights/hate_crimes/hates_crimes>.

_______. *Uniform Crime Reports,* 2010b. Disponível em: <www.fbi.gov/about-us/cjis/ucr/ucr>.

_______. *Preliminary Annual Uniform Crime Report, January-December 2010*, 2011. Disponível em: <www.fbi.gov/about-us/cjis/ucr/crime-in-the-u.s/2010/preliminary-annual-ucr-jan-dec-2010>.

U. S. FISH AND WILDLIFE SERVICE. *National Survey of Fishing, Hunting, and Wildlife-Associated Recreation*, 2006. Disponível em: <docs.google.com/viewer?url=http://library.fws.gov/Pubs/nat_survey2006.pdf>.

VALDESOLO, P.; DESTENO, D. "The Duality of Virtue: Deconstructing the Moral Hypocrite". *Journal of Experimental Social Psychology*, n. 44, pp. 1334-8, 2008.

VALENTINO, B. *Final Solutions: Mass Killing and Genocide in the 20th Century*. Ithaca, N. Y.: Cornell University Press, 2004.

VALERO, H.; BIOCCA, E. *Yanoama: The Narrative of a White Girl Kidnapped by Amazonian Indians*. Nova York: Dutton, 1970.

VAN BEIJSTERVELDT, C. E. M.; BARTELS, M.; HUDZIAK, J. J.; BOOMSMA, D. I. "Causes of Stability of Aggression from Early Childhood to Adolescence: A Longitudinal Genetic Analysis in Dutch Twins". *Behavior Genetics*, n. 33, pp. 591-605, 2003.

VAN CREVELD, M. *The Culture of War*. Nova York: Ballantine, 2008.

VAN DEN OORD, E. J. C. G.; BOOMSMA, D. I.; VERHULST, F. C. "A Study of Problem Behaviors in 10- to

15-Year-Old Biologically Related and Unrelated International Adoptees". *Biological Genetics*, n. 24, pp. 193-205, 1994.

VAN DER DENNEN, J. M. G. *The Origin of War: The Evolution of a Male-Coalitional Reproductive Strategy*. Groningen, Holanda: Origin, 1995.

______. "*Querela Pacis:* Confession of an Irreparably Benighted Researcher on War and Peace. An Open Letter to Frans de Waal and the 'Peace and Harmony Mafia'". University of Groningen, 2005.

VAN EVERA, S. "Hypotheses on Nationalism and War". *International Security*, n. 18, pp. 5-39, 1994.

VASQUEZ, J. A. *The War Puzzle Revisited*. Nova York: Cambridge University Press, 2009.

VEGETARIAN SOCIETY. Lâminas informativas, 2010. Disponível em: <www.vegsoc.org/info/statveg.html>.

VINCENT, D. *The Rise of Mass Literacy: Reading and Writing in Modern Europe*. Malden, Massachusetts: Blackwell, 2000.

VON HIPPEL, W.; TRIVERS, R. L. "The Evolution and Psychology of Self-Deception". *Behavioral & Brain Sciences*, n. 34, pp. 1-56, 2011.

WADE, N. *Before the Dawn: Recovering the Lost History of Our Ancestors*. Nova York: Penguin, 2006.

WAKEFIELD, J. C. "The Concept of Mental Disorder: On the Boundary between Biological Facts and Social Values". *American Psychologist*, n. 47, pp. 373-88, 1992.

WALDREP, C. *The Many Faces of Judge Lynch: Extralegal Violence and Punishment in America*. Nova York: Palgrave Macmillan, 2002.

WALKER, A.; FLATLEY, J.; KERSHAW, C.; MOON, D. *Crime in England and Wales 2008/09*. Londres: U. K. Home Office, 2009.

WALKER, P. L. "A Bioarchaeological Perspective on the History of Violence". *Annual Review of Anthropology*, n. 30, pp. 573-96, 2001.

WALZER, M. "Political Action: The Problem of Dirty Hands". In: LEVINSON, S. (org.). *Torture: A Collection*. Nova York: Oxford University Press, 2004.

WARNEKEN, F.; TOMASELLO, M. "Helping and Cooperation at 14 Months of Age". *Infancy*, n. 11, pp. 271-94, 2007.

WATSON, G. *The Idea of Liberalism*. Londres: Macmillan, 1985.

WATTENBERG, B. J. *The Good News is the Bad News Is Wrong*. Nova York: Simon & Schuster, 1984.

WEARING, J. P. (org.). *Bernard Shaw on War*. Londres: Hesperus, 2010.

WEEDE, E. "The Capitalist Peace and the Rise of China: Establishing Global Harmony by Economic Independence". *International Interactions*, n. 36, pp. 206-13, 2010.

WEEDON, M.; FRAYLING, T. "Reaching New Heights: Insights into the Genetics of Human Stature". *Trends in Genetics*, n. 24, pp. 595-603, 2008.

WEISS, H. K. "Stochastic Models for the Duration and Magnitude of a 'Deadly Quarrel'". *Operations Research*, n. 11, pp. 101-21, 1963.

WHITE, M. "Who's the Most Important Person of the Twentieth Century?", 1999. Disponível em: <users.erols.com/mwhite28/20c-vip.htm>.

______. "30 Worst Atrocities of the 20th Century", 2004. Disponível em: <users.erols.com/mwhite28/atrox.htm>.

______. "Deaths by Mass Unpleasantness: Estimated Totals for the Entire 20th Century", 2005a. Disponível em: <users.erols.com/mwhite28/warstat8.htm>.

WHITE, M. "Democracies Do Not Make War on Each Other... Or Do They?", 2005b. Disponível em: <users.erols.com/mwhite28/demowar.htm>.

_______. "Death Tolls for the Man-Made Megadeaths of the 20th Century: FAQ", 2007. Disponível em: <users.erols.com/mwhite28/war-faq.htm>.

_______. "Selected Death Tolls for Wars, Massacres and Atrocities Before the 20th Century", 2010a. Disponível em: <users.erols.com/mwhite28/warstat0.htm>.

_______. "Selected Death Tolls for Wars, Massacres and Atrocities Before the 20th Century, Page 2", 2010b. Disponível em: <users.erols.com/mwhite28/warstatv.htm#Primitive>.

_______. "Death Tolls for the Man-Made Megadeaths of the Twentieth Century", 2010c. Disponível em: <users.erols.com/mwhite28/battles.htm>.

_______. *The Great Big Book of Horrible Things. The Definitive Chronicle of History's 100 Worst Atrocities*. Nova York: Norton, 2011.

WHITE, S. H. "The Relationships of Developmental Psychology to Social Policy". In: ZIGLER, E.; KAGAN, S. L.; HALL, N. (orgs.). *Children, Family, and Government: Preparing for the 21st Century*. Nova York: Cambridge University Press, 1996.

WHITE, T. D.; ASFAW, B.; BEYENE, Y.; HAILE-SELASSIE, Y.; LOVEJOY, C. O.; SUWA, G.; WOLDEGABRIEL, G. "Ardipithecus Ramidus and the Paleobiology of Early Hominids". *Science*, n. 326, pp. 64-86, 2009.

WICHERTS, J. M.; DOLAN, C. V.; HESSEN, D. J.; OOSTERVELD, P.; VAN BAAL, G. C. M.; BOOMSMA, D. I.; SPAN, M. M. "Are Intelligence Tests Measurement Invariant Over Time? Investigating the Nature of the Flynn Effect". *Intelligence*, n. 32, pp. 509-37, 2004.

WICKER, B.; KEYSERS, C.; PLAILLY, J.; ROYET, J.-P.; GALLESE, V.; RIZZOLATTI, G. "Both of Us Are Disgusted in My Insula: The Common Neural Basis of Seeing and Feeling Disgust". *Neuron*, n. 40, pp. 655-64, 2003.

WIDOM, C.; BRZUSTOWICZ, L. "MAOA and the 'Cycle Of Violence': Childhood Abuse and Neglect, MAOA Genotype, and Risk for Violent and Antisocial Behavior". *Biological Psychiatry*, n. 60, pp. 684--89, 2006.

WIENER, M. J. *Men of Blood: Violence, Manliness, and Criminal Justice in Victorian England*. Nova York: Cambridge University Press, 2004.

WIESSNER, P. "From Spears to M-16s: Testing the Imbalance of Power Hypothesis among the Enga". *Journal of Anthropological Research*, n. 62, pp. 165-91, 2006.

_______. "Youth, Elders, and the Wages of War in Enga Province, Papua New Guinea". *Working Papers in State, Society, and Governance in Melanesia*. Canberra: Australian National University, 2010.

WILKINSON, D. *Deadly Quarrels: Lewis F. Richardson and the Statistical Study of War*. Berkeley: University of California Press, 1980.

WILKINSON, D. L.; BEATY, C. C.; LURRY, R. M. "Youth Violence: Crime or Self Help? Marginalized Urban Males' Perspectives on the Limited Efficacy of the Criminal Justice System to Stop Youth Violence". *Annals of the American Association for Political Science*, n. 623, pp. 25-38, 2009.

WILLER, R.; KUWABARA, K.; MACY, M. "The False Enforcement of Unpopular Norms". *American Journal of Sociology*, n. 115, pp. 451-90, 2009.

WILLIAMS, G. C. "Huxley's Evolution and Ethics in Sociobiological Perspective". *Zygon: Journal of Religion and Science*, n. 23, pp. 383-407, 1988.

WILLIAMSON, L. "Infanticide: An Anthropological Analysis". In: KOHL, M. (org.). *Infanticide and the Value of Life*. Buffalo, N. Y.: Prometheus, 1978.

WILSON, E. O. *On Human Nature*. Cambridge, Massachusetts: Harvard University Press, 1978.

WILSON, J. Q. *Thinking About Crime*. Nova York: Basic Books, 1974.

_______; HERRNSTEIN, R. J. *Crime and Human Nature*. Nova York: Simon & Schuster, 1985.

_______; KELLING, G. "Broken Windows: The Police and Neighborhood Safety". *Atlantic Monthly*, n. 249, pp. 29-38, 1982.

WILSON, M.; DALY, M. "The Man Who Mistook His Wife for a Chattel". In: BARKOW, J. H.; COSMIDES, L.; TOOBY, J. (orgs.). *The Adapted Mind: Evolutionary Psychology and the Generation of Culture*. Nova York: Oxford University Press, 1992.

_______. "Life Expectancy, Economic Inequality, Homicide, and Reproductive Timing in Chicago Neighborhoods". *British Medical Journal*, n. 314, pp. 1271-4, 1997.

_______. "Are Juvenile Offenders Extreme Future Discounters?". *Psychological Science*, n. 17, pp. 989--94, 2006.

WILSON, M. L.; WRANGHAM, R. W. "Intergroup Relations in Chimpanzees". *Annual Review of Anthropology*, n.32, pp. 363-92, 2003.

WINSHIP, C. "The End of a Miracle? Crime, Faith, and Partnership in Boston in the 1990's". In: SMITH, R. D. (org.). *Long March Ahead: The Public Influences of African American Churches*. Raleigh, N. C.: Duke University Press, 2004.

WOLFGANG, M.; FIGLIO, R.; SELLIN, T. *Delinquency in a Birth Cohort*. Chicago: University of Chicago Press, 1972.

WOLIN, R. *The Seduction of Unreason: The Intellectual Romance with Fascism from Nietzsche to Post--Modernism*. Princeton, Nova Jersey: Princeton University Press, 2004.

WOOD, J. C. "Self-Policing and the Policing of the Self: Violence, Protection, and the Civilizing Bargain in Britain". *Crime, History, & Societies*, n. 7, pp. 109-28, 2003.

_______. *Violence and Crime in Nineteenth-Century England: The Shadow of Our Refinement*. Londres: Routledge, 2004.

WOOLF, G. *Et tu, Brute? A Short History of Political Murder*. Cambridge, Massachusetts: Harvard University Press, 2007.

WOUTERS, C. *Informalization: Manners and Emotions since 1890*. Los Angeles: Sage, 2007.

WRANGHAM, R. W. "Evolution of Coalitionary Killing". *Yearbook of Physical Anthropology*, n. 42, pp. 1-30, 1999a.

_______. "Is Military Incompetence Adaptive?". *Evolution & Human Behavior*, n. 20, pp. 3-17, 1999b.

_______. *Catching Fire: How Cooking Made Us Human*. Nova York: Basic Books, 2009a.

_______. "The Evolution of Cooking: A Talk with Richard Wrangham". *Edge*, 2009b. Disponível em: <www.edge.org/3rd_culture/wrangham/wrangham_index.html>.

_______; PETERSON, D. *Demonic Males: Apes and the Origins of Human Violence*. Boston: Houghton Mifflin, 1996.

_______; PILBEAM, D. "African Apes as Time Machines". In: GALDIKAS, B. M. F.; BRIGGS, N. E.; SHEERAN, L. K.; SHAPIRO, G. L.; GOODALL, J. (orgs.). *All Apes Great and Small*. Nova York: Kluwer, 2001.

_______; WILSON, M. L.; MULLER, M. N. "Comparative Rates of Violence in Chimpanzees and Humans". *Primates*, n. 47, pp. 14-26, 2006.

WRIGHT, J. P.; BEAVER, K. M. Do Parents Matter in Creating Self-Control in Their Children? A

Genetically Informed Test of Gottfredson and Hirschi's Theory of Low Self-Control". *Criminology*, n. 43, pp. 1169-202, 2005.
WRIGHT, Q. *A Study of War*. Chicago: University of Chicago Press, 1942. v. 1.
_______. *A Study of War*. 2. ed. Resenhado por Louise Leonard Wright. Chicago: University of Chicago Press, 1942/1964.
_______. *A Study of War*. 2. ed., com um comentário sobre a guerra após 1942. Chicago: University of Chicago Press, 1942/1965.
WRIGHT, R. *Nonzero: The Logic of Human Destiny*. Nova York: Pantheon, 2000.
XU, J.; KOCHANEK, M. A.; TEJADA-VERA, B. *Deaths: Preliminary Data for 2007*. Hyattsville, Maryland: National Center for Health Statistics, 2009.
YOUNG, L.; SAXE, R. "Innocent Intentions: A Correlation between Forgiveness for Accidental Harm and Neural Activity". *Neuropsychologia*, n. 47, pp. 2065-72, 2009.
ZACHER, M. W. "The Territorial Integrity Norm: International Boundaries and the Use of Force". *International Organization*, n. 55, pp. 215-50, 2001.
ZAHN, M. A.; MCCALL, P. L. "Trends and Patterns of Homicide in the 20th Century United States". In: SMITH, M. D.; ZAHN, M. A. (orgs.). *Homicide: A Sourcebook of Social Research*. Thousand Oaks, Califórnia: Sage, 1999.
ZAHN-WAXLER, C.; RADKE-YARROW, M.; WAGNER, E.; CHAPMAN, M. "Development of Concern for Others". *Developmental Psychology*, n. 28, pp. 126-36, 1992.
ZAK, P. J.; STANTON, A. A.; AHMADI, S.; BROSNAN, S. "Oxytocin Increases Generosity in Humans". *PLoS ONE*, 2, p. e1128, 2007.
ZEBROWITZ, L. A.; MCDONALD, S. M. "The Impact of Litigants' Babyfacedness and Attractiveness on Adjudications in Small Claims Courts". *Law & Human Behavior*, n. 15, p. 603-23, 1991.
ZELIZER, V. A. *Pricing the Priceless Child: The Changing Social Value of Children*. Nova York: Basic Books, 1985.
_______. *The Purchase of Intimacy*. Princeton, Nova Jersey: Princeton University Press, 2005.
ZERJAL, T.; XUE, Y.; BERTORELLE, G.; WELLS, R. S.; BAO, W.; ZHU, S.; QAMAR, R.; AYUB, Q.; MOHYUDDIN, A.; FU, S.; LI, P.; YULDASHEVA, N.; RUZIBAKIEV, R.; XU, J.; SHU, Q.; DU, R.; YANG, H.; HURLES, M. E.; ROBINSON, E.; GERELSAIKHAN, T.; DASHNYAM, B.; MEHDI, S. Q.; TYLER-SMITH, C. "The Genetic Legacy of the Mongols". *American Journal of Human Genetics*, n. 72, pp. 717-21, 2003.
ZIMBARDO, P. G. *The Lucifer Effect: Understanding How Good People Turn Evil*. Nova York: Random House, 2007.
_______. MASLACH, C.; HANEY, C. "Reflections on the Stanford Prison Experiment: Genesis, Transformations, Consequences". In: BLASS, T. (org.). *Current Perspectives on the Milgram Paradigm*. Mahwah, Nova Jersey: Erlbaum, 2000.
ZIMRING, F. E. *The Great American Crime Decline*. Nova York: Oxford University Press, 2007.
ZIPF, G. K. *The Psycho-Biology of Language: An Introduction to Dynamic Philology*. Boston: Houghton Mifflin, 1935.

Índice remissivo

Os números de páginas em *itálico* referem-se a ilustrações

1ª EDIÇÃO [2013] 4 reimpressões

ESTA OBRA FOI COMPOSTA PELA SPRESS EM DANTE E IMPRESSA EM OFSETE
PELA GEOGRÁFICA SOBRE PAPEL PÓLEN SOFT DA SUZANO S.A.
PARA A EDITORA SCHWARCZ EM SETEMBRO DE 2021